DICIONÁRIO DE AGROECOLOGIA E EDUCAÇÃO

Alexandre Pessoa Dias
Anakeila de Barros Stauffer
Luiz Henrique Gomes de Moura
Maria Cristina Vargas
(Organizadores)

Dicionário de Agroecologia e Educação

1ª edição

expressão POPULAR
Escola Politécnica de Saúde Joaquim Venâncio
Ministério da Saúde
FIOCRUZ
Fundação Oswaldo Cruz
Aqui somos SUS

Rio de Janeiro e São Paulo – 2021

Dados Internacionais de Catalogação-na-Publicação (CIP)

D546 Dicionário de agroecologia e educação / Alexandre Pessoa Dias...[et al.]. --1. ed. -- São Paulo : Expressão Popular ; Rio de Janeiro : Escola Politécnica de Saúde Joaquim Venâncio, 2021.
816 p. : tabs., il.

Vários autores.
ISBN 978-65-5891-037-4
ISBN 978-65-990319-9-1

1. Agroecologia – Dicionários. 2. Agricultura urbana. 3. Assentamentos. 4. Agricultura biodinâmica. 5. Agrotóxicos. 6. Educação. I. Dias, Alexandre Pessoa. II. Título.

CDU 63(038)

Catalogação na Publicação: Eliane M. S. Jovanovich CRB 9/1250

1ª edição: setembro de 2021
1ª reimpressão: abril de 2023

EDITORA EXPRESSÃO POPULAR LTDA
Alameda Nothmann, 806
Sala 06 e 08, térreo, complemento 816
01216-001 – Campos Elíseos – SP
livraria@expressaopopular.com.br
www.expressaopopular.com.br
ed.expressaopopular
editoraexpressaopopular

SUMÁRIO

APRESENTAÇÃO

"No mundo, metade da humanidade tem fome e a outra metade tem medo dos que tem fome". A frase de Josué de Castro tem grande atualidade pois, ainda que tenha se alterado a geografia da fome, a insegurança alimentar permanece como um dos principais problemas da sociedade contemporânea e é uma das faces da crescente desigualdade social. Essa reflexão, associada à crítica a um modelo de desenvolvimento baseado no lucro imediato e que esgota os recursos naturais, está na base do debate contemporâneo sobre Agroecologia, um dos fundamentos para um desenvolvimento efetivamente sustentável.

Tema presente no debate institucional há mais de uma década, a Agroecologia mereceu atenção especial do VIII Congresso Interno da Fundação Oswaldo Cruz, realizado em 2017, que a definiu como um dos temas prioritários ao se estabelecerem diretrizes para a Saúde, Ambiente e Sustentabilidade e para a atuação organizada em torno da Agenda 2030. Para tanto, vem se fortalecendo a perspectiva do trabalho em rede, com forte participação de movimentos sociais, em torno de programas amplos, a exemplo do que se refere a *Territórios Saudáveis e Sustentáveis*.

Por essas razões, vejo com grande satisfação a publicação do *Dicionário de Agroecologia e Educação* pela Escola Politécnica de Saúde Joaquim Venâncio (EPSJV-Fiocruz), uma obra de produção coordenada com o Movimento dos Trabalhadores Rurais Sem Terra (MST) e em parceira com a Editora Expressão Popular. A relação entre conhecimento e prática presente na perspectiva da Agroecologia só pode se realizar plenamente a partir da Educação e é este o principal objetivo da presente obra.

Ao reunir nessa edição 106 verbetes, elaborados por 169 autores de diversas instituições – universidades públicas, institutos federais de educação, movimentos sociais, institutos de pesquisa – e com representação de autores da Argentina, Guatemala e México, ao lado de pesquisadores e educadores brasileiros, o *Dicionário de Agroecologia e Educação* contribui para o conhecimento sobre a multiplicidade de experiências nacionais e locais que dão vida ao conceito de Agroecologia. Resultado de um esforço coordenado, não se trata de uma simples reunião de temas, mas de um projeto integrado baseado em amplo diálogo que envolveu a produção coletiva da obra. O próprio processo de sua construção foi orientado pela perspectiva de se construir conjuntamente uma Pedagogia da Agroecologia.

A presidência da Fiocruz agradece à Escola Politécnica de Saúde Joaquim Venâncio, e a todos os parceiros envolvidos, pela organização desse importante trabalho para a divulgação de saberes e o fortalecimento da ação política necessária à construção de um novo modelo de desenvolvimento.

Nísia Trindade Lima
Presidente da Fiocruz

INTRODUÇÃO

É com grande satisfação que a Escola Politécnica de Saúde Joaquim Venâncio da Fundação Oswaldo Cruz (EPSJV-Fiocruz) entrega aos leitores o *Dicionário de Agroecologia e Educação*, uma obra de produção coletiva, coordenada com o Movimento dos Trabalhadores Rurais Sem Terra (MST) e em parceira com a Editora Expressão Popular.

O dicionário vem ao encontro das necessidades e expectativas dos educadores e educadoras das escolas do campo, inseridos(as) em processos de lutas junto aos movimentos populares, de articular a Agroecologia com o projeto político pedagógico das escolas e desenvolver seus fundamentos junto aos conteúdos escolares. O público a quem se destina esse dicionário é bastante diverso, e almejamos alcançar os/as educadores/as das escolas do campo, das florestas, das águas e das cidades envolvidos nos mais diferentes processos de educação e formação; estudantes e trabalhadores de áreas como saúde, meio ambiente e agrárias; e militantes nos processos formativos e de organização da classe trabalhadora.

Essa edição apresenta 106 verbetes, que envolveu um conjunto importante de 169 autores e autoras – educadores, militantes, pesquisadores – de 68 instituições distintas, dentre estas, universidades públicas, institutos federais de educação, movimentos sociais, instituições públicas de pesquisa, organizações não governamentais e redes. Autores de três países latino-americanos – Brasil, Guatemala e México – puderam contribuir.

A produção coletiva de um dicionário sobre a *Agroecologia* é mais uma ferramenta de luta no confronto ao atual modelo de desenvolvimento capitalista no campo e na cidade, o qual tem produzido contradições ambientais e sociais cada vez maiores e mais profundas. A sociedade de consumo e a mercantilização da vida resultam na ampliação da privatização dos bens comuns, na concentração das terras, na dissociação entre o ser humano e a natureza, bem como no desequilíbrio ecológico. Este processo está inserido num contexto de mudança no núcleo dinâmico do modo de produção do capitalismo em que a hegemonia do capital industrial transita para a do capital financeiro.

As consequências são muitas nas distintas formas de produção da vida e colocam novos elementos para as questões agrária e ambiental. O movimento histórico do capital, portanto, continua alterando as condições da vida social, exacerbando as contradições e promovendo novas tragédias ambientais ao procurar expandir-se ilógica e absurdamente (Fontes, 2010). Nesse sentido, a *Agroecologia* se constitui como um dos pilares fundamentais do projeto de sociedade justa, democrática e que se baseia em novas relações ser humano/natureza.

No processo de construção da consciência, a *Educação* cumpre papel decisivo ao contribuir com a instauração de outras relações do novo homem, da nova mulher, da nova família. O desafio é construir novas relações na direção da emancipação humana ainda sobre as limitadas relações sociais configuradas sob o capitalismo. Ao buscarmos constituir uma obra que contribua para a ação educativa do educador e da educadora do campo e da cidade, nos orientamos pela compreensão de que estes seres humanos são produtos deste tempo histórico, mas podem transformar as circunstâncias e a si mesmos, se autoeducando enquanto sujeitos coletivos.

Nessa elaboração coletiva, refletimos sobre experiências anteriores e avaliamos que o *Dicionário da Educação do Campo* (Caldart *et al.*, 2012), construído também na interlocução entre a EPSJV e o MST, tornou-se um instrumento não só para a Educação do Campo, mas ampliou seu uso para outros processos formativos da classe trabalhadora. No *Dicionário de Agroecologia e Educação*, optamos por atualizar, em alguns casos, verbetes existentes ou proporcionar um enfoque diferente da obra anterior.

É importante esclarecer que, no momento de elaboração daquele dicionário, há nove anos, a Agroecologia não se constituía ainda como uma síntese central para a Educação do Campo. No entanto, já se consolidava como base fundante não de uma alternativa, mas sim do único projeto possível de produção de alimentos e matérias-primas que atende às necessidades das famílias trabalhadoras da cidade e do campo, bem como da Mãe Terra.

O semear da Agroecologia vem de longe. Entrelaçando lutas populares, conhecimento tradicional e conhecimento acadêmico, movimentos populares e ONGs que trabalham com Agroecologia constituíram as forças de enfrentamento ao latifúndio e à Revolução Verde no início de 1980. Suas origens não estão em tecnologias milagrosas ou pacotes "ecológicos", mas sim no desenvolvimento de metodologias de trabalho popular e diagnósticos da realidade que, articuladas a sistemas de aperfeiçoamento e inovação horizontais dos agroecossistemas, produziram uma diversidade de iniciativas nos distintos biomas do país.

Também não é fruto exclusivo do campesinato brasileiro. Em todo o mundo, o movimento camponês enfrentou o modelo de exploração capitalista da agricultura com a organização popular e lutas de denúncia e defesa de seus territórios e com o fortalecimento de manejos produtivos que garantissem uma autonomia relativa dos territórios frente ao capital, baseados em refuncionalização de práticas tradicionais. As articulações internacionais iniciais entre movimentos camponeses, universidades e ONGs, durante o final da década de 1980, possibilitaram muitos intercâmbios de formas de luta e, principalmente, de como articular as inúmeras experiências de agricultura contra-hegemônicas que se consolidavam.

A constituição da Via Campesina em âmbito mundial, no início dos anos 1990, potencializou esse intercâmbio e a elaboração coletiva de uma nova agricultura camponesa frente à capitalista, em um período de emergência do que viria a ser o agronegócio. Na América Latina, nesse período se conformam dois processos importantes: a *Coordenadoría Latinoamericana de Organizaciones del Campo* (Cloc), articulando movimentos camponeses com forte metabolismo socioecológico; e o Período Especial cubano, que se transforma em uma verdadeira revolução agroecológica. É no mesmo período que se articula também o *Movimiento Agroecológico de América Latina y el*

Caribe (Maela), uma rede de ONGs e organizações territoriais que foi decisiva para os intercâmbios das práticas e elaborações agroecológicas no continente.

Esse processo atravessou a década de 1990 produzindo uma série de saltos qualitativos, ora articulando encontros de estudantes, profissionais e pesquisadores, ora implementando sistemas de assistência técnica inspirados na metodologia *Campesino a Campesino* (de países como Guatemala, Nicarágua e Cuba), intercâmbios, pesquisas participativas, feiras e bancos de sementes. A diversidade de iniciativas e formas organizativas que envolviam movimentos populares, grupos locais, ONGs, movimento estudantil, sindical e agrário de várias partes do território nacional amadureceu com esses processos e resultou na construção de redes de articulação, de forma que as várias experiências pudessem produzir sinergias.

A efervescência desse período tem imediata relação com o avanço de uma nova forma de organização do capitalismo no campo. A entrada das sementes transgênicas, base produtiva da agricultura capitalista a partir da segunda metade da década de 1990, é um ponto-chave para compreender a convergência nas trajetórias dos movimentos de luta pela terra e da Agroecologia. Isso porque os transgênicos representam a consolidação do neoliberalismo no campo. Do ponto de vista técnico, tem-se o controle sobre as sementes; do ponto de vista econômico, tem-se o atrelamento dos agricultores a um reduzido grupo de transnacionais; e do ponto de vista político, tem-se o peso dessas empresas sobre os governos nacionais. As políticas resultantes desse modelo reduziram as possibilidades de reforma agrária e de transição agroecológica. Daí a articulação para enfrentá-lo, que produz um efeito dialético de ampliação das formas produtivas que se direcionam para a reconstrução ecológica da agricultura.

A consolidação político-ideológica do agronegócio, a partir dos anos 2000, significou a entrada do Brasil num novo ciclo de reprimarização da economia. Outras redes e movimentos estavam organizados no país para denunciar os efeitos sociais e ambientais resultantes da busca por crescimento econômico a qualquer custo. Esses movimentos foram aos poucos identificando a necessidade de ter um projeto próprio que pudessem defender, para além de evidenciar o modelo que rejeitavam. São frutos desse entendimento os Encontros Nacionais de Agroecologia (ENAs) e, mais adiante, o encontro Diálogos e Convergências, em 2011, convocado pelos movimentos de justiça ambiental, economia solidária, comunicação popular, feminismo, segurança e soberania alimentar e nutricional e saúde ambiental. A luta pela Agroecologia passou a ser abraçada também por esse amplo conjunto de sujeitos. A retomada de uma campanha contra os agrotóxicos[1] e o novo leque de alianças que ela motivou – culminando dentre uma de suas ações na elaboração do *Dossiê Abrasco*[2] – podem ser consideradas como produtos desse processo de convergência de lutas.

Ao mesmo tempo, os movimentos populares camponeses passam a organizar as diversas experiências concretas existentes, até então muito dispersas, de modo a incluir a Agroecologia dentro de suas diretrizes programáticas, entendendo a

1 Campanha Permanente Contra o Uso de Agrotóxicos e Pela Vida, criada em 2011; página oficial: https://contraosagrotoxicos.org/.

2 Associação Brasileira de Saúde Coletiva (Carneiro *et al.*, 2015).

Agroecologia como único projeto viável para o campesinato brasileiro. O Encontro Unitário dos Trabalhadores, Povos do Campo, das Águas e das Florestas, realizado em agosto de 2012, as Marchas das Margaridas (especialmente as de 2011 e 2015) e os Congressos Nacionais do MST[3] demonstram a centralidade que a Agroecologia assume nessas organizações e em suas reivindicações políticas.

Outro processo mais recente, mas nem por isso menos importante, tem sido a significativa ampliação da base social que se identifica com a Agroecologia e que reconhece a Articulação Nacional de Agroecologia (ANA) como um espaço agregador. Aqui nos referimos aos povos indígenas, aos quilombolas e aos povos e comunidades tradicionais, como as quebradeiras de coco, entre outros. Essa identificação reconhece e ao mesmo tempo reforça uma das características fundantes da Agroecologia, que é a valorização das práticas tradicionais e do conhecimento local associado.

Esses encontros, em boa parte, são resultado das ações territoriais de construção da Agroecologia e de intercâmbios e trocas de experiências que nos últimos tempos vêm mobilizando esses sujeitos nos diferentes biomas. O processo de consultas para construção da Política Nacional de Agroecologia e Produção Orgânica (Brasil, 2012), sua implementação e o próprio funcionamento da Comissão Nacional de Agroecologia e Produção Orgânica (CNAPO) consolidaram a capacidade de rede e articulação das organizações de caráter territorial ou nacional para construção de uma perspectiva agroecológica para o campo brasileiro.

É essa confluência que nos permite dizer que a Agroecologia conforma um movimento que permeia muitos movimentos populares. Nesse processo, cada região, bioma e sujeito que foi se aproximando trouxe diferentes olhares e referenciais. Alguns conceitos foram criados e outros ganharam novos significados à luz do processo de construção da Agroecologia e dos desafios impostos pela conjuntura. A contínua interpretação e interiorização de conceitos trazidos pelas práticas locais – tais como rede, escala, território, experiência, cosmovisões – é que vem ajudando a construir o entendimento que temos sobre a Agroecologia no Brasil e na América Latina.

O livro que está em suas mãos busca contribuir para a sistematização da Agroecologia no Brasil, a partir de um conjunto amplo e diverso de olhares, identificando os seus fundamentos centrais e como eles podem ser compreendidos pelo conjunto da classe trabalhadora. Algumas questões fomentaram a urgência de sua elaboração, a saber: o que as crianças, jovens e adultos precisam compreender sobre a lógica agroecológica de estabelecer relações entre ser humano e natureza? Qual é o básico – no sentido da constituição dos fundamentos científicos – que as pessoas precisam compreender sobre a Agroecologia? Identificamos que a construção deste dicionário nos dará novas pistas e sínteses para situarmos a Agroecologia num projeto de transformação social.

Não consideramos, porém, a Agroecologia como um novo projeto de sociedade. Ela só poderá atingir a sua completude em outra sociedade. Faz-se necessário discutir

[3] Desde seu 4° Congresso, o MST aponta a necessidade de construir uma outra matriz tecnológica de bases sustentáveis, o que é reconhecido como a Agroecologia no 5° Congresso, em 2007, e reafirmada como única possibilidade para o campesinato brasileiro no 6° Congresso, em 2014.

sobre Agroecologia a partir da crítica à sociedade capitalista, transformando-a em processo orgânico em que as experiências e a sua síntese, do ponto de vista técnico, político e histórico, possam atingir uma ampla escala. A Agroecologia, como pontuamos sinteticamente nessa introdução, abarca uma diversidade de sujeitos, espaços, concepções, práticas e formas de luta; envolve convergências e contradições, e se encontra hoje, mais do que nunca, em disputa. Buscamos apresentar, portanto, o próprio processo de produção de conhecimento sobre a Agroecologia – compreendendo o conhecimento como aproximações contínuas sobre a realidade, demonstrando que não há neutralidade em sua construção.

Nessa perspectiva, a Agroecologia questiona as exigências formativas da pedagogia do capital. Os movimentos de camponeses, indígenas e quilombolas, entre outros sujeitos, reforçam a relação entre a Agroecologia e a luta pela Reforma Agrária Popular, pela demarcação das terras indígenas e pelo reconhecimento dos territórios quilombolas, assim como com outras formas não mercantis de apropriação da terra, dos bens naturais e culturais, logo, também com outras maneiras de produzir a existência, não restritas exclusivamente ao lucro.

A relação entre educação e Agroecologia se apresenta como um espaço fecundo de elaboração. As experiências educativas agroecológicas em curso, em particular no contexto brasileiro, têm se referenciado nos fundamentos da pedagogia do trabalho e da educação popular, trazendo matrizes teóricas que exigem o diálogo entre a educação, o trabalho e a cultura por meio da articulação orgânica entre os processos produtivos e educativos.

A Agroecologia se anuncia como um terreno fértil de criação de novas relações de trabalho, na direção da emancipação social em compromisso com a humanidade e seu futuro, o que se relaciona com a defesa da vida, da saúde e do ambiente, em uma perspectiva de totalidade. Ela é estratégica para a promoção da saúde nos territórios e na elaboração de políticas públicas que visem a estruturação da soberania alimentar.

Ao ter como centralidade essas concepções pedagógicas, a Agroecologia agrega diferentes áreas de conhecimento para apreender a relação sociedade e natureza. Ao incorporar diferentes tipos de conhecimentos, engloba, portanto, as distintas formas de produzir e reproduzir a cultura e o conhecimento nos processos formativos formais, não formais e informais, fomentando a constituição de novas relações e práticas sociais.

O conhecimento agroecológico se estabelece no diálogo entre o conhecimento popular e o conhecimento científico, entre a teoria e a prática, entre a realidade imediata e a totalidade social. Coloca os diferentes sujeitos – camponeses e povos originários e tradicionais, educadores, técnicos, e pesquisadores – em relação. Valoriza o conhecimento dos povos originários, tradicionais e comunidades camponesas, com o objetivo de construir, em diálogo com o conhecimento técnico-científico, saberes e experiências atuais que problematizem e transformem a realidade. A produção e a socialização do conhecimento agroecológico exigem uma pesquisa sistemática da realidade com a contribuição efetiva dos diferentes sujeitos.

A presente publicação, datada historicamente, insere-se em um contexto de profunda degradação ambiental e de mercantilização da vida, expressando-se dramaticamente na particularidade atual brasileira – crimes da mineração, liberação intensiva de novos agrotóxicos, desmatamento, queimadas e diversas formas de agressão e espoliação dos bens comuns. Soma-se a esse cenário desastroso uma intensa retirada de direitos trabalhistas e previdenciários, além de processos de mercantilização da educação, da saúde e de outros direitos sociais. Todas essas ações são orquestradas a favor da acumulação do capital e em detrimento da vida. Esse dicionário soma-se à denúncia dessa condição e à luta por novas formas de organizar a produção da vida.

O processo de construção do dicionário

Para a construção desse dicionário, tomamos como referências o *Dicionário de Educação Profissional em Saúde* (Pereira; Lima, 2008) e o *Dicionário da Educação do Campo* (Caldart *et al.*, 2012), buscando realizar uma expressão coletiva da Agroecologia e suas dimensões centrais – ciência, práxis e movimento – com a intenção de fortalecer a Agroecologia e, em particular, auxiliar os processos de formação nessa direção.

Não pretendemos que o dicionário tenha um sentido normativo, e sim uma perspectiva crítica, de diálogo com/entre os diversos sujeitos envolvidos. Também buscamos nos afastar da dimensão meramente instrucional ou informativa, no sentido de como desenvolver técnicas agroecológicas, pois já existe uma quantidade razoável de material publicado.

Inicialmente fizemos uma consulta às pessoas e às instituições parceiras no sentido de indicarem verbetes para a constituição da obra, visto que são sujeitos, individuais e/ou coletivos, que vêm produzindo sobre a Agroecologia. Com um primeiro acúmulo de algumas centenas de sugestões, a coordenação da publicação agrupou alguns conceitos e temáticas em verbetes-síntese e estabeleceu preliminarmente quatro eixos agregadores, apresentados e discutidos coletivamente em uma oficina realizada em junho de 2018 no Rio de Janeiro. A partir da oficina, foi possível aprimorar os eixos, seus verbetes e ementas.

Ao organizar esta obra, os eixos se tornaram guias metodológicos, não sendo os definidores da forma final do *Dicionário* – que se apresenta, portanto, em ordem alfabética. No entanto, para facilitar o reconhecimento pelo(a) leitor(a), em todo verbete haverá um ícone específico que o identificará ao seu eixo de origem. Também ao final do *Dicionário* haverá a lista dos eixos e seus verbetes correspondentes para que o(a) leitor(a), na constituição de seus percursos de leitura, possa consultá-los, caso assim o deseje.

O primeiro eixo – denominado *Metabolismo socioecológico: questão agrária, sociedade e natureza* – tem por objetivo discutir a complexa interdependência entre os seres humanos e a natureza, ou seja, as relações históricas entre a sociedade e a natureza. Inclui, assim, as condições impostas pela natureza (como os biomas, por exemplo) e a capacidade dos seres humanos de transformar seus processos por meio do trabalho. Abrange, portanto, essa relação inscrita no modo de produção capitalista tardio, no contexto do antagonismo campo e cidade, do conflito entre o agronegócio e o campesinato, da depredação da natureza e da superexploração do trabalho, entre outros. Identifica também os sujeitos que se rebelam, se organizam e lutam contra o sistema, suas propostas e elaborações teóricas na construção da Agroecologia. Aborda, enfim, as tecnologias que impulsionaram o desenvolvimento do capital no campo e a industrialização da agricultura, bem como as modernas tecnologias de manipulação da vida. É um eixo composto por 44 verbetes, envolvendo um conjunto de 74 autores e autoras e sendo identificado pelo ícone ✥.

O segundo eixo – *Agroecologia e bases ecológicas da agricultura* – buscou trazer o debate sobre a Agroecologia em sua dimensão de ciência que fornece tanto as bases teóricas e metodológicas para o manejo sustentável dos agroecossistemas como estabelece o diálogo entre os conhecimentos tradicionais e os complexos sistemas que usam os recursos locais para minimizar a necessidade de insumos externos. Nessa direção, remete-se às práticas agroecológicas enquanto estratégias dos agricultores familiares, povos indígenas e povos e comunidades tradicionais na luta por autonomia e segurança alimentar. Trata-se de um campo multidisciplinar de conhecimentos que aplica a visão de sistemas e princípios da Ecologia no desenho e no estudo da produção agrícola, pecuária e florestal, nas suas relações internas e com o meio no qual está inserida. Neste eixo foram agrupados 16 verbetes (cujo ícone é ❋), escritos por 27 autores e autoras que trazem, portanto, os princípios centrais da Agroecologia e de algumas correntes e práticas da agricultura alternativa que se fundamentam em tais princípios.

O terceiro – *Organização popular, agroecologia e Estado* – procurou trazer para o debate a Agroecologia em seu processo de consolidação, como elemento dinâmico da totalidade de um projeto emancipatório dos povos, fomentando uma dimensão transformadora vinculada a uma práxis territorialmente localizada nas múltiplas expressões do campesinato. Entretanto, a Agroecologia não está circunscrita a um projeto autárquico do campesinato, mas está baseada em uma perspectiva de superação da ruptura metabólica empreendida pelo desenvolvimento do modo de produção capitalista. Nessa perspectiva, a Agroecologia se relaciona dialeticamente entre a organização popular e o Estado, uma vez que seus sujeitos – trabalhadores do campo e da cidade – estão em constante articulação e mobilização, realizando o embate em torno dos aparelhos estatais e da efetivação de políticas públicas. Os verbetes articulados por este eixo buscam compreender as mediações entre esses processos, aprofundando conceitos, formas organizativas da luta popular e políticas públicas conquistadas nas últimas décadas pela classe trabalhadora. Estão reunidos, aqui, 24 verbetes, escritos por 35 autores e autoras, identificado pelo ícone ❁.

O quarto e último eixo – *Educação, Saúde, Cultura e Agroecologia* – coloca a necessidade de novas exigências formativas na interface entre natureza, trabalho e cultura, em contraposição à pedagogia do capital, ao compreender a Agroecologia como reconstrução ecológica e social da agricultura. A relação entre Agroecologia e educação tem por centralidade o trabalho no campo, desenvolvido pelos movimentos e sujeitos sociais em luta na direção da emancipação social, comprometendo-se com a humanidade e seu futuro – o que se relaciona com a defesa da vida e questões relacionadas à saúde e ao ambiente, em uma perspectiva de totalidade. Fundamenta-se, assim, nos pressupostos da Pedagogia Socialista, da Pedagogia do Movimento, da Educação do Campo e da Educação Popular, produzindo o diálogo entre o conhecimento popular e o conhecimento científico, com necessária relação entre teoria e prática, instigando a investigação sobre a realidade imediata em conexão com a totalidade social. Engloba, portanto, as distintas formas de produzir e reproduzir a cultura e o conhecimento nos processos educativos formais, não formais e informais, fomentando a constituição de novas relações e práticas sociais. Esse eixo nos fornece um amplo leque de temáticas, tais como a incorporação da Agroecologia à Educação Básica, algumas experiências educacionais em Agroecologia e práticas e saberes em saúde, contrapondo-se aos processos contemporâneos de privatização e mercantilização da educação pública. Envolvendo 52 autores e autoras em seu processo de elaboração, apresenta 22 verbetes que poderão ser reconhecidos pelo ícone .

Para dar uma maior unidade à obra, estabelecemos uma orientação geral a todos os autores: redigir textos aprofundados e conceitualmente rigorosos, mas com linguagem acessível. Assim, foi solicitado aos/às autores/as que desenvolvessem a gênese, o desenvolvimento e a atualidade de cada assunto tornado verbete, salientando a práxis (a articulação entre a teoria e prática) como uma necessidade para avançarmos na construção da Agroecologia. Sugerimos também que, sempre que possível, os/as autores/as indicassem sugestões de materiais de apoio ao desenvolvimento do tema, pensando nos/as educadores/as a quem se destina prioritariamente esse material. Esse esforço de organização procura expressar um todo coerente, sendo possível ao leitor identificar a intertextualidade, as referências cruzadas entre os verbetes que compõem o dicionário.

No processo de construção do dicionário, problematizamos e debatemos coletivamente se deveria ser elaborado um verbete específico sobre "Agroecologia", uma vez que a compreendemos como síntese e em relação a múltiplas conexões. Chegamos à conclusão de que seria estratégico para os nossos objetivos apresentar uma síntese (ainda que provisória) centrada nos sujeitos sociais que estão em sua origem, que a objetivam em sua práxis cotidiana e que a constituem como luta – os camponeses e camponesas e povos originários e tradicionais –, pois isso nos permite demarcar o nosso campo de disputa em torno do que seja a Agroecologia. O(a) leitor(a) poderá observar que grande parte dos verbetes traz concepções próprias sobre a Agroecologia, de maneira a contemplar a diversidade do debate entre os movimentos e as organizações, embora sem pretender esgotá-lo.

Também há que se destacar que esta obra foi possível devido ao árduo trabalho dos coordenadores de eixos, especialistas nos temas em questão, que conduziram um intenso processo de articulação e diálogo com autores, e que também se tornaram revisores dos verbetes, pensando minuciosamente em todo o processo de concepção, de escrita e de revisão.

Antes de finalizar esta introdução, precisamos agradecer às pessoas que se dedicaram a construir em muitas mãos esse projeto coletivo. Ela não teria sido possível sem o comprometimento, a disciplina e o companheirismo dos autores e das autoras desta obra; além disso, foi de fundamental importância o trabalho da secretaria, a quem agradecemos na pessoa de Talles Reis, que operacionalizou os encaminhamentos e articulações entre coordenadores e autores.

Agradecemos aos revisores e revisoras que se dispuseram a dialogar com a obra e compreenderam que a construção deste dicionário é um ato de militância em favor da constituição de um país soberano. De igual maneira, agradecemos a todos os trabalhadores e trabalhadoras da Escola Politécnica de Saúde Joaquim Venâncio/Fiocruz que se envolveram em cada tarefa necessária para viabilizar a elaboração, produção e edição deste dicionário.

Um agradecimento especial à presidência da Fiocruz, na figura de sua presidente, Nísia Trindade Lima, e à vice-presidência de Ambiente, Atenção e Promoção da Saúde, na figura de Marco Antônio Carneiro Menezes, que acreditaram na relevância deste trabalho, investindo para que este enfim se concretizasse. Agradecemos também o apoio da Fundação Heinrich Böll, por meio de seu escritório no Brasil.
Esperamos que esse trabalho coletivo propicie uma leitura tão rica quanto seu processo de elaboração, contribuindo para que cada leitor e leitora produza sua *contrapalavra* (Bakhtin; Volochínov, 1992) e que possamos compreender que “os obstáculos não interrompem a história ...[e] que o homem cabe apenas na utopia” (Sábato, 2000, p. 165). Sigamos!

Alexandre Pessoa Dias
Anakeila de Barros Stauffer
Luiz Henrique Gomes de Moura
Maria Cristina Vargas
Organizadores

Caroline Bahniuk
Dominique Guhur
Gabriel Bianconi Fernandes
Coordenadores dos eixos

Julho de 2021

Referências

BAKHTIN, M.; VOLOCHÍNOV, V. N. *Marxismo e Filosofia da Linguagem*. São Paulo: Hucitec, 1992.
BRASIL. Decreto n. 7.794, de 20 de agosto de 2012. Institui a Política Nacional de Agroecologia e Produção Orgânica. Brasília: Presidência da República, Casa Civil, Subchefia para assuntos jurídicos, 2012.
CALDART, R. S. *et al. Dicionário da Educação do Campo*. Rio de Janeiro/São Paulo: Escola Politécnica de Saúde Joaquim Venâncio/Expressão Popular, 2012.
CARNEIRO, F. F. *et al.* (org.) *Dossiê Abrasco*: um alerta sobre os impactos dos agrotóxicos na saúde. Rio de Janeiro/São Paulo: EPSJV/Expressão Popular, 2015.
PEREIRA, I. B.; LIMA, J. C. F. (org). *Dicionário de Educação Profissional em Saúde*. Rio de Janeiro: EPSJV, 2008.
FONTES, V. *O Brasil e o capital-imperialismo. Teoria e história*. 2. ed. Rio de Janeiro: EPSJV/Editora UFRJ, 2010. 388 p.
SÁBATO, E. *Antes do Fim: Memórias*. São Paulo: Companhias das Letras, 2000.

A

ACAMPAMENTOS E ASSENTAMENTOS

Geraldo Gasparin
Rosmeri Witcel
Marina dos Santos

Trataremos aqui não da gênese dos *acampamentos* e dos *assentamentos*, mas de seus vínculos orgânicos e de como foram se constituindo em formas organizadas para impulsionar a luta pela terra no Brasil a partir do final dos anos 1970 e início dos 1980. Em cada contexto específico, em função das condições da própria luta e da necessidade de responder a seus desafios, esses territórios de luta e resistência também foram adquirindo novos sentidos e conteúdos.

A respeito dos inúmeros fatores que estão na gênese da retomada da luta pela terra e do surgimento do Movimento dos Trabalhadores Rurais Sem Terra (MST)[1] os acampamentos foram uma das primeiras formas encontradas para dar visibilidade à luta dos Sem Terra. Com o próprio desenvolvimento do MST, a forma organizativa *acampamento* foi se consolidando como a porta de entrada na organização política. Assim, há de se supor que as dinâmicas estabelecidas dentro dos acampamentos vão ter seu reflexo imediato sobre a formação e desenvolvimento dos assentamentos de reforma agrária.

Combatendo a clássica acusação dos latifundiários e dos inimigos da reforma agrária de que os acampamentos são amontoados de pessoas e de reprodução da miséria, reafirmamos que estes são, antes de tudo, espaços de luta e resistência. Por isso que, em sua constituição física, levam em conta os aspectos geográficos que criam as melhores condições para a resistência onde ela se faz necessária.

Em geral, os acampamentos possuem um arranjo espacial linear ou em forma de círculos. São formados núcleos de moradia que comumente se transformam em núcleos de base pela representação de no mínimo dez famílias. Cada núcleo tem a representação de um coordenador e uma coordenadora. Em cada núcleo de base, os membros assumem uma tarefa específica no conjunto das tarefas organizadas para manter o próprio acampamento – da alimentação, saúde, educação à organização dos processos de luta. São diversas as comissões e equipes que dão a dinâmica de um acampamento. Assim, num acampamento, os espaços físicos são criados com o objetivo de atender às diversas necessidades: espaço para a escola, para as reuniões das equipes, assembleias, para o lazer, aonde se organiza a segurança, a horta comunitária etc.

O acampamento é o lugar do encontro dos despossuídos da terra: trabalhadores rurais, atingidos por barragens, boias-frias, arrendatários, meeiros, pequenos proprietários, parceiros, desempregados. Enfim, famílias que estavam desprovidas do seu direito de produzir alimentos. Trabalhadores expulsos por um projeto de agricultura capitaneado pela ditadura civil-militar (1964-1984), que prometia a "modernização" do campo quando, na verdade, estimulou a concentração de terra, o uso massivo de agrotóxicos, a mecanização, baseados em fartos créditos rurais (exclusivos ao latifúndio); ao mesmo tempo que ampliavam o controle da agricultura nas mãos de grandes conglomerados agroindustriais, na sua maioria pertencentes a corporações internacionais.

Ao organizar os acampamentos, o MST explicita o combate à desigualdade e à miséria no meio rural, a luta pela justa distribuição da terra contra um latifúndio violento e atrasado, a luta pela reforma agrária e por um novo projeto de agricultura e por transformações sociais profundas. As primeiras grandes lutas massivas por meio de acampamentos estão associadas às ocupações de terra, carregando consigo as principais formas organizativas do MST por meio desses objetivos explicitados.

Assim, os acampamentos, por si só, contêm uma denúncia explícita: a da injusta distribuição da terra no Brasil. Chamam atenção para o fato de que há muita gente sem terra e muita terra sem gente, e estabelecem uma forma de luta que foi se consolidando como referência aos trabalhadores e trabalhadoras que querem mudar de vida e produzir com dignidade a sua existência.

É importante compreender também o caráter político dos acampamentos. Seja na beira de rodovias, seja nas ocupações de latifúndios, foram as formas de lutas principais da reforma agrária, resultado de um amplo trabalho de base, de conscientização e de preparação de lideranças que coordenam essas lutas massivas, tendo por objetivo pressionar governos e mobilizar a sociedade sobre o problema da má distribuição de terra no Brasil. O caráter político é, sobretudo, porque estes acampamentos são organizados sob a lógica da participação efetiva e não da delegação de poderes e da representação. É político porque se organizam com base em instâncias coletivas de decisão, começando com os núcleos de base compostos por um determinado número de famílias, como as assembleias, e avançando para instâncias participativas de gestão e de trabalho, chamadas de setores e ou coletivos, que se ocupam dos mais diversos assuntos e ações necessários ao funcionamento e manutenção daquele acampamento, como alimentação, saúde, educação, mobilização, cultura, comunicação, produção, segurança, formação política, gênero, finanças, juventude etc.

Queremos evidenciar o aspecto da organicidade dos acampamentos, que reconhece a importância de cada um de seus membros. Pelos princípios organizativos, só é acampado quem desenvolve alguma tarefa, seja ela de caráter mais prático, seja de caráter mais político. Essa é a principal maneira do povo exercer de fato a democracia, na prática. Não delegando poder, mas se fazendo representar. Ali, cada pessoa é convidada a participar, a dar a sua contribuição, a sua opinião, ou ela se autoexclui do processo. E é ali, no núcleo de base, que as famílias constroem suas normas de convivência, constroem novas sociabilidades na vida comunitária – onde a democracia é um exercício real.

O caráter político se destaca também porque o acampamento é sempre um momento de ruptura na vida dos indivíduos que dele participam. A determinação de enfrentar as difíceis condições sob os barracos – em geral de lona preta, nas beiras das estradas e/ou nos latifúndios – é de quem quer mudar de vida, de quem quer transformar a realidade. O acampamento pressupõe não apenas o ingresso em uma luta, mas o potencial rompimento com uma posição passiva frente à situação de pobreza e marginalização vivida pelo sem-terra. A ruptura também faz referência à experimentação de uma nova situação de vida, com a possibilidade de aprendizagem de uma forma de convivência mais coletiva e comunitária. Agora, no acampamento, o sujeito se reconhece como um coletivo e portador de direitos. Descobre, pela prática e pelos processos de formação, que acampar sem ocupar dificilmente leva à conquista da terra. Mas descobre ainda que, ao romper a cerca do latifúndio de forma coletiva, tensiona também com várias outras cercas, como a do individualismo, do egoísmo. Reconhece rapidamente que precisa lutar contras outras cercas, como a da comunicação, a do capital, a da intolerância, a do analfabetismo.

Por fim, ainda em seu caráter político, a ocupação do latifúndio é uma das maneiras encontradas para pressionar os governos. É um fator importante nas negociações, pois gera contradições e mostra para a sociedade e para o poder político que a solução para o conflito está no processo de desapropriação do latifúndio, na distribuição da terra, na realização da reforma agrária. Sabidamente, foram as ocupações de terras nos latifúndios que não cumprem a sua função social que transformaram o MST num dos maiores movimentos populares da luta pela terra, mas também, na atualidade, da luta anticapitalista, da luta antissistêmica no mundo.

Um terceiro aspecto e imbricado aos anteriores diz respeito ao caráter pedagógico, ao caráter formativo. O acampamento é reconhecidamente um espaço privilegiado de formação dos futuros assentados, de projeção de como será o assentamento, partindo da organização da produção e chegando aos aspectos sociais, da moradia, da educação, da organização dos espaços comunitários. A relevância no aspecto formativo é reconhecida quando os participantes podem se constituir "como um novo sujeito social, no sentido de sujeito coletivo que passa a participar dos embates sociais" (Caldart, 2004, p. 34) Todavia, ao participarem da luta pela terra, os Sem Terra reorganizam sua identidade social com base nessa experiência singular, posto que a ocupação de terra e a vida no acampamento proporcionam uma experiência que questiona os padrões culturais prévios dos acampados, levando a uma "mudança de conceitos, de valores, de postura diante de determinadas realidades" (Caldart, 2004, p. 35). É esse processo de tomada de consciência que confere esse caráter formativo aos acampamentos do MST. É o novo ser social – não mais um indivíduo isolado em sua problemática social, mas um sujeito coletivo – que vai proporcionando uma nova consciência social.

Todavia, a experiência de acampar e ocupar o latifúndio é ímpar. Ao ocupar um latifúndio, mais do que romper a cerca, o indivíduo tensiona uma visão de mundo que afirma que nada pode ser mudado, que remete a uma aceitação da passividade, da eterna repetição de que a propriedade privada é sagrada, e se permite um momento de crítica com relação à situação que lhe é apresentada como imutável. Em conjunto, eles vão criando a possibilidade de tomar em suas mãos a rédea de sua história, de fazer seu próprio e diferente caminho. Esse é, a nosso ver, o caráter pedagógico dos acampamentos e de suas necessárias ocupações. É uma revolução nas consciências das pessoas e que, em geral, não tem mais caminho de volta. A participação no MST pela "porta" dos acampamentos permite romper com a fragmentação do sujeito e de sua consciência; de um indivíduo alienado de si mesmo e do mundo ele se torna portador de direitos e de uma nova sociabilidade que só a luta faz construir.

São os acampamentos, com seu caráter formativo, o espaço privilegiado de preparar as lideranças, de qualificá-las para as diferentes tarefas que terá de conduzir. É nos acampamentos e nos seus intensos processos de luta e resistência que os militantes se forjam e se comprometem a ajudar a resolver os problemas do povo sem-terra.

Poderíamos ainda tratar das formas organizativas diferenciadas dos acampamentos, sobretudo pelo perfil do seu público e das conjunturas políticas que vão mudando, embora mantenham a mesma essência. Citamos, por exemplo, os acampamentos/assentamentos comunas: trata-se de uma forma de acampamento organizado pelo MST desde o início dos anos 2000. Caracterizam-se por um perfil de público originário da periferia dos grandes centros urbanos; quando consolidados os assentamentos, as terras geralmente se situam próximas às grandes cidades, tendo unidades produtivas em geral menores de 5 hectares. A agroecologia e a cooperação agrícola encontram importante adesão e o acesso à terra incorpora diversas formas coletiva.

Outra referência importante são os acampamentos produtivos ou assentamentos populares, realizados a partir da ocupação dos latifúndios. Ao se consolidar a ocupação, estabelece-se uma dinâmica e um planejamento para que as famílias produzam para o autoconsumo e vendam o excedente como forma de autossustento. A opção pelo trabalho cooperado e pela produção agroecológica também é estimulada constantemente, como forma de melhorar a qualidade de vida das famílias. Reconhecidamente, os acampamentos terão melhor condição de resistência, dada a capacidade de organizar a produção e, portanto, as condições econômicas das famílias.

Outra modalidade é a dos acampamentos permanentes e abertos, como fatores de mobilização das famílias que querem lutar pela terra. Conforme as famílias anteriores, pelos processos de luta, vão conquistando a terra, novas pessoas vão se incorporando no processo do acampamento permanente que se mantém aberto, acolhendo novos sem-terra.

Em relação aos acampamentos, cabe ainda ressaltar a preocupação fundamental com a escolarização básica. Acampamentos não são estabelecidos sem que a questão da educação seja equacionada, seja pelas escolas itinerantes, como espaços móveis de discussão e aprendizados no campo, seja pelas escolas mantidas pelos governos estaduais e/ou municipais onde os acampamentos se localizam. Em geral, é a mobilização intensa das famílias acampadas, na maioria das vezes sem o apoio do Estado, que garante a construção de escolas onde se cultiva a vida comunitária na luta pela terra.

A questão dos *assentamentos*, mesmo na singularidade das experiências do MST, não pode ser tratada como uma espécie de "modelo" único. Não seria o caso de fazer esse tipo de abordagem, já que são centenas de formas e projetos de assentamentos localizados em praticamente todo o território nacional. Trataremos não das singularidades dos assentamentos, mas dos elementos mais comuns e que conformam uma totalidade desta forma de produzir e conviver na agricultura.

Simplificadamente, poderíamos afirmar que os assentamentos são o resultado dos processos de lutas dos acampamentos, das ocupações de terras, das jornadas de lutas, das mobilizações que geram pressões políticas para que se "atenda" a pauta dos sem-terra. Conquistada a terra, iniciam-se outros processos de luta para garantir as condições dignas para se produzir no campo, sobretudo com uma infraestrutura produtiva adequada. A disputa por políticas públicas que garantam a instalação desses assentamentos já é parte considerável das energias gastas nos processos de luta.

Nesse sentido, não podemos formular um conceito preciso, definitivo e acabado de assentamento, mas devemos evidenciar a práxis que vai incorporando novos elementos na disputa permanente dos territórios. A disputa se dá pela construção de uma nova sociabilidade novos valores, novas formas de produzir os alimentos, nova relação com a natureza. Assim, os assentamentos representam um acúmulo de força social para a luta política, para as transformações sociais mais profundas, já que a reforma agrária não encontra espaço no atual projeto de agricultura. Os assentamentos se viabilizarão efetivamente num outro modelo de sociedade.

Todavia, as forças políticas e econômicas que representam os interesses do projeto do capital tentam impor seu projeto também sobre os assentamentos. Apropriação privada dos bens da natureza, domínio do capital estrangeiro e das grandes corporações sobre a economia, estímulo à implantação de grandes fazendas para grãos e exportação, a padronização dos alimentos, o uso intensivo de agrotóxicos e controle das sementes, entre outras ações compõem o projeto dos capitalistas para o campo, hoje denominado agronegócio. Tudo isso tendo o Estado brasileiro como indutor e a grande mídia para fazer a disputa ideológica na sociedade.

Frente a esse modelo, os assentamentos, independentemente de qual organização camponesa pertença, vivem em uma tensão constante, buscando desenvolver um novo projeto de campo a partir desses territórios. Aqueles que conseguem se estabelecem como uma retaguarda social, uma forma de resistência para seguir a luta contra o capitalismo. Dificilmente os problemas dos camponeses serão resolvidos dentro do capitalismo, e em um modelo com as características anteriormente descritas.

Qual então é a práxis que se evidencia nos assentamentos? Primeiramente, ante a ofensiva do agronegócio, destaca-se que os assentamentos se estabelecem como territórios de resistência. Desenvolvem permanentemente uma nova matriz produtiva e indutora do desenvolvimento: produção de alimentos saudáveis; atendimento ao consumo local; diversificação e produção agroecológica; preservação dos recursos naturais; geração de renda e trabalho para todos os membros da família; pesquisa e desenvolvimento de tecnologias adequadas; cooperação agrícola; entre outros aspectos.

De outra parte, os assentamentos localizados em grandes regiões determinam e dinamizam a própria economia de toda uma região. É a base econômica de muitos municípios do país, gerando renda e desenvolvendo o comércio local. A produção se destaca não só pela qualidade, mas também pela quantidade, e vai incorporando as diferentes formas de cooperação agrícola, qualificando a divisão técnica e social do trabalho.

Podemos também reconhecer os assentamentos pela capacidade de organizar o convívio social nas comunidades da reforma agrária, sobretudo com os núcleos de moradia, aproximação da vizinhança, criando espaços de participação efetiva; espaços de educação libertadora e da educação como ferramenta que mobiliza, como a luta contra o analfabetismo e contra o fechamento das escolas no campo. Nesse sentido, os assentamentos são espaços para recuperar a memória histórica da comunidade, da elevação do nível cultural e político, do cuidado com a vida e a saúde das pessoas e do meio ambiente.

Os assentamentos conquistados pelo MST já reúnem aproximadamente 350 mil famílias assentadas, tendo organizado mais de 160 cooperativas e mais de mil associações que trabalham de forma coletiva para produzir alimentos sem transgênicos e sem agrotóxicos. Há também mais de uma centena de agroindústrias que melhoram a renda e as condições do trabalho no campo, mas também oferecem alimentos de qualidade e baixo custo nas cidades. No campo da educação, duas mil escolas públicas foram criadas em acampamentos e assentamentos, garantindo o acesso à educação para mais de 160 mil crianças e adolescentes Sem Terras e alfabetizando 50 mil jovens e adultos nos últimos anos. Mais de 100 cursos de graduação em parceria com universidades por todo o Brasil também foram criados para atender à população assentada e acampada.

Os assentamentos do MST são conquistas oriundas das lutas realizadas pelo movimento em todos os estados por meio dos acampamentos e das ocupações de terra. Nos assentamentos, a terra passa a ter uma função social: a de garantir que muitas famílias possam viver com dignidade e sair da condição de pobreza, uma vez que produzem e distribuem renda por meio do trabalho.

Para além da produção, geradora de renda, os assentamentos rurais – e não apenas aqueles organizados em torno do MST – reúnem hoje as condições por excelência para a adoção de princípios e práticas agroecológicos, pois reúnem uma estrutura social agrária com base na unidade familiar, um trabalho agrícola associativo e cooperado. A preocupação ecológico-ambiental passa a ser central. Além da perspectiva agroecológica, os assentamentos são uma resposta concreta às famílias, criando condições para o trabalho, para a produção e moradia, ou seja, organizando a economia e as dimensões da vida social, educacional e cultural das famílias assentadas.

Todavia, a grande função social dos assentamentos é produzir alimentos com fartura. Esse é o sentido primeiro da reforma agrária defendida pelos assentamentos do MST: produzir alimentos, eliminar a fome, superar o ciclo de dependência do mercado capitalista e assegurar a produção da maioria dos alimentos, construindo assim soberania alimentar e autonomia camponesa.

Referência

CALDART, R. S. *Pedagogia do Movimento Sem Terra*. São Paulo: Expressão Popular, 2004.

Para saber mais

BRENNEISEN, E. O MST e os assentamentos rurais no Oeste do Paraná: encontros e desencontros na luta pela terra. *Estudos Sociedade e Agricultura*. Rio de Janeiro, v. 12, n. 1, p. 128-163, 2004.

CARTER, M. *Combatendo a desigualdade social*: o MST e a reforma agrária no Brasil [tradução de Cristina Yamagami]. São. Paulo: Editora Unesp, 2010.

CONFEDERAÇÃO NACIONAL DAS COOPERATIVAS DE REFORMA AGRÁRIA DO BRASIL (CONCRAB). *Novas formas de assentamentos de reforma agrária*: a experiência da Comuna da Terra. Brasília, DF: Concrab/Incra/CRT, 2004.

FERNANDES, B. M. *A formação do MST no Brasil*. Petrópolis: Editora Vozes, 2001.

VENDRAMINI, C. R. A experiência coletiva como fonte de aprendizagens nas lutas do Movimento Sem Terra no Brasil. *Revista Lusófona de Educação*, n. 6, p. 67-80, 2005.

Nota

1 A opção em examinar a experiência do MST deve-se ao fato de, historicamente, ser essa a organização que assumiu como principal forma de sua luta a ocupação de terras, organizada por meio de acampamentos, e a posterior conquista de assentamentos. Outras organizações também organizam acampamentos e conquistam assentamentos, com pequenas nuances em suas formas de mobilização e organicidade dos sem-terra.

AGRICULTURA

José Maria Tardin

Na atualidade brasileira e internacional, o capital no campo se constitui em agronegócio [ver Agronegócio], termo que eficazmente expressa sua síntese: "agricultura é negócio" e que, mais recentemente no Brasil, vem ampla e insistentemente divulgando sua máxima ideológica no slogan: "agro é pop; agro é tech; agro é tudo"!

Em direção oposta, convidamos a uma análise do assunto a partir do sentido etimológico do termo agricultura, e indicamos duas alterações pertinentes: a primeira, na forma – agri-cultura –; e a segunda, o destaque plural – agri-culturas (Tardin, 2012).[1]

A forma agri-cultura, posta com o destaque para a sua formação binária, pode tensionar o imaginário comum hegemonizado no termo "agro-negócio", na medida em que instiga a atenção e a reflexão a partir das palavras "cultura" e "negócio".

Pode-se problematizar o termo "cultura" em uma perspectiva ampliada do seu conteúdo: a expressão das múltiplas exteriorizações e objetivações da práxis humana nas suas relações na e com a natureza – as relações sociais em geral, a produção, a circulação, a distribuição, o consumo, as regras, normas, o Direito, o Estado, as ideologias, as teorias, as ciências, a filosofia, as cosmovisões, a ética, a moral, os costumes, as tradições, as crenças, as religiões, a estética, as artes, a arquitetura, a culinária, ou seja, produção e reprodução social.

Por sua vez, "negócio" é uma forma temporal de relação social que se dá em determinada formação social histórica, constituindo, todavia, um aspecto daquela cultura. Está posto nas relações sociais dentre nós, como determinação da ordem social burguesa capitalista, mas não está posto nas relações sociais dos povos indígenas não contatados no interior da floresta amazônica, por exemplo.

Verifiquemos também o prefixo agri – campo –, lugar, ambiente, espaço geográfico, território onde dada cultura se exterioriza e objetiva agri-culturalmente, constituindo sistemas agrários [VER SISTEMAS AGRÁRIOS] compostos por distintos agroecossistemas [VER AGROECOSSISTEMAS], onde efetiva múltiplos sistemas de produção.

Trata-se de práxis humana, sendo o humano histórico e cultural. Assim, agri-culturas diz respeito às distintas práxis humanas em suas relações sociais na e com a natureza, direcionadas a transformar ecossistemas naturais em agroecossistemas, realizando no tempo e no espaço distintas formas sociais de existência, de produção e reprodução social agri-culturais.

Consideraremos no termo *agri-cultura* tanto os cultivos comumente denominados de agrícolas (vegetais) como a pecuária (animais).

Agricultura – quando, onde, quem, como, por quê?

Mazoyer e Roudart (2010) destacam que a hominização-humanização se apresenta como um processo de transformações complexas, simultaneamente "biológicas e culturais". As espécies hominídeas do mesmo período muitas vezes compartilham o mesmo território, e "cada nova geração toma seu impulso no terreno técnico e cultural enriquecido pelas gerações precedentes, de modo que os precursores biológicos de uma nova espécie de hominídeos são necessariamente tributários da herança técnica e cultural da espécie precedente" (Mazoyer; Roudart, 2010, p. 68).

Dessa maneira, os hominídeos seguiram estabelecendo miscigenação interespécies, possibilitando a difusão de mutações vantajosas e apreensões técnicas e culturais, proporcionando a transmissão dos saberes e de práticas adquiridas, todavia não exatamente de geração a geração, dado que as transformações se dão variando amplamente a depender de cada espécie e período, ademais das extinções que vão se efetivando.

Significativos consensos e comprovações reiteram até aqui que o *Homo sapiens sapiens* seria a última e única espécie dos hominídeos que – estando presente em todos os continentes da Terra há 12 mil anos, na atual Era Cenozoica[2] – realiza extraordinária revolução épica: as *agri-culturas*. Foi após a última glaciação (Época Holoceno) que a domesticação de plantas e animais passou a ser realizada por distintos grupos *sapiens sapiens* em diferentes lugares e períodos. Este período é denominado de o "Grande Salto Adiante" (Diamond, 2002, p. 39), destacando-se como principal feito a revolução agrícola neolítica, "[...] a primeira revolução que transformou a economia humana" (Childe, 1983, *apud* Mazoyer; Roudart, 2010, p. 70), desencadeando assim a passagem da condição típica da predação para a *agri-cultura*.

A iniciação das *agri-culturas* não foi uma invenção ou uma descoberta, como se pode pensar, e sequer havia à época uma escolha consciente entre produzir comida ou ser caçador-coletor, como propõe Diamond (2002, p. 104-105). O *Homo sapiens* não nasceu agricultor, ele emerge como coletor-caçador, como bem analisam Mazoyer e Roudart (2010, p. 70):

> Quando ele começou a praticar o cultivo e a criação, ele não encontrou na natureza nenhuma espécie previamente domesticada, mas domesticou um grande número delas. Não dispunha também de instrumentos anatômicos adaptados ao trabalho agrícola, mas os fabricou de todas as maneiras e cada vez mais poderosos. Enfim, nenhum saber inato ou revelado lhe ditava a arte e a maneira de praticar a agricultura, e, graças a isso, ele pôde ajustar livremente os sistemas de cultivo e de criação extraordinariamente variados e adaptados aos diferentes meios do planeta, transformando-os de acordo com suas necessidades e de acordo com suas ferramentas.

Os achados arqueológicos mais antigos identificam o Crescente Fértil como a região onde se iniciou a domesticação das primeiras plantas e animais. Nessa mesma região se situa Jericó, uma das cidades mais antigas, denotando a relação entre as transformações operadas pelas agri-culturas e o processo de urbanização que seguirá desde então.

A iniciação original das agri-culturas não se fez linear e progressiva, e mesmo onde houve contínuas relações de trocas de bens entre grupos de caçadores-coletores e agricultores que se avizinhavam, os primeiros não adotaram prontamente a agricultura, ao que Diamond (2002) acrescenta ser impróprio atribuir que a agricultura é um feito direto e imediatamente implicado com a passagem do nomadismo para o sedentarismo, havendo distintas situações quanto a este estado social.

Um contributo fundamental foi dado pelo botânico russo Nikolai Ivanovich Vavilov, que pioneiramente identificou o que nominou de centros de origem das plantas cultivadas – oito centros[3] –, o que seguiu sendo revisto e aperfeiçoado por novas pesquisas (Sereno; Wiethölter; Terra, 2008, p. 54-56).

O que é certo e consensual até aqui é que as principais espécies animais e vegetais com as quais nos alimentamos – cereais, raízes, frutas, hortaliças –, mas também para fibras, foram domesticadas entre 10 mil e 5 mil anos atrás, com novos feitos posteriores em grau secundário, complementar. Frise-se que, em que pese todo o desenvolvimento das ciências e tecnologias, especialmente a partir do século XIX, é extrema a insignificância quanto à domesticação de novas espécies.

Em relação às plantas, enfatiza-se que originalmente as mulheres apreenderam a germinação das sementes; no entanto, distintas ponderações permanecem em aberto sobre como, a partir de então, se desencadearam as *agri-culturas*.

Na controvérsia das explicações, Heiser Jr. (1977), em diálogo com vários autores, indica algumas possibilidades: a) mudança climática que provocou seca e acabou influenciando a aglomeração de animais e humanos em locais onde havia água, o que favoreceu a domesticação de algumas espécies animais; b) a crescente diferenciação e especialização cultural das comunidades humanas, dado que já estavam familiarizadas grandemente com as espécies que já coletavam e caçavam; c) a pressão demográfica, impulsionadora da busca pela manipulação do ambiente a fim de aumentar a disponibilidade de alimentos; d) a observação do "monte de lixo", ou melhor, nos amontoados de detritos dos acampamentos humanos talvez fossem jogadas sementes e partes inaproveitáveis de plantas, onde estas germinavam ou vegetavam, passando a serem colhidas oportunamente. Há inclusive a sugestão de que a agri-cultura tenha sido iniciada no interior das primeiras cidades.

Outras evidências arqueológicas demonstram que, originalmente, os primeiros cultivos se deram na forma de 'hortas' próximas às moradias, sendo expandidas para as áreas de formações arborizadas e herbáceas vizinhas (Mazoyer; Roudart, 2010, p. 131).

Encontramos no Paleolítico as bases iniciais do panteísmo, mas também da ampla dispersão de estatuetas de figuras femininas, simbolizando a gravidez ou dando à luz, caracterizando um culto muito difundido à fertilidade da deusa mãe. Ressaltando também a emergência do politeísmo, reiteramos que "não pode haver dúvida de que a primitiva religião humana estava intimamente relacionada com a busca de alimentos" (Heiser Jr., 1977, p. 21-26), e que nas crenças religiosas seja possível encontrar indícios de como começou a domesticação. Nesta linha de especulação, havemos de registrar a perenidade do antigo mito da Mãe Terra, amplamente presente em diversas culturas campônias até o presente.

Em direção contrastante com considerações que reconhecem a possibilidade de "causas" transcendentes, de ordem mágica, miraculosa ou divina, as evidências resultantes de pesquisas arqueológicas e biológicas das últimas décadas

> mostram claramente que a domesticação é um processo de transformação biológica, que resulta de maneira automática das atividades de protocultura e de protocriação, quando aplicadas a certas espécies selvagens e que se explica por mecanismos genéticos perfeitamente compreensíveis. (Mazoyer; Roudart, 2010, p. 119)

Nessa direção, dado o longo período de coleta de plantas alimentícias, pode-se pressupor que por este manejo elementar tenham se efetivado modificações em certas populações de espécies, indicando a possibilidade de a domesticação ter se dado anterior ao cultivo. Em contrapartida, nem toda domesticação sempre evolui em relações agrícolas, sugerindo três formas no processo de domesticação: o incidental; o especializado; e o agrícola (Rindos, 1984, *apud* Sereno; Wiethölter; Terra, 2008).

E mais, ao contrário do que comumente se afirmava, de que o início das *agri-culturas* teria se dado nos férteis vales dos rios, as evidências corrigem esta informação demonstrando que se dera nas regiões montanhosas e semiáridas próximas (Heiser Jr., 1977, p. 6).

Agri-culturas: da natureza para a fábrica

O trabalho [VER TRABALHO] é uma capacidade específica e tipicamente humana,[4] que o *Homo sapiens sapiens* realiza de forma complexa e sofisticada; por este, alcança historicamente autoproduzir-se, e fundar-se "ser social", sujeito da práxis (Netto; Braz, 2010; Martins, 2016). Em seu devir, estabelece relações sociais na e com a natureza, independente de suas vontades e circunstanciadas pela materialidade do meio em que está inserido, e articula forças produtivas e relações de produção determinando materialmente sua forma geral de vida em sociedade – o modo de produção. É neste prisma que havemos de apreender as determinações que historicamente estão dadas e postas nas *agri-culturas* de cada época.

O primeiro período *agri-cultural* se desenvolve com base na divisão sexual do trabalho, de tipo cooperado e ajuda mútua, com partilha equânime da produção dentre os integrantes do grupo social, no regime de "propriedade coletiva dos meios de produção", caracterizando assim o mais longo modo de produção – o comunismo primitivo.

As *agri-culturas* se constituem também na principal objetivação na produção dos bens para a satisfação das necessidades humanas nos modos de produção escravista, asiático e feudal, sendo característico destes a "propriedade privada dos meios de produção fundamentais" pelo controle impositivo e despótico da terra e territórios e das e dos trabalhadores no campo, com relações de trabalho escravo e servil. São "modos de produção" onde se verifica nova capacidade social produtiva – o trabalho excedente –, pois, além da antiga divisão sexual do trabalho, desenvolve-se a divisão social do trabalho. Dessa maneira, parte dos integrantes da sociedade deixa de trabalhar, passando a viver do trabalho alheio, instaurando-se a "exploração econômica da força de trabalho" e estabelecendo de forma clara as "classes sociais" fundamentais.

Em tais "modos de produção", as classes sociais dominantes alcançam estabelecer a forma de "impérios" – escravismo e modo de produção asiático, e "feudos" – feudalismo, e organizam formas específicas do "Estado", fortalecendo a capacidade de exercer de forma abrangente a opressão de classe e assegurando para si a apropriação privada da riqueza socialmente produzida.

Outra alteração substancial e marcante vai sendo estabelecida com a passagem da forma das trocas diretas de mercadorias pelo estabelecimento das trocas pela moeda (o dinheiro) como equivalente geral do valor, facilitando e agilizando as trocas comerciais.

Em todo o processo histórico humano anterior à Idade Moderna, foram as *agri-culturas*, com seus sistemas agrários[5] fertilizados por matéria orgânica e minerais naturais, que proporcionaram grandezas econômicas e materiais necessárias à sustentação das sociedades e às suas transformações sociais e econômicas.

Em outro ciclo de revoluções sociais, se estabelece o "modo de produção capitalista" na Europa, em que se dá a revolução industrial do século XVIII, que introduz a "divisão técnica do trabalho" e generaliza a forma "assalariada".

Desde então, tem-se significativos avanços nas ciências, incluindo estudos em agricultura, com uma série de novos conhecimentos que vão sendo alcançados em química, logrando-se estabelecer então as bases da ruptura das *agri-culturas* de base húmica – centradas no uso da matéria orgânica – para a fertilização mineral – baseada na síntese química –, abrindo caminho para uma nova "revolução agrícola".

Em 1843, é instalada a primeira fábrica de fertilizante mineral na Inglaterra, e, em 1848, se institucionaliza a agronomia, com a fundação do Instituto Nacional Agronômico de Versailles, França. São verificados avanços exponenciais em várias áreas das ciências – a própria química, a mecânica, a microbiologia do solo, a genética vegetal e animal, conformando um vasto campo de aplicação das tecnociências nas *agri-culturas*.

Na primeira metade do século XX, a *agri-cultura* de base industrial vai ser impulsionada globalmente, apoiada no crédito bancário e em amplas políticas públicas dos Estados nacionais e em instituições privadas de empresas capitalistas, constituindo a revolução verde [VER REVOLUÇÃO VERDE], em contradição antagônica com as *agri-culturas* de distintos povos camponeses e a diversidade ecológica da biosfera. Definitivamente, o modelo de produção hegemônico na *agri-cultura* passa a ser a "fábrica", em abandono ao modelo da "natureza" vigente até então.

Já no século XIX, contraposições vão se agudizando tanto no âmbito das lutas sociais por território e reforma agrária quanto no plano técnico, destacando-se as ações impulsionadas por Julius Hensel (1898), inaugurando, talvez, o que podemos chamar de "reações contemporâneas à *agri-cultura* de base industrial" (ver Khatounian, 2001), até chegarmos na agroecologia [VER AGROECOLOGIA].

No século XX e neste início de século XXI, são verificados avanços extraordinários em várias ciências que incluem a extrema artificialização do ambiente e da produção: física quântica, microeletrônica, genética molecular, cibernética, informática, inteligência artificial, nanotecnologia, biologia sintética, que têm seus desdobramentos tecnológicos sob domínio do capital, com direcionamentos configurando novo ciclo de "revolução na *agri-cultura*".

Na dinâmica das transformações que vêm se dando no modo de produção capitalista, em sua atualidade imperialista, a economia mundial passou a ser hegemonizada pelo capital financeiro [VER FINANCEIRIZAÇÃO], que determina em grande escala a *agri-cultura*, sendo esta operada sob a exploração e o domínio direto de megacorporações transnacionais, também hegemônicas no controle político e na apropriação do orçamento dos Estados nacionais, configurando sua objetivação *agri-cultural* – o "agro-negócio". Impõe em escala mundial um mesmo padrão *agri-cultural* e o consumo daquilo que lhe proporciona a maior rentabilidade financeira – alimento é mercadoria –, da mesma maneira que os demais produtos derivados do negócio agropecuário e florestal.

A mercantilização é estendida mais e mais sobre a natureza – terra, água, florestas, sementes, animais; e o labor *agri-cultural* é subsumido à lógica industrial – a trabalhadora e o trabalhador rural realizam atividades meramente operacionais. O campesinato submetido a essa lógica fica condicionado ao estado de servidão moderna imposta por contratos de "integração"; ou a reproduzir, completa ou parcialmente, o "pacote tecnológico", recorrendo ou não ao crédito bancário. Tanto os trabalhadores rurais quanto o campesinato são alijados do reconhecimento na participação na produção social dos conhecimentos *agri-culturais* [VER EDUCAÇÃO POPULAR].

Há significativos casos na história das *agri-culturas* em que, localizadamente, determinadas sociedades humanas entraram em colapso generalizado como consequência das contradições em suas relações sociais de produção e depredação das bases ecológicas mantenedoras das condições naturais da fertilidade geral dos seus sistemas agrários (como os Anasazis, no sudoeste do atual território dos EUA; e os Rapa Nui, da Ilha da Páscoa).

Como objetivação setorial do capital, a realização prática do "agro-negócio" coloca em movimento um conjunto de forças produtivas de impactos destrutivos em escala planetária, em vistas do que, na comunidade científica, se popularizou o termo "antropoceno" [VER ANTROPOCENO], para designar o atual tempo geológico – "a idade recente do Homem" –, dada a magnitude da insustentabilidade que vem potencializando nos processos ecológicos da Terra.

Caminhando na Pré-História... a reconstrução social e ecológica das agri-culturas

O surgimento das *agri-culturas* e a fabricação de instrumentos de pedra polida inauguram o último período da Pré-História, o Neolítico. O desenvolvimento da escrita e da metalurgia indicam a passagem para a *História*, de acordo com a periodização clássica. Entretanto, podemos afirmar que seguimos caminhando na *Pré-História*, uma vez que

> as relações de produção burguesas são a última forma antagônica do processo de produção social, [...] um antagonismo que nasce das condições de existência sociais dos indivíduos [...]. Com esta formação social termina, pois, a pré-história da sociedade humana. (Marx, 2008, p. 48)

Isso porque o capital é uma relação social estrutural e necessariamente violenta, dado que, por suas leis, coisifica o ser humano e a natureza na forma mercadoria; portanto, não comporta racionalidade capaz de efetivar soluções ecológicas sustentáveis ou a emancipação humana.

As *agri-culturas* camponesas e de povos originários historicamente engendram distintas capacidades de relações sociais de cooperação e de sinergias na e com a natureza, constituindo agroecossistemas sustentáveis. No interior das contradições postas pelo "agro-negócio", ao mesmo tempo em que sofrem as determinações do capital, assumem uma clara posição de antagonismo, tensão e conflito, enfrentamento e resistência.

Em movimento oportunista, alguns empresários capitalistas adotam tecnologias de base ecológica-orgânica – "capitalismo verde" –, superfaturando sobre nichos de mercado. No entanto, preservam o essencial do seu interesse econômico (relações de exploração da força de trabalho) e, por isso, falseiam sua imagem como negócio sustentável.

A superação das determinações sociais que nos mantêm em estados desumanos de alienação, em nossas relações sociais na e com a natureza, somente pode ser posta na direção radical da emancipação humana pelas classes sociais oprimidas e exploradas. Situação social em que justamente está posto o campesinato, que, uma vez consciente em sua posição de classe e seu particular e diverso contributo *agri-cultural*, pode se somar nos múltiplos combates que

A

nos transcendam da Pré-História – na marcha da expansão das liberdades e múltiplas capacidades humanas, no encontro radical do humano com o humano, do ser social com o ser natural, sua unidade de gênero humano vinculado à comunidade da Vida. E, cônscios do nosso pertencimento cósmico, demarcar o planeta Terra com pegadas em compassos de mãos dadas, nos realizando no Antropoceno, como a Época *sapiens sapiens* de caminhar na História.

Referências

DIAMOND, J. M. *Armas, germes e aço:* os destinos das sociedades humanas. 3. ed. Rio de Janeiro: Record, 2002.

HEISER Jr., C. B. *Sementes para a civilização:* a história da alimentação humana. São Paulo: Ed. Nacional, Ed. da Universidade de São Paulo, 1977.

KHATOUNIAN, C. A. *A reconstrução ecológica da agricultura.* Botucatu: Agroecológica, 2001.

MARTINS, A. G. F. (org.). Elementos para compreender a história da agricultura e a organização do trabalho agrícola. *Cartilhas do Setor de Produção,* Movimento dos Trabalhadores Rurais Sem Terra, São Paulo, v. 1, n. 40, nov. 2016.

MARX, K. *Contribuição à crítica da Economia Política.* 2. ed. Tradução e Introdução de F. Fernandes. São Paulo: Expressão Popular, 2008.

MAZOYER, M.; ROUDART, L. *História das agriculturas no mundo:* do neolítico à crise contemporânea. São Paulo: Ed. Unesp, 2010.

NETTO, J. P.; BRAZ, M. *Economia política:* uma introdução crítica. 6. ed. São Paulo: Cortez, 2010.

SERENO, M. J. C. M.; WIETHÖLTER, P.; TERRA, T. F. Domesticação das plantas. *In*: BARBIERI, R. L.; STUMPF, E. R. T. (Ed.) *Origem e evolução das plantas cultivadas.* Brasília: Embrapa Informação Tecnológica, 2008, p. 37-58.

TARDIN, J. M. Cultura camponesa. *In*: CALDART, R. S. *et al.* (org.). *Dicionário da Educação do Campo.* Rio de Janeiro, São Paulo: Escola Politécnica de Saúde Joaquim Venâncio, Expressão Popular, 2012, p. 178-186.

Para saber mais

OLIVEIRA, A. U. *Modo capitalista de produção, agricultura e reforma agrária.* São Paulo: FFLCH, 2007.

Notas

1 Sugerimos consultar também os verbetes "Agroecologia" e "Agriculturas Alternativas" do *Dicionário da Educação do Campo* (2012).

2 É usual descrever a origem da agricultura recorrendo à periodização clássica da História, situando-a no Neolítico – Idade da Pedra Polida. Aqui, a opção é pelas eras geológicas, situando a origem da agricultura no Holoceno, atual Época do Período Quaternário da Era Cenozoica, no intuito de destacar as relações entre esses dois sistemas, na medida em que no texto coloca, de forma transversal, a unidade – História Natural/História Humana – como totalização da História.

3 Centros de Vavilov, ou Centros de Origem das Plantas Cultivadas, identificados nas expedições realizadas no período de 1919 a 1932, pelo botânico russo Nikolai Ivanovich Vavilov. Inicialmente, ele identificou cinco centros, e, posteriormente, adicionou-se três centros e três sub-centros ou centros secundários, sendo: 1) Centro Chinês; 2) Centro Indiano; 3) Centro Asiático Central; 4) Centro Asiático Menor; 5) Centro Mediterrâneo; 6) Centro Etiópia; 7) Centro América Central; 8a) Centro América do Sul (peruano-boliviano-equatoriano); 8b) Centro América do Sul (Chiloé, no Chile); 8c) Centro América do Sul (brasileiro-paraguaio).

4 Considera-se aqui o trabalho como categoria ontológica do ser humano.

5 Especialmente Mazoyer e Roudart (2010), e muito bem sintetizado e ampliado por Martins (2016), identificam alguns dos "sistemas agrários" mais expressivos que alcançamos conhecer de cada período histórico até o presente, ao que se pode associá-los aos respectivos "modos de produção".

A

AGRICULTURA BIODINÂMICA

PEDRO JOVCHELEVICH
FERNANDO SILVEIRA FRANCO

Apresentaremos aqui alguns elementos importantes para o entendimento da agricultura biodinâmica, como esta foi pensada e desenvolvida ao longo de um período de quase 100 anos, sendo considerada pelos que a praticam e vivenciam como muito mais do que um método de produção agrícola sem venenos e adubos químicos.

Rudolf Steiner (1861-1925), cientista austro-húngaro, sistematizou a gnosiologia contida em Goethe como base científica para o desenvolvimento da ciência do espírito ou antroposofia. Nasceram, dessa forma, a agricultura biodinâmica, a medicina e a farmacologia antroposóficas, a pedagogia Waldorf, dentre outras. A antroposofia não é uma religião, é uma ciência que permite a construção de um conhecimento que integra matéria e espírito. Para Steiner, o pensar é o elo entre o homem e a realidade espiritual, berço da liberdade (Klett; Miklós, 2001). Assim, iniciou-se em 1924 a pedra fundamental do Movimento Biodinâmico, em forma de um ciclo de 8 palestras para agricultores.[1] Esse congresso foi realizado em Koberwitz, Polônia. É o primeiro movimento de agricultura alternativa a surgir de forma organizada no Ocidente, antes da agricultura orgânica e natural.

O aspecto básico da agricultura biodinâmica consiste em entender a propriedade agrícola como uma individualidade, um organismo com seus diferentes componentes (solo, vegetais, animais, recursos naturais e humanos). O método considera três pontos básicos: a) os ciclos das substâncias e forças (formas de atividade); b) as inter-relações entre os componentes e a localidade; e c) a organização da empresa agropecuária (Koepf; Pettersson; Schumann, 1983).

Sua principal meta é a fertilização dos solos de uma forma duradoura e, a partir da construção da atividade biológica, modificar as condições físicas e químicas do solo. A este aspecto biológico deve-se agregar o aspecto dinâmico, que consiste no uso de preparações caseiras utilizando substâncias orgânicas e minerais de forma bastante diluída (homeopática), que configuram a base do método biodinâmico. Tais contribuições específicas e originais da biodinâmica partem do uso de preparados de ação semelhante aos da homeopatia e dos calendários baseados em pesquisa sobre a influência dos ciclos astronômicos sobre a terra e as plantas. A agricultura biodinâmica tem seu fundamento não só nas práticas comuns à agricultura orgânica, mas também no reconhecimento de que a saúde do solo, do mundo vegetal, animal e do próprio ser humano dependem de um relacionamento mais amplo entre as forças que estimulam os processos naturais (Koepf; Pettersson; Schumann, 1983). Assim, ela tem como objetivo renovar o manejo agrícola, sanar o meio ambiente e produzir alimentos realmente condignos ao ser humano.

Esse impulso quer devolver à agricultura sua força original criadora e fomentadora, cultural e social, força que ela perdeu no caminho à industrialização direcionada à monocultura e à criação em massa de animais fora do seu ambiente natural. A agricultura industrial priorizou a produção em grande escala, com uso intensivo de agrotóxicos, máquinas e energia à base de petróleo, levando à contaminação do ambiente e à concentração da posse da terra, entre outros impactos socioambientais negativos.

A Agricultura Biodinâmica quer ajudar aqueles que lidam no campo a vencer a unilateralidade materialista na concepção da natureza, para que eles possam, cada um por si, achar uma relação espiritual-ética com o solo, com as plantas e os animais, e com os irmãos seres humanos. Não apenas como um método de agricultura, mas como uma concepção espiritual da vida baseada na ciência espiritual antroposófica, como um caminho de desenvolvimento do ser humano.

A biodinâmica quer lembrar a todos os homens e mulheres que "a Agricultura é o *fundamento de toda cultura,* ela tem algo a ver com todos". O ponto central da agricultura biodinâmica é o ser humano, que conclui a criação a partir de suas intenções espirituais baseadas em uma verdadeira cognição da natureza. Este quer transformar sua fazenda ou sítio em um organismo em si concluso e maximamente diversificado; um organismo que seja a partir de si mesmo capaz de produzir uma renovação. O sítio natural deve ser elevado a uma "*espécie de individualidade agrícola*".

O fundamento para tal transformação é a integração harmônica de todos os elementos ambientais agrícolas, como culturas do campo e da horta, pastos, frutas e outras culturas permanentes, florestas, agroflorestas, cerca-vivas e capões arbustivos, mananciais hídricos, várzeas etc. Caso o organismo agrícola se ordene em volta desses elementos, nasce uma fertilidade permanente e, com ela, a saúde do solo, das plantas, dos animais e dos seres humanos.

A partida e a continuidade desse desenvolvimento ascendente da totalidade do organismo agrícola são asseguradas pelo manejo biodinâmico dos tratos culturais agrícolas e do uso de preparados, apresentados pela primeira vez por Rudolf Steiner no Congresso de Pentecostes, em 1924. Trata-se de preparados que incrementam e dinamizam a capacidade intrínseca da planta de ser produtora de nutrientes, por mobilização química, transmutação ou transubstanciação do mineral morto, ou ainda, por harmonização e adequação na reciclagem das sobras da biomassa produzida. Preparados que simultaneamente apoiam a planta a ser transmissor, receptor e acumulador do intercâmbio da Terra com o Cosmo, ou seja, beneficiar todo o agroecossistema a partir das influências vindas do céu em nossa volta, como a luz do sol, da lua e dos planetas.

Adubar na biodinâmica significa, portanto, aviventar ou vivificar o solo, diferente de fornecer nutrientes para as plantas.

A única preocupação que se deve ter é o que fazer para que isso aconteça. Fornecendo conforto fisiológico, é possível abster-se de tudo que hoje em dia parece ser imprescindível na agricultura convencional. No organismo agrícola biodinâmico não são usados adubos nitrogenados minerais, pesticidas sintéticos, herbicidas e hormônios de crescimento etc. A concepção do melhoramento biodinâmico dos cultivares ou das raças está em irrestrita oposição à tecnologia transgênica [VER TRANSGÊNICOS]. A ração para os animais é produzida no próprio sítio ou fazenda e a quantidade dos animais mantidos está em relação com a capacidade natural da área ocupada.

O agricultor biodinâmico está empenhado em fazer somente aquilo pelo qual ele mesmo pode responsabilizar-se, a saber, o que serve ao desenvolvimento duradouro da "individualidade agrícola". Isso inclui o cultivo e a seleção das suas próprias sementes e a adaptação e a seleção de raças de animais. Além disso, a agricultura biodinâmica significa uma orientação renovada na pesquisa, consultoria e formação profissional.

O agricultor biodinâmico aprende, dentro do processo de trabalho, a ser ele mesmo um pesquisador; aprende a participar e transmitir sua experiência a outros e a fazer de seu estabelecimento um local de formação profissionalizante para gerações vindouras.

Uma renovação desta natureza desperta o interesse das pessoas que vivem nas cidades. Elas se ligam a esta ou aquela fazenda ou sítio, apoiam e ajudam como podem, tornando-se fiéis fregueses. Elas colaboram na formação de mercados regionais, tornando-se associados solidários mútuos. Há iniciativas novas de importância fundamental em toda parte para que a agricultura possa enfrentar com sua autonomia regional a globalização do mercado mundial, como por exemplo as CSAs (Comunidade que Sustenta a Agricultura) que têm se espalhado no Brasil e em outros países junto ao impulso da biodinâmica.

Em mais de 50 países, a agricultura biodinâmica é praticada a serviço do cultivo do meio ambiente e da alimentação saudável do ser humano. No mundo inteiro, os produtos biodinâmicos são uniformemente comercializados sob a marca "Deméter". A marca Deméter garante uma cultura agrícola baseada em medidas novas nos campos culturais (espirituais, políticos), legais, econômicos e ecológicos.

Os preparados biodinâmicos

Os preparados biodinâmicos foram desenvolvidos por Rudolf Steiner, com base na antroposofia, antes e durante o Curso Agrícola, em 1924. Steiner afirma que "adubar consiste em vivificar a Terra" e, com base nesta afirmação, traz os preparados como sendo mediadores entre a Terra e o Cosmo, ajudando as plantas em sua tarefa de serem órgãos de percepção da Terra.

Os preparados biodinâmicos são similares a remédios homeopáticos no que diz respeito às substâncias naturais utilizadas, aos processos de dinamização, à atuação através de forças e não de substâncias, e por serem utilizados em quantidades mínimas, entretanto eles não se prendem à teoria ou à prática da homeopatia médica [VER HOMEOPATIA].

Eles são elaborados a partir de plantas medicinais, esterco e silício (quartzo), que são envoltos em órgãos animais, enterrados no solo e submetidos às influências da Terra e de seus ritmos anuais.

Uma de suas funções é harmonizar o meio onde estarão, atuando por meio de um equilíbrio dinâmico entre os diversos componentes do organismo agrícola. Entende-se organismo agrícola como estrutura formada por solo, planta, animal e ser humano. Sendo assim, trabalha-se com a interação dos componentes da propriedade.

Preparado chifre-esterco – 500

O preparado chifre-esterco é destinado ao solo e a todos os processos formativos de desenvolvimento radicular, assim como favorece a interação das raízes com o solo e todos os organismos vivos presentes e atuantes. Este preparado tem uma atuação vertical, que permitirá o estabelecimento das raízes e posteriormente o desenvolvimento "para o alto" das plantas; ele traz força para o solo, permitindo a formação correta das plantas. O preparado chifre-esterco deve ser aplicado no momento do preparo do solo, na semeadura, no transplante, ou seja, no momento em que se deseja dar um impulso ao desenvolvimento radicular. Depois da dinamização, este deve ser aplicado em gotas grossas, direcionado ao solo, ao entardecer. É importante ressaltar que a água utilizada para a dinamização dos preparados seja proveniente de chuva ou de poço. Não se utiliza água tratada.

Preparado chifre-sílica – 501

A aplicação é direcionada à planta. Atua diretamente nas funções fotossintéticas da planta, favorecendo os processos de luz e calor. Este é o "preparado da luz", que traz forças da periferia cósmica intensificando a atuação da luz solar. Este preparado é essencial para a estruturação interna das plantas e seu desenvolvimento, assim como para a qualidade nutritiva das plantas e para a resistência a doenças. Não se recomenda utilizar no estágio inicial de desenvolvimento da planta, até que as raízes estejam bem estabelecidas. Aconselha-se utilizá-lo principalmente na prefloração e frutificação. Recomenda-se a aplicação rítmica para o fortalecimento das folhas contra fungos e insetos; três dias seguidos na mesma hora, com repetição de duas a três semanas. Para a maturação de frutos, fazer a aplicação na parte da tarde.

Preparados para composto/ biofertilizante – 502 ao 507

Os seis preparados elaborados a partir das plantas medicinais Milfolhas (502), Camomila (503), Urtiga (504), Casca de Carvalho (505), Dente de Leão (506) e Valeriana (507) servem como suplemento ao composto, esterco, chorume e biofertilizante, conduzindo e organizando os processos de fermentação e decomposição. Por meio do composto preparado, eles colocam as plantas em uma condição na qual as forças do cosmo sejam mais atuantes.

Segundo experimentações práticas, foi comprovado ser eficiente o uso da Valeriana individualmente no caso de ocorrência de geada. Este preparado trabalha com as forças de calor e com processos nos quais o elemento fósforo é atuante. Para este fim, o preparado de Valeriana deve ser aspergido sobre a área afetada pela geada, de modo a fortalecer a planta em caso de danos. Pode-se, ainda, utilizá-lo de maneira preventiva na noite anterior à geada.

Fladen

É uma forma de composto na qual são aplicados os preparados de plantas medicinais e que age como um condutor/ orientador nos processos de decomposição. Recomenda-se utilizar em matéria vegetal roçada, em recuperação de pastagens, após a adubação verde ou sobre qualquer material a ser decomposto no campo de cultivo, enriquecendo a matéria húmica, assim como em áreas de agroflorestas, sobre o material podado das espécies arbóreas e arbustivas usadas como adubadeiras do sistema. É uma forma de utilizar os preparados de composto em áreas maiores, aumentando a influência da ação destes.

Dinamização

É um movimento muito especial e de grande importância para a propriedade e para o sucesso da ação dos preparados; portanto, deve ser feito conscientemente. Neste processo, as forças contidas nos preparados são transmitidas à água por meio da agitação contínua. A dinamização deve ser feita preferencialmente em barricas de madeira, mas pode também ser feita em cerâmica ou aço inox. Deve-se iniciar mexendo-se a água com o preparado para um lado, na periferia primeiramente, e depois até o centro para se formar um vórtex; quando este vórtex estiver formado e quase se puder ver o fundo da barrica, inverte-se o movimento, provocando o caos e restabelecendo a ordem novamente com o redemoinho para o novo lado. Desta maneira promove-se a polaridade associação e dissociação. Este movimento deve ser repetido por uma hora e o preparado dinamizado deve ser aplicado em até 3 horas.

Estudos científicos

Reganold e Palmer (1995 *apud* Castro, 2005), analisando solos em propriedades convencionais e biodinâmicas na Nova Zelândia, demonstraram que os solos oriundos de propriedades biodinâmicas mostravam maior qualidade biológica, física e química do que os solos oriundos de propriedades convencionais.

Piamonte (1996), em experimentos comparativos com adubação mineral, orgânica e biodinâmica em cenoura, demonstrou que a massa seca, textura, conservação, teores de vitamina A e betacaroteno foram superiores em cenoura com adubação orgânica e biodinâmica.

Miklós *et al.* (1999), trabalhando com compostagem de resíduos da indústria de cana-de-açúcar, demonstraram que, com a utilização de preparados biodinâmicos, houve uma redução considerável de perdas de nutrientes durante o processo de compostagem.

A agricultura biodinâmica tem história recente no Brasil, iniciando-se principalmente a partir da década de 1970, com o início da Estância Demétria, em Botucatu-SP, e percorrendo um caminho de desenvolvimento e adaptações às condições socioambientais tropicais, expandindo-se e despertando interesse tanto de agricultores quanto de consumidores envolvidos na busca da produção de alimentos saudáveis. Ainda existem muitos desafios que, pelos sentimentos e vivências, passam por estratégias de inclusão social, no sentido de divulgar os conhecimentos adquiridos, tornando a produção mais acessível aos agricultores, principalmente familiares, e que os alimentos assim gerados também possam ser acessíveis para todas as pessoas, sendo nesse caso necessários processos solidários e justos de certificação e de comercialização. Do ponto vista ecológico, vemos a importância do olhar para a dinâmica e estrutura do ecossistema local, que passa pela observação do papel do componente arbóreo no organismo agrícola, conforme foi proposto por Ru-

A

dolf Steiner em seu curso fundamental, no ano de 1924:

> A Terra necessita de agrupamentos de plantas, florestas, para ser viva e cosmicamente consciente. Ela tem isso realizado, principalmente árvores, com seus troncos retos, que são um segmento de raios que vão do centro da Terra à periferia do cosmo, cuja esfera é espelhada na sua copa. (Steiner, 2001)

Associação Brasileira de Agricultura Biodinâmica

No Brasil, a agricultura biodinâmica é difundida pela Associação Brasileira de Agricultura Biodinâmica, sediada em Botucatu-SP, e pela ABD-Sul, sediada em Florianópolis-SC. No movimento internacional, há diferentes instituições: Associação Internacional de Agricultura Biodinâmica, Seção de agricultura do Goetheanum e Associação Demeter Internacional, responsável pela certificação.

A Associação Biodinâmica tem a missão de gerar, desenvolver e fomentar a agricultura biodinâmica no Brasil. Desenvolve as seguintes atividades: assistência técnica e extensão rural, pesquisa, publicações, sementes crioulas, biossegurança, cursos e conferência, elaboração de preparados biodinâmicos, sítio produtivo demonstrativo, apoio à comercialização e certificação participativa Demeter.

Referências

KOEPF, H.; PETTERSSON, B. D.; SCHUMANN, W. *Agricultura biodinâmica*. São Paulo: Nobel, 1983. 316p.

KLETT, M.; MIKLÓS, A. A. W. Agricultura biodinâmica e nutrição humana. *In*: MIKLÓS, A. A. W. *A dissociação entre homem e natureza*. Reflexos no desenvolvimento humano. São Paulo: Antroposófica; 2001. p. 215-59.

MIKLÓS, A. A. W. *et al*. Avaliação dos efeitos dos preparados biodinâmicos sobre as perdas de nutrientes na compostagem. *Agricultura Biodinâmica*, ano 16, n. 82, p. 27-32, 1999.

PIAMONTE, P. R. *Rendimento, qualidade e conservação pós-colheita de cenoura* (daucus carota l.) *sob adubação mineral, orgânica e biodinâmica*. 1996. Dissertação (mestrado em Agronomia/ Horticultura). Faculdade de Ciências Agronômicas, Universidade Estadual Paulista, Botucatu, 1996.

STEINER, R. *Fundamentos da agricultura biodinâmica*. 3. ed. São Paulo: Editora Antroposófica, 2001.

Para saber mais

WISTINGHAUSEN, C. V. *et al*. *Manual para a elaboração dos preparados biodinâmicos*. São Paulo/ Botucatu: Antroposófica/Associação Brasileira de Agricultura Biodinâmica, 2000, 95 p.

______. *Manual para uso dos preparados biodinâmicos*. São Paulo/Botucatu: Antroposófica/ Associação Brasileira de Agricultura Biodinâmica, 2000, 77 p.

www.biodinamica.org.br

Nota

1 Titulado e publicado como GA 327 *Geisteswissenschaftliche Grundlagen zum Gedeihen der Landwirtschaft*; em português, *Fundamentos da agricultura biodinâmica* (Editora Antroposófica, São Paulo, 1993).

AGRICULTURA ORGÂNICA

Murilo Mendonça Oliveira de Souza
Patrícia Dias Tavares

Introdução

A agricultura orgânica está inserida em um conjunto de perspectivas produtivas desenvolvidas a partir das primeiras décadas do século XX e que se contrapõem, de alguma forma, à agricultura moderna. Ehlers (1999) conceituou tais perspectivas como "movimentos rebeldes" que, além da agricultura orgânica, congregariam a agricultura biodinâmica, a agricultura biológica e a agricultura natural. Estes movimentos, entre alguns outros (como a permacultura), compartilham a crítica ao desenvolvimento da chamada agricultura convencional, que tem base na adubação química, no uso de agrotóxicos, na motomecanização, nas monoculturas e na ciência genética.

Esse "pacote tecnológico" embrionário da agricultura convencional, embora estruturado no âmbito científico, foi prontamente apropriado pela indústria e, ainda na primeira metade do século XX, passou a ser desenvolvido em escala comercial na Europa e nos Estados Unidos. A agricultura, que apresentava limites técnicos de adaptação à lógica industrial capitalista de produção, iniciou um novo período que atingiu seu auge com o advento da Revolução Verde, a partir dos anos 1960. Esse processo ocorreu no contexto político-ideológico da Guerra Fria, após a Segunda Guerra Mundial. É importante, portanto, ter em conta a disputa de poder entre os blocos capitalista e socialista vigente neste período.

Embora alguns limites técnicos para a industrialização da agricultura tenham sido superados, os impactos negativos advindos deste processo foram amplos. Ehlers (1999) destaca a erosão e a perda da fertilidade dos solos, a destruição florestal, a dilapidação do patrimônio genético e da biodiversidade, a contaminação dos solos, da água, dos animais silvestres, do homem [e da mulher] do campo e dos alimentos. É na contraposição a este modelo de produção agrícola que a agricultura orgânica e outras propostas produtivas alternativas se desenvolveram e se consolidaram.

Portanto, é essencial entender os conceitos, princípios e técnicas da agricultura orgânica em uma perspectiva dialética, ou seja, num movimento que está em constante processo de construção. Trataremos deste conceito tendo como base seu processo histórico de construção, seus fundamentos teóricos e técnicos, sua importância no conjunto paradigmático de desenvolvimento da agroecologia (ou agriculturas de base ecológica) e, por fim, sua formatação e consolidação no Brasil.

Origem/história da agricultura orgânica

Em meados do século XIX, o químico alemão Justus von Liebig apresentou importantes estudos sobre a química dos solos. A partir de suas pesquisas, propôs a adubação química como substituição à adubação orgânica e ao húmus (que até então compunham a base da produção agrícola), dizendo que estes não eram indispensáveis para as plantas (Liebig, 1841). A publicação do livro *Química Orgânica em sua aplicação à fisiologia agropecuária*,[1] de Liebig, em 1840, propôs que a elevação na produção e na produtividade agrícola estariam diretamente relacionadas à quantidade de substâncias químicas incorporadas ao solo, dependendo da quantidade mínima de cada elemento químico para seu crescimento (Ehlers, 1999). Formulou, assim, a Lei do Mínimo, que dispõe que se um dos nutrientes essenciais para a planta for deficiente (limitante), o crescimento vegetal será fraco, ainda que todos os outros nutrientes essenciais sejam abundantes [VER NUTRIÇÃO VEGETAL].

> Esta teoria chamada Lei do Mínimo e a aplicação desses postulados à agricultura impulsionaram a difusão da adubação mineral à base de compostos nitrogenados, fosfatados e potássicos solúveis, além do uso de calcário e de gesso nos processos produtivos. (Ehlers, 1999, p. 22)

Para além do suposto avanço no campo científico, foi no setor produtivo, industrial e agrícola que seus postulados tiveram maiores consequências, abrindo um amplo e promissor mercado: o de fertilizantes "artificiais". E os adubos químicos não foram os únicos insumos "apropriados" pelo setor industrial. O desenvolvimento de motores de combustão interna e a seleção e produção de sementes híbridas e melhoradas, a partir do início do século XX, completaram o chamado apropriacionismo (Ehlers, 1999).

As bases da agricultura orgânica foram situadas na crítica ao processo de apropriação da agricultura pela indústria. Sir Albert Howard, considerado precursor da agricultura orgânica, dizia que:

> O lento envenenamento do solo pelos adubos artificiais é uma das maiores calamidades que têm sido infligidas à agricultura e à humanidade. A responsabilidade desse desastre deve ser partilhada equitativamente entre os discípulos de Liebig e o sistema econômico sob o qual estamos vivendo. (Howard, 2007, p. 322)
>
> A agricultura está desequilibrada, falta a ponte para unir as duas metades da roda da vida. Essa ponte foi substituída pelos adubos artificiais. Os solos do mundo inteiro estão sendo arruinados ou estão sendo lentamente envenenados. Em todo o mundo o nosso mais importante capital está sofrendo uma rapinagem. A restauração e a manutenção da fertilidade do solo tornaram-se um problema universal. (Howard, 2007, p. 321)

De acordo com Vanderlinde (2007, p. 157), a apropriação da ciência para atender aos interesses da acumulação capitalista é duramente criticada por Howard em seu *Testamento agrícola*. Howard antecipou, ainda, a catástrofe do agronegócio que leva à destruição da camada de húmus e à sua substituição por insumos químicos. O "saque" do solo agrícola em detrimento de uma agricultura que deveria alimentar de forma saudável a humanidade é sua principal denúncia.

> Ele observa que, quando se faz uso da ciência para produzir novas va-

> riedades de altos rendimentos que exaurem até o último grama de fertilidade dos solos, adubos mais baratos e de efeito mais rápido, máquinas que realizam cultivos mais profundos e mais pesados, galinhas poedeiras que põem ovos até a morte, e vacas que se desfalecem num oceano de leite, deve estar faltando um pouco de bom senso por parte dos responsáveis por estas pesquisas. A constatação de Howard é a de que a pesquisa agrícola tem feito dos fazendeiros, não produtores de alimento de melhor qualidade, mas, sim, hábeis saqueadores dos recursos naturais. (Vanderlinde, 2007, p. 158)

Sir Albert Howard construiu este entendimento trabalhando com agricultores da Índia, onde estudou e documentou as práticas tradicionais da agricultura indiana, considerando tais práticas como superiores à agricultura científica (Meena *et al.*, 2013). Um elemento basilar das proposições de Howard foi a valorização dos conhecimentos historicamente desenvolvidos pelos camponeses, os quais, em seu *Testamento agrícola*, considerou como seus professores. Foi a partir da relação com agricultores e agricultoras indianas que passou a considerar a importância dos solos na manutenção da produção agrícola saudável.

A primeira sentença do livro *Um testamento agrícola*, de Sir Albert Howard, situa qual o entendimento do autor sobre os caminhos a serem seguidos pela Agricultura. Ele diz que "A manutenção da fertilidade do solo é a primeira condição de qualquer sistema permanente de agricultura" (Howard, 2007, p. 25). O conceito de fertilidade do solo de Howard centrou-se na construção do húmus do solo, com ênfase em como a vida do solo estava conectada à saúde das culturas, da pecuária e da humanidade. Um solo rico em húmus é a chave para o sucesso da agricultura (orgânica); a fertilidade do solo é a pré-condição para plantas e animais saudáveis (Heckman, 2006; Vogt, 2007) [VER SOLOS].

Em Pusa, Nova Delhi, Howard trabalhou com melhoramento e proteção de plantas. Já na estação de pesquisa agrícola em Indore, cidade indiana, ele desenvolveu uma técnica de compostagem aeróbica conhecida como Processo Indore. Outro objetivo era fazer compostagem com resíduos orgânicos urbanos e usá-los para manter a fertilidade do solo. Tendo trabalhado em várias áreas agrícolas – cultivo de plantas, proteção de plantas, ciência do solo, compostagem, adubação –, Howard finalmente começou a examinar todo o sistema agrícola. Reintegrando as diferentes disciplinas de pesquisa agrícola, concluiu que a saúde do solo, das plantas, dos animais e dos seres humanos está inter-relacionada (Vogt, 2007). Howard argumentava, ainda, que a produção agrícola e a saúde animal eram um direito inato, e que o método mais adequado de lidar com um patógeno não era destruí-lo, mas analisar o que se poderia aprender com ele ou "utilizá-lo para ajustar a prática agrícola" (Heckman, 2006).

A partir destas experiências e concepções, foram construídas bases importantes do que passamos a conceituar como agricultura orgânica. O sistema de agricultura defendido por Howard foi cunhado "orgânico" por Walter Northbourne para se referir a um sistema "tendo uma inter-relação complexa, mas necessária, de partes, semelhante à das coisas vivas". E foi Lady Eve Balfour quem contrapôs a agricultura orgânica à agricultura convencional, ajudando a popularizar aquela com a publicação do livro *The living soil* [*O solo vivo*], em 1943. Também Jerome Rodale, editor e um dos primeiros convertidos à agricultura orgânica, foi fundamental na difusão e popularização de conceitos orgânicos (Heckman, 2006). Estes foram os caminhos gerais que deram estrutura às primeiras propostas de agricultura orgânica.

Fundamentos técnicos e teóricos da agricultura orgânica

Apesar das diferentes leituras sobre o surgimento da agricultura orgânica, a maioria delas tem no nome e nas teorias de Sir Albert Howard um ponto de aproximação e convergência. E a partir de suas principais teorias e experiências foram sendo estabelecidos os padrões de desenvolvimento da agricultura orgânica. No entanto, os elementos técnicos foram sendo, via de regra, sobrepostos às concepções sociais e políticas.

Diferentes princípios e práticas orientam abordagens e o desenvolvimento agricultura orgânica, como os apresentados no quadro 1.

Alguns conceitos estabelecidos, por órgãos governamentais ou por outras instituições, ajudam-nos a compreender os caminhos seguidos pela Agricultura Orgânica. Um deles foi o do Departa-

Quadro 1 – Alguns princípios e práticas da agricultura orgânica.

Meena *et al.* (2013)	Campanhola e Valarini (2001)
Conversão do manejo convencional para o manejo ecológico da terra	Reciclagem dos recursos naturais presentes no agroecossistema, em que o solo se torna mais fértil pela ação benéfica dos microrganismos
Gestão de todo o sistema circundante para garantir a biodiversidade e a sustentabilidade do sistema	Compostagem e transformação de resíduos vegetais em húmus no solo
Produção de culturas com o uso de fontes alternativas de nutrientes, com rotação de culturas, manejo de resíduos, adubos orgânicos e insumos biológicos	Uso de métodos mecânicos, físicos e vegetativos e de extratos de plantas no controle de pragas, apoiando-se nos princípios do manejo integrado
Manejo de plantas daninhas e pragas por meio de melhores práticas de manejo, meios físicos e culturais e pelo sistema de controle biológico	Cobertura vegetal morta e viva do solo, rotação e consorciação de culturas e adubação verde
Manutenção do gado em conjunto com o conceito orgânico, tornando-o parte integrante de todo o sistema	Diversificação e integração de explorações vegetais (incluindo as florestas) e animais
	Uso de esterco animal e de biofertilizantes
	Controle biológico de pragas e quebra-ventos
	Uso de caldas tradicionais (bordalesa, viçosa e sulfocálcica) no controle de fitopatógenos
	Preferência ao uso de rochas moídas, semissolubilizadas ou tratadas termicamente
	Opção por germoplasmas vegetais e animais adequados a cada realidade ecológica, com valorização das sementes crioulas

Fonte: Meena *et al.*, 2013; Campanhola; Valarini, 2001.

mento Norte-americano de Agricultura (USDA), que estabeleceu que

> agricultura orgânica é um sistema que evita ou exclui largamente o uso de insumos sintéticos (tais como fertilizantes, pesticidas, hormônios, aditivos alimentares) e, na medida do possível, tem base em rotações e resíduos de culturas, adubos animais, resíduos orgânicos de fora da exploração, aditivos de rochas minerais e sistemas biológicos de mobilização de nutrientes e proteção das plantas. (United States Departament of Agriculture, 2019) [VER CICLAGEM DE NUTRIENTES]

A Organização das Nações Unidas para a Alimentação e a Agricultura (FAO/ONU, 2019) diz que

> [a] agricultura orgânica é um sistema de gestão de produção único que promove e melhora a saúde do agroecossistema, incluindo a biodiversidade, ciclos biológicos e atividade biológica do solo, e isso é feito usando métodos agrícolas, biológicos e mecânicos em exclusão de todos os insumos sintéticos fora da agricultura. (Food and Agriculture Organization of the United Nations, 2019)

No Brasil, as definições da Empresa Brasileira de Pesquisa Agropecuária (Embrapa) se aproximam, em certa perspectiva, das definições do USDA e da FAO/ONU, estabelecendo que a

> [...] agricultura orgânica caracteriza-se pela diversificação e integração da produção interna, sendo o termo orgânico originário da ideia de que a unidade de produção funcione como um 'organismo vivo', significando que todas as atividades da fazenda (olericultura, fruticultura, criações etc.) seriam partes de um corpo dinâmico, interagindo entre si. (Assis, 2005, p. 14)

A legislação que trata da agricultura orgânica no Brasil (Lei 10.831 de 2003) diz que:

> Considera-se sistema orgânico de produção agropecuária todo aquele em que se adotam técnicas específicas, mediante a otimização do uso dos recursos naturais e socioeconômicos disponíveis e o respeito à integridade cultural das comunidades rurais, tendo por objetivo a sustentabilidade econômica e ecológica, a maximização dos benefícios sociais, a minimização da dependência de energia não renovável, empregando, sempre que possível, métodos culturais, biológicos e mecânicos, em contraposição ao uso de materiais sintéticos, a eliminação do uso de organismos geneticamente modificados e radiações ionizantes, em qualquer fase do processo de produção, processamento, armazenamento, distribuição e comercialização, e a proteção do meio ambiente. (Brasil, 2003)

As aproximações e contradições entre os conceitos de agricultura orgânica e de agroecologia são um tema que deve ser discutido. É essencial não só definirmos, mas também resgatarmos as aproximações entre o que conceituamos como agricultura orgânica e agroecologia. Enquanto a agricultura orgânica tem sido conceituada a partir da base técnica natural, que substitui o pacote tecnológico da agricultura convencional, a agroecologia fortalece tais elementos na transição para uma agricultura mais sustentável, mas ao mesmo tempo situa um processo de transição política na forma como tratamos a questão da agricultura. Ou seja, mudamos as relações de poder consolidadas em determinados territórios, garantindo autonomia a camponeses na construção de seus meios de sobrevivência.

A agricultura orgânica tem assumido, nas últimas décadas, uma perspectiva ligada ao mercado e às demandas dos consumidores, influenciando diretamente as tecnologias adotadas. Este caminho, em certa medida, tem reduzido a preocupação mais ampla com a questão ecológica e com a sociedade, uma vez que há uma preocupação maior com normas de acesso a mercados especiais, onde se observa principalmente a certificação do produto em detrimento do sistema como um todo (Canuto, 1998; Assis; Romeiro, 2002).

A agroecologia, por sua vez, pode ser entendida na perspectiva da "prática, movimento e ciência", definição que alguns grupos teóricos e movimentos sociais têm assumido. Como *prática*, a agroecologia tem sido entendida em uma perspectiva nova, modificada e adaptada de agricultura ou como técnicas que contribuem para o desenvolvimento da agricultura orgânica (Rosset; Altieri, 1997). Em contrapartida, a agroecologia se manifesta como prática social também em estratégias para construção de autonomia com relação aos mercados de insumos e de trabalho por meio da restauração dos mecanismos de reciprocidade ecológica e social (Petersen, 2013). Para Wezel *et al.* (2009), um movimento agroecológico pode ser um grupo de agricultores atuando pela ampliação da agricultura alternativa por meio de parceiros sociais, respondendo melhor aos desafios ambientais, ou pode ser um movimento mais político da população local ou regional.

> Como movimento social, a Agroecologia mobiliza atores envoltos prática e teoricamente na sua construção, assim como crescentes contingentes sociais mobilizados pela defesa da justiça, da saúde coletiva, da soberania e segurança alimentar e nutricional, da economia solidária e ecológica, da equidade entre gêneros e de relações mais equilibradas entre o mundo rural e as cidades. (Petersen, 2013, p. 99)

No campo da ciência, ainda restam muitos desafios para o reconhecimento da agroecologia, pois pensar a agroecologia como ciência é, ao mesmo tempo, exigir seu espaço como área do conhecimento científico e colocá-la em risco no contato com a perspectiva cartesiana hegemônica da ciência positivista. Apesar desse risco, a agroecologia inaugura, junto a outras vertentes, um olhar e prática diferentes para a ciência, destacando a complexidade envolvida na construção do conhecimento e, ao mesmo tempo, uma ciência que dialogue com outros saberes e que esteja disposta a propor problemas ancorados em demandas reais da sociedade. Dessa forma, é essencial que conquistemos espaços para o reconhecimento da agroecologia no campo científico, tratando dela por uma linha técnica agronômica e ambiental, mas que também alcance as vertentes artísticas, filosóficas e políticas.

Agricultura orgânica no Brasil

A agricultura orgânica tem avançado bastante em todo o mundo. No Brasil, tem sua origem nos movimentos de agricultura alternativa, assumindo diferentes perspectivas a partir dos anos 1980 e se multiplicando na década de 1990. Os Encontros de Agricultura Alternativa e a ação de diferentes ONGs compõem um dos primeiros passos para a consolidação da agricultura orgânica no país. A exemplo de outras partes do mundo, sua estruturação no país ocorreu a partir de uma ampla diversidade de práticas e experiências.

Teve centralidade neste processo a valorização dos conhecimentos camponeses e das populações tradicionais, com o entendimento de que as agriculturas de base ecológicas, de acordo com Primavesi (2008, p. 9), dependem "[...] muito da sabedoria de cada agricultor desenvolvida a partir de suas experiências locais". Entre os conhecimentos tradicionais, Primavesi (2008) situa aqueles relacionados aos solos e seu manejo em relação de parceria com a natureza.

Paschoal (1979), no debate inicial da agricultura orgânica brasileira, destacou que esta perspectiva produtiva é importante porque recupera o solo, ponto de partida para ser possível produzir sem utilização do pacote tecnológico, sem agrotóxicos e sem adubos minerais solúveis. O autor desenvolveu também uma diversidade de estudos que demonstraram o desequilíbrio ambiental causado pelo uso de agrotóxicos e adubos químicos, causando a eliminação de microrganismos benéficos e permitindo o crescimento de variedades resistentes aos insumos do pacote tecnológico.

A publicação dos livros *Manejo ecológico do solo: a agricultura em regiões tropicais* (Ana Primavesi, 2006) e *Pragas, praguicidas e a crise ambiental: problemas e soluções* (Adilson Paschoal, 1979) foi essencial para o desenvolvimento da agricultura orgânica no Brasil. Para além de desenvolverem um cabedal de conhecimentos para um novo paradigma produtivo, de base ecológica, os livros atuaram politicamente na contraposição à chamada agricultura moderna, que gerou e segue gerando amplos impactos sociais e ambientais.

A partir de 2003, ocorre a inserção da agricultura orgânica na legislação, fortalecendo o movimento em todo o país, como vimos anteriormente. O estabelecimento da Política Nacional de Agroecologia e Produção Orgânica (Pnapo), em 2012, fortalece a agricultura orgânica em território brasileiro e, ao mesmo tempo, permite uma aproximação com as concepções mais amplas consideradas pela agroecologia [VER POLÍTICAS PÚBLICAS EM AGROECOLOGIA].

> [...] com o objetivo de integrar, articular e adequar políticas, programas e ações indutoras da transição agroecológica e da produção orgânica e de base agroecológica, contribuindo para o desenvolvimento sustentável e a qualidade de vida da população, por meio do uso sustentável dos recursos naturais e da oferta e consumo de alimentos saudáveis. (Brasil, 2012)

A Pnapo fortalece a discussão sobre a produção de alimentos saudáveis, que, na elaboração do Plano Nacional de Agroecologia e Produção Orgânica (Planapo), em especial, aproximou diferentes perspectivas de agricultura de base ecológica desenvolvidas no país. Tais discussões fortaleceram o reconhecimento e o diálogo entre a agricultura orgânica e a agroecologia.

É importante entendermos a agricultura orgânica, portanto, como um contraponto técnico e político ao paradigma de agricultura convencional, atualmente sustentada pelo pacote tecnológico do agronegócio. Técnico porque nos permite desenvolver a agricultura a partir do estabelecimento de uma relação mais equilibrada na natureza. E político porque possibilita a construção de relações mais justas entre os diferentes sujeitos envolvidos na agricultura, assim como com os consumidores.

A

Referências

ASSIS, R. L. *Agricultura orgânica e agroecologia:* questões conceituais e processo de conversão. Seropédica: Embrapa Agrobiologia, 2005. (Documentos, 196).

ASSIS, R. L.; ROMEIRO, A. R. Agroecologia e agricultura orgânica: controvérsias e tendências. *Desenvolvimento e meio ambiente*, Curitiba/PR, n. 6. p. 67-80. jul./dez. 2002.

BRASIL. Presidência da República. Casa Civil. *Lei 10.831 de 23 de dezembro de 2003*. Dispõe sobre a agricultura orgânica e dá outras providências. Brasília: Presidência da República, 2003. Disponível em: http://www.planalto.gov.br/ccivil_03/leis/2003/L10.831.htm. Acesso: 20 de jun. 2019.

BRASIL. *Decreto 7.794 de 20 de agosto de 2012*. Institui a Política Nacional de Agroecologia e Produção Orgânica. Brasília: Presidência da República, 2012. Disponível em: http://www.planalto.gov.br/ccivil_03/_Ato2011-2014/2012/Decreto/D7794.htm. Acesso: 19 de jun. 2019.

CAMPANHOLA, C.; VALARINI, P. J. A agricultura orgânica e seu potencial para o pequeno agricultor. *Cadernos de Ciência e Tecnologia*, Brasília, v. 18, n. 3, p. 69-101. set./dez. 2001.

CANUTO, J. C. *Agricultura ecológica en Brasil:* perspectivas socioecológicas. Córdoba: Instituto de Sociogía y Estudios Campesinos (ISEC). Córdoba, 1998, 200 p. Tese (Doutorado). Escuela Superior de Ingenieros Agrónomos y Montes (ETSIAM).

EHLERS, E. *Agricultura sustentável:* origens e perspectivas de um novo paradigma. 2ª ed. Guaíba: Agropecuária, 1999. 157 p.

FOOD AND AGRICULTURE ORGANIZATION OF THE UNITED NATIONS (FAO). *Defining organic agriculture*. Disponível em: http://www.fao.org/3/ac116e/ac116e02.htm. Acesso: 21 jun. 2019.

HECKMAN, J. A history of organic farming: transitions from Sir Albert Howard's War in the soil to USDA Nacional Organic Program, *in: Renewable Agriculture and Food Systems*, volume 21 n. 3. 2006 p. 143-150

HOWARD, S. A. *Um testamento agrícola*. 1ª ed. São Paulo: Expressão Popular, 2007.

LIEBIG, J. V. *Organic chemistry in its applications to agriculture and phisiology*. Disponível em: https://books.google.com.br/books?hl=pt-BR&lr=&id=dINIAAAAYAAJ&oi=fnd&pg=PR21&dq=Organic+Chemistry+in+its+application+to+agriculture+physiology&ots=kfUlWjhQOB&sig=JDa0j-pph4oLj4BoGh6xwLurKzAv=onepage&q&f=false. Acesso: 20 jun. 2019.

MEENA, H. P. *et al. Organic farming:* concepts and complements. Popular Kheti, v. 1, issue 4, out.-dez. 2013.

PASCHOAL, A. D. *Pragas, praguicidas e a crise ambiental:* problemas e soluções. Rio de Janeiro: FGV, 1979.

PETERSEN, P. Agroecologia e a superação do paradigma da modernização. *In:* NIEDERLE, P. A.; ALMEIDA, L.; VEZZANI, F. M. *Agroecologia:* práticas, mercados e políticas para uma nova agricultura. Curitiba: Kairós, 2013. p. 69-103.

PRIMAVESI, A. M. *Manejo ecológico do solo*. 18ª ed. São Paulo: Editora Nobel, 2006.

_______. Agroecologia e manejo do solo. *Revista Agriculturas*, v. 5, n. 3, set. 2008. p. 7-10.

ROSSET, P.; ALTIERI, M. A. Agroecology versus input substitution: a fundamental contradiction of sustainable agriculture. *Society and Natural Resources*, v. 10, p. 283-295, 1997.

UNITED STATES DEPARTAMENT OF AGRICULTURE. (USDA). *Organic Standards*. Disponível em: https://www.ams.usda.gov/grades-standards/organic-standards. Acesso: 20 jun. 2019.

VANDERLINDE, T. O testamento agrícola de Sir Albert Howard: aporte para discussão sobre sustentabilidade no campo. *Espaço Plural*, n. 18. p. 157-159. jan.-jun. 2017.

VOGT, G. The origins of organic farming. *In:* LOCKERETZ, W. *Organic farming:* international history. Massachusetts: Cabi, 2007.

WEZEL, A. *et al.* Agroecology as a science, a movement and a practice. *Agronomy for sustenable development*, 2009. Disponível em: www.agronomy-journal.org. Acesso: 19 jun. 2019.

Nota

1 Tradução livre do original: *Organic Chemistry in its application to agriculture physiology*".

A

AGRICULTURA URBANA

JULIANA TORQUATO LUIZ
USCHI CRISTINA SILVA
ANDRÉ RUOPPOLO BIAZOTI

O termo Agricultura Urbana (AU) não se refere apenas à produção agrícola em espaços urbanos. São relações sociais, políticas, culturais, econômicas e ecológicas estabelecidas nos territórios urbanos e metropolitanos, que envolvem agriculturas. É uma agricultura que existe em múltiplas escalas, como hortas e quintais, pomares, agroflorestas, assentamentos metropolitanos, quilombos, comunidades indígenas e em territórios pesqueiros como atividades produtivas e de subsistência alimentar, as quais, em sua maioria, associadas aos espaços de moradia. A AU é reivindicada, em uma diversidade de contextos, enquanto possibilidade de construção do direito à cidade e à alimentação saudável e adequada. A terra urbana é seu chão principal, e uma diversidade de sujeitos dão múltiplos sentidos à prática de AU. É por meio de uma visão sistêmica e polivalente que se propõe uma leitura sobre o que é AU. São partilhadas questões centrais que a colocam num terreno de disputas históricas. Também são apresentados alguns marcos legais e normativos, reconhecidos como atores políticos na história recente da AU enquanto possibilidade de política pública e social a partir do contexto brasileiro. Nesse entremeio, são valorizadas contribuições do Coletivo Nacional de Agricultura Urbana (CNAU), um movimento composto por uma diversidade de atores que advoga a AU como possibilidade de uma via de transformação social mais ampla e em diálogo com os princípios da agroecologia, e que tem acompanhado um processo de tentativa de construção de uma política nacional de agricultura urbana, desencadeado nos marcos do contexto de participação sociopolítica em torno da segurança alimentar e nutricional no Brasil.

Agricultura urbana: um conceito em construção

O desenvolvimento da agricultura está diretamente relacionado à urbanização e à vida na cidade. A relação indissociável entre produção de alimentos e formas de constituir cidade, onde estas são capazes de se alimentar por meio do que produzem, é verificada em documentos e estudos sobre antigas civilizações como os incas, maias e aztecas. Como o caso de "*Las Chinampas*", hoje localizadas ao sul da Cidade do México, uma tipologia ancestral de agricultura que conjugava formas de ocupar terras junto aos lagos com estruturas urbanas. Também estudos realizados em Gana, Paquistão, Índia, Iraque e China demonstram que as cidades produziam seus alimentos e possuíam sistemas complexos de irrigação, manejo do solo e tratamento dos resíduos orgânicos (Van der Ryn, 1995; Smit; Nasr; Ratta, 1996).

Durante o século XX, as experiências de AU ganharam destaque em diferentes contextos históricos e geográficos, principalmente após a Segunda Guerra Mundial. Estas experiências expressam uma multiplicidade de práticas, escalas, espaços, sujeitos e vocabulários intimamente ligados aos seus contextos. Isto quer dizer que as práticas de AU são reveladas por um conjunto de situações às quais se entrelaçam diversos aspectos sociais, políticos, econômicos e culturais, e também condições de poderes desiguais nos territórios, das dinâmicas de cada lugar e cidade.

Para Almeida (2015), o conceito de AU é um campo aberto e em disputa. A autora argumenta que

> a agricultura urbana deve trazer à tona a reflexão sobre as relações históricas entre a agricultura e a cidade, bem como sobre as conexões entre questões relevantes no mundo atual, com as relações entre o rural e o urbano, entre a sociedade e a natureza. (Almeida, 2015, p. 53)

Nessa perspectiva, principalmente nos últimos 30 anos, a agricultura urbana tem estado refletida em uma multiplicidade de questões, muitas vezes indissociáveis, a depender do contexto onde ocorre: segurança e soberania alimentar; questões do mundo trabalho; resiliências e acesso a recursos naturais na cidade como terra e água; condições habitacionais; biodiversidade, planejamento urbano, educação ambiental, saúde coletiva, saúde mental, circuitos próximos de comercialização, sistemas agroalimentares metropolitanos, agroecologia, dentre outros.

Considerando essa perspectiva, a construção conceitual de AU se apresenta de forma dinâmica e, também está localizada em pautas de luta pelo direito à cidade democrática, em contraposição ao modelo hegemônico de urbanização, apropriação e produção do espaço urbano. A prática da AU pode, então, representar ações concretas que interferem na lógica mercantil dos espaços da cidade e revelar virtualidades do espaço urbano, contrapondo-se às dinâmicas capitalistas e ao planejamento urbano quando construído de cima para baixo.

No campo da agroecologia – enquanto ciência, movimento e prática social – é recente, do ponto de vista histórico, a integração das pautas da AU, embora muitas experiências existentes em diferentes contextos revelem que a agroecologia também é um paradigma estruturante de práticas que convergem com lutas históricas de movimentos por reforma urbana. São exemplos, no contexto brasileiro, experiências registradas principalmente nos últimos anos no âmbito de movimentos como Brigadas Populares e assentamentos de movimentos como MST e Sem Teto em contextos urbanos.

Do ponto de vista dos sujeitos, a AU também compreende uma diversidade de grupos sociais: mulheres, comunidades pesqueiras, agricultores familiares, grupos indígenas, comunidades quilombolas, ribeirinhas, dentre outras comunidades tradicionais em contextos urbanos, jovens permacultores, dentre outros grupos que dão vida a diferentes formas e expressões das agriculturas urbanas; a roça, a horta, o quintal, o sítio. São praticadas individualmente, no âmbito familiar, coletivamente (por meio de bases comunitárias ou associativas) e por movimentos sociais. São iniciativas que revelam práticas tradicionais de cultivar alimentos, plantas medicinais, plantas ornamentais e criação animal para consumo imediato da família e da vizinhança próxima. Mas também alcançam, ao exemplo de escalas da agricultura familiar, mercados locais próprios (feiras, distribuição de cestas com produtos frescos) e estruturas mais complexas, ao exemplo de processos que incluem as relações produtor-consumidor, além de mercados institucionais.

No âmbito espacial, pratica-se AU em residências – casas e apartamentos, quintais, lajes, terraços, telhados, chácaras, sítios, terrenos baldios, laterais de estradas, ruas, praças, jardins e áreas públicas não ocupadas por edificações. Também é comum em ambientes institucionalizados, tais como escolas, creches, asilos, penitenciárias, centros de saúde, universidades, associações, entre outras instituições públicas ou privadas. A composição de espaços ocupados por AU pode contribuir inclusive para a recuperação de corredores verdes ecológicos e estar integrada em sistemas florestais urbanos, dentre outras tipologias espaciais caracterizadas como áreas verdes. As ocupações de terras e imóveis cuja função social não é cumprida também constituem espaços de AU. Considerando esse contexto, compreende-se a agricultura praticada em diferentes espaços urbanos com a possibilidade de múltiplos alcances, em simultâneo, não unicamente com o objetivo de suprir a demanda alimentar das cidades, embora destaque a contribuição inequívoca da AU para a segurança alimentar e nutricional e para o resgate das culturas e saberes das comunidades. Compreende-se a AU num processo de defesa mais amplo, de um outro projeto de sociedade, pautado em valores democráticos, de justiça social, ambiental, econômica e cultural.

Por essa via, as práticas de agricultura na cidade são orientadas por bases agroecológica e popular. Essa concepção nos convida a uma abordagem dialética dos fatos que emergem do espaço urbano, considerando inclusive experiências que sempre existiram e resistiram utilizando os recursos naturais disponíveis nos contextos do urbano e reconhecendo politicamente a contribuição ecossistêmica e social de diferentes sujeitos sociais invisibilizados e marginalizados por um sistema desigual de sociedade.

Espaço urbano e direito à cidade

No Brasil e em muitos contextos do Sul Global, a urbanização se deu de maneira diferenciada em relação aos países do Norte, como aponta Singer (1985). Segundo o autor, a problemática urbana que se estabelece no Sul está relacionada à falta de moradia adequada, ineficiência nos serviços urbanos como abastecimento de água encanada e esgoto, falha nos sistemas de saúde e educação, entre outros.

A cidade adquire um conceito reducionista de centro produtor, composta por políticas, governos, fábricas e mercados. Em contraposição, o campo foi determinado como lugar de produção de alimentos e lugar da natureza. A cidade é apartada dessas funções. Há uma mudança paradigmática e uma quebra dos vínculos comunitários, o rompimento das relações e da organização de terras comunais e das tradições e instituições locais voltadas às estruturas comunitárias agrícolas. Se dá então a defesa da propriedade privada e o mercado livre guiado pela oferta e pela demanda.

O processo industrial brasileiro iniciado na primeira metade do século XX atraiu para as cidades do eixo Rio de Janeiro – São Paulo grande massa de trabalhadores. Uma visão crítica da urbanização brasileira tem origem na percepção de que o movimento migratório de trabalhadores rurais originou um processo de transformação socioespacial. Camponeses desenraizados do meio rural tornaram-se marginais no espaço urbano para serem transformados em exército industrial de reserva (Singer, 1985).

A complexidade da produção do espaço urbano e o crescimento das cidades relaciona-se não somente à industrialização, mas ao crescimento do setor de serviços que se estruturou como um modo de acumulação tipicamente urbano. É no espaço urbano onde uma nova exploração desses trabalhadores se configura, na medida em que o trabalho informal se amplia, o custo de reprodução da mão de obra diminui e os trabalhadores buscam sua reprodução e sobrevivência às próprias custas. Esses trabalhadores também desempenham o papel de consumidores necessários à implantação da indústria e do vasto setor de serviços que se estrutura à sua margem (Oliveira, 2013).

O aumento da demanda urbana por produtos, incluindo os alimentos, deu ao Capital a oportunidade de penetrar no campo brasileiro por meio da produção agrícola em maior escala. Em contrapartida, permitiu a maior especialização dos espaços, com funções econômicas bastante demarcadas. Esses processos históricos circunscritos no espaço urbano aprofundaram a dicotomia campo-cidade/rural-urbano, fragmentando as relações entre sociedade e natureza na medida em que atestava uma visão fraturada da vida e dos espaços (Kois; Morán, 2015).

No entanto, a produção do espaço urbano não resulta apenas da intervenção dos proprietários dos meios de produção, proprietários fundiários, promotores imobiliários e do Estado. Os sujeitos marginalizados também produzem espaço na cidade (Corrêa, 2016). Os movimentos de luta por moradia, assentamentos em regiões metropolitanas, favelas, cortiços e ocupações no centro da cidade são exemplos concretos das lutas cotidianas e da produção do espaço.

Nestes locais, a prática da AU redesenha o espaço e a paisagem urbana. Em lugar de terrenos ociosos, hortas comunitárias, praças e áreas de lazer. Em tornos desses processos coletivos emergem os debates sobre: direito à alimentação saudável e adequada; qual cidade se quer e como construir o direito à cidade; violência urbana nas periferias; mobilidade urbana e saneamento ambiental. No campo simbólico, há a valorização dos saberes e das memórias ancestrais; das culinárias populares, das sementes crioulas; das plantas medicinais e das relações solidárias.

Essas experiências nas cidades são ilhas de re-existência que inscrevem no espaço urbano outros modos de vida contrários à imposição do sistema capitalista. Se, por um lado, o modo capitalista de produção provocou o inchaço das cidades e o esvaziamento do campo, rompendo a relação metabólica [VER RUPTURA DO METABOLISMO SOCIOECOLÓGICO] existente entre seres humanos e a natureza (Foster, 2012), gerando desequilíbrios e excessos de desperdício no ambiente, por outro, as práticas dos sujeitos que realizam a AU nos apontam para a construção de espaços que valorizam a reprodução da vida em todas as suas manifestações, reconectando a sociedade urbana com a natureza.

A possibilidade de recomposição das relações sociedade e natureza via agricultura urbana

Os debates anteriores também denunciam uma visão de cidade destituída da sua composição ecológica quando tratada pela lógica da economia capitalista. De um lado, se perpetua uma imagem intacta de natureza e se reproduz de forma artificial espaços de contemplação onde a sociedade está apartada da natureza e a vê como "objeto" a ser dominado, explorado e conservado com fins de reserva de recursos naturais. De outro, a cultura do consumo, cunhada dentro do sistema capitalista, provoca desperdício dos bens naturais e níveis elevados de poluição e degradação ambiental.

Essa desigualdade ambiental se expressa também como desigualdade social. A população pobre é a que mais está exposta "aos riscos decorrentes da localização de suas residências, da vulnerabilidade destas moradias a enchentes, desmoronamentos e à ação de esgotos a céu aberto, afetados pela poluição do ar, da água, do solo" (Acselrad, 2000, p. 2).

As diversas experiências de AU presentes nos territórios vêm demonstrando que os contextos urbanos não são apenas lugares de consumo e de produção de desperdício, mas podem ser também espaços de produção agrícola orientados por princípios agroecológicos onde estas práticas recuperam a dimensão da natureza como parte da cidade e da produção do espaço urbano.

Um exemplo é o reconhecimento da cidade como produtora de nutrientes que se transformam em um importante insumo para a agricultura – seja no campo ou na cidade – por meio do tratamento e gestão dos resíduos orgânicos urbanos. O novo paradigma de não mais tratar como lixo os resíduos advindos de materiais orgânicos, e sim como parte de um ciclo – veio da terra, volta à terra – é um princípio ecossistêmico que parte da concepção aqui advogada de agricultura urbana.

Os sujeitos que produzem alimentos na cidade, organizados em torno de movimentos de AU, interpelam a visão reducionista e dualista entre sociedade e natureza e reivindicam a sua superação por meio de processos democráticos onde os cultivos agroalimentares no espaço urbano contribuem na recomposição das relações dos seres humanos com a natureza e a produção da abundância (Biazoti, 2020).

Marcos legais e institucionais sobre a agricultura urbana no Brasil

No Brasil, o tema da AU é desassistido de políticas públicas e sociais que atendam a diversidade de práticas desenvolvidas. Há uma enorme lacuna entre as experiências de agricultura urbana que estão nos espaços urbanos e a existência de um aparato institucional no âmbito de políticas que promovam e atendam essa modalidade e seus sujeitos. Entretanto, há iniciativas e programas de agricultura urbana desenvolvidos por alguns governos locais (âmbitos estadual e municipal) que ainda carecem de uma abordagem sistêmica, inter e multissetorial, e que deem conta de articular a pluralidade de áreas da educação, saúde, urbanismo, habitação, agricultura, cultura, dentre outros setores possíveis de atenderem uma política de AU.

No início dos anos 2000, a partir do Programa Fome Zero, a introdução da temática da Segurança Alimentar e Nutricional (SAN) significou uma janela institucional aberta ao tema da agricultura urbana, a exemplo do tema do abastecimento alimentar. A instituição da Lei Orgânica de Segurança Alimentar e Nutricional (Losan, Lei n. 11.346/2006) foi um marco para a própria AU. As Conferências de Segurança

Alimentar e Nutricional empreendidas pelo Conselho Nacional de Segurança Alimentar e Nutricional (Consea) evidenciam tais convergências. Mas é no Plano Nacional de Segurança Alimentar e Nutricional 2012-2015 (Plansan) que a indicação da implantação de uma Política Nacional de Agricultura Urbana (Pnau) é inscrita pela primeira vez.

No mesmo ano de implementação do Plansan (2012), quando o Governo Federal encerra o Programa de Agricultura Urbana, abrigado no Ministério de Desenvolvimento Social (MDS), a sociedade civil cobra o governo e reivindica a continuidade, não somente do programa, mas da ampliação de iniciativas e construção de uma política nacional de AU.

Em 2014, cria-se o GT de AU do Consea, que assume três objetivos centrais: a elaboração de um documento orientador ao processo de construção de uma Política Nacional de AU; a realização de um encontro nacional de AU; e orientação de criação de um comitê técnico de AU dentro da Câmara Intersetorial de Segurança Alimentar (Caisan).

Ainda no campo da alimentação, a Emenda Constitucional n. 64/2010, que modificou o art. 6° da Constituição de 1988 e incluiu o direito à alimentação junto aos direitos sociais, possibilitou a crescente argumentação da agricultura urbana como uma das possibilidades de garantir alimentos saudáveis para o conjunto da sociedade.

Desde 2010, há um esforço de movimentos de agricultores, redes de AU e ONGs de integrar agricultores urbanos em programas e políticas e mercados institucionais destinados à agricultura familiar, ao exemplo do Programa de Aquisição de Alimentos (PAA) e Programa Nacional de Alimentação Escolar (Pnae), bem como o acesso aos procedimentos para a emissão de Declaração de Aptidão ao Pronaf (DAP), com o objetivo de diminuir as desigualdades econômicas e dar maior acesso a políticas públicas por parte de agricultores urbanos. Também há interface com políticas de agricultura e produção orgânica e a possibilidade de buscar garantir assistência técnica como a política de Assistência Técnica e Extensão Rural (ATER) e a transição ecológica [VER TRANSIÇÃO AGROECOLÓGICA].

A AU está contemplada na Política Nacional de Agroecologia e Produção Orgânica (Pnapo) e expressa no Plano Nacional de Agroecologia e Produção Orgânica (Planapo). Outra importante referência é a Política Nacional de Resíduos Sólidos (PNRS), principalmente no âmbito da gestão de resíduos orgânicos, que vem sendo reivindicada por comunidades para que tenham autonomia na gestão de ciclos de tratamento e reutilização dos resíduos orgânicos. O *Estatuto da Cidade* (Brasil, 2001) é outro importante campo legal a ser explorado no âmbito da defesa da agricultura urbana, pois a função social da terra urbana, da propriedade, pode ser recuperada por meio de práticas de agricultura urbana.

Dessa maneira, compreende-se que os governos e sociedade civil devem assumir o caráter multissetorial e acolhedor da AU e materializar as políticas voltadas para o bem viver. A possibilidade de a agricultura para vida ser novamente capaz de alimentar as cidades, em parceria com o campo, dependerá dessas recuperações que engendram um outro urbano possível.

Referências

ACSELRAD, H. Justiça Ambiental: novas articulações entre meio ambiente e democracia. *In*: Instituto Brasileiro de Análises Sociais e Econômicas (IBASE), Central Única dos Trabalhadores (CUT) (RJ), Instituto de Pesquisa e Planejamento Urbano e Regional (IPPUR UFRJ). Movimento sindical e defesa do meio ambiente: o debate internacional. Rio de Janeiro: 2000, v. 3, p. 7-12, 2000.
ALMEIDA, D. A. O. de. Agricultura Urbana: isto e aquilo. *In*: COSTA, H. S. de M.; MONTE-MÓR, R. L. de. *Teorias e práticas urbanas*. Belo Horizonte: C/Arte, 2015.
BIAZOTI, A. R. *Engajamento político na agricultura urbana:* a potência de agir nas hortas comunitárias de São Paulo. Dissertação (Mestrado em Ecologia Aplicada). ESALQ/CENA, Universidade de São Paulo, 2020.
BRASIL. Presidência da República. Casa Civil. Subchefia para Assuntos Jurídicos. *Lei 10.257 de 10 de julho de 2001*. Regulamenta os arts. 182 e 183 da Constituição Federal, estabelece diretrizes gerais da política urbana e dá outras providencias. Disponível em: http://www.planalto.gov.br/ccivil_03/leis/leis_2001/l10257.htm. Acesso em: 05 mar. 2021.
______. Presidência da República. Casa Civil. Subchefia para Assuntos jurídicos. *Lei 11.326 de 24 de julho de 2006*. Estabelece as diretrizes para a formulação da política nacional da agricultura familiar e empreendimentos familiares rurais. Disponível em: http://www.planalto.gov.br/ccivil_03/_ato2004-2006/2006/lei/l11326.htm. Acesso em: 29 abr. 2021.
CORRÊA, R. L. Sobre agentes sociais, escala e produção do espaço: um texto para discussão. *In*: CARLOS, A. F. A.; SOUZA, M. L. de; SPOSITO, M. E. B. *A produção do espaço urbano:* agentes e processos, escalas e desafios. São Paulo: Contexto, p. 41-51, 2016.
FOSTER, J. B. A Ecologia da Economia Política marxista. *Lutas Sociais,* n. 28, p. 87-104, 2012.
HARVEY, D. *Cidades rebeldes:* do direito à cidade à revolução urbana. São Paulo: Martins Fontes, 2013.
KOIS, J. L. F. C.; MORAN, N. *Raíces en el asfalto:* pasado, presente y futuro de la agricultura urbana. Madrid: Libros en Acción, 2015.
OLIVEIRA, F. de. *Crítica à razão dualista:* O ornitorrinco. São Paulo: Boitempo, 2013.
SINGER, P. *Economia Política da urbanização.* São Paulo: Brasiliense, 1985.
SMIT, J.; NASR, J.; RATTA, A. *Urban agriculture:* food, jobs, and sustainable cities. New York: UNDP, 1996.
VAN der RYN, S. *The toillet papers:* recycling waste and conserving water. Sausalito, Califórnia: Ecological Design Press, 1995.

Para saber mais

Documentos produzidos pela Coletivo Nacional de Agricultura Urbana: http://aspta.org.br/2015/04/cau/
AUE! – Grupo de Estudos em Agricultura Urbana, da Universidade Federal de Minas Gerais: https://aueufmg.wordpress.com/
Fundação RUAF – Centro de Expertise em Agricultura Urbana e Sistemas Alimentares: http://www.ruaf.org
IDRC – International Development Research Centre. http://www.idrc.ca

Agricultura Urbana e Suburbana em Cuba

Marcelo Durão Fernandes D'Oliveira

Com o colapso do bloco socialista europeu e a queda da URSS em 1989, somado ao fortalecimento do bloqueio econômico, comercial e financeiro estadunidense implantado desde 1962, Cuba se obrigou a repensar a sua produção de alimentos, como medida para garantir a Segurança Alimentar. Mudou radicalmente suas técnicas de produção e colocou a agroecologia como eixo fundamental da sua agricultura (Briz & Felipe, 2015).

Três importantes programas foram desenvolvidos para impulsionar a produção de alimentos, assim como promover a agroecologia em todo território Cubano: o Movimento Campesino a Campesino (MCaC), da Associação Nacional de Pequenos Agricultores-ANAP; o Programa de Inovação Agropecuária Local (Pial) e o Programa Nacional de Agricultura Urbana e Suburbana e Familiar.

A produção de hortaliças em zonas urbanas começara a ser desenvolvida a partir de 1987, visando a máxima utilização dos recursos locais e o estabelecimento de formas sustentáveis de agricultura (Nodals, et al 2012; Gnau, 2018). Em 1997 constituiu-se o Grupo Nacional de Agricultura Urbana, que promoveu a organização de um sistema estruturado desde as Unidades de Base até o nível nacional, nas 14 províncias e 169 municípios de Cuba, baseado na Agroecologia.

Em 2009 se estrutura o Programa Nacional de Agricultura Urbana, Suburbana e Familiar, para a planificação de uma produção agroecológica diversificada de alimentos frescos (vegetais e animais), plantas medicinais, ornamentais, flores e produtos florestais, realizada dentro dos perímetros das cidades e povoados e na sua periferia, num raio de 2 a 10 km, ajustando-se estes parâmetros a um Projeto Municipal para o máximo de aproveitamento de combustível e água, amplo uso da tração animal e comercialização o mais direta possível (Minag, 2018). Este sistema promove a interrelação entre *Seres Humanos, Cultivos, Animais e Meio Ambiente,* aproveitando as facilidades da infraestrutura urbanística que propiciam a estabilidade da força de trabalho, envolvendo a participação das mulheres, jovens e idosos.

Diversas são as modalidades produtivas existentes: organopônico; organopônico semi protegido; finca (sítio) suburbano; hortas intensivas; hortas caseiras ou pátios; cultivo doméstico; cultivo protegido; autoabastecimento de empresas. As mais usuais são os Organopônicos (sistema fechado de construções retangulares, de produção sem contato direto com o solo) e as Hortas Intensivas (canteiros em sistema aberto). Todos esses sistemas devem se localizar o mais próximo possível da destinação final da produção (Oliva; Novo, 2010; Inifat, 2010).

A Agricultura Urbana em Cuba tem sido acompanhada desde seu início pelo Instituto de Investigaciones Fundamentales em Agricultura Tropical (Inifat), órgão que coordena o Movimento (Grupo) Nacional de Agricultura Urbana e Suburbana (GNAU). Participam do GNAU pesquisadores, técnicos e extensionistas de 7 ministérios e 17 instituições de pesquisa relacionadas à produção de alimentos, à capacitação e aos serviços de infraestrutura organizativa. O Programa também recebe apoio, de acordo com as necessidades locais de produção, elaboração e distribuição de alimentos, de diversas organizações: Associação Nacional de Agricultores Pequenos (Anap), Federação de Mulheres de Cuba (FMC), Central de Trabalhadores de Cuba (CTC), Associação Cubana de Técnicos agrícolas e Florestais (ACTAF), Associação Cubana de Produção Animal – ACPA e do grupo empresarial de cana e açúcar AZCUBA (Gnau, 2018).

O Programa de Agricultura Urbana, Suburbana e Familiar dispõe de um conjunto de infraestruturas com impactos de importância econômica, alguns deles: Centros de Reprodução de Entomófagos e Entomopatógenos (CREE); Centros Integrais de Alimentação Animal; Clínicas veterinárias municipais; Rede de centros de monta e inseminação artificial; Rede de centros e microcentros de adubos orgânicos; Rede de consultórios – tenda do agricultor; Rede de fincas municipais de sementes; e Viveiros Populares e Tecnificados (Minag, 2018).

Possui 19 Subprogramas baseados na Agroecologia, dos quais 5 são agrícolas, 3 pecuários e 11 de apoio, que se integram de forma multi, inter e transdisciplinar, com enfoque participativo das mulheres e jovens. Um dos subprogramas consiste na capacitação, através de um processo participativo em que camponeses e técnicos das instituições de pesquisa e ensino, buscam refletir e agir sobre os problemas concretos, utilizando prioritariamente o Método Campesino a Campesino, onde os próprios camponeses são os formadores (ver EDUCAÇÃO POPULAR). Em 2017, foram formados 41.764 produtores (Minag, 2018).

O Programa de Agricultura Urbana, Suburbana e Familiar está em 12.588,91 km^2 do território nacional, aproximadamente 14% da área agrícola do país, e tem proporcionado a geração de mais de 350 mil empregos, dos quais 70 mil são ocupados por mulheres e 78,5 mil por jovens (Nodals, 2014).

Em 2018, foram produzidas 1.268.276 toneladas de hortaliças e condimentos frescos, em 8.638 ha de organopônicos, hortas intensivas e cultivos semiprotegidos, com a previsão de se chegar ao final de 2019 com 10 mil ha e uma média de produção de 12 kg/m^2/ano. Havia 134.963 fincas que utilizavam 101.252 juntas de boi. Foram produzidas 11,56 toneladas de sementes certificadas, com ênfase nos cultivos de alface, acelga chinesa, rabanete, cenoura e vagem. Estima-se que a produção animal tenha superado as 100 mil toneladas de carne (de aves, suínos, ovinos, caprinos e coelhos), 1,8 milhões de litros de leite de cabra e mais de 300 milhões de ovos. E foram emitidas licenças comerciais para mais de 300 fábricas de sucos de cooperativas vinculadas ao Subprograma de Frutas (Minag, 2018).

Enfim, o Programa Nacional de Agricultura Urbana, Suburbana e Familiar tem alcançado importantes resultados na produção de alimentos, na capacitação dos produtores, na geração de resultados técnicos-científicos e de experiências de produtores de referência, com impactos na esfera econômica-social e na biodiversidade (GNAU, 2018).

Referências:
NODALS, A. R.; CONCEPCIÓN, N. C.; RUÍZ, J. S. *Programa de Agricultura Urbana y Suburbana: Continuidad Histórica del Movimiento de Organopónicos.* Santiago de las Vegas, La Habana: Instituto de Investigaciones Fundamentales en Agricultura Tropical Alejandro de Humboldt, 2012.
NODALS, A. R. *La Agrecologia y la Agricultura Urbana, Suburbana y Familiar em Cuba.* 19º Congreso Cientifico Internacional del Instituto Nacional de Ciencias Agricolas, nov. 2014.
BRIZ, J.; FELIPE, I. de (Orgs.). *Agricultura Urbana Integral Ornamental y Alimentaria uma Visión Global e Internacional.* Madrid: Ministerio de Agricultura, Alimentación y Medio Ambiente de Espanha; Editorial Agrícola Española, 2015.
GNAU. Grupo Nacional de Agricultura Urbana. *Lineamientos de la Agricultura Urbana, Suburbana y Familiar para el año 2018.* Habana: Ministerio de Agricultura de Cuba; Instituto de Investigaciones Fundamentales en Agricultura Tropical, 2018.
OLIVA, E. M.; NOVO, M. G. (Orgs.). *Manual Tecnico para Organoponicos, Huertos Intensivos y Organoponia Semiprotegida.* 7ª. ed. La Habana: Instituto de Investigaciones Fundamentales en Agricultura Tropical; Asociacion Cubana de Tecnicos Agricolas y Forestales, 2010.
MINAG. Ministerio de Agricultura de Cuba. *Balance Nacional de Agricultura Urbana, Suburbana y Familiar.* La Habana: Instituto de Investigaciones Fundamentales en Agricultura Tropical; Grupo Nacional de Agricultura Urbana, feb. 2018.

Para saber mais
FUNES-MONZOTE, F R. *Agricultura Con Futuro: La Alternativa Agroecológica Para Cuba.* Matanzas: Estación Experimental "Indio Hatuey", Universidad de Matanzas, 2009. Disponível em: https://www.socla.co/wp-content/uploads/2014/Agricultura_Funes_Monzote1.pdf

AGROECOLOGIA

Dominique Guhur
Nívia Regina da Silva

Ao mesmo tempo em que vem ganhando visibilidade e importância na sociedade, a agroecologia conserva uma multiplicidade de sentidos, alguns consensuais, complementares ou convergentes, outros nem tanto. Embora esse crescimento venha se dando em âmbito internacional, pode haver diferenças importantes entre países e regiões do mundo (Wezel *et al.*, 2009). No presente texto, nos concentramos na América Latina e, mais especificamente, no Brasil, ainda que buscando conexões mais abrangentes sempre que possível.

A agroecologia tem sido reafirmada por um conjunto de sujeitos sociais, organizações, instituições de pesquisa e ensino como uma ciência, um enfoque ou disciplina científica, como prática (social) e como movimento ou luta política. Pode apresentar uma abordagem restrita, como um campo de cultivo agrícola; considerar um agroecossistema mais complexo, como uma unidade de produção (estabelecimento rural, assentamento de reforma agrária) ou mesmo uma região; abarcar todo o sistema agroalimentar; ou convidar a repensar o metabolismo sociedade-natureza, como parte de um projeto societário.

Em todos esses níveis e dimensões, a agroecologia se apresenta como uma contraposição a determinadas práticas, enfoques ou concepções. Propomos traçar alguns fios condutores que possam ajudar a compreender a agroecologia no momento atual,[1] a partir daqueles que têm sido reiteradamente apontados como seus sujeitos principais, a saber, os camponeses e camponesas (em sentido amplo)[2] e povos originários, tomados enquanto *classe social em luta*.

O que atualmente chamamos de agroecologia tem sua origem nas práxis camponesas e dos povos originários ao longo de aproximadamente 12 mil anos de criação e recriação das "agri-culturas", as quais se encontraram, dialeticamente, com a ciência moderna desenvolvida a partir do século XVII, em um processo de tensões, saltos e regressões. Resulta igualmente das contradições do próprio capitalismo (que para se reproduzir, degrada as bases materiais de produção: a natureza e o trabalho/trabalhador) e das lutas e processos históricos de resistência dos camponeses e povos originários contra seu avanço no campo. Somente a partir do século XX esse processo passou a ser sistematizado e organizado como um corpo próprio de conhecimentos científicos, adquirindo maiores contornos de luta política no início do século XXI, com organizações da sociedade civil, destacando-se os movimentos camponeses.

No momento atual, a dimensão política da agroecologia ganha cada vez mais centralidade: seja na luta dos camponeses, povos tradicionais e originários pelas condições de sua própria reprodução social; seja na importância da agroecologia para a saúde e a soberania alimentar, que mobiliza também os trabalhadores urbanos; seja, enfim, no debate de um outro projeto societário.

Agroecologia: antecedentes históricos e processo originário

Como toda produção humana, a agroecologia precisa ser pensada no contexto das relações sociais e dentro de seu desenvolvimento histórico. Embora o uso contemporâneo do termo tenha surgido em meados do século XX, é importante insistir que se pode identificar a origem do que hoje chamamos de agroecologia nas objetivações agri-culturais dos povos originários e camponeses (Hecht, 1989; Rosset; Altieri, 2017), desenvolvidas e acumuladas por gerações, em modos de ser dialeticamente sinérgicos e antagônicos (ou seja, de cooperação e complementariedade, mas também de exploração e depredação),[3] nas relações entre si e com a natureza (Tardin; Guhur, 2017).

Os povos originários e camponeses foram os primeiros agricultores, criadores e pesquisadores que, ao longo de gerações, identificaram, domesticaram, selecionaram e conservaram as espécies úteis aos seres humanos;[4] que desenvolveram ferramentas, formas de trabalho e técnicas de produção adaptadas às mais diferentes situações; que configuraram agroecossistemas e sistemas de produção, em um processo de coevolução com as condições naturais locais e, a partir de sua imbricação e cotidianidade com a natureza, constituíram as mais antigas cosmovisões [ver Cosmovisões]. Foram eles também que permitiram, enfim, o levantar de civilizações e garantiram a produção de alimentos para abastecer os trabalhadores das cidades e de outras classes sociais, nos diferentes modos de produção e formações sociais, sob exploração, opressão e dominação violentas; muitas vezes identificados com posições políticas, sociais e culturais conservadoras ou reacionárias, mas muito ativos em revoltas populares, guerras de independência e revoluções (Tardin, 2012).

A ascensão do modo de produção capitalista alterou ampla e violentamente a dinâmica milenar de reprodução do campesinato (Marx, 1983), trazendo a seguinte realidade:[5]

a) expulsão violenta dos camponeses da terra para, de um lado, concentrar os meios de produção nas mãos da classe dos proprietários e, de outro, produzir o trabalhador "livre", despossuído, necessário à indústria e à existência de um mercado interno;
b) submissão dos povos originários da África, América e Ásia ao genocídio, à escravidão e à dominação colonial, destruindo as formas anteriores de organização e reprodução social;
c) separação do campo e da cidade, rompendo assim as bases do metabolismo ecológico e social, e tornando a indústria fabril e o trabalho parcelar o modelo a ser aplicado a todas as esferas da produção, inclusive a agricultura;
d) subordinação da natureza e do trabalho humano ao imperativo de geração do lucro, em uma exigência sempre crescente de produtividade e de redução de custos, violentadora dos tempos e processos da natureza e intensificadora da alienação do ser humano (de si mesmo, da natureza, do gênero humano, do produto do seu trabalho).

Os conhecimentos e saberes tradicionais agroecológicos foram convenientemente apropriados e sistematicamente desqualificados,[6] paralelamente às reiteradas tentativas de destruição dos mecanismos endógenos de sua codificação, controle e transmissão, pela dominação de classe, racista e sexista (Hecht, 1989). Alguns séculos se passariam antes que chamassem a atenção de pesquisadores, marcando assim o "ressurgimento" da agroecologia.

Contribuições ao desenvolvimento da agroecologia

O ressurgimento contemporâneo da agroecologia não é obra do acaso. A consolidação e expansão do capitalismo industrial exigiu uma intensificação da agricultura que já no século XIX levava à exaustão dos solos na Europa e na América do Norte (Foster, 2005; Mazoyer; Roudart, 2010). A busca por solucionar esse problema esteve na origem das pesquisas que deram origem às bases científicas e tecnológicas da revolução verde [ver Revolução Verde] e, simultaneamente, a diferentes estudos e movimentos que foram decisivos para a constituição da agroecologia.

A partir de 1860, pesquisas pioneiras na microbiologia do solo tornaram conhecidos processos biológicos fundamentais, como a decomposição da matéria orgânica, a nitrificação e a fixação do nitrogênio, elementos que comprovam a base orgânica da nutrição das plantas (Silva, 2010).[7] Paralelamente, contudo, as descobertas de Justus von Liebig passaram a orientar a ciência agrícola a partir de uma concepção de fertilidade do solo restrita à natureza mineral da nutrição das plantas,[8] baseando-a em fertilizantes industriais – "mesmo que seu limite já [tivesse] sido apontado no final do século XIX" (Primavesi; Primavesi, 2018, p. 38).[9]

Ao que tudo indica, o termo "agroecologia" surgiria pela primeira vez em 1928, em um livro escrito por Basil Bensin (agrônomo russo que posteriormente emigrou para os EUA), para descrever o uso de métodos ecológicos na produção comercial de cultivos. No mesmo ano, o agrônomo americano Klaus Klages, embora sem citar o nome "agroecologia", escreveu um artigo considerado pioneiro na aplicação da ecologia [VER ECOLOGIA] à ciência agrícola, em que analisava a distribuição das espécies cultivadas, chamando a atenção para as complexas relações existentes entre a planta e seu ambiente (Klages, 1928) e incluindo em uma obra posterior fatores históricos, técnicos e socioeconômicos (Wezel; Soldat, 2009).

Diversos outros estudos importantes datam das décadas de 1920-1930. Alguns deles deram origem, no mesmo período, a sistemas agriculturais de base ecológica que integravam modos de vida e visões de mundo bastante amplas: a agricultura biodinâmica [VER AGRICULTURA BIODINÂMICA], fundada na Alemanha por Rudolf Steiner, em 1924; e a agricultura natural, fundada no Japão por Mokiti Okada em 1935 (e com contribuições também de Massanobu Fukuoka). Ambas surgiram integradas a sistemas filosóficos e religiosos – a proposta de Steiner englobava também uma pedagogia e uma medicina; a de Okada incluía a arte.

Entretanto, com o avanço da Segunda Revolução Agrícola, essas iniciativas permaneceram extremamente marginalizadas (Ehlers, 1994), e os avanços da ecologia e da agronomia seguiram de forma majoritariamente separada na academia, ao mesmo tempo que orientavam massivamente práticas agrícolas "desecologizadas" e "desculturalizadas" (Leff, 2002). A subsunção (ou subordinação) formal da agricultura à indústria era gradualmente transformada em subsunção real, por meio da articulação de tecnologias e práticas que, quando disseminadas aos países periféricos, ficariam conhecidas como Revolução Verde. Esse processo aprofundou a divisão do trabalho entre campo e cidade, entre concepção e execução, acelerando a fragmentação dos conhecimentos. Aprofundou também a alienação do trabalho, desconectando-o das necessidades humanas e provocando estranhamento na relação com a natureza.

As consequências negativas da Revolução Verde tornaram-se cada vez mais explícitas e difíceis de ignorar. *Primavera silenciosa*, publicado por Rachel Carson em 1962, foi um marco na denúncia dos efeitos dos agrotóxicos sobre o ambiente e a saúde humana, e influenciou de maneira ampla todo o movimento da contracultura das décadas de 1960 e 1970, período em que também se multiplicaram as pesquisas a respeito dos sistemas tradicionais de agricultura camponesa e indígena (Wezel *et al.*, 2009).

Nesse contexto de contestações, uma série de movimentos políticos, acadêmicos e camponeses intensificaram críticas e retomaram as potencialidades anteriores à Revolução Verde, demarcando um processo tecnológico e de práticas agrícolas que se contrapunha à agricultura industrial, cada vez mais dominante. Podemos citar, dentre os mais influentes (Ehlers, 1994; Jesus, 2005): a agricultura orgânica [VER AGRICULTURA ORGÂNICA] (disseminada nos EUA por Jerome Rodale, com base nos estudos do inglês Albert Howard, cuja obra fundamental fora publicada em 1940); a agricultura biológica (popularizada na França por Claude Aubert, na década de 1970, com base nas ideias do suíço Hans Peter Muller) e a permacultura [VER PERMACULTURA] (desenvolvida na Austrália por Bill Mollison, no final da década de 1970). Todas estas iniciativas são frequentemente agrupadas sob a denominação de "agriculturas alternativas" e, com exceção da agricultura biológica, se desenvolveram também no Brasil.

No Brasil, o movimento de contestação às bases da modernização conservadora da agricultura ganhou força a partir da década de 1970, com grupos de intelectuais, profissionais das ciências agrárias – destacando-se a Federação das Associações de Engenheiros Agrônomos (Faeab) –, estudantes de universidades públicas e ambientalistas configurando o "Movimento de Agricultura Alternativa". O movimento estudantil também teve papel destacado na organização dos Encontros Brasileiros de Agricultura Alternativa (EBAAs) e Encontros Regionais de Agricultura Alternativa (ERAAs), na década de 1980. Dentre os pioneiros do pensamento agroecológico brasileiro, podemos citar: Artur Primavesi, Ana Maria Primavesi, José Lutzenberger, Adilson Paschoal, Sebastião Pinheiro e Luiz Carlos Pinheiro Machado.

Foi a partir dos anos 1980 que o uso do termo agroecologia se popularizou, sob grande influência dos trabalhos de Miguel Altieri e de Stephen Gliessman, ambos pesquisadores de universidades estadunidenses. Passou-se a reconhecer como agroecologia um conjunto de práticas agrícolas tradicionais e formas de organização desenvolvidas por camponeses e povos originários, especialmente na América Latina (Altieri, 1989; Gliessman, 2001). Outra contribuição fundamental para esse reconhecimento foi dada por Eduardo Sevilla-Guzmán e Manuel Gonzáles de Molina, ambos ligados ao Instituto de Sociologia e Estudos Camponeses (Isec) da Universidade de Andaluzia, Espanha.

No âmbito acadêmico, os estudos e pesquisas passaram a crescer exponencialmente, ampliando-se para novos campos do conhecimento e abordagens, conduzindo, na década de 1990, a uma consolidação e reconhecimento institucional (Wezel; Soldat, 2009). Houve, nesse período, acúmulos significativos dos movimentos de resistência à Revolução Verde, da produção científica e da retomada das práticas e sabedoria tradicionais camponesas e ameríndias, que conduziriam, nos anos seguintes, a uma ampliação das dimensões e do conceito de agroecologia. Na América Latina, foram criados o Consórcio Latino-Americano de Agroecologia y Desarrollo (Clades), em 1989, e o Movimento Agroecológico Latino-Americano (Maela), em 1992.

No Brasil, se estabelece a partir dos anos 2000 um calendário permanente de mobilizações, atividades e eventos massivos que resultaram de articulações estaduais, regionais e nacionais dos diversos movimentos e organizações, dentre os quais podemos destacar: o Encontro Nacional de Agroecologia, que resultou na criação da Articulação Nacional de Agroecologia [VER ARTICULAÇÃO NACIONAL DE AGROECOLOGIA (ANA)] e a Jornada de

Agroecologia (Paraná),[10] desde 2002; a campanha "As sementes são patrimônio da Humanidade" (da Via Campesina [VER VIA CAMPESINA]) e o Congresso Brasileiro de Agroecologia, que deu origem à Associação Brasileira de Agroecologia (ABA), desde 2003; a Campanha Permanente Contra os agrotóxicos e Pela Vida, desde 2011 [VER AGROTÓXICOS]; a Feira Nacional da Reforma Agrária, desde 2015. São criadas escolas, centros de formação e institutos de agroecologia, com ofertas de cursos não escolares e escolares em nível técnico, tecnólogo, especialização e mestrado; e também a incorporação da agroecologia à Educação do Campo [VER EDUCAÇÃO DO CAMPO].

Em âmbito internacional, é importante destacar a criação, em 2007, da Sociedad Científica Latino-Americana de Agroecología (Socla) e a realização, em 2015, do Fórum Internacional sobre agroecologia, em Nyéléni, no Mali (para detalhes sobre o desenvolvimento da Agroecologia em outros países latino-americanos, ver Altieri, 2017; Gliessman, 2013).

Ao longo de sua história, a agroecologia foi incorporando contribuições filosóficas e científicas em diversos campos do conhecimento, consolidando princípios, métodos e critérios de análise e desenvolvimento, e suscitando discussões a respeito de uma epistemologia própria [VER EPISTEMOLOGIA DA AGROECOLOGIA]. A dimensão científica da agroecologia, embora essencial, não é suficiente para compreendê-la.

A agroecologia como práxis: prática, ciência, luta

A práxis é uma categoria teórica que inclui todas as objetivações humanas, materiais e ideais, em sua complexidade e diversidade; que envolve o trabalho como objetivação fundante, mas o transcende, revelando o humano como ser criativo e autoprodutivo, "produto e criação da sua autoatividade" (Netto; Braz, 2010, p. 44). Compreender a agroecologia como *práxis* sugere a possibilidade de incorporação consciente da dimensão ecológica da vida ao ser social desenvolvido; além de nos permitir apreender suas múltiplas objetivações (trabalho, práticas, ciência, luta, cultura...) ou momentos de maneira integrada, sem perder de vista suas relações e mediações.

Em uma primeira aproximação, a agroecologia poderia ser reduzida a um conjunto de técnicas e práticas de produção agrícola. Entretanto, nas práticas sociais originárias e camponesas, não completamente subsumidas ao capitalismo, se encontram entranhados os sistemas de conhecimento tradicionais, razão pela qual recuperar as práticas é também resgatar os saberes tradicionais que foram e estão sendo erodidos: "costuramos com as mãos dos povos o tecido vivo de nossa biodiversidade que também representa nossa memória, nossas culturas" (Jornada de Agroecologia, 2019).

A prática social agroecológica se expressa ao mesmo tempo como um ato prático-material e como ideação e reflexão, em uma relação dialética ação-pensamento-ação, *práxis*, ação consciente sobre a natureza que transforma também o próprio sujeito. A produção camponesa é ao mesmo tempo unidade de produção e reprodução da vida, produção e consumo; logo, a produção agroecológica não é isolada das demais esferas da vida. A práxis agroecológica, baseada num tipo particular de relação com a natureza e em uma racionalidade "mais ecológica", tem implicações na vida cultural, social, estética, lúdica e afetiva – o que às vezes acaba se traduzindo na identificação da agroecologia como "modo de vida" (Fórum Internacional de Agroecologia, 2015).

Em segundo lugar, como processo de transformação da natureza orientado ecologicamente, as práticas agroecológicas constituem um processo de trabalho [VER TRABALHO] particular, e envolvem elementos e processos da natureza (solo, água, biodiversidade), insumos, ferramentas, instrumentos, máquinas e instalações; saberes e conhecimentos agroecológicos; mas, igualmente, uma determinada divisão do trabalho, níveis de cooperação, cadeias de comando e hierarquias da autoridade, e métodos específicos de coordenação e controle[11] que nem sempre se diferenciam dos processos não agroecológicos. A unidade camponesa agroecológica, normalmente baseada na família, tende a reproduzir relações patriarcais, além disso necessitando em muitos casos de força de trabalho complementar (sazonal ou permanente). Na sociedade capitalista, em que a produção camponesa se encontra subordinada, mesmo que eventualmente alcançando algum grau de autonomia relativa [VER CAMPESINATO], essas relações de trabalho podem continuar a reproduzir padrões de exploração e opressão, de gênero, de geração, étnica ("de raça") e de assalariamento; ou avançar, por meio de experiências associativas, cooperativas e autogestionárias diversas, para níveis de superação de tais padrões. São contradições cujo enfrentamento prático revela e constrói determinadas intencionalidades sociais e políticas do movimento agroecológico.

Finalmente, a prática agroecológica incorpora também às antigas tradições novas técnicas, instrumentos e máquinas que sejam adequados ao manejo ecológico, à diminuição da penosidade do trabalho agrícola e ao aumento de sua produtividade. Trata-se de superar as modernas técnicas e tecnologias da Revolução Verde, selecionando, adaptando e apropriando criticamente aquelas adequadas às "necessidades humanas genuínas" (Foster, 2005), a partir de critérios ecológicos, sociais e culturais, não redutíveis a uma pretensa "eficiência" econômica nem à lógica produtivista.

O estudo de sistemas agrícolas tradicionais por pesquisadores de diversas áreas, mesmo que muitas vezes tenha resultado na simples validação de práticas tradicionais (Kuhn, 1992), foi o ponto de partida para o desenvolvimento de conceitos e de hipóteses explicativas do funcionamento de sistemas de produção agroecológicos (Hecht, 1989) e para o estabelecimento dos princípios fundamentais da agroecologia (Rosset; Altieri, 2017). O reconhecimento dessa relação de origem, dos povos originários e camponeses como sujeitos produtores de conhecimento e portadores de critérios próprios de sua organização, sistematização e validação, desencadeou uma série de debates sobre a relação entre ciência e saberes tradicionais e sobre a participação dos camponeses na pesquisa agroecológica (Articulação Nacional de Agroecologia, 2007).

A ciência moderna surgiu na Europa do encontro entre, de um lado, a observação empírica, a experimentação e a busca das causas dos fenômenos que caracterizavam as práticas e os saberes dos artesãos qualificados e, de outro, o pensamento matemático, lógico e sistemático de uma elite de eruditos e humanistas com formação universitária. Nesse encontro, os saberes populares e artesanais foram apropriados, sistematizados e codificados e serviram à formulação de novas teorias e conhecimentos e do próprio método científico. Entretanto, "os artesãos que haviam produzido os conhecimentos de base seriam doravante privados de seu papel criativo nas ciências e de qualquer controle sobre elas" (Conner, 2011, p. 407), e a ciência se tornaria o monopólio de uma elite científica altamente especializada para, mais tarde, associar-se diretamente ao capital como força produtiva direta. O encontro que dá origem à agroecologia, portanto, não é novo, mas enfrenta o desafio de se realizar em outras bases: como "diálogo de saberes", que se encontram a partir de um compromisso ético-político, *de classe*, para refletir criticamente e agir sobre o mundo a ser transformado e humanizado sem negar as diferenças entre os saberes e culturas, que se tornam base para uma mútua problematização (Freire, 2005).

Nessas bases, deve-se repensar a "participação na pesquisa agroecológica", quando se refere à participação de um sujeito (normalmente, os camponeses e camponesas) na intencionalidade de outro (normalmente, o pesquisador, técnico ou extensionista), em função de um interesse comum (um agroecossistema, processos agroecológicos etc.). Métodos e técnicas diversas permitem variados graus dessa participação. O desafio é organizá-la de maneira que seja o pesquisador a participar na intencionalidade dos camponeses, construindo conjuntamente, sendo por eles convocado – para propor a forma de organização de um experimento comparativo; para identificar ou quantificar elementos, explicar processos e tendências, apreender conexões etc. – de maneira que os próprios camponeses alcancem certo grau de controle sobre a pesquisa e possam efetivamente apropriar-se de seus resultados.

O conhecimento assume formas históricas, condicionadas por relações sociais e formas de organização do trabalho. A separação entre o sujeito que "pensa" (o cientista/pesquisador, especializado na produção da ciência) e aquele que trabalha (no campo, o sujeito camponês, responsável pela aplicação de técnicas) corresponde à divisão do trabalho existente na sociedade capitalista moderna, não sendo algo dado, natural (Rolo, 2015). Tal desigualdade de saberes e poderes entre os sujeitos sociais não pode, portanto, ser completamente resolvida sem enfrentar os fundamentos estruturais do capitalismo.

A agroecologia é política e "[...] exige que enfrentemos, desafiemos e transformemos as estruturas de poder da sociedade" (Declaración del Foro Internacional sobre Agroecología, 2015, p. 5). É a contestação e negação do agronegócio, pois entre ele e a agroecologia não há possibilidade de coexistência, uma vez que se trata de uma disputa conflituosa por terra, território [ver Território] e condições de produção e comercialização, que reafirma a questão agrária [ver Questão Agrária] como um problema estrutural do capitalismo (Alentejano, 2014).

Trata-se também de formular, anunciar e construir projetos de vida coletivos, como sintetizado, por exemplo, no lema da Jornada de Agroecologia do Paraná: "Terra livre de transgênicos e sem agrotóxicos; cuidando da terra, cultivando biodiversidade e colhendo soberania alimentar; construindo o projeto popular e soberano para a agricultura".

A crescente preocupação, em todo o mundo, com a questão ambiental, a alimentação e a saúde, bem como a grande capacidade do capitalismo de abrir novas frentes de acumulação, e de se reajustar e reorganizar diante das crises para seguir se reproduzindo, vêm conformando a proposta de um "capitalismo verde" [VER CAPITALISMO VERDE], que, sob a aparência de um discurso ecológico, esconde um aprofundamento da espoliação e mercantilização da natureza e da exploração dos trabalhadores. Para o campo, são propostos ajustes meramente tecnocráticos, tais como a intensificação sustentável (que inclui os transgênicos), a agricultura de conservação, a agricultura climaticamente inteligente, produção e conservação de florestas para sequestro de carbono e o manejo integrado de pragas, aos quais se soma o agronegócio dos orgânicos, na busca por nichos de mercado e preços que restringem o consumo dos produtos às camadas mais abastadas. Nesse contexto, diversas instituições e organismos internacionais, e mesmo empresas transnacionais como a Monsanto, começaram a utilizar o termo para designar tal conjunto de "alternativas" (Fórum Internacional de Agroecologia, 2015; Altieri, 2017; Rosset; Altieri, 2017), revelando assim uma tentativa de apropriação e amoldamento da agroecologia ao autointitulado "agronegócio sustentável".

Essa disputa reforça o caráter profundamente político da agroecologia e a centralidade do campesinato, dos povos originários e comunidades tradicionais e extrativistas, os quais, por meio de formas organizativas diversas, redes de articulação e movimentos populares, incorporam-na a partir dos anos 2000 como objetivo estratégico e passam a buscar as condições para coletivamente resistir, resgatar e promover formas de agricultura cada vez mais ecologicamente orientadas: "A agroecologia nos convida a estarmos juntos no ciclo da vida, o que implica que também devemos estar unidos no ciclo da luta" (Declaración del Foro Internacional Sobre Agroecología, 2015, p. 1).

Território e políticas públicas

Promover a agroecologia significa, para os camponeses e povos tradicionais e originários, lutar cotidianamente contra a despossessão e expulsão da terra, contra a mercantilização dos bens comuns [VER BENS COMUNS], a criminalização dos movimentos sociais populares, as restrições de acesso à terra, à água [VER ÁGUA], às sementes [VER SEMENTES] e demais meios de trabalho. Na disputa por seus territórios e por condições materiais e culturais de produzir e viver, enfrentam poderosas forças contrárias em processos de intenso conflito (Michelotti *et al.*, 2018), frente às quais precisam organizar-se coletivamente, e, muitas vezes, buscar alternativas locais comunitárias, cooperativas e autogestionárias.

O neoliberalismo, de fato, caracteriza-se por reduzir a atuação do Estado no provimento de serviços e políticas públicas, delegando justamente aos próprios indivíduos, aos laços sociais locais e ao apoio comunitário parte da responsabilidade pelo combate à pobreza e à desigualdade social, com base nas noções ideológicas de "capital social" e "empreendedorismo", no contexto de fragmentação das lutas da classe trabalhadora e de desmobilização dos sujeitos políticos coletivos que são seus representantes (Neves, 2005; Neves; Pronko; Mendonça, 2009). Embora iniciativas autônomas sejam válidas e de indiscutível importância, é preciso ao mesmo tempo organizar a luta coletiva por políticas públicas, pelo acesso à mais-valia social (orçamento público) e pela responsabilização do Estado na garantia de direitos, na proteção social e da natureza.

Em contrapartida, muitas políticas públicas, gestadas no contexto neoliberal, trazem em seu bojo normatizações incompatíveis com o modo de produção e reprodução da vida dos camponeses e povos tradicionais e originários.

A adoção da agroecologia *em larga escala* também é consequência da concepção de mundo que os camponeses criticamente desenvolvem como negação da matriz tecnológica e de produção dominantes (Carvalho, 2007); passa pelo desenvolvimento de formas de cooperação [VER COOPERAÇÃO]; está relacionada à necessidade de programas institucionais de pesquisa e de desenvolvimento de máquinas e equipamentos apropriados, de tecnologias sociais [VER TECNOLOGIAS SOCIAIS], de formação e apoio técnico; de educação popular [VER EDUCAÇÃO POPULAR EM AGROECOLOGIA]; de políticas de acesso a créditos e de incentivo à produção, beneficiamento, agroindustrialização e comercialização ou distribuição da produção. É inseparável da reforma agrária [VER REFORMA AGRÁRIA], da demarcação das terras indígenas e do reconhecimento dos territórios quilombolas e das populações tradicionais. São necessárias políticas públicas de saneamento ecológico [VER SANEAMENTO ECOLÓGICO], habitação, educação, transporte, cultura e lazer para o campo, território de trabalho, de vida e de promoção da agroecologia.

Destacamos, nesse sentido, o Programa Nacional de Alimentação Escolar (Pnae), com destinação de 30% dos recursos à compra direta de produtos da agricultura familiar; o Programa de Aquisição de Alimentos (PAA); a Política de Educação do Campo e o Programa Nacional de Educação na Reforma Agrária (Pronera); a construção do Plano de Agroecologia e Produção Orgânica (Planapo); e a luta pelo Programa Nacional de Redução de Agrotóxicos (Pronara), transformado em projeto de lei como Política Nacional de Redução de Agrotóxicos (Pnara). Todas essas iniciativas, embora insuficientes, foram importantes por evidenciar a elevada capacidade de resposta e de resultados, mediante investimentos proporcionalmente pequenos. Elas impulsionaram a ampliação da produção agroecológica camponesa, em comunidades tradicionais e assentamentos da reforma agrária, bem como o desenvolvimento de experiências[12] agroecológicas diversificadas e inovadoras a partir de biomas [VER BIOMAS] e culturas locais. Além disso, trouxeram a agroecologia para o centro dos debates sobre alimentação e saúde, que dizem respeito a toda a sociedade, mas especialmente aos trabalhadores urbanos.

Soberania alimentar, saúde e agroecologia

Os movimentos da Via Campesina deram origem, em 1996, ao princípio da soberania alimentar, que trata a questão da produção, distribuição e consumo de alimentos saudáveis como constituintes indispensáveis da soberania dos povos. A alimentação saudável não se restringe à questão nutricional e biológica, nem a um ato individual e impessoal. Alimentação é ato político, é um direito coletivo, em que se expressa a cultura de cada povo, e que sofre as pressões e imposições das políticas neoliberais e do poder decisório das corporações do sistema agroalimentar.

A valorização dos alimentos regionais e daqueles ligados às tradições culturais contribuem para o resgate de cultivos alimentares locais, para a conservação da biodiversidade e para uma produção agroecológica diversificada. Nessa perspectiva, as mulheres do campo desempenham um papel estratégico na garantia da soberania e segurança alimentar e nutricional [VER SOBERANIA E SEGURANÇA ALIMENTAR E NUTRICIONAL], mesmo que seu trabalho seja muitas vezes invisibilizado ou pouco reconhecido [VER ECONOMIA FEMINISTA].

A homogeneização dos padrões de consumo alimentar em todo o mundo, com a generalização dos alimentos [VER ALIMENTOS] ultraprocessados (com grandes quantidades de sal, gordura, açúcar, conservantes, corantes e saborizantes artificiais) e restrição do acesso aos produtos frescos, diversificados e agroecológicos, atinge diretamente os trabalhadores urbanos, aumentando a ocorrência de obesidade, hipertensão, diabetes e outras enfermidades, além da desnutrição e da ameaça da fome [VER FOME].

Outro fator fundamental para a defesa da agroecologia e sua relação com a saúde é o combate ao uso do agrotóxico. No Brasil, o agronegócio [VER AGRONEGÓCIO] é um grande consumidor e promotor da ampliação do uso desses produtos nos territórios e, por meio de pressão junto às instâncias do poder público, alterna com os Estados Unidos a posição de maior consumidor do mundo. A contaminação hídrica, atmosférica, edáfica (dos solos), das plantações, da fauna, da flora e dos ecossistemas resultam em diversos e graves impactos à saúde ambiental e humana, com efeitos cumulativos e sinérgicos devido às diversas fontes e vias de contaminação diária.

Além da contaminação química decorrente do uso de agroquímicos, a monocultura e a expansão das fronteiras agrícolas, com a concentração de terras e de poder, vêm reduzindo drasticamente a biodiversidade e as riquezas naturais, chegando a comprometê-la na escala de grandes extensões dos biomas. Todo esse conjunto de fatores interfere negativamente na determinação social da saúde [VER DETERMINAÇÃO SOCIAL DA SAÚDE], com maior extensão e intensidade para os camponeses e povos originários, resultando em processos de violações de direitos, de desterritorialização e de ampliação da vulnerabilidade socioambiental, expressão da vulnerabilidade institucional em promover a proteção social e a saúde pública, enquanto direito de todos e dever do Estado.

As práticas agroecológicas trazem outra dinâmica para a saúde. Os modos de produção e de reprodução da vida dos camponeses, historicamente ocultadas ou descaracterizadas pelo modelo produtivista insustentável, são redimensionados e organizados pela agroecologia, valorizando as culturas nos territórios e as práticas e saberes em educação e saúde da população do campo [VER PRÁTICAS E SABERES EM EDUCAÇÃO E SAÚDE DA POPULAÇÃO DO CAMPO].

E, ao contrário do que insistem os mitos difundidos a respeito da agroecologia, diversos estudos apontam que os sistemas agroecológicos são produtivos, economicamente viáveis e mais estáveis ao longo do tempo do que os sistemas convencionais baseados na Revolução Verde. A agroecologia se constitui como a base da produção de alimentos no mundo (Holt-Giménez; Patel, 2010; Canuto, 2011; Rosset; Altieri, 2017).

Os sujeitos que ao longo da história foram os responsáveis por manter as bases de reprodução biótica dos elementos da natureza (Sevilla Guzmán, 2011) têm, neste momento, sua permanência na terra e sua reprodução social gravemente ameaçadas pelo agronegócio. Ao assumirem para si também a missão de abastecer os trabalhadores das cidades com alimentos agroecológicos, os camponeses, povos tradicionais e originários transcendem a luta nos territórios, inscrevendo a agroecologia no debate entre projetos de sociedade.

Agroecologia e projeto societário

O fundamento necessário do capitalismo é a permanente reprodução ampliada do capital, e não a satisfação de necessidades humanas genuínas ou naturais (Foster, 2005), com o lucro antepondo-se à vida em todas as suas formas. Esse sistema econômico se sustenta em uma relação social necessariamente violenta, dado que se baseia na apropriação privada da riqueza socialmente produzida e na exploração dos seres humanos e da natureza, se necessário até a exaustão. Assim, é no âmbito das lutas e da resistência dos povos contra o capitalismo que se inscreve a agroecologia.

A amplitude das reflexões, lutas e práticas da agroecologia faz com que muitas vezes, inclusive, ela seja confundida com uma proposta política e societária em si mesma, o que ela de fato não é. Trata-se de debater e construir, em aliança com os trabalhadores urbanos, em escala nacional e global, um projeto de luta e superação do atual modo de produção capitalista, para "reestabelecer o curso alterado da coevolução social e ecológica" (Sevilla Guzmán; Molina, 1996): "Propomos uma agroecologia popular para um poder popular" (Declaración del Foro Internacional Sobre Agroecología, 2015, p. 22).

A agroecologia popular, camponesa, ameríndia, quilombola e de todos os povos tradicionais "[...] compõe hoje a dimensão afirmativa da negação radical da ordem social do capital, integrando o confronto das classes fundamentais da sociedade capitalista no desafio de construção da alternativa social hegemônica do trabalho" (Caldart, 2017, p. 116-117).

Nessa perspectiva, a agroecologia orienta a objetivação de agroecossistemas produtivos de alimentos saudáveis, potencializadores da biodiversidade ecológica e da diversidade sociocultural; que tem como base a práxis camponesa, dos povos originários e tradicionais (trabalho produtivo, processo de trabalho, tecnologia; e simultânea e dialeticamente, ideação e reflexão, saberes, conhecimentos, concepção de mundo/cosmovisões, teoria, valores, estética...), reconectando saberes tradicionais e conhecimentos científicos. Afirma-se na luta política, dos territórios até o âmbito nacional e internacional, em aliança com os trabalhadores da cidade, na busca por superar as contradições impostas pela estrutura capitalista, patriarcal e racista; por rearticular o metabolismo socioecológico [VER METABOLISMO SOCIOECOLÓGICO] entre campo e cidade; e pela apreensão consciente da dimensão ecológica da vida como uma dimensão fundamental da emancipação humana. Insere-se, assim, na busca por construir uma sociedade de produtores livremente associados com a sustentação de toda a vida, em que os seres humanos possam realizar-se enquanto autoprodutores e criativos, e reconhecer-se como partícipes da teia da vida.

Referências

ALENTEJANO, P. Questão agrária e agroecologia no Brasil do século XXI. *In:* MOLINA, M. C. *et al.* *Práticas contra-hegemônicas na formação dos profissionais das Ciências Agrárias:* reflexões sobre agroecologia e educação do campo nos cursos do Pronera, p. 23-57. Brasília: NEAD, 2014.

ALTIERI, M. (ed.) *Historia de la Agroecología em América Latina y España.* Berkeley (USA): SOCLA, 2017.

______. *As bases científicas da Agricultura Alternativa.* 2. ed. Rio de Janeiro: PTA/FASE, 1989.

ARTICULAÇÃO NACIONAL DE AGROECOLOGIA. *Construção do conhecimento agroecológico:* novos papéis, novas identidades. Rio de Janeiro: Articulação Nacional de Agroecologia, 2007.

CALDART, R. S. Trabalho, agroecologia e educação politécnica nas escolas do campo. *In:* CALDART, R. S. (org). *Caminhos para a transformação da escola:* trabalho, agroecologia e estudo nas escolas do campo. São Paulo: Expressão Popular, 2017, p. 115-160.

CARVALHO, H. M. de. *Desafios para a Agroecologia como portadora de uma nova matriz tecnológica para o campesinato.* Texto inédito. Curitiba, 2007.

CANUTO, J. C. Mitos sobre Agroecologia. *Cadernos de Agroecologia,* v. 6, n. 2, dez. 2011. Disponível em: http://orgprints.org/22673/1/Canuto_mitos.pdf. Acesso em 15 ago. 2019.

CONNER, C. D. *Histoire populaire des sciences.* [s. l.]: Éd. L'échappée, 2011.

DECLARACIÓN DEL FORO INTERNACIONAL SOBRE AGROECOLOGÍA. Nyéléni, Mali, 2015. *In:* LA VIA CAMPESINA. Agroecología campesina: por la soberanía alimentaria y la Madre Tierra. *Cuaderno n. 7,* n. 2015, p. 62-70.

DIAMOND, J. *Colapso:* como as sociedades escolhem o sucesso ou o fracasso. 5. ed. Rio de Janeiro: Record, 2007.

EHLERS, E. *A agricultura alternativa:* uma visão histórica. Estudos Econômicos, São Paulo, v. 24, n. esp., p. 231-262, 1994. Disponível em: https://www.revistas.usp.br/ee/article/download/159171/154068. Acesso em 15 ago. 2019.

FEDERICI, S. *Calibã e a bruxa:* mulheres, corpo e acumulação primitiva. São Paulo: Elefante, 2017.

FÓRUM INTERNACIONAL DE AGROECOLOGIA. *Relatório.* Nyéléni, Mali, 2015, 36 p

FOSTER, J. B. *A ecologia de Marx:* materialismo e natureza. Rio de Janeiro: Civilização Brasileira, 2005.

FREIRE, P. *Pedagogia do oprimido.* 43. ed. Rio de Janeiro: Paz e Terra, 2005.

GLIESSMAN, S. R. *Agroecologia:* processos ecológicos em agricultura sustentável. 2. ed. Porto Alegre: UFRGS, 2001.

______. Agroecología: plantando las raíces de la resistencia. *Agroecología,* v. 8, n. 2, p. 19-26, 2013. Disponível em: https://revistas.um.es/agroecologia/article/view/212151. Acesso em: 15 fev. 2021.

HARVEY, D. Os limites do capital. São Paulo: Boitempo, 2014.

HECHT, S. B. A evolução do pensamento agroecológico. *In:* ALTIERI, Miguel A. *As bases científicas da Agricultura Alternativa.* 2. ed. Rio de Janeiro: PTA/FASE, 1989, p. 25-41.

HOLT-GIMÉNEZ, E.; PATEL, R. E. *Rebeliones alimentarias:* Crisis y hambre de justicia. Barcelona: El Viejo Topo, 2010.

JESUS, E. L. Diferentes abordagens de Agricultura Não-Convencional: História e Filosofia. *In:* AQUINO, A. M. e ASSIS, R. L. (org.). *Agroecologia:* Princípios e técnicas para uma Agricultura Orgânica Sustentável. Brasília: Embrapa Informação Tecnológica, 2005, p. 21-48.

JORNADA DE AGROECOLOGIA. *Carta política da 18ª Jornada de Agroecologia.* Curitiba, 1 de setembro de 2019. Disponível em: https://jornadadeagroecologia.org.br/2019/09/01/carta-politica-da-18a-jornada-de-agroecologia-reafirma-a-resistencia-popular/.Acesso em 17 set. 2019.

KUHN, T. S. *A estrutura das revoluções científicas.* 3. ed. São Paulo: Perspectiva, 1992.

KLAGES, K. Crop ecology and ecological crop geography in the agronomic curriculum. *Journal of the American Society of Agronomy,* v. 10, p. 336-353, 1928.

LEFF, E. *Saber Ambiental:* sustentabilidad, racionalidad, complejidad, poder. 3. ed. United Nations Environment Programme, Universidad Nacional Autónoma de México, PEM UMA, 2002.

MARX, K. *O capital:* Livro I, Tomo II. São Paulo: Abril Cultural, 1983.

MAZOYER, M.; ROUDART, L. *História das agriculturas no mundo:* do neolítico à crise contemporânea. São Paulo: Ed. Unesp, 2010.

MICHELOTTI, F. *et al.* Agroecologia, campesinato e disputas por terra e território. *In:* SILVA JR., A. L. *et al.* (org.). *Educação do Campo, Agroecologia e Questão Agrária:* a experiência do curso de residência agrária na construção do IALA Amazônico. 1. ed. Marabá: Iguana Editorial, 2018, v. 1, p. 79-105.

NETTO, J.; BRAZ, M. *Economia política:* uma introdução crítica. 6. ed. São Paulo: Cortez, 2010.

NEVES, L. M. W. (org.). *A nova pedagogia da hegemonia:* estratégias do capital para educar o consenso. São Paulo: Xamã, 2005.

A

NEVES, L. M. W.; PRONKO, M. A.; MENDONÇA, S. R. Capital social. *In:* PEREIRA, I. B.; LIMA, J. C. F. *Dicionário de Educação Profissional em Saúde.* 2 ed. Rio de Janeiro: EPSJV/Fiocruz, 2009. Versão eletrônica. Disponível em: http://www.sites.epsjv.fiocruz.br/dicionario/verbetes/capsoc.html. Acesso em: 15 ago. 2019.
PRIMAVESI, A; PRIMAVESI, A. *Biocenose do solo na produção vegetal & Deficiências minerais em culturas:* nutrição e produção vegetal. São Paulo: Expressão Popular, 2018.
ROLO, M. A natureza como uma relação humana, uma categoria histórica. *In:* CALDART, R. S.; STEDILE, M. E.; DAROS, D. (org.). *Caminhos para transformação da Escola:* agricultura camponesa, educação politécnica e escolas do campo. São Paulo: Expressão Popular, 2015, v. 2, p. 139-175.
ROSSET, P.; ALTIERI, M. *Agroecologia:* Ciencia y política. La Paz, Bolívia: Icaria Editorial, 2017.
SEVILLA GUZMÁN, E.; MOLINA, M. G. Sobre la Agroecologia: algunas reflexiones en torno a la agricultura familiar en España. *In:* GÁRCIA DE LÉON, M.A. (ed). *El campo y la ciudad.* Madrid: MAPA, 1996. p. 153-197.
SEVILLA GUZMÁN, E. *Sobre los orígenes de la agroecología en el pensamiento marxista y libertario.* La Paz, Bolívia: Plural Editores, 2011.
SILVA, N. R. *Etnopedologia e qualidade do solo no assentamento Roseli Nunes, Pirai-RJ.* 2010. Dissertação (Mestrado em Agroecossistemas). Centro de Ciências Agrárias, Universidade Federal de Santa Catarina, Florianópolis, 2010, 118 p.
TARDIN, J. M. Cultura camponesa. *In:* CALDART, R. S. *et al.* (org.). *Dicionário da Educação do Campo.* Rio de Janeiro/São Paulo: Escola Politécnica de Saúde Joaquim Venâncio/Expressão Popular, 2012.
TARDIN, J. M; GUHUR, D. M. P. Agroecologia: uma contribuição camponesa à emancipação humana e à restauração revolucionária da relação metabólica sociedade-natureza. *In:* MOLINA, M. C. *et al. Análise de práticas contra-hegemônicas na formação dos profissionais de Ciências Agrárias:* Reflexões sobre o programa Residência Agrária. v. 2. Brasília: Ed. Universidade de Brasília, 2017, p. 44-99.
TIBAU, A. O. *Matéria Orgânica e Fertilidade do solo.* São Paulo: Editora Nobel. 1978.
WEZEL, A; SOLDAT, V. A quantitative and qualitative historical analysis of the scientific discipline of agroecology. *International Journal of Agricultural Sustainability,* v. 7, n. 1, p. 3-18, 2009. Disponível em: https://wp.ufpel.edu.br/consagro/files/2010/09/WEZEL-Historical-analysis-Scientific-Agroecology.pdf. Acesso em: 15 jan. 2021.
WEZEL, A. *et al.* Agroecology as a science, movement or practice. *Agronomy for Sustainable Development,* n. 29, 2009, p. 503-515. Disponível em: http://agroeco.org/socla/pdfs/wezel-agroecology.pdf. Acesso em: 15 jan. 2021.

Notas

1 Uma reflexão anterior desse debate coletivo se encontra em Guhur, D.; Toná, N. Agroecologia. *In:* Caldart, R. S. *et al.* (org.). *Dicionário da Educação do Campo.* Rio de Janeiro/São Paulo: Escola Politécnica de Saúde Joaquim Venâncio/Expressão Popular, 2012, p. 57-65.

2 Camponeses, aqui, no sentido amplo dado pela Via Campesina, e ratificado pela Declaração de Direitos Camponeses da ONU (2018): pequenos agricultores e criadores, povos indígenas, quilombolas e transumantes, sem terra e trabalhadores assalariados do campo, povos do campo, das águas e das florestas que se dediquem ao pastoreio, à pesca, à silvicultura, à caça e coleta e ao artesanato.

3 O reconhecimento do protagonismo histórico fundamental das e dos camponeses e povos originários não significa afirmar que toda agricultura camponesa tradicional seja necessariamente agroecológica, nem na atualidade, nem no passado. Sabe-se que muitas sociedades e civilizações entraram em declínio e chegaram mesmo ao colapso em função de práticas ecológicas depredatórias (muitas vezes associadas a outros fatores), como "[...] desmatamento e destruição do hábitat, problemas com o solo (erosão, salinização e perda de fertilidade), problemas com o controle da água, sobrecaça, sobrepesca, efeitos da introdução de outras espécies sobre as espécies nativas e aumento *per capita* do impacto do crescimento demográfico" (Diamond, 2007, p. 8). Assim como, no Brasil, a "modernização da agricultura" pressionou fortemente esses sujeitos à adoção de relações e práticas de depredação, e segue de maneira muito mais brutal na atualidade com o agronegócio.

4 No mundo todo, os camponeses conservam ainda hoje pelo menos dois milhões de variedades de plantas cultivadas e cerca de 7 mil raças animais (ETC Group, 2009, apud Rosset; Altieri, 2017).

5 Os camponeses e, principalmente, as mulheres camponesas organizaram movimentos de resistência ativa e de luta contra o processo de acumulação primitiva do capital – ver Federici (2017).

6 Os europeus que traficaram escravos e fundaram fazendas escravistas na Carolina do Sul, por exemplo, receberam "[...] todo o crédito pelo engenhoso sistema de irrigação dos arrozais que essas Africanas [trazidas como escravas da África do Oeste] tinham desenvolvido em diversos tipos de

A

zonas úmidas", e cujos conhecimentos foram essenciais para a implantação dessa cultura nos EUA (Carney, 2001, *apud* Conner, 201_, p. 137; tradução nossa). Também o guano, excremento de aves que se tornou o primeiro adubo nitrogenado a ser transportado da América para a Europa, no século XIX, já era utilizado centenas de anos antes pelos povos originários.

7 Húmica, onde o solo não é um reservatório passivo de nutrientes (matérias inorgânicas).

8 Tibau (1978) relata que se iniciou um reinado de certa forma despótico do NPK.

9 Em Ehlers (1994) estão referenciados outros estudos pioneiros. O próprio Liebig destacou que sua descoberta da nutrição mineral das plantas não "criava" a fertilidade do solo (Tibau, 1978).

10 Desde 2012, a Teia dos Povos da Bahia também realiza a Jornada de Agroecologia.

11 Para uma discussão mais ampla do processo de trabalho, ver Harvey (2014).

12 Com essas políticas públicas, foram desenvolvidas experiências em diversos campos: manejos e práticas agroecológicas, pesquisas, formação, educação em agroecologia etc.

AGROECOLOGIA NAS NAÇÕES UNIDAS

MAUREEN SANTOS

A agroecologia surge nas Nações Unidas, em especial, a partir do debate sobre sistemas alimentares globais, e mais recentemente, no âmbito das discussões sobre agricultura e mudanças climáticas, e da proteção e conservação da biodiversidade. O diagnóstico de que a fome e a insegurança alimentar e nutricional no mundo têm estreita relação com as práticas hegemônicas e insustentáveis do complexo agroindustrial global – que por meio de suas grandes corporações e do sistema financeiro controlam de ponta a ponta todos os elos da cadeia agroalimentar (Wezel *et al.*, 2009; Grain, 2009; HLPE, 2012; De Schutter, 2010a; Rosset; Altieri, 2017; Santos; Glass, 2018) – trouxe a agroecologia como um paradigma de mudança, de solução para parte do enfrentamento desses grandes desafios globais.

Nesse sentido, o tema vem ganhando força nos últimos dez anos na Organização das Nações Unidas (ONU), em especial na Organização das Nações Unidas para Alimentação e Agricultura (FAO, na sigla em inglês), mas também em outras agências e organismos como no Conselho de Direitos Humanos (CDH), com destaque para a aprovação, em 2018, da Declaração das Nações Unidas sobre Direitos dos Camponeses e Camponesas e de Outras Pessoas que Trabalham em Zonas Rurais (Resolução 39/12), que inclui menções à agroecologia em quatro artigos. No âmbito de regimes internacionais ambientais, o tema é tratado nos debates e, indiretamente, nas negociações de mudanças do clima e de proteção da diversidade biológica, como poderá ser visto mais adiante.

Nesses espaços oficiais, seu conceito ainda é visto como dinâmico e multidisciplinar, atendendo a distintas visões e prioridades dos Estados que atuam no sistema das Nações Unidas, ainda que exista um ponto de partida comum ao reconhecer a agroecologia "como ciência, movimento social e prática" (Wezel *et al.*, 2009). Todavia, se, por um lado, o alcance da agroecologia expressa vitória importante da Via Campesina [VER VIA CAMPESINA] e aliados, que incidiram nas Nações Unidas a partir da práxis camponesa com uma pauta orientada pela luta por direitos e por outras subjetividades, com vistas a construir políticas públicas para agroecologia [VER POLÍTICAS PÚBLICAS PARA AGROECOLOGIA] nos espaços multilaterais; por outro, há contradições profundas inerentes a esse processo, no qual as institucionalidades internacionais, ao refletirem a lógica de produção e reprodução do sistema capitalista, buscam enquadrar essas subjetividades, padronizando ou criando novas interpretações que possam atender aos anseios da transformação capitalista e da apropriação dos bens comuns [VER BENS COMUNS]. Essa é a linha tênue pela qual a agroecologia vem se equilibrando.

Breve histórico

Nas Nações Unidas, há alguns marcos em que a agroecologia aparece a partir dessa perspectiva de conceito dinâmico e multidisciplinar. São reflexos do espaço que ela vem ocupando nas pesquisas científicas, políticas governamentais e repertórios de organizações e movimentos sociais, mas, sobretudo, da longa trajetória de vivências e transmissão de conhecimento baseada nos modos de vida de camponeses e camponesas, povos indígenas e originários, e populações tradicionais de todo o mundo. Esses elementos constituem um estado de permanente disputa conceitual frente à lógica de mercado que prevalece na ONU, pela defesa da agroecologia como uma perspectiva política que congrega princípios da reforma agrária [VER QUESTÃO AGRÁRIA], da soberania alimentar [VER SOBERANIA ALIMENTAR], dos direitos humanos, da justiça ambiental, da igualdade de gênero, entre outros.

Nesse sentido, um dos marcos importantes é o Relatório sobre Agroecologia e Direito à Alimentação do Relator Especial das Nações Unidas sobre o direito à alimentação apresentado na 16ª Sessão do Conselho de Direitos Humanos da Assembleia Geral das Nações Unidas, em 2010. No relatório, Olivier De Schutter identifica a agroecologia como um modelo de desenvolvimento agrícola mais alinhado com o direito humano à alimentação adequada e que tem o melhor potencial para atingir os quatro pilares da segurança alimentar e nutricional (disponibilidade, acessibilidade, uso e estabilidade), além de fornecer vantagens para o enfrentamento dos desafios impostos pelas mudanças climáticas, em matéria de resiliência e adaptação (De Schutter, 2010a). Outros relatórios foram publicados na sequência, e o Relatório Final, lançado em 2014, reafirma a agroecologia como modelo de produção sustentável e de desenvolvimento, estabelecendo conexões entre o direito à terra, o combate à pobreza, à fome e à desnutrição e a defesa da soberania alimentar como caminho a seguir. Dá um importante destaque às recomendações formuladas pela Declaração dos Direitos dos Camponeses e Camponesas da Via Campesina. Essa declaração foi pedra fundamental para a criação do grupo de trabalho no Conselho de Direitos Humanos sobre direitos dos camponeses, que negociou e aprovou, após seis anos, a Declaração das Nações Unidas sobre

Direitos dos Camponeses e Camponesas e Outras Pessoas que Trabalham em Zonas Rurais, que será tratada mais adiante (De Schutter, 2010b; La Via Campesina, 2010).

No campo das contradições, aponta-se a publicação pela FAO, com apoio do Banco Mundial, em 2010, do informe sobre Agricultura Climaticamente Inteligente (CSA, na sigla em inglês). Apesar de não estar presente no informe uma definição formal, a CSA é descrita como uma agricultura resistente à mudança climática com vistas a garantir a segurança alimentar, promovendo que os solos e os cultivos sejam menos vulneráveis a secas, chuvas ou ao aumento geral da temperatura. O chamado ganho triplo (*triple win*), por sua resiliência, adaptação e mitigação. O argumento principal é que a agricultura pode ser utilizada para absorver o CO_2 da atmosfera, por seu potencial de compensar carbono. O informe propõe que sejam oferecidos aos produtores locais financiamento para tornar seu solo mais resistente e produtivo, ao mesmo tempo em que possa ser utilizado para capturar carbono e transformá-lo em créditos a serem vendidos a empresas poluidoras a partir de esquemas de compensação.

Na sequência, em 2012, o Painel de Especialistas de Alto Nível sobre Segurança Alimentar e Nutricional (HLPE, na sigla em inglês) do Comitê de Segurança Alimentar Mundial da FAO publica seu 3° Relatório, cujo tema é segurança alimentar e mudanças climáticas, no qual aponta de forma bastante tímida que práticas agroecológicas têm sem dúvida grande contribuição para a adaptação às mudanças climáticas, mas que carecem de pesquisas e de escala (HLPE, 2012). Em 2014, a FAO organiza um Simpósio Internacional sobre Agroecologia para a Segurança Alimentar e Nutricional, cujo resultado foi publicado em formato de relatório, no qual o grande destaque são as interações da agroecologia com os chamados ciclos virtuosos e serviços ecossistêmicos (Food and Agriculture Organization of the United Nations, 2015) [VER CAPITALISMO VERDE]. Nos anos seguintes, de 2015 a 2018, a FAO começa a tratar o tema regionalmente, promovendo encontros em vários países da América Latina, Ásia, África e Europa.

Em 2018, é aprovada a supracitada Declaração dos Direitos dos Camponeses (Human Rights Council, 2018), onde a agroecologia é mencionada em quatro artigos.[1] São eles:

> 1) Artigo 16, § 4: Os Estados devem tomar todas as medidas necessárias para garantir que suas políticas e programas de desenvolvimento rural, agrícola, ambiental, comercial e de investimentos contribuam efetivamente para proteger e fortalecer as opções locais de subsistência e para a transição para modos sustentáveis de produção agrícola. Os Estados devem estimular a produção sustentável, incluindo a produção agroecológica e orgânica, sempre que possível, e facilitar as vendas diretas de agricultores para consumidores.
> 2) Artigo 17, § 7: Os Estados tomarão medidas visando à conservação e uso sustentável da terra e de outros recursos naturais utilizados em sua produção, inclusive, entre outros, por meio da agroecologia, e assegurarão as condições para a regeneração de capacidades biológicas e outras capacidades naturais e ciclos.
> 3) Artigo 20, § 2: Os Estados tomarão medidas apropriadas para promover e proteger os conhecimentos

> tradicionais, inovação e práticas de camponeses e outras pessoas que trabalham em áreas rurais, incluindo sistemas tradicionais agrários, pastoris, florestais, pesqueiros, pecuários e agroecológicos relevantes para a conservação e uso sustentável da diversidade biológica.
>
> 4) Artigo 25, § 1: Os camponeses e outras pessoas que trabalham nas áreas rurais têm direito a uma formação adequada aos ambientes agroecológicos, socioculturais e econômicos específicos em que se encontram. Questões cobertas por programas de treinamento devem incluir, mas não se limitar a, melhorar a produtividade, o *marketing* e a capacidade de lidar com pragas, patógenos, choques do sistema, efeitos de produtos químicos, mudanças climáticas e outros eventos relacionados ao clima.

É possível apontar diferenças entre o tratamento dado à agroecologia pela FAO e pelo Conselho de Direitos Humanos. Na FAO – principal espaço da ONU em que o tema é tratado e onde as discussões e propostas de políticas vêm evoluindo ao longo dos últimos anos –, há uma perspectiva mais ampla de localização da agroecologia em um paradigma de mercado, muitas vezes confundido com intensificação sustentável ou compatíveis com abordagens do tipo agricultura climaticamente inteligente e/ou economia dos ecossistemas e da biodiversidade para agricultura (TEEB *Agriculture*). No CDH, percebe-se maior espaço para a atuação e incidência a partir de construções coletivas dos movimentos sociais e de povos e comunidades tradicionais. Ainda que a agroecologia seja tratada de forma secundária, o CDH tem demonstrado mais empatia e espaço para a luta pela garantia do direito a terra, e o reconhecimento da agroecologia pode ser compreendido como parte disso.

A berlinda agroecológica nas Nações Unidas: entre a captura corporativa e o perigo da simplificação

A agroecologia busca superar a lógica de reprodução capitalista. No fundo, sua abordagem aponta uma luta por direitos, que também é uma luta por conhecimento e reconhecimento. Nesse sentido, é relevante destacar que a condição do campesinato na América Latina, Ásia e África é diferente da Europa, onde as entranhas do modelo de produção industrial e suas exigências de escala e produtividade dão importante peso para o sistema de trocas e para as novas tecnologias [ver Campesinato]. Portanto, as visões sobre a agroecologia dentro das Nações Unidas são distintas, já que o campesinato no Sul Global a entende também como um espaço de resistência, ambientado a partir não de um simples sistema de trocas de mercadoria, mas de trocas de saberes e reprodução desse saber por meio da produção alimentar. As casas de sementes [ver Sementes], por exemplo, são espaço vivo dessa prática, ciência e movimento social.

Outro risco presente se encontra na abordagem do tema em relação ao debate e negociações de mudanças climáticas, onde a centralidade do carbono é o eixo principal. Há um perigo em transformar a agroecologia em mais um modelo de captação de CO_2, incluindo nos sistemas da agricultura camponesa os cálculos de carbono e sua esfera de compensação no mercado global. Um exemplo disso já vem acontecendo em projetos de agricultura climaticamente inteligente na América Latina e África, que se utilizam de práticas agroecológicas como a adubação verde, utilização mais eficiente da água e cuidados com o solo como parte da chamada intensificação sustentável com contabilização da redução de emissões de gases de efeito estufa. Essa captura pelas vias do mercado é financiada com parcerias público-privadas, mercado de carbono e compensação, emissão de títulos verdes, permissões de emissões nos esquemas de limite e comércio (*cap and trade*) e subsídios públicos.

Logo, como apontado anteriormente, há uma contradição inerente ao tratamento da Agroecologia no âmbito da Organização das Nações Unidas, expressa na regulação dessas relações via esses espaços oficiais. Ao incorporar a agroecologia em documentos oficiais, que partem de conceitos frios, por um lado, permite-se a disputa dos rumos das políticas públicas e do Direito Internacional, mas por outro, arrisca-se à simplificação, se desencontrando do conceito vivo, nascido e criado na diversidade inerente das lutas camponesas e dos modos de vida dos povos e comunidades tradicionais que fazem da agroecologia o que ela é na atualidade.

Portanto, é fundamental reafirmar o papel protagonista dos camponeses e camponesas do mundo e da Via Campesina na formulação e realização da prática agroecológica, tendo isso como elemento central para o enfrentamento dessa contradição apontada e de outras que possam surgir nos distintos processos de regulação e que podem limitar a transformação que a agroecologia representa.

Nota da autora

Enquanto esse verbete estava sendo desenvolvido, o Painel de Especialistas de Alto Nível sobre Segurança Alimentar e Nutricional (HLPE, sigla em inglês) do Comitê de Segurança Alimentar Mundial (CFS, sigla em inglês), da FAO, estava concluindo seu novo relatório, cujo tema é Abordagem Agroecológica e outras inovações para a agricultura sustentável e sistemas alimentares que melhoram a segurança alimentar e nutricional.[2] Apesar do rascunho zero ter sido aberto para consultas e contribuições *online*, não foi possível utilizá-lo como referência nesse verbete, por ser um documento em construção. A versão final do relatório foi apresentado na 46ª Sessão Plenária do CFS em outubro de 2019. É importante citá-lo para futuras consultas sobre o tema, pois será relevante referência no debate internacional sobre políticas públicas para agroecologia.

Referências

HUMAN RIGHTS COUNCIL. Resolution 39/12. *United Nations Declaration on the Rights of Peasants and Other People Working in Rural Areas*. Genebra, 2018. Disponível em: https://digitallibrary.un.org/record/1650694/files/A_HRC_RES_39_12-EN.pdf. Acesso: 04 abr. 2019.

DE SCHUTTER, O. Special Rapporteur on the right to food. *Report to the Human Rights Council (A/HRC/16/49) on agroecology and the right to food*. Nova York: Nações Unidas, 2010a. Disponível em: https://undocs.org/A/HRC/16/49 Acesso: 28 mar. 2019.

______. Special Rapporteur on the right to food. *Report to the Human Rights Council (A/65/281) on access to land and the right to food*. Nova York: Nações Unidas, 2010b. Disponível em: https://undocs.org/A/65/281. Acesso em: 28 mar. 2019

FOOD AND AGRICULTURE ORGANIZATION OF THE UNITED NATIONS (FAO). *Final Report for the International Symposium on Agroecology for Food Security and Nutrition*. Roma, 2015. Disponível em: http://www.fao.org/3/a-i4327e.pdf. Acesso em 02 abr. 2019.

GRAIN. *The International Food System and the Climate Crisis*. Outubro, 2009. Disponível em: https://www.grain.org/article/entries/734-the-international-food-system-and-the-climate-crisis. Acesso em: 28 mar. 2019.

HLPE. Food security and climate change. *A report by the High-Level Panel of Experts on Food Security and Nutrition of the Committee on World Food Security*. Roma: FAO, 2012. Disponível em: http://www.fao.org/fileadmin/user_upload/hlpe/hlpe_documents/HLPE_Reports/HLPE-Report-3-Food_security_and_climate. Acesso em: 28 mar. 2019.
LA VIA CAMPESINA. *Sustainable Peasant and Family Farm Agriculture Can Feed the World*. Jacarta: Via Campesina, 2010.
ROSSET, P.; ALTIERI, M. A. *Agroecology*: sciences and politics. *In:* Agrarian Change and Peasant Studies Series. Reino Unido: Rugby, 2017.
SANTOS, M.; GLASS, V. (org.) *Atlas do agronegócio*: fatos e números sobre as corporações que controlam o que comemos. Rio de Janeiro: Fundação Heinrich Böll, 2018. Disponível em: https://br.boell.org/sites/default/files/atlas_agro_final_06-09.pdf Acesso: 28 mar. 2019.
WEZEL, A. *et al. Agroecology as a science, a movement and a practice*. A review. Agronomy for Sustainable Development. v. 29, n. 4, dez. 2009, p. 503-515.

Para saber mais

HILMI, A. *Agroecology Reweaving a New Landscape*. Suíça: Palgrave, 2018. p. 5-30.

Notas

1 Tradução livre dos artigos. Originais em inglês disponíveis em: https://digitallibrary.un.org/record/1650694/files/A_HRC_RES_39_12-EN.pdf. Acesso em: 15 jan. 2021.

2 Tradução livre do inglês: Agroecological approaches and other innovations for sustainable agriculture and food systems that enhance food security and nutrition.

AGROECOSSISTEMAS

DENIS MONTEIRO

A aranha tece
Puxando o fio da teia
A ciência da abelha,
da aranha e a minha
Muita gente desconhece
"Na asa do vento",
João do Valle e Luiz Vieira

Introdução

Acreditamos muito no potencial pedagógico do conceito de agroecossistema. Como este texto será lido por educadoras e educadores, desejamos que as informações e reflexões aqui trazidas possam inspirar nossa criatividade para pensar como usar este conceito em projetos pedagógicos. Compreendemos como educadores não somente quem trabalha em processos educativos formais, mas também lideranças comunitárias e todos os profissionais de organizações que, em seus trabalhos de base, assessoram as comunidades do campo, das florestas, das águas e das cidades para fortalecer suas lutas por mais democracia e para construir propostas alternativas aos padrões de ocupação dos territórios e de consumo de alimentos impostos pelo capitalismo em sua fase neoliberal. As ideias que desenvolvemos estão inspiradas no princípio político do comum, como proposto por Dardot e Laval (2017).

Os frutos dos agroecossistemas saudáveis e sustentáveis

Comida de verdade no campo e na cidade. Foi o que vimos na Feira de Saberes e Sabores realizada durante o IV Encontro Nacional de Agroecologia (IV ENA), em junho de 2018, no Parque Municipal de Belo Horizonte, Minas Gerais, e é o que vemos nas Feiras da Reforma Agrária e da Agricultura Familiar que se espalham pelo Brasil. Açaí da Amazônia, juçara da Mata Atlântica, farinha e sabonetes de babaçu, artesanatos de capim dourado, paçoca de pinhão, óleo de rufão e remédios caseiros das plantas nativas do Cerrado ou cultivadas nos quintais, mel de abelhas, arroz, feijão, peixe fresco, cuscuz de milho crioulo, farinha de mandioca, pães caseiros, ovos, abóboras, galinha de capoeira, bananas, mangas, hortaliças, suco de uva, açúcar mascavo, cafés premiados, queijo, goiabada, doces de leite, chocolates artesanais e muito mais. Toda essa diversidade produtiva, cada vez mais valorizada e presente em nossas casas, é fruto dos agroecossistemas cuidadosamente manejados pelas famílias que vivem nas comunidades camponesas, nas aldeias indígenas, quilombos, assentamentos da reforma agrária, territórios das comunidades e dos povos tradicionais, nas comunidades pesqueiras e nos pequenos espaços nas cidades onde se pratica a agricultura urbana (ver Figura 1, adiante, p. 785).

Mudanças positivas nos agroecossistemas e as instituições

Agroecossistemas se mantêm férteis, saudáveis e produtivos com o passar dos anos se a arte milenar da agricultura se enriquece pelos ambientes de interação e troca de saberes promovidos nas redes de agroecologia que vão se formando e se fortalecendo nos territórios. A riqueza das experiências que vimos no IV ENA, na feira e nas tendas dos biomas são o resultado de mudanças significativas nos agroecossistemas nos últimos anos, que só aconteceram porque houve muitas lutas e mobilizações por mais democracia.

As lutas pressionaram as instituições, o que contribuiu para as mudanças positivas nos agroecossistemas. Quando falamos instituições, não nos referimos somente aos órgãos governamentais, como as prefeituras, o Instituto Nacional de Colonização e Reforma Agrária (Incra), as entidades de assistência técnica e extensão rural ou as universidades, entre outros. Também nos referimos às famílias, onde há desigualdades entre mulheres e homens e entre jovens e adultos; às igrejas presentes nas comunidades, associações comunitárias, sindicatos de trabalhadores e trabalhadoras rurais, escolas do campo, cooperativas.

Artificialização dos ecossistemas

Esses agroecossistemas, cujos frutos vimos no ENA e vemos nas feiras, são expressão de um movimento vigoroso de construção de alternativas sustentáveis aos padrões impostos pelas corporações do agronegócio que vão destruindo os ecossistemas e expulsando as populações tradicionais dos seus territórios para implantar agroecossistemas muito artificializados e, portanto, dependentes de insumos sintéticos externos e vulneráveis.

O modelo das corporações, a chamada Revolução Verde, imposto em todo o mundo a partir de meados do século XX, tem como base as grandes propriedades, a destruição das florestas para dar lugar aos monocultivos, o uso intensivo de máquinas pesadas (arados, grades, colheitadeiras) movidas a combustíveis fósseis e de sistemas de irrigação de alto custo energético e que desperdiçam muita água, o uso de fertilizantes sintéticos que empobrecem os solos e contaminam as águas e de sementes transgênicas das corporações multinacionais [VER REVOLUÇÃO VERDE]. Além disso, é um modelo que utiliza grande quantidade de agrotóxicos que contaminam os trabalhadores, as águas e os alimentos e empobrecem ainda mais os solos. Os sistemas de criação animal do agronegócio têm como base o confinamento de raças com baixa diversidade genética e pouca rusticidade, o uso de rações transgênicas e de grandes quantidades de medicamentos.

São, portanto, agroecossistemas com pouca biodiversidade, cuja fertilidade é degradada muito rapidamente, já que a biomassa, ou seja, a matéria orgânica viva ou morta, é destruída pelas tecnologias empregadas e não é reposta, os solos ficam expostos e os nutrientes não são reciclados, as fontes de água não são cuidadas. Estes agroecossistemas muito artificializados adoecem muito facilmente e contribuem para o adoecimento das pessoas.

Um pouco de ecologia de ecossistemas[1]

O sol das Américas
O cio da África
A energia que muda
As quatro estações
O pendão do trigo
A mão dos padeiros
A lã dos carneiros
O mar os sertões
"Espiral do tempo", Geraldo Azevedo
e Carlos Fernando

As paisagens formadas pelos agroecossistemas descritos acima são muito diferentes daquelas formadas por ecossistemas com pouca interferência das ações humanas, como as florestas, campos nativos e manguezais.

A agroecologia pode ser compreendida como uma ciência que busca aplicar os princípios da ecologia à agricultura, e que pretende apoiar as estratégias das famílias em seu trabalho de desenhar e manejar os agroecossistemas para que estes possam ser produtivos, saudáveis e sustentáveis, ou seja, manter sua fertilidade e produtividade com o passar dos anos. A agroecologia também contribui para as lutas das famílias agricultoras por autonomia frente à lógica da economia capitalista regida por grandes corporações multinacionais.

O agroecossistema é, portanto, uma unidade fundamental de pesquisa e intervenção. Na definição de Gliessman, "um agroecossistema é um local de produção agrícola compreendido como um ecossistema" (2000, p. 61). Por meio do seu processo de trabalho, as pessoas modificam a estrutura e o funcionamento dos ecossistemas para satisfazer suas necessidades e para atender às necessidades de outras pessoas não diretamente envolvidas na agricultura, com base nas relações de reciprocidade e de trocas mercantis.

Os ecossistemas têm uma estrutura composta por fatores abióticos: radiação solar, temperatura, água e nutrientes; e por fatores bióticos: organismos vivos que interagem no ambiente [VER INTERAÇÕES ECOLÓGICAS POSITIVAS]. A interação entre os fatores abióticos determina a biodiversidade dos ecossistemas, ou seja, as comunidades de organismos vivos, incluindo os solos onde vivem as comunidades dos seres escondidos [VER SOLOS].[2] Olhares atentos nos permitem identificar nos agroecossistemas as diferentes espécies que ali interagem, plantas que vão desde ervas rasteiras até grandes árvores, animais de diferentes portes, incluindo grande diversidade de insetos e aranhas, e muitos microrganismos.

As interações dinâmicas entre os componentes estruturais determinam o funcionamento dos ecossistemas, no qual dois processos fundamentais ocorrem (Gliessman, 2000): o fluxo de energia e a ciclagem de nutrientes. O sol é a fonte primária de energia. As plantas convertem energia em biomassa. A energia flui das plantas para os consumidores e decompositores [VER TEIA ALIMENTAR]. Parte da energia é utilizada pelos organismos, formando biomassa vegetal e animal; a outra parte é dissipada no ambiente sob a forma de calor, pela respiração dos organismos e pela decomposição da biomassa. Os principais reservatórios de nutrientes para os ecossistemas são a atmosfera e os solos. Os nutrientes são armazenados na biomassa, e retornam aos solos pela decomposição da matéria orgânica [VER CICLAGEM DE NUTRIENTES].

Inovações nos agroecossistemas

Muitas organizações que atuam junto às comunidades com um enfoque agroecológico realizaram diagnósticos participativos dos agroecossistemas. Trata-se de um trabalho de mobilização das famílias junto aos assessores para identificação dos problemas enfrentados no dia a dia do trabalho na agricultura e de reflexão coletiva sobre como experimentar possíveis soluções. Também é uma pesquisa que ajuda a identificar experiências interessantes que existem nas comunidades, mas que muitas vezes estão pouco visíveis, como é o caso do trabalho realizado pelas mulheres de produção diversificada de alimentos nos quintais e arredores das casas, que melhora a qualidade da alimentação das famílias, ou a renda obtida com a comercialização dos frutos do extrativismo.

Foi em diagnósticos como estes que as comunidades identificaram que as terras estavam cansando, ficando fracas, e discutiram a importância de evitar queimar e de repor a matéria orgânica e trazer plantas adubadoras para os agroecossistemas; que era preciso resgatar as variedades crioulas e selecionar as melhores sementes para que os roçados produzissem mais e que havia formas naturais de melhorar o armazenamento das sementes, sem usar agrotóxicos; que os animais passavam fome durante uma parte do ano e portanto era preciso diversificar a produção de forragens e armazená-las no período chuvoso para os animais terem o que comer no tempo seco; que as mulheres estavam muito sobrecarregadas indo longe buscar água de qualidade ruim, e que, portanto, era preciso ter estratégias e tecnologias para armazenar água perto de casa; que muita fruta se perdia porque não se armazenava a polpa; que a renda que as famílias conseguiam vendendo para os atravessadores era muito baixa e que, portanto, seria interessante que elas se organizassem para fazer feiras nas cidades próximas; que, caso conseguissem estruturar as feiras, seria possível ampliar a produção de hortaliças, frutas, ovos, geleias, pães e bolos; que muitos conhecimentos sobre as plantas medicinais e seus usos estavam morrendo junto aos mais velhos, e que era preciso organizar intercâmbios para que as novas gerações aprendessem como fazer os remédios caseiros; que era possível tratar os animais com homeopatia e com plantas medicinais; que era possível, em vez de comprar ultraprocessados de péssima qualidade nos mercados, melhorar muito a alimentação das famílias nas comunidades valorizando o que produzem e fazendo oficinas para trocar e experimentar receitas.

Inovações como essas foram possíveis porque, como dito no início deste texto, as instituições mudaram a sua forma de agir. As mulheres e os jovens se organizaram em grupos e comissões, os sindicatos passaram a reunir as famílias das comunidades para refletir sobre como resolver os problemas identificados nos diagnósticos dos agroecossistemas e a organizar *feiras e festas de sementes* e outros eventos nos municípios [VER SEMENTES]. Foram organizados *intercâmbios*, e as agricultoras e os agricultores passaram a acreditar que são capazes de experimentar soluções, a partir de diálogos com as equipes de assessoria e tendo como base a agroecologia [VER INTERCÂMBIOS AGROECOLÓGICOS].

Recentemente, em que pese ser um processo incipiente e de alcance limitado, algumas políticas públicas do período democrático foram acessadas pelas comunidades e contribuíram significativamente para esses processos de inovação nos agroecossistemas. As políticas favoreceram ambientes de interação e de troca de saberes, como os núcleos de agroecologia que se formaram nas universidades e institutos federais, a política de assistência técnica e extensão rural, os programas de convivência com o semiárido, as iniciativas de educação do campo. Alguns programas permitiram também que houvesse mudanças positivas nas infraestruturas dos agroecossistemas, como construção de cisternas para armazenar água de chuva, para beber, cozinhar e irrigar as plantas, apoios para aprimoramento de cercas, galinheiros, currais, apriscos, mas também melhoria das moradias e de estruturas de beneficiamento e comercialização da produção [VER TECNOLOGIAS SOCIAIS]. As políticas de compras institucionais, como o Programa de Aquisição de Alimentos (PAA) e o Programa Nacional de Alimentação Escolar (PNAE), e as políticas de valorização dos produtos da sociobiodiversidade, trouxeram mudanças significativas nos desenhos dos agroecossistemas, pois permitiram a diversificação da produção com introdução de novos cultivos, aumento dos criatórios e a comercialização de alimentos que se perdiam pela inexistência de mercados. Outras políticas públicas, como a melhoria de estradas, o programa Bolsa Família e o maior alcance da aposentadoria para os/as trabalhadores/as rurais, também contribuem para mudanças nos agroecossistemas. (ver Figuras 2 e 3, adiante, p. 786).

O potencial pedagógico dos agroecossistemas

Este pequeno artigo será lido por muitas educadoras e educadores, das escolas do campo e também das cidades, de cursos formais e informais onde estudam agricultoras e agricultores ou que formarão profissionais que trabalharão em entidades que assessoram diretamente as comunidades. É um campo muito fértil para trabalharmos processos educativos contextualizados com grande potencial transformador. O conceito de agroecossistema, ao qual nos aproximamos aqui, pode dar uma grande contribuição para montarmos projetos pedagógicos complexos e interdisciplinares que promovam a interação entre as escolas e as comunidades.

As agricultoras e os agricultores das comunidades onde vocês moram ou trabalham são guardiões de um grande patrimônio ecológico e cultural que deve ser valorizado nos processos educativos. O processo de trabalho na agricultura é complexo, envolve uma gama muito ampla de conhecimentos, articula trabalho intelectual e habilidades manuais refinadas.

Os agroecossistemas que vemos hoje são o resultado de histórias de vida de muita luta. Os olhares das educadoras da área de ciências humanas e sociais podem ajudar os estudantes a revelar essas histórias, resgatando a memória das famílias e a linha do tempo dos agroecossistemas, associando-as à história do Brasil. Podem também ajudar a refletir sobre as desigualdades históricas entre mulheres e homens na nossa sociedade patriarcal e sobre as contribuições da economia feminista e a importância de discutir a questão da divisão justa do trabalho doméstico e de cuidados. As áreas de arte e de letras podem ilustrar ou contar essas histórias de várias formas, com vídeos, pinturas, desenhos, poesias, cordéis, livros, fotos. Podem registrar as receitas de pratos tradicionais e de remédios caseiros. Os físicos podem ajudar os estudantes a entender como funcionam os equipamentos utilizados no processo de trabalho nos agroecossistemas e a influência dos astros na natureza. A matemática pode explicar aos estudantes como organizar a contabilidade de tanta diversidade de produção comercializada, ou como associar as medidas tradicionais utilizadas pelas comunidades ao sistema métrico decimal e estudar as formas geométricas da natureza. Os geógrafos ajudarão a interpretar as paisagens e suas transformações ao longo do tempo e a desenhar mapas dos agroecossistemas e das comunidades, bem como podem ajudar a compreender as disputas pelos recursos naturais dos territórios onde estão as comunidades. Os educadores da área da química e da biologia têm um prato cheio, podem ajudar a conhecer toda a biodiversidade presente nos agroecossistemas, os fluxos das águas, dos nutrientes e da radiação solar, podem ajudar a pensar como cuidar das águas e como ter solos vivos. Podem também estudar os princípios ativos das plantas medicinais e o valor nutricional dos alimentos colhidos nos agroecossistemas. As aulas de educação física podem refletir sobre os exercícios corporais realizados pelas agricultoras e pelos agricultores no seu processo de trabalho e como prevenir problemas de saúde decorrentes de posturas erradas.

Para além dos campos do conhecimento citados acima, uma contribuição muito importante das/os jovens nas escolas e das/os educadoras/es é animar processos de mobilização nas suas comunidades, trazendo agricultoras/es para dentro das escolas para contarem suas experiências, indo até os agroecossistemas e procurando conhecê-los com profundidade, ajudando a identificar experiências interessantes nas comunidades ou fora delas e organizando visitas de intercâmbio que mobilizem várias famílias das comunidades. Assim, as escolas certamente darão uma grande contribuição para que haja mudanças positivas nos agroecossistemas das comunidades onde estão localizadas, produzindo cada vez mais Comida de Verdade no Campo e na Cidade.

A

Sugerimos aos interessados em aprofundar os estudos sobre o conceito de agroecossistema a leitura de outro texto que fizemos para o *Dicionário da Educação do Campo* (Monteiro, 2012), pois ambos os textos têm abordagens diferentes e se complementam. Indicamos também o livro de Petersen e colaboradores (2017), que aborda o Lume, método de avaliação econômico-ecológica de agroecossistemas desenvolvido pela AS-PTA Agricultura Familiar e Agroecologia, que vem sendo utilizado em várias regiões do Brasil e em outros países, com resultados muito interessantes.

Um panorama rico de experiências desenvolvidas em todo o país, orientadas pelos princípios da agroecologia, pode ser visualizado na série de vídeos *Curta Agroecologia*, produzidos pela Articulação Nacional de Agroecologia em parceria com o Canal Saúde, da Fiocruz e na revista *Agriculturas: experiências em agroecologia*, editada pela AS-PTA.

Referências

ARTICULAÇÃO NACIONAL DE AGROECOLOGIA (ANA); CANAL SAÚDE. *Curta Agroecologia*. Disponível em: www.canal.fiocruz.br/programa/index.php?p=curta-agroecologia. Acesso em 1 jan. 2021.

REVISTA AGRICULTURAS. Rio de Janeiro: AS-PTA. Agriculturas: experiência em agrologia. Disponível em: aspta.org.br/revista-agriculturas/. Acesso em: 1 jan. 2021.

DARDOT, P.; LAVAL, C. *Comum*: ensaio sobre a revolução no século XXI. 1. ed. São Paulo: Boitempo, 2017.

GLIESSMAN, S. R *Agroecologia*: processos ecológicos em agricultura sustentável. Porto Alegre: Editora da Universidade/UFRGS, 2000.

MONTEIRO, D. Agroecossistemas. *In*: CALDART, R. S. *et al*. *Dicionário da Educação do Campo*. Rio de Janeiro/São Paulo: Escola Politécnica de Saúde Joaquim Venâncio/Expressão Popular, 2012, p. 67-73.

PETERSEN, P. *et al*. *Método de análise econômico-ecológica de Agroecossistemas*. Rio de Janeiro: AS-PTA, 2017.

Notas

1 Essa parte é uma versão revisada de Monteiro (2012).

2 Ouvimos essa expressão interessante em palestra da professora Irene Cardoso, da Universidade Federal do Viçosa, em referência às comunidades de organismos que vivem nos solos.

AGROFLORESTA – SISTEMAS AGROFLORESTAIS

FERNANDO SILVEIRA FRANCO

Em uma perspectiva agroecológica, os sistemas agroflorestais (SAFs) ou agroflorestas são formas de uso da terra que combinam a produção de culturas agrícolas e/ou animais com espécies florestais, simultaneamente ou em sequência, na mesma área. Esses sistemas buscam conciliar o aumento de produtividade e a rentabilidade econômica com a proteção ambiental e a melhoria da qualidade de vida das populações rurais. Cada cultura ou espécie é plantada de acordo com seus requerimentos ecológicos, possibilitando, desta forma, seu desenvolvimento normal, atendendo a necessidade de nutrientes, água, luz e espaço (altura, diâmetro e tipo de copa), sendo todas essas características cuidadosamente combinadas.

Esta prática é muito interessante para a agricultura familiar camponesa por reunir vantagens econômicas e ambientais. A utilização sustentada dos recursos naturais aliada a uma menor dependência de insumos externos resulta em uma maior segurança alimentar e econômica não apenas para os agricultores, mas também para os consumidores.

Consideramos os sistemas agroflorestais não somente como uma técnica silvicultural ou um enfoque de manejo dos recursos naturais, mas também uma prática agroecológica de conservação da biodiversidade, dos solos e das águas nas áreas tropicais. Isso porque promove objetivos de desenvolvimento agrícola sustentável para os agricultores com recursos escassos, como os familiares, possibilitando benefícios socioambientais e econômicos, que se contrapõem aos impactos advindos com as monoculturas. Além disso, os SAFs desempenham uma função importante na conservação da diversidade biológica em paisagens desmatadas e fragmentadas, estabelecendo habitat e recursos para as espécies animais e de plantas; mantendo a conexão da paisagem e diminuindo os efeitos negativos e a pressão sobre os fragmentos florestais remanescentes; e possibilitando áreas de amortecimento no entorno de áreas protegidas [VER INTERAÇÕES ECOLÓGICAS POSITIVAS]. Dessa forma, as práticas agroflorestais deveriam ser levadas em conta nos esforços e políticas públicas para a conservação ampla da paisagem que proteja os fragmentos remanescentes e promova a manutenção da cobertura arbórea nas áreas de produção agrícola, tanto no entorno de áreas protegidas como nas áreas de conexão dos fragmentos. Essa estratégia tem sido usada em alguns projetos de conservação com comunidades do entorno de unidades de conservação e de manejo de bacias hidrográficas em diferentes regiões do Brasil, onde os sistemas agroflorestais foram desenvolvidos de forma participativa com as comunidades como alternativa econômica e que possibilite a conservação dos recursos naturais.

Um sistema agroflorestal toma o ecossistema local como referência para sua elaboração e manejo, observando a estrutura, a função e a dinâmica das espécies locais, buscando estabelecer um *sistema análogo ao que ocorre na região*, no sentido de imitar a natureza [VER AGROECOSSISTEMA]. Assim podemos associar a agricultura e a floresta dentro de princípios da sucessão natural considerando o arranjo temporal do sistema, as características ecológicas das espécies envolvidas no sistema, tanto arbóreas quanto herbáceas, e suas finalidades ecológicas e econômicas.

Tendo a luz como força primordial produtora da vida, a sucessão natural é o processo pelo qual as plantas se organizam no espaço (altura das árvores, tamanho da copa) e no tempo (ciclo de vida, produção, acumulação de matéria orgânica), para otimizar o compartilhamento de recursos e o aproveitamento da radiação solar. Desta maneira, grupos de espécies mais rústicas, denominadas pioneiras, como a embaúba (*Cecropia spp.*), facilitam as condições para grupos de espécies mais exigentes, como é o caso da juçara, por exemplo. Assim, o sistema vai evoluindo, tendendo à complexificação das relações ecológicas e a uma maior capacidade de autorregulação. Isso leva a uma fase na qual o equilíbrio ecológico confere maior resistência a pragas e doenças, por exemplo [VER TEIA ALIMENTAR].

As espécies usadas em uma agrofloresta podem ser classificadas de acordo com a fase da sucessão na qual elas são mais bem adaptadas. Neste caso, elas podem ser pioneiras, secundárias ou climácicas. As *pioneiras* são adaptadas a um ambiente mais pobre em nutrientes e normalmente mais ensolarado, que pode ser denominado estágio de colonização. As *secundárias* se desenvolvem melhor em um estágio mais avançado, chamado de fase de acumulação, pois parte do entendimento que o sistema já tenha acumulado maior quantidade de matéria orgânica. Por fim, as *climácicas* se inserem em um momento em que o sistema já se encontra mais estabilizado e complexo, chamado de estágio da abundância. As espécies colonizadoras desempenham um papel de facilitadoras para as espécies mais exigentes, proporcionando um ambiente mais sombreado e úmido e acumulando biomassa e nutrientes no solo (ver Figura 4, adiante, p. 787).

Além dessa dinâmica no tempo, existe a estrutura que se refere à organização espacial da floresta, visando o uso compartilhado da luz. É característico das florestas nativas uma distribuição vertical onde as copas das árvores se sobrepõem em vários andares. Se planejados e manejados de maneira semelhante aos sistemas naturais, os sistemas agroflorestais têm o potencial de serem tão produtivos quanto as florestas tropicais, com a diferença que os produtos retirados são de interesse econômico e social. Diferente das monoculturas, que utilizam apenas um estrato e que, do ponto de vista temporal, mantém a sucessão ecológica sempre em seu estágio inicial, o das plantas colonizadoras, as agroflorestas podem extrair produtos de até quatro estratos (ou andares) diferentes em uma área muito reduzida, ou seja, pode-se produzir mais em uma área menor (ver Figura 5, adiante, p. 788).

Algumas vertentes consideram adequada a implantação de agroflorestas com algumas poucas espécies de grande interesse econômico, aproximando-se mais de um consórcio de espécies, uma vez que, mesmo sendo arbórea, é conduzida como uma espécie agrícola. No entanto, de forma a tirar o melhor proveito da proposta dos SAFs e otimizar o uso dos recursos, é preciso que haja no mínimo uma espécie por estágio sucessional e/ou uma espécie para cada estrato; dessa maneira, minimizam-se os problemas com as chamadas "ervas daninhas", utilizando melhor a luz e todo o potencial produtivo das espécies. Portanto, ocupando todos os estratos e garantindo todas as funções ecossistêmicas, além de uma produção diversificada, o agricultor também encontrará menos problemas com plantas espontâneas indesejadas. A elevada diversidade também diminui o problema com insetos e doenças, pois a diversidade atrai inimigos naturais contra as "pragas" e equilibra a oferta de alimento para os insetos, controlando as infestações. Além disso, se o agricultor optar por uma diversidade mais elevada, através da utilização de mais de uma espécie no mesmo estrato ou que cumpra a mesma função ecológica, ele irá conferir, assim, uma maior "resiliência" para o seu sistema, ou seja, a agrofloresta será capaz de se recuperar mais rápido frente às perturbações e retornar ao seu estado original sem muitos prejuízos [VER CICLAGEM DE NUTRIENTES].

Para viabilizar que toda essa complexa dinâmica de sucessão ocorra da melhor maneira, é necessário um manejo constante para conduzir à evolução do sistema. Para tanto, devemos nos inspirar nos seres renovadores, que em florestas naturais realizam o manejo da sucessão natural. Tais elementos podem ser desde raios que abrem clareiras e permitem um pulsar de vida novo, até besouros serradores que executam podas minuciosas nas florestas o tempo todo. Inspirado nos agentes naturais que conduzem a dinâmica da sucessão, o manejador deve sempre buscar acelerar os processos que ocorreriam naturalmente, mas de maneira muito mais lenta. Em vista disto, três manejos fundamentais merecem destaque: a cobertura do solo, a capina seletiva e a poda.

Cobertura do solo

É fundamental que o solo, tanto dos canteiros quanto das entrelinhas, esteja sempre coberto com uma boa camada de matéria orgânica. Sobre os canteiros, normalmente se usa uma camada de palhada fina para facilitar o plantio e, nas entrelinhas, o mais adequado é posicionar toras de madeira e material mais grosseiro, para uma lenta decomposição. Esse manejo:

- beneficia a manutenção de umidade no solo;
- beneficia a nutrição das plantas;
- evita a compactação do solo;
- aumenta a quantidade de vida no solo, inclusive micorrizas;
- diminui o surgimento de plantas espontânea.

Capina seletiva

Consiste em selecionar as espécies que surgem espontaneamente no sistema, capinar com enxada, incorporando-as ao solo quando indesejadas. É importante, neste momento, interpretar o motivo pelo qual tais espécies apareceram no sistema, assim estas plantas espontâneas deixam de ser problemas e passam a ser indicadoras. A guanxuma (*Sida rhombifolia*), por exemplo, muitas vezes indica pontos de compactação do solo.

Poda

Permite ajustes fundamentais no crescimento das árvores e a acumulação no solo da matéria orgânica podada; dinamiza o sistema, renovando as plantas velhas e impulsionando as plantas em crescimento. As podas podem ser feitas com a intenção de ajustar o estrato adequado de cada indivíduo, ou para melhorar a produção de frutos, ou ainda para incorporar matéria orgânica ao solo. Além disso, serve para abrir luz para estratos mais baixos, e diminuir a competição por água em épocas de seca.

A agrofloresta é uma tentativa de harmonizar as atividades da agricultura com os processos naturais da vida existentes em cada lugar em que atuamos, e representa grande potencial para as regiões tropicais, naturalmente ricas em biodiversidade, por proteger os solos das intensas chuvas e da insolação direta. A grande diversidade de produtos, segurança alimentar, sustentabilidade ambiental, incremento da fertilidade do solo e redução gradativa nos custos de produção fazem da agrofloresta uma excelente opção como prática produtiva para a inserção na agricultura familiar do Brasil.

Além das agroflorestas sucessionais citadas acima, há diferentes outras formas de se reintroduzir árvores em paisagens agrícolas onde as florestas foram totalmente retiradas. Pode-se aqui citar as faixas de árvores, como as cercas viva e quebra-ventos, ao redor de cultivos e pastagens, formando um pequeno microclima que ajuda na manutenção da água no local e o estabelecimento de uma rede de processos de vida, que promove serviços ecológicos e econômicos para a família e a comunidade. Podemos ter incrementos de produção dos cultivos e das árvores, retornos econômicos como madeiras e frutas. As cercas vivas, além de sua finalidade imediata, podem atuar como abrigos para aves e com efeitos benéficos sobre o controle biológico de insetos. Cercas vivas adensadas podem diminuir os efeitos nocivos do vento, além de impedir a passagem de animais e de pessoas. Como exemplo muito utilizado nas propriedades, podemos citar as cercas vivas densas formadas com sansão-do-campo ou sabiá (*Mimosa caesalpiniaefolia*). O vento é importante variável que afeta a produtividade das culturas por aumentar as perdas de água por evaporação e transpiração (evapotranspiração). Também é um fator de disseminação de vetores patológicos. No caso do cafeeiro, que é uma planta de baixa tolerância aos ventos, a produtividade começa a cair com ventos pouco fortes. Com ventos mais velozes, surgem danos mecânicos nas folhas, que são portas de entrada para fungos e bactérias, sendo que o mesmo acontece com as bananeiras. Os quebra-ventos devem ser alinhados perpendicularmente aos ventos dominantes da região e não formar uma barreira muito fechada ou muito densa. Para permitir sua funcionalidade, um bom quebra-vento deve ser "permeável", ou seja, é indicado que parte do vento passe por entre as árvores. Desta forma, as faixas de árvores trazem grande conforto fisiológico, com mais água no solo e no ar, um equilíbrio entre a transpiração e fotossíntese das culturas associadas, melhorando assim a saúde das plantas e sua produção, além de evitar custos de irrigação e agrotóxicos (ver Figura 6, adiante, p. 789).

Além dos sistemas e das propostas sistematizadas e surgidas mais recentemente, podemos citar também formas tradicionais, nas quais agricultores, em diversos contextos sociais e ecológicos, buscaram introduzir e manter as árvores em seus sistemas de produção, obtendo bens e serviços ambientais. Um exemplo é no sul da Bahia, onde temos florestas manejadas pelo ser humano há muito tempo e onde existem cacauais sombreados de forma tradicional, chamados de sistema cacau-cabruca. A cabruca consiste em fazer o raleamento da floresta nativa ou um bosqueamento (inclusive retirando madeiras nobres), eliminando a vegetação de menor porte e mantendo o predomínio das árvores de grande porte, e introduzir as plantas de cacau. Esse sistema permite a conservação da camada de matéria orgânica sobre o solo, mantendo a ciclagem de nutrientes natural da floresta, mantendo um ambiente saudável e um conforto fisiológico bom para o cacau, eliminando, assim, o grande uso de insumos externos. No passado, esse sistema ocupou extensas áreas de Mata Atlântica no estado da Bahia; porém, em decorrência da modernização da agricultura, iniciada ali nos anos 1960, surgiram doenças como a vassoura-de-bruxa, e muita dificuldade na produção. Além disso, as sucessivas crises em decorrência da queda do preço do cacau no mercado internacional levaram muitos donos de florestas com cacau a explorar de forma sistemática as madeiras comerciais e houve uma dramática redução das áreas ocupadas por esse sistema. Hoje, nas áreas remanescentes de cabruca, os agricultores têm procurado dinamizar esse sistema, praticando podas adubadoras e aumentando a diversificação da sua composição. Em contrapartida, o cacau é também cultivado na forma de agroflorestas, sejam elas com baixos níveis de biodiversidade, ou mesmo reunindo um grande número de componentes que são manejados de forma dinâmica. O sistema é implantado em uma capoeira, ou mediante plantio do cacau e espécies de serviço, como adubadoras e bananeiras em uma roça, para efeito de sombreamento e formação de cobertura morta.

Outro sistema agroflorestal tradicional, praticado no sul do Brasil, é o faxinal. Trata-se de um sistema de economia familiar comunitária, baseado em um ambiente de floresta nativa, tendo como espécie dominante o pinheiro-do-paraná, e onde animais domésticos são criados soltos, em pastagens comunitárias (criadouros coletivos com equinos, suínos, caprinos, aves e raramente bovinos). Nesses criadouros coletivos se concentra a maior parte da coleta da erva-mate como fonte de renda complementar. Nas mesmas propriedades, as áreas de plantar (quase que exclusivamente com culturas de ciclo curto) são individuais e separadas dos criadouros coletivos por valos e/ou cercas.

O sistema faxinal tradicional preserva a biodiversidade local, se tornando mais evoluído e permanente quando com menor sobrecarga de animais. Infelizmente, esse sistema que se baseia em uma rara forma de organização camponesa sofreu, a partir da década de 1960, um gradativo processo de desestruturação, em decorrência da “modernização” da agricultura, como citado para a cabruca na Bahia. No Paraná, no decorrer dos últimos 15 anos, o número registrado de faxinais caiu muito, porém observa-se um progressivo renascimento do interesse pelo sistema, tanto por parte de comunidades de agricultores familiares como por parte de entidades governamentais e não governamentais e instituições de pesquisa. Alguns projetos têm buscado melhorar a renda familiar dos faxinalenses, a partir da própria dinâmica e forma de manejo dos faxinais. Potencializando o que já é praticado, diversas propostas têm sido contempladas, como por exemplo, aumentar a quantidade e a qualidade de erva-mate, mediante o enriquecimento com mudas de boa procedência, e melhoria na práticas de manejo, diversificar e agregar valor aos outros produtos dos faxinais, como o pinhão, ervas medicinais, frutíferas nativas, plantas ornamentais, apicultura, sementes, bem como o turismo rural ecológico comunitário, apoiado na beleza das paisagens e valor histórico cultural que caracterizam algumas regiões de maior concentração de faxinais.

O desenvolvimento do tema da conservação da biodiversidade por meio dos SAFs deve ser visto em um contexto integrado com o ordenamento territorial, considerando que a paisagem rural tende a ser uma matriz de retalhos de floresta remanescentes, sistemas agrícolas e agroflorestais, cercas vivas, quebra-ventos e árvores isoladas inseridos na paisagem regional. Esse mosaico de paisagem agroflorestal deve ser visto como reserva potencial de biodiversidade em si, conservação da capacidade produtiva do solo e produção de água em quantidade e qualidade de forma sustentável, com o consequente bem viver das pessoas do campo e da cidade.

Para Saber Mais

BARBOSA, T. M. *Semeando agroecologia:* árvores na agricultura familiar. Rio de Janeiro: ASPTA, 2014, 28p. Disponível em: http://aspta.org.br/2014/06/semeando-agroecologia-arvores-na-agricultura-familiar/. Acesso em: 01 jan. 2021.

CORRÊA, N. E. *et al. Agroflorestando o mundo de facão a trator*: gerando práxis agroflorestal em rede. Barra do Turvo: Cooperafloresta, 2016. Disponível em www.cooperafloresta.com.br. Acesso em: 01 jan. 2021.

CALDEIRA, P. Y. C. *Sistemas agroflorestais em espaços protegidos.* Secretaria de Estado do Meio Ambiente, Coordenadoria de Biodiversidade e Recursos Naturais. 1. ed. São Paulo: SMA, 2011. Disponível em: http://www.sigam.ambiente.sp.gov.br/sigam3/Repositorio/222/Documentos/SAF_Digital_2011.pdf. Acesso em: 01 jan. 2021.

FRANCO, F. S.; ALVARES, S. M. R.; ROSA, S. C. F. *Sistemas agroflorestais com juçara.* Sorocaba, 2017, v. 1. p. 28. Disponível em: https://apetecaapua.wordpress.com/cartilhas-cadernos-e-manuais/. Acesso em: 01 jan. 2021.

MICCOLIS, A. *et al. Restauração ecológica com sistemas agroflorestais:* como conciliar conservação com produção. Opções para Cerrado e Caatinga. Brasília: Instituto Sociedade, População e Natureza – ISPN/Centro Internacional de Pesquisa Agroflorestal – ICRAF, 2016. 266 p. Disponível em: http://www.florestal.gov.br/documentos/publicacoes/2316-restauracao-ecologica/file. Acesso em: 01 jan. 2021.

Vídeos

Agenda Gotsch:https://www.agendagotsch.com/. Acesso em: 01 jan. 2021.

Produção de culturas anuais em Sistemas Agroflorestais: https://www.youtube.com/watch?v=IK0lKUJZWmY. Acesso em: 01 jan. 2021.

Sistemas Agroflorestais – Agricultura que cultiva florestas, CAMTA – Tomé-açu – PA: https://www.youtube.com/watch?v=qZU4fPtsqDY. Acesso em: 01 jan. 2021.

AGROINDÚSTRIA E BENEFICIAMENTO

Daniel Mancio
Ana Terra Reis
Renata Couto Moreira

As Agroindústrias são as unidades industriais responsáveis pelo beneficiamento e transformação de produtos agrícolas, visando sua conservação. Segundo Christoffoli (2012), a autonomização de partes do processo produtivo agrícola e o desenvolvimento da agroindústria enquanto atividade autônoma em relação à agricultura surge a partir do desenvolvimento da indústria e das cidades com a expansão do capitalismo, principalmente nos séculos XVIII e XIX. Com o aprofundamento da divisão social do trabalho na sociedade moderna, houve a separação entre a agricultura e a indústria, entre o campo e a cidade; a agroindústria, para além do beneficiamento, surge como processo autônomo em relação à agricultura, e também crescentemente dependente dela.

Neste texto, esperamos aportar elementos que evidenciem a forma como as agroindústrias foram sendo implementadas no contexto da questão agrária brasileira, observando o modelo de desenvolvimento imposto, no qual a agroindústria tem importância crescente na apropriação do valor produzido ao longo do processo de industrialização da agricultura. Nesse processo, a apropriação do valor gerado pelo trabalho na agricultura e na agroindústria passa a ser "condição necessária para a acumulação capitalista" (Christoffoli, 2012, p. 73). Assim pretendemos também apontar para as contradições e necessidades de superação desse modelo dependente a partir da Agroecologia.

Da agroindústria do engenho ao complexo agroindustrial

No Brasil, a agroindústria que esteve ligada ao avanço do modo de produção capitalista remonta aos tempos da Colonização, em meados do século XVI, em que a estrutura do engenho de cana-de-açúcar representava o principal modelo agroindustrial da *plantation* escravista (Prado Junior, 2006). Outras culturas agrícolas foram sendo implantadas, seguindo esse modelo até o início do século XX, acentuando o caráter exportador de produtos primários da economia brasileira, ou seja, de matérias-primas para abastecimento das indústrias das metrópoles, como é o caso do tabaco, do algodão, do café, do látex da seringueira e do cacau.

Após a Primeira Guerra Mundial (1914-1918), estreita-se a relação entre o uso de novas técnicas na produção agrícola e as demandas das agroindústrias. É o caso das indústrias têxteis, por exemplo, que passaram a exigir padrões na produção de fibras de algodão, com maior regularidade agrícola, impondo assim a necessidade de adequação das técnicas de produção agrícola para atendimento aos interesses da indústria. Evidenciou-se a relação de mútua dependência entre as atividades do setor agropecuário e dos demais setores, atuando de forma complementar e interdependentes (Ianni, 1973).

Na década de 1930, durante o governo Vargas, o Ministério da Agricultura passa a compor a estrutura governamental da República; a estratégia foi de estimular a industrialização e a diversificação agropecuária, reforçando os suportes políticos baseados em grupos econômicos fortes. Ao setor agropecuário, coube a geração de divisas para a importação de máquinas e equipamentos necessários ao setor e à indústria, que se desenvolvia pelo aumento da demanda interna. O desafio era superar os regionalismos para a construção de um governo que pudesse ter centralidade nas ações, e a estratégia adotada foi a criação de diversos institutos com capacidade de regular atividade de determinados setores, como o Instituto do Açúcar e do Álcool (IAA).

Com o golpe de 1964, toma curso um pacto agrário tecnicamente modernizante e socialmente conservador, mantendo as oligarquias rurais detentoras de grandes extensões de terra (Delgado, 2005). Sob o regime militar e à custa de vultosos empréstimos internacionais, ocorre a modernização das técnicas importadas na agricultura e de integração com a indústria, sem alterar as relações arcaicas que sempre marcaram a questão agrária brasileira, reforçando e ampliando as relações de superexploração [ver Superexploração] da força de trabalho rural ao longo do tempo, compreendida no sentido mais amplo que lhe atribui Marini (1991), na essência da reprodução das próprias relações de dependência.

Esse processo de concentração de terras e de renda, com a adoção dos pacotes tecnológicos, foi feita de forma a ampliar as relações de produção do capital sobre os territórios, inviabilizando a sobrevivência do campesinato e aumentando a produtividade com base em uma agricultura intensiva em capital [VER CAMPESINATO]. Para Delgado (1985), ocorre uma integração de grau variável entre a produção primária de alimentos e matérias-primas e vários ramos industriais (oleaginosos, moinhos, indústrias de açúcar e álcool, papel, papelão, fumo, têxtil, bebidas, entre outros). O Estado, portanto, proporciona a modernização do latifúndio e a constituição de grandes e médias empresas agroindustriais e multinacionais, que se tornam as protagonistas no processo de desenvolvimento agrícola, formando os complexos agroindustriais (CAI), ou seja, um conjunto de processos formado por setores produtores de insumos e maquinarias agrícolas, de transformação industrial e de distribuição, comercialização e financiamento, evidenciando forte dependência de um em relação aos outros (Goodman; Sorj; Wilkinson, 1985).

Para Mazoyer (2008), historicamente, os produtores agrícolas foram sendo desincumbidos de uma parte importante de suas atividades no campo e das correspondentes rendas, reduzidos muitas vezes a uma atividade de simples produção de matérias-primas agrícolas, integrada aos complexos agroindustriais de forma submissa. Desse processo, persiste a agricultura subordinada às demandas da agroindústria capitalista, dependente do Estado e do mercado internacional e mantenedora de padrões de superexploração do trabalho e de destruição do meio ambiente.

Agroindústria no ciclo recente do capital no agronegócio

Com a desregulamentação neoliberal da economia brasileira nos anos de 1990, novamente se estabelece uma onda de centralização de terras e de capital. As agroindústrias deixam de receber subsídios e uma nova estratégia de financeirização, baseada no capital especulativo internacional agindo sobre a agricultura, forja o lançamento do agronegócio no ano 2000.

O novo ciclo de concentração de capitais no campo impõe, com base na criação de políticas públicas ou de controle ideológico, aos "pequenos agricultores" a subsunção à lógica do mercado mundial, tanto pela integração direta às agroindústrias quanto pela ação dos agentes atravessadores. Essa integração, seja formal – por meio de contratos nos quais recursos são adiantados para garantir a produção homogênea e planificada à empresa e ao agricultor, que entrega toda ou parte de sua produção – ou informal – pela ação dos mercados que monopolizam os processos agroindustriais que necessariamente convergem a estes –, gera um sistema que distancia o camponês e sua família de parte importante dos meios de produção, e portanto, de sua autonomia para produzir e se apropriar de sua própria produção.

A imposição de integração do campesinato ao modelo capitalista agroindustrial se dá também pela implementação das políticas públicas, como foi o exemplo da formulação do Programa Nacional de Fortalecimento da Agricultura Familiar (Pronaf), que em 1999 reuniu todos os créditos destinados à agricultura familiar e levou a uma padronização da forma de acesso ao programa, direcionando o crédito a poucos cultivos restritos às demandas e pacotes tecnológicos dos CAI, e não respeitando a diversidade dos sujeitos sociais do campo e da agricultura camponesa. Posteriormente, como termo jurídico, a Agricultura Familiar definiu a amplitude e os limites da afiliação de produtores pela categorização oficial do Pronaf. Em 24 de julho de 2006, foi aprovada a Lei da Agricultura Familiar, Lei n. 11.326, que entre os seus critérios engloba uma massa heterogênea de produtores rurais, desde produtores pauperizados com menos de um hectare a produtores com cem hectares altamente capitalizados, formas tradicionais de subsistência, e formas modernas de integração aos mercados, desde que a família seja a proprietária dos meios de produção e, ao mesmo tempo, executora das atividades produtivas. Há neste processo uma intencionalidade de integrar a agricultura de base camponesa como parte do agronegócio, mercantilizando todas as fases do processo produtivo e fortalecendo a estratégia de produção e beneficiamento extremamente concentrada das grandes agroindústrias multinacionais.

Em 2018, todo o mercado mundial de *commodities* agrícolas foi centralizado por quatro corporações: Archer Daniels Misland (ADM), Bunge, Cargill e Louis Dreyfus Company. A estratégia do capital tem sido monopolizar a comercialização de três principais matérias-primas (a soja, o milho e o trigo), que podem ser comercializadas como alimento agrocombustível ou ração para animais a depender das condições do mercado. Somam-se a essas *commodities* outras, como os subprodutos da cana-de-açúcar, da palma e do arroz. Quando falamos da agroindústria alimentícia, o quadro de concentração não é diferente. Estudos apontam que apenas dez empresas controlam a industrialização de alimentos, entre as quais se destacam a Nestlé, a JBS, a Tyson Foods, a Mars, a Kraft Heinz, a Mondelez, a Danone, a Unilever, a General Mills e a Smithfield (Santos; Glass, 2018). O processo de beneficiamento e o de agroindustrialização são elos extremamente importantes na organização das cadeias produtivas. Nesses setores, se concentram em média cerca de 48% do valor total da produção segundo estudos da Oxfan (2016); junto à comercialização, garantem o direcionamento do que produzir, quanto produzir e como produzir, ditando as regras do desenvolvimento rural.

A concentração do mercado por parte dessas empresas faz com que a produção advinda da agricultura camponesa tenha a renda que gera transferida por uma dupla subordinação: na produção (com a dependência imposta aos pacotes tecnológicos) e na comercialização (com a presença de atravessadores ou com a produção integrada às agroindústrias). A concentração também mantém ao camponês os riscos da produção diante das intempéries ambientais e outras decorrentes de oscilações de mercado, diminuem responsabilidades trabalhistas, assim as empresas ficam apenas onde são possíveis maiores lucros com os menores riscos, concentrando ainda mais a renda e riqueza produzida pelo campesinato.

A agroindústria campesina e a agroecologia

O processo de beneficiamento e de agroindustrialização na agricultura camponesa é pauta de luta dos mais diversos movimentos populares do campo na atualidade que, por meio de suas sínteses, o incorporaram como bandeira importante na disputa entre projetos de desenvolvimento para o campo brasileiro e latino-americano. Essa bandeira está registrada no Programa Agrário do Movimento dos Trabalhadores Rurais Sem Terra (MST) e é parte importante da formulação da reforma agrária popular [VER REFORMA AGRÁRIA POPULAR]. Da mesma forma, o Movimento dos Pequenos Agricultores (MPA) também sintetiza no Plano Camponês as agroindústrias familiares como componente fundamental. Na Via Campesina Internacional se identifica um esforço para acumular debates e teorizações que propõem um novo modelo de organização do campo, baseado na hegemonia dos camponeses e que passam também pelo acesso e controle das estruturas de benefício e agroindustrialização adequadas à lógica camponesa. Apesar das grandes diferenças do desenvolvimento das forças produtivas, das classes e da correlação de forças, têm-se enquanto tarefa, neste "programa para a agricultura campesina":

> Desenvolver a organização de agroindústrias em pequena e média escala, na forma cooperativa, sob controle dos trabalhadores [...]. A agroindústria é uma necessidade do mundo moderno para conservar alimentos e transportá-los para as cidades. Mas devemos garantir que as agroindústrias estejam sob controle dos trabalhadores e camponeses para que a renda do maior valor agregado aos produtos seja distribuída entre os que trabalham. (MST, 2015, p. 121)

O final dos anos 1980 e início dos 1990 foram marcados por uma crescente organização e mobilização dos trabalhadores rurais assentados, no sentido de consolidar importantes experiências no que se refere às formas de organização, associações ou cooperativas, em que pesem os limites enfrentados na descontinuidade das políticas públicas. O I Plano Nacional de Reforma Agrária (PNRA) tem como uma de suas medidas a criação do Programa Especial de Crédito para Reforma Agrária (Procera), que se constitui como uma linha de crédito que visa proporcionar aos camponeses assentados financiamentos destinados ao apoio à produção e à comercialização.

Ainda ao final de 1990, é criada uma nova modalidade do Procera, chamada Teto II, que representou uma das mais importantes políticas da época que se destinava à estruturação de agroindústrias vinculadas às cooperativas e associações dos camponeses assentados. Evidente que, em meio à crise, a criação de agroindústrias de pequeno porte e que não questionavam o modelo produtivo calcado nos pacotes tecnológicos e na concentração e centralização nos CAI logo mostrou sua inviabilidade, levando os agricultores a uma difícil situação de endividamento (Reis, 2015).

Desde então, poucos programas foram organizados para atender a essa demanda e desenvolver as agroindústrias camponesas, com destaque para o Terraforte e o Terrasol, ambos vinculados ao Incra, mais recentemente. No entanto, todos, nessa disputa com o capital, tiveram e têm problemas concretos de execução, inviabilizando ou dificultando profundamente sua implementação.

Em que pese o cenário de avanço do capital e a consolidação de uma estratégia econômica que busca mercantilizar todas as faces da produção e da reprodução da vida, julgamos importante elencar os acúmulos e aprendizados sobre qual papel a agroindústria vem desempenhando nessa construção contra-hegemônica.

O primeiro aprendizado refere-se à necessidade de construir autonomia nos processos, desde a produção de insumos, passando pela produção, beneficiamento, agroindustrialização, até a comercialização dos alimentos. Ter autonomia e controle sobre a produção nos permite romper com a dependência dos pacotes tecnológicos e definir as práticas e técnicas a serem utilizadas de acordo com a realidade de cada território.

Já o controle no processo de industrialização está intimamente ligado ao processo de comercialização. As experiências mais exitosas de agroindustrialização e beneficiamento sempre estiveram vinculadas a uma ação conjunta de comercialização, por via institucional (como é o caso do Programa de Aquisição de Alimentos ou do Programa Nacional de Alimentação Escolar), por venda direta (feiras e cestas), pela difícil disputa junto ao mercado convencional ou outras modalidades [VER CONSTRUÇÃO SOCIAL DE MERCADOS; COMPRA PÚBLICA DE ALIMENTOS].

Muitas dificuldades se colocam também do ponto de vista da legislação, o que interfere negativamente na organização dessas estruturas camponesas. Essas legislações impõem a processos familiares um procedimento e uma lógica adaptados às grandes agroindústrias, por muitas vezes inviabilizando as pequenas e médias pelo excesso de burocracias ao colocar as mesmas normas para processos e escalas completamente diferentes. Um exemplo é a produção de queijos ou panificados, cujas exigências inviabilizam plantas agroindustriais pequenas, aumentam excessivamente os custos de produção e comercialização e impõem barreiras sanitárias, trabalhistas, ambientais, tributárias, fiscais e previdenciárias praticamente intransponíveis, representando um dos maiores entraves que o agricultor encontra para agregar valor à produção, como trazem à reflexão Moreira *et al.* (2007). No entanto, mesmo com as dificuldades de formalização da atividade, a importância da agroindústria familiar ainda se destaca como alternativa para ampliar a disponibilidade de produtos alimentícios para as populações urbanas e rurais que, por um lado, possam trazer um impacto favorável ao agricultor – com a diminuição das perdas agrícolas, a manutenção de subprodutos e resíduos orgânicos importantes para os agroecossistemas [VER AGROECOSSISTEMA] – e, por outro, agreguem valor ao produto, incrementando a renda familiar e viabilizando social e economicamente a produção e vida camponesa.

Segundo Mior (2005), a origem e a evolução das agroindústrias familiares podem ser vistas sob a ótica da construção histórica, na qual um conjunto de fatores sociais, econômicos e culturais interage em estratégias diferenciadas à capitalista, envolvendo várias dimensões e consolidando uma concepção de campesinato. Dentre elas, podemos destacar o fortalecimento da produção em pequena escala, da diversificação produtiva, da agroecologia, da autonomia e do controle dos trabalhadores, da geração de trabalho e renda para as famílias camponesas, do envolvimento dos jovens e das mulheres nas relações de produção na valorização de todos os membros da família pelo trabalho, da descentralização de rendas, da redução do êxodo rural, além do estímulo a estratégias de cooperação articuladas aos movimentos sociais. Para Christoffoli (2010), essas iniciativas agroindustriais no campesinato só se mantêm sustentáveis no tempo, influenciando direta-

A

mente o desenvolvimento do campo, se estiverem ancoradas na formação de redes e complexos cooperativos na perspectiva da intercooperação, como forma de contrapor e minimizar os efeitos da competição aos conglomerados capitalistas.

Um segundo aprendizado que nos remete à reflexão se refere a como a construção de autonomia nos processos deve estar vinculada à luta por políticas públicas que assegurem assistência técnica, créditos, incentivos à cooperação e à comercialização, além de formação de profissionais das próprias comunidades, todas essas como ações que permitam uma gestão que dialogue com os interesses coletivos e garantam qualidade e organização para acessar mercados diretos. Segundo Zamberlam (1994), os agricultores familiares têm normalmente alternativas desfavoráveis de acesso a tais políticas públicas, ressaltando o gargalo da comercialização. Em regra, a possibilidade a que têm acesso é comercializar sua produção com grupos oligopolizados, em que os preços são fixados unilateralmente.

As alternativas de comercializar via esquema tradicional (feiras, pequenos mercados, de casa em casa), no qual o produtor tem maior poder na definição do preço de seus produtos, são fundamentais no estabelecimento de outras relações com o mercado. A agroindustrialização aparece nesse caso como alternativa real dentro da perspectiva do cooperativismo e da construção da agroecologia. Do que adianta produzir sem agrotóxicos, dentro de um desenho no qual os princípios da agroecologia são priorizados, mas na hora de beneficiar e agroindustrializar os produtos se misturam e caem na vala comum das *commodities* e dos alimentos convencionais? Nesse sentido, é necessário organizar as cadeias produtivas agroecológicas, fortalecendo experiências em todos os elos, mas também sob o controle do campesinato.

É por meio dessas estruturas organizativas da classe trabalhadora do campo que será possível sustentar a agroecologia, pois criam alternativas de renda, trabalho, organização produtiva e cooperação, garantindo não só a produção de alimentos saudáveis, mas também a conservação destes de forma saudável e ampliando a atuação camponesa nos territórios, desenvolvendo formas de apresentar seus produtos e levar a cultura camponesa a cada região do Brasil e do mundo.

Referências

CHRISTOFFOLI, P. Agroindústria. *In:* CALDART, R. S. *et al. Dicionário de Educação do Campo.* Rio de Janeiro/São Paulo: Escola Politécnica de Saúde Joaquim Venâncio/ Expressão Popular, 2012, p. 72-81.

MOVIMENTO DOS TRABALHADORES RURAIS SEM TERRA (MST). *Subsídios para debater a questão agrária brasileira.* Coletânea de textos da ENFF 21. São Paulo: MST, 2015.

DELGADO, G. A *questão agrária no Brasil, 1950-2003. In*: INCRA. Questão Agrária no Brasil: perspectiva histórica e configuração atual. São Paulo: Instituto Nacional de Colonização e Reforma Agrária, 2005, p. 52-90.

______. *Capital financeiro e agricultura no Brasil.* São Paulo: Icone-Unicamp, 1985.

GOODMAN, D.; SORJ, B.; WILKINSON, J. Agroindústria, políticas públicas e estruturas sociais rurais. *Revista de Economia Política,* n. 20, 1985.

IANNI, O. Relações de produção e proletariado rural. *In*: SZMRECSÁNYI, T.; QUEDA, O. (org.). *Vida rural e mudança social.* São Paulo: Cia. Editora Nacional, 1973, p. 184-198.

MARINI, R. M. *Dialéctica de la dependência.* México: Ediciones Era, 1990.

MAZOYER, M. *História das agriculturas no mundo:* do neolítico à crise contemporânea. Tradução de Cláudia F. Falluh Balduino Ferreira. São Paulo: Editora Unesp, 2008.

MIOR, L. C. *Agricultores familiares, agroindústrias e redes de desenvolvimento rural*. Chapecó: Argos, 2005.
MOREIRA, R. C. *et al.* Viabilidade Econômica da Agroindústria Familiar Rural de Frutas na Zona da Mata Mineira. *Revista de Economia e Agronegócio*, v. 5, n. 2, p. 187-206, 2007.
PRADO JUNIOR, C. *História econômica do Brasil*. 43. ed. São Paulo: Brasiliense, 2006.
REIS, A. T. *Trabalho, políticas públicas e resistência em assentamentos do estado de São Paulo: um estudo do programa de aquisição de alimentos (PAA)*. Universidade Estadual Paulista (Tese de doutorado). Presidente Prudente, Faculdade de Ciências e Tecnologia, 2015.
SANTOS, M.; GLASS, V. (org). *Atlas do Agronegócio 2018:* Fatos e números sobre as corporações que controlam o que comemos. Rio de Janeiro: Fundação Heinrich Böll, 2018.
OXFAM. *Relatório Terrenos da Desigualdade*. Terra, agricultura e desigualdades no Brasil rural. Oxfam, Brasil, novembro de 2016.
ZAMBERLAM, J. Reflexões sobre algumas estratégias para a viabilização econômica dos assentamentos. *In*: MEDEIROS, L. *et al.* (ed.). *Assentamentos rurais:* uma visão multidisciplinar. São Paulo: Unesp, 1994.

AGRONEGÓCIO

Paulo Roberto Raposo Alentejano
Daniela da Silva Egger

"Agro é *tech*, agro é *pop*, agro é tudo!" Desde 2016, todos os dias somos bombardeados durante um minuto por essa propaganda no horário nobre da maior cadeia de televisão do país, cuja intenção é nos fazer crer que tudo que existe no campo brasileiro está vinculado ao agronegócio. Este seria responsável pelo bem-estar da população brasileira, seja por produzir os alimentos que abastecem as cidades, seja por contribuir para a geração de emprego e renda no campo e na cidade, além de contribuir para a sustentação da nossa economia, por meio de vultosos saldos comerciais.

Mas será que essa imagem autoprojetada do agronegócio corresponde à realidade? Que faces do agronegócio essa propaganda esconde? E o que há de verdade nessa imagem? Buscaremos neste verbete apontar as origens dessa expressão, analisar as contradições que envolvem seu uso generalizado e evidenciar alguns dos processos associados ao agronegócio.

A palavra agronegócio é recente na língua portuguesa; não existia até os anos 1990. Trata-se de uma tradução da palavra inglesa *agribusiness*. A própria Associação Brasileira do Agronegócio (Abag) era denominada Associação Brasileira do Agribusiness até os anos 2000. A mudança fez parte de uma estratégia de *marketing* para popularizar a noção de agronegócio.

A noção de *agribusiness* foi cunhada originalmente nos Estados Unidos por John Davis e Ray Goldberg na década de 1950, e incorporado ao vocabulário político brasileiro em 1993 quando da fundação da Abag. Três anos antes, Ney Bittencourt de Araujo, Ivan Wedekin e Luiz Antonio Pinazza publicaram o livro *Complexo agroindustrial – o* agribusiness *brasileiro*, no qual empregam pioneiramente a palavra *agribusiness* na análise do campo brasileiro. Mas seu uso permanece restrito ao longo dos anos 1990.

Essa década é marcada por uma forte crise da agricultura brasileira, com a falência generalizada de agricultores e agroindústrias, no rastro das medidas neoliberais que retiraram subsídios, reduziram créditos e expuseram a agricultura à competição de outros países com a redução de taxas alfandegárias.

Foi ainda uma década em que houve um grande avanço da luta pela reforma agrária no Brasil, com o fortalecimento e multiplicação dos movimentos que lutavam pela terra, em especial o Movimento dos Trabalhadores Rurais Sem Terra (MST). Sob forte pressão política, em especial após os massacres de Corumbiara e Eldorado dos Carajás, o governo Fernando Henrique Cardoso foi obrigado a acelerar e ampliar a criação de assentamentos, pois havia grande apoio popular à reforma agrária e ao MST. Isto foi facilitado pela queda generalizada do preço da terra no país na década de 1990, resultado do desmonte das políticas de apoio à agricultura e da falência de agricultores (Delgado, 2012). Mas, ao mesmo tempo, o governo buscou medidas de desmobilização da luta pela terra e repressão e contenção dos movimentos. Foi nesse cenário que, articuladamente, governo, latifundiários, grandes empresas do setor agropecuário e mídia iniciaram uma massiva campanha de desmoralização e criminalização do MST e de construção de uma imagem positiva do *agribusiness*, logo rebatizado de agronegócio para tornar essa nova imagem mais palatável.

Este processo coincide com uma guinada na economia do país. Pressionado pela crise cambial de 1998/1999, o governo estimulou as exportações como forma de obter saldos na balança comercial para pagar as dívidas do país. Entre os setores estimulados estava o agronegócio, livre do pagamento de impostos sobre a exportação de produtos primários, desde a Lei Kandir, de 1997.

Configura-se a partir de então um movimento para elevar o agronegócio à condição de um dos pilares da economia brasileira, ao mesmo tempo que a reforma agrária é apresentada como anacrônica e os movimentos sociais do campo, como violentos e atrasados.

Com o aumento da demanda mundial das chamadas *commodities* na década de 2000, impulsionada pelo crescimento da economia chinesa, as exportações brasileiras de produtos agropecuários se expandiram fortemente em quantidade e valor, e o agronegócio foi se fortalecendo cada vez mais. O valor médio anual das exportações passou de US$ 50 bilhões no período 1995/1999 para cerca de US$ 200 bilhões no final da década de 2000, com a participação dos produtos básicos passando de 25% para 45% da pauta de exportações em 2010; somados aos semimanufaturados, este número passa para 54,3%, configurando a reprimarização do comércio exterior (Delgado, 2012, p. 95).

Para esse crescimento do agronegócio, contribuiu decisivamente a adoção de um conjunto de políticas: trabalhistas, que promoveram a flexibilização das relações de trabalho; ambientais, cujos marcos regulatórios foram revisados; de infraestrutura, sobretudo escoamento da produção; de ordenamento territorial e regularização fundiária; e de financiamento (Heredia; Leite; Palmera, 2010).

No caso dessa última, houve uma forte retomada do crédito rural, que havia decaído fortemente ao longo dos anos 1990 e foi alavancado novamente. Em 2003/2004, o valor total do crédito rural foi de 32,6 bilhões de reais, sendo 27,2 bilhões para a agricultura patronal e 5,4 bilhões para o Pronaf (Programa Nacional de Fortalecimento da Agricultura Familiar). Já em 2016/2017, estes valores pularam para R$ 232,88 bilhões no total, sendo R$ 202,88 bilhões para a agricultura patronal e R$ 30 bilhões para a agricultura familiar. Isto sem falar nos subsídios, que segundo Delgado (2012) somaram R$ 86,6 bilhões entre 2000 e 2010.

No rastro do crescimento econômico, o agronegócio foi também se fortalecendo politicamente. Não à toa, praticamente todos os ministros da Agricultura nas últimas duas décadas foram figuras de destaque do agronegócio, como Roberto Rodrigues (então presidente da Abag) no primeiro governo Lula, Kátia Abreu (à época, presidente da Confederação Nacional da Agricultura) no governo Dilma, Blairo Maggi (um dos maiores produtores de soja e dono da maior empresa de processamento e comercialização de soja brasileira) no governo Temer e Teresa Cristina no governo Bolsonaro. Além disso, no primeiro governo Lula, o Ministro do Desenvolvimento, Indústria e Comércio Exterior foi o ex-presidente da Sadia (uma das maiores empresas do setor de carnes na ocasião), Luiz Fernando Furlán.

Talvez a maior expressão política do fortalecimento do agronegócio seja o crescente poder da Bancada Ruralista, maior e mais influente bancada setorial do parlamento brasileiro. Denominada oficialmente de Frente Parlamentar da Agropecuária, vem atuando na defesa dos interesses do agronegócio no Congresso; na legislatura 2014-2018, a bancada possuía 214 deputados e 24 senadores associados, respectivamente, 41,7% e 29,6% do total de parlamentares. A Bancada cresceu ainda mais na atual legislatura, iniciada em 2019, somando 245 deputados e 39 senadores, o que corresponde a 47,8% da Câmara e 48,1% do Senado.

Neste cenário, ao mesmo tempo que o agronegócio se fortalecia, a reforma agrária – enquanto política estrutural de reordenamento das relações de propriedade e de produção no campo brasileiro – foi sendo deixada de lado, limitando-se a política agrária à criação de assentamentos em áreas mais conflituosas. Contribuiu também para isso a elevação do preço das terras, no rastro da expansão das *commodities* (Delgado, 2012). Com isso, mesmo os assentamentos anteriormente criados passaram a ser visados pelo agronegócio, em seu movimento expansivo em busca de novas terras. Almeida (2009) denominou de agroestratégias um conjunto articulado de discursos, ações e mecanismos construídos por agências multilaterais e conglomerados financeiros e agroindustriais para incorporar novas terras para a expansão da produção de *commodities* agropecuárias. Segundo o autor, essa visão se associa a "uma imagem hiperbolizada do Brasil e de seu potencial agrícola. De acordo com esta formulação, no Brasil, a terra seria um bem ilimitado e permanentemente disponível" (Almeida, 2009, p. 68).

Nessa perspectiva, áreas de preservação ambiental, terras indígenas, quilombolas, de assentamentos rurais e de uso comum são obstáculos a serem removidos, visando ampliar a oferta de terras no mercado que vive um momento de intenso aquecimento, derivado do crescimento da demanda internacional por *commodities* agrícolas e do crescente interesse de grupos estrangeiros na aquisição de terras no Brasil. Esse aquecimento, que vinha se dando desde o início dos anos 2000, se intensifica a partir da crise econômica de 2008, quando ocorre uma nova rodada de investimentos financeiros de capitais ociosos e especulativos em busca de rendimento a juros. Um dos focos desses investimentos é o mercado de terras, seja para investir na produção de alimentos e agrocombustíveis, cujos preços estão em elevação, seja por a terra ser vista em períodos de crise como uma reserva de valor. Assim, amplia-se a presença no país de empresas estrangeiras que atuam no agronegócio, mas também empresas e fundos de investimentos para quem a terra é um meio de valorização do capital, o que podemos chamar de "terceirização" dos negócios com terras. Esse interesse estrangeiro nas terras brasileiras incide no controle sobre as terras, recurso natural, genético e energético central nas disputas geopolíticas após 2008.

Vale destacar que esse não é um processo restrito ao Brasil. Segundo relatório da Grain (2016), estima-se que, entre 2008 e 2016, cerca de 40 milhões de hectares de terras tenham sido negociados no mundo. A organização aponta que, em 2008, este processo envolveu cerca de 100 empresas e 30 milhões de hectares, aumentando para 35 milhões de hectares em 2012 e chegando a 40 milhões de hectares transacionados por 490 empresas em 78 países, em sua maioria no Sul Global, como destaca também Sassen (2016). Tais dados relevam que o processo de aquisição e negociações de terras continua crescendo e se expandindo, geograficamente localizado, assim como aumenta o número de empresas envolvidas em negócios com terras em todo o mundo.

Essa demanda global por terras tem sido denominada *land grabbing* ou *acaparamiento de tierras*, não havendo ainda uma expressão brasileira de consenso. Trata-se de um processo de captura de terras, com fins produtivos ou especulativos, operado por agentes financeiros e empresariais de diversos setores, com sustentação estatal, na escala de milhares de hectares em diversas áreas do mundo.

A captura de terras pode acontecer de inúmeras formas, tanto legais – compra, arrendamento – quanto ilegais de apropriação das terras – como os casos de grilagem, baseados na falsificação de títulos de propriedade. Envolve, ainda, mudanças na legislação fundiária de vários países, de forma a facilitar a aquisição de terras por estrangeiros, o que, segundo Levien (2014), vai redefinir o "gerenciamento" das terras no mundo, criando especificidades nos usos e formas de propriedade privada da terra em cada território. McMichael (2014), por sua vez, chama a atenção para o fato de que esta dinâmica pode implicar transformações da função social da propriedade da terra que abrem caminho para a transformação desta em ativo financeiro e imobiliário. Nesse sentido, processos de regularização fundiária são fundamentais para dar segurança jurídica ao capital investido em terras. Em outras palavras, dificilmente o *land grabbing* ocorre sem a participação do Estado.

No Brasil, o principal exemplo disso é a Lei 13.465/2017, também conhecida como "Lei da Grilagem". Entre outras coisas, sob o manto da regularização fundiária, ela legaliza os processos de grilagem de terras e abre caminho para a privatização das terras dos assentamentos rurais, aprofundando a mercantilização da terra. Outro exemplo é a pressão dos ruralistas contra a demarcação de terras indígenas e quilombolas e contra a desapropriação de terras para a reforma agrária, paralisadas desde o golpe que levou Temer à presidência, com forte apoio do agronegócio.

Com a expansão geográfica do processo de captura de terras, Harvey (2004) sinaliza que vários países se tornaram alternativas para o aumento e expansão da produção de *commodities* agrícolas, gerando novas ondas de grilagem e monopólio fundiário que corroboram com a transformação das relações sociais e territoriais como um todo. Na América Latina, segundo Svampa (2013), estamos vivendo, o chamado "consenso das *commodities*", quer dizer, uma espécie de consenso político e ideológico de que a única via legítima ou possível para o desenvolvimento passa pela exploração intensiva e em grande escala de recursos naturais para a produção de produtos primários.

Assim, configura-se uma nova geopolítica de recursos naturais e terras, marcada por uma guinada das políticas neoliberais destinadas à agricultura e ao comércio de alimentos em proporção global. O agronegócio brasileiro se integra amplamente a essa dinâmica, sendo o Brasil, ao mesmo tempo, país de origem e destino dos investimentos. Isto é, ao passo que capitais estrangeiros, principalmente dos EUA, da UE e da China chegam ao país para adquirir terras, também observamos investimentos de empresas e empresários brasileiros em terras de países da África, como Tanzânia e Moçambique, ou da América Latina, como Argentina, Bolívia e Paraguai, onde, segundo relatório de pesquisa apoiado pela Oxfam Paraguay e produzido por Guereña; Villagra, (2016), cerca de 14% das terras estaria em poder de brasileiros.

No território brasileiro, a expansão do agronegócio se materializa no avanço da fronteira agrícola, principalmente sobre áreas do Cerrado, que é a principal região brasileira produtora de grãos, apresentando os maiores índices de produtividade em diversas culturas como soja, algodão herbáceo, milho, café e cana-de-açúcar. Mas o Cerrado é também um dos principais mananciais do país, com águas vertendo para as bacias dos rios Paraná, São Francisco, Tocantins e Parnaíba e a presença dos aquíferos Urucuia, Guarani e Bambuí. Hoje, com o agronegócio consolidado no Cerrado de Mato Grosso, Goiás e Mato Grosso do Sul, a expansão se volta para o Matopiba, que envolve as áreas de Cerrado dos estados do Maranhão, Tocantins, Piauí e Bahia. O Matopiba concentra grandes unidades de conservação do Cerrado brasileiro; não obstante, é considerado pelo agronegócio como a última fronteira agrícola do Brasil, com grande interesse das empresas atuantes no mercado de terras. Essas empresas, de capital nacional e internacional, atuam por meio da aquisição de terras "brutas" e na venda dessas propriedades depois de convertidas em áreas agrícolas desenvolvidas (Pitta; Mendonça, 2015).

Evidencia-se que a incorporação de novas áreas é condição fundamental para a dinâmica do agronegócio, ampliando o domínio territorial e abrindo novas fronteiras por meio da "acumulação por espoliação" (Harvey, 2004), processo violento de apropriação e expropriação dos recursos naturais, terras e territórios que imprime nos territórios padrões de conflito expressos em sistemáticos despejos, cessão irregular de terras, cerceamento de acessos públicos, cercamento de terras de uso coletivo, impedimento de acesso à água, captação em escala industrial dos recursos hídricos, desmatamentos, entre outros conflitos. Observa-se, assim, que a violência é parte constitutiva da lógica do agronegócio, haja vista a persistência, em pleno século XXI, de elevados índices de assassinatos, despejos e expulsões nas disputas por terra no país, com requintes de crueldade, quando se considera que em 2017 foram nada menos que cinco massacres de camponeses, quilombolas e indígenas no campo brasileiro.

Defrontados com tais críticas, os representantes do agronegócio buscam reconfigurar o discurso e a imagem, escamoteando suas práticas históricas de violência no campo. Mas o agronegócio tem enfrentado dificuldades para impor sua agenda e criar uma boa imagem pública. Talvez a principal delas venha dos embates no campo ambiental. O primeiro grande embate neste sentido foi a reforma do código florestal [VER CÓDIGO FLORESTAL], defendida pelos representantes do setor, mas que contribuiu para associá-lo ao desmatamento e à destruição das florestas. O segundo embate nesse campo refere-se à discussão sobre os agrotóxicos [VER AGROTÓXICOS], insumos intensamente consumidos pelo setor. Diante de pressões como a da "Campanha contra os Agrotóxicos e pela Vida", articulada por diversas entidades ambientalistas e movimentos sociais do campo e da cidade, o agronegócio tem buscado estratégias as mais diversas, desde mudar a legislação para alterar o nome oficial desses produtos para "defensivos agropecuários" até negar os malefícios destes.

Além das questões do desmatamento e dos agrotóxicos, também a água [VER ÁGUA] tem se mostrado objeto de disputas que revelam a face desigual e perdulária do agronegócio. Um episódio ocorrido em novembro de 2017 ilustra bem essa situação. No município de Correntina, no oeste da Bahia, uma fazenda que captava água de um rio, que historicamente garantia água para a população local, foi depredada por moradores insatisfeitos com a falta de água para beber, enquanto a fazenda utilizava-a em larga escala para irrigação. O conflito de Correntina chamou a atenção para o fato de que 70% da água doce utilizada no Brasil é destinada à irrigação, muitas vezes através de pivôs-centrais que desperdiçam grandes quantidades de água, enquanto falta água nos lares de muitos brasileiros e não por escassez de chuva, mas pela apropriação desigual do elemento.

Para contornar essas críticas, o agronegócio buscou desenvolver um discurso de sustentabilidade e responsabilidade ambiental (Bruno, 2008). Dentre essas ações, destaca-se o "Movimento de Valorização do Agronegócio – Sou Agro", criado em 2011, que utilizava em suas campanhas publicitárias conhecidos atores globais para difundir uma imagem positiva do agronegócio. O foco principal do movimento era desfazer o que consideravam discriminação das populações urbanas contra o setor, decorrente do suposto desconhecimento do seu papel na sociedade brasileira sobre a "vocação agrícola" do país e seu potencial para ser o "celeiro do mundo", isto é, contribuir para combater a fome [VER FOME] que assola muitas pessoas mundo afora.

Outro instrumento de difusão da imagem do agronegócio que vem sendo desenvolvido nas últimas décadas são as intervenções junto às escolas. A principal dessas iniciativas é o Programa Educacional Agronegócio na Escola, criado em 2001 pela seção da Abag de Ribeirão Preto (SP) e que, por meio de convênios, busca incidir sobre as escolas públicas da região, que conta com 90 municípios (Lamosa, 2016). Inicialmente foi feito um convênio com a Secretaria de Educação do Estado de São Paulo para atuar em escolas do Ensino Médio, o qual se encerrou em 2008. De 2009 em diante, os convênios passaram a ser feitos com as secretarias municipais, com foco nos alunos do 8° e 9° ano do Ensino Fundamental. O programa, que começou sendo realizado em sete municípios, chegou a 75 em 2012, envolvendo 150 professores e 14 mil alunos. Somados os anos de realização do Programa, entre 2001 e 2013, a Abag contabilizou 110 mil estudantes envolvidos, que participaram de visitas a eventos e empresas do agronegócio e de concursos de redação, frases e desenhos. Os professores, por sua vez, concorriam a premiações decorrentes das atividades realizadas (Lamosa, 2016).[1]

O uso desse conjunto de estratégias de propaganda revela os esforços do agronegócio para se afirmar perante a sociedade brasileira. Mas não tem sido fácil, diante das contradições que lhe são inerentes, pois, como nos lembra Delgado (2012), a superexploração do trabalho (expressa na extensão da jornada de trabalho dos assalariados rurais e na multiplicação de acidentes de trabalho e aposentadorias por invalidez no campo) e dos recursos naturais (desmatamento, uso cada vez mais intensivo de agrotóxicos e de água) são bases fundamentais para a acumulação de capital no agronegócio, definido por esse autor como uma *articulação entre complexo agroindustrial, propriedade fundiária monopolizada e financiamento estatal. Poderíamos acrescentar a sustentação político-ideológica da grande mídia empresarial como outra base fundamental do agronegócio* – não à toa, os grandes grupos empresariais da mídia integram a Abag.

O fato é que a expansão constante do agronegócio significa a intensificação da repressão e da violência na expropriação das terras e das lavouras que produzem alimentos para a população. Lavouras estas que são, predominantemente, dos pequenos produtores, povos indígenas, quilombolas e camponeses em suas várias formas de viver.

Os dados recentemente publicados pelo IBGE como resultados do Censo Agropecuário de 2017 indicam que aumentou a concentração de terras com os grandes estabelecimentos com mais de mil hectares, que são apenas 1% do total, passando a controlar 47,5% das terras, contra 43% no Censo de 2006. Também houve redução do pessoal ocupado na agropecuária, de 16,5 milhões para 15,5 milhões, e aumento dos produtores que usam agrotóxicos, cujo índice passou de 26,9% em 2006 para 33,1% em 2017. A esses dados podemos somar a informação de outra pesquisa do IBGE, a Pesquisa Agrícola Municipal, que aponta um crescimento de 30 milhões de hectares na área plantada com soja, milho e cana-de-açúcar e uma redução de 5 milhões de hectares na área plantada com arroz, feijão e mandioca.

Fica evidente, portanto, que esse modelo agrário hegemonizado pelo agronegócio não interessa ao povo brasileiro, pois aumenta a desigualdade social, reduz empregos, contamina alimentos, trabalhadores, solos e águas para ampliar a

A

produção de *commodities* controladas cada vez mais por corporações transnacionais, ao passo que a área destinada à produção da comida dos brasileiros decresce.

A superação do modelo do agronegócio passa pela retomada da reforma agrária e pelo desenvolvimento da agroecologia, sem o que o campo brasileiro continuará sendo um espaço de violência, de devastação, de superexploração do trabalho e de desigualdades profundas.

Referências

ALMEIDA, A. W. B. Agroestratégias e desterritorialização – os direitos territoriais e étnicos na mira dos estrategistas dos agronegócios. *In:* Federação de Órgãos para Assistência Soc. e Educacional. *O Plano IIRSA na visão da Sociedade Civil Pan-Amazônica.* 2009.

BRUNO, R. *Movimento sou agro:* marketing, habitus *e estratégias de poder do agronegócio.* 36° Encontro Anual da ANPOCS. Caxambu/MG, 2008.

DELGADO, G. C. *Do "capital financeiro na agricultura" à economia do agronegócio: mudanças cíclicas em meio século (1965-2012).* Porto Alegre: Ed. UFRGS, 2012.

GRAIN. *El acaparamiento global de tierras en el 2016 – sigue creciendo y sigue siendo malo.* Barcelona, 2016.

GUEREÑA, A.; ROJAS VILLAGRA, L. *Yvy Jára – Los dueños de la tierra en Paraguay.* Asunción: OXFAM, 2016.

HARVEY, D. *O novo imperialismo.* São Paulo: Edições Loyola, 2004.

HEREDIA, B.; LEITE, S. P.; PALMERA, M. Sociedade e Economia do "Agronegócio" no Brasil. *Revista Brasileira de Ciências Sociais,* v. 25, n. 74, 2010.

LAMOSA, R. A. C. *Educação e agronegócio: a nova ofensiva do capital nas escolas públicas.* Curitiba: Appris, 2016.

LEVIEN, M. Da acumulação primitiva aos regimes de desapropriação. *Sociologia e Antropologia,* v.4, jun. de 2014.

MCMICHAEL, P. Rethinking Land Grab Ontology. *Rural Sociology,* 79, jan. de 2014.

PITTA, F. T.; MENDONÇA, M. L. *A empresa Radar S/A e as especulações com terras no Brasil.* São Paulo: Outras Expressões/Rede Social de Justiça e Direitos Humanos, 2015.

SASSEN, S. *Expulsões: brutalidade e complexidade na economia global.* Rio de Janeiro/São Paulo: Paz e Terra, 2016.

SVAMPA, M. "Consenso de los commodities" y lenguages de valoración en América Latina. *Revista Nueva Sociedad,* n. 244, 2013.

Nota

1 Outra iniciativa importante neste campo é o Programa Agrinho, criado pela Federação da Agricultura do Estado do Paraná no final dos anos 1990 e posteriormente replicado em outros estados.

Commodities

O termo *commodities* (mercadoria, em inglês) se refere a um conjunto específico de produtos que tem escala, padrão e cotação internacional de produção e comercialização. São, em geral, matérias primas minerais ou agrícolas, ou produtos semielaborados, tais como soja, milho, trigo, café, minério de ferro, aço, alumínio, petróleo.

Estes produtos são produzidos em larga escala em vários países do mundo, não apresentam diferenças significativas do ponto de vista qualitativo – ainda que entre os minerais haja algumas diferenças importantes de teor – e são destinados principalmente para o comércio internacional. A comercialização deles é dominada por grandes corporações transnacionais e a cotação internacional destes produtos é definida em bolsas de valores específicas, como a Bolsa de Chicago para as *commodities* agrícolas e as Bolsas de Londres e Nova Iorque para o petróleo. Nestas bolsas e em várias outras espalhadas pelo mundo as *commodities* são transacionadas todos os dias, às vezes com antecipação de 5 anos em relação à produção, isto quer dizer, por exemplo que a soja plantada hoje já foi vendida em 2016 e a soja vendida hoje só será plantada em 2026...

Para uma análise mais pormenorizada de como se desenvolveu a formação das *commodities* agrícolas e sua importância atual ver o verbete *Commodities agrícolas* no *Dicionário da Educação do Campo.*

A

AGROTÓXICOS

Karen Friedrich
Vicente Eduardo Soares Almeida

Agrotóxico é o termo utilizado na Constituição Federal (Brasil, 1988) e na lei federal 7.802 de 1989 (Brasil, 1989).

Os agrotóxicos são definidos na legislação brasileira de 1989 como

> os produtos e os agentes de processos físicos, químicos ou biológicos destinados ao uso nos setores de produção, no armazenamento e beneficiamento de produtos agrícolas, nas pastagens, na proteção de florestas, nativas ou implantadas, e de outros ecossistemas e também de ambientes urbanos, hídricos e industriais, cuja finalidade seja alterar a composição da flora ou da fauna, a fim de preservá-las da ação danosa de seres vivos considerados nocivos. (Brasil, 1989)

Neste verbete, serão apresentados conceitos e informações básicas que possam subsidiar a discussão sobre agrotóxicos em diferentes espaços, voltando-se para fatores que influenciam o uso desses produtos e aumentam seus danos à saúde e ao ambiente. Também será discutido o motivo pelo qual esses fatores que promovem o uso de agrotóxicos se mostram, ao mesmo tempo, como barreiras ao desenvolvimento da agricultura de base agroecológica.

Regulação de agrotóxicos

Diferentes instâncias do Estado brasileiro possuem funções específicas e intransferíveis no que diz respeito a questões pertinentes à saúde, ao meio ambiente e à agricultura. Essas funções são: *o registro, a fiscalização, o monitoramento e a vigilância de agrotóxicos.*

O registro de um novo produto agrotóxico é avaliado pela área da saúde, represenxtada pela Anvisa; do meio ambiente, pelo Instituto Brasileiro do Meio Ambiente e dos Recursos Naturais Renováveis (Ibama); e da agricultura, pelo Ministério da Agricultura, Pecuária e Abastecimento (Mapa) (Brasil, 1989; Brasil, 2002). Cada órgão avalia o produto sob sua área de competência. Caso um deles encontre algum aspecto impeditivo de registro, o produto não deve ser registrado.

De acordo com a legislação brasileira de 1989, é proibido o registro de agrotóxicos que causem danos ambientais, para os quais não existam antídotos; ou que causem mutação genética, câncer, distúrbios hormonais, problemas reprodutivos e más-formações fetais (teratogênese) (Brasil, 1989). Ainda assim, por diversas razões existem produtos amplamente usados no mercado brasileiro com potencial de causar esses efeitos, dentre os quais:

a) autorização há mais de 30 anos sem o produto ter passado por processo de revisão de registro contemplando estudos científicos mais atualizados; manifestação de efeitos não esperados quando na presença de outros agrotóxicos ou de componentes presentes nos produtos formulados cuja investigação não é solicitada no momento do registro;

b) pouca ou ausência de sensibilidade dos estudos experimentais patrocinados pelas indústrias que tem como objetivo subsidiar a autoridade regulatória da área da saúde (no Brasil, a Anvisa). A metodologia dos estudos exigidos das indústrias é pouco sensível para detectar esses efeitos; manifestação de efeitos como mutação genética, danos sobre o sistema de defesa (imunológico) ou hormonal (endócrino) de organismos vivos; e

c) fragilidade e assimetria nas ações de mediação entre os interesses públicos e de grandes setores econômicos. (Friedrich, 2013; 2017; Gurgel, 2017)

Estudos científicos independentes têm demostrado que, muitas vezes, o produto formulado pode ser mais tóxico que o ingrediente ativo (IA) testado para aprovação do uso e comercialização (Mesnage; Antoniou, 2018). Um exemplo é o IA glifosato, que tem como produto comercial mais conhecido o Roundup, fabricado pela empresa de agrotóxicos e de sementes transgênicas Monsanto, adquirida em 2016 pela Bayer (que, além de produzir agrotóxicos e transgênicos, também produz medicamentos) [ver Transgênicos]. Em diversos estudos, o Roundup e outros produtos à base de glifosato mostraram maior incidência em danos celulares, genéticos e más-formações do que o IA isolado (Almeida *et al.*, 2018; Mesnage *et al.*, 2015). Estudos em populações de trabalhadores/as ou moradores/as de áreas rurais, incluindo gestantes e crianças, mostram o aparecimento de doenças que não haviam sido identificadas ou previstas no momento do registro do produto, como câncer, problemas nos fetos, abortos, infertilidade, impotência etc. (Aguiar, 2017; Gurgel, 2017; Pignati *et al.*, 2017; Friedrich, 2017). Efeitos sobre a biodiversidade (abelhas, pássaros, entre outros) também têm sido observados, motivando a restrição de agrotóxicos em outros países (European Comission, 2013). Estudos científicos e relatos de apicultores têm mostrado uma queda expressiva de populações de abelhas em diversas partes do Brasil e do mundo.

As iniciativas de Estado de monitorar os danos e a presença de resíduos de agrotóxicos em água, alimentos e no meio ambiente, ou de promover ações de vigilância das populações expostas, mostram-se insuficientes para desenhar a real presença desses químicos no nosso dia a dia e avaliar seus reais ou potenciais impactos. O monitoramento da água para o consumo humano é previsto na Portaria 2.914/2011 do Ministério da Saúde, sendo que a água de rios, lagos etc. deve ser monitorada de acordo com diretrizes da resolução do Conama (Conselho Nacional do Meio Ambiente) (Brasil, 2005).

Do mesmo modo, alimentos de origem animal ou *in natura* são monitorados pela Anvisa ou pelo Mapa. Os resultados são preocupantes, tanto por conta da presença de IA não autorizados como pelo fato de serem utilizados acima dos limites máximos permitidos, ou mesmo que não tem registro no Brasil (Agência Nacional de Vigilância Sanitária, 2016). Outro aspecto importante é a presença de misturas de IA em uma única amostra coletada e analisada que também foi observada no Programa, sendo que mais de 20% apresentavam três ou mais resíduos (Agência Nacional de Vigilância Sanitária, 2016). Dados de monitoramento de produtos industrializados são ainda mais escassos.

A fiscalização da comercialização e do uso dos agrotóxicos é realizada, em geral, por órgãos vinculados à agricultura e tem como principal instrumento as indicações previstas em bula e o que é prescrito através de receituário agronômico. No entanto, uma das principais lacunas de informação está na não publicitação dessas prescrições e, portanto, no que é comercializado por cultura, por município e para quais tipos de problemas agronômicos.

Os órgãos de saúde das três esferas de governo atuam para prevenir, diagnosticar e tratar as intoxicações das populações expostas. Nesse caso, dificultam o planejamento e a eficácia dessas ações a ausência de informações mais apuradas sobre os produtos comercializados, aplicados e, principalmente, dispersados por aeronaves; e o diagnóstico e notificação dos casos de intoxicação e óbito associados aos agrotóxicos. A notificação das intoxicações exógenas por agrotóxicos é compulsória e os dados são disponibilizados pelo Sinan/Datasus.

Efeitos sobre a saúde

Os efeitos que os agrotóxicos causam sobre a saúde humana podem ser agrupados em agudos e tardios. Agudos são os efeitos imediatos e que ocorrem nas primeiras 24 horas após a exposição; tardios são os que podem ocorrer muito tempo após a exposição, meses, anos ou décadas. Essas duas classificações também podem ser utilizadas para danos ambientais, como os que atingem as espécies não alvo.

Os efeitos agudos são muito comuns em trabalhadores da agricultura, da indústria química ou aplicadores de produtos domissanitários nas residências ou em controle de endemias (campanhas de Saúde Pública). Eles podem também se manifestar a partir do consumo de água ou de alimentos contaminados com grandes quantidades de agrotóxicos. São ainda afetados moradores próximos a áreas de aplicação, principalmente onde ocorre a pulverização aérea, que incluem camponeses, assentados da reforma agrária e acampados, comunidades indígenas, quilombolas, dentre outros. Alguns casos mais emblemáticos merecem destaque, como a pulverização aérea de uma escola rural no município de Rio Verde, Goiás, em 2013, com o inseticida Engeo Pleno da Syngenta (composto pelos ingredientes ativos tiametoxam e lambda-cialotrina), que levou à intoxicação de 92 pessoas, dentre elas estudantes e trabalhadores e trabalhadoras (Carneiro *et al.*, 2015). Em 2018, foram relatados mais de 90 casos de intoxicação aguda pelo herbicida Paraquat, sendo que mais de 50 eram crianças, também em uma escola rural, dessa vez no Paraná. A pulverização aérea tem sido a causa de muitos casos de intoxicação aguda, mas também de efeitos mais tardios (crônicos).

Já os efeitos crônicos, que podem ocorrer através do contato com quantidades pequenas de agrotóxicos, tendem a se manifestar em uma população ainda maior. Esses efeitos incluem problemas reprodutivos, alterações nas funções dos hormônios, do sistema de defesa do organismo (imunológico), câncer, dentre outros. Um estudo realizado no estado do Ceará, mais especificamente na Chapada do Apodi, em uma área dominada pela fruticultura irrigada, mostrou casos de más-formações congênitas e puberdade precoce em crianças da região (Aguiar, 2017).

Outro modo de classificação dos agrotóxicos é quanto ao órgão ou função fisiológica que esses produtos afetam nas pessoas ou em outros seres vivos (Tabela 1), sendo que um agrotóxico pode causar diferentes efeitos ao mesmo tempo. Do mesmo modo que a classificação relativa ao tempo para aparecimento dos efeitos (agudos/crônicos), vários desses efeitos podem se manifestar em diferentes espécies animais vertebrados ou invertebrados, e ainda, vários IA podem exercer efeitos tóxicos em diversos órgãos e funções vitais dos seres vivos (Pettis *et al.*, 2012).

Tabela 1 – Classificação dos agrotóxicos conforme órgão ou função fisiológica afetada

Característica do produto	**Órgão ou função fisiológica afetada**
Neurotoxicidade	danificam o sistema nervoso
Hepatotoxicidade	prejudicam o fígado
Nefrotoxicidade	prejudicam os rins
Imunotoxicidade	comprometem as funções do sistema de defesa (imunológico)
Desregulação endócrina	alteram as estruturas ou funções dos hormônios e glândulas
Cancerígenos ou carcinogênicos	causam câncer
Teratogênicos	causam problemas na formação do embrião ou do feto
Mutagênicos	causam alterações no material genético

Fonte: Elaboração própria

Diversas restrições impostas aos trabalhadores e trabalhadoras para que preservem sua saúde e o meio ambiente podem ser impossíveis de serem adotadas frente aos determinantes sociais que o modelo do agronegócio impõe às populações do campo (Abreu; Alonzo, 2016; Carneiro *et al.*, 2015; Gurgel, 2017; Friedrich, 2017; Pignati *et al.*, 2017).

O risco acumulado de um ingrediente ativo usado ao mesmo tempo na agricultura, no ambiente doméstico, nas campanhas de saúde pública, como medicamentos veterinários, não é avaliado, mas ainda assim os produtos são aprovados pelas autoridades regulatórias que definem limites "seguros" de exposição (por exemplo, ingestão diária aceitável) que não consideram as situações reais de uso (misturas, grupos mais vulneráveis, falta de informação sobre perfil de contaminação de água e alimentos etc.) (Carneiro *et al.*, 2015). Do mesmo modo, mais distante ainda dos processos decisórios está uma avaliação integrada entre danos ambientais e seus reflexos sobre as populações humanas.

Papel da ciência, ciência independente e Cartel do Veneno

A atuação da ciência na temática dos agrotóxicos pode ter um papel contraditório. Áreas como a toxicologia e a química subsidiam a definição dos limites "seguros" para a exposição humana e a dispersão ambiental, mas raramente ponderam sobre as limitações metodológicas, apontadas anteriormente nesse texto. Em contrapartida, frequentemente culpabilizam os agricultores como responsáveis pelas intoxicações e danos ambientais decorrentes (Abreu; Alonzo, 2016).

A desqualificação e os ataques sofridos pela pesquisadora Rachel Carson ao denunciar os efeitos dos agrotóxicos para o grande público (Carson, 2015) se repetem de forma coordenada ao longo da história (Pinheiro; Nasr; Luz, 1998; Van den Bosch, 1978; Shiva, 2017). No Brasil, tanto ataques a cientistas e instituições como ameaças e assassinatos de lideranças camponesas que denunciam contaminações são frequentes e inibem a atuação e a inserção de novos atores nessa luta. Nesse contexto, toda a sociedade perde, pois tais incursões e suas consequências repercutem na definição e execução de políticas públicas voltadas à preservação da biodiversidade, segurança alimentar, prevenção de doenças crônicas, promoção de saúde e agroecologia.

Papel da sociedade civil

Em 2011, a partir da criação da Campanha Contra os Agrotóxicos e Pela Vida, que tem a adesão de organizações científicas, movimentos sociais e pesquisadores, ações de comunicação e divulgação de dados sobre os impactos dos agrotóxicos ganham força. Ao mesmo tempo, diversos setores do Ministério Público passam a atuar de forma mais coordenada em torno do tema, por meio da criação de diversos Fóruns Estaduais e do Fórum Nacional de Combate aos Impactos dos Agrotóxicos e Transgênicos. Essas formas de organização têm papel crucial para reunir denúncias, dados técnicos e científicos, atuar para o cumprimento da lei e fortalecer modos de produção agrícola orgânicos e agroecológicos.

Modelo de produção e de desenvolvimento no campo

Segundo o IBGE (2015), em seu relatório sobre Indicadores de Desenvolvimento Sustentável, o uso de agrotóxicos estaria associado a ganhos de produtividade no atual modelo agrícola. No entanto, estudos indicam que o uso de agrotóxicos no Brasil estaria associado a uma lógica muito mais econômica (de mercado e de dependência tecnológica) do que no incremento da produção de alimentos (Almeida *et al.*, 2017). Entre os anos de 2000 e 2012, o consumo de agrotóxicos no Brasil cresceu 10 vezes mais do que a população e quase o dobro da produtividade. Na soja, principal cultura transgênica do país, para cada tonelada de agrotóxico usado houve uma diminuição da produtividade de 16 toneladas em grãos colhidos ao fim do período estudado, o que revela que o modelo econômico privilegia a intensificação da dependência química, auferindo maior taxa de lucro para a indústria do veneno/semente, em contraposição ao necessário zelo pela boa técnica agrícola e o respeito ambiental e a saúde da população.

A União Europeia, por exemplo, por meio do seu regulamento n. 1185/2009 (European Comission, 2009), estabelece mecanismos relativos às estatísticas sobre os agrotóxicos que reforçam a necessidade de coleta de informações estruturadas sobre o uso dessas substâncias, especialmente quanto à sua natureza e aplicação nas principais culturas plantadas na região. Dispor de estatísticas pormenorizadas e atualizadas sobre as vendas e a utilização de agrotóxicos em escala local é considerado, pela União Europeia, como instrumento importante para análise das políticas públicas e o desenvolvimento sustentável, por meio de indicadores agroambientais relevantes sobre os riscos para a saúde e ambiente.

O Brasil, no entanto, caminha a passos largos no sentido inverso, por meio das diversas medidas voltadas à desregulamentação na área de agrotóxicos, transgênicos, segurança alimentar, meio ambiente e trabalho; ao desmonte dos órgãos de fiscalização; cerceamento das pesquisas independentes e perseguição de docentes e pesquisadores; marginalização dos movimentos sociais; desmonte das políticas de reforma agrária, agricultura familiar e de demarcação de terras indígenas; cortes orçamentários em áreas como saúde e educação; ataques sob diversas formas de direitos humanos.

Sem dúvida, o modelo agrícola do presente deve se voltar à sustentabilidade ambiental e à saúde, dimensões cada vez mais presentes na demanda civilizatória global dos Estados. E, para isso, a informação e a participação ativa da sociedade no controle e monitoramento do uso dessas substâncias, assim como buscar estabelecer a agroecologia como a política pública prioritária para a agricultura brasileira é, portanto, o único caminho possível, pois dele depende a sobrevivência das populações humanas e dos ecossistemas.

Referências

ABREU, P. H. B.; ALONZO, H. G. O agricultor familiar e o uso (in)seguro de agrotóxicos no município de Lavras/MG. *Revista Brasileira de Saúde Ocupacional*, São Paulo, v. 41, p. 1-12, 2016.

AGÊNCIA NACIONAL DE VIGILÂNCIA SANITÁRIA. *Relatório das análises de amostras monitoradas no período de 2013 a 2015 – Programa de análise de resíduos de agrotóxicos em alimentos (PARA)*. Brasília, DF, 2016. Disponível em: http://portal.anvisa.gov.br/documents/111215/0/Relat%C3%B3rio+PARA+2013-2015_VERS%C3%83O-FINAL.pdf/494cd7c5-5408-4e6a-b0e5-5098cbf759f8. Acesso: 20 nov. 2018.

AGUIAR, A. C. P. *Más-formações congênitas, puberdade precoce e agrotóxicos: uma herança maldita do agronegócio para a Chapada do Apodi (CE)*. 2017. Dissertação (Mestrado em Saúde Pública). Faculdade de Medicina, Universidade Federal do Ceará, Fortaleza, 2017.

ALMEIDA, L. K. S.; PLETSCHKE, B. I.; FROST, C. L. Moderate levels of glyphosate and its formulations vary in their cytotoxicity and genotoxicity in a whole blood model and in human cell lines with different estrogen receptor status. *Biotech*, 2018 Oct 8 (10), p. 438. doi: 10.1007/s13205-018-1464-z. Epub 2018 Oct 4.

ALMEIDA, V. E. S. *et al.* Uso de sementes geneticamente modificadas e agrotóxicos no Brasil: cultivando perigos. *Ciência e Saúde Coletiva,* Rio de Janeiro, v. 22, n. 10, p. 3235-3241, 2017.

BRASIL. *Constituição da República Federativa do Brasil de 1988*. Disponível em: http://www.planalto.gov.br/ccivil_03/Constituicao/Constituicao.htm. Acesso: 20 nov. 2018.

______. Decreto n. 4.074, de 04 de janeiro de 2002. Regulamenta a Lei n. 7.802, de 11 de julho de 1989, que dispõe sobre a pesquisa, a experimentação, a produção, a embalagem e rotulagem, o transporte, o armazenamento, a comercialização, a propaganda comercial, a utilização, a importação, a exportação, o destino final dos resíduos e embalagens, o registro, a classificação, o controle, a inspeção e a fiscalização de agrotóxicos, seus componentes e afins, e dá outras providências. *Diário Oficial da República Federativa do Brasil*, 2002. Brasília, Brasil. Disponível em: http://www.planalto.gov.br/ccivil_03/decreto/2002/d4074.htm. Acesso: 20 nov. 2018.

______. Lei n. 7.802, de 11 de julho de 1989. Dispõe sobre a pesquisa, a experimentação, a produção, a embalagem e rotulagem, o transporte, o armazenamento, a comercialização, a propaganda comercial, a utilização, a importação, a exportação, o destino final dos resíduos e embalagens, o registro, a classificação, o controle, a inspeção e a fiscalização de agrotóxicos, seus componentes e afins, e dá outras

providências. *Diário Oficial da República Federativa do Brasil*, 1989. Brasília, Brasil. Disponível em: http://www.planalto.gov.br/ccivil_03/leis/l7802.htm. Acesso: 20 nov. 2018.
______. Ministério do Meio Ambiente. Resolução n. 357/2005, de 17 de março de 2005. Dispõe sobre a classificação dos corpos de água e diretrizes ambientais para o seu enquadramento, bem como estabelece as condições e padrões de lançamento de efluentes, e dá outras providências. *Diário Oficial da União* 053, de 18/03/2005, Brasília, Brasil, págs. 58-63. Disponível em: http://www2.mma.gov.br/port/conama/legiabre.cfm?codlegi=459. Acesso em: 1 jan. 2021.
CARNEIRO, F. F. *et al*. *Dossiê ABRASCO*: um alerta sobre os impactos dos agrotóxicos na saúde. 1ª ed. Rio de Janeiro/São Paulo: EPSJV/Expressão Popular, 2015.
CARSON, R. *Primavera silenciosa*. São Paulo: Gaia, 2015.
EUROPEAN COMISSION. *Bee Health*: EU takes additional measures on pesticides to better protect Europe's bees. Press Release, 2013. Disponível em: http://europa.eu/rapid/press-release_IP-13-708_en.htm. Acesso: 01 out. 2018.
______. *Directive 2009/128/EC of the European Parliament and of the Council of 21 October 2009*. Disponível em: https://eur-lex.europa.eu/legal-content/EN/ALL/?uri=CELEX:02009L0128-20091125. Acesso: 03 out. 2018.
FRIEDRICH, K. Desafios para a avaliação toxicológica de agrotóxicos no Brasil: desregulação endócrina e imunotoxicidade. *Vigilância Sanitária em Debate: Sociedade, Ciência & Tecnologia*, Rio de Janeiro, 29 maio 2013. Disponível em: https://visaemdebate.incqs.fiocruz.br/index.php/visaemdebate/article/view/30. Acesso: 16 maio 2016.
______. Perigos, limites e desafios no monitoramento sobre o uso de agrotóxicos e seus resíduos. *In*: *Agricultura tóxica*: um olhar sobre o modelo agrícola brasileiro. Greenpeace, 2017.
GURGEL, A. M. Impactos dos agrotóxicos na saúde humana. *In*: *Agricultura tóxica*: um olhar sobre o modelo agrícola brasileiro. Greenpeace, 2017.
IBGE. *Indicadores de Desenvolvimento sustentável*. Rio de Janeiro: IBGE, 2015. Disponível em: https://biblioteca.ibge.gov.br/visualizacao/livros/liv94254.pdf. Acesso em: 1 jan. 2021.
MESNAGE, R.; ANTONIOU, M. N. Ignoring adjuvant toxicity falsifies the safety profile of commercial pesticides. *Front Public Health* v. 5, n. 361 2018.
MESNAGE, R. *et al*. Potential toxic effects of glyphosate and its commercial formulations below regulatory limits. *Food Chemical Toxicology*. v. 84, p. 133-53, 2015.
PETTIS, J. S. *et al*. Pesticide exposure in honeybees results in increased levels of the gut pathogen Nosema. *Naturwissenschaften*. v. 99, n. 2, p. 153-158, 2012.
PIGNATI, W. A. *et al*. Distribuição espacial do uso de agrotóxicos no Brasil: uma ferramenta para a Vigilância em Saúde. *Ciência & Saúde Coletiva*, v. 22, n. 10, p. 3281-3293, 2017.
PINHEIRO, S.; NASR, N. Y.; LUZ, D. *A agricultura ecológica e a máfia dos agrotóxicos no Brasil*. Fundação Juquira Candiru, 1998.
SHIVA, V. *The toxic story of Roundup*: Freedom from the Poison Cartel through Agroecology. Sep. 2017. Disponível em: https://navdanyainternational.org/.../the-toxic-story-of-roundup/ Acesso em: 1 jan. 2021.
VAN DEN BOSCH, R. *The pesticide conspiracy*. University of California Press: 1979.

Para saber mais

ATLAS DO AGRONEGÓCIO: fatos e números sobre as corporações que controlam o que comemos. 2017. Disponível em: https://br.boell.org/pt-br/atlas-do-agronegocio. Acesso em: 1 jan. 2021.
BOMBARDI, L. *Geografia do uso de agrotóxicos no Brasil e conexões com a União Europeia*. Laboratório de Geografia Agrária. FFLCH – USP, São Paulo, 2017. Diponível em: http://conexaoagua.mpf.mp.br/arquivos/agrotoxicos/05-larissa-bombardi-atlas-agrotoxico-2017.pdf. Acesso em 15 jan. 2021.
FRIEDRICH, K.; SOUZA, M. M. O.; CARNEIRO, F. F. *Dossie PL do Veneno*. Dossiê Científico e Técnico contra o Projeto de Lei do Veneno (PL 6.299/2002) e a favor do Projeto de Lei que institui a Política Nacional de Redução de Agrotóxicos (PNARA), 2018. Disponível em: https://www.abrasco.org.br/site/wp-content/uploads/2018/08/DOSSIE_NOVO_26_JULHO_Final.pdf. Acesso em: 1 jan. 2021.
HUMAN RIGHTS WATCH, 2018. *Você não quer mais respirar veneno*, 2018. Disponível em: https://www.hrw.org/pt/report/2018/07/20/320417. Acesso: 10 out. 2018.

A

ÁGUA

André Monteiro Costa

A construção de sentidos se dá no processo de interação social, entre sujeitos, na disputa de narrativas (Koch, 1997). Há uma motivação, que pode ser por processos de objetificação-material, como produção de sentido da água como mercadoria, que no contexto capitalista é hegemônico. E há processos de subjetivação-simbólica, como produção de sentidos da água como bem comum.

Gaston Bachelard (2018), no livro *A água e os sonhos: ensaio sobre a imaginação da matéria*, traz a produção de sentidos em que há pulsão de vida e de morte. Como uma arqueologia da água, sugere trilhas para se desvendar esses sentidos.

Na coreografia "Água", de 2001, criada para o Brasil, Pina Bausch – inspirada em Bachelard – recria sete sentidos de vida para as águas. As águas claras nos remetem "a todos os jogos das águas claras, das águas primaveris, cintilantes de imagens, é preciso acrescentar um componente de poesia: o frescor" (Bachelard *apud* Cypriano, 2005, p.123). As águas que vinculam invocam desejos e vontades na relação com o outro, o amor. As águas místicas são purificadoras, de renovação das forças sagradas e de religiosidade. Nas águas festivas, o lúdico, os banhos de rio, mar e piscinas aceitam os excessos, desejos e transgressões (Cypriano, 2005). As águas mornas são relaxantes como o pôr-do-sol, estimulam encontros e aproximações. As águas sensuais remetem ao jogo dos encontros, dos relacionamentos, afetos e prazer. Por fim, existem as águas energizantes, das florestas, corredeiras e cataratas, com seus habitantes, exuberância e abundância da paisagem.

Essas sete águas, como perspectiva filosófica e expressão artística da existência humana e não humana na terra, conformam a produção de sentidos da água como pulsão de vida, de subjetivação, que contribuem para produzir e reproduzir a vida, material e simbolicamente.

Uma outra produção de sentido das águas se relaciona com a pulsão de morte, de objetificação e apropriação pelo capital: a água como mercadoria ou *commodity*. As águas domadas[1] se caracterizam pela artificialização de cursos d'água por barramentos para acúmulo em reservatórios, como os açudes, barragens, hidroelétricas e a artificialização de rios, como os canais e as transposições de bacias hidrográficas. As águas capturadas são as apropriadas pelo capital; podem ter como fonte as águas domadas, mas também os polos de irrigação ao longo de rios ou por extração de águas subterrâneas. As águas contaminadas percorrem todo o ciclo dos processos produtivos na agricultura, com os agrotóxicos e fertilizantes, e na pecuária, com vacinas, medicamentos, hormônios e excrementos. As águas virtuais são as incorporadas aos processos produtivos na agricultura e que se constituem em *commodities*. O britânico Tony Allan (2003) cunhou o conceito de água virtual, em que definiu mecanismos para estimar o volume de água utilizada em processos produtivos, exportados como *commodities*; conectando assim, água, carne, grãos, frutas, cana-de-açúcar e negócio. Os ecologistas chamam a água virtual de pegada hídrica. As águas dissipadas são as vazões que deixam de compor o ciclo da água em decorrência de desmatamento; compactação do solo; redução da infiltração e alimentação dos aquíferos; aumento do escoamento superficial; assoreamento; redução de vazão de base de aquíferos; redução de vazão superficial de riachos e rios; alteração do regime de chuvas. As águas salinizadas acontecem quando a intrusão salina adentra os rios em decorrência da redução da vazão dos rios que chegam ao mar, abaixo da vazão ecológica determinada pelos órgãos ambientais, que é a vazão mínima que o rio deve alcançar na foz, evitando que o mar adentre o rio demasiadamente. As barragens superficiais e subterrâneas também podem passar por processo de salinização, por concentração de cloretos de sódio. As águas exterminadas são os riachos e rios que secaram em seus trechos altos ou médios ou totalmente, bem como lagoas, lagos e aquíferos. Estes processos são decorrentes da alteração dos ciclos de chuva, desmatamento, desertificação [ver Desertificação] e superexploração de água.

Água como Bem Comum

Com base em uma perspectiva do bem comum, dos direitos da natureza e do direito humano, Acosta (2016, p. 140) defende que estes devem estar inter-relacionados na construção de sociedades mais democráticas e que tenham a vida (humana e não humana) como centralidade da ação coletiva: "os Direitos Humanos e os Direitos da Natureza, que articulam uma 'igualdade biocêntrica', sendo analiticamente diferenciáveis, se complementam e transformam em uma espécie de direitos da vida e direitos à vida". Essa perspectiva, fundamentada na inclusão dos direitos da natureza nas constituições da Bolívia e do Equador, lança novos olhares para pensarmos a água como bem comum.

Os povos originários e comunidades que vivem no modo de vida tradicional (indígenas, quilombolas, camponeses etc.) estabelecem vínculos de valor de uso com a água e os ecossistemas. A terra, a vegetação, a água e a paisagem são meios de produção e reprodução de vida, que conformam a identidade, portanto, têm uma *dimensão simbólica* [ver Cosmovisões]. Esses povos e comunidades são os que protegem o ambiente. Onde há ecossistemas e biomas preservados na América Latina, há o modo de vida tradicional. A proteção da vida e da água tem a resistência desses povos e comunidades. Esses territórios são os bens comuns, onde a água é central, e onde há a pressão do grande capital para transformá-los em territórios de produção de *commodities*. O sentido simbólico de uma indígena desvela esse lugar de fala: "a água não pode ser privatizada, a água não tem dono, a água é do tempo, a água é dos encantados. A nossa luta é pela vida, a água faz parte de nós e a água também somos nós" (fala da indígena Tainá Marajoara, Fórum Alternativo Mundial da Água, Brasília, março de 2018). No mesmo Fórum, outra dimensão das

A

águas místicas: "quando eu eduquei as minhas filhas, sempre tinha um dia da semana em que saíamos sempre muito cedo, de manhã, sem falar nada. Íamos em silêncio à beira d'água, cantar para ela, louvar a água como forma de agradecimento à pureza de nossas relações" (fala da indígena Maria Alice Freire, Conselho Internacional das Treze avós Indígenas, 8º Fórum Alternativo Mundial da Água, março, 2018).

Essas águas remetem também às florestas, ao paraíso e aos mitos, como nas viagens de barcas e suas carrancas no São Francisco, que protegiam o nego ou caboclo d'água. Com o fim das barcas e a chegada dos vapores, Carlos Drummond de Andrade (2015, p. 177) pergunta: "Onde as carrancas?/O Rio São Francisco está sem mistério e poesia? [...] já não crê nos mitos que a figura de proa conjurava [...]?". Destituir os mitos, o simbólico e os vínculos com as águas é desenraizar-se. Onde a poesia?

Água como Direito Humano

O direito humano ao acesso à água está relacionado ao fato de que ela é imprescindível à reprodução da vida e, assim, da saúde. O acesso está relacionado, fundamentalmente, às necessidades dos indivíduos e diz respeito aos serviços de abastecimento de água e ao esgotamento sanitário, este como água residuária. Este acesso pode se dar por serviços coletivos ou individuais. A ONU, por meio da Resolução 64/292, de 28 de julho de 2010, declarou que o acesso à água limpa e segura e ao saneamento básico são direitos humanos fundamentais. Estes devem ter preços razoáveis e as pessoas devem contribuir de acordo com suas possibilidades; a água deve ser suficiente para usos pessoais e domésticos; as instalações de água e de saneamento devem estar dentro ou próximas ao lar; o Estado deve tomar medidas para concretizar esses direitos (Organização das Nações Unidas, 2010). A água "deve ser segura e de qualidade e não representar risco à saúde; deve ter cor, cheiro e sabor aceitáveis, evitando que o indivíduo busque fontes alternativas não seguras; e deve ser acessível" (Neves-Silva; Heller, 2016, p. 1866).

O abastecimento de água e o esgotamento sanitário são componentes do saneamento, que se caracteriza pela relação do humano com seu ambiente, referente à qualidade de vida; à saúde – prevenção, proteção e promoção; à segurança alimentar e nutricional; e à proteção ambiental. No Brasil (2006), a água foi considerada direito humano antes da Resolução da ONU, por meio da Lei n. 11.346, que instituiu o Sistema Nacional de Segurança Alimentar e Nutricional, ao considerar a água como alimento no Art. 40, inciso I.

As dificuldades postas ao acesso adequado aos serviços têm valor substancial e expressam-se no direito humano fundamental, sem impedimentos às tecnologias disponíveis, aos direitos sociais, em face dos quais "os indivíduos são iguais só genericamente, mas não especificamente" (Bobbio, 2004, p. 65). Nesse sentido, importa estabelecer parâmetros para o acesso à água e suas barreiras, tais como as seguintes dimensões desenvolvidas e adaptadas de Fekete (1996): i) geográfica – aspectos físicos que dificultam: distância, barreiras, acidentes geográficos, topografia; ii) organizacional – obstáculos decorrentes da forma de organização dos serviços: tipo de tecnologia e soluções, quantidade e qualidade da água disponível; iii) sociocultural – perspectivas da população: gênero, cuidado com a água, hábitos, participação nas soluções; iv) econômica – consumo de tempo, energia e dinheiro: preço da tarifa dos serviços e necessidade de compra de água (caminhão-pipa, água mineral).

A privatização dos serviços de abastecimento de água e esgotamento sanitário se insere no contexto do neoliberalismo na Europa na década de 1980, e, na América Latina, na década seguinte. Na América do Sul, a privatização ocorreu com conflitos importantes, como na Argentina, Equador e Bolívia – onde ocorreu a "guerra da água", em Cochabamba –, mas com processos de reestatização dos serviços, que foram emblemáticos. No Brasil não houve expansão significativa da privatização. No novo ciclo de acumulação do capital, pós-crise de 2008, a privatização ressurgiu, inclusive no Brasil. Do ponto de vista do direito humano, é possível que se tenha serviços privatizados e que esses direitos sejam atendidos. Em sociedades com iniquidades sociais, como na América Latina e África, não é factível que esses direitos humanos estejam resguardados sob concessão privada. A mercantilização da vida, neste novo ciclo do capital, passa pela apropriação dos bens comuns, como a terra e a água, os serviços de saneamento, e pela água engarrafada, objetificada como mercadoria. É o controle da vida e sua monetarização.

O acesso ao abastecimento de água e ao esgotamento sanitário no meio rural se caracteriza, historicamente, por iniciativas desarticuladas entre os entes federativos, não existindo políticas nacionais. No semiárido, o Programa Um Milhão de Cisternas-P1MC instituiu, no âmbito do Sistema Nacional de Segurança Alimentar e Nutricional, as cisternas de água de chuva para consumo humano. A água como alimento e para a ampliação da produção de alimentos, para consumo familiar e para venda, a partir de processos sociais participativos com uso de tecnologias e processos sociais, como a agroecologia, se constitui como potência a partir de redes constituídas nas últimas décadas que devem ser plataforma para políticas universais de acesso.

O direito humano à água, em serviços urbanos ou em áreas rurais, requer ser pensado em sua multiescalaridade (do local ao nacional) e em sua multidimensionalidade (relativo a vários temas, campos e ações); são dimensões de integralidade para a formulação de políticas públicas e organização de serviços.

Água como mercadoria

A água destituída de símbolos, coisificada e objetificada é a apropriação pelo capital e a negação do modo de vida tradicional. "Recurso hídrico" é a objetificação da vida, é a disputa em arenas, em que o Estado neoliberal e o capital ditam as regras e controlam as arenas decisórias. A negação dos símbolos, do místico, leva à objetificação da água.

O discurso da escassez como estratégia para a captura da água e da terra, que ocorre em geral por meio de grilagem e truculência, consiste em transformar um bem comum e valor de uso em mercadoria e valor de troca. Nesse contexto, emerge a monetarização do bem comum, que se transforma em mercadoria. Reterritorializar a água como bem comum para a água como recurso hídrico é deslocar os processos de decisão sobre o acesso de uma esfera do campo dos valores humanos e dos direitos da natureza, portanto, de subjetivação da vida, para uma esfera de mercado e de arenas decisórias e de coisificação da água como mercadoria. Esse processo se dá pela apropriação da água pelo capital e transfere a esfera de decisão do campo dos valores para a esfera do mercado, em um processo de monetarização da natureza-vida. É um marco a assunção da ONU, em 1992, da água como bem econômico (Flores; Mizoczky, 2015).

A centralidade econômica dos países em desenvolvimento é o que Gudynas (2009) cunhou como neoextrativismo, que se caracteriza pela exportação de *commodities*, sobretudo grãos, carne, celulose, etanol, minérios e petróleo. Esse modelo requer grandes extensões de terra e é hidrointensivo. O agronegócio, como maior pauta de exportação, é o setor de maior consumo de água, cerca de 70%. Este setor exerce pressão sobre povos e comunidades tradicionais, em busca de terras e água, sobretudo por meio de grilagem. O binômio água/terra é central para entender as fronteiras de expansão e a captura desses bens comuns pelo capital, sobretudo o financeiro, após a crise de 2008. Este processo se caracteriza pela mudança dos territórios de vida, de valor de uso, pela apropriação do capital, em valor de troca, sobretudo por meio da especulação financeira (Action Aid, 2017). Os territórios se reconfiguram e a água destitui-se de sentidos simbólicos para ser coisificada enquanto recurso hídrico. A água constitui-se, assim, em *commodity*, em um hidronegócio. Malvezzi (2012, p. 395) o caracteriza como "todos os tipos de negócios que hoje surgem a partir da água". Estes abrangem, segundo esse autor, energia hídrica, irrigação, carcinicultura, saneamento ambiental e água engarrafada. Acrescente-se, ainda, a mineração, polos petroquímicos e pecuária. Em uma perspectiva ampla, envolve todos os processos de captura da água pelo capital, com impactos ambientais e processos de vulnerabilização para povos e comunidades tradicionais e também para o consumo humano em áreas urbanas.

A expansão dos conflitos por água sinaliza uma transição, em que a luta apenas pela terra não é mais suficiente para a reprodução da vida, mas passa a ser fundamental a luta pela água. A expansão do capital, sobretudo mineral, e do agronegócio tem induzido os conflitos no campo, que devem ser compreendidos como conflitos por terra/água, como aponta o relatório da Action Aid (2017) relativo à região de desenvolvimento do Matopiba (acrônimo das siglas de Maranhão, Tocantins, Piauí e Bahia) no Cerrado. As comunidades tradicionais têm sido expulsas de suas terras por meio de grilagem, com o capital apropriando-se de terra e água. Os conflitos por água no Brasil, segundo a Comissão Pastoral da Terra (CPT) (2017), têm se expandido nos últimos anos, com crescimento de 150% entre 2011 e 2016. Em 2017, em 197 conflitos por água, mais de 35 mil famílias foram afetadas, sendo cerca de 70% associados à mineração. O binômio dos conflitos por terra/água ainda não está sendo devidamente captado.

As águas *domadas* e *capturadas* se caracterizam como territórios de exclusão – em torno de grandes açudes, barragens, canais e em polos de irrigação –, onde há alto consumo de água e insumos, com baixa incorporação de mão de obra, devido à mecanização e aos insumos químicos. A população camponesa é incorporada em pequena quantidade como trabalhadora; outra parte participa como trabalho precarizado ao capital; e a maior parcela tem que migrar ou viver com baixos níveis de vida. O hidronegócio captura água/terra, destrói e exclui. O líder indígena e xamã do povo yanomami, Davi Kopenawa, lança "[...] um apelo contra o perigo que a voracidade desenfreada do *Povo da Mercadoria* faz pesar sobre o futuro do mundo humano e não humano" (Kopenawa; Albert, 2015, p. 51).

As águas contaminadas são as dos grandes polos de irrigação e das grandes extensões do agronegócio, em que pessoas e ambiente são afetados. Relatório da FAO (Food and Agriculture Organization of The United Nations, 2018) questiona em seu título: mais pessoas, mais alimento, pior água? E sugere que as práticas agrícolas são insustentáveis e ameaçam a saúde e os ecossistemas. Em muitos países, a maior fonte de contaminação das águas é a agricultura, e não as cidades ou indústrias. E o poluente químico mais comum nos aquíferos são os nitratos, oriundos da agricultura, que lança nos cursos de água agrotóxicos, sedimentos, matéria orgânica e sais. Bilhões de pessoas são afetadas, com custos anuais de bilhões de dólares que se convertem, no discurso economicista, em externalidades do "desenvolvimento". E não são incorporadas aos custos do setor.

Os sentidos simbólicos da água são reconfigurados em sentidos concretos no processo de apropriação e objetificação da natureza e conformam sentidos/pulsões de morte. Contribuem para reduzir ou eliminar a vida no planeta. A agricultura industrial – ou o agronegócio – é responsável, segundo Raj Patel (2017), pela sexta extinção em massa de espécies do planeta – a quinta extinção foi há 65 milhões de anos –, decorrente da redução da biodiversidade pelo desmatamento e a contaminação por fertilizantes e outros químicos, criando zonas mortas no mar. A artificialização da agricultura por meio de produção de espécies únicas segue estratégia de controle da vida pelos transgênicos. O ciclo da água decorrente do desmatamento em larga escala é completamente alterado e um novo ciclo vicioso se conforma: o desmatamento aumenta a compactação do solo, que aumenta o escoamento superficial e que, por sua vez, aumenta o assoreamento dos cursos de água, reduzindo a infiltração da água no solo, o que reduz a vazão de base dos aquíferos, que reduz a vazão média dos rios e que reduz a precipitação média. Este ciclo altera o regime de chuvas, com longos períodos secos e precipitações intensas e concentradas em períodos curtos.

A alteração do ciclo das chuvas e a redução média da precipitação provocam as *águas dissipadas* em bacias hidrográficas, com uma vazão que deixa de compor o ciclo da água da bacia e que precisa ser considerada e estimada, pois ainda não é reconhecida pela ciência. Este processo decorre de práticas predatórias de exaustão da água, e vulnerabiliza povos tradicionais, mas também populações urbanas, por restrições no acesso ao abastecimento de água. A bacia do São Francisco, por sua relevância nacional, é um caso

A

emblemático de processos produtivos predatórios, com desmatamento e superexploração de água e dissipação de vazão, caracterizando o que Harvey (2004) chama de acumulação por espoliação. Tais práticas de acumulação se intensificaram a partir da crise de 2008, com a financeirização do capital no campo associada a práticas de grilagem de terra e expulsão de populações tradicionais. O rio São Francisco é também um caso emblemático das águas salinizadas, decorrentes da redução de vazão e da intrusão salina; ali, processos produtivos agrícolas foram inviabilizados, bem como o consumo humano e animal e a reprodução do modo tradicional de vida.

Os processos de apropriação da água pelo capital, transformando bens comuns essenciais à vida em mercadoria, em um contexto de ampliação da concentração de renda via capital financeiro, tende ao aprofundamento da pulsão de morte e à captura dos bens comuns. A tendência é que o *povo da mercadoria* amplie a concentração do capital via o binômio, indissociável, terra/água via os territórios de povos e comunidades tradicionais, bem como em áreas de proteção e preservação ambiental.

Referências

ACOSTA, A. *O bem viver*: uma oportunidade para imaginar outros mundos. São Paulo: Autonomia Literária/Elefante, 2016.

ACTION AID. *Impactos da expansão do agronegócio no Matopiba*: comunidades e meio ambiente. Rio de Janeiro: Action Aid/Rede Social, 2017.

ALLAN, J. A. T. Virtual Water – the water, food, and trade nexus useful concept or misleading metaphor? *IWRA, Water International*, 28(1): p. 4-11, 2003.

ANDRADE. C. D. Centenário. *In*: MAMMI, Lorenzo. *A viagem das carrancas* (org.). Rio de Janeiro: Instituto Moreira Salles, 2015, p. 177.

BACHELARD, G. *A água e os sonhos*: ensaio sobre a imaginação da matéria [tradução Antônio de Pádua Danesi]. São Paulo: WMF Martins Fontes, 2018.

BOBBIO, N. *A era dos direitos*. Rio de Janeiro: Elsevier, p. 65, 2004.

BRASIL. Sistema Nacional de Segurança Alimentar e Nutricional. *Lei n. 11.346 de 15.09.2006, Art. 40, inciso I, 2006*. Cria o Sistema Nacional de Segurança Alimentar e Nutricional. SISAN com vistas em assegurar o direito humano à alimentação adequada e dá outras providências. Brasília: Presidência da República, Casa Civil. Disponível em: http://www4.planalto.gov.br/consea/conferencia/documentos/lei-de-seguranca-alimentar-e-nutricional. Acesso em: 5 fev. 2021.

COMISSÃO PASTORAL DA TERRA (CPT). *Lançamento do relatório anual da CPT destaca o aumento da violência no campo e dos conflitos pela água*. 2017. Disponível em: https://www.cptnacional.org.br/multimidia/12-noticias/conflitos/4380-lancamento-do-relatorio-anual-da-cpt-destaca-o-aumento-da-violencia-no-campo-e-dos-conflitos-pela-agua. Acesso em: 16 jan. 2019.

CYPRIANO, F. *Pina Bausch*. Imagem: Marteen Vander Abeele. São Paulo: Cosac Naif, 2005.

FOOD AND AGRICULTURE ORGANIZATION OF THE UNITED NATIONS (FAO). *More people, more food, worse water? A global review of water pollution from agriculture*. The Food and Agriculture Organization of The United Nations; The International Water Management Institute on Behalf of the Water Land and Ecosystems Research Program of the CGIAR. Rome and Colombo, 2018.

FEKETE, M. C. *Estudo da acessibilidade na avaliação dos serviços*. Projeto GERUS. s.l., s.n, 1996. Disponível em: www.opas.org.br/rh/publicacoes/textos_apoio/ pub06U1T1.pdf. Acesso: 20 dez. 2007.

FLORES, R. K.; MIZOCZKY, M. C. Dos antagonismos na apropriação capitalista da água à sua concepção como bem comum. *Revista O&S*, 22(73): p. 237-250, 2015.

GUDYNAS, E. Diez tesis urgentes sobre el nuevo extractivismo: contextos y demandas bajo el progresismo sudamericano actual. *In*: *Extractivismo, política y sociedade* (vários autores). Quito: CAAP (Centro Andino de Acción Popular) e CLAES (Centro Latino-Americano de Ecología Social), p. 187-225, 2009.

HARVEY, D. *O novo imperialismo*. São Paulo: Edições Loyola, 2004.

MALVEZZI, R. *Hidronegócio*. *In*: CALDART, R. *et al.* (org.). *Dicionário da educação do campo*. Rio de Janeiro/São Paulo: Escola politécnica de Saúde Joaquim Venâncio/Expressão Popular, p. 395, 2012.

KOPENAWA, D; ALBERT, B. *A queda do céu:* palavras de um xamã yanomami. Beatriz Perrone-Moisés (trad.). 1ª ed. São Paulo: Companhia das Letras, 2015.
KOCH, I. V. *O texto e a construção dos sentidos*. São Paulo: Contexto, 1997.
NEVES-SILVA, P.; HELLER, L. O direito humano à água e ao esgotamento sanitário como instrumento para promoção da saúde de populações vulneráveis. *Ciência & Saúde Coletiva*, v. 21, n. 6, p. 1861-1870, jun. 2016, p. 1861-1869, 2016.
PATEL, R. Industrial farming is driving the sixth mass extinction of life on Earth. 2017. Disponível em: https://www.independent.co.uk/environment/mass-extinction-life-on-earth-farming-industrial-agriculture-professor-raj-patel-a7914616.html (2017). Acesso em 16 dez. 2018.
ORGANIZAÇÃO DAS NAÇÕES UNIDAS (ONU). O direito humano à água e ao saneamento. 2010. Disponível em: http://www.un.org/waterforlifedecade/pdf/human_right_to_water_and_sanitation_media_brief_por.pdf Acesso em 29 nov. 2018.

Para saber mais

Água, sua linda: http://aguasp.com.br/
Portal Beiras d'Água: www.beirasdagua.org.br
Associação Ambientalista Corrente Verde: https://pt-br.facebook.com/Associa%C3%A7%C3%A3o-Ambientalista-Corrente-Verde-210269232480964/
Observatório Plurinacional de Águas: https://oplas.org/sitio/
Movimento de Atingidos por Barragens: https://www.mabnacional.org.br

Nota

1 Agradeço à Maiana Maia/Fase, pela contribuição original das categorias de águas domadas, águas capturadas, águas contaminadas e águas exterminadas.

ALIMENTO

Patrícia Constante Jaime

Alimento é qualquer substância contida na natureza que se possa esperar que seja ingerida por seres vivos e que seja capaz de fornecer nutrientes necessários para a manutenção da vida. Dada a diversidade das espécies que precisam se alimentar, o alimento não é uma substância única, mas sim agrupamentos complexos e diversos de compostos químicos criados pela natureza sob controle biológico-evolucionário. A comida é a representação do alimento na vida das pessoas; como tal, envolve a combinação não aleatória de alimentos que é moldada a partir da disponibilidade de alimentar em dado contexto social e cultural. A alimentação está enraizada na cultura e é carregada de significações históricas, de curta ou longa duração. Assim, formam-se os padrões alimentares que representam um conjunto de alimentos frequentemente consumidos por indivíduos e populações, e que expressam o que se come e como se come como resultado de um processo sob controle biológico-sociopolítico-sociocultural-evolucionário.

Obviamente, há diferentes perspectivas conceituais sobre o que é alimento. Deparamo-nos com paradigmas distintos que consideram, em um extremo, o alimento como mercadoria dotada de determinadas características que lhe atribuem valor monetário; no outro, o alimento como o elemento central da vida. Esse último reconhece o alimento como um bem material e imaterial e parte do patrimônio cultural de um povo e nação.

Se pensada a alimentação como o processo essencial para a manutenção da vida e dependente do binômio alimento-homem – visto sob outro ângulo, da comida e do comedor –, o alimento precisa ser considerado para além da perspectiva química (sua composição em nutrientes), botânica (características morfológicas e suas relações genéticas) ou nutricional (relação com a saúde). É preciso reconhecer que a alimentação é resultado de uma cadeia de processos, que se inicia na preparação do solo, sementes, mudas e insumos, envolve ciclos de plantio e colheita e o uso sociocultural do alimento para consumo humano, processos nos quais elementos da natureza e da cultura têm um papel crucial (Ribeiro; Jaime; Ventura, 2017). Diferentes tipos de tecnologia e o adensamento de seus usos vêm sendo cada vez mais empregados não apenas nas etapas de produção do alimento *in natura*, mas também no processamento dos alimentos até a mesa do consumidor final, de tal modo que questões tecnológicas e financeiras determinam as características dos alimentos desde a produção até o consumo. Muitas vezes, as normas sanitárias ignoram, em sua totalidade e sob a perspectiva ampliada de risco em saúde, a influência do processamento dos alimentos na definição das características finais do produto alimentício. Tomemos como exemplo o conceito de alimento adotado no *Regulamento Técnico de Boas Práticas para Estabelecimentos Comerciais de Alimentos e para Serviços de Alimentação*, da Secretaria de Estado da Saúde de São Paulo (Portaria CVS 5, de 09 de abril de 2013 – Artigo 7°, Sessão III):

> Alimento: toda substância ou mistura no estado sólido, líquido, pastoso ou qualquer outra forma adequada, destinada a fornecer ao organismo humano os nutrientes necessários para sua formação, manutenção e desenvolvimento, e satisfazer as necessidades sensoriais e sócio-culturais do indivíduo. (São Paulo, 2013, p. 2)

O conceito citado, se por um lado, contempla as dimensões biológicas e socioculturais do alimento, por outro ignora que, a princípio, ele é uma substância da natureza que, por ação humana, poderá passar por diferentes tipos e intensidades de processamento. O processamento não está livre de introdução de riscos à saúde e ao ambiente, riscos esses que se somam aos reconhecidos benefícios para segurança higiênico-sanitária do produto e redução do desperdício de alimentos. É importante dizer que o processamento de alimentos faz parte da história da humanidade desde que o homem descobriu o fogo e a cocção de alimentos, sendo esta descoberta reconhecida como a primeira grande revolução tecnológica que impactou os destinos do homem na Terra. Assume-se que, há um par de séculos, a maioria dos alimentos consumidos é processada de alguma forma. A questão central é que, no último século, o ultraprocessamento de alimentos passou a moldar o sistema alimentar e a influenciar os padrões alimentares tradicionais, de tal modo que a categorização dicotômica dos alimentos em *in natura* ou processados/industrializados não dá conta da complexidade do fenômeno e seu impacto sobre a qualidade nutricional da dieta, a saúde humana, o meio ambiente e a dinâmica social.

Monteiro e colaboradores (2018) apresentam uma inovadora proposta de classificação de alimentos, denominada Nova, que considera a extensão e o propósito do processamento industrial a que foram submetidos os alimentos antes de sua aquisição e consumo pelos indivíduos. A classificação Nova aloca os itens alimentares em quatro grandes grupos: alimentos *in natura* ou minimamente processados; ingredientes culinários processados; alimentos processados e alimentos ultraprocessados.

Alimentos *in natura* ou minimamente processados

Esse primeiro grupo contém os alimentos que são obtidos diretamente de plantas ou animais e que não sofrem qualquer modificação após deixarem a natureza. Também fazem parte os alimentos que passam por processos tradicionais e mínimos de processamento com a finalidade de aumentar sua duração e, às vezes, facilitar o seu preparo, contudo, sem ferir a integridade da matriz alimentar. Exemplos de alimentos deste grupo são as raízes e tubérculos, cereais, feijões e outras leguminosas, frutas, verduras e legumes, carnes, ovos, leite e castanhas.

Ingredientes culinários processados

Substâncias extraídas de alimentos ou da natureza, como açúcar, sal, óleos, banha de porco, manteiga e vinagre. Os ingredientes culinários processados são importantes na composição de uma alimentação saudável e prazerosa, sendo usados para temperar e cozinhar alimentos e criar preparações culinárias. Eles devem ser utilizados em pequenas quantidades porque o excesso pode levar a desequilíbrios na alimentação, como, por exemplo, o consumo elevado de sódio. Mas, por outro lado, os ingredientes culinários processados junto às ervas e condimentos trazem vida, sabor e diversidade às preparações culinárias, aguçam os sentidos sensoriais e memórias gustativas. Há quase 100 anos, o sociólogo Gilberto Freyre, em seu *Manifesto regionalista*, defendia o valor das tradições culinárias familiares e destacava as receitas de bolos, doces, guisados e assados como referência simbólica da cultura popular. Os ingredientes culinários fazem parte das receitas culinárias que marcam a construção da identidade de um povo.

Alimentos processados

Ao longo da história, o ser humano descobriu que alimentos *in natura* ou minimamente processados duram mais tempo quando recebem sal, açúcar, vinagre ou óleo; com isso, evoluímos para a produção de alimentos processados. Esses alimentos compõem o terceiro grupo da classificação Nova e são produtos manufaturados derivados de alimentos *in natura* ou minimamente processados que passaram por processos de adição de sal, açúcar, óleo ou vinagre e que foram cozidos, secos, fermentados ou preservados por métodos como salga, salmoura, cura e defumação, podendo ser acondicionados em latas ou vidros. Aditivos que prolongam a duração do produto, que protegem as propriedades originais e impedem a proliferação de microorganismos, podem ser usados em alimentos minimamente processados, ingredientes culinários processados e alimentos processados. O processamento de alimentos nestes casos visa aumentar sua durabilidade e torná-los mais agradáveis, modificando ou aprimorando suas qualidades sensoriais. Os padrões alimentares tradicionais, em diferentes partes do mundo, contêm os alimentos processados que são utilizados como ingredientes de preparações culinárias ou como parte de refeições. É possível dizer que a chamada "comida de verdade" é feita a partir da combinação de alimentos *in natura*, minimamente processados, ingredientes culinários e alimentos processados.

Alimentos ultraprocessados

O quarto grupo difere dos demais por ser composto exclusivamente por criações industriais. São produtos alimentícios que contêm pouco ou nenhum alimento inteiro. Nos alimentos ultraprocessados, não há mais a matriz alimentar. Na sua produção, são empregadas modernas e sofisticadas tecnologias para obter uma formulação industrial barata para a indústria e hiperpalatável para o consumidor. Tais formulações utilizam ingredientes extraídos de alimentos *in natura*, como uma variedade de açúcares (tais como frutose, xarope de milho rico em frutose, açúcar invertido, maltodextrina e dextrose), óleos modificados (óleos hidrogenados ou interesterificados) e proteína (como proteínas hidrolisadas, isolado de proteína de soja, glúten, caseína e "carne separada mecanicamente"). Como parte do processamento, os alimentos ultraprocessados recebem vários aditivos químicos que não somente garantem a segurança sanitária dos produtos finais, mas, principalmente, por meio de aditivos sensoriais (tais como intensificadores de sabor e cor, emulsionantes, sais emulsionantes, edulcorantes, espessantes e agentes antiespumantes, de volume, de carbonatação, de formação de espuma, de gelificação e de glazeamento) lhes conferem cor, sabor, aroma e textura que naturalmente não teriam. Exemplos de alimentos ultraprocessados são preparações prontas para o consumo, macarrão instantâneo, refrigerante, mistura para bolos, achocolatado, sopa em pó, caldo industrializado em cubo ou em pó, biscoito recheado, sorvete, salgadinho em pacote, bebidas lácteas e iogurtes adoçados e aromatizados, salsichas, carnes temperadas e empanadas, dentre outros.

Para arrematar o processo de produção do alimento mercadoria, há um forte investimento em publicidade e *lobby* junto ao poder público. É cada vez mais intensa a influência da publicidade de alimentos ultraprocessados na formação dos hábitos alimentares. A publicidade evoca afeto, carinho e cuidado, elementos que historicamente fazem parte da cultura alimentar e estão na base da influência do alimento na formação da identidade. Para gerações mais novas, as memórias gustativas podem não estar mais relacionadas a determinadas receitas, aromas, sabores, pessoas e lugares, mas sim por marcas de alimentos ultraprocessados que foram desenvolvidas em laboratórios e empresas de publicidade.

Há sólida evidência científica de que os alimentos ultraprocessados afetam negativamente a qualidade da alimentação, a saúde, a cultura, a vida social e o ambiente. A denominação alimentos ultraprocessados não é uma simples substituição de termos, como "*junk food*" ou "alimento porcaria", "dieta ocidental" ou alimentos ricos em sódio, açúcar e gorduras. Deste ponto de vista, a classificação Nova, ao considerar a extensão e propósito do processamento de alimentos, busca os nexos entre saúde, nutrição e sistema alimentar.

Há uma intrínseca relação entre a produção de alimentos ultraprocessados e o modelo do agronegócio [VER AGRONEGÓCIO] que se volta para os mercados internacionais de *commodities* agropecuárias para produção de insumos ou ingredientes alimentares – como o óleo e a proteína da soja ou o açúcar da cana –, utilizados pelos *impérios corporativos das indústrias transnacionais de alimentos* (Monteiro e Cannon, 2012) [VER IMPÉRIOS ALIMENTARES]. O aumento da produção, oferta e consumo de alimentos ultraprocessados está articulado à revolução verde [VER REVOLUÇÃO VERDE] que, a partir da década de 1950, impôs um modelo de produção de alimentos baseado em monoculturas especializadas, com modificação genética de sementes, uso disseminado de fertilizantes químicos e agrotóxicos que tem levado à poluição de cursos d'água, lençóis freáticos e solos, com consequências ecológicas e sanitárias muito nefastas, além do empobrecimento da biodiversidade, da gestão insuficiente de seus resíduos ambientais, em especial das embalagens e da produção de injustiça social, pois afasta as famílias do campo e concentra renda.

Alimento ultraprocessado tem sido um conceito mais e mais explorado em pesquisas científicas e nos meios de comunicação e aplicado em políticas públicas, a exemplo de relatórios de agências das Nações Unidas (Food and Agriculture Organization of the United Nations, 2015; Organización Panamericana de la Salud, 2015) e em Guias Alimentares publicados por países da América Latina (Brasil e Uruguai). O Guia Alimentar para a População Brasileira, publicado pelo Ministério da Saúde em 2014, recomenda que a base da alimentação deva ser composta por alimentos *in natura* ou minimamente processados, preparações culinárias e que sejam evitados alimentos ultraprocessados. Destaca que uma alimentação saudável deriva de um sistema alimentar voltado à produção de comida de verdade, adotando um princípio que "alimentação saudável necessariamente deriva de um sistema alimentar socialmente e ambientalmente sustentável" (Brasil, 2014, p. 23). Desta forma, precisa ser considerado o conjunto de tecnologias aplicadas em toda cadeia alimentar, envolvendo processos que vão da produção, transporte, abastecimento, comercialização e consumo. Mesmo alimentos *in natura* podem trazer riscos à saúde e ao meio ambiente quando são produzidos a partir de sementes transgênicas e com uso de agrotóxicos [VER AGROTÓXICOS]. Neste sentido, as recomendações do Guia Alimentar para a População Brasileira se aproximam dos princípios da agroecologia [VER AGROECOLOGIA], que nos direcionam para um modelo agroalimentar que garante, de forma articulada, a produção de alimentos agroecológicos com soberania e segurança alimentar e nutricional [VER SOBERANIA E SEGURANÇA ALIMENTAR E NUTRICIONAL], justiça social e distribuição de renda, promoção da saúde pública e sustentabilidade ambiental.

Referências

BRASIL. Ministério da Saúde. Secretaria de Atenção à Saúde. Departamento de Atenção Básica. *Guia Alimentar para a população brasileira.* 2ª ed. Brasília, DF: Ministério da Saúde, 2014. Disponível em: http://bvsms.saude.gov.br/bvs/publicacoes/guia_alimentar_populacao_brasileira_2ed.pdf. Acesso: 25 nov. 2018.
FOOD AND AGRICULTURE ORGANIZATION OF THE UNITED NATIONS (FAO). *Guidelines on the Collection of Information on Food Processing Through Food Consumption Surveys*. Rome: FAO, 2015. Disponível em: http://www.fao.org/3/a-i4690e.pdf. Acesso: 25 nov. 2018.
MONTEIRO, C. A.; CANNON, G. The impact of transnational "big food" companies on the South: a view from Brazil. *PLoS Med*, v. 9, n. 7, 2012.
MONTEIRO, C. A. *et al.* The UN Decade of Nutrition, the NOVA food classification and the trouble with ultra-processing. *Public Health Nutr*, [S.L.], v. 21, n. 1, p. 5-17, 2018.
ORGANIZACIÓN PANAMERICANA DE LA SALUD (OPS). *Alimentos y bebidas ultraprocesados en América Latina:* tendencias, efecto sobre la obesidad e implicaciones para las políticas públicas. Washington, DC: OPS, 2015.
RIBEIRO, H.; JAIME, P. C.; VENTURA, D. Alimentação e sustentabilidade. *Estudos avançados*, São Paulo, v. 31, n. 89, p. 185-198, 2017.
SÃO PAULO. Secretaria de Estado da Saúde de São Paulo. Coordenadoria de Controle de Doenças. Diretora Técnica do Centro de Vigilância Sanitária. Portaria CVS n. 5, de 09 de abril de 2013. *Regulamento técnico de boas práticas para estabelecimentos comerciais de alimentos e para serviços de alimentação.* São Paulo, SP, abr. 2013. Disponível em: https://www.legisweb.com.br/legislacao/?id=253540. Acesso: 30 set. 2018.

Para saber mais

Sugestão de vídeos

DEPARTAMENTO DE ATENÇÃO BÁSICA. *Nico e o tubérculo.* 2017. Disponível em: https://youtu.be/biq3xE3O3Zc. Acesso: 25 nov. 2018.
DEPARTAMENTO DE ATENÇÃO BÁSICA. *Caminhos da comida.* 2017. Disponível em: https://youtu.be/BYw0EVdQbV8. Acesso: 25 nov. 2018.

Sugestão de cartilhas

BRASIL. Ministério da Saúde. *Caderno de atividades Promoção da Alimentação Adequada e Saudável: Educação Infantil.* Ministério da Saúde, Universidade do Estado do Rio de Janeiro. Brasília, DF: Ministério da Saúde, 2018. 92 p. Disponível em: http://189.28.128.100/dab/docs/portaldab/publicacoes/caderno_atividades_educacao_infantil.pdf . Acesso: 25 nov. 2018.
BRASIL. Ministério da Saúde. *Caderno de atividades Promoção da Alimentação Adequada e Saudável: Ensino Fundamental I.* Ministério da Saúde, Universidade do Estado do Rio de Janeiro. Brasília, DF: Ministério da Saúde, 2018. 128 p. Disponível em: http://189.28.128.100/dab/docs/portaldab/publicacoes/caderno_atividades_ensino_fundamental_I.pdf . Acesso: 25 nov. 2018.

ANTROPOCENO

Caroline Siqueira Gomide

A partir dos anos 2000, uma polêmica surgiu na ciência e extrapolou para os debates políticos e ambientais: há um novo período geológico no mundo, chamado Antropoceno. Um período marcado por transformações humanas no planeta, caracterizando uma época em que os estratos geológicos são dominados por materiais de origem humana. Cientistas do mundo todo, de diferentes áreas do conhecimento, estudaram essas transformações e debateram o assunto com o objetivo de comprovar e estabelecer o novo período.

A escala de tempo geológico é dividida de acordo com registros de eventos importantes que estão nas rochas. Essa organização do tempo é chamada de datação relativa das rochas, e subdivide os 4,6 bilhões de anos de existência do planeta Terra em intervalos menores de tempo. Esses intervalos são denominados pela Comissão Internacional de Estratigrafia (ICS – sigla em inglês), parte da União Internacional de Ciências Geológicas (IUGS – International Union of Geological Science), conforme ilustração (ver Figura 7, adiante, p. 790).

Para entender a comissão, é preciso esclarecer o termo estratigrafia, especialidade que estuda os eventos e sucessões geológicas globais. Por exemplo, o período Jurássico é marcado pela presença dos dinossauros na Terra; já a extinção dos dinossauros data do período Cretáceo.

Diante dessa lógica de divisão do tempo geológico, o conceito de Antropoceno foi criado como proposta de que o período atual (Holoceno) chegou ao fim e entramos em um novo período, marcado pelas transformações humanas. Insere-se, portanto, o elemento humano como fator explicativo da morfologia, da estrutura e da fisiologia das paisagens e do ambiente geológico (Pellogia; Ortega, 2016).

A época geológica mais recente reconhecida pela comissão é parte do período Quaternário, que tem sua origem ligada à presença humana e às grandes glaciações (há aproximadamente 2,6 milhões de anos), com modificações da fauna de mamíferos e alterações no nível do mar (Pomerol *et al.*, 2013). Holoceno significa "totalmente novo" e representa a época interglacial estável ou pós-glacial (10 a 12 mil anos atrás), quando surge a agricultura. Antropoceno significa "novo humano"; representa uma época em que a humanidade se torna a principal responsável por mudanças rápidas na Terra (Foster; Clark; York, 2010), mas, seguindo a lógica definida para nominar a escala, a melhor definição seria uma época em que os estratos geológicos são dominados por restos de origem humana (Angus, 2016).

As épocas são marcadas por fenômenos naturais e dominância de espécies; a humana é a primeira que atua como agente de transformação geológica, como descrito por Charles Lyell a partir de 1830 e por Robert Sherlock, em 1922. Charles Lyell escreveu os *Princípios de Geologia* e influenciou uma geração de cientistas (inclusive Charles Darwin) com a popularização do princípio das causas naturais e a famosa frase "o presente é chave do passado". É o primeiro a descrever a ação geológica da humanidade, detalhando a influência na geografia física por meio da mineração [VER MINERAÇÃO], obstrução de baías, construção de cidades e aração realizadas para a agricultura, expondo a terra por longos períodos e alterando o curso natural do solo (Pellogia; Ortega, 2016). Sherlock (1922) escreveu *O homem como agente geológico: um relato de sua ação sobre a natureza inanimada*, descrevendo as mudanças na superfície terrestre em descrições próximas ao que foi escrito por Lyell.

O primeiro geólogo a utilizar o termo foi o soviético Aleksei Petrovich Pavlov, em 1922, e tanto antropoceno como antropogeno foram aplicados por geólogos soviéticos por um tempo, mas não repercutiram no restante do mundo (Angus, 2016). Portanto, Lyell, Sherlock e Pavlov foram os primeiros cientistas a descrever os impactos geológicos da ação humana no planeta.

Depois da proposição de Crutzen e Stoermer (2000), o termo ganhou projeção e cientistas de diversas áreas passaram a utilizá-lo. A maioria dos estudos iniciais foram baseados em termos de mudanças ambientais planetárias e não nos registros geológicos da ação humana.

Pellogia; Ortega (2016) afirmam que a introdução de um tema de interesse geológico feita de uma forma não geológica levou a uma aparente surpresa dos geólogos em relação à sua repercussão e a duas demandas para esses cientistas: verificação dessa concepção em termos estratigráficos e uma reavaliação dos critérios da estratigrafia quando aplicadas a terrenos produzidos artificialmente. Uma das principais dificuldades é a inversão do raciocínio geológico clássico, que partia do registro para formular o tempo relativo e agora deveria partir de evidências e fenômenos que ficarão registrados.

Um termo correlacionado é o Tecnógeno, proposto por Ter Stepanian (1988); a intenção era substituir o Holoceno, caracterizando que os últimos 10 a 12 mil anos foram marcados principalmente por tecnologias humanas.

Os geólogos que estudavam registros humanos em camadas estratigráficas aceitaram melhor o conceito de Antropoceno, mas alguns defendem que o seu início seja na Revolução Neolítica, enquanto outros defendem que seja parte do Tecnógeno ou do Holoceno. Outros termos surgiram ao longo das pesquisas, como Antrobsceno (Parikka, 2014), Econoceno (Norgaard, 2013) e Capitaloceno (Head, 2014; Haraway, 2015; Moore, 2016; Hartley, 2016), mas nenhum deles teve tanta entrada no mundo científico devido às comprovações e evidências de registro geológico como o Antropoceno, e apenas este termo é debatido na ICS. Ainda existem aqueles autores que defendem que continuamos no Holoceno e nada deve ser alterado.

Enquanto existe um debate se deveria ser um termo da história da terra ou da história humana como decisão científica ou política, Paul Crutzen colocou o termo na estratigrafia (Zalasiewicz *et al.*, 2017), elencando processos que ficam registrados na história da Terra como o consumo de combustíveis fósseis, a alteração química do solo – já que nitrogênio (e outros elementos) é aplicado como fertilizante sintético em quantidades maiores que o fixado naturalmente –, até a construção de barragens e outras grandes obras de infraestrutura (Crutzen, 2002).

O conceito foi aceito por diversas áreas de atuação, desde a Química, Biologia, Geologia, Sociologia, História, Geografia, Antropologia, Ciência Política, Ciências Naturais, até Filosofia. O que está em debate, principalmente no grupo de trabalho do Antropoceno (AWG, na sigla em inglês), é a época em que ele começa, o que é importante para a definição na ICS, mas o fundamental é o reconhecimento das evidências de que o ser humano é um agente geológico que modifica o planeta de formas irreversíveis, registrando suas ações e efeitos na história geológica da Terra.

Em 2016, os 35 membros da comissão (de 13 países e cinco continentes) estiveram de acordo que o conceito de Antropoceno é geologicamente real e a maioria está de acordo que seja uma época que signifique o fim do Holoceno (Trischler, 2017), o que sugere que a comissão está mais perto de declarar o termo um tempo geológico formal.

O Antropoceno traz o conceito de que a aceleração da atividade humana altera o planeta de maneira intensa, e atualmente existe o debate entre três possibilidades de marco temporal inicial: i) a Revolução Neolítica (Ruddiman, 2005); ii) a Revolução Industrial (Crutzen; Stoermer, 2000; Crutzen, 2002; Zalasiewicz *et al.*, 2011); e iii) a grande aceleração marcada pela evolução do ambiente urbano no século XX (Steffen; Crutzen; McNeill, 2007; Zalasiewicz *et al.*, 2011; Williams *et al.*, 2013; Zalasiewicz *et al.*, 2015; Steffen *et al.*, 2015).

Na Revolução Neolítica, o ser humano deixa de caçar e coletar alimentos, e cultiva seu próprio alimento, domestica as plantas e animais e, com isso, ocorre transformação no adensamento ou desmatamento, irrigação e na diversidade alimentar, se restringindo principalmente às plantas cultivadas; os humanos transformam-se em sedentários e aumenta a população. O registro desse período é marcado pelos artefatos e os pólens das plantas encontrados nos sedimentos. A produção de CO_2 e metano também pode ter aumentado. O marco temporal do Neolítico foi rejeitado pela maioria do grupo de trabalho do Antropoceno.

Na Revolução Industrial, há diminuição da população rural e crescimento da urbana, intensificação do uso de minérios (carvão para abastecer as máquinas e ferro e outros para construção destas), industrialização da agricultura e utilização de combustíveis fósseis. A intensificação da agricultura empobrece o solo pois não há reposição de biomassa e nem tempo entre uma plantação e outra. Para repor os nutrientes e atacar as crescentes fitossanidades, inicia-se o uso de fertilizantes e pesticidas sintéticos. O excesso de nitrogênio no solo provoca uma sobrecarga em ecossistemas aquáticos; quando há erosão, o solo transporta sedimentos para esses ambientes, causando eutrofização e afetando todo o ecossistema. Como registro geológico, é possível encontrar resquícios de atividade minerária, a retirada de combustíveis fósseis, a alteração (geo)química do solo e possível acúmulo de biomassa onde pode ter ocorrido eutrofização e alta mortandade de seres aquáticos.

No século XX, com a grande aceleração, a humanidade conhece a biosfera, o globo completo; a população aumenta e coloniza toda a superfície, produz e utiliza muito alumínio, concreto, plásticos, armas nucleares (Angus, 2016). Grandes cidades com áreas muito extensas são preenchidas por construções, carros, computadores, celulares e diversas máquinas são utilizadas e descartadas todos os dias. Novas paisagens são criadas, "aproximadamente 50% da superfície da terra foi transformada por ação humana direta, com consequências significativas para a biodiversidade, ciclagem de nutrientes, estrutura do solo, biologia e o clima" (Angus, 2016, em tradução livre). No campo, as mudanças são igualmente impactantes; só no Brasil, foram adicionadas 22,8 milhões de toneladas de fósforo em seus solos nos últimos 50 anos (Dias, 2018). A agricultura, que historicamente teve como objetivo a produção de alimentos e bens de trabalho, agora está subordinada à geração de lucro.

Há uma intensificação da atividade industrial, gerando chuva ácida, e aumento da construção de barragens de água para geração de energia e abastecimento (70% da água do mundo é utilizada para agricultura), causando alterações em ecossistemas fluviais que anteriormente eram interligados. Houve intensificação da atividade mineral para abastecer a indústria, o que gerou diversos impactos, dentre eles, o aumento de construção de barragens de rejeito com alto potencial de destruição em caso de rompimento; só no Brasil, houve diversos casos, os mais desastrosos foram em Mariana, MG (2015), deixando 19 mortos, e Brumadinho, MG (2019), com 246 mortes confirmadas e 24 desaparecidos até a data de fechamento desse texto.

Ainda enquanto efeitos da ação humana nos últimos anos, houve a extinção de algumas espécies que podem causar colapsos de ecossistemas, acidificação dos oceanos, destruição de recifes de corais (aproximadamente 20% dos corais do mundo foram destruídos e mais 20%, degradados), degelo das calotas polares no Hemisfério Norte, liberando metano que estava aprisionado no gelo e acelerando o aquecimento global (Crutzen, 2002; Foster; Clark; York, 2010; Angus, 2016).

Sinais geoquímicos refletem o desenvolvimento industrial, como a composição química da atmosfera, que passou por mudanças em resposta à combustão de combustíveis fósseis (Zalasiewicz *et al.*, 2017) e à utilização de fertilizantes. Desde a era pré-industrial, a quantidade de N_2O (oxido de nitrogênio) aumentou em 17% na atmosfera; nos últimos 40 anos, a eficiência de fertilizantes nitrogenados caiu em dois terços, e o consumo por hectare aumentou sete vezes (Angus, 2016). Existem mais de 200 minerais que surgiram por ações humanas (Hazen *et al.*, 2017), desde a mineração até a disposição de lixo que provoca reações químicas e forma novos minerais; além disso, recentemente, foram descritas rochas sedimentares com tecnofósseis (fósseis de materiais antropogênicos) denominadas anthropoquinas (Fernandino *et al.*, 2020). Habitats marinhos e costeiros estão muito alterados; 50% dos manguezais foram removidos; mais de dois terços da área de dois biomas terrestres e mais de metade da área de quatro biomas foram convertidas para o *agronegócio* [VER AGRONEGÓCIO] (Angus, 2016).

A indecisão na definição temporal se dá pela dificuldade de prever como as evidências registradas nestes três períodos ficariam preservadas em camadas de gelo, sedimentos, espeleotemas (formações rochosas que ocorrem em cavernas) e rochas (Waters *et al.*, 2014). Porém, a maioria dos autores parece concordar com o marco da grande aceleração da urbanização (Zalasiewicz *et al.*, 2015), grupo este de pesquisadores que compõem o AWG na ICS.

Além dessas inúmeras alterações abordadas anteriormente, o fato que gerou maior consenso como marcador primário do Antropoceno entre pesquisadores da comissão (AWG) é a utilização de armas nucleares, segundo relatório da Subcomissão de Estratigrafia Quaternária (s/d). Waters *et al.* (2016) encontraram evidências de que houve precipitação de radionuclídeos artificiais de testes de armas nucleares e estão registradas em camadas de sedimento e de gelo espalhados pelo mundo.

Segundo relatório da Subcomissão de Estratigrafia Quaternária (s/d), na votação realizada pelo grupo de trabalho (AWG) em maio de 2019, 88% dos votos defendem que o Antropoceno deve ser tratado como uma unidade cronoestratigráfica formal e que o principal guia para a base do Antropoceno deve ser um dos sinais estratigráficos em meados do século XX, sendo mais uma evidência de que em breve teremos um novo tempo geológico formal.

A proposta original, de Crutzen e Stoermer (2000), defende o início na Revolução Industrial; por isso, alguns autores sugerem o nome Capitaloceno para ele. O termo Capitaloceno significa, para Moore (2016), os registros deixados pela era do capitalismo, como a ecologia mundial do poder, capital e natureza. Nessa perspectiva, o capitalismo organiza a natureza, deixando-a a um custo baixo com o objetivo de acumular capital (Escalera-Briceño; Angeles-Villa; Palafox-Muñoz, 2018). Porém, o termo encontra resistência porque o capitalismo é um sistema econômico de aproximadamente 600 anos, enquanto o período proposto é de aproximadamente 200 anos, além de arriscar fugir ao tempo geológico, pois poderia propor o feudaloceno, escravoceno (Angus, 2016).

O modo de produção capitalista tem papel fundamental na causa dos desequilíbrios, e essa discussão remete ao debate de alguns autores sobre a ecologia política e como o capitalismo organiza (ou desorganiza) a natureza. As concepções de Moore (2016), Foster (2005) e de Foster; Clark e York (2010) se diferenciam no que tange aos resultados dessa organização do capital sobre a natureza, mas os debates acerca do tema não serão abordados aqui; o importante é destacar que diversos autores contribuem para a construção da dimensão ecológica do marxismo ecológico e concordam que o capital e sua forma de se relacionar com a natureza são ameaças para o planeta, a alteração da relação ser humano-natureza e do metabolismo socioecológico [VER METABOLISMO SOCIOECOLÓGICO] pelo processo que Foster (2005) descreve como ruptura metabólica ecológica, causando os desequilíbrios que são descritos como evidências do Antropoceno.

Esses desequilíbrios são descritos por Foster, Clark e York (2010) como "a ruptura ecológica global", referindo-se à ruptura geral na relação humana com a natureza decorrente de um sistema alienado de acumulação de capital sem fim. O uso desse termo sugere a afirmação da possibilidade de caminhar para um potencial evento catastrófico que poderia destruir o mundo como o conhecemos, mais precisamente com riscos reais à vida no planeta que podem ser alcançados caso o ritmo de degradação continue.

Angus (2016), que compartilha da visão de ecologia política de Foster e Moore, descreve o conceito, no livro *Facing Anthropocene* [*Encarando o Antropoceno*], como uma ferramenta importante de organização dos ecossocialistas para unir o maior número de pessoas que concordam em enfrentar os agentes das mudanças climáticas e a indústria de combustíveis fósseis, pois devemos atuar ativamente na construção de lutas ambientais e transformar esse caminho que vem sendo trilhado pelo capitalismo.

As bases agroecológicas podem reconstruir os ecossistemas e a intervenção humana de forma a reduzir o processo de transformação destrutiva do meio ambiente e se coloca como uma ferramenta didática, política e ecológica de recuperação do metabolismo ser humano – natureza, caracterizando uma revolução na produção de comida, fundamental para o enfrentamento dessa nova era geológica em que estamos.

A

Referências

ANGUS, I. *Facing the Anthropocene:* Fossil Capitalism and the Crisis of the Earth System. New York: Monthly Review Press, 2016.
CRUTZEN, P. J.; STOERMER, E. F. The "Anthropocene". *IGBP Newsletter* 41, 2000.
CRUTZEN, P. J. Geology of Mankind. *Nature*, v. 415, p. 23, 2002.
DIAS, C. *Brasil adicionou 22,8 milhões de toneladas de fósforo em seus solos nos últimos 50 anos*. 2018. Disponível em: https://www.embrapa.br/busca-de-noticias/-/noticia/33747073/brasil-adicionou-228-milhoes-de-toneladas-de-fosforo-em-seus-solos-nos-ultimos-50-anos?link=agencia. Acesso: 15 jan. 2019.
ESCALERA-BRICEÑO, A.; ANGELES-VILLA, M.; PALAFOX-MUÑOZ, A. Por qué se debe considerar al marxismo ecológico em la era del capitaloceno? *Revista Latinoamericana de Estudios Socioambientales*, 2018.
FERNANDINO, G. *et al.* Anthropoquinas: First description of plastics and other man-made materials in recently formed coastal sedimentary rocks in the southern hemisphere. *Marine Pollution Bulletin*, v. 154, p. 1-7, 2020.
FOSTER, J. B. *A ecologia de Marx: materialismo e natureza.* Tradução: Machado, M.T. Rio de Janeiro: Civilização brasileira, 2005.
FOSTER, J. B., CLARK, B., YORK, R. *The Ecological Rift: Capitalism's War on the Earth*. New York: Monthly Review Press, 2010.
HARAWAY, D. Anthropocene, Capitalocene, Plantatiocene, Chthulucene: Making Kin. *Environmental Humanities*, v. 6, p. 159-165, 2015.
HARTLEY, D. Anthropocene, Capitalocene, and the Problem of Culture. Sociology Faculty Scholarship, The Open Repository Binghamton. *In:* ALTVATER, E. *Anthropocene or Capitalocene?* Nature, History, and the Crisis of Capitalism. *PM Press*. Edição do Kindle, p. 203, 2016.
HAZEN, R. M. *et al.* On the mineralogy of the "Anthropocene Epoch". *American Mineralogist*, v. 102, p. 595-611, 2017.
HEAD, L. Contingencies of the Anthropocene. Lessons from the Neolithic. *The Anthropocene Review*, v. 1, p. 1-13, 2014.
MOORE, J. W. Anthropocene or Capitalocene? Nature, History, and the Crisis of Capitalism. Sociology Faculty Scholarship, The Open Repository Binghamton. *In:* ALTVATER, E. *Anthropocene or Capitalocene?* Nature, History, and the Crisis of Capitalism. *PM Press*. Edição do Kindle, p. 203, 2016.
NORGAARD, R. B. The Econocene and the Delta. *San Francisco Estuary and Watershed Science* 11, p. 1-5, 2013.
PARIKKA, J. *The Anthropocene*. Minneapolis: Univ. of Minnesota Press. 2014.
PELLOGIA, A. U. G.; ORTEGA, A. M. L. A agência geológica humana e o Antropoceno: em busca de uma epistemologia geológica e arqueológica. *Revista UNG Geociências*, São Paulo, v. 15, n. 2, 2016.
POMEROL, C. *et al.*, S. *Princípios de Geologia: técnicas, modelos e teorias*. 14. ed. Porto Alegre: Bookman, 2013.
RUDDIMAN, W. Plows, Plagues and Petroleum. *Princetown University Press*, New Jersey, 2005.
SALGADO-LABOURIAU, M. L. *História Ecológica da Terra*. São Paulo: Blucher, 1994.
SHERLOCK, R. L. *Man as geological agent: an account of his action on inanimate nature*. Londres, H.F&G. Whiterby, p. 372, 1922.
STEFFEN, W., CRUTZEN, P. J., MCNEILL, J. R. The Anthropocene: Are humans now overwhelming the great forces of Nature? *Ambio*, v. 36, p. 614-621, 2007.
STEFFEN, W. *et al.* The trajectory of the Anthropocene: The Great Acceleration. *The Anthropocene Review*, v. 2, p. 81-98, 2015.
TRISCHLER, H. El Antropoceno, um concepto geológico o cultural, o ambos? *Desacatos*, n. 54, p. 40-57, 2017.
WATERS, C. N. *et al.* A stratigraphical basis for the Anthropocene. *Geological Society*, London, Special Publications, n. 395, p. 1-21, 2014.
______ *et al.* The Anthropocene is functionally and stratigraphically distinct from the Holocene. *Science*, n. 351, p. 137-147, 2016.
WILLIAMS, M. *et al.* Is the fossil record of complex animal behaviour a stratigraphical analogue for the Anthropocene? *In:* WATERS, C. N., ZALASIEWICZ, J., WILLIAMS, M., ELLIS, M. A. & SNELLING, A. (ed.) *A Stratigraphical Basis for the Anthropocene*. Geological Society, London, Special Publications, 395, 2013.
ZALASIEWICZ, J. W. *et al.* The Antropocene: a new epoch of geological time? *Philosofical Transaction of the Royal Society* A, v. 369, p. 835-841, 2011.
______ *et al.* When did the Anthropocene begin? A mid-twentieth century boundary level is stratigraphically optimal. *Quaternary international*, 2015.
______ *et al.* Petrifying Earth Process: The Stratigraphic Imprint of Key Earth System Parameters in the Anthropocene. *Theory, Culture & Society*, v. 34, p. 83-104, 2017.

ARTICULAÇÃO NACIONAL DE AGROECOLOGIA

Paulo Petersen
Silvio Gomes Almeida

A Articulação Nacional de Agroecologia (ANA) define-se como uma rede de redes, movimentos sociais e organizações da sociedade civil constituídas desde as escalas local/territorial até a esfera nacional com o objetivo de polarizar forças sociais orientadas para a transformação das realidades agrária, agrícola e alimentar no Brasil, segundo a perspectiva da agroecologia.

Surgimento da ANA: antecedentes e contexto

O surgimento, a disseminação e a afirmação pública da agroecologia no Brasil coincidiram com o período de conquistas democráticas inaugurado na década de 1980, após duas décadas de ditadura militar, quando o projeto da Revolução Verde foi imposto à sociedade brasileira. A abertura democrática possibilitou que os movimentos sociais do campo voltassem a se expressar na cena pública. Setores ponderáveis dos movimentos e lideranças que se mantiveram ativas nos anos de chumbo, sobretudo nos espaços de ação local das Comunidades Eclesiais de Base (CEBs), convocam organizações da sociedade civil, notadamente as ONGs, que também naquele momento se recompunham ou se constituíam para prestar assessoria técnica e política às lutas camponesas em um novo contexto de avanço do capitalismo agrário. Em associação às históricas lutas pela terra e em defesa da reforma agrária, esse contexto impunha ao campesinato o desafio de incorporar novas formas de produção e resistência na terra como expressão da crítica ao avanço do modelo tecnológico da Revolução Verde [ver Campesinato].

As respostas a esse desafio convergiram para a emergência de um amplo e descentralizado processo de experimentação social de práticas de agricultura alternativa em estabelecimentos e comunidades rurais em todo o Brasil. Se, por um lado, o enraizamento local dessas experiências inovadoras é um atributo intrínseco e necessário da construção da agroecologia, por outro, encerra os riscos do isolamento social e da invisibilidade pública. A constituição da Rede Projeto Tecnologias Alternativas (Rede PTA), uma articulação de ONGs atuantes nas regiões Sul, Sudeste e Nordeste, em estreita vinculação com organizações e movimentos locais do campo, criou, no início da década de 1980, as condições para evitar a fragmentação de um movimento emergente marcado pela diversidade de sua expressão política, identitária e de suas práticas.

Inspiradas em princípios da educação popular e em ruptura com o difusionismo tecnológico próprio da Revolução Verde, a Rede PTA fomentou um enfoque metodológico para a construção de conhecimentos sensível às estratégias de reprodução dos meios e modos de vida do campesinato. Embora essas estratégias sejam peculiares aos contextos socioambientais, elas puderam ser contrastadas e analisadas em conjunto a partir de processos de sistematização e intercâmbio que fundamentaram iniciativas voltadas para a formação de agricultores(as) e técnicos(as) engajados(as) nesse movimento de agricultura alternativa.

Ainda no final da década de 1980, a agricultura alternativa ganha consistência conceitual e metodológica quando a Rede PTA toma conhecimento e incorpora a agroecologia como uma referência teórica para orientar a descrição e a análise dos sistemas de produção camponeses e suas relações com mercados e com políticas públicas.[1]

A década de 1990 foi marcada pela multiplicação de experiências e pelo adensamento de redes de agroecologia em âmbito territorial, articulando as ONGs da Rede PTA com outras ONGs, organizações camponesas e movimentos sociais de atuação local. Em variadas situações, essas redes de abrangência localizada incorporaram também prefeituras municipais e instituições de ensino, pesquisa e extensão. Entre outros avanços, essas alianças formadoras de redes territorializadas de agroecologia contribuíram para o estabelecimento de vínculos mais sistemáticos entre organizações da sociedade civil e o campo científico-acadêmico.

A série de Encontros Brasileiros de Agricultura Alternativa (EBAAs), ocorrida na década de 1980, foi de grande importância para a formulação da crítica à Revolução Verde e para a sensibilização de estudantes que, posteriormente, integraram-se como profissionais ao movimento da agroecologia. No entanto, os avanços práticos, teóricos e políticos no campo acadêmico expressavam-se ainda sob um relativo grau de isolamento, o que dificultava a visualização dessa tendência emergente e sua tradução em força social capaz de influenciar as orientações das instituições científicas. Essa constatação motivou a realização, em 1999, de um Encontro Nacional de Pesquisa em Agroecologia. Esse empenho de articulação do campo acadêmico da agroecologia foi retomado no Rio Grande do Sul nos primeiros anos da década de 2000, no contexto de um governo estadual sensível às demandas sociais pela transformação do modelo de desenvolvimento rural. O ambiente de articulação criado nesse período com a realização sistemática de seminários estaduais e nacionais proporcionou as condições para o amadurecimento de uma instituição destinada a fomentar e manter a coesão desse campo ainda disperso em instituições de ensino, pesquisa agrícola e extensão rural. Esse processo resultou, em 2004, na criação da Associação Brasileira de Agroecologia (ABA-Agroecologia).

Também no final da década de 1990, a questão da sustentabilidade socioambiental expressou-se vivamente nos debates sobre reforma agrária, que então polarizavam a agenda política nacional. Movimentos sociais agrários e socioambientalistas apontaram de forma convergente para a necessidade de realização de um encontro nacional para aprofundamento das reflexões relacionadas aos modelos de desenvolvimento rural. Parcela importante desses movimentos manifestava, já nesse momento, um ponto de vista crítico à Revolução Verde e passou assim a incorporar proposições e estratégias de ação coerentes com a agenda que então mobilizava o campo agroecológico.

Foi no bojo dessas dinâmicas de aproximação e reconhecimento mútuo entre distintos sujeitos coletivos mobilizados pela crítica ao agronegócio e pela defesa da agroecologia que se concretizou a proposta de constituição de uma articulação nacional. Caberia a essa articulação valorizar e tirar partido da diversidade das iniciativas descentralizadas e, ao mesmo tempo, favorecer a expressão unitária desse movimento emergente, portador de múltiplas identidades e afiliações político-institucionais. Uma comissão constituída por representações de ONGs, movimentos sociais agrários e ambientalistas e acadêmicos concebeu e convocou o I Encontro Nacional de Agroecologia (I ENA), evento realizado na cidade do Rio de Janeiro, em 2002.

A principal deliberação do I ENA foi a criação da ANA, inicialmente definida como "um espaço catalisador de processos e intercâmbios de socialização de experiências agroecológicas e de convergência para discussão de temáticas em nível nacional" (Articulação Nacional de Agroecologia, 2003). Desde sua criação, a ANA se propôs a afirmar e fomentar uma cultura de rede aberta, fundada nos princípios da "horizontalidade, sinergia e flexibilidade" (Articulação Nacional de Agroecologia, 2003), constituindo-se como uma plataforma de agregação de atores diversificados e expressivos do campo agroecológico em suas variadas formas de manifestação.

Os fundamentos político-metodológicos da ANA

A ANA se constituiu e vem se desenvolvendo a partir de alguns fundamentos que orientam o olhar sobre as realidades agrária, agrícola e alimentar, em busca de convergências políticas em torno de um projeto alternativo assumido por parcelas crescentes da sociedade. Esses fundamentos podem ser traduzidos em quatro principais ideias-força que cimentam a coesão política e as estratégias de ação da ANA.

Antagonismo com o agronegócio

"As experiências agroecológicas e o adensamento das forças sociais que as sustentam tornam cada vez mais evidente que o agronegócio constitui hoje o principal obstáculo para a efetivação da agroecologia como um projeto para a sociedade" (Articulação Nacional de Agroecologia, 2014, p. 10).

> O agronegócio é a expressão atual do modelo de desenvolvimento econômico que perpetua há cinco séculos a dominação das elites agrárias no meio rural brasileiro [...] É baseado em um modelo técnico altamente dependente de mecanização e irrigação intensivas e do emprego massivo de insumos industriais tais como agrotóxicos, sementes de empresas (inclusive transgênicas) e rações. Sua expansão no território brasileiro tem sido favorecida pela implantação de grandes obras de infraestrutura, tais como rodovias, hidrovias, barragens, projetos de mineração entre outras. Essas obras têm sido promovidas ou fortemente apoiadas pelos poderes públicos e resultam na expropriação de amplos setores das populações do campo que são penalizados com a perda de seus

> direitos sobre os territórios e seus recursos. Contrariamente à imagem de modernidade e de eficiência técnica e econômica propalada pela grande mídia, o agronegócio está associado na realidade a uma criminosa cadeia de impactos negativos que se irradiam no conjunto da sociedade brasileira. O que a experiência prática de populações rurais demonstra e estudos confirmam é que o modelo do agronegócio é o principal responsável pela concentração da terra, pela violência no campo, pelo êxodo rural, pelo desemprego urbano e está ainda associado à degradação sem precedentes do patrimônio ambiental – os recursos da biodiversidade, os solos e a água. Além de ser um instrumento de desagregação das culturas dos povos tradicionais, esse modelo é também o responsável pela insegurança alimentar e nutricional de famílias no campo e nas cidades e pela perda da soberania alimentar do povo brasileiro. (Articulação Nacional de Agroecologia, 2006, p. 4-5)

> Os maiores beneficiários e principais indutores desse modelo [o agronegócio] são corporações transnacionais do grande capital agroindustrial e financeiro. Apesar de seus crescentes investimentos em *marketing* social e verde, essas corporações já não conseguem ocultar suas responsabilidades na produção de uma crise de sustentabilidade planetária que atinge, inclusive, os países mais desenvolvidos. (Articulação Nacional de Agroecologia *et al.*, 2011, p. 17)

Centralidade das experiências

A ANA atribui às experiências concretas e aos seus promotores um papel central na construção política do campo agroecológico. Segundo essa concepção, a ANA deve ser orientada de baixo para cima, a partir das iniciativas locais de promoção da agroecologia nos diferentes biomas. Ao se ancorarem em estratégias de resistência e de luta por emancipação enraizadas em conhecimentos locais e altamente ajustadas a contextos específicos, as experiências expressam as capacidades dos atores de construir arranjos sociotécnicos e coesões políticas com influência sobre as trajetórias de desenvolvimento local. O exercício e o aprimoramento de práticas de sistematização e intercâmbio de experiências por movimentos sociais e redes vinculadas à ANA têm contribuído para a ruptura com abordagens generalizadoras que subestimam ou mesmo desconhecem as estratégias e propostas inscritas nas diversificadas formas com que as populações locais enfrentam seus problemas e constroem e defendem suas identidades.

Esse modo de ação, reflexão e exercício coletivo da ANA vincula-se diretamente à essência da proposta agroecológica enquanto enfoque portador de conceitos e métodos para a leitura e a ação sobre a realidade. Portanto, desafia as organizações e redes a uma permanente revisão e aperfeiçoamento de seus métodos de ação, de forma a valorizar em suas estratégias de ação as capacidades políticas e de inovação que se materializam nas experiências práticas nos territórios em que atuam.

Esse fundamento foi assim sintetizado por ocasião do II ENA:

> Um número cada vez mais significativo de trabalhadores e trabalhadoras e suas organizações em todo o país tem compreendido e incorporado o entendimento de

> que a agroecologia só terá capacidade política de transformação se for efetivamente desenvolvida através de práticas concretas que garantam o atendimento de suas necessidades e do conjunto da sociedade. Ao mesmo tempo que são experimentadas e disseminadas localmente, as práticas inovadoras do campo agroecológico constituem já embriões do novo modelo que está em construção e que inspira a formulação de um projeto coletivo de âmbito nacional. (Articulação Nacional de Agroecologia, 2006)

Sujeitos coletivos da agroecologia

As experiências de agroecologia expressam padrões de organização sociotécnica e política dos sistemas agroalimentares frontalmente contrastantes com os fundamentos econômicos e morais do agronegócio. Esses padrões são moldados por racionalidades de organização do trabalho e da vida social que enfatizam práticas de cooperação e reciprocidade na construção, gestão e defesa de bens comuns [VER BENS COMUNS E COOPERAÇÃO AGRÍCOLA]. Nesse sentido, opõem-se à lógica da privatização e da mercantilização própria do pensamento neoliberal que fundamenta o regime agroalimentar corporativo.

A sustentação política da proposta agroecológica supõe a construção de alianças entre variados segmentos da sociedade. Essas alianças devem transcender a dicotomia campo-cidade, que induz padrões de divisão social do trabalho funcionais à reprodução do capital, para estabelecer formas de intercâmbio cooperativo e solidário entre os dois polos dos sistemas agroalimentares: produtores(as) e consumidores(as).

No polo da produção, a agroecologia se expressa material e socialmente em um amplo espectro de sujeitos coletivos do campo, das florestas, das águas e das cidades, portadores de múltiplas identidades socioculturais e territoriais. A agricultura familiar camponesa, os povos indígenas, os(as) quilombolas e uma miríade de povos e comunidades tradicionais formam um rico e diversificado segmento da sociedade brasileira, portador de racionalidades próprias de organização do trabalho, de gestão dos bens naturais e de divisão da riqueza social. Essas racionalidades se traduzem em práticas autônomas de reprodução social ancoradas em conhecimentos e modos de vida que em nada se coadunam com o utilitarismo economicista e o individualismo competitivo próprios da economia política do agronegócio. Não sem razão, em um país marcado pela histórica concentração fundiária, as lutas pelo acesso aos bens naturais, a começar pela terra, e a defesa dos direitos territoriais apresentam-se como uma das frentes de mobilização do campo agroecológico articulado pela ANA. Essa ideia dá sentido à afirmação de que "[...] o direito à terra e os direitos à água, à soberania alimentar e à saúde estão fortemente associados" (Articulação Nacional de Agroecologia *et al.*, 2011).

Os processos de auto-organização das mulheres na ANA têm contribuído para a formulação da crítica feminista ao agronegócio, postulando que o patriarcado se coloca como um dos principais obstáculos à construção da agroecologia. Ao afirmarem o lema "sem feminismo não há agroecologia", elas explicitam que a construção da agroecologia prima por uma visão ética de justiça social e ambiental que pressupõe a divisão justa do trabalho doméstico e de cuidados e o compartilhamento da gestão da produção. Além disso, o projeto agroecológico é indissociável de uma vida sem violência, regida pelo respeito e pela igualdade, o que implica a garantia do direito das mulheres à plena participação na vida social e política (Articulação Nacional de Agroecologia, 2014). A crescente participação das juventudes como sujeito político da construção da agroecologia fundamenta-se também na crítica ao modelo hegemônico que tem imposto o esvaziamento do campo e a negação de direitos à realização de seus projetos sociais e profissionais enquanto agricultores e agricultoras. A agenda política das juventudes se expressa na luta por melhores condições para a sucessão rural, o que passa pelos direitos de acesso à terra, pela educação do campo e por políticas públicas de apoio à produção e à comercialização.

A contribuição das mulheres e das juventudes ao entendimento mais amplo e profundo do significado da agroecologia enquanto projeto de sociedade "enfatiza também a incorporação das lutas antirracista, antiLGBTIfóbica e demais formas de preconceito, discriminação e violência social" (Articulação Nacional de Agroecologia, 2018). Nesse sentido, em uma conjuntura marcada pela desconstituição de direitos sociais e políticos duramente conquistados pela luta do povo, a ANA explicitou o vínculo indissociável entre agroecologia e democracia no lema do IV ENA – "Agroecologia e Democracia: unindo campo e cidade".

Ação em redes

Como uma mobilização política dinamizada a partir da experiência social, a ANA constituiu-se como ponto de convergência de um leque amplo e diversificado de sujeitos individuais e coletivos cujas ações incidem desde a escala local até o âmbito nacional. Esse abrangente e heterogêneo arco de alianças configura-se como um campo unificado, cuja coesão vem sendo construída e permanentemente renovada em torno de valores e princípios que dão significado político às práticas identificadas à agroecologia. O fomento das interações em rede entre esses sujeitos sociais autônomos portadores de experiências é um princípio político-pedagógico constitutivo da ANA. São essas interações que impulsionam o movimento emergente no qual as práticas, a reflexão crítica e a ação política integram-se reciprocamente, conformando um círculo virtuoso que se expande e se fortalece com a diversificação de suas temáticas mobilizadoras e com a progressiva agregação de novas organizações, movimentos e sujeitos sociais.

Nesse universo institucional e identitário múltiplo articulado pela ANA, as organizações não governamentais (ONGs) têm assumido papeis destacados como mediadoras de interações em rede. Como expressão organizada e autônoma da cidadania crítica e ativa frente ao modelo de desenvolvimento agrário e agrícola, as ONGs integradas à ANA contribuem para construir ambientes de intercomunicação entre segmentos do movimento social portadores de identidades e bandeiras próprias, entre conhecimentos populares e acadêmicos e entre redes locais e regionais. Foram elas também as principais estimuladoras de vínculos de cooperação, de aprendizado horizontal e de ação em rede com organizações e movimentos que lutam pela democracia e pela sustentabilidade. Esse efeito catalizador resultou na criação do processo de diálogos e convergências entre os movimentos de agroecologia, de soberania e segurança alimentar e nutricional, de economia solidária, de saúde coletiva, de justiça ambiental e o movimento feminista.

Ao mesmo tempo que essa concepção de ação em rede possibilita romper o isolamento social e a invisibilidade pública das experiências contra-hegemônicas que emergem em diferentes contextos socioambientais e políticos do país, ela permite confluir práticas e saberes singulares na construção de sínteses coletivas inspiradoras de um projeto de transformação das instituições e das relações sociopolíticas que organizam os sistemas agroalimentares dominantes. Por meio dessa articulação em redes, as experiências transcendem os limites de um localismo de resistência para também serem assumidas como portadoras de uma agenda afirmativa para a sociedade.

Ao mesmo tempo que articula diferentes organizações e sujeitos coletivos, as redes da ANA estruturam-se em diferentes escalas geográficas. Concebida inicialmente como uma rede multiescalar que reconhece e se fortalece com experiências particulares enraizadas em contextos locais, a ANA incorporou aos poucos a perspectiva territorial para descrever e analisar os processos de construção da agroecologia. Como espaços de disputa com o agronegócio sobre os rumos do desenvolvimento local, os territórios configuram-se como a principal arena de construção técnica e política da agroecologia. Partindo desse entendimento, a ANA e as articulações de âmbito estadual e regional que dela fazem parte conformam-se como a projeção em escalas geográficas agregadas de redes territoriais de agroecologia. Essa concepção converge com a própria concepção de agroecologia, entendida como um enfoque para territorialização dos sistemas agroalimentares.

Formato organizativo

Para colocar em prática seus fundamentos político-metodológicos, a ANA criou, no decorrer de sua trajetória, variados espaços organizativos ajustados ao caráter de flexibilidade, de autonomia e da não sobreposição de agendas entre as organizações e movimentos, características que devem marcar uma cultura de ação em rede.

Os Encontros Nacionais de Agroecologia (ENAs) são a expressão máxima da capacidade de convocação e de convergência dos distintos segmentos sociopolíticos mobilizados pela ANA, desde os territórios até a escala nacional. Os ENAs são preparados de forma descentralizada pela ação de redes e movimentos estaduais e regionais, a partir da sistematização de experiências e do debate de temas mobilizadores que articulam as experiências práticas locais com o debate político em âmbito nacional.

Participantes dos ENAs, em sua maioria agricultores e agricultoras, são portadores de reflexões críticas construídas no curso da preparação dos encontros. A síntese política dos debates nos ENAs está registrada nas cartas políticas, que expressam convergências tanto na leitura do contexto sociopolítico quanto em proposições e estratégias para o avanço da agroecologia nos territórios e nas políticas públicas.

O I ENA, realizado em 2002, no Rio de Janeiro, possibilitou uma primeira aproximação e reconhecimento mútuo do campo identificado àquele momento com a proposta agroecológica. Quatro anos depois, em Recife, o II ENA explicitou o antagonismo político e ideológico da agroecologia com o agronegócio, afirmando publicamente a impossibilidade da coexistência dos dois modelos. Posteriormente, em 2011, a ANA empenhou-se na construção do Encontro Nacional Diálogos e Convergências: Agroecologia, Saúde e Justiça Ambiental, Soberania Alimentar, Economia Solidária e Feminismo, realizado em Salvador. O processo que levou ao encontro e seus debates possibilitaram a ampliação do arco de alianças políticas com outras redes e movimentos sociais por meio do exercício compartilhado da análise sobre as disputas e conflitos territoriais que expressam a incompatibilidade e o irreconciliável antagonismo entre o modelo de organização social e econômica fundado no capitalismo industrial e financeiro e um projeto popular, democrático e sustentável para o Brasil.

Com o III ENA, realizado em 2014, a ANA dá continuidade a essa construção, buscando ampliar diálogos com a sociedade ao lançar uma pergunta orientadora da luta contra-hegemônica: "Por que interessa à sociedade apoiar a agroecologia?". Lançada no III ENA, essa pergunta é expressão de um momento histórico em que a agroecologia deixava de ser uma proposição essencialmente de movimentos rurais para alcançar crescente reconhecimento social e político por segmentos mais amplos da sociedade. Uma das evidências dessa ampliação de escopo foi o debate sobre práticas de agricultura urbana sistematizadas em diferentes regiões do país, amadurecendo as condições para a criação de um espaço de articulação específico nessa temática: o Coletivo Nacional de Agricultura Urbana.

Concorreram para esse reconhecimento ampliado da agroecologia a instituição de políticas públicas para o desenvolvimento rural e para o abastecimento alimentar que valorizaram os potenciais multifuncionais da agricultura familiar, contribuindo para a construção de vínculos diretos entre a produção alimentar diversificada e o consumo de alimentos saudáveis. No bojo desse processo de institucionalização de políticas coerentes com agroecologia em vários ministérios e órgãos públicos, a ANA se empenhou na mobilização de forças sociais em defesa de um enfoque integrador das dimensões econômica, social, ambiental e cultural nas ações do Estado na regulação das dinâmicas do desenvolvimento rural e agrícola. A Política Nacional de Agroecologia e Produção Orgânica (Pnapo), instituída em 2012 em resposta direta às demandas apresentadas por mulheres rurais na Marcha das Margaridas, representou a culminância dos processos de incidência política da ANA sobre as orientações do Estado. O III ENA foi a oportunidade para a ANA, a partir da realidade dos territórios, debater os avanços e os limites das políticas públicas instituídas pelo governo federal. Ao mesmo tempo que reconhece os avanços conquistados, a carta política do encontro denuncia "veementemente a aliança entre o Estado brasileiro e as forças que sustentam e se beneficiam do modelo social e ambientalmente criminoso do agronegócio" (Articulação Nacional de Agroecologia, 2014, p. 11).

Realizado em 2018, após o golpe que destituiu o governo federal democraticamente eleito, o IV ENA foi essencial para reposicionar a ANA no novo cenário político, marcado pela desconstituição de direitos sociais e políticas públicas e pela consolidação das forças reacionárias nos aparelhos do Estado. Ao explicitar o vínculo direto entre agroecologia e democracia, o IV ENA enfatiza a necessidade de fortalecimento e diversificação de espaços organizativos autônomos integrados à dinâmica da ANA. Essa orientação estratégica reconhece e reforça o processo de multiplicação e adensamento de redes de âmbito territorial e articulações estaduais de agroecologia em curso nas várias regiões do Brasil.

Fazendo contraponto ao *marketing* ideológico do agronegócio, o IV ENA reafirmou a necessidade de seguir dando respostas à pergunta do III ENA com a produção de evidências concretas de que à sociedade interessa apoiar a agroecologia. Sua carta política enfatiza que

> Somente com o compromisso de buscar a unidade na diversidade seremos capazes de dar passos rumo à construção de um projeto democrático e popular para o Brasil. Temos a clareza da dimensão estratégica da aliança entre a comunicação popular e a educação do campo para fortalecer as lutas contra-hegemônicas. (Articulação Nacional de Agroecologia, 2018)

Temas mobilizadores dos debates na ANA são abordados de forma sistemática por grupos de trabalho (GTs) e coletivos temáticos. Na medida em que tratam de temas mobilizadores, esses espaços de interação temática têm vigência mais ou menos permanente em função de conjunturas particulares e pautas políticas específicas.[2] Por meio de processos de auto-organização, mulheres e juventudes constituíram grupos de trabalho próprios para organizar a sua expressão coletiva nos espaços temáticos e demais espaços organizativos da ANA.

Como espaços autônomos constituídos por representantes de organizações e movimentos de diferentes regiões do país, esses GTs e Coletivos configuram-se como redes internas à ANA. Eles têm a vocação de aprofundar seus respectivos campos temáticos e adensar processos de auto-organização a partir do intercâmbio e reflexão crítica sobre os condicionamentos político-institucionais, culturais, técnicos e econômicos para o desenvolvimento de experiências locais de agroecologia e a afirmação de seus sujeitos coletivos. Alguns desses espaços organizativos exerceram influência importante em arenas públicas específicas nas quais são elaboradas e monitoradas políticas públicas.[3]

Para assegurar um processo sistemático de atualização da leitura das conjunturas e estabelecer campos consensuais de atuação estratégica, a ANA organiza-se em uma plenária nacional composta por representações de movimentos, redes e organizações de todas as regiões ativas na sua construção. Isso significa que a dinâmica constitutiva da ANA é permanentemente ativada e atualizada pela ação cooperativa e consensuada de atores coletivos empenhados em expressar uma aliança coletiva em defesa das ideias e proposições consolidadas nas cartas políticas dos ENAs.

As diretrizes estratégicas definidas nos ENAs e nas plenárias são operacionalizadas e coordenadas em conjunto por duas instâncias executivas:

a) um núcleo executivo composto por representações de diferentes regiões e sujeitos coletivos que tem por atribuição principal a mediação política entre os espaços organizativos regionais e temáticos e a plenária da ANA. Desse ponto de vista, configura-se como um espaço de permanente atualização da reflexão crítica das conjunturas a partir da ausculta às redes regionais e temáticas visando definir prioridades e captar e elaborar proposições de ação comum;

b) uma secretaria executiva, vinculada ao núcleo executivo, assume a implementação prática das deliberações da ANA.

Esse formato organizativo está concebido para fomentar um movimento social emergente a partir da interação positiva entre entes políticos autônomos. Não se fundamenta, portanto, em formas organizativas hierarquizadas baseadas no princípio da representatividade. Sua vitalidade enquanto ator político depende de uma coesão interna e uma legitimidade externa mantidas e desenvolvidas pelo exercício permanente de diálogos e convergências na construção de unidades políticas que valorizam e tiram partido da necessária diversidade de expressões políticas e institucionais do campo agroecológico. O vigor e a permanência dessa vocação da ANA dependem da crescente adesão dos sujeitos que a constituem a uma cultura de ação em redes abertas fundadas na horizontalidade e na autonomia política.

Referências

ARTICULAÇÃO NACIONAL DE AGROECOLOGIA. *Carta aos Participantes do I ENA*. Rio de Janeiro, 2003. (Documento enviado pelo Núcleo Executivo da ANA – não publicado). Disponível em: https://agroecologia.org.br/wp-content/uploads/2019/09/Carta-aos-participantes-do-I-ENA_Constru%-C3%A7%C3%A3o-da-ANA.pdf. Acesso: 15 jan. 2021.

______. *Carta Política do II Encontro Nacional de Agroecologia*. Rio de Janeiro, 2006. Disponível em: https://agroecologia.org.br/wp-content/uploads/2019/09/carta-politica-iiena-pdf.pdf. Acesso em: 15 jan. 2021.

______. *Carta Política do III Encontro Nacional de Agroecologia*. Rio de Janeiro, 2014. Disponível em: https://agroecologia.eita.org.br/wp-content/uploads/2014/07/carta-politica-iii-ena.pdf. Acesso em: 15 jan. 2021.

______. *Carta Política do IV Encontro Nacional de Agroecologia*. Rio de Janeiro, 2018. Disponível em: http://enagroecologia.org.br/files/2019/03/carta_politica_web.pdf. Acesso em: 15 jan. 2021.

ARTICULAÇÃO NACIONAL DE AGROECOLOGIA *et al. Carta Política do Encontro Nacional Diálogos e Convergências;* agroecologia, saúde e justiça ambiental, soberania alimentar, economia solidária e feminismo. Rio de Janeiro, 2011. Disponível em: https://agroecologia.org.br/2013/01/24/carta-politica-do-encontro-nacional-de-dialogos-e-convergencias-2/. Acesso em: 15 jan. 2021.

Notas

1 A publicação do livro *Agroecologia: as bases científicas da agricultura alternativa*, de autoria de Miguel Altieri, bem como a realização de um curso com o autor para técnicos da Rede PTA são marcos nessa trajetória evolutiva. Coordenadas pela AS-PTA, ambas as iniciativas ocorreram em 1989.

2 Os espaços temáticos da ANA vigentes após o IV ENA são os GTs de "Biodiversidade" e de "ATER – Assistência Técnica e Extensão Rural" e os Coletivos de "agricultura urbana" e de "comunicação e cultura".

3 Como exemplos de incidência dos GTs da ANA em espaços oficiais de debate sobre políticas públicas destacam-se: a) o GT Biodiversidade, nos debates sobre o marco legal referente às sementes e outras políticas incidentes no campo; b) o GT Soberania e Segurança Alimentar e Nutricional, nos debates sobre o Programa de Aquisição de Alimentos da Agricultura Familiar (PAA) e o Programa Nacional de Alimentação Escola (Pnae); c) o GT Construção do Conhecimento Agroecológico sobre a Política Nacional de Assistência Técnica e Extensão Rural (Ater); d) o GT Mulheres, sobre programas voltados às mulheres rurais e sobre o desenho de editais públicos de Ater.

ARTICULAÇÃO NO SEMIÁRIDO BRASILEIRO (ASA)

Naidson Quintela
Alexandre Pires

Criada no ano de 1999, a Articulação Semiárido Brasileiro (ASA) é uma rede de organizações sociais que tem como princípio mobilizador a convivência plena com o Semiárido brasileiro, região geográfica que ocupa 12% do território nacional, 1,03 milhão de km² distribuídos em 1.262 municípios, presente em todos os estados do Nordeste e no norte de Minas Gerais, com uma população aproximada de 27 milhões de pessoas, 12% da população nacional (vide Resolução 115, de 23 de novembro de 2017, da Sudene). O Semiárido Brasileiro é considerado o mais populoso quando comparado a outras regiões semiáridas do planeta. Ao nascer, a ASA propõe o paradigma da convivência com o Semiárido, por meio do qual se busca estabelecer possibilidades e meios de conviver com a natureza e as condições ambientais com base no conhecimento e nas experiências exitosas das famílias agricultoras, e denuncia, de forma contundente, o combate à seca, paradigma que objetiva a manutenção do *status quo* por meio de políticas excludentes, assistencialistas e dominadoras. Formada por mais de 3 mil organizações da sociedade civil de distintas naturezas – sindicatos e federações rurais, associações de agricultores e agricultoras, cooperativas, ONGs, pastorais sociais, grupos de mulheres, grupos de juventude, grupos identitários e movimentos sociais diversos –, a ASA é uma rede que defende, propaga e põe em prática, inclusive por meio de políticas públicas, o Programa de Formação e Mobilização Social para a Convivência com Semiárido, onde se destacam o Programa Um Milhão de Cisternas (P1MC), o Programa Uma Terra e Duas Águas (P1+2), o Programa Cisternas nas Escolas e o Programa Sementes do Semiárido. A ASA surge para criar e fortalecer o Programa de Formação e Mobilização Social para a Convivência com o Semiárido, e é com essa perspectiva que apresentamos o verbete Articulação no Semiárido Brasileiro.

Histórico, estrutura organizativa e conteúdo mobilizador

Em 1999, o Semiárido passava por mais uma forte seca, e o Estado brasileiro se mostrava ineficiente diante da tragédia humana vivenciada: mortalidade infantil e de idosos, perda de lavouras, morte dos animais, desemprego, fome, misérias, êxodo e doenças decorrentes da seca. Nesse mesmo ano aconteceria a 3ª Conferência das Partes da Convenção Internacional para o Combate à Desertificação, sediada na cidade de Recife, fechada e sem garantir a participação da sociedade civil; como alternativa para disputar o debate da conferência, as organizações sociais organizaram um fórum paralelo, pelo qual a sociedade civil participou e fez ecoar sua voz, suas denúncias e suas propostas.

Como propostas concretas para enfrentar os muitos problemas decorrentes das secas, entre eles o acesso à água potável, a sociedade civil afirmava que a mais rápida e melhor forma para garantir água para todas as famílias do meio rural seria a implantação de um milhão de cisternas de placas; daí surge, em 1999, o Programa de Formação e Mobilização Social para a Convivência com o Semiárido: Um Milhão de Cisternas (P1MC). Junto com o programa, a sociedade civil lança uma carta de princípios para orientar a ação das organizações e as políticas de convivência com o Semiárido, a Carta de Princípios do Semiárido, e, por fim, se cria uma rede de organizações da sociedade civil para implementar as propostas ali apresentadas; assim surge a Articulação Semiárido Brasileiro (ASA), chamada, naquele período, Articulação no Semiárido Brasileiro. O surgimento da ASA é um marco importante no Semiárido e no país, pois amplificava a luta por direito à água a partir de propostas concretas para o enfrentamento dos efeitos das secas, ampliava as denúncias de políticas de combate à seca que só garantiam a concentração de terra, água e poder na mão de poucos, e constituía um novo paradigma de desenvolvimento para a região, a convivência com o Semiárido, que tem sua base técnico-científica nos conhecimentos locais e na sistematização destes.

Fundada em 1999, a ASA é resultante dos processos históricos de lutas na região por água, terra, trabalho e alimentos. A história do semiárido sempre foi marcada por fortes estiagens e lutas populares, e experiências que no seu dia a dia denunciavam as injustiças, as formas de exploração e opressão, e pautavam vivências e organizações sociais mais justas e comunitárias. Entre elas estão: Canudos, com a figura de Antônio Conselheiro; Caldeirão, com o beato José Lourenço; Pau de Colher, com o beato Severino; Quilombo dos Palmares e a constituição de outros quilombos e as revoltas indígenas. Lutas estas todas reprimidas pelo Estado brasileiro com força e armas, inclusive com o uso das Forças Armadas. A ASA é também resultado das lutas mais recentes pela redemocratização do país.

Na esteira destas lutas sociais e manifestações significativas se podem computar, com destaque, a ocupação da Sudene em 1993; coordenado pela Contag com o apoio de outras organizações, mobilizou mais de 400 trabalhadores e trabalhadoras de todo os estados do Nordeste. A ocupação foi motivada pela situação de miséria e fome pela qual passavam o povo do semiárido com três anos consecutivos de seca e pela negligência do governo federal, que ignorou essa situação.

A ação da ASA é resultado do trabalho de base de organizações sociais e comunidades locais que se dedicaram a desenvolver experiências, em uma dupla perspectiva: *de um lado*, organizar mais a população injustiçada e explicitar para o Estado e a sociedade as políticas errôneas, as explorações dirigidas à população e, *de outro*, identificar, desenvolver e aperfeiçoar com as comunidades experiências de resistência existentes no Semiárido, analisando a potencialidade destas de se constituir em políticas.

Costuma-se creditar à natureza, especialmente à falta de chuvas, a fome ainda existente, a expulsão de sua gente pela migração, as mortes e o não acesso a oportunidades por parte de sua população. Coloca-se, assim, na conta da natureza os resultados das ações inócuas e de exploração do povo pelas elites. Desta forma, essa exploração se transforma em algo "naturalizado" e, até mesmo, como algo do querer de Deus.

Ao nascer, a ASA questiona paradigmas em torno do Semiárido:

- o combate à seca, baseado no assistencialismo, dominação, dependência e exclusão, voltado para o desenvolvimento industrial da região e de ações paliativas que privilegiavam o poder político e econômico local;
- o modelo de participação e definição das ações para o semiárido, cujas decisões ficam restritas a gabinetes e aos interesses de grupos políticos e econômicos, em detrimento da participação do povo sobre seu destino e projeto para a região;
- modelo de desenvolvimento em que as ações e financiamentos, com recursos do Estado brasileiro, privilegiavam obras na lógica do combate à seca, mantendo o domínio político e econômico sobre a terra e gerando a concentração da água;
- questiona o paradigma sobre a visão que a sociedade brasileira construiu dos povos do semiárido, como pessoas ignorantes e atrasadas; do semiárido como um lugar da negação, da não possibilidade.

O paradigma defendido pela ASA parte da compreensão e do reconhecimento de que tais problemas não são consequências da natureza, são de ordem política e da visão de desenvolvimento que se baseia nos limites, e não nos conhecimentos, gerados localmente; portanto, ao mesmo tempo que questiona, a ASA propõe o paradigma da *Convivência com o Semiárido*, através do qual se busca estabelecer possibilidades e meios de conviver com o ambiente, aproveitar as potencialidades e conhecimentos locais que reconhecem e valorizam as diversas formas e estratégias adotadas por agricultores e agricultoras familiares, suas comunidades e organizações. Conviver com a natureza é aquilo que todos os povos fazem. Combater não gera resultados sustentáveis.

A ASA explicita um conflito de paradigmas: *de um lado*, um modelo que defende a acumulação da água, da terra e das oportunidades e, por isso mesmo, provocador de injustiças, opressão e dependência socioeconômica e política das populações do semiárido; *e, de outro*, o paradigma do compartilhar, da produção de conhecimentos, da participação, de promoção da vida e da oportunidade para todos. Com isso, a ASA também destaca que conviver com o Semiárido não é conviver com as secas, porque seria muito pouco; a convivência com o Semiárido busca partir da observação das pessoas em diálogo com a natureza, com seus múltiplos biomas, com sua gente bonita, valorosa e combativa, com seu conhecimento, sua cultura, sua vida, seu modo de produzir.

Para a ASA, a convivência com o Semiárido se torna mais efetiva se, para além dos elementos já levantados, permite às famílias agricultoras uma maior capacidade de estoque, com destaque para o estoque de água para consumo humano e para a produção de alimentos; estoque de alimentos para animais e pessoas, com destaque para o estoque de material genérico adaptado e conservado localmente, junto à conservação da Caatinga e suas múltiplas possibilidades de armazenamento de vida e de criar animais adequados à região.

A ASA conecta pessoas organizadas em entidades que atuam em todo o Semiárido, defendendo os direitos dos povos e comunidades da região. As entidades que integram a ASA estão organizadas em fóruns e articulações nos dez estados que compõem o Semiárido brasileiro (MG, BA, SE, AL, PE, PB, RN, CE, PI e MA) e, para ampliar seu processo de formação e mobilização social, a ASA também lança mão de outros processos organizativos, como as Comissões Municipais da ASA, que estão em cada município onde atuam as organizações-membros da ASA, com o papel de controle social das políticas públicas e de mobilização social. Entre seus espaços prioritários está o Encontro Nacional de Agricultores e Agricultoras Experimentadoras e o Encontro Nacional da ASA (EnconASA), que mobilizam processos com centenas de experiências de agricultores e agricultoras, em uma perspectiva de troca de saberes e defesa de posições políticas e formulação de políticas e orientações para sua atuação no Semiárido.

Programas, metodologia e relação com o Estado

Materializando o paradigma da convivência, a ASA construiu o Programa de Formação e Mobilização Social para a Convivência com o Semiárido, inicialmente com o Programa Um Milhão de Cisternas (P1MC), hoje com mais de 1,2 milhão de unidades construídas que garantem água para beber, e, depois, ampliando com o Programa Uma Terra e Duas Águas (P1+2), que somando-se à ação dos estados, conta com mais de 200 mil famílias com acesso a uma segunda estrutura de água para produção; o Programa Cisternas nas Escolas e o Programa Sementes do Semiárido.

O P1MC foi tido como uma iniciativa provocadora, ousada, sonhadora, que sugeria metodologias e meios concretos de se implementar o armazenamento da água para o consumo de 1 milhão de famílias/5 milhões de pessoas no Semiárido. O Programa Um Milhão de Cisternas não era apenas uma intencionalidade; propunha uma quantidade determinada de cisternas por estados e regiões, continha os custos para a ação, descrevia seu processo metodológico e descrevia claramente como deveriam ser construídas as tecnologias. Ou seja, uma política universal, sob a gestão da sociedade civil, mas que, para ser efetivada, precisaria contar com a parceria do Estado, em especial o governo federal, bem como governos estaduais, iniciativa privada, agências internacionais e doações institucionais e pessoais.

Com o P1MC, a ASA teve a oportunidade de trazer para a prática o que antes as organizações externavam em seus discursos; executar e visibilizar uma política que garantia de forma efetiva água para as famílias do Semiárido permitiu à ASA trazer para o seio da sociedade o debate aberto sobre o paradigma da convivência em contraponto ao combate à seca; a ASA teve a oportunidade de mostrar que o protagonismo dos/as agricultores/as experimentadores/as na construção de suas histórias se mostrava mais eficiente que qualquer outra forma de pensar o desenvolvimento local. Para esta disputa, a ASA entendeu que precisaria montar uma forte estratégia de comunicação, inclusive para combater o forte processo de violência simbólica que vivia o povo do Semiárido.

O processo de comunicação construído pela ASA buscou romper com o paradigma que concebia o Semiárido como um lugar de pessoas ignorantes e um lugar inviável. Dar visibilidade às experiências concretas de convivência com o Semiárido, que se materializam seguindo os princípios da *agroecologia*, resgatando e valorizando as capacidades de inovação dos agricultores e agricultoras como sujeitos políticos ativos, e não apenas recebedores de conhecimentos. Fortalecendo a perspectiva da construção coletiva do conhecimento, as formações e capacitações não como práticas de técnicos para agricultores, mas na dimensão do intercâmbio de experiências. Assim, a ASA vai se constituindo como um sujeito político na construção de um semiárido vivo e viável.

Assumindo esta perspectiva política e metodológica, a ASA decide abrir o leque de suas ações de convivência, ao constatar que apenas a água para consumo das famílias não era suficiente. A poucos passos das famílias, as escolas frequentadas por seus filhos não funcionavam por falta de água. Assim, a ASA decide trabalhar com água nas escolas e consegue sensibilizar seus parceiros para esta empreitada, surgindo novos desafios, aprendizagens e metodologias.

O programa Cisternas nas Escolas abre a necessidade de negociação com o município e o poder público local. As escolas onde se constroem as cisternas são um equipamento público e atuar com elas exige anuência do governo municipal, para que se comprometa com a sustentabilidade do processo; exige relacionamento direto com os professores e professoras, funcionários que servem na escola e com os próprios estudantes.

Com todos os desafios enfrentados hoje, com uma política de dotar as escolas do semiárido com água que garanta seu funcionamento, instalou-se mais uma possibilidade para o avanço da convivência. Destaque nesta experiência é o processo de formar professores e alunos na perspectiva da educação contextualizada para a convivência com o semiárido. A escola sediada no semiárido não pode ignorar esta realidade, dado que vive situada e datada neste contexto e é para conviver com ele que deve preparar seus estudantes.

Aprofundando o escutar da natureza e da riqueza de experiências das comunidades, a ASA se abre para outra linha de ação, denominada de água para produção. Trata-se do programa Uma Terra e Duas Águas (P1+2), com a implantação de tecnologias que captam e armazenam a água de chuva para a produção. A ASA busca, então, que este armazenamento seja também familiar, de forma que cada família possa ter água destinada a dinamizar experiências produtivas de pequenas irrigações, de hortas, de pomares, de criatórios de animais, experiências estas situadas no campo da agroecologia. Forma-se, assim, um conjunto forte de possibilidades de acesso à água no semiárido e, com isso, de acesso a vida. Água de consumo humano, água para as escolas e água para a produção.

Nessa parte do caminho se identificou que os/as agricultores/as possuíam e possuem tecnologias adequadas para armazenar a água para a produção: cisternas calçadão, cisternas de enxurrada, barragens subterrâneas, barreiros-trincheiras, barrinhas, tanques de pedra e outras. A ASA localizou, no diálogo com as comunidades, essas tecnologias e, a partir da vivência com os agricultores, as sistematizou e as aperfeiçoou com os agricultores e as propôs como políticas.

O arco da convivência não se fecha com a água, nas suas várias dimensões. E é fundamental que seja ampliada. Deste modo, a ASA se projeta em caminhos como o das sementes crioulas. Servindo-se de experiências de sucesso realizadas em vários pontos e comunidades do semiárido, consegue-se que o governo brasileiro, por meio do Ministério do Desenvolvimento Social e empresas públicas como o Banco Nacional de Desenvolvimento (BNDES) e a Fundação Banco do Brasil (FBB), abracem a perspectiva das sementes crioulas como mais um componente da convivência. Sementes que garantem a autonomia dos agricultores e agricultoras, pois ao possuí-las armazenadas, no âmbito da família ou da comunidade, materializa-se a liberdade e a autonomia frente aos programas de distribuição assistencialistas e, por vezes, inadequadas, de sementes realizadas pelos governos.

O Programa Sementes do Semiárido é uma estratégia para ampliar a segurança e a autonomia das famílias agricultoras sobre suas sementes. Uma estratégia que fortalece os processos de organização comunitária e o espírito de solidariedade, cria condições para que os agricultores e agricultoras se encontrem com sua história, seus antepassados, sua região, sua cultura e amplie a disponibilidade de sementes crioulas para os períodos mais oportunos para o plantio. Retira os agricultores das mãos das empresas de *agrotóxicos* e *transgênicos*.

Relação com o Estado, controle social e relação com outros semiáridos

A experiência da ASA é inovadora e saiu da lógica de execução de projetos localizados para a construção de uma política pública gestada em grande parte pelas organizações da sociedade civil para todo o Semiárido; porém, construir políticas significava se abrir para o diferente, principalmente se relacionar com o estranho mundo de funcionamento do Estado por meio dos governos e de suas estruturas, Estado este que não foi organizado para se relacionar com a sociedade civil, carecendo de marco legal, o que requereu novos aprendizados, conhecer e se adaptar ao funcionamento da máquina estatal, construir outras formas de gestão da coisa pública, disputar e construir processos de diálogo, negociação e muitas vezes, enfrentamentos. Neste processo, uma certeza: "se queremos mudar a relação Estado/sociedade, temos de sair do campo dos projetos para o das políticas". Em outras palavras, no dizer de um agricultor da Bahia "para pobre tem projeto, para rico tem política. A convivência com o Semiárido precisa disputar a política". No entanto, neste caminho, a metodologia de debater, propor e enfrentar o Estado se manifestava diante das seguintes situações:

- necessidade de apresentar propostas concretas e com argumentos de análise mais consistentes, e não apenas intencionalidades do que fazer;
- relação mais sistemática com a estrutura estatal institucionalizada, necessidade de atuar

de forma articulada, e não de forma isolada.

Esse processo de diálogo com o Estado não se deu de forma fácil; contudo, a ASA elegeu como prioritários os espaços dos conselhos de controle social e construção de políticas (em âmbito nacional, estadual e regional/municipal) como fundamentais para a irradiação do conceito de convivência com o semiárido. No Consea Nacional, no Condraf, no Conselho de Economia Solidária, na Cnapo e variadas comissões em escala nacional; compor os Conseas estaduais, os Conselhos de Desenvolvimento, Conselhos da Criança e do Adolescente, Conselhos de Assistência Social, ascendendo, inclusive, às presidências de alguns deles como forma fundamental para pautar a convivência tanto no campo das formulações quanto no apontamento nos debates do orçamento público federal. E foi assim que se conseguiu inserir a convivência com o semiárido no orçamento já em 2003, ampliando a ação em 2007, e até construir um marco legal com a lei das cisternas em 2013. O Consea teve um papel determinante nessa conquista, ao defender a água como elemento básico para a segurança alimentar dos povos.

Como afirma conhecido especialista em semiárido, o Professor Haroldo Schuster, fundador do Instituto Regional da Pequena Agropecuária Apropriada (IRPAA), conviver é ouvir da natureza como lidar com ela, o que se deve e pode plantar, o que guardar de alimentação para pessoas e animais, o que e como guardar de água para consumo e produção, o que criar, o que conservar e proteger.

Projetar uma política universal de acesso à água é uma inovação que trouxe vários aprendizados, tanto para o Semiárido como para outras regiões do pais, e hoje, os princípios desta ação já estão presentes em outras regiões semiáridas do planeta, com destaque para o Programa Um Milhão de Cisternas para a região do Sahel, que congrega 14 países da África Subsaariana, e o processo de construção de cisternas e troca de experiências entre a ASA e organizações sociais e de pesquisa da região do Chaco, que compreende parte da Argentina, da Bolívia e do Paraguai, e do corredor seco da América Central, que engloba Guatemala, El Salvador, Honduras e Nicarágua.

Para saber mais

SANTOS, A. P. S.; COSTA, C. J. S.; LAVCRATO, F. *et al.* (orgs). Representações do semiárido [Livro eletrônico]. Campina Grande: Insa, 2017. Disponível em: https://portal.insa.gov.br/acervo-livros/1091-representacoes-do-semiarido. Acesso: 15 jan. 2021.

CONTI, I. L.; SCHROEDER, E. O. (org.). *Convivência com o Semiárido brasileiro, autonomia e protagonismo social.* Editora IABS: Brasília, 2013.

LIMA, J. R. T. (org.). *Agroecologia e movimentos sociais.* Edições Bagaço. Recife. 2011.

PONTES, E. T. M. *Transições paradigmáticas: do combate à seca à convivência com o semiárido nordestino, o caso do programa Um Milhão de Cisternas no município de Afogados da Ingazeira – PE.* Editora Universitária UFPE: Recife, 2010.

Site

ASA: http://asabrasil.org.br/acervo/publicacoes

B

BENS COMUNS[1]

Julianna Malerba

Os comuns se referem a práticas coletivas e auto-organizadas de compartilhamento equitativo e gestão democrática de recursos (materiais ou imateriais), serviços ou espaços. Essas práticas se regem pela adoção de princípios de não apropriação permanente e exclusiva de bens considerados essenciais à sobrevivência, à manutenção da coesão social e à garantia de autonomia. São exemplos a criação de sistemas de produção e compartilhamento de conhecimento, como o desenvolvimento colaborativo de *softwares* livres; os acordos que regulam as práticas de manejo, conservação e uso comum da biodiversidade por comunidades camponesas e povos tradicionais e as normativas que as protegem; o desenvolvimento de sistemas de distribuição e gestão comunitária das águas; as cidades, como produção social e coletiva de espaços compartilhados e as lutas que buscam protegê-las dos cercamentos e privatizações promovidos pela urbanização neoliberal; a instituição de regimes jurídicos que garantem o uso coletivo dos camponeses e das comunidades sobre suas sementes; etc.

Essa definição implica considerar que o caráter comum atribuído a um determinado bem não está dado por características intrínsecas, próprias à sua natureza. Isso significa dizer que atmosfera, água, biodiversidade, ruas, parques, bibliotecas, conhecimento, espectro eletromagnético etc. são reconhecidos e reivindicados como bens de uso comum porque as sociedades assim os têm constituído historicamente. Os bens comuns, portanto, são *resultados* de decisões políticas tomadas por coletividades que se sentem vinculadas àquele bem, que dele fazem uso e que têm interesse em sua conservação e ampliação (Helfrich, 2008). Nesses termos, o próprio processo de *comunização* — isto é, a constituição de "sistemas sociais e jurídicos para administração dos recursos compartilhados de uma maneira justa e sustentável" (Bollier *apud* Leroy, 2016, p. 2) — é parte constitutiva dos bens comuns, porque é por meio dele

B

que esses bens são produzidos como tais e mantidos desmercantilizados.

Sob essa perspectiva, alguns autores (Laval; Dardot, 2015; Mattei, 2013) consideram os comuns como um *princípio político* que tem influenciado as agendas e práticas políticas de um conjunto de lutas e movimentos críticos ao contexto de intensa privatização imposta pelo neoliberalismo e de esgotamento das formas representativas de participação política. Em suas análises, sustentam que as resistências a novas formas de cercamento e privatizações têm revelado um mundo de relações comunais até então pouco valorizadas, mas também produzido novas formas de cooperação que se contrapõem à racionalidade capitalista e à *lógica normativa* (da competição, do mercado, do individualismo, do consumo, das soluções privadas) imposta pelo neoliberalismo [VER COOPERAÇÃO AGRÍCOLA]. Esse regime de práticas, lutas e instituições apontariam para um "porvir não capitalista" que visa sua superação (Laval; Dardot, 2016).

Com efeito, *bens comuns* ou *comuns* são termos usados contemporaneamente para nomear recursos de uso compartilhado e as práticas que os produzem e protegem. Eles têm como referência o processo histórico de erradicação dos direitos consuetudinários sobre os usos de terras comuns (*commons*) na Inglaterra entre os séculos XVII e XIX. Esse processo se consolidou mediante o cercamento (*enclousures*) de áreas de acesso comunal que representavam fontes complementares de alimento, pastagem e madeira para famílias camponesas. Privada da terra e de seus meios de subsistência, uma enorme massa de camponeses foi obrigada a vender sua força de trabalho, não podendo mais contar com os recursos coletivos para garantir a sua reprodução social. Embora historiadores como Bloch (2001) e Thompson (1997) tenham demonstrado que o processo de consolidação do individualismo agrário (em contraposição aos direitos e ao uso comum da terra) não ocorreu de forma linear, homogênea e progressiva, tendo havido bloqueios e retrocessos que buscavam neutralizar os resultados dos cercamentos, os efeitos cumulativos desse processo transformariam definitivamente as relações sociais de produção (definindo o predomínio da forma assalariada) e estabeleceriam um processo crescente de monetarização das relações econômicas.

Os cercamentos das terras comunais na Europa Ocidental e o processo de colonização das Américas – episódios fundantes da modernidade capitalista – viabilizaram, por meio da destruição de bens comuns, a acumulação primitiva a partir da qual o capitalismo se desenvolveu (Mattei, 2013). A percepção de que esse modelo de acumulação originária se mantém como um processo contínuo tem feito com que a antiga noção de *commons* se torne uma referência metafórica para as ações e os discursos que visam resistir à dinâmica privatista contemporânea.[2] No entanto, seria um erro afirmar que o nomadismo intertemporal (entre passado e presente) do conceito signifique a reivindicação pela crítica anticapitalista de um retorno a um passado idílico comunal. Essa elaboração se relaciona a processos absolutamente contemporâneos de resistência às dinâmicas do capital e à sua tendência de expandir as relações mercantis e a propriedade privada a todas as esferas da vida.

Além disso, a etimologia da palavra comuns nos informa sua origem latina, derivada da palavra *munus*, que significa "encargo, dever, ofício, tarefa". Originalmente, comum significou "ato de repartir deveres em conjunto", sendo uma expressão correlata ao conceito de reciprocidade, pois em *munus* a ideia de encargo é acompanhada do sentido de dom. Quem participa de um *munus* recebe um dom pelo qual se sente obrigado a retribuir (Lipietz, 2012). Essa dimensão de socialização do trabalho e de prática coletiva presente na origem da palavra também tem possibilitado a construção de relações semânticas entre os antigos e os novos comuns.

Comuns e questão agrária no Brasil

A história do Brasil é rica em exemplos que demonstram a inexistência de qualquer identificação afetiva das elites com as demais classes sociais. Suas práticas políticas sempre se deram no sentido de garantir a máxima lucratividade, no mais curto intervalo de tempo e por meio da apropriação privada de bens públicos e comuns. Suas escolhas estiveram marcadas pela permanente ausência de um projeto inclusivo e de valorização da nossa diversidade social (Holston, 2013; Sousa, 2017).

Isso fez com que o processo de neoliberalização assumisse no país feições particulares em relação à experiência fordista-keynesiana dos países do centro. Aqui, a promessa de integração ao modo de produção capitalista foi sempre um projeto incompleto que não alcançou o conjunto da sociedade nem em termos de inserção no mundo do trabalho assalariado nem tampouco em políticas de proteção e bem-estar social. Um conjunto significativo de homens e mulheres pobres – em geral, de ascendência africana ou origem indígena – se manteve à margem do sistema ou foram incluídos de maneira funcional e subalternizada, ora dando suporte a uma economia escravocrata e agroexportadora, ora viabilizando um processo de industrialização centrado na produção de metrópoles e na exploração de mão de obra de baixo custo.

Além da violenta despossessão a que foram submetidas as populações nativas pela colonização e as pessoas escravizadas e trazidas à força do continente africano para cá, todo o processo de institucionalização da propriedade privada significou a estruturação de um mercado de terras excludente, em que a terra foi mantida cativa e um amplo campesinato, formado por meeiros, posseiros, colonos, foreiros, passou a se caracterizar por um acesso precário à terra.[3]

Significou também a hegemonização de formas de ocupação territorial altamente predatórias, marcadas pelo uso intensivo da terra e dos recursos (ciclos econômicos marcados por monocultivos – café, cana – e extrativismo intensivo de recursos – minérios, borracha, madeira etc.) e pela concentração desproporcional da degradação ambiental decorrente. Esta dinâmica ainda marca o modelo econômico e de ocupação territorial, com uma complexidade ainda maior, tendo em vista o caráter globalizado e financeirizado da economia.

Na experiência dos países centrais, a disputa de hegemonia entre os capitais rentista e produtivo resultou em políticas públicas que visaram minimizar a renda da terra em favor dos capitais produtivos. No Brasil, onde o conflito entre esses capitais nunca foi forte, a total ausência de políticas que impusessem limites ao rentismo contribuiu também para o altíssimo grau de concentração fundiária no campo e de acesso precário ao solo urbano para as camadas populares (Magalhães; Tonucci Filho, 2017).

Todo esse processo de exclusão que conforma o capitalismo brasileiro se estruturou em meio a muita violência (material e simbólica), mas produziu resistências, o que também significou a emergência de movimentos sociais e de sujeitos políticos, além de forjar modos contra-hegemônicos e criativos de ocupação e uso da terra e dos recursos. Muitos desses modos estão marcados pelo compartilhamento da terra, pelo uso sazonal de porções do território, pelo manejo e conservação da biodiversidade, por acordos de uso coletivo dos recursos que, no campo, produziram uma enorme diversidade fundiária, além de representarem formas de apropriação dos recursos e de ocupação territorial muito menos predatórias em relação à ocupação territorial hegemônica a que me referia.

De fato, estudos antropológicos têm visibilizado a diversidade fundiária brasileira e as distintas formas de apropriação dos recursos em terras tradicionalmente ocupadas e espaços de produção camponesa onde opera um mosaico de modalidades de apropriação que não se pautam pelas formas de propriedade formalizadas no ordenamento jurídico vigente. Nesses sistemas, a representação da terra articula domínios de posse com usufruto comunal (áreas de campos ou pastagem, de instrumentos de trabalho, de produtos de coleta, caça ou de atividades de interesse social comum) organizado por relações de reciprocidade e pelo estabelecimento de regras e acordos comunitários (Almeida, 2006).

Em espaços de produção camponesa Brasil afora – inclusive áreas de agricultura familiar, que, pelas regras do Direito positivo, são privadas –, há uma compreensão de que vários elementos que compõem a biodiversidade (sementes, solos, água, floresta, biodiversidade) são bens comuns que devem ser mantidos por meio do trabalho familiar e coletivo (Petersen, 2016). Há, de fato, dentro de um agrossistema camponês, uma parcela da propriedade que pode estar verticalizada pelo mercado (por exemplo, a produção integrada com empresas de leite, fumo, porco etc.), mas há sempre outra destinada ao autoconsumo e às trocas comunitárias (que inclui o cultivo e troca de sementes crioulas, a partilha da caça etc.), que justamente garante a reprodução social quando o mercado não a possibilita ou a ameaça. Poderíamos conceituar o caráter *reprodutivo* dessas práticas – exercido, via de regra, por mulheres – como "externalidade de bens comuns".

Essas "externalidades" podem ser tanto funcionais ao capitalismo quanto contra- hegemônicas, a depender do grau de organização política desses territórios e de sua capacidade de questionar narrativas que não dão conta de interpretar a vida social em toda a sua complexidade, como nos mostram essas práticas a que nos referimos.

A experiência histórica desses sujeitos nas últimas décadas, no Brasil, tem sido a de disputar narrativas e de dar um *sentido político* às suas formas de relacionamento com o espaço em que vivem. Em um contexto em que se acirram as ameaças de desterritorialização, indígenas, quilombolas, ribeirinhos, quebradeiras de coco babaçu, castanheiros, seringueiros, piaçabeiros, pescadores artesanais, comunidades de fundo de pasto, faxinalenses se mobilizam e passam a se organizar em torno de identidades coletivas e de autodefinição que se vinculam notadamente a *práticas* reguladas por normas coletivas.

Em face ao Estado, exigem a garantia não apenas do direito à terra que ocupam, mas à proteção e ao reconhecimento de suas territorialidades específicas. Por meio de pautas reivindicatórias, saem da invisibilidade e enunciam um "jeito de viver" organizado a partir da relação socioprodutiva e cultural que desenvolvem com sua base territorial, e buscam redefinir sua relação com o Estado e com a sociedade (Almeida, 2011).

A reivindicação do direito à terra a partir da afirmação de territorialidades específicas colocou para o Estado – e sua razão instrumental soberana – o desafio de responder às exigências de pluralismo (não só na esfera territorial, mas nos âmbitos étnico e social), frente a uma tradição positivista, presente no ordenamento jurídico e nas formas de exercício do poder, que tendia a compreender a destinação de terras circunscrita ao direito à propriedade privada e, majoritariamente, individual.

A categoria "território", referida a um espaço de caráter coletivo que inclui a terra e outros recursos materiais e imateriais que dão suporte a identidades coletivas, remete a modalidades de posse que não podem ser apreendidas pelo conceito de propriedade que figura no Código Civil [VER TERRITÓRIO].

Um exemplo emblemático refere-se à reivindicação das quebradeiras de coco-babaçu (presentes na região Nordeste e Norte do Brasil) pelo livre acesso aos babaçuais de onde extraem recursos, como a castanha e a palha do coqueiro de babaçu, para produzir óleo, artesanato e alimento para uso na comunidade e comercialização. Com a progressiva privatização (e grilagem) das áreas onde crescem as palmeiras, as mulheres vinham sendo impedidas de acessar os babaçuais, o que ameaça suas condições de reprodução social. No processo de luta por direitos territoriais referidos a identidades coletivas, elas conquistaram leis municipais e estaduais que garantem o livre acesso aos babaçuais, mesmo em áreas de propriedade particular. No centro de sua reivindicação não está a propriedade, mas o livre acesso, o que de algum modo subverte a lógica do individualismo possessivo.

Um dos resultados desse processo foi a instituição pelo Estado brasileiro de novos regimes fundiários que, em alguma medida (e ainda com muitos limites), reconhecem e visam proteger essas práticas.[4] Um aspecto relevante dos sistemas de uso comum da terra e dos seus recursos é que, sob a ótica mercantil capitalista, eles impedem que a terra nesses espaços adquira um sentido pleno de mercadoria, não estando totalmente disponível para serem transacionadas no mercado de terras. O reconhecimento e a proteção dessa dinâmica no plano institucional desnaturalizam a afirmação de que toda propriedade só pode ser individual e afirma a existência de espaços territoriais que são coletivos e inalienáveis. Também visibiliza o papel histórico do campesinato no manejo e proteção da biodiversidade, cujos benefícios são experimentados muito além das fronteiras territoriais e temporais desses sujeitos [VER CAMPESINATO E COMUNIDADES TRADICIONAIS].

É, portanto, evidente a contribuição das relações sociais camponesas à proteção de bens comuns. Mas a manutenção desses bens como comuns depende de ações extraterritoriais e de alianças cons-

B

truídas em espaços políticos que também ultrapassam as fronteiras territoriais onde se maneja e se conserva a água, biodiversidade, fertilidade do solo etc., onde se reproduz o conhecimento associado ao manejo e conservação desses recursos. Eis a importância do processo político por meio do qual esse campesinato objetivou garantir condições de reprodução dessas relações: isso foi feito por meio de uma operação política na qual comunidades antes atomizadas construíram uma existência coletiva e desenvolveram uma capacidade associativa que as conecta a uma rede de articulação mais ampla que envolve outras organizações, movimentos e pesquisadores. Dessa maneira, os direitos territoriais conquistados pelos povos tradicionais e comunidades camponesas – assim como um conjunto de políticas públicas que reconhecem e buscam oferecer condições de reprodução ao campesinato – passam a ter um sentido político que transcende seus interesses e necessidades. Nisso reside a práxis instituinte, que garante a produção dos bens comuns pelo e com o campesinato. Mantê-la em uma sociedade marcada pela concentração fundiária e pela negação do papel de sujeitos políticos às classes populares é ao mesmo tempo desafio e condição para garantia dos bens comuns que essa práxis institui.

O Estado e os comuns

Um aspecto relevante do processo de conquista de direitos territoriais por povos e comunidades tradicionais ao qual nos referimos na seção anterior diz respeito à afirmação da existência e a eficácia de normatividades outras, de sistemas sociais e jurídicos para a administração de recursos compartilhados, necessárias à produção e proteção de bens comuns. Sua existência, anterior e apesar do aparelho estatal, aponta que a política não está circunscrita ao Estado, ainda que tenha importância, em contextos de conflito e desigualdade de poder, o reconhecimento e a proteção a essas normatividades. Face à captura da política pelo Estado, os processos instituintes de comuns demonstram que a política não está, e não deve estar, limitada ao Estado.

Temos assistido, nos últimos anos, a uma reestruturação formal do mercado de terras no Brasil. Encontram-se em xeque todas as conquistas a que nos referimos em relação ao reconhecimento de direitos territoriais a povos e comunidades tradicionais e outras a elas relacionadas, tais como o rompimento com a política assimilacionista em relação aos povos indígenas, a imposição de limites ao direito de propriedade (pela instituição de sua função social e ambiental) e instituição de instrumentos que buscam democratizar a política e o planejamento urbano.[5] O objetivo tem sido tornar o mercado a única instituição visível, dominante e reconhecida pelo Estado, além de neutralizar todas as conquistas que resultaram em alguma alteração na correlação de forças em favor das populações historicamente vulnerabilizadas e em uma disputa real com o modelo hegemônico de produção e de uso da terra e de seus recursos.

Com a criação do Estado moderno e a invenção da propriedade privada, há uma captura da política pelo Estado e da sociedade como o espaço do mercado, das trocas contratuais entre indivíduos livres, na qual a política é esvaziada. Os comuns, como prática política e democrática, e seu alargamento, nos ajudam a trazer a política para a esfera do social. Sendo assim, se é certo que o direito insurgente dessas práticas de produção de comuns não necessita do reconhecimento do Estado para existir e ter eficácia social, em uma sociedade crescentemente atravessada por relações de poder desiguais e pela captura dos interesses públicos pelo capital, é preciso cada vez mais a proteção do Estado sobre os comuns para que os territórios onde essas experiências aconte-cem não fiquem totalmente expostos ao mercado. É preciso que se institua antes um *direito ao comum* (Matei, 2013), que limite a capacidade do Estado de destruí-lo ou neutralizá-lo.

Como refundar a política para além do Estado e apesar do Estado, sem prescindir totalmente dele, disputando-o? É essa ordem de desafios que as lutas por um mundo mais comum e diverso nos convidam a enfrentar.

B

Referências

ALMEIDA, A. W. *Terras de quilombo, terras indígenas, "babaçuais livres", "castanhais do povo", faxinais e fundos de pasto:* terras tradicionalmente ocupadas. 2ª ed. Manaus: PGSCA-UFAM, 2006.

______. Prefácio. *In:* CAMPOS, Nazareno J. *Terras de uso comum no Brasil:* abordagem histórico-espacial. Florianópolis: EdUFSC, 2011.

BASTOS, B. N. *Histórico das posições do Banco Mundial em relação às áreas de uso comum (1975-2011).* Monografia. Instituto de Pesquisa e Planejamento Urbano e Regional (IPPUR) da Universidade Federal do Rio de Janeiro. Rio de Janeiro, mimeo, 2011.

BLOCH, M. *A terra e seus homens:* Agricultura e vida rural nos séculos XVII e XVIII. São Paulo: EdUSC, 2001.

BRASIL. Presidência da República. Secretaria-Geral. Subchefia para Assuntos Jurídicos. *Medida Provisória n. 759, de 22 de dezembro de 2016.* Dispõe sobre a regularização fundiária rural e urbana, sobre a liquidação de créditos concedidos aos assentados da reforma agrária e sobre a regularização fundiária no âmbito da Amazônia Legal, institui mecanismos para aprimorar a eficiência dos procedimentos de alienação de imóveis da União, e dá outras providências. Disponível em: http://www.planalto.gov.br/ccivil_03/_Ato2015-2018/2016/Mpv/mpv759.htm. Acesso em: 17 mar. 2021.

______. Presidência da República. Secretaria-Geral. Subchefia para Assuntos Jurídicos. *Lei n. 13.465, de 11 de julho de 2017.* Dispõe sobre a regularização fundiária rural e urbana, sobre a liquidação de créditos concedidos aos assentados da reforma agrária e sobre a regularização fundiária no âmbito da Amazonia Legal, institui mecanismos para aprimorar a eficiência dos procedimentos de alienação de imóveis da União. Disponível em: http://www.planalto.gov.br/ccivil_03/_ato2015-2018/2017/lei/l13465.htm. Acesso em: 17 mar. 2021.

HARDIN, G. The tragedy of the Commons. *Science,* 1968, p. 1243-47.HELFRICH, S. Commons: ámbito o bienes comunes, procomun o lo nuestro. La complexidade de la traducción de um concepto. *In:* HELFRICH, Silke. *Genes bytes y emisiones:* bienes comunes y ciudadanía. Ciudad de Mexico: Fundación Heinrich Boll, 2008.

HOLSTON, J. *Cidadania insurgente.* Disjunções da democracia e da modernidade no Brasil. São Paulo: Companhia das Letras, 2013.

LAVAL, C.; DARDOT, P. *Común.* 2. ed. Ensayo sobre la revolución del siglo XXI. Barcelona: Editorial Gedisa, 2015.

______. O comum, um princípio político. *Revista O olho da História,* Salvador, n. 22, abr., 2016.

LEROY, J. P. *Mercado ou bens comuns.* Rio de Janeiro: Fase, 2016.

LIPIETZ, A. Questões sobre os bens comuns. *Passarelle,* n. 6, jun. 2012.

MAGALHÃES, F. N. C.; TONUCCI FILHO, J. B. M. A metrópole entre o neoliberalismo e o comum: disputas e alternativas na produção contemporânea do espaço. *Cadernos Metrópoles,* São Paulo, v. 19, n. 39, p. 433-454, maio/ago. 2017.

MATTEI, U. *Bienes comunes.* Un manifiesto. Madrid: Editorial Trotta, 2013.

PETERSEN, P. *As políticas públicas como indutoras ou destruidoras dos bens comuns.* Palestra proferida no Seminário Nacional Bens Comuns diálogos de práticas e saberes contra-hegemônicos, 4 out. 2016.

SILVA, L. O. *Terras devolutas e latifúndio:* efeitos da lei de 1850. Campinas: Ed. Unicamp, 1996.

SOUSA, J. *A elite do atraso.* Rio de Janeiro: Leya, 2017.

THOMPSON, E. P. *Senhores e caçadores:* a origem da lei negra. Rio de Janeiro: Paz e Terra, 1997.

Notas

1 Dedico este texto à memória de Jean Pierre Leroy, que sempre compreendeu os comuns como prática instituinte e dedicou sua vida à defesa e à produção de bens comuns.

2 Importante registrar que a transposição da antiga noção de *commons* a diferentes domínios e objetos não tem se limitado ao campo dos movimentos sociais críticos ao capitalismo. Essa operação tem atravessado também o debate acadêmico e de organizações governamentais e multilaterais. As representações do que seriam os (bens) comuns na contemporaneidade são disputadas por concepções anticapitalistas e sistêmicas. Um exemplo de elaboração teórica sobre os comuns que resultou em prescrições políticas liberais é o conhecido artigo "A tragédia dos comuns", do ecólogo Garret Hardin, publicado em 1968 na revista Science. Nele, o autor assinala que, em um pasto de livre acesso, os pastores tenderiam a maximizar seu uso colocando cada qual o maior número de ovelhas possíveis até colapsá-lo ecologicamente. Dessa metáfora, infere-se que somente a definição clara de direitos de propriedade seria capaz de garantir o uso sustentável dos recursos. Embora as críticas ao artigo assinalem o equívoco de identificar uma situação de livre acesso como um bem comum (que pressupõe a existência de regras de uso e acesso instituídas coletivamente), a metáfora elaborada por Hardin (1968) guarda relação com posicionamentos privatistas defendidos por agentes de um ambientalismo de livre mercado e por instituições como o Banco Mundial (Bastos, 2011).

3 Diversos autores (Holston, 2013; Silva, 1996) têm demonstrado que o principal efeito da Lei de Terras, de 1850, foi impedir o acesso de cidadãos e imigrantes pobres à propriedade de pequena escala. Com o fim da escravidão se anunciando, as elites que elaboraram a lei trataram de garantir – por meio da fixação de preços não acessíveis às terras públicas, além de requisições de medições, registros e pagamentos de encargos – que os imigrantes, cidadãos pobres, livres e libertos, não ascendessem à terra a fim de torná-los força de trabalho sem-terra para substituírem os escravos nas lavouras. A grande maioria permaneceu destituída de terras, ao passo que se ampliou a concentração fundiária no país.

4 No Brasil, temos atualmente várias modalidades de regularização fundiária que preveem a destinação coletiva de terras a povos e comunidades tradicionais. Segundo a Constituição, as terras indígenas são mantidas como bens da União, mas sua posse e usufruto são garantidos aos povos que as ocupam. Já em relação às terras quilombolas, a lei prevê a concessão de um título coletivo aos moradores por meio de sua associação. Em ambas, não está prevista nenhuma forma de concessão individual ou familiar. Além do que estabelece o texto constitucional em relação aos povos indígenas e às comunidades quilombolas, temos formas de destinação coletiva de terras asseguradas por políticas ambientais (no caso das unidades de conservação de uso sustentável, que reconhecem a importância da presença das populações tradicionais para a conservação da biodiversidade e asseguram a sua permanência nessas áreas: é o caso das Reservas Extrativistas/RESEX e Reservas de Desenvolvimentos Sustentável/RDS, por exemplo) e de reforma agrária (que prevê a criação de Projetos de Assentamentos Diferenciados em áreas onde há muita biodiversidade e presença de populações tradicionais). Nos assentamentos diferenciados, assim como em terras tradicionalmente ocupadas por povos e comunidades tradicionais protegidas por políticas ambientais (como, por exemplo, as RESEX e as RDS), o processo de regularização fundiária não prevê, a rigor, a entrega de títulos individuais. Isso é feito por meio de um contrato de concessão de direito real de uso celebrado com as entidades representativas das famílias. Todas essas terras, a rigor, não podem ser vendidas e não está previsto o seu parcelamento em lotes familiares (como nos assentamentos convencionais), embora os limites de ocupação e uso de cada família sejam reconhecidos e respeitados.

5 As leis que estão sendo formuladas no Congresso ou via decretos pelo Executivo têm o sentido de neutralizar os regimes fundiários que protegem a propriedade ou a posse coletiva no campo e os interesses de populações empobrecidas nas cidades. A reforma agrária está sendo substituída por políticas de regularização fundiária que, sob argumento de regularizar a posse de pequenos camponeses, está legitimando grilagem de terras públicas no campo e na cidade. O exemplo mais emblemático é a Medida Provisória n. 759 (Brasil, 2016), convertida na Lei 13.465/17 (Brasil, 2017). Ela alterou os regimes jurídicos relacionados à regularização fundiária rural e urbana e criou mecanismos que facilitam os critérios de titulação e a antecipação da emancipação dos assentamentos. Também modificou as regras de alienação dos imóveis da União, estipulando preços bem abaixo do mercado e ampliou para 2.500 hectares o limite da área de terra devoluta passível de ser regularizada na Amazônia pelo Programa Terra Legal, facilitando a grilagem, já que uma área desse tamanho não corresponde a uma ocupação de boa-fé, destinada à produção e ao trabalho familiar.

B

BIOMA AMAZÔNICO

SILVIO SIMIONE DA SILVA

A Amazônia, na atualidade, corresponde à maior reserva da biodiversidade do planeta. Ocupa cerca de 47% da América do Sul e aproximadamente 57% do território brasileiro, se estendendo por nove países, e sendo habitada, no plano internacional por cerca de 30 milhões de pessoas, com várias cidades de grande e médio porte como: Manaus, Belém, Porto Velho, Ji-Paraná, Macapá, Santarém Rio Branco, Boa Vista e Tabatinga, no Brasil; Iquitos e Pucalpa, no Peru; Leticia, na Colômbia; Caiena, na Guiana Francesa; Georgetown, na Guiana; Paramaribo, no Suriname, entre outras.

A expressão desta grandeza foi assim demonstrada por Malvezzi (2014, p. 8):

> 'Pulmão do Mundo', 'Planeta Água', 'Inferno Verde' são alguns dos chavões mundialmente conhecidos a respeito da Amazônia. Está sempre em evidência em qualquer ponto da aldeia globalizada. Interessa a todos. Uma das últimas regiões do planeta que ainda seduzem pela exuberância de uma natureza primitiva, hoje absolutamente ameaçada por sua devastação. A Amazônia guarda a maior diversidade biológica do planeta – região megadiversa – e escoa 20% de toda água doce da face da Terra. Seu início se deu há 12 milhões de anos atrás quando os Andes se elevaram e fecharam a saída das águas para o Pacífico. Formou-se um fantástico Pantanal, quase um mar de água doce, coberto só por águas. Depois, com tantos sedimentos, a crosta terrestre tornou emergir e, aos poucos, formou-se o que é hoje a Amazônia.

Sua diversidade é caracterizada tanto pela fauna como pela flora, sendo resultante de processos seculares de formação pedológica (solos), geológica (rochas) e geomorfológica (relevo e hidrografia). Tudo isto submetido a uma condição localizacional em zona equatorial, em que as variações climáticas estarão caraterizadas pela diversificação de comportamentos dos regimes de chuvas (pluviométricos) anuais. Tal diversificação se distingue por períodos de estiagens (secos) e períodos chuvosos intensos (úmidos), no geral, sob constantes temperaturas elevadas.

Sob essas condições formaram, então, amplos e diversos domínios de biodiversidades, dando face ao complexo ambiental amazônico. Isto, na evolução dos tempos geológicos, foi o que possibilitou à região sua configuração natural tal qual hoje a conhecemos, por uma grande e diversificada fitofisionomia (características dominantes da formação vegetal de um lugar). Configura-se, assim, nesse conjunto, muito do que se caracteriza por bioma amazônico, submetido na atualidade às ações humanas movidas por forças econômicas hegemônicas mundializadas que atuam sobre o espaço local/regional, ora preservando-o, ora modificando-o.

Toda esta realidade hoje se coloca como elemento de preocupação mundial, dado que a Amazônia se encontra entre as áreas de maior impacto no planeta pelos danos causados pelo avanço do capital, nas suas incessantes buscas de obter e dominar fontes de recursos. Sendo assim, esta biodiversidade passa a ser vista e colocada nos jogos de interesses globais como ente basilar, a ser disputado territorialmente para a dominação capitalista, visando sua transformação em mercadoria. Tais situações estão promovendo mudanças enormes, capazes de terem efeitos planetários, exercendo influência no equilíbrio do conjunto de vidas (no sentido integral) que aqui se desenvolvem, ou seja, como ameaça ao grande bioma amazônico.

Mas diante da complexidade dessa vida natural, pensar na Amazônia como um bioma único pode ser simplificador.[1] Pois, se por um lado, tem-se a grande região, uma unidade dada pela rede hidrográfica e a localização na zona tropical, por outro, a diversidade geomorfológica, com altitudes que variam do nível do mar até mais de 3 mil metros e a consequente variação climática, produziu a grande variedade florística e faunística, traduzindo em diversidade fitofisionômica. Com isto facilmente identificamos floresta de várzeas (terras baixas), matas de igapós (lagos rasos), floresta de terra firmes (terras altas), vegetação de montanhas, formação de savanas entre outras. Assim sendo, certamente o mais correto seria tratarmos *de biomas*, submetidos a um amplo domínio biodiverso, como sendo o que realmente retrata a Amazônia em sua totalidade regional sul-americana (Coutinho, 2006).

Dizemos isso pois o "domínio" amazônico pode comportar diversos biomas, considerando que esse não se caracteriza por apenas uma fitofisionomia. Consideramos que as diferenças dos ecossistemas que compõem um complexo regional podem conferir biomas próprios quando certas áreas estão submetidas a condições geomorfológicas, pedológicas e climáticas específicas na complexa variabilidade que forma a Amazônia.[2] Mas então o que realmente vem a ser o bioma, a biodiversidade e o domínio neste conjunto geográfico de análise? Vejamos, conforme Coutinho (2006, p. 18) "o bioma é um tipo de ambiente bem mais uniforme em suas características gerais, em seus processos ecológicos, enquanto o domínio é muito mais heterogêneo. Bioma e domínio não são, pois, sinônimos".

Acrescenta o referido autor que os domínios morfoclimático e fitogeográfico amazônico não estão constituídos de um tipo exclusivo de floresta, ou por um único bioma, em toda sua extensão territorial. Existem, na Amazônia, diversas tipologias de biomas, de florestas densas de terras firmes, como também aquelas em áreas de matas fluviais e planícies alagadiças; a "floresta de igapó, inundável, um bioma de floresta pluvial tropical" ("hidrobioma"); áreas de formação de savanas e "campos rupestres", como os dos picos das serras, nas fronteiras do Brasil com países vizinhos ("orobioma") etc. O domínio amazônico não é, portanto, um bioma único. "Ele é um mosaico de biomas, em que se expressa por gamas de fitofisionomias, produtos destas variedades condicionais" (Coutinho, 2006, p. 6).

Ademais, entende-se que, em sua diversidade, a floresta amazônica funciona como um grande depósito de carbono, contido em uma biomassa que em média chega à casa das 460 toneladas por hectare, que correspondem ao quantitativo de carbono fixado nos territórios florestais. O desmatamento florestal e a queima da mata levam esses montantes de carbono a serem liberados para a atmosfera em forma de CO_2 (dióxido de carbono), sendo então produzidas mudanças drásticas no processo de armazenamento natural de carbono no solo amazônico e na atmosfera terrestre (Capobianco, 2002).

Ademais, a liberação mais intensa do CO_2 para a atmosfera provoca mudanças nos sistemas hidrológicos e climatológicos na Amazônia. Também após o desmatamento, a recomposição da floresta com vegetação secundária sempre tem menor capacidade de enraizamento, diminuindo o potencial para a evapotranspiração.[3] Isto se dá pois a "Floresta Amazônica libera cerca de 7 trilhões de toneladas de água anualmente para a atmosfera pela evapotranspiração. Este processo tem grande [...] importância para o clima da Amazônia" (Capobianco, 2002, p. 49), fornecendo o vapor para formação de nuvens, que são responsáveis pela maior parte da precipitação pluviométrica regional, isto é, regime de chuvas, com influência sobre o clima de toda a América do Sul.

Ressalta-se ainda que se encontra na floresta Amazônica cerca de um quarto das espécies vegetais do planeta, sendo esta biodiversidade responsável por cerca de 15% de toda a fotossíntese da Terra. Tudo isto faz com que a região se converta em uma grande reserva de carbono, oferecendo ao planeta uma importante ação ambiental que promove a limpeza da atmosfera, inclusive diminuindo os gases de efeito estufa. Ademais, promove a extração de água do solo por via dos sistemas de enraizamento das árvores, contribuindo fortemente no ciclo da água [VER ÁGUA], em seu retorno para a atmosfera (Lyra, 2015); isto ajuda na manutenção dos regimes pluviais na própria região e na circulação das massas de ar em toda a América do Sul. Tudo isto demonstra a importância do(s) bioma(s) amazônico(s) no mundo.

É importante considerar que há grandes interdependências entre as formas de vidas (vegetal e animal), desde as mais complexas até aquelas microscópicas, com os fatores abióticos (os solos, as águas, o relevo, o clima etc.). Isso torna a Amazônia um mosaico de ambientes (ecossistemas) de grandes sensibilidades às ações antrópicas que atuam mudando suas fitofisionomias através de ações como os desmatamentos, as queimadas, os represamentos de rios, a expansão de lavouras comerciais entre outras.

Nessas ações impactantes, o desmatamento e a propagação de diversas formas de ocupação e exploração dos recursos regionais têm produzido expressiva devastação florestal, levando à extinção de grande parte de sua fauna (pássaros como araras, tucano-do-bico-preto, jacamins, gavião-real, papagaios; animais terrestres como ariranhas, antas, lontras, onças; aquáticos como o peixe-boi, pirarucu, botos etc.), sua flora (castanheiras, pau-rosa, mogno, cumaru-de-cheiro etc.) e a um desequilíbrio nas condições morfoclimáticas deste conjunto de vida natural. Assim, nas últimas décadas, atividades econômicas como a agropecuária e o extrativismo madeireiro impuseram ritmos de exploração que promovem grandes desmatamentos e queimadas de áreas florestais.

Cabe salientar que as queimadas ainda são recursos usados na preparação da terra para as atividades agropecuárias, como uma forma de manejo tradicional no controle das pragas em pastagens e para a limpeza de novas áreas que serão transformadas em campos. São práticas acessíveis a todos os produtores, porém, deveras perigosas, pois a propagação do fogo, em períodos de estiagem, pode atingir inclusive a floresta em pé, levando a grandes danos e mudando totalmente a fitofisionomia de um lugar.

Assim, mudaram fortemente os padrões de usos do passado que se pautavam por práticas menos agressivas (como o extrativismo da borracha), para uma total mudança do espaço produzido com formação de lavouras comerciais e pastagens extensivas. Sobre isso, cabe entender que a atividade extrativista da borracha, embora submetida à exploração empresarial capitalista, fora menos agressiva ao ambiente florestal de modo geral. Os seringueiros (trabalhadores na extração da borracha) abriam trilhas na floresta ligando a localização das seringueiras (árvores produtoras da borracha); eram as "estradas da seringa". A extração da borracha (látex), por ser atividade diária, obrigava os trabalhadores a manter as árvores bem cuidadas para produzir mais. Assim, a floresta se colocava para o seringueiro como seu espaço de vida e de trabalho. Cuidar bem desse espaço era preservar suas condições vivenciais e garantir a continuidade para gerações futuras. Neste sentido, as formas extrativistas desenvolvidas na floresta colocavam os trabalhadores em uma maior sincronia com os biomas aos quais se vinculavam no seu dia a dia produtivo. Por tudo isso, pode-se dizer que o extrativismo da borracha produzia pouco impacto, embora feito sob forte exploração do trabalho humano [VER EMPATES]. Diante do fracasso da economia da borracha ao longo do século passado, esse extrativismo cada vez mais se tornou difícil de ser mantido, perante o ritmo da reprodução que o capital impôs à região Amazônica (Ab'Saber, 2003), abrindo maior espaço para a expansão do agronegócio [VER AGRONEGÓCIO].

Ademais, aqui se entende que as causas dessa expansão de atividades predatórias são os interesses econômicos que se sobrepõem às condições de vida regional. Isto significa que a Amazônia cada vez mais entra no circuito do agronegócio, com produção de condições para o avanço das atividades pecuaristas e agrícolas em escalas de produção e circulação mundial.

Então, diante de uma natureza exuberante como se apresenta, as indústrias mineradoras, garimpos, madeireiras e até mesmo frigoríficos se desfazem de seus resíduos (escórias) industriais, promovendo forte poluição sobre o solo e os cursos fluviais. A isto, soma-se o surgimento de grandes áreas de lavouras vinculadas à expansão do agronegócio que, como já mencionamos, destrói a formação natural, promove a erosividade da superfície; envenena o solo e o ar com agrotóxico e, enfim, degrada o ambiente e a vida em geral. Se soma ainda o adensamento demográfico, que tem promovido a ampliação de áreas urbanas, o que produz maior degradação no conjunto natural e articulado do grande domínio amazônico (Ab'Saber, 2003).

Dessa forma, como vimos, desde as últimas décadas do século XX, a expansão de atividades como o extrativismo madeireiro e a agropecuária têm se consolidado. Com isso, formas mais agressivas ao ambiente local levam a grandes impactos, com o desenvolvimento de sistemas produtivos mais adequados economicamente, porém que dificultam a implantação de práticas sustentáveis na região. Como consequência, em meio às ameaças ao(s) bioma(s) amazônico(s), tem-se visto o acirramento das questões agrárias, em que os conflitos pelo domínio fundiário se impõem devastando formas tradicionais de uso da terra (como o já mencionado extrativismo da borracha, o uso da terra pelos indígenas na coleta extrativa, as lavouras de autossustentação familiar, as lavouras de praias nas vertentes dos rios etc.). Isso ao passo que as perspectivas econômicas que se apresentam nas crescentes cidades regionais (principalmente nas capitais estaduais como Manaus, Belém, Rio Branco, Porto Velho, Macapá, Boa Vista e principais cidades como Ji-paraná, Cacoal, Santarém, Marabá etc.) despertam a questão urbana. São processos de urbanização em que a população se concentra fortemente em uma cidade (por exemplo: Rio Branco, capital do Acre, atualmente concentra em torno de 52% da população estadual) na qual o desemprego, o déficit habitacional, a agressão ao ambiente natural e às condições humanas de vida também se concentram. Isso promove a formação de áreas-problema, em amplas formas de degradação que atingem o ambiente natural, mas também a dignidade humana. Assim, o(s) bioma(s) amazônico(s) se apresenta(m) cada vez mais sob ameaças provindas tanto da expansão econômica como da desterritorialização [VER TERRITÓRIO] da produção e dos modos de vida tradicionais. Com isso, fica claro que os problemas que se formam no espaço das cidades também são partes fundamentais para entender as ameaças ao ambiente natural amazônico, isto é, ao(s) bioma(s) amazônico(s).

Em suma, para fazer frente a tudo isso é preciso avançar no conhecimento sobre a região, seu ambiente natural, sua dinâmica morfoclimática, sua população humana e a lógica econômica que lhe é imposta. O desafio é: como crescer socioeconomicamente diante da necessidade de preservação/conservação das condições naturais amazônicas que, mesmo sendo tênues, são necessárias aos equilíbrios da vida regional. Portanto, não se pode entender o(s) bioma(s) amazônico(s) sem considerar que no território em que se formou naturalmente, novos atores (como a população humana e os interesses econômicos) estão se territorializando. Por fim, cabe reforçar que as ameaças ao(s) bioma(s) também estão materializadas nas forças de espoliação das condições tradicionais de vidas das gentes simples, filhos desta terra e que há muito tempo vivem nela, sem ameaçar o equilíbrio da vida natural que sobre este solo, milenarmente, se desenvolveu.

Referências

AB'SABER, A. N. *Domínios morfoclimáticos do Brasil:* potencialidades paisagísticas. São Paulo: Ateliê Editorial, 2003.

BATALHA, M. A. O cerrado não é um bioma. *Biota Neotropica*, v. 11, n. 1, 2011. Disponível em: http://www.biotaneotropica.org.br/v11n1/pt/fullpaper?bn00111012011+pt. Acesso em: 15 jan. 2021.

CAPOBIANCO, J. P. R. (coord.). Amazônia brasileira. *In:* MAURY, M. C. (org). *Avaliação e identificação de áreas e ações prioritárias para a conservação, utilização sustentável e repartição dos benefícios da biodiversidade nos biomas brasileiros*. Brasília: MMA/SBF, 2002, p. 19-132.

COUTINHO, L. M. O conceito de bioma. *Acta Botanica Brasilica*. Acta Bot. Bras. v. 20, n. 1. São Paulo. jan./mar. 2006. Disponível em: http://dx.doi.org/10.1590/S0102-33062006000100002. Acesso em: 15 jan. 2021.

LYRA, A. A. *Estudo de vulnerabilidade do bioma Amazônia aos cenários de mudanças climáticas*. São José dos Campos: INPE, 2015.
MALVEZZI, R. Os biomas brasileiros. *Adital – Notícias da América Latina e Caribe*. 2014. Disponível em: http://www.mobilizadores.org.br/wp-content/uploads/2014/05/os-biomas-brasileiros.pdf. Acesso em: 15 fev. 2021.
ODUM, E. P.; BARRETT, G. W. *Fundamentos de Ecologia*. São Paulo: Thomson Learning, 2007.

B

Para saber mais

AB'SABER, A. N. *Domínios morfoclimáticos*. Disponível em: http://geografiadr.blogspot.com/search/label/Dom%C3%ADnios%20Morfoclim%C3%A1ticos. S.n.t. Acesso em: 15 fev. 2021.
AMAZÔNIA, da impertinência à conciliação. Direção de Daniela Fioravani. Amazônia. Set Produções, Tribunal de Contas da União, Secretaria de Comunicação, 2014. Audiovisual (47 min.). Disponível em: https://www.youtube.com/watch?v=-S9osbdOcqc. Acesso em: 15 fev. 2021.
BENCHIMOL, S. *Amazônia:* um pouco-antes e além-depois. 2 ed. revisada. Manaus: Editora da Universidade Federal do Amazonas, 2010.
BIOMAS brasileiros 5/5: Amazônia. Disponível em: https://www.youtube.com/watch?v=oq5XqDlLHqI Acesso em:
CASTRO, F. *A selva*. São Paulo: Editorial Verbo, 1972.

Notas

1 Isso afirmamos tomando por base as considerações de que "da maneira como vem sendo usado no Brasil, o conceito de bioma adquiriu erroneamente uma conotação florística. Na verdade, o conceito de bioma é similar ao de formação vegetal, mas leva em conta a associação da vegetação com a fauna e com os microrganismos. Assim, por um lado, o conceito de bioma é fisionômico e funcional, isto é, levam-se em conta a aparência geral da vegetação e aspectos como os ritmos de crescimento e reprodução; por outro, o conceito não é florístico, isto é, a afinidade taxonômica das espécies que aparecem em várias unidades de um mesmo bioma é irrelevante" (Batalha, 2011, p. 2). É destas associações que se produzem diferentes fitofisionomias, configurando em biomas diversos que podem ser caracterizados.

2 Aqui entendemos, conforme Odum e Barrett (2007, p. 12), que "[...] o ecossistema é uma unidade funcional básica, uma vez que inclui tanto organismos (comunidades bióticas) como o ambiente abiótico, cada um deles influenciando as propriedades do outro, sendo ambos necessários para a conservação da vida tal como existe na Terra".

3 Evapotranspiração aqui é entendido como o processo combinado de evaporação e transpiração de águas dos solos e das plantas que são devolvidas para a atmosfera, como perdas de umidade potencializadas pela ação do calor e dos ventos.

BIOMA CAATINGA

Dilma Trovão
Jonas Duarte da Costa

A Caatinga é o bioma que recobre a maior parte do semiárido, correspondendo a 844.453 km^2 (Santos *et al.*, 2011) e a 11% do território brasileiro. Trata-se de um complexo de vegetações que, em associação com o clima e o solo, apresenta várias "faces" ou fisionomias e também uma fauna peculiar. Nessa formação, encontra-se um intricado conjunto de gradientes ambientais. Variações latitudinais, longitudinais, altitudinais, de umidade, temperatura, precipitação, explorações e ocupações humanas. Portanto, não existe uma única Caatinga, e sim o resultado de várias associações que consubstanciam múltiplas vegetações e seus organismos associados, com características similares e distinguíveis quando comparadas entre si.

O termo Caatinga tem origem na identificação feita pelos indígenas na língua tupi, onde *caa* significa mato e *tinga* designa a cor esbranquiçada ou acinzentada dos caules lenhosos da maioria das plantas. A Caatinga está presente em latitudes semelhantes às da floresta Amazônica; no entanto, sua localização geográfica a submete ao clima tropical estacional semiárido (Coutinho, 2016). A estacionalidade climática propiciou a essa vegetação uma dinâmica de funcionamento submetida a essa condição. Suas plantas apresentam adaptações anatômicas, morfológicas e fisiológicas que responderam evolutivamente a essas variações presentes. Por conseguinte, a fauna associada (indissociável) e a dinâmica das relações ecológicas também respondem a essas variações.

Na Caatinga, a disponibilidade de água é o fator crucial, e este componente deriva da associação dos fatores ambientais que corroboram para esta limitação. Todas as formas de vida dependem da água e a base de sustentação de todas as cadeias tróficas no bioma depende da capacidade que os organismos apresentam para lidar com a escassez hídrica. Nas Caatingas nordestinas (existem outras caatingas, por exemplo, as caatingas amazônicas), as precipitações variam entre 240 e 1 mil mm, restritas a períodos curtos, normalmente ocorrentes em três meses consecutivos, variáveis dependentes da localidade geográfica (Sampaio, 1995; Prado, 2003; Santos *et al.*, 2011).

O período de ocorrência das chuvas normalmente se restringe a três meses variáveis na extensão geográfica, é localmente conhecido como inverno, e o período sem chuvas, de verão, embora essas designações possam não corresponder às estações homônimas do ano. Além disso a Caatinga é também caracterizada por um sistema de chuvas extremamente irregular de ano para ano, o que resulta em secas severas periódicas (Nimer, 1972; Prado, 2003; Krol *et al.*, 2001; Chiang; Koutavas, 2004; Leal *et al.*, 2005). A região geográfica recoberta pela caatinga apresenta solos rasos, argilosos e pedregosos (cristalino), com a rocha-mãe escassamente decomposta, com afloramentos de rochas maciças em sua maioria, fato que contribui também para a escassez hídrica por impossibilidade de armazenamento de água (Tricart, 1961; Ab'Saber, 1974; Sampaio, 1995). As temperaturas elevadas, a alta incidência luminosa e a baixa profundidade do solo são corresponsáveis pelo déficit hídrico, uma vez que promovem altas taxa de evapotranspiração [VER DESERTIFICAÇÃO] (Trovão *et al.*, 2007).

Os rios da Caatinga são intermitentes, ou seja, sua fluidez é temporária, restrita na maioria dos casos aos períodos de chuvas. O lençol freático é alimentado pelas precipitações, e, em decorrência dos desmatamentos constantes – que levaram à supressão da vegetação em 70% de sua área original (Leal *et al.*, 2005) –, a água não é atraída para a superfície por suas raízes. Os resquícios de umidade nas margens dos rios e nascentes, por um período maior que em outras áreas, levou à retirada das matas ciliares e à substituição por agricultura de subsistência e forrageiras para rebanhos. Tal fato contribuiu para a "morte" de nascentes e a seca temporária dos rios, que não conseguem segurar a umidade por períodos mais prolongados.

Quando comparada aos outros biomas brasileiros, a Caatinga se apresenta como o de menor riqueza de táxons e com baixos índices de biodiversidade; no entanto, quando se compara com outros biomas em condições de semiaridez, em todo mundo, este aparece como o mais rico e diverso (De Albuquerque *et al.*, 2012).

Aspecto geral da vegetação

Ao observar a Caatinga em período seco, o que se visualiza é algo semelhante a um desenho *hachurado*, no qual ramificações indistinguíveis de sua origem se assemelham a rabiscos em um papel. Uma profusão de galhos se entrecruza. Visíveis em alguns pontos, se observam raros indivíduos de espécies sempre-verdes, com diferentes aparências e formatos, o que revela dissimilaridade de estratégias em morfologia e fisiologia. Embora existam lenhosas que se destacam por sua altura e imponência, de modo geral os indivíduos apresentam-se baixos, o que den ota investimentos cruzados em múltiplas estratégias de crescimento.

As plantas herbáceas desaparecem e a maioria das plantas lenhosas fica sem folhas durante o período seco (decíduas). Nas lenhosas, em alguns casos é possível visualizar órgãos de reserva, a exemplo dos que ocorrem na barriguda (*Ceiba glaziovii* [Kuntze] K. Schum), com seu caule abaulado, e do umbuzeiro (*Spondias tuberosa* Arruda), com seus xilopódios subterrâneos que são explorados pelos animais, inclusive o homem, na época da escassez hídrica mais severa. Espécies de madeiras nobres, como o pau-ferro (*Libidibia ferrea* [Mart. ex Tul.] L. P. Queiroz), de alta densidade, coexistem com inúmeras espécies de madeira de baixa densidade como o pinhão (*Jatropha pohliana* [Pohl] Müll.Arg) e a maniçoba (Manihot pseudoglaziovii Pax & Hoffman).

A maioria das espécies vegetais lenhosas apresenta caule ramificado próximo ao solo, seja por injúria física, comum devido aos diversos predadores, seja por paradas de crescimento provocadas por inativação da gema apical em períodos de indisponibilidade hídrica. Essa talvez seja uma das características mais evidentes. Folhas de variados tipos e tamanhos, simples (marmeleiro, *Croton* sp), composta (catingueira, *Cenostigma pyramidale* (Tul.) Gagnon & G.P. Lewis), recomposta (angico, *Anadenanthera macrocarpa* [Benth.] Brenan), tenra, coriácea (bom-nome, *Monteverdia rigida* [Mart.] Biral.), aveludada, cerosa, multiforme (*C. pyramidale*). Suas copas apresentam tanto arquitetura simples (feijão-bravo, *Cynophalla flexuosa*) como extremamente complexa (jurema, *Mimosa tenuiflora*).

A floração das espécies lenhosas é outra característica marcante nesse complexo de fisionomias. Há espécies que florescem ao final da estação chuvosa (*C. pyramidale*), outras após queda foliar total (traço), outras em plena estação seca (mulungu, *Erythrina velutina* Willd.) e ainda aquelas que florescem no início da estação chuvosa (juazeiro, *Ziziphus joazeiro* Mart.). Há ainda aquelas que, não tendo uma boa produção de frutos, floresce em época distinta do habitual para garantir uma maior produção de propágulos (*Spondias tuberosa*). As flores podem ser nos ápices (*J. pholiana*) ou distribuídas ao longo das gemas laterais (quixabeira, *Bumelia sartorum* Mart.) de todo um ramo. Podem ser grandes e vistosas (mandacaru, *Cereus jamacaru* DC) ou pequenas e quase indistinguíveis (*Z. joazeiro*).

Os frutos podem se apresentar de diversas formas, mas a maioria é constituída por frutos secos e deiscentes de dispersão eólica (pelo vento). As sementes podem ser grandes, pequenas, dormentes, quiescentes etc. De maneira geral, há uma profusão de características que podem ser notadas. Mas, para além disso, o investigador tem que interpretá-las.

A Caatinga é ser humano e natureza

Ao mesmo tempo que é o principal bioma que cobre o território semiárido brasileiro, a Caatinga é história e cultura. Sua formação física remonta ao processo histórico de mudanças climáticas que trouxe a essa parte do Brasil o clima semiárido. Nesses vales, antes úmidos, agora sua fauna e flora se veem forçadas a se adaptar ao "novo" clima. A própria origem da Caatinga já é resultado de adaptação, resiliência, sabedoria e resistência.

Já sob essa condição de bioma das terras semiáridas do Brasil, a Caatinga abrigou seus primeiros humanos. A simbiose entre humanos e natureza caatingueira se forja em formas de vida nômades e sábias.

Os milhares de registros de inscrições rupestres deixados pelos primeiros habitantes da Caatinga estão marcados nas inúmeras serras, pedras e formas de moradia e produção espalhadas pelo território semiárido. Uma bela síntese desses povos e dos registros antropológicos e históricos de suas vidas nas caatingas brasileira podem ser encontradas hoje no Museu do Homem Americano (FUMDHAM).[1]

Povos nômades, os povos da Caatinga desenvolveram ao longo de sua história profunda identidade com a fauna e flora catingueira, desenvolvendo sábias estratégias de vida e produção diante das condições climáticas oferecidas e do Bioma estabelecido. Esses povos caatingueiros originários eram predominantemente da linhagem Tapuia, "o outro", na língua Tupi, ou o de língua travada. Se organizaram em várias nações, espalhando-se sobre os planaltos, as serras, em suas formações rochosas onde a brisa e a sombra das grandes pedras os abrigavam, protegendo-os do calor ou do frio, e lhes permitiam a caça e a estruturação de moradias mais seguras frente aos animais mais perigosos da fauna caatingueira.

Geralmente, esses povos organizavam algum plantio de lavoura temporária nos diversos rios temporários e riachos que cortam o território semiárido. Neles, encontravam solos e alguma umidade para suas atividades.

Pacíficos, os povos tapuias se tornaram lutadores por sua terra e por seus modos de vida quando sentiram a presença europeia adentrando as vastas terras secas do Brasil. Houve dois sentidos na invasão das terras semiáridas e do território povoados pelos homens e mulheres da Caatinga. Inicialmente do litoral ao interior, com o gado sobrante dos canaviais litorâneos do Nordeste. Depois, pelos rios São Francisco e Parnaíba, pelos bandeirantes paulistas, com seu gado.

Houve luta, houve resistência. Assim como a fauna e a flora resistentes à secura do clima, os povos da Caatinga resistiram à invasão europeia e bandeirante. Aquele povo extremamente pacífico e dócil se transformou em um povo de luta e de estratégias de guerras e resistência surpreendentes. Cariris, Caetés, Fulni-ô e muitas dessas nações tapuias lutaram e resistiram em defesa de suas terras, de suas matas, de suas vidas (ver Puntoni, 2008). Foram quase cem anos de batalhas e alguns séculos para a ocupação e dominação definitivas das áreas de caatingas pelos europeus e bandeirantes.

A Caatinga foi também o abrigo de africanos que deixaram as senzalas e fugiram da escravização cruel nos canaviais e nas fazendas de gado e algodão espalhadas nas terras semiáridas. Ali se formaram inúmeros quilombos protegidos por baraúnas, aroeiras, craibeiras e alimentados por umbuzeiros, ameixeiras e outras frutíferas dessa rica e vasta vegetação. Quilombolas e nativos se misturaram primeiro na luta de resistência, miscigenando-se *a posteriori* com o invasor dominante.

O povo caatingueiro virou o sertanejo (Ribeiro, 2014). Viveu séculos se formando endogenamente atrás do gado, servindo ao fazendeiro, distante do Brasil que se modernizava. Se constitui, assim, um povo de cultura própria, de modos próprios, de saberes ímpares, fortemente expressivos da flora caatingueira e do clima semiárido. Os povos da Caatinga criaram suas artes, culturas, músicas e ritmos. Sua quase pureza de certa forma os tornou vulneráveis à colonização e dominação de suas terras e cultura.

Sob a modernização do Brasil do Centro-Sul e o arcaísmo do Nordeste, esses povos da Caatinga foram impelidos ao regime socioeconômico de expulsão de seu lugar, dos seus sertões, dos seus torrões. De sua "terra seca, mas boa" (Assaré, 1978). Hoje o caatingueiro é o sinônimo de resiliência. Seja nas capitais do Sudeste, do Nordeste ou no interior dos sertões semiáridos do Brasil.

A Caatinga foi e é espaço de luta e resistência. Os povos da Caatinga, historicamente, mantiveram em alta a capacidade de resistir, se adaptar e lutar por suas terras e suas vidas. Sob um regime socioeconômico perverso, semifeudal, inserido na lógica do capitalismo dependente de superexploração brasileiro, o povo caatingueiro desenvolveu estratégias próprias de luta.

Uma dessas estratégias a destacar foi a fuga. A fuga para outras paragens, mas também a fuga, dentro da Caatinga, para outra forma de viver. Assim, ocorreram organizações de lutas e de vidas, como Canudos na Bahia, a mais famosa. Mas também Caldeirão e Pau de Colher, no Ceará. Movimentos que amalgamavam a fé religiosa, a resistência e a forma de luta físicas e a disciplina e dedicação militares, por assim dizer, quando acreditavam em seus líderes e em suas causas.

Na mesma estratégia de "fuga" e luta, o caatingueiro cria o movimento do Cangaço, espécie de guerrilha de revoltados e justiceiros que marchavam nos sertões secos do Brasil contra a ordem político-jurídica de fome e humilhação imposta aos pobres do campo e de privilégios e soberba aos poderosos. Enquanto o Cangaço funcionou como fuga das garras dos fazendeiros e coronelatos locais, se transformou em luta e resistência contra o poder do Estado, opressor dessas gentes pobres e mantenedor do poder e das injustiças das oligarquias locais. Antônio Silvino, Lampião, Corisco e Maria Bonita estão sempre a povoar o imaginário dos povos caatingueiros como símbolo de luta, esperança e de sua cultura de resiliência.

Em tempos de escassez aguda, os povos da Caatinga promoveram saques, ocupações de terras e das feiras livres para saciar a sede e a fome que se espalhavam. Não deixa de ser também uma das estratégias de luta mais importantes, visto suas necessidades imediatas, em resposta ao abandono histórico a que as elites do Brasil deixaram esses povos, e, especialmente com a crise dos anos 1980, quando o fim da cotonicultura local e seu consórcio direto, a bovinocultura leiteira, provocaram a mais acentuada emigração da Caatinga de nossa história. Em seguida, na década de 1990, se viu o desmantelamento de toda a estrutura institucional que dava suporte ao poder do Estado no lugar.

Os povos caatingueiros obtiveram grandes conquistas em sua trajetória de luta. No alvorecer do século XXI, formaram diversas organizações populares, e a Caatinga iniciou um processo virtuoso de desenvolvimento. Desde os anos 1990, se estruturam diversas organizações científicas, sociais e populares em defesa da Caatinga, por sua preservação e recuperação. Escolas, Institutos de Pesquisas, Centros Culturais, Museus, Universidades e ONGs estão empenhadas nessa tarefa.

Manejo e conservação

A Caatinga apresenta uma configuração que levou muito tempo para estabelecer-se como a vegetação mais bem adaptada às condições ambientais oferecidas. Há um equilíbrio nos sistemas ecológicos estabelecidos no bioma. É preciso compreender que, quando se altera o ambiente em equilíbrio, alguns comprometimentos irão ocorrer. O ideal, em termos ambientais e em questões ecológicas, é que não sejam alteradas as condições naturais, pois quaisquer alterações promovem desajustes nas dinâmicas e processos ocorrentes nos ecossistemas presentes nos biomas.

Destacamos também que, devido à convergência de fatores de estresses ambientais, a Caatinga se tornou ainda mais suscetível do que os outros biomas a práticas impactantes, como o desmatamento, a caça predatória e a invasão de espécies exóticas. No entanto, a Caatinga apresenta alta resiliência. Mas há um grande equívoco em achar que recuperar a Caatinga degradada passa apenas pelo plantio de mudas de espécies nativas de forma indiscriminada. Primeiro, deve ser considerada a existência anterior das espécies a serem reintroduzidas em cada área, pois estas definem o tipo de relações ocorrentes e necessárias. Além disso, existe um arranjo natural a ser copiado, pois as espécies encontram-se organizadas em comunidades, apresentando configurações em termos de frequência, composição, diversidade etc.

Deve ser observada a propensão da área que será trabalhada e respeitada a reserva ambiental preconizada pela legislação. Algumas áreas da Caatinga não podem ser exploradas com fins agrícolas e pecuários. No entanto, sistemas de cultivo e pastejo em consórcio com a vegetação natural são recomendados, principalmente quando esta parece ser a única forma de manejar a Caatinga de forma sustentável. O uso de espécies com metabolismos e outras características adaptáveis às condições presentes no Bioma garantiriam o sucesso na atividade e uma renda mínima aos homens e mulheres da Caatinga. Um grande potencial ainda pouco

B

explorado e que pode contribuir para a conservação da Caatinga é o uso de suas espécies com potencial farmacológico. Várias são as plantas e animais da Caatinga usados no combate a afecções humanas e de rebanhos, algumas delas com comprovação científica, como o João-mole (*Guapira hirsuta* [Choisy] Lundell), o angico (*A. macrocarpa*), a aroeira (*Myracrodruon urundeuva* Allemão), o teiú (*Tupinambis teguixin* L), o tatu (Euphractus sexcinctus Linnaeus 1758), a cabeça-de-nêgo (*Apodanthera congestiflora* Cogn) etc. A utilização desses recursos levaria à necessidade de aumentar a área destinada a elas, a garantia de sustentabilidade econômica e ambiental, devido ao manejo orientado para a conservação. A exploração madeireira de áreas já desmatadas com espécies exóticas e de crescimento rápido adaptadas, como a algaroba (*Prosopis juliflora* [Sw] DC), justificaria o não desmatamento de novas áreas com cobertura nativa. Ou seja, observadas as exigências técnicas, ecológicas e econômicas, há a possibilidade de uso dos recursos desses biomas.

De certa forma, o fato de a Caatinga não ter sido vista como um bioma rico o protegeu de maior exploração. Quanto mais alterado o bioma, mais exaurido de suas funções ecológicas ele estará. Portanto, devemos observar quais as formas de uso sustentável dos recursos da Caatinga, pois estando a Caatinga consolidada, ela é forte, mas estando ela alterada, sua restauração será complexa e demorada, e nenhum outro modelo de exploração será estabelecido com tamanha eficiência ecológica sob as mesmas condições no semiárido brasileiro.

Referências

AB'SABER, A. N. O domínio morfoclimático semiárido das caatingas brasileiras. *Geomorfologia,* São Paulo, n. 43, p. 1-39, 1974.

ASSARÉ, P. Triste Partida. *In: Cante lá eu que eu canto cá.* Petrópolis: Vozes, 1978.

CHIANG, J. C. H.; KOUTAVAS, A. Tropical flip-flop connections. *Nature.* London, v. 432, p. 684-685, 2004.

COUTINHO, L. M. *Biomas brasileiros.* São Paulo: Oficinas Textos, 2016, p. 128.

DE ALBUQUERQUE, U. *et al.* Caatinga Revisited: Ecology and Conservation of an Important Seasonal Dry Forest. *The Scientific World Journal,* 2012. 18 p. Disponível em: https://www.researchgate.net/publication/230735807_Caatinga_Revisited_Ecology_and_Conservation_of_an_Important_Seasonal_Dry_Forest. Acesso em: 18 mar. 2021.

KROL, M. S. *et al.* 2001. The semiarid integrated model (SDIM), a regional integrated model assessing water availability, vulnerability of ecosystems and society in NE-Brazil. *Physics and Chemistry of the Earth* (B) n. 26, p. 529-533, 2001. Disponível em: https://www.researchgate.net/publication/240408440_The_Semi-arid_Integrated_Model_SIM_a_regional_integrated_model_assessing_water_availability_vulnerability_of_ecosystems_and_society_in_NE-Brazil. Acesso em: 18 mar. 2021.

LEAL, I. R. *et al.* Changing the course of biodiversity conservation in the caatinga of northeastern Brazil. *Conserv Biol.* n. 19, p. 701-706, 2005. Disponível em: https://www.researchgate.net/publication/227506269_Changing_the_Course_of_Biodiversity_Conservation_in_the_Caatinga_of_Northeastern_Brazil. Acesso em: 18 mar. 2021.

NIMER, E. Climatologia da região Nordeste do Brasil. Introdução à climatologia dinâmica. *Revista Brasileira de Geografia,* Rio de Janeiro, v. 34, n. 2, p. 3-51, 1972.

PRADO, D. As caatingas da América do Sul. *In:* LEAL, I. R., TABARELLI, M.; SILVA, J.M.C. (ed.). *Ecologia e conservação da Caatinga.* Recife: Editora Universitária da UFPE, 2003, p. 3-73.

PUNTONI, P. *A guerra dos bárbaros. Povos indígenas e a colonização do sertão nordeste do Brasil.* 1650-1720. São Paulo: Hucitec, 2008.

RIBEIRO, D. *O povo brasileiro.* A formação e o sentido do Brasil. São Paulo: Global, 2014.

SAMPAIO, E. V. S. B. Overview of the Brazilian Caatinga. *In:* BULLOCK, S. H.; MOONEY, H. A.; MEDINA, E. (ed.). *Seasonally dry forests.* Cambridge, Reino Unido: Cambridge University Press, 1995, p. 35-58.

SANTOS, J. C. *et al.* Caatinga: the scientific negligence experienced by a dry tropical forest. *Tropical Conservation Science*, v. 4, n. 3, p. 176-286, 2011.
TRICART, J. As zonas morfoclimáticas do nordeste brasileiro. *Notícia Geomorfológica*, n. 3, p. 17-25, 1961.
TROVÃO, D. M. B. M. *et al.* Variações sazonais de aspectos fisiológicos de espécies da Caatinga. *Rev. Brasileira de Engenharia Agrícola e Ambienta l*, v. 11, n. 3, p. 307-311, 2007.

B

Nota

1 Fundação Museu do Homem Americano (FUMDHAM). Disponível em: http://fumdham.org.br/. Acesso em: 15 fev. 2021.

BIOMA CERRADO

ALTAIR SALLES BARBOSA

O sistema biogeográfico do Cerrado está situado nos planaltos centrais do Brasil, onde imperaram climas tropicais de caráter subúmido, com duas estações – uma seca, outra chuvosa. Constitui o grande domínio do Trópico Subúmido, coberto por uma paisagem que constitui um mosaico de tipos fisionômicos que varia desde campos até áreas florestadas.

O sistema do Cerrado, dos chapadões centrais do Brasil, pela posição geográfica, pelo caráter florístico, faunístico, geomorfológico e pela história evolutiva, constitui o ponto de equilíbrio dos variados ambientes brasileiros, uma vez que se conecta, por intermédio de corredores hidrográficos, com esses e com outros ambientes continentais.

Os chapadões centrais do Brasil, cobertos pelo Sistema Biogeográfico do Cerrado, constituem a cumeeira do Brasil, pois distribuem significativa quantidade de água que alimenta as principais bacias hidrográficas do continente.

O Cerrado abrange os estados de Goiás, Tocantins, Mato Grosso do Sul e Distrito Federal. Inclui a parte sul e leste de Mato Grosso, oeste da Bahia, oeste e norte de Minas Gerais, sul e leste do Maranhão, grande parte do Piauí e prolonga-se, em forma de corredor, até Rondônia. Também ocorre, de forma disjunta, em certas áreas do nordeste brasileiro e em parte de São Paulo. Ecologicamente, relaciona-se às Savanas, e há quem afirme que o Cerrado seja uma configuração regionalizada destas. Entretanto, este ambiente possui uma história evolutiva muito diferente das Savanas africanas e australianas. No Brasil, o Cerrado e os campos recebem denominações diferentes, de acordo com a região: Gerais, em Minas e Bahia; Tabuleiro, na Bahia e outras áreas do Nordeste; e ainda Campina, Costaneira e Carrasco, dependendo da região. Nenhuma dessas designações populares reflete sua totalidade ecológica, referindo-se apenas a uma modalidade fisionômica, às vezes associada a uma ou outra configuração geomorfológica. Por essas razões, o paradigma puramente botânico não tem sido suficiente para demonstrar a totalidade e a importância ecológica do Cerrado, já que destaca ou enfatiza apenas parcelas fragmentadas de sua composição. Quando isso acontece, o caráter da biodiversidade, elemento marcante da ecologia do Cerrado, não recebe a importância merecida, nem sequer pode ser compreendida em seus aspectos fundamentais.

A utilização do paradigma biogeográfico tem demonstrado ser um referencial de grande importância para que se possa entender o Cerrado, em sua globalidade. Compreendendo os diversos matizes, tanto abertos e ombrófilos, como subsistemas interatuantes e integrantes decisivos de um sistema maior, o conceito biogeográfico tem ressaltado a importância que o Cerrado exerce para o equilíbrio dos demais ambientes do continente, além de demonstrar que a principal característica da sua biocenose é a interdependência dos componentes aos diversos ecossistemas.

A região do Cerrado não pode ser entendida como uma unidade zoogeográfica particularizada porque não apresenta esta característica; tampouco pode ser considerada uma unidade fitogeográfica, por não se tratar de uma área uniforme em termos de paisagem vegetal. O mais correto é correlacionar os diversos fatores que compõem sua biocenose e defini-la como um sistema biogeográfico. Um sistema que abrange áreas planálticas, o Planalto Central brasileiro, com altitude média de 650 metros, clima tropical subúmido de duas estações, solos variados e um quadro florístico e faunístico extremamente diversificado e interdependente. A fauna variada do Cerrado, que transita noutros ambientes, por exemplo, a Caatinga, tem sua maior concentração registrada no sistema biogeográfico do Cerrado, em virtude das possibilidades alimentares durante todo ciclo anual.

Há um estrato gramíneo que sustenta uma fauna de herbívoros durante boa parte do ano, enquanto não está seco. Antes de aparecerem as flores, as queimadas naturais, por um lapso de tempo, provêm os animais com cálcio e sais minerais. Logo aparecem as flores que, durante uma determinada época, substituem as gramíneas como alimento. O final das floradas coincide com o início da estação chuvosa, que faz rebrotar os pastos secos e a maturação de várias espécies frutíferas. Acompanhando os herbívoros e atrás também de recursos vegetais, animais com outros hábitos formam uma complexa cadeia. Em termos vegetais, este sistema é complexo e nunca pode ser entendido como uma unidade, pois há o predomínio do Cerrado *stricto sensu* como paisagem vegetal, mas há também seus variados matizes, como campo e cerradão, além de formações florestadas, como matas e matas ciliares, e ainda são comuns as veredas e ambientes alagadiços.

As áreas florestadas são constituídas pelas matas ciliares que ocorrem nas cabeceiras dos pequenos córregos e rios, em suas margens, e também se espalham em áreas mais extensas, acompanhando as manchas de solo de boa fertilidade natural. Por exemplo, as matas do rio Claro e outras vertentes do Paranaíba e o outrora chamado "Mato Grosso de Goiás". As veredas e ambientes alagadiços são mais abundantes: a partir do centro da área nuclear (sudoeste de Goiás), tomam a direção norte e leste e sul e, à medida que se aproximam do Pantanal Matogrossense, ficam mais evidente os ambientes alagadiços com contornos diferenciados.

Nessa perspectiva, o sistema biogeográfico do Cerrado pode ser subdividido em subsistemas específicos, caracterizados pela fisionomia e composição vegetal e animal, além de outros fatores, que apresentam a seguinte organização: subsistema dos Campos, subsistema do Cerrado *Stricto Sensu*; subsistema do Cerradão; subsistema das Matas; subsistema das Matas Ciliares; subsistemas das Veredas e Ambientes Alagadiços.

Essa diversidade de ambientes é um fator muito importante para a diversificação faunística, permitindo a ocorrência de animais adaptados a ambientes secos e também a ambientes úmidos. Da mesma forma, propicia tanto a ocorrência de formas adaptadas a áreas ensolaradas e abertas como favorece a ocorrência de formas ombrófilas. Esses fatores atribuem ao sistema biogeográfico do Cerrado um caráter singular, distinguindo-o pela diversidade de formas vegetais e animais: são apontadas para a avifauna 935 espécies, distribuídas em diferentes habitats por todo o bioma. Quanto aos mamíferos, foram listadas 298 espécies, e 268 de répteis.

O Cerrado contém a maior biodiversidade florística do planeta. São 12.365 plantas catalogadas. No entanto, a cada expedição que fazemos, cada vez que vamos a campo, pelo menos 50 novas espécies são descobertas. Dessas 12.365 plantas conhecidas, somos capazes de multiplicar em viveiro apenas 180. Isso é cerca de 1,5% do total, quase nada em relação a esse universo. E só conseguimos fazer mudas de plantas arbóreas.

Para as demais, que são extremamente importantes para o equilíbrio ecológico, para o sequestro de carbono e para a captação de água, não temos tecnologia para fazer mudas. São exemplos o capim-barba-de-bode, a canela-de-ema, a arnica, o tucum-rasteiro, esses dois últimos com raízes extremamente complexas. Se tirarmos um tucum-rasteiro, que está no máximo 40 centímetros acima do nível do solo, e se olharmos seu tronco, vamos encontrar milhares ou até milhões de raízes grudadas naquele tronco. Se tirarmos um pedaço pequeno dessas raízes e levarmos ao microscópio, veremos centenas de radículas que saem delas. Uma pequena plantinha com um sistema radicular extremamente complexo, que retém a água e alimenta os diversos ambientes do Cerrado, algo que não se consegue reproduzir em viveiro, porque não há tecnologia.

Outro aspecto que indica que o Cerrado já entrou em vias de extinção é que as plantas do Cerrado são de crescimento muito lento. Uma canela-de-ema atinge a idade adulta com mil anos de idade. O capim-barba-de-bode fica adulto com 600 anos. Um buriti atinge 30 metros de altura com 500 anos.

Suas árvores já atingiram alto grau de especialização. Tanto que o processo de quebra da dormência de determinadas sementes é extremamente sofisticado. Uma semente de araticum, por exemplo, só pode ter sua dormência quebrada no intestino delgado de um canídeo nativo do Cerrado – um lobo-guará, uma raposa. Como esses animais estão em extinção, fica cada vez mais difícil quebrar a dormência de um araticum, que é uma anonácea (família de plantas que inclui também a graviola e a fruta-do-conde, entre outras).

Dos ambientes recentes do planeta terra, o Cerrado é o mais antigo. A história recente da terra começou há 70 milhões de anos, quando mais de 99% da vida existente foi extinta. A partir de então, o planeta começou a se refazer novamente. Os primeiros sinais de vida, principalmente de vegetação, que ressurgem na Terra se deram no que hoje constitui o Cerrado. Portanto, vivemos aqui no local onde houve as formas de ambiente mais antigas da história recente do planeta, principalmente se levarmos em consideração as formações vegetais. No mínimo, o Cerrado começou há 65 milhões de anos e se concretizou há 40 milhões de anos.

O Cerrado é um tipo de ambiente em que vários elementos vivem intimamente interligados uns aos outros. A vegetação depende do solo, que é oligotrófico (com nível muito baixo de nutrientes); o solo depende de um tipo de clima especial, que é o tropical subúmido com duas estações, uma seca e outra chuvosa. Vários outros fatores, incluindo o fogo, influenciaram na formação do bioma – o fogo é um elemento extremamente importante porque é ele que quebra a dormência da maioria das plantas com sementes que existem no Cerrado.

Assim, é um ambiente que depende de vários elementos. Isso significa que já chegou a seu clímax evolutivo. Ou seja, uma vez degradado, não vai mais se recuperar na plenitude de sua biodiversidade. Por isso é que falamos que o Cerrado é uma matriz ambiental que já se encontra em vias de extinção.

O Cerrado exerceu papel fundamental na vida das populações pré-históricas que iniciaram o povoamento das áreas interioranas do continente sul-americano. Na região do Cerrado, essas populações desenvolveram importantes processos culturais que moldaram estilos de sociedades bem definidas, em que a economia de caça e coleta imprimiu modelos de organização espacial e social com características peculiares. Os processos culturais indígenas que se seguiram a este modelo trouxeram pouca modificação à fisionomia sociocultural e, embora ocorresse o advento da agricultura incipiente, exercida nas manchas de solo de boa fertilidade natural existentes no Cerrado, a caça e a coleta, em particular a vegetal, ainda constituíam fatores decisivos na economia dessas sociedades.

A partir do século XVIII, o panorama regional começou a sofrer sensíveis modificações, com o incremento da colonização portuguesa que se embrenhava pelo interior do país em busca de ouro, pedras preciosas, índios e escravos fugidos. Nesse contexto, e a partir dessa data, surgiram os primeiros aglomerados urbanos e a exploração mais intensa dos recursos minerais que começava a se incrementar, já provocando os primeiros sinais de degradação. Findo o ciclo da mineração, a região do Cerrado permaneceu economicamente dedicada à criação extensiva de gado e à agricultura de subsistência.

O isolamento que a região manteve em relação às áreas mais populosas e economicamente dinâmicas do Brasil, até meados da década de 1960, fez com que este quadro permanecesse basicamente inalterado, fato que a implantação de Brasília alterou consideravelmente, desestruturando os sistemas sociais implantados e causando entropias de ordem biológica e geológica.

O potencial agrícola que o Cerrado demonstra, associado ao fato de ser uma das últimas reservas da terra capaz de suportar, de modo imediato, a produção de grãos e a formação de pastagens, ligado ao desenvolvimento das técnicas modernas de cultivo, tem atraído recentemente grandes investimentos e criado modificações significativas do ponto de vista da infraestrutura de suporte. O fato da não existência de uma política global para a agricultura tem provocado o êxodo rural e o crescimento desordenado dos núcleos urbanos. Todos esses fatores, em seu conjunto, têm como consequências situações nocivas ao meio ambiente natural e social, com perspectivas preocupantes.

Alguns dos subsistemas do Cerrado já foram totalmente extintos, como é o caso das campinas, dos chapadões, cuja vegetação foi retirada para plantação de grãos. Hoje temos no máximo entre 2% e 5% de área preservada no cerrado, pequenas manchas que ainda estão intactas, localizadas em algumas reservas indígenas e outras áreas no vale do Parnaíba (rio que divide os estados do Maranhão e do Piauí), onde será implantado agora o projeto do Matopiba. Isso levará praticamente à extinção do pouco que ainda existe.

Para saber mais

AB'SABER, A. N. *Os domínios morfoclimáticos da América do Sul*. São Paulo: Instituto de Geografia da USP, 1977.

BARBOSA, A. S. *Cerrado*: o laboratório ameaçado pela desterritorialização. São Leopoldo-RS, 2017. IHU-On Line. Revista do Instituto Humanitas Unisinos, Ed. 500, 13 mar. 2017, entrevista concedida a João Vitor Santos. Disponível em: http://www.ihuonline.unisinos.br/artigo/6756-cerrado-o-laboratorio-antropologico-ameacado-pela-desterritorializacao. Acesso: 01 jan. 2019.

_______. O Cerrado está extinto e isso leva ao fim dos rios e dos reservatórios de água, Goiânia-GO., 2014. *Jornal Opção*, Ed. 2048, 4 out. 2014. Entrevista concedida a Marcelo Gouveia. Disponível em: https://www.jornalopcao.com.br/entrevistas/o-cerrado-esta-extinto-e-isso-leva-ao-fim-dos-rios-e-dos-reservatorios-de-agua-16970/

_______.Blog "Cerrado: do científico ao poético", do professor Altair: Disponível em: http://altairsales-barbosa.blogspot.com/ Acesso em: 18 mar. 2021

_______.*Andarilhos da Claridade*. Goiânia: Ed. da PUC-GO, 2002.

Cerrado, conflitos e resistências dos povos

Valéria Pereira Santos e Atamis Antonio Foschiera

Faz parte do Cerrado uma diversidade de povos, como os geraizeiros, ribeirinhos, vazanteiros, retireiros, pescadores, sertanejos, camponeses, quilombolas, agricultores familiares e mais de 83 etnias de povos indígenas. Todos esses povos, que têm como base a agricultura de baixa intensidade e o extrativismo sustentável, compõem um grandioso mosaico de vidas e saberes do Cerrado. Juntos, detêm conhecimentos tradicionais seculares – saberes e fazeres – de convivência e preservação de sua biodiversidade, que na história do Brasil sempre estiveram ameaçados.

Após séculos de ocupação desordenada do Cerrado, na década de 1940 passou a predominar uma nova perspectiva de ocupação através de uma política de imigração dirigida, denominada de 'Marcha para o Oeste', por intermédio das Colônias Agrícolas Nacionais (CAN). Essa política teve como foco aliviar a crise causada pela decadência da cafeicultura e formar uma nova frente agrícola comercial no país, visando o mercado interno e ocupando a mão de obra de brasileiros pobres e aptos à agricultura. Como resultado prático dessa política, formou-se a Colônia Agrícola Nacional de Goiás (Cang), que deu origem ao município de Ceres, e a Colônia Agrícola Nacional de Dourados/MS (Cand) (Castilho, 2012; Menezes, 2011).

A partir da década de 1970, na perspectiva da produção voltada ao mercado externo, no embalo da "Revolução Verde" e sob o regime militar, o Cerrado se tornou alvo dos grandes grupos econômicos nacionais e internacionais, cujo objetivo é a exploração do subsolo, da rica biodiversidade dos campos e chapadas e a implantação de monoculturas, formando o chamado *agrohidromineronegócio* – termo que sintetiza as atividades agrícolas, hídricas e de mineração na perspectiva de exploração econômica. A crescente exploração econômica do Cerrado tem acelerado a devastação desse bioma.

O modelo de produção monocultor exige o uso intensivo da terra em grande escala, causando derrubada do Cerrado natural; a utilização de uma grande quantidade de recursos externos ao ambiente, como adubação química e agrotóxicos; e o consumo de grande quantidade de água. A soma desses elementos tem sido apontada como geradora de danos ao meio ambiente e à saúde das

B

populações. Ademais, em paralelo ao agronegócio, nas áreas do Cerrado, também foram instalados diversos projetos de infraestrutura para a produção de energia elétrica, exploração de minérios e escoamento da produção agropecuária. Os grandes projetos de infraestrutura – ferrovias, hidrovias, rodovias – também impactam e expulsam famílias de suas comunidades.

A expansão da fronteira do capital no Cerrado se deu com grandes incentivos do Estado por meio de programas ditos de desenvolvimento, pensados para o capital, e pessoas de outras localidades, e não de inserção das pessoas do local. Entre eles, estava o Programa Nipo-Brasileiro de Desenvolvimento Agrícola da Região dos Cerrados (Prodecer), acordo Brasil/Japão que durou de 1979 a 2001, e que teve como gestora a *Japan Internacional Cooperation Agency* (Jica), com financiamento de empreendimentos nas áreas de logística, aquisição de terras e implementos agrícolas sofisticados. Os objetivos do Prodecer, nos discursos dos governos e do setor privado envolvidos, eram: "estimular o aumento da produção de alimentos; contribuir para o desenvolvimento regional do país; aumentar a oferta de alimentos no mundo; e desenvolver a região do Cerrado" (Comissão Pastoral da Terra, 2018).

Outro programa de incentivos do governo brasileiro ao agronegócio foi o Matopiba, um nome novo para velhas estratégias dos planos governamentais desenvolvimentistas que buscam explorar riquezas naturais em novas ondas expansionistas do capital. O Plano de Desenvolvimento Agropecuário do Matopiba (PDA Matopiba) foi criado através do Decreto n. 8.447, de 8 de maio de 2015, pelo Ministério da Agricultura, Pecuária e Abastecimento (Brasil, 2015), e corresponde ao acrônimo dos estados do Maranhão, Tocantins, Piauí e Bahia, ocupando uma área de 73.173.485 hectares, envolvendo 337 municípios. A região do Matopiba é um dos últimos refúgios da biodiversidade do Cerrado, onde estão mais preservadas suas características naturais (o PDA Matopiba foi extinto oficialmente em 2016 com a reestruturação do ministério a que estava vinculado, porém, seu ideário e práticas continuam em execução pela iniciativa privada).

A expansão do agrohidromineronegócio no Cerrado ocorre sem que muitas das comunidades cerradeiras tenham a garantia do acesso à terra e ao território para viver. Essa expansão se dá com constantes ameaças e perseguições de jagunços; da pressão pela especulação imobiliária e fundiária; da ação do Estado brasileiro em retirar direitos (Rede Social de Justiça e Direitos Humanos, 2018). A bancada ruralista no Congresso Nacional tenta reiteradamente retirar direitos já adquiridos pelos povos cerradeiros visando o controle da exploração dos recursos naturais pelo capital. Esse choque de interesses entre as comunidades tradicionais e os investidores de capitais tem resultado em uma série de conflitos (cf. Comissão Pastoral da Terra, 2018; 2019).

Diante da ameaça aos modos de vidas dos povos e da biodiversidade do Cerrado, surge, em 2016, como frente de resistência, a Campanha em Defesa do Cerrado. Uma iniciativa de mais de 50 organizações brasileiras que, no esforço coletivo de uma "campanha pé no chão", busca dar visibilidade e valorização à cultura das comunidades tradicionais cerradeiras e à biodiversidade do Cerrado. Com o lema "Sem cerrado, sem água, sem vida", a campanha objetiva chamar a atenção da sociedade para a importância do Cerrado para o Brasil, alertando sobre os impactos do agrohidromineronegócio na conservação desse valioso bioma, cuja conservação está intrinsecamente relacionada à convivência com os povos originários e tradicionais.

Referências

BRASIL. Presidência da República. Secretaria-Geral. Subchefia para Assuntos Jurídicos. *Decreto n. 8.447, de 6 de maio de 2015*. Dispõe sobre o Plano de Desenvolvimento Agropecuário de Matopiba e a criação de seu Comitê Gestor. Disponível em: http://www.planalto.gov.br/ccivil_03/_ato2015-2018/2015/decreto/d8447.htm Acesso em: 18 mar. 2021.

CASTILHO, D. C. A Colônia Agrícola Nacional de Goiás (Cang) e a formação de Ceres-GO – Brasil. *Élisée*, Rev. Geo. UEG, Goiânia, v.1, n.1, p.117-139, jan.-jun. 2012.

COMISSÃO PASTORAL DA TERRA (CPT). *Revista Cerrados*. 1. ed. Goiânia, 2019.

______. *Os custos ambientais e humanos do negócio de terras, o caso Matopiba, Brasil*. Jun. 2018. Disponível em: https://fase.org.br/wp-content/uploads/2018/08/Os-Custos-Ambientais-e-Humanos-do-Nego%CC%81cio-de-Terras-.pdf. Acesso em: 15 mar. 2019.

MENEZES, A. P. Colônia Agrícola Nacional de Dourados – História, Memória: considerações acerca da construção de uma memória oficial sobre a CAND na região da Grande Dourados. *Revista História em Reflexão*, UFGD, Dourados, v. 5, n. 9, p. 1-16, jan.jun. 2011.

REDE SOCIAL DE JUSTIÇA E DIREITOS HUMANOS. *Imobiliárias agrícolas transnacionais e a especulação com terras na região do MATOPIBA*. São Paulo: Outras Expressões, 2018.

B

BIOMAS COSTEIROS

Igor da Mata Oliveira
Érico Demari e Silva
Ticiano Rodrigo Almeida Oliveira

Os biomas costeiros brasileiros são importantes áreas no que se refere ao povoamento, economia e biodiversidade. Neste verbete, abordamos os processos de povoamento desses biomas, sua importância histórico-cultural na formação das identidades brasileiras e questionamos o futuro da biodiversidade e das comunidades que habitam essa região.

Em seus mais de 8 mil km de extensão, o litoral brasileiro abriga uma grande diversidade de paisagens, assim como de povos e comunidades tradicionais. Desde as longas e muito produtivas praias arenosas, marismas, lagoas e lagunas do extremo sul, passando pelas restingas, costões rochosos, baías e enseadas de Santa Catarina ao Rio de Janeiro, falésias coloridas e tabuleiros costeiros que se prolongam pela costa do litoral norte do Rio de Janeiro até o litoral do Nordeste e, finalmente, pelos espessos manguezais entre o Delta do Parnaíba e o estuário Amazônico – no extremo norte –, os biomas costeiros compõem um complexo mosaico de ecossistemas, cada qual apresentando características físicas, bióticas e socioeconômicas peculiares.

Sabe-se que os primeiros ocupantes da costa brasileira foram os povos sambaquieiros, há aproximadamente 7.500 anos. Eles deixaram como vestígios os sambaquis – de "tambá" (conchas) e "ki" (amontoado), em tupi –, pequenos morros feitos de conchas e ossos de animais (terrestres e marinhos) que eram base de sua alimentação, constituindo uma economia fortemente baseada nos recursos pesqueiros. Instalaram-se principalmente nas restingas – típicas da planície costeira – e ao redor de lagunas, assim como nas proximidades de mangues e de florestas de baixada.

Essas populações realizavam rituais funerários, confeccionavam instrumentos e artefatos líticos, foram demograficamente numerosos em determinadas épocas e, provavelmente, praticavam horticultura, manejo de tubérculos comestíveis e de espécies madeireiras e frutíferas. Os sambaquieiros eram sedentários e possuíam uma estrutura sociocultural relativamente complexa.

Todavia, seu desaparecimento ainda é um mistério, apesar de alguns trabalhos indicarem diminuição demográfica de seus assentamentos a partir de 3 mil anos atrás e mudanças culturais significativas há 1.200 anos, provavelmente resultantes do contato com os povos indígenas jê do sul e tupi-guarani. Seus vestígios desaparecem a partir de 900 anos atrás.

A ocupação do litoral pelos tupis-guaranis iniciou-se provavelmente no início da Era Cristã. Das terras baixas da Amazônia (rios Madeira, Tapajós e Tocantins), onde tinham um passado milenar, é provável que tenham seguido várias vias distintas de ocupação: descendo pela costa desde a foz do Amazonas até o litoral sul e também pelo interior do continente, seguindo os cursos das principais bacias hidrográficas e deslocando-se por terra firme. Os tupinambás estabeleceram-se entre a foz do Amazonas e Cananeia (SP) e os guaranis, ao sul do Trópico de Capricórnio. De forma eficiente, espalharam-se pela costa: eram beligerantes, ceramistas e praticavam, além da pesca e da caça, a agricultura. Mesmo após o genocídio perpetrado pelos colonizadores, os tupis-guaranis remanescentes continuam com suas práticas agrícolas e extrativistas milenares que, de várias formas, também foram herdadas pelas populações tradicionais do litoral brasileiro. Essa influência pode ser observada nos pequenos roçados, no manejo agroflorestal de espécies frutíferas e madeireiras úteis, assim como nas técnicas de pesca, mariscagem, construção de canoas e de moradias.

Colonização, genocídio e escravidão moderna: Bioma Costeiro e mercantilismo

Os tupinambás já tinham descoberto aquelas terras há pelo menos mil anos, e chamavam a Mata Atlântica de Caáeté (a floresta verdadeira). A floresta dava lugar, em torno das aldeias, aos cultivos de algodão, aipim, amendoim, dentre outros, realizados em sistema de "coivara": pequenos talhões de mata eram derrubados e os esbulhos eram então queimados de forma controlada para preparar a terra e tornar possível o plantio. Depois de alguns anos de cultivo, as áreas eram abandonadas (pousio) e partia-se para outro talhão, repetindo-se o mesmo processo.

Os navegadores que aportaram na Bahia não queriam exatamente povoar a nova terra, mas sim procurar riquezas que pudessem ser comercializadas com as metrópoles europeias. Não demorou muito para notarem na floresta costeira um pau-de-tinta de cor carmim, parecida com outra espécie asiática, valiosíssima na Europa para o tingimento de tecidos, o que deflagrou o primeiro ciclo de exploração econômica mercantilista na então Terra de Vera Cruz. O pau-brasil (*Paubrasilia echinata*) não somente emprestaria seu nome em definitivo à terra invadida pelos portugueses como também desencadearia o processo de colonização a partir do litoral, resultando no genocídio de seus habitantes originários, um dos maiores da história.

Os primeiros povoados e vilas foram se estabelecendo em águas abrigadas, onde as embarcações podiam aportar em segurança: na baía de Todos os Santos; em Olinda; na baía de Guanabara; na foz do rio Vaza Barris (São Cristóvão-SE) e em Cananeia-SP. Esses locais eram situados em estuários repletos de manguezais, berçários da vida marinha ricos em peixes, crustáceos e moluscos que serviam à alimentação humana. A madeira do mangue era usada em construções diversas, currais de pesca e para lenha. Da baleia-franca-do-sul (*Eubalaena australis*), as "armações" — onde os caçadores se armavam com arpões e barcos a remo — extraíam o óleo que foi a base da argamassa que, juntamente ao cascalho das conchas de moluscos abundantes nas praias, seria utilizada na construção das primeiras edificações dos colonizadores. Essa espécie de baleia, que criava seus filhotes durante o inverno e a primavera nas enseadas e baías de águas rasas, desde o Rio Grande do Sul à baía de Todos os Santos, teve o mesmo destino do pau-brasil, praticamente desaparecendo após 200 anos de exploração intensa.

Estima-se que tenham sido cortadas mais de 2 milhões de árvores de pau-brasil somente no primeiro século de extração; para a época, um esforço gigantesco que, necessariamente, demandou o sangue de milhares de indígenas. A decadência do comércio dos paus-de-tinta coincidiu com o sucesso das plantações de cana-de-açúcar das colônias europeias no Caribe, disparando a corrida das nações mercantilistas pela economia de *plantation*. Durante o século XVII e início do século XVIII, o Brasil foi um dos maiores produtores de açúcar do planeta, graças à destruição da Mata Atlântica dos tabuleiros costeiros e à exploração da mão de obra escravizada dos povos de matriz africana. Os navios negreiros tinham mastros de madeira de guanandi (*Calophyllum brasiliense*), árvore valorosa da restinga que foi a primeira espécie brasileira a ser protegida em âmbito legal; daí a origem do termo "madeira de lei". Como se tornaria regra, sua exploração, assim como de qualquer outra espécie de madeira da Mata Atlântica, nunca fora realmente regulada ou fiscalizada.

Na transição do século XVI para o XVII, os ingleses e holandeses invadiram e saquearam a capitania de Pernambuco, então a mais rica da colônia; estes últimos se instalariam por quase 30 anos nos canais estuarinos da vila de Recife, sendo expulsos entre 1654 e 1661. Após a retomada pelos portugueses, a exploração do riquíssimo solo de massapê dos tabuleiros costeiros do Nordeste continuaria de maneira sistemática, devastando amplos trechos de Mata Atlântica e exaurindo a capacidade produtiva da terra. Milhões de pessoas foram sequestradas no continente africano e escravizadas nos engenhos; milhares morreram sem mesmo chegar à costa brasileira. A resistência dos negros à escravidão se manifestou de inúmeras formas e resultou no que hoje são as comunidades e territórios quilombolas. A ilha de Alcântara, no Maranhão, assim como seus arredores, está entre os maiores territórios quilombolas do Brasil, memória das lutas que se seguiram após a decadência dos engenhos e monoculturas locais. O gigantesco labirinto de manguezais e reentrâncias dessa região seria um esconderijo perfeito para os fugitivos do cativeiro.

Populações indígenas que viviam no litoral distinguiam-se em três grupos: carijós, que viviam nas proximidades e ao sul da capitania de São Vicente; tupinambás, na região do atual estado do Rio de Janeiro e costa do Nordeste, entre o rio São Francisco e o Rio Grande do Norte; e os tupiniquins, no restante do litoral. Além das variações tupinambás, a exemplo dos potiguares, caetés e tabajaras, os temiminós, tamoios e guaranis ou carijós (Silva, 2001).

Estes povos foram os primeiros trabalhadores nos plantios de cana, e obviamente, nas primeiras fases de devastação da vegetação das regiões costeiras. Foram trabalhadores forçados, que derrubaram florestas, construíram casas, produziram alimentos através da caça, pesca e agricultura, proporcionando os arranjos necessários deste processo de extra escravidão.

Em 1609, foi proibida a escravidão dos povos indígenas no Brasil. Mas a lei não foi respeitada em sua plenitude, dado o constante avanço das áreas de cultivo de cana-de-açúcar e as entradas no interior, em especial com os rebanhos bovinos.

O processo de colonização resultou na perseguição, isolamento no interior e afastamento dos povos indígenas.

Os povos indígenas deixaram o maior legado das artes de pesca no litoral brasileiro. Técnicas e saberes foram difundidos e modificados com escravos recém-chegados e pescadores europeus. Podemos citar: fabricação de linhas de pesca a partir de fibras naturais, como o cânhamo e o sisal; defumação, torra e produção de farinha de peixe; pesca de cerco com timbó; pesca de batida; redes do tipo puiça ou puçá. Devem-se destacar também as técnicas de pesca à noite, com o uso de madeira de pindoba, que produz forte brasa, servindo como atrator luminoso para os peixes.

Outra forte herança indígena na região costeira do Brasil é a jangada. Seu primeiro registro é do ano de 1500, mas esta se evidencia no século XVII, ainda sem menção ao uso de velas, cuja introdução se deu a partir da ocupação holandesa. Nestas embarcações, era comum a pesca com jereré, uma rede triangular de aproximadamente 40 cm, feita de palha de palmeira trançada (Cascudo, 1964).

No século XVII, foi abundante o crescimento de vilas litorâneas, com o intuito de fornecimento de pescados para as cidades maiores, a exemplo do Recife. No litoral da Paraíba, eram comuns os senhores de pescadores, donos de escravos que realizavam esta única atividade econômica. Nas grandes lagoas das margens do rio São Francisco e do litoral alagoano, eram comuns os grandes currais pesqueiros, uma forma de aprisionamento dos peixes, sendo realizada a captura no verão, época em que as lagoas reduziam seu volume.

Uma terceira categoria que merece destaque no processo de povoamento da costa brasileira é a dos pescadores livres. No litoral sul da Bahia, nas vilas de Porto Seguro e de Abrolhos, agrupavam-se cerca de 3 mil pescadores livres, que costumavam capturar garoupa, comercializada salgada para Salvador e Rio de Janeiro, no século XVII.

O crescimento populacional e a expansão territorial ao redor das principais cidades portuárias implicavam a destruição da Mata Atlântica, Manguezais, Florestas de Restinga e de Tabuleiros. A poluição costeira gerada pela destruição das florestas, recursos hídricos e falta de saneamento já se faria sentir em muitas cidades, desencadeando epidemias de tifo, tuberculose, febre amarela, dentre outras.

Um novo ciclo econômico, o do café, utilizaria trabalho escravo até o final do Império, em 1888 (o Brasil foi o último país a abolir a escravidão), continuaria a interiorização da população e manteria a base da economia de *plantation*, concentrando ainda mais as terras e o capital nas mãos dos donos dos meios de produção. Enquanto isso, distantes dos grandes centros, as vilas e os povoados litorâneos mantinham suas comunidades pesqueiras e seus respectivos modos de vidas tradicionais.

Imperialismo: o Bioma Costeiro como lugar de conflito

Até os dias atuais, o Bioma Costeiro tem grande importância na vida das populações tradicionais do litoral brasileiro por prover o sustento de milhões de famílias. Em contrapartida, esses territórios são locais de conflito e vêm sendo destruídos pelo grande capital. As dunas costeiras protegem as comunidades, vilas e povoados da erosão provocada pelo mar, papel também desempenhado pelos manguezais e estuários, onde a descarga de água doce dos rios impede o avanço do mar. Em alguns locais onde as bacias hidrográficas ou dunas costeiras foram degradadas ou ocupadas indevidamente por grandes empreendimentos – tais como loteamentos, usinas hidrelétricas, mineração, usinas eólicas, hotéis de luxo e monoculturas do agronegócio –, os territórios de comunidades tradicionais têm sido destruídos pela ação do mar (como em Atafona, na foz do rio Paraíba do Sul-RJ).

As restingas também fornecem proteção contra a erosão causada pelo mar e também são abrigos para espécies úteis às comunidades costeiras. No entanto, nos últimos 40 anos, vêm sendo ocupadas por monoculturas, loteamentos, condomínios fechados, grandes hotéis, *resorts* de luxo, usinas eólicas e complexos industriais e portuários.

Os manguezais ocupam estuários e águas abrigadas de baías e enseadas, desde Santa Catarina até o Amapá. A grande biodiversidade e biomassa desses ambientes os tornam fundamentais para a manutenção da saúde dos ecossistemas costeiros. As águas abrigadas, em contrapartida, são cobiçadas pelo grande capital para a construção de complexos industriais portuários – que são fonte de poluição costeira, trazem danos à saúde e graves impactos socioeconômicos (como na baía de Sepetiba-RJ), além do deslocamento de pessoas de seus territórios tradicionais (como no porto de Suape-PE).

As comunidades costeiras também sofrem com a pesca industrial – predatória e de grande escala – e, ainda, com a imposição de Unidades de Conservação de Proteção Integral em territórios de pesca tradicionalmente ocupados durante centenas de anos, o que exigiria a criação de Reservas Extrativistas, ou seja, Unidades de Conservação de Uso Sustentável. Os pescadores artesanais de arrasto de camarão da ilha do Superagui-PR e arredores sofrem restrições para poder pescar na boca do estuário do Lagamar – um dos sete maiores do mundo – devido à criação de um Parque Nacional, sem consulta popular, em seus territórios, utilizados secularmente para a pesca. Outras atividades tradicionais, como pequenos roçados e o manejo de plantas úteis da restinga – tais como a juçara e o guanandi –, também são conflitantes com os propósitos da Unidade de Conservação de Proteção Integral. Enquanto isso, o grande capital destrói os recursos dessas comunidades, aproveitando-se das falhas na fiscalização ambiental. Na foz do rio Oiapoque, extremo norte do litoral brasileiro, pescadores artesanais locais também enfrentam problemas semelhantes, entrando em conflito com pescadores de camarão-rosa da Guiana Francesa, pesca de grande escala vinda do Pará e a fiscalização ambiental do Parque Nacional do Cabo Orange.

A indústria do petróleo e gás pratica as atividades de transporte e refino em regiões litorâneas, instalando-se principalmente no bioma Costeiro. Acidentes envolvendo vazamentos são extremamente impactantes para as comunidades tradicionais e exigem longo tempo para remediação e recuperação ambiental.

Contudo, ao longo da história brasileira, é necessário reconhecer que os povos e comunidades tradicionais foram capazes de empreender lutas específicas,

B

engajamentos históricos, produto de resistência de movimentos de massa. Desde tempos passados, os processos de dominação, opressão econômica e controle político são combatidos por organizações sociais e populares que buscam afirmação étnica, territorialidades e relações ecossistêmicas equilibradas.

Na década de 1980, o Conselho Pastoral dos Pescadores (CPP), apoiado por membros da Conferência Nacional dos Bispos do Brasil (CNBB), desenvolveu um importante trabalho de base para a articulação dos pescadores na região Nordeste, que posteriormente se espalhou para outras regiões do país. O trabalho incluía a formação de lideranças que assumiram a gestão das colônias de pescadores, antes designadas pela Marinha. Nesse contexto, pescadores artesanais se organizaram no Movimento Nacional dos Pescadores (Monape), fundado em 1988. Mais tarde, surgiram também a Articulação Nacional das Pescadoras (2006) e o Movimento dos Pequenos Pescadores e Pescadoras (MPP) (2009). Em 2009, durante a Conferência Nacional dos Pescadores e Pescadoras Artesanais, organizada pela Articulação Nacional das Pescadoras, foi formalizada a criação do Movimento dos Pescadores e Pescadoras do Brasil. O MPP vem manifestando publicamente seu descontentamento com as ações estabelecidas no âmbito das políticas públicas para o segmento pesqueiro. Inscrito no quadro dos novos movimentos sociais por possuir uma identidade própria, fundada na defesa das populações tradicionais que têm na pesca artesanal seu meio de vida e trabalho, o MPP, em suas ações e campanhas formativas de denúncia e reivindicação, aponta como adversários a política desenvolvimentista da qual resultam os grandes empreendimentos de infraestrutura promovidos pelo Estado e/ou iniciativa privada (hidrelétricas, portos, indústrias petroquímica e de exploração de petróleo e gás etc., para citar apenas algumas), o agro e o hidro negócios e, ainda, o turismo de massa e a especulação imobiliária cuja regulação é considerada insuficiente, haja vista a constatação de que os ônus e bônus destas iniciativas são distribuídos desigualmente, sendo as populações pesqueiras tradicionais as mais prejudicadas (Brito, 2016).

À sanha do imperialismo, suas empresas e investidores destroem o bioma Costeiro e as comunidades que dele vivem, negligenciam as leis ambientais, os Direitos Humanos e as convenções internacionais, com a única e exclusiva finalidade de concentrar dinheiro e poder. Este é o contexto das populações tradicionais que habitam os biomas Costeiros. Cada vez mais espremidas entre metrópoles, ou perdendo seus territórios de vida para empreendimentos relacionados ao agrohidronegócio, estas comunidades mantêm sua cultura, suas formas de produção e apropriação, além de estratégias únicas de convivência e conservação deste bioma.

Referências

BRITO, C. I. *Uma abordagem sócio-histórica do Movimento de Pescadores e Pescadoras Artesanais do Brasil (MPP)*. Campos dos Goytacazes, 2016. 157 p. Tese de doutorado. Centro De Ciências Do Homem (CCH). Programa de Pós-graduação em Sociologia Política. Universidade Estadual do Norte Fluminense Darcy Ribeiro (UENF).

CASCUDO, L. C. *Jangada* – uma pesquisa etnográfica. Rio de Janeiro: Editora Letras e Artes, 1964.

SILVA, L. G. *A faina, a festa, o rito*: uma etnografia histórica sobre as gentes do mar. Campinas: Papirus Editora, 2001.

Para saber mais
DEAN, W. *A ferro e fogo*: a história e a devastação da Mata Atlântica brasileira. São Paulo: Companhia das Letras, 1996.
DIEGUES, A. C. S. *A pesca construindo sociedades*: leituras em socioantropologia marítima e pesqueira. São Paulo: NUPAUB/USP, 2004.
______. *Povos e mares*: leituras em socioantropologia marítima. São Paulo: NUPAUB/USP, 1995.
GALEANO, E. H. *As veias abertas da América Latina*. Porto Alegre: L&PM, 2014, 392p.
GOMES, F. S. *Mocambos e quilombos*: uma história do campesinato negro no Brasil. São Paulo: Claro Enigma, 2015.

BIOMA MATA ATLÂNTICA

Diogo Cabral
Alexandro Solorzano
Fernanda Tubenchlak

Habitada por populações ameríndias a partir de 8 mil anos atrás, a Mata Atlântica recebeu o desembarque dos primeiros colonizadores europeus no final do século XV da Era Cristã. Movidas pela acumulação de riqueza e poder, as novas sociedades humanas que então se construíram – misturando genes, culturas e tecnologias ameríndias, europeias e africanas – mostraram-se bem menos ambientalmente adaptativas do que as sociedades nativas (Dean, 1996). Sobretudo no período pós-colonial, o desflorestamento e outras formas de alteração ambiental reduziram o bioma a pequenas manchas de vegetação nativa em meio a paisagens dominadas por campos agropecuários, fábricas, cidades e estradas, entre outros elementos antropogênicos. Concentrando, atualmente, cerca de 70 % da população e 80 % do Produto Interno Bruto (PIB) do país, a Mata Atlântica é muito mais uma região de agropecuária, fábricas e cidades do que de florestas, mangues e restingas. Sua rica biodiversidade, grande parte dela endêmica (isto é, que só ocorre localmente), encontra-se seriamente ameaçada. As últimas pesquisas mostram que quase metade das espécies *avaliadas* – que não equivalem às espécies *existentes* – pode ser considerada ameaçada de extinção, conforme as regras internacionais da International Union for Conservation of Nature (IUCN) (Silva *et al*., 2016).

Delimitação geográfica

Onde fica e até onde se estende a Mata Atlântica? Não há uma resposta estritamente "natural" para essa questão. De um modo geral, a Mata Atlântica, como sugere o nome, abrange as formações vegetais nativas ao longo da costa Atlântica, desde o litoral do Nordeste até o sul do país, incluindo áreas no norte da Argentina e do Paraguai. Contudo, a delimitação de uma área para a aplicação de regras de uso da vegetação nativa, a construção jurídico-territorial da Mata Atlântica – único bioma brasileiro que dispõe de legislação própria (Lei da Mata Atlântica, Lei Federal n. 11.428/2006) – nunca deixou de envolver acirradas disputas políticas (Brasil, 2006).

Definida como "patrimônio nacional" na Constituição de 1988, a Mata Atlântica é objeto de legislação desde 1990, quando um decreto presidencial proibiu o corte da vegetação nativa nas áreas então definidas pelo IBGE como Floresta Ombrófila Densa Atlântica, Floresta Ombrófila Mista, Floresta Ombrófila Aberta, Floresta Estacional Semidecidual, Floresta Estacional Decidual, manguezais, restingas, campos de altitude, brejos interioranos e encraves florestais do Nordeste. Dois anos depois, teve início a tramitação do Projeto de Lei n. 3285, de autoria do deputado federal Fabio Feldmann (Brasil, 1992). Embora não seja possível descrever aqui as intrincadas idas e vindas nesse processo (Steinberger; Rodrigues, 2010), é importante destacar que os debates no parlamento giraram em torno, principalmente, da delimitação geográfica da Mata Atlântica. De um lado, parlamentares ligados a interesses ruralistas defendiam uma delimitação estreita, que incluísse pouco mais que a Floresta Ombrófila Densa. Do outro lado, parlamentares associados a setores científicos e ambientalistas pressionaram por uma delimitação abrangente, semelhante à do decreto n. 99.547 de 1990. Essa última proposta foi aprovada em 2006, definindo a Mata Atlântica como uma extensa área de 1,3 milhões de quilômetros quadrados, na qual a conversão de vegetação nativa precisaria ser autorizada por órgão ambiental competente.

Realizado pelo IBGE em parceria com o Ministério do Meio Ambiente, na escala 1:5.000.000, o primeiro mapeamento oficial dos biomas brasileiros foi publicado em 2004 (IBGE, 2004). Acatando o princípio da regionalização em áreas contínuas, esse mapeamento retrata uma Mata Atlântica um pouco diferente daquela da Lei n. 11.428 (Brasil, 2006), que inclui manchas descontínuas, até o extremo oeste do Mato Grosso do Sul e o norte do Maranhão. De fato, se considerarmos a composição de espécies vegetais, encontram-se "Matas Atlânticas" incrustadas em outros biomas do país. Anos atrás, um grupo de pesquisadores do Museu Paraense Emílio Goeldi encontrou Mata Atlântica na Amazônia. Eram matas da Ilha de Ipomonga e outras ilhas dos arredores, no município de Curuçá, no nordeste do Pará (Expedição..., 2009).

Conforme o atual entendimento do Ministério do Meio Ambiente (MAM), o Bioma Mata Atlântica abrange diferentes fisionomias florestais: 1) Floresta Ombrófila Densa, como o nome já diz, abrange as florestas sempre-verdes sob influência das frentes úmidas do oceano Atlântico; 2) Floresta Estacional Semidecidual e Floresta Estacional Decidual, que são conhecidas como as matas secas ou florestas de transição, localizadas no interior do bioma, sob influência de clima continental estacional. Essas florestas apresentam caducifólia, ou seja, perdem parte da folhagem durante a estação seca; 3) Florestas Ombrófilas Mistas, que abrangem as Matas de Araucária, distribuídas na porção sul do bioma sob influência de um clima subtropical, e em ambientes montanhosos na porção sudeste. O bioma abriga ainda alguns ecossistemas associados: campos de altitude; manguezais, restingas e vegetação de brejo (Brasil, 2018).

Biodiversidade

A Mata Atlântica é considerada megadiversa, um dos biomas com maior diversidade biológica no planeta. Nele encontramos cerca de 20 mil espécies de plantas, 850 espécies de aves, 370 espécies de anfíbios e 270 espécies de mamíferos. A taxa de endemismo chega a 40% das espécies vegetais do bioma. O local onde Pedro Álvares Cabral desembarcou em abril de 1500 e, de um modo geral, toda a região sul da Bahia, apresenta um dos mais elevados níveis de diversidade de plantas lenhosas do mundo. Em apenas um hectare (10 mil metros quadrados, o equivalente a um campo de futebol) de floresta, em Serra Grande, município de Uruçuca, pesquisadores encontraram nada menos do que 2.530 indivíduos com 5 centímetros ou mais de diâmetro à altura do peito, distribuídos por 458 espécies e 67 famílias (Thomas *et al.*, 2008). A riqueza biológica dessa sub-região da Mata Atlântica deriva, provavelmente, de uma história climática relativamente estável. Assim como uma pequena região em Pernambuco, o sul baiano parece ter sido menos afetado pelas oscilações de temperatura e precipitação que caracterizaram a Mata Atlântica, nos últimos 10 mil anos (Carnaval; Moritz, 2008).

Mas a biodiversidade da Mata Atlântica também está relacionada às atividades humanas. Oliveira e Solórzano (2014) desenvolveram três hipóteses não mutuamente excludentes sobre o papel da paleocupação humana na formação da biodiversidade do bioma. Uma delas evoca a relativa escassez de biomassa vegetal comestível, o que teria feito da caça de animais a principal fonte de alimento das populações pré-agrícolas. A caça provavelmente exerceu considerável pressão sobre a fauna, levando à extinção de algumas espécies, sobretudo mega-herbívoros, como gliptodontes e preguiças gigantes. Uma segunda hipótese evoca o papel das populações nativas mais recentes. O emprego da técnica de corte-e-queima (agricultura de coivara) pode ter sido responsável por domesticar as paisagens, selecionando cultivares e produzindo um mosaico de florestas secundárias. Essa técnica foi adotada por populações mais modernas, como caiçaras, quilombolas e outros pequenos agricultores, até o final do século XX. Por fim, uma terceira hipótese está relacionada à crescente demanda energética dos assentamentos urbanos – que surgiram na era do colonialismo português e ganharam decisivamente em escala no início do século XX – que estimulou a produção de carvão vegetal nas regiões rurais ao redor das cidades. A abundância de biomassa florestal e os baixos custos de produção encorajaram grupos marginalizados, como ex-escravos (forros ou fugitivos), a fabricar carvão nas baixas encostas das montanhas, atividade da qual há abundantes vestígios paisagísticos.

Antropização depredadora

A transformação antrópica da Mata Atlântica se acelerou decisivamente, primeiro com a chegada dos europeus, em 1500, e depois no final dos anos 1800, com o início do chamado Antropoceno [ver Antropoceno] – período geológico caracterizado pela dominância ecológica humana, que se iniciou com a industrialização europeia, no século XIX (Steffen *et al.*, 2007). Depois de comerciar pau-brasil, os colonizadores portugueses estabeleceram grandes plantações de cana-de-açúcar, iniciando um processo contínuo de transformação socioambiental (Dean, 1996; Cabral, 2014). Sucessivos surtos econômicos agropecuários e extrativistas mataram, escravizaram ou desalojaram centenas de milhares de indígenas, enquanto importavam milhões de africanos para controlar, converter e cultivar as florestas esvaziadas. Tecnologicamente incapaz de aumentar a produtividade, a economia crescia apenas extensivamente, devastando cada vez mais terras e trabalhadores (depois dos escravos, os proletários rurais). Começando ainda na era colonial, muitos intelectuais criticaram esse modelo de aproveitamento perdulário dos recursos naturais (Pádua, 2004).

O Antropoceno reforçou e potencializou esse padrão histórico. No Brasil, como em outras regiões marginais da economia-mundo, o Antropoceno foi inicialmente acionado pelas demandas agropecuárias e extrativistas dos centros industriais europeus e estadunidenses (Cabral; Bustamante, 2016). O exemplo mais acabado desse "Antropoceno Periférico" é o aniquilamento da Mata Atlântica no Vale do Paraíba, entre meados do século XIX e o início do XX, pela expansão da cafeicultura. A partir dos anos 1930, o Antropoceno brasileiro começa a incorporar os efeitos da industrialização da economia nacional. A cidade e posteriormente o estado de São Paulo estavam na linha de frente desse processo, pressionando a Mata Atlântica com demandas ligadas, sobretudo, à energia e materiais de construção (Dean, 1996). Estima-se que restassem apenas 13,7% da Mata Atlântica paulista no início dos anos 1960 (Victor *et al.*, 2005). Nessa época, poucas regiões de terras razoavelmente planas e agricultáveis do bioma permaneciam florestadas, dentre as quais destacavam-se o Pontal do Paranapanema, em São Paulo, e o sul baiano. Nessa última região, posseiros praticantes de pequena agricultura e caça – muitos deles descendentes de quilombolas – foram expulsos de suas terras por grandes companhias, como Odebrecht e Firestone, entre as décadas de 1950 e 1970. Com base em coerção física e jurídica, embora não raramente em associação com moradores locais, essas companhias açambarcavam terras florestadas para plantações de cacau e borracha, além da extração de madeira (DeVore, 2018). Num período de 52 anos (1945-1997), mais de 2 milhões de hectares, ou 76% da riquíssima Mata Atlântica do sul da Bahia, foram devastados (Silva; Mendonça, 2000).

Avaliações sobre o conjunto do bioma feitas no final da década passada e começo da atual mostravam que somente entre 11% e 16% do mosaico biogeográfico nativo permaneciam conservados (Ribeiro *et al.*, 2009; 2011). Contudo, um estudo publicado este ano, utilizando tecnologia mais avançada de sensoriamento remoto (imagens com resolução de 5 metros), acusou 32 milhões de hectares de vegetação nativa, ou 28% do bioma (Rezende *et al.*, 2018). Seja como for, trata-se de uma paisagem de pequenos remanescentes dispersos, muitas vezes dentro de propriedades privadas. São manchas de poucas centenas ou mesmo dezenas de hectares de regeneração secundária inicial, geralmente interpostas por lavouras, pastagens e plantações de árvores exóticas. As maiores manchas remanescentes encontram-se em áreas montanhosas que, pouco aproveitáveis para a agricultura, começaram a ser apropriadas pelo Estado para fins de conservação, ainda no início do século XX.

Conservação e restauração

A principal estratégia adotada para conservação da biodiversidade na Mata Atlântica é a criação de áreas protegidas, incluindo os três primeiros Parques Nacionais do Brasil: o de Itatiaia, em 1937, o de Iguaçu e o da Serra dos Órgãos, ambos em 1939. Atualmente, existem 1.191 Unidades de Conservação (UCs) no bioma, equivalente a cerca de 8,5% de sua extensão original (115.000 km²). Dentre estas, estão UCs municipais, estaduais e federais, com diferentes graus de proteção (proteção integral e uso sustentável), regidas de acordo com o Sistema Nacional de Unidades de Conservação (SNUC) – Lei Federal n. 9.985/2000 (Brasil, 2000).

No entanto, para garantir a efetividade da conservação, é necessário aumentar a conectividade entre os remanescentes através do manejo integrado das UCs, e destas com suas áreas circundantes. Apesar da Lei da Mata Atlântica proteger os pequenos fragmentos fora de UCs, estes estão imersos em uma matriz de baixa permeabilidade, dominada por pecuária extensiva, monocultivos e áreas urbanas. Mais de 80% dos fragmentos têm menos de 50 hectares e apresentam um alto grau de isolamento (Ribeiro *et al.*, 2009).

Dado o estado de degradação e vulnerabilidade do bioma – e consequentemente, das populações residentes – frente às *mudanças climáticas* [VER MUDANÇAS CLIMÁTICAS], não basta conservar a Mata Atlântica. É preciso recuperá-la. A regeneração espontânea das florestas vem ocorrendo em várias partes do bioma (Fundação SOS Mata Atlântica, 2017), geralmente após o abandono de terras ocasionado por êxodo rural, urbanização e industrialização, além do deslocamento de atividades agrícolas para outros biomas. Embora a regeneração natural possa contribuir significativamente para o cumprimento das metas de restauração e conservação da biodiversidade (International Institute for Sustainability *et al.*, 2014), ela não dispensa a proatividade. Diversos esforços vêm se articulando através do Pacto pela Restauração da Mata Atlântica, iniciativa envolvendo diversos segmentos da sociedade (organizações e associações diversas, governos, empresas, instituições científicas, proprietários rurais e outros) com o objetivo comum de recuperar 15 milhões de hectares até o ano de 2050. Ela está em consonância com os compromissos globais assumidos pelo Brasil no âmbito da Convenção-Quadro das Nações Unidas sobre Mudança do Clima, com os esforços para adequação das propriedades ao novo *Código Florestal* (Lei de Proteção à Vegetação Nativa, Lei n. 12.651/2012) [VER CÓDIGO FLORESTAL] e também com a Política Nacional de Recuperação da Vegetação Nativa (Proveg) – Decreto n. 8.972/2017 (Brasil, 2017).

Conservação e restauração não precisam excluir a agricultura. Através do manejo agroecológico, a agricultura pode se transformar num vetor de regeneração do bioma. A inclusão dos princípios agroecológicos nos processos restaurativos, com destaque para o estabelecimento de *Sistemas Agroflorestais* (SAFs) [VER AGROFLORESTA – SISTEMAS AGROFLORESTAIS], é uma alternativa para conciliar agricultura e restauração, motivando agricultores e proprietários rurais a incorporar árvores nos sistemas produtivos e romper com a suposta dicotomia entre produção e conservação. Nesse sentido, cabe destacar que práticas agroflorestais não são totalmente novas no bioma: quintais agroflorestais, plantios sombreados pela mata e agricultura de coivara (itinerante, associada a práticas de pousio e a utilização de fogo) fazem parte da herança indígena e são utilizados pelas comunidades tradicionais que habitam o bioma, como quilombolas e caiçaras. No entanto, atualmente, as práticas de pousio e reaberturas de áreas são limitadas pelo tamanho reduzido das propriedades e pela legislação ambiental, que diminui o tempo de pousio, tornando-o insuficiente para recuperação da fertilidade dos solos (May; Trovatto, 2008).

Ao mesmo tempo, destacam-se iniciativas agroflorestais que vêm contribuindo para a recuperação da Mata Atlântica e para o *desenvolvimento sustentável* [VER DESENVOLVIMENTO SUSTENTÁVEL], como é o caso dos assentamentos no Pontal do Paranapanema em parceria com o Instituto de Pesquisas Ecológicas (IPÊ) (Cullen *et al.*, 2006); da experiência da Associação de Agricultores Agroflorestais 'União de gentes com a natureza' (Cooperafloresta), no Vale do Ribeira (Steenbock *et al.*, 2013) e da Rede de Agroecologia através do Programa Rio Rural no Noroeste Fluminense (Tubenchlak *et al.*, 2018). Apesar de ainda pontuais, esses exemplos demonstram o potencial da transição agroecológica [VER TRANSIÇÃO AGROECOLÓGICA] no nível de paisagens e reforçam a importância do desenvolvimento de políticas públicas para agroecologia [VER POLÍTICAS PÚBLICAS PARA AGROECOLOGIA]. A integração entre políticas ambientais, políticas agrícolas e regularização fundiária é fundamental para que a regeneração da Mata Atlântica não seja apenas um reflexo da redução da atividade agrícola e êxodo rural, mas parte de um processo de regeneração da relação humanos-natureza.

Referências

BRASIL. Câmara dos Deputados. *Projeto de Lei 3285/1992*. Dispõe sobre a utilização e proteção da vegetação nativa do bioma Mata Atlântica, e dá outras providências". Disponível em: https://webcache.googleusercontent.com/search?q=cache:YLUt4fAc6xQJ:https://www.camara.leg.br/proposicoesWeb/fichadetramitacao%3FidProposicao%3D19408+&cd=1&hl=pt-PT&ct=clnk&gl=br. Acesso em: 19 mar. 2021.

______. Presidência da República. Casa Civil. Subchefia para Assuntos Jurídicos. *Lei n. 11.428, de 22 de dezembro de 2006*. Dispõe sobre a utilização e proteção da vegetação nativa do Bioma Mata Atlântica, e dá outras providências. Disponível em: http://www.planalto.gov.br/ccivil_03/_ato2004-2006/2006/lei/l11428.htm. Acesso em: 19 mar. 2021.

______. Presidência da República. Casa Civil. Subchefia para Assuntos Jurídicos. *Lei n. 9.985 de 18 de julho de 2000*. Regulamenta o art. 225,§ 1°, incisos I, II, III e VII da Constituição Federal, institui o Sistema Nacional de Unidades de Conservação da Natureza e dá outras providências. Disponível em: http://www.planalto.gov.br/ccivil_03/leis/l9985.htm. Acesso em: 19 mar. 2021.

______. Presidência da República. Secretaria-Geral. Subchefia para Assuntos Jurídicos. *Decreto n. 8.972, de 23 de janeiro de 2017*. Institui a Política Nacional de Recuperação da Vegetação Nativa. Disponível em: http://www.planalto.gov.br/ccivil_03/_ato2015-2018/2017/decreto/d8972.htm. Acesso em: 19 de mar. 2021.

______. Ministério do Meio Ambiente (MMA), 2018. *Biomas*: Mata Atlântica. Disponível em: https://antigo.mma.gov.br/biomas/mata-atl%C3%A2ntica_emdesenvolvimento.html. Acesso em: 19 mar. 2021.

CABRAL, D. C. *Na presença da floresta*: Mata Atlântica e história colonial. Rio de Janeiro: Garamond/FAPERJ, 2014.

CABRAL, D. C.; BUSTAMANTE, A. G. "Introdução". *In*:______. (org.) *Metamorfoses florestais*: culturas, ecologias e as transformações históricas da Mata Atlântica. Curitiba: Prismas, 2016, p. 17-33.
CARNAVAL, A. C.; MORITZ, C. Historical climate modelling predicts patterns of current biodiversity in the Brazilian Atlantic Forest. *Journal of Biogeography*, v.35, p. 7, 2008, p. 1187-1201.
CULLEN, L. *et al.* Restauração de paisagens e desenvolvimento socioambiental em assentamentos rurais do Pontal do Paranapanema. *Revista Agriculturas*, v.3, n.3, p. 24-28., out. 2006
DEAN, W. *A ferro e fogo*: a destruição da Mata Atlântica brasileira. Trad. C. K. Moreira. São Paulo: Cia. das Letras, 1996.
DEVORE, J. Scattered limbs: capitalists, Kin, and primitive accumulation in Brazil's cacao lands, 1950s-1970s. *Journal of Latin American and Caribbean Anthropology*, v.23, n. 3, p. 496-520, 2018.
EXPEDIÇÃO encontra 'mata atlântica ' em ilha no interior do Pará". *O Globo*: Extra, Rio de Janeiro, 29 abr. 2009. Portal Amazônia. Disponível em: https://extra.globo.com/noticias/brasil/expedicao-encontra-mata-atlantica-em-ilha-no-interior-do-para-275360.html Acesso em: 19 mar 2021.
FUNDAÇÃO SOS MATA ATLÂNTICA, 2017. *Atlas da Regeneração*. Disponível em: https://www.sosma.org.br/iniciativa/atlas-da-mata-atlantica/dados-mais-recentes/atlas-da-regeneracao/. Acesso em: 19 mar. 2021.
INTERNATIONAL INSTITUTE FOR SUSTAINABILITY (IIS) *et al.* (org.) *The Role of Natural Regeneration in Large-scale Forest and Landscape Restoration: Challenge and Opportunity*. 2014. Disponível em: https://www.iis-rio.org/wp-content/uploads/2019/10/relatorio-regeneracao-natural.pdf
INSTTITUTO BRASILEIRO DE GEOGRAFIA E ESTATÍSTICA (IBGE). *Biomas e Sistema Costeiro--Marinho do Brasil* (cartas e mapas). Disponível em: https://www.ibge.gov.br/geociencias/cartas-e-mapas/informacoes-ambientais/15842-biomas.html?=&t=o-que-e . Acesso em: 19 mar 2021.
MAY, P. H.; TROVATTO, C. M. M. *Manual agroflorestal para a Mata Atlântica*. Brasília: Ministério do Desenvolvimento Agrário, 2008, p. 196.
Ministério do Meio Ambiente (MMA), 2018. *Mata Atlântica*. Disponível em: https://antigo.mma.gov.br/biomas/mata-atl%C3%A2ntica_emdesenvolvimento.html (Acesso em 11/10/2018)
OLIVEIRA, R. R.; SCLÓRZANO, A. Três hipóteses ligadas à dimensão humana da biodiversidade da Mata Atlântica. *Fronteiras – Journal of Social, Technological and Environmental Science*, v. 3, n. 2, 2014, p. 80-95.
PÁDUA, J. A. *Um sopro de destruição*: pensamento político e crítica ambiental no Brasil escravista, 1786-1888. 2. ed. Rio de Janeiro: Jorge Zahar, 2004.
REZENDE, C. L. *et al.* From Hotspot to Hopespot: An Opportunity for the Brazilian Atlantic Forest. *Perspectives in Ecology and Conservation*, n. 16, p. 208-214 2018.
RIBEIRO M. C. *et al.* The Brazilian Atlantic Forest: how much is left, and how is the remaining forest distributed? Implications for conservation. *Biological Conservation*, n.142, 1141-1153, 2009.
______.*et al.* The brazilian atlantic forest: a shrinking biodiversity hotspot. *In*: Zachos F. E. and Habel JC (Eds), *Biodiversity Hotspots: Distribution and Protection of Conservation Priority Areas*. Dordrecht, Springer, p. 405-433, 2011.
SILVA, J. M. *et al.* Conservação da Mata Atlântica brasileira – um balanço dos últimos dez anos". *In*: CABRAL, D. C. & BUSTAMANTE, A. G. (org.) *Metamorfoses florestais: culturas, ecologias e as transformações históricas da Mata Atlântica*. Curitiba: Prismas, 2016, p. 434-58.
SILVA, L. F.; MENDONÇA, J. R. *Terras avistadas por Cabral (Mata Atlântica): 500 anos de devastação*. Ilhéus: Editus, 2000.
STEENBOCK, W. *et al.* (org.), *Agrofloresta, ecologia e sociedade*. Curitiba: Kairós Edições, 2013.
STEFFEN, W. *et al.* The Anthropocene: Are humans now overwhelming the great forces of nature? *Ambio*, v. 36, n. 8, p. 614-21, dez. 2007.
STEINBERGER, M.; RODRIGUES, R. J. Conflitos na delimitação territorial do Bioma Mata Atlântica. *Geografias*, Belo Horizonte, v.6, n. 2, p. 37-48, jun. dez. 2010.
THOMAS, W. W. *et al.* Diversity of woody plants in the Atlantic forest of southern Bahia, Brazil. *In*: THOMAS, W. W. (ed.). *The Atlantic Coastal Forest of Northeastern Brazil. The New York Botanical Garden Press*, New York, p. 21-66, 2008.
TUBENCHLAK, F. *et al.* Sistemas agroflorestais: Aumento e diversificação da produção de alimentos como estratégia para restauração de paisagens no Noroeste Fluminense – RJ, Brasil. *Cadernos de Agroecologia*, v.13, n.1, jul. 2018.
VICTOR, M. A. M. *et al. Cem anos de devastação: revisitada 30 anos depois*. Brasília Ministério do Meio Ambiente, 2005.

BIOMA PAMPA

Paulo Brack

O Pampa é um dos biomas mais desprotegidos do país, apesar de sua elevada sociobiodiversidade, ainda pouco conhecida da maioria dos brasileiros. Os campos nativos, vegetação original característica deste bioma restrito à região sul do Rio Grande do Sul, no Brasil, abriga riqueza de flora, fauna e culturas humanas em situação de risco crescente pelo avanço do agronegócio.

O nome Pampa tem como origem uma palavra de origem quéchua, língua dominante dos incas, mas falada até hoje por povos tradicionais dos países andinos, e significa predomínio de amplas áreas planas (planuras) em planícies, mas também em terrenos mais ou menos ondulados, formados por coxilhas (denominação regional para pequenas e suaves elevações) ou mesmo englobando morros de diferentes origens geológicas. Este bioma abrange todo o território do Uruguai, parte do nordeste e leste da Argentina e a metade sul do Rio Grande do Sul, no Brasil. No Rio Grande do Sul, ocupa uma área de 176.496 km^2, que corresponde a 63% do território deste estado (IBGE, 2004) e 2,07% do Brasil (ver Figura 8, adiante, p. 791).

Devemos fazer uma certa distinção entre Pampa e Campos Sulinos. O primeiro refere-se a um bioma oficial, que representa cerca de 60% da superfície do estado do Rio Grande do Sul. Os Campos Sulinos são mais abrangentes e representam áreas predominantemente formadas por campos nos estados do Rio Grande do Sul, Santa Catarina e Paraná, nestes últimos dois estados limitados a áreas de altitudes mais elevadas.

O clima do Pampa é temperado a subtropical, com médias anuais que se situam entre 15° C a 19° C, com chuvas mais ou menos regularmente distribuídas, totalizando entre 1.200 mm e 1.350 mm ao longo de todo o ano. Os solos, em geral, são férteis, mas muito variáveis, sendo tradicionalmente ocupados pela pecuária em grandes extensões.

Os tipos de vegetação do bioma são muito diversos, constituídos, geralmente, por vegetação mais aberta, com predominância de campos nativos, banhados, formações arbustivas, formações arbustivo-arbóreas, com matas, em geral, limitadas aos cursos d'água (matas em galeria) ou em algumas encostas de morros, podendo formar ainda tipos vegetacionais particulares, com predomínio de uma espécie, como no caso de palmeiras, como os butiás, formando os butiazais e com outras plantas, como as matas de pau-ferro, os chircais e os espinilhais ou vegetação-parque de espinilho. Em resumo, as formações são diversas, conforme a região e as condições de solo, clima, relevo, entre outras.

Os campos sulinos do Rio Grande do Sul, que incluem o Pampa, possuem pelo menos 2.200 espécies de plantas (Boldrini, 2009), com dominância de ervas e arbustos, com notável diversidade de gramíneas (gramas e capins, muitos destes forrageiros), que ultrapassam 450 espécies, leguminosas (também forrageiras) com mais de 150 espécies, e muitas espécies de cactáceas, de interesse ornamental, e de outros grupos de plantas que compõem elementos fundamentais aos processos de manutenção do equilíbrio ecológico dos ecossistemas do Pampa (Pillar; Lange, 2015).

Tradicionalmente, os campos eram espaços de caça, principalmente para os povos charrua (com predomínio a oeste do rio Uruguai) e minuano (Garcia; Milder, 2012), sendo o manejo provavelmente realizado com uso de fogo, cuja prática limita o avanço de vegetação arbórea. Segundo Ribeiro e Quadros (2015), os minuanos e os charruas foram aqueles que, por meio de seus hábitos e de seus artefatos, deram a maior contribuição para a formação do tipo humano e social posteriormente identificado como gaúcho. O uso de boleadeiras, dos laços de couro e o churrasco têm como base a cultura destes povos. O território que veio a se constituir no Rio Grande do Sul não despertou interesse de espanhóis e portugueses até cerca de 1640. Praticamente naquela época, apenas os jesuítas espanhóis haviam se estabelecido para a conversão de grupos indígenas, introduzindo atividades baseadas nas criações de gado bovino e equino que se espalharam naturalmente pela vasta região de campos a leste do rio Uruguai e mais tarde passou a ser explorado para o comércio do couro. Na parte noroeste do Pampa, e principalmente no que hoje pertence à Mata Atlântica, houve a instalação de reduções jesuíticas que foram atacadas por bandeirantes paulistas à caça de índios para serem escravizados. Padres e índios tiveram que se retirar para a margem direita do rio Uruguai, entretanto, deixando as criações de gado. Assim, o gado se espalhou e grande parte se tornou selvagem, resultando em milhares de bovinos e equinos dispersos pelo território rio-grandense e uruguaio.

Desde o início da colonização, principalmente ibérica, a pecuária extensiva sobre os campos nativos foi a principal atividade econômica da região. Hoje, como remanescentes da diversidade social do Pampa, segundo Mazurana *et al.* (2016), existem ainda povos indígenas, principalmente guaranis, comunidades quilombolas, benzedeiras e benzedores, pecuaristas familiares, pescadoras e pescadores artesanais, povo cigano, povo pomerano e povo de terreiro. Estes povos e comunidades tradicionais se distribuem mais em áreas de relevo ondulado, em regiões de pequenas propriedades. Nas áreas mais planas, principalmente na Campanha gaúcha (sudoeste do estado), as grandes propriedades e a facilidade de mecanização deram condições para o avanço da orizicultura, da sojicultora, da eucaliptocultura, entre outras monoculturas.

Na Campanha (porção oeste e sudoeste do RS), os solos apresentam-se mais férteis, sendo transformados ou convertidos mais rapidamente em amplas áreas de plantios de grãos. Segundo Ilsi Boldrini (2009), a substituição dos campos por lavouras para produção de grãos, a partir das décadas de 1970 e 1980, ou para plantios de eucalipto, a partir do início da década de 2000, para a obtenção de celulose está levando à descaracterização da paisagem desta grande unidade de paisagem natural, junto à perda da cultura e dos modos de vida locais, em especial aos pecuaristas familiares e às comunidades tradicionais. A transformação sobre o bioma levada a cabo pelo agronegócio, pela expansão da fronteira das monoculturas, em especial de soja e eucalipto, vem se acentuando com o êxodo rural.

Infelizmente, não existe um monitoramento com dados recentes sobre a evolução dos remanescentes de campos originais do Pampa, como já existe em outros biomas, como Mata Atlântica e Amazônia. Ademais, o Pampa não apresenta proteção legal específica como no caso da Mata Atlântica ou da Amazônia, pois não está ainda inserido na Constituição Federal como Patrimônio Nacional. A legislação ambiental não deixa muito clara a proteção à vegetação que não seja a florestal, e neste caso os campos. Esta lacuna poderia ter um enfrentamento importante a partir da possível aprovação da Proposta de Emenda Constitucional (PEC 05/2009), do senador Paulo Renato Paim, esperando para ser votada no senado, e que inclui na Constituição os biomas Pampa, Caatinga e Cerrado, os quais ainda estão de fora.

Estimativas quanto à perda de *habitat* dão conta de que em 2002 restavam 41,32% e em 2008 restavam apenas cerca de 36% da vegetação nativa do bioma Pampa (Instituto Brasileiro de Meio Ambiente e dos Recursos Naturais Renováveis, 2011). Cerca de 26% dos campos naturais foram perdidos ao longo de um período de 30 anos. A perda é agravada pela proteção de apenas 2,70% do bioma Pampa dentro de áreas legalmente designadas Unidades de Conservação (Ministério do Meio Ambiente /ICMbio). Cabe destacar que as Metas da Biodiversidade 2020, da ONU, preveem 17% de áreas protegidas em todos os territórios.

Em contrapartida, cabe destacar que o bioma Pampa possui quase 1/3 de seu território dentro das Áreas Prioritárias para a Biodiversidade (Brasil, 2007), incluindo também uso sustentável e repartição de benefícios da biodiversidade.

No tocante às populações tradicionais, em especial no que se refere à criação de gado bovino, ovino, caprino e equino, Mazurana *et al.* (2016, p. 67) afirmam que

> [...] ser pecuarista familiar está além da atividade econômica desenvolvida, tem que gostar, observar, interagir e cuidar. Cuidar da terra, dos animais e do lugar onde se vive. É um modo de ser e de viver próprio, orientado pelos ciclos naturais, das plantas e dos animais. Através da pecuária, valoriza o campo nativo e não agride o ambiente e as paisagens. [...] [destacando uma das falas dos pecuaristas familiares]. A gente mantém o campo nativo com toda a biodiversidade da região.

Os modos de vida tradicionais, distantes do mercado de insumos e dos pacotes tecnológicos, tendo os quilombos um grande destaque, ganharam reconhecimento nos últimos anos pelas políticas públicas para estes setores e para os pequenos produtores pecuaristas, alguns destes em assentamentos de Reforma Agrária. Isso contribui para o autorreconhecimento, a afirmação local e a maior autonomia, constituindo-se patrimônios socioculturais de resistência à dependência do agronegócio.

Entretanto, além da ameaça do agronegócio, temos, cada vez mais, a perda da soberania dos recursos da biodiversidade dos nossos biomas por meio da biopirataria e de outras formas de apropriação indébita estrangeira de recursos importantes da flora nativa regional. Dezenas de plantas são levadas para outros países, como plantas ornamentais (Carrion; Brack, 2012), forrageiras, frutíferas e medicinais. No primeiro caso, temos as cactáceas, que são mais de uma centena nos campos nativos deste bioma, com mais de 40 tipos de cactos ameaçados, mais da metade deles já objeto de comércio internacional, em coleções de plantas nativas brasileiras levadas e comercializadas em países do chamado Primeiro Mundo. Outros casos de biopirataria, por parte de transnacionais, estão relacionados a plantas ornamentais de jardim, como petúnias e verbenas (*vervain*) levadas para países do Hemisfério Norte. No que toca a plantas forrageiras, temos muitas delas levadas para os Estados Unidos, África do Sul e Nova Zelândia, destacando-se aqui o caso da *pensacola grass*, ou grama-forquilha, que foi desenvolvida pelos EUA, com base em uma planta dos Campos Sulinos. Com respeito às plantas medicinais, também são vários casos, porém podemos salientar a espinheira-santa, ou cancorosa, comum em beira das matinhas do Pampa, com substâncias utilizadas para tratamento de tumores patenteadas por empresas japonesas.

O avanço da mineração, em expansão no sul do Brasil, é outra grave ameaça ao bioma e a sua sociobiodiversidade. Atualmente, existe um movimento de resistência de populações da bacia do rio Camaquã, na Serra do Sudeste. Na região das Guaritas (Distrito de Minas do Camaquã, Caçapava do Sul), nas cabeceiras deste rio, está previsto um megaempreendimento da Votorantim Metais Holding e Iamgold Brasil para a extração de chumbo, cobre e zinco, metais pesados altamente tóxicos. A poluição poderia afetar não só a saúde humana e ambiental como também comprometer um dos locais registrados no Mapa das Áreas Prioritárias para a Biodiversidade, Portaria n. 9 do Ministério do Meio Ambiente (Brasil, 2007), inserido na categoria de Extrema Importância.

No que se refere à proteção e uso da biodiversidade, como contraponto, por meio de espécies nativas, damos destaque à necessidade de incentivo à pecuária familiar, com incremento de forrageiras nativas de leguminosas e gramíneas (Boldrini *et al.*, 2011), em pastagens naturais que requerem manejos simples e baratos.

No sul do Brasil, nordeste da Argentina e Uruguai, também ocorrem ecossistemas particulares de grande importância, associados às pastagens do Cone Sul da América do Sul. Poderíamos destacar muitas dezenas de espécies de frutas nativas, como o araçá, a pitanga, a goiabeira-serrana e o butiá. Os butiazais, adensamentos de cerca de meia dúzia de espécies de palmeiras butiá, também chamam a atenção pela beleza de sua formação vegetal na paisagem, bem como pela importância de seus frutos saborosos, e levemente ácidos, utilizados em um crescente número de produtos pela agricultura familiar e comunidades tradicionais. Existem iniciativas importantes de uso desta fruta na chamada "Rota dos Butiás", que envolve pequenos pecua-

B

ristas, agricultores familiares, Empresa Brasileira de Pesquisa Agropecuária (Embrapa), universidades, entre outros setores da região sudeste do Rio Grande do Sul.

Infelizmente, a conversão dos butiazais, espinilhais e os próprios campos nativos para agricultura, silvicultura e expansão urbana estão associados a modelos de uso da terra que concentram propriedades na mão de poucos, fazendo girar um círculo vicioso de vendas de insumos. Entre os insumos mais perversos estão os agrotóxicos [ver Agrotóxicos], em especial os herbicidas, como o glifosato (o mais vendido entre todos os agrotóxicos), que prejudicam a vida dos agricultores, do ambiente e das populações que ali vivem ou se alimentam de muitos produtos da agricultura ou da pecuária.

Há a necessidade de reconhecer também os ecossistemas não florestais como patrimônios da sociobiodiversidade. As políticas públicas devem prezar também esses ecossistemas, as espécies devem incluir a promoção do uso sustentável de seus produtos, incorporando inclusive o seu valor econômico, para aumentar a sua conservação, com base na agricultura familiar e nas economias locais, fora da lógica dos insumos da dependência do agronegócio. Existe um potencial importante de espécies do Pampa e Mata Atlântica descrito no livro *Plantas do Futuro – Região Sul* (Coradin; Siminski; Reis, 2011), como contraponto à agricultura empresarial e convencional que vem destruindo nossos biomas.

Nesse sentido, apresenta-se cada vez mais a necessidade de efetivação de medidas voltadas à manutenção dos ecossistemas pampeanos, com ampliação de pesquisas no campo da restauração ambiental para os sistemas campestres, que podem ser compatibilizados com a pecuária familiar (bovina, equina, ovina e caprina) com base em produtos, por exemplo, lácteos, lã, couro, meliponicultura, turismo familiar e ecológico em pequena escala, entre outros.

A sociobiodiversidade do Pampa tem sofrido com a ameaça a seus territórios e modos de vida pelos grandes empreendimentos e pela agricultura e silviculturas empresariais, que implicam desrespeito a seus direitos. Povos indígenas, comunidades quilombolas, pescadoras e pescadores artesanais, povos de matriz africana/povo de terreiro, povo cigano, povo pomerano, benzedeiras e benzedores, pecuaristas familiares e assentados da reforma agrária, historicamente invisibilizados, devem ter direito a uma vida digna e com felicidade, integrados às paisagens e às diferentes culturas do bioma Pampa.

Referências

BOLDRINI, I. I. A Flora dos Campos do Rio Grande do Sul. *In*: PILLAR, V. de P. *et al.* (org.). *Campos Sulinos* – Conservação e Uso Sustentável da Biodiversidade. 2 ed. Brasília, DF: MMA, 2009, v. 1, p. 63-77.

BOLDRINI, I. I. *et al.* Espécies forrageiras nativas da região Sul. *In*: CORADIN, L.; SIMINSKI, A.; REIS, A. (org.). *Espécies nativas da flora brasileira de valor econômico atual ou potencial: plantas para o futuro* – Região Sul. 1. ed. Brasília: MMA, 2011, v. 1, p. 291-400.

BRASIL. Ministério do Meio Ambiente. *Portaria n. 9/2007*. MMA. Brasília, DF: Ministério do Meio Ambiente, 23 jan. 2007. Disponível em: http://www.icmbio.gov.br/cepsul/images/stories/legislacao/Portaria/2007/p_mma_09_2007_areaprioritariaparabiodiversidade_revgd_p_126_2004.pdf. Acesso em: 22 mar. 2021.

______. Senado Federal. Atividade Legislativa. *Proposta de Emenda à Constituição n. 5, de 2009*. Iniciativa/autoria do senador Paulo Paim (PT/RS) e outros. Modifica o parágrafo 4° do artigo 225 da Constituição Federal, alterando a lista de biomas brasileiros, conforme classificação adotada pelo IBAMA. Disponível em: https://www25.senado.leg.br/web/atividade/materias/-/materia/90280. Acesso em: 22 mar. 2021.

CARRION, A. A.; BRACK, P. Eudicotiledôneas ornamentais dos campos do bioma Pampa no Rio Grande do Sul. *Revista Brasileira de Horticultura Ornamental*, v. 18, n. 1, p. 23-37, 2012. Disponível em: https://www.researchgate.net/publication/277637752_Eudicotiledoneas_ornamentais_dos_campos_do_bioma_Pampa_no_Rio_Grande_do_Sul/stats

CORADIN, L.; SIMINSKI, A.; REIS, A. *Espécies nativas da flora brasileira de valor econômico atual ou potencial: plantas para o futuro* – Região Sul. Brasília: MMA, 2011.

GARCIA, A. M.; MILDER, S. E. S. Particularidades históricas e culturais dos Charrua e dos Minuano do Pampa Sul-americano. *Estudios Historicos*. Uruguay, CDHRPyB, ano IV, n. 8, jul. 2012 Disponível em: http://www.estudioshistoricos.org/edicion8/eh0808.pdf. Acesso em: 22 mar. 2021.

Fundação Instituto Brasileiro de Geografia e Estatística - IBGE. 2004. *Mapa de Biomas do Brasil*. Disponível em: https://geoftp.ibge.gov.br/informacoes_ambientais/estudos_ambientais/biomas/mapas/biomas_5000mil.pdf

INSTITUTO BRASILEIRO DE MEIO AMBIENTE E DOS RECURSOS NATURAIS RENOVÁVEIS (IBAMA). CENTRO DE SENSORIAMENTO REMOTO (CSR) – IBAMA BRASÍLIA. *Monitoramento do desmatamento nos biomas brasileiros por satélite. Acordo de Cooperação Técnica MMA/Ibama*. Monitoramento do Bioma Pampa 2008-2009, 2011. Disponível em: http://www.mma.gov.br/estruturas/sbf_chm_rbbio/_arquivos/relatrio_tcnico_monitoramento_pampa_2008_2009_72.pdf Acesso em: 22 mar. 2021

INSTITUTO BRASILEIRO DE ESTATÍSTICA E GEOGRAFIA (IBGE). Estudos ambientais: biomas, pampa, 2004.

MAZURANA, J. *et al.* C. *Povos e Comunidades Tradicionais do Pampa*. 1. ed. Porto Alegre, Fundação Luterana de Diaconia, 2016. Disponível em: https://fld.com.br/wp-content/uploads/2019/06/Livro-povos-e-comunidades-tradicionais-do-pampa.pdf. Acesso em: 22 mar. 2021.

MINISTÉRIO DO MEIO AMBIENTE (ICMbio). Unidades de Conservação. Biomas. Pantanal. Disponível em: https://www.icmbio.gov.br/portal/unidadesdeconservacao/biomas-brasileiros/pampa/unidades-de-conservacao-pampa. Acesso em: 22 mar. 2021.

PILLAR, V. De P., LANGE, O. (ed.) *Os Campos do Sul*. Porto Alegre: Rede Campos Sulinos – UFRGS, 2015. 192 p. Disponível em: http://ecoqua.ecologia.ufrgs.br/Camposdosul/Campos_do_Sul_TELA.pdf. Acesso: 22 nov. 2018.

RIBEIRO, C.; QUADROS, F. L. F. de. Valor histórico e econômico da pecuária. *In:* PILLAR, V.; LANGE, O. *Os campos do Sul*. Porto Alegre: Rede Campos Sulinos - UFRGS, 2015. p. 19-30. Disponível em: http://ecoqua.ecologia.ufrgs.br/Camposdosul/Campos_do_Sul.pdf

Para saber mais

CABRERA, A. L. ; WILLINK, A. *Biogeografia de America Latina*. Washington: Secretaria General de la Organización de los Estados Americanos, 1980.

17 DE DEZEMBRO DE 2014 – DIA DO BIOMA PAMPA. Disponível em: https://www.youtube.com/watch?v=fe1ZuquhR9o. Acesso em: 22 mar. 2021.

O FUTURO DO BIOMA PAMPA (17-12-2015) – Debate. Disponível em: https://www.youtube.com/watch?v=7EeCnMuNX38 Acesso em: 22 mar. 2021.

BIOMAS DO BRASIL – PAMPA – Ilsi Boldrini – UFGRS. Disponível em: https://www.youtube.com/watch?v=QfREzhAnRTM. Acesso em: 22 mar. 2021.

BIOMAS DO BRASIL – PAMPA – Márcio Borges Martins – UFRGS. Disponível em: https://www.youtube.com/watch?v=N8dBWr-8dRY. Acesso em: 22 mar. 2021.

B

BIOMA PANTANAL

Fran Paula de Castro
Leonel Wohlfarhurt

O Pantanal é parte do chamado Sistema Paraguai-Paraná de Zonas Úmidas, um complexo que abrange, além do Brasil, Argentina, Bolívia e Paraguai. As zonas úmidas fornecem serviços ecológicos fundamentais para a fauna, a flora e o bem-estar de populações humanas. Cumprem também papel vital no processo de mitigação das *mudanças climáticas*, já que muitos desses ambientes úmidos retiram grandes quantidades de carbono do ar [ver Mudanças Climáticas], formando grandes reservatórios (Schlesinger, 2014).

É uma das maiores extensões úmidas contínuas do planeta e, no Brasil, está localizado na Bacia Hidrográfica do Alto Paraguai, nos estados de Mato Grosso e Mato Grosso do Sul, na região Centro-Oeste, cobrindo uma área de aproximadamente 140 mil km^2 (Souza, 2008; Signor; Fernandes; Penha, 2010).

O ambiente pantaneiro é relativamente aberto e os grandes mamíferos e aves são mais fáceis de observar do que na maioria dos biomas brasileiros. Isto gera a impressão de que é um ambiente simples, fácil de entender. No entanto, a maior parte de nosso entendimento do Pantanal é fragmentada. Quando se observa de perto, o sistema é muito mais complexo do que as generalizações apresentam (Magnusson, 2010).

Descrição ecológica

O clima da região é caracterizado por uma estação seca e fria entre maio e setembro, e uma chuvosa e quente entre outubro e abril. A temperatura média do ar nos meses de verão, de dezembro a fevereiro, é de 32 °C, e durante o inverno o clima torna-se muito mais frio e seco, na faixa de 21 °C. A média da precipitação anual da planície alagável está entre 1.000 e 1.400 mm, com picos máximos em janeiro e mínimos em julho. A precipitação varia durante o ano, causando um ciclo regular de seca e cheia, o que torna o Pantanal um ecossistema único (Brasil, 1997).

A vegetação compreende aproximadamente 1.863 espécies de plantas fanerógamas (plantas que se caracterizam pela presença de flores, como órgãos de reprodução nitidamente visíveis e que produzem sementes) que ocorrem no Pantanal, e 3.400 que se distribuem na Bacia do Alto Paraguai, além de 250 espécies de plantas aquáticas. Essa complexa cobertura vegetal e a produtividade sazonal dão suporte ecológico para uma fauna diversa e abundante do Pantanal: 263 espécies de peixes, 41 de anfíbios, 113 de répteis (177 para a Bacia), 463 de aves e 132 de mamíferos (Alho, 2008).

Em particular, o Parque Nacional do Pantanal Matogrossense abriga um número alto de animais da fauna neotropical,[1] de que fazem parte várias espécies ameaçadas de extinção, como a arara-azul, o cervo-do-pantanal e a onça-pintada. Além disso, a região tem uma vegetação que fica em área de transição entre o Cerrado [VER CERRADO] e a floresta semidecidual,[2] na qual há as estações de chuva e estiagem, alterando de maneira muito acentuada a paisagem (Bottallo *et al.*, 2014).

Por sua importância, o Pantanal foi declarado Patrimônio Nacional pela Constituição Brasileira de 1988, além de abrigar sítios considerados de relevante importância internacional pela Convenção Internacional de Áreas Úmidas (Convenção Ramsar). Inclui ainda áreas reconhecidas como Reservas da Biosfera, pela Unesco, que classificou o bioma também como Patrimônio Natural da Humanidade (Schlesinger, 2014).

No Pantanal tem gente

O Pantanal é um território constituído originalmente por populações indígenas há pelo menos 5 mil anos (bororos, paiaguás, guatós, guaikurus e kayapós), etnias praticamente dizimadas durante o período de colonização portuguesa e espanhola (Siqueira, 2002; Silva; Silva, 1995).

As guerras provocadas pelos não índios, a escravidão e as doenças dizimaram praticamente todos esses povos, restando hoje alguns poucos índios bororo e guatós vivendo no Pantanal Brasileiro. Em meados do séc. XVIII chegaram os bandeirantes em busca de escravos para as plantações do sudeste do Brasil e para a extração de ouro. Nesse mesmo século iniciou-se definitivamente o povoamento do Pantanal pelos colonizadores luso-brasileiros (Signor; Fernandes; Penha, 2010).

Assim, a população pantaneira tradicional se constituiu a partir dos diversos processos de ocupação do território ao longo dos anos; são indígenas, quilombolas, ribeirinhos, pescadores, comunidades tradicionais, morroquianos (agricultores que vivem em região de morros denominada Morraria, e que ligam diretamente sua identidade ao território que ocupam há séculos), coletores de iscas, agricultores familiares, assentados da reforma agrária, entre outros.

Uma das características desses povos é o manejo ecológico do bioma por meio de cultivos em quintais diversificados, da integração da agricultura com criação de pequenos animais, a proteção das nascentes de águas, a realização de festas tradicionais homenageando rios, sementes, florestas, a terra, os animais e santos religiosos.

A partilha do alimento entre comunidades, o armazenamento, a produção e as trocas de sementes crioulas, o uso de ervas medicinais e o trabalho coletivo nos chamados Muxiruns são práticas realizadas por esses povos.[3]

Para Diegues (2000, p. 56), os povos pantaneiros detêm um conhecimento tradicional que lhes permite "interagir com a biodiversidade e entendê-la não como um recurso natural, mas como um conjunto de seres vivos que tem um valor de uso e um valor simbólico, integrado em uma complexa cosmologia e no contexto cultural". Esse conhecimento faz com que as populações tradicionais pantaneiras sejam as principais observadoras do Pantanal, monitorando as mudanças vivenciadas no território ao longo dos anos.

Segundo Rosetto e Tocantins (2015, p 12),

> A imagem que a população tem sobre o Pantanal brasileiro, com raras exceções, é o estereótipo veiculado pela mídia que remete a um paraíso ecológico com exuberante fauna e flora, áreas alagadas, fazendas de pecuária extensiva e povos tradicionais imersos em uma temporalidade con-

B

> trária ao advento da modernidade. Ademais, constata-se a existência de uma considerável produção científica sobre os aspectos físicos e biológicos do Pantanal, no entanto, são escassos os trabalhos sobre os habitantes das áreas rurais pantaneiras, sua cultura e as rupturas pelas quais vêm passando o modo de vida tradicional.

Porém, são estratégias do sistema capitalista a anulação social desses povos tradicionais, seguida da apropriação do território pelo avanço do agronegócio e consequente expulsão de suas áreas, o desmatamento e a degradação da biodiversidade para dar lugar principalmente às fazendas de pecuária e à manutenção do trabalho escravo contemporâneo.

Modelo de Desenvolvimento e seus impactos

Quem chega em Cuiabá, capital do Mato Grosso, encontra placas de boas-vindas à "capital do agronegócio e do Pantanal" – curiosa ênfase a uma suposta harmonia na relação entre o modelo econômico de exploração do território e a preservação do bioma. Entretanto, como outros biomas, o Pantanal se encontra ameaçado pelos impactos do modelo de desenvolvimento agrícola, estruturado em sistemas agropecuários com alta concentração de terras, uso exaustivo do solo e exploração exaustiva dos recursos naturais.

A pecuária é a base da economia local (com predominância da bovinocultura de corte) desde o final do século XVIII. Neste sentido, o espaço regional foi sendo construído com base em enormes latifúndios. O avanço voraz da fronteira agrícola na região centro-oeste nos anos 1970 e 1980, sobretudo no planalto da bacia hidrográfica Alto Paraguai, para implantação de monocultivos de soja e milho, provocou devastamento e derrubada de grandes extensões de florestas, intensificando-se nos anos 1990 com a implantação da cana-de-açúcar e teca (*Tectona grandis, árvore exótica, utilizada na indústria madeireira*). Posteriormente, no ano 2000, os cultivos de soja e cana-de-açúcar se deslocaram para a planície pantaneira, gerando não apenas impactos ambientais, mas sociais e culturais no território.

Atualmente, monocultivos de soja, milho, algodão, cana-de-açúcar, produção de aves e suínos também estão presentes nas áreas de planalto nos municípios pantaneiros. Segundo Alho (2008), 17% do Pantanal e 63% do Planalto do seu entorno sofreram perdas e modificações de habitats naturais devido à pecuária e agricultura não sustentáveis, *mineração* [VER MINERAÇÃO], contaminação ambiental (incluindo contaminação por mercúrio, pesticidas e esgoto urbano), turismo não sustentável, fogo, mudanças no fluxo das nascentes de rios, erosão e ação de conservação deficiente, com ineficiente implementação da legislação ambiental.

Este modelo de desenvolvimento econômico, adotado no Pantanal, poderá comprometer o ecossistema pantaneiro, provocando a perda de muitas espécies ainda desconhecidas (Fernandes; Signor; Penha, 2010). Outras consequências são o desmatamento, o assoreamento dos rios, a contaminação indiscriminada do ambiente por agrotóxicos, a alteração do pulso natural das águas e a forte redução da quantidade de peixes.

Para Luiz (2015, p. 149), "as águas são tudo para o Pantanal. São elas que ditam o ritmo de todas as formas de vida pantaneira". E, à medida que há interferências na dinâmica natural destes rios, pressupõem-se a desestabilização da própria noção de Pantanal e dos modos de vida pantaneiros. Porém, a existência do Pantanal não depende apenas da proteção das áreas de planície, e sim da preservação integral da Bacia do Alto Paraguai (Schlesinger, 2014). O estado de conservação das nascentes do Rio Paraguai e de seus afluentes, bem como da vegetação em seu entorno, assim como a qualidade das águas, são condições essenciais para a preservação do Pantanal.

Entretanto, os impactos do agrohidronegócio estão atingindo patamares irreversíveis de destruição do bioma, em decorrência da compactação do solo potencializada pela pecuária; da redução das áreas de vegetação nativa e sementes crioulas; da extinção rápida de espécies da fauna e flora; da intensificação dos processos erosivos e assoreamento de corpos d'água; da diminuição na quantidade e qualidade da água; da contaminação por agrotóxicos e sementes transgênicas. Grandes projetos, como a Hidrovia Paraguai-Paraná e os barramentos de água dos rios para implantação das Usinas Hidrelétricas e Pequenas Centrais Hidrelétricas, representam uma ameaça com efeitos conjuntos e sinérgicos à conservação do Pantanal.

A Hidrovia Paraguai-Paraná surgiu a partir do início da década de 1990, por meio de um projeto do Banco Interamericano de Desenvolvimento (BID) com apoio dos cinco países da Bacia do Prata (Brasil, Uruguai, Bolívia, Paraguai e Argentina), para implantação de uma hidrovia industrial internacional. Com obras de engenharia para garantir navegação 24 h/dia, 12 meses ao ano, desde Cáceres (MT), rio Paraguai, até o rio da Prata em Nueva Palmira (Uruguai) (Calheiros, 2014).

O projeto proposto prevê 17 pontos de dragagem no trecho mais sensível na dinâmica do curso do Rio Paraguai, com grande potencial de afetar, rio abaixo, o Pantanal do Mato Grosso do Sul. Com objetivo de navegar 11 meses por ano, mesmo sendo nos quatro meses de seca impossível a navegação pelo rio.

Com a possível alteração da geomorfologia e do aprofundamento do calado do rio, a perda dos benefícios que a natureza nos oferece será agravada, visto que as águas descerão com maior rapidez, diminuindo sensivelmente a área de alagamento e a fertilização natural dessas margens.

As organizações sociais e os movimentos ambientais que atuam em defesa do Rio Paraguai têm se mobilizado para denunciar os riscos que a hidrovia representa para a integridade do Pantanal, e questionar os interesses do projeto. Este beneficiará sobretudo os setores do agronegócio, que veem a hidrovia como um canal estratégico para o escoamento de *commodities* como soja, milho, fertilizantes, entre outros.

As hidrelétricas representam outra grande ameaça à manutenção do bioma, haja vista que mais de 70% do potencial de produção de energia já está em operação na Bacia do Alto Paraguai. São 45 barramentos, sendo 8 Usinas Hidrelétricas (UHEs) e 37 Pequenas Centrais Hidrelétricas (PCHs). A ideia é implantar mais 135 investimentos de produção de energia na bacia (Calheiros, 2014).

A ocorrência dos 180 barramentos hidrelétricos previstos provocaria uma drástica mudança do regime hídrico de cada rio formador do Pantanal; seria mudar o regime hídrico próprio do bioma. Também haveria alteração da vazão, do pulso de cheias e secas (pulso de inundação), impactando diretamente os ribeirinhos e pescadores que sobrevivem da pesca no Pantanal. Isso porque, em qualquer barramento, grande ou pequeno, o peixe não consegue subir para desova e, abaixo, cada vez mais o assoreamento alarga e tira a profundidade dos rios, não permitindo a reprodução dos peixes e inviabilizando a pesca artesanal.

O Pantanal não tem limites

Delimitar o Pantanal sempre foi uma das estratégias dos empresários, agropecuaristas e representantes do agronegócio brasileiro para legitimar os processos de exploração e regulamentar o uso de áreas até então protegidas.

De autoria de Blairo Maggi (PP-MT), o Projeto de Lei n. 750/2011 propõe a criação da chamada "Lei do Pantanal" (Brasil, 2011) para a instituição da Política de Gestão e Proteção do Bioma Pantanal e busca, em tese, criar mecanismos de proteção ao meio ambiente e conservar a fauna e a flora do bioma. Entretanto, o PL não atende às reivindicações dos povos pantaneiros, movimentos sociais e ambientais de que a lei proteja não apenas a planície, mas também as cabeceiras do Alto Rio Paraguai (planalto), onde estão as nascentes que formam o Pantanal.

Manoel de Barros, uma das grandes referências da poesia nacional, era pantaneiro e desde 1980 já transcrevia em versos e prosas a importância da conservação do Pantanal e a impossibilidade de delimitação do bioma. "No Pantanal ninguém pode passar régua. Sobremuito quando chove. A régua é existidura de limite. E o Pantanal não tem limites" (Barros, 2003).

Um "Pantanal sem limites" é uma contranarrativa que vem sendo construída há cerca de duas décadas pelos povos e comunidades tradicionais pantaneiras, demonstrando a importância da conservação do bioma de forma integral. Portanto, garantir um Pantanal inteiro, e não pela metade, se tornou uma das principais reivindicações das comunidades tradicionais pantaneiras e de diversos movimentos sociais e ambientais, como o Fórum Mato-grossense de Meio Ambiente e Desenvolvimento (Formad), a Rede de Povos Pantaneiros e o Comitê Popular do Rio Paraguai (que desde 2000 vem avançando em uma pauta propositiva de gestão do ecossistema Pantaneiro).

Visando a construção coletiva de processos de resistência a agressões socioambientais sofridas no Pantanal, em 1996 foi criado o Fórum de Lutas das Entidades de Cáceres (Flec), com a participação de movimentos sociais, organizações não governamentais e comunidades tradicionais pantaneiras dos municípios nas nascentes do Rio Paraguai no Mato Grosso.

Como resultado da atuação desses grupos sociais, foi instituído em 2001, pela Assembleia Legislativa de Mato Grosso, o dia 14 de novembro como o dia do Rio Paraguai. A data passou a ser comemorada pelo movimento social e ambiental com a realização de um conjunto de ações: atos públicos, mutirões de limpezas das margens do Rio Paraguai, seminários, audiências públicas e outras, que fazem deste dia um marco da luta e resistência pela preservação e conservação do Pantanal e visibilidade dos seus povos.

Nos últimos anos, tanto o Flec como o Comitê Popular do Rio Paraguai têm articulado organizações da sociedade civil da Bolívia, do Paraguai e da Argentina, qualificando as articulações e denúncias internacionais sobre os impactos vivenciados no Pantanal.

O bioma Pantanal não permite análises isoladas, devido à complexidade das relações ecológicas, sociais, culturais e econômicas que o caracterizam. Os povos pantaneiros compreendem-se como parte dessa complexidade que forma o Pantanal e são fundamentais para a preservação e conservação dos seus recursos naturais e biodiversidade. Também são os interlocutores dos processos de denúncia e resistências às ações capitalistas predatórias que colocam em risco a existência do bioma.

B

Referências

ALHO, C. J. R. Biodiversity of the Pantanal: Response to Seasonal Flooding Regime and to Environmental Degradation. *Brazilian Journal of Biology*, São Carlos, v. 68, n. 4 (Suppl.), p. 957-966, nov. 2008.

BARROS, M. *Livro de pré-coisas:* roteiro para uma excursão poética no Pantanal. 4 ed. Rio de Janeiro: Record, 2003.

BOTTALLO, M. *et al. Patrimônio da Humanidade no Brasil:* Suas riquezas culturais e naturais. Santos: Unesco e Editora Brasileira de Arte e Cultura, 2014.

BRASIL. Ministério do Meio Ambiente, dos Recursos Hídricos e da Amazônia Legal. *Plano de Conservação da Bacia do Alto Paraguai.* PCBAP. Brasília, 1997. 369p.

______. Senado Federal. Atividade Legislativa. *Projeto de Lei do Senado n. 750, de 2011.* Autoria de senador Blairo Maggi (Pl/MT). Dispõe sobre a Política de Gestão e Proteção do Bioma Pantanal e dá outras providências. Disponível em: https://www25.senado.leg.br/web/atividade/materias/-/materia/103831. Acesso em: 22 mar. 2021.

CALHEIROS, D. Projeto da Hidrovia Paraguai-Paraná: "uma irracionalidade". Entrevista especial. *REVISTA IHU ON-LINE*. jun. 2014. Disponível em: http://www.ihu.unisinos.br/entrevistas/532441-projeto-da-hidrovia-paraguai-parana-uma-irracionalidade-entrevista-especial-com-debora-calheiros. Acesso em: 08 jan. 2019.

DIEGUES, A. C. *Etnoconservação:* Novos Rumos Para a Proteção da Natureza nos Trópicos. São Paulo: Hucitec, 2000.56p.

FERNANDES, I. M; SIGNOR, C. A; PENHA, J. *Biodiversidade no Pantanal de Poconé.* Cuiabá: Centro de Pesquisa do Pantanal, 2010. 196 p.

LUIZ, G. M. de. *A vida cotidiana no movimento das águas pantaneiras.* 2015. 163 f. Tese (Doutorado em Psicologia) – Pontifícia Universidade Católica de São Paulo, São Paulo, 2015.

MAGNUSSON, W. E. Prefácio. *In:* FERNANDES, I. M; SIGNOR, C. A; PENHA, J. *Biodiversidade no Pantanal de Poconé.* Cuiabá: Centro de Pesquisa do Pantanal, 2010. 9-10 p.

ROSETTO, C. O; TOCANTINS, N. (Org.). *Ambiente Agrário do Pantanal Brasileiro*: socioeconomia e conservação da biodiversidade – Documento Eletrônico. – 1. ed. – Porto Alegre: Imprensa Livre, Compasso Lugar Cultura, 2015. 677p

SCHLESINGER, S. *Pantanal por inteiro, não pela metade.* Soja, hidrovia e outras ameaças a integridade do Pantanal. Rio de Janeiro: Ecosystem Alliance, 2014.

SIGNOR, C. A; FERNANDES, I. M; PENHA, J. O Pantanal e o Sistema de Pesquisa. *In:* FERNANDES, I. M; SIGNOR, C. A; PENHA, J. *Biodiversidade no Pantanal de Poconé.* Cuiabá: Centro de Pesquisa do Pantanal, 2010.13-23p.

SILVA, C. J.; SILVA, J. *No ritmo das águas do Pantanal.* São Paulo: NUPAUB, 1995, 210p.

SIQUEIRA, E. M. *História de Mato Grosso:* da ancestralidade aos dias atuais. Cuiabá: Entrelinhas, 2002.

SOUZA, S. C. *Proteção jurídica do Pantanal:* a construção do marco regulatório no estado de Mato Grosso. Dissertação (Mestrado em Ciências Ambientais) – Universidade do Estado de Mato Grosso, 2008. 205p

Notas

1 Região biogeográfica de grande biodiversidade, que compreende a América Central, incluindo a parte sul do México e da península da Baja Califórnia, o sul da Flórida, todas as ilhas do Caribe e a América do Sul com ecossistemas tão diversos como a floresta amazônica, a floresta temperada valdiviana do Chile, a floresta subpolar magalhânica da Patagônia, o cerrado, a mata atlântica, o pantanal, os pampas e a caatinga.

2 Constitui uma vegetação pertencente ao bioma da Mata Atlântica, ocasionalmente também no Cerrado, sendo típica do Brasil Central e condicionada à dupla estacionalidade climática: uma estação com chuvas intensas de verão, seguida por um período de estiagem.

3 Palavra de origem tupi-guarani, que significa trabalho em grupo, mutirão.

C

CAMPESINATO

Armando Bartra Vergés

Quando chegou a modernidade, eles já estavam aí.

Os camponeses constituem a ancestral e duradoura sociabilidade agrária sobre a qual se formaram as mais diversas civilizações e seus mais de 5 bilhões de integrantes conformam a classe mais numerosa e globalizada da sociedade burguesa; um grupo humano diversificado, mas presente em todo o mundo, cujas organizações de massa, como a Via Campesina que tem 200 milhões de associados em 81 países, instigam o mais resiliente dos movimentos sociais contemporâneos.

Como produtores, os pequenos e médios agricultores são responsáveis pela produção de 70% dos alimentos do mundo através de uma complexa economia moral que, mesmo monetarizada, se orienta pelos valores de uso. Uma economia tecnicamente eficiente, cujo manejo sustentável dos recursos naturais originou o que hoje chamamos de agroecologia [ver Agroecologia].

Cultural e socialmente plurais, como variadas são suas histórias e geografias, os camponeses têm uma flexibilidade e capacidade de adaptação ao entorno natural e econômico que os torna diversos também na produção.

Com terras comunais, sob propriedade, emprestadas, arrendadas ou em parcerias, as unidades econômicas camponesas são, em sua maioria, familiares, ainda que existam algumas em formas cooperadas; por seu tamanho, podem ser médias, pequenas ou muito pequenas; por sua ocupação, há as agrícolas, pecuárias, silvícolas, de pesca, coletoras, agroindustriais, artesanais... Se bem que, no geral, combinem várias destas atividades, pelo destino de sua produção algumas são mercantis, outras de autoconsumo, e quase sempre as duas coisas; pela origem e destino do trabalho de que dispõem e do que empregam, sendo por vocação produtores diretos e por conta própria, muitos também se ocupam como diaristas, e, durante o período das colheitas, frequentemente contratam mão de obra adicional ou trocam dias de trabalho com familiares e vizinhos.

Perseguidos e saqueados por todos os sistemas socioeconômicos hierárquicos e classistas, as mulheres e os homens do campo têm conseguido perdurar graças à perpétua resistência, buscando preservar, de forma organizada, ou construir a autogestão socioeconômica e, quando possível, as autonomias políticas de base territorial. Os camponeses são, por natureza, combativos e, por isso, são sobreviventes.

Os camponeses são cultura, são classe, são movimento, são economia, são resistência... Mas os camponeses são, antes de tudo, um modo de vida; uma fraterna forma de convivência em que predominam as relações comunitárias.

E, sendo a comunidade parte constitutiva da condição camponesa, são igualmente camponeses aqueles que fazem parte dela e com ela se identificam, ainda que não desempenhem trabalhos agrícolas.

Os camponeses não são indivíduos ou famílias, mas socialidades complexas, e é por isso que quando se mobilizam, em geral, o fazem em conjunto; se colocam em marcha como povos: diferentes em sua composição, mas unidos em seus objetivos.

E os camponeses são, também, aposta de futuro, projeto, sonho, utopia...

Cultivar e combater

As mulheres e homens da terra foram os principais animadores de todas as revoluções e movimentos de libertação nacional do século passado: México, Rússia, China, Índia... E, durante o século XXI, ganharam novamente visibilidade, principalmente por dois motivos: porque suas importantes colheitas, que ainda poderiam aumentar, são a alternativa para a crise alimentar causada por um modo insustentável de produção e de consumo, um sistema injusto de distribuição e uma devastadora mudança climática; e porque, tanto em sua vertente indígena como em sua expressão mestiça, têm sido destacados protagonistas do movimento social latino-americano, assim como de várias das mudanças pós-neoliberais do Cone Sul do continente que se seguiram ao triunfo eleitoral de Hugo Chávez na Venezuela: revoluções de movimentos sociais e, ao mesmo tempo, eleitorais, com destacada presença de camponeses e indígenas, como as acontecidas no Brasil, Bolívia e Equador.

Um lugar no sistema

A contribuição dos pequenos agricultores para a alimentação é inquestionável, mas cabe perguntar por que, depois de dois séculos e meio de uma ordem capitalista industrial em que a produção tende a concentrar-se e centralizar-se, subsistem e ainda se expandem no mundo rural as pequenas e médias economias familiares; por que, em uma ordem em que dominam a especialização e a padronização tecnológica, sobrevivem a policultura e a diversidade de práticas produtivas camponesas; por que, em uma ordem sabidamente proletarizante, pesa tanto na agricultura o trabalho por conta própria.

A explicação deve ser procurada no substrato material da agricultura, uma natureza vertiginosamente diferente que apenas pode ser uniformizada até certo ponto mediante intervenções tecnológicas, pois os fatores climáticos e os ciclos biológicos podem ser alterados e até certo ponto acelerados, mas em essência são incompatíveis com a continuidade e a crescente intensificação própria dos processos fabris.

E se a natureza é diversificada e lenta, plurais e pacientes – como os camponeses – terão de ser as formas de aproveitá-la. Em contrapartida, as tentativas capitalistas de industrializar por completo a agricultura enfrentam severas dificuldades, além de ser intrinsecamente destrutivas.

Há boas razões ecológicas por trás da presença camponesa no capitalismo tardio, mas também há motivações econômicas que explicam sua reprodução, pois em uma ordem na qual os preços de cada classe de produtos podem ser unificados devido às condições uniformes em que são fabricados, chama a atenção uma atividade como a agrícola, cujos rendimentos são inevitavelmente desiguais no espaço e no tempo.

E caso fosse capitalista a totalidade dos produtores rurais, o preço das colheitas teria que ser remunerativo para todos e, portanto, tenderia a fixar-se com base nos que, pelos imutáveis fatores agroecológicos e de localização, têm maiores custos. Preço máximo, e não médio, que daria ao resto dos agroempresários um sobrelucro colossal; um lucro extra que chamamos de renda diferencial e que é pago pela sociedade como consumidora, mas também incide sobre os capitalistas não agrários, pois se expressa nos salários que pagam e nas matérias-primas que compram.

Em contrapartida, ter camponeses trabalhando nas piores terras, nos lugares mais remotos e inóspitos e nos climas mais severos reduz a renda diferencial, pois uma vez que trabalham para subsistir e têm poucas opções, os agricultores familiares continuarão produzindo e vendendo ainda que os preços não sejam vantajosos, e mesmo que durante algum tempo não cubram todos os custos. Assim, graças à concorrência de um setor sub-remunerado, os preços dos produtos do campo podem diminuir sem que por este motivo sejam afetados os capitalistas agrários que, ao usufruir dos nichos agroecológicos mais propícios, têm custos menores e margens maiores.

O cafeicultor rico que cultiva o grão aromático nas boas terras de sua propriedade e arrenda as de pior qualidade para que nelas trabalhem os cafeicultores pobres, os quais além de fazerem a colheita deverão assumir os riscos e esforços que lhes impõe sua desvantagem produtiva para, ao final, venderem a esse mesmo cafeicultor rico um grão que ele beneficiará e comercializará junto ao seu, constitui um modelo generalizável e que ilustra bem a astuta estratégia que permite ao capitalismo tirar vantagem da precariedade camponesa e, ao mesmo tempo, da diversidade agroecológica.

E esclarece também o mistério da espoliação das energias do trabalho não pago de um camponês que, ao contrário do operário que se coloca sob o jugo da exploração *antes* do processo produtivo, quando vende sua força de trabalho, se coloca sob o jugo da exploração *depois* do processo produtivo quando vende em desvantagem não sua força de trabalho, mas o produto do seu trabalho.

E, às vezes, o camponês vende ambas as coisas, embora em diferentes temporadas, pois muitos pequenos produtores trabalham também como diaristas em tempo parcial; trabalhadores braçais que podem ser empregados de maneira descontínua e sub-remunerados, porque, em geral, dispõem de uma retaguarda camponesa que os sustentou até que alcançassem a idade produtiva, que continua a fornecer-lhes uma parte do sustento e que – essa é sua esperança – os

C

acolherá quando o peso dos anos já não lhes permita trabalhar.

No entanto, acabam sendo explorados com o sacrifício ocorrendo antes ou depois do processo produtivo; tanto os operários como os camponeses terminam cedendo sua mais-valia ao capital. Por isso, o capital, que assedia e destrói os pequenos agricultores, também os preserva e, às vezes, os recria.

Classe, etnia, gênero

A energia social de que dão mostras, no terceiro milênio, os movimentos camponeses e indígenas, principalmente na América Latina, se insere na grande onda antineoliberal desencadeada no final do século XX, da que também fazem parte os trabalhadores assalariados, as classes médias e parte da burguesia.

Cada um desses setores tem motivos específicos para se rebelar. Assim como também os têm aqueles que tenho chamado de *campesíndios*, porque fundem as duas condições: a colonial e a classista, motivos que, sendo de época e às vezes conjunturais, remetem, sem dúvida, ao seu lugar estrutural no sistema. Uma ordem classista, racista e patriarcal que se mostra implacável com seus filhos operários, com seus afilhados camponeses e com as mulheres, tanto do campo como da cidade.

Explorados e despojados

Em sua condição de trabalhadores, os pequenos e médios produtores do campo são expropriados de seu excedente mediante mecanismos de intercâmbio desigual que operam tanto no mercado de trabalho como no de produtos, no de dinheiro e, às vezes, no de terras; acordos comerciais assimétricos e lesivos nos quais sempre compram caro e sempre vendem barato.

Mas a sua inserção econômica é instável tanto quanto a oferta e procura por suas colheitas. E quando caem os preços, os camponeses podem passar da exploração à exclusão, arrastados por um mercado não apenas turbulento, mas, também, monopolista, especulativo e dominado pelas transnacionais. Isto afeta todos os pequenos produtores, mas especialmente os que foram induzidos ao monocultivo, abandonando as seculares e mais seguras estratégias de autossustento e diversificação.

A estes males se somam a repressão por razões sociais ou políticas, a violência criminosa e as catástrofes naturais, provocando verdadeiras debandadas migratórias; êxodos em que sempre estão presentes camponeses.

Mas o capital que explora seu trabalho por meio dos salários ou por meio dos preços também lhes despoja, às vezes, de seus meios de vida: terras, águas, bosques, biodiversidade, saberes e cultura... Patrimônios coletivos que os empresários e as corporações cobiçam hoje mais do que nunca, pois a grande crise civilizatória que nos aflige se manifesta na escassez dos recursos necessários à reprodução de seus capitais: terra fértil, água doce, minerais, energias, espaços geoestratégicos; mas, também, bons climas, paisagens atrativas, saberes tradicionais potencialmente lucrativos, cultura ancestral suscetível de comercialização... Bens naturais e sociais cujo valor econômico é diretamente proporcional à sua raridade e cuja apropriação privada alcança enormes rendas.

É por tais motivos que os povos e, sobretudo, as comunidades agrárias sofrem o assédio dos megaprojetos predadores. De modo que, se no século passado a principal luta camponesa era pela terra e por reformas agrárias que a restituíssem a quem nela trabalha, hoje a luta é também pela defesa da terra que habitam, às vezes, ancestralmente; hoje, a luta é em defesa dos territórios.

Etnicamente oprimidos

Os camponeses de continentes colonizados, como Ásia, África e América, somam à carga da exploração de classe o lastro da opressão de "raça"; um conceito sem base científica, inventado por colonizadores para justificar a dominação dos "brancos" sobre os "negros", os "vermelhos" e os "amarelos".

Nos países centrais e industrializados, a exploração do trabalho assalariado não necessitava estabelecer outra diferença além da econômica entre burguês e operário, mas nos âmbitos periféricos e agrários, nos quais prevaleciam comunidades autossuficientes e dispersas, a disponibilidade de mão de obra para as fazendas de produção agrícola e pecuária, e para a mineração, requeria trabalho forçado.

Trabalho compulsório que na América colonial ganhou a forma de *encomiendas*, *repartimientos*, *congregaciones* e outras modalidades de confinamento populacional, que com o passar do tempo e depois da Independência mudaram para sistemas de trabalho coercitivos como a escravidão aberta ou a servidão por dívidas.

Isso porque, se o trabalhador não ia por si mesmo oferecer sua mais-valia, era preciso obrigá-lo e pela força mantê-lo em seu lugar. E esta violência extraeconômica que o capitalismo havia extinguido nas metrópoles, mas que era indispensável nas colônias, necessitava de uma justificativa, um pretexto, encontrado na raça.

"É preciso bater neles, porque de outro jeito não trabalham", dizia um fazendeiro de Yucatán (estado do México) no início do século XX. É o mesmo que afirmar que as "pessoas de cor", tanto assalariadas como camponesas, têm que sofrer violência porque, caso contrário, são negligentes, preguiçosas e indolentes no trabalho; porque carecem de vontade empreendedora, da ambição e do afã de progresso que resultam próprios do "branco". E essa fraqueza teria origem racial.

A racialização das relações produtivas no continente americano persiste até os nossos dias, e os trabalhadores provenientes dos povos originários ou afrodescendentes, sejam camponeses ou assalariados, continuam sofrendo discriminação e desvalorização. Maus-tratos por razões raciais, de vestimenta ou aparência que sofrem nos próprios países de origem, onde se mantém o colonialismo interno ou, mais ainda, quando migram para as metrópoles do norte.

De uma forma ou de outra, os camponeses latino-americanos como um todo sofrem as sequelas da opressão colonial e, mesmo que muitos sejam mestiços, no final das contas são tratados como *campesíndios*... E como *campesíndios* têm que lutar, pois separar as duas condições os enfraquece.

Camponeses e mulheres

O gênero não é natural, é uma construção, e ao feminino se lhe atribuiu historicamente a preservação do fogo, do *focare*, do lar. Enclausuramento doméstico que sob o capitalismo se acirra, pois mesmo que algumas trabalhem com salário, em seu conjunto as mulheres são trabalhadoras não pagas responsáveis pela alimentação, saúde, educação, vestimenta, limpeza e, em geral, pelas atividades chamadas "reprodutivas", para diferenciá-las das "produtivas" que supostamente geram lucrativas mercadorias e não simples cuidados.

A nítida separação capitalista entre "produtivo" e "reprodutivo" se estende também aos camponeses, cujos trabalhos comumente são distinguidos entre de autoconsumo e comerciais, sendo os primeiros voltados para dentro e de responsabilidade das mulheres, e os segundos, voltados para fora e coisa de homens.

Porém, na economia doméstica camponesa, a cisão existente entre produção e consumo, assim como a divisão de trabalho por gêneros, é menos explícita que no mundo urbano industrial, pois na atividade agrícola todos os membros da família trabalham e as mulheres participam das atividades chamadas "produtivas", não apenas nos quintais ou hortas domésticas, mas também nos lotes, nas pastagens, nas plantações...

Na realidade, e vista como uma totalidade, a economia camponesa é mais "reprodutiva" que "produtiva", no sentido capitalista do termo, pois seu propósito é o bem-estar e não a acumulação. Com característica mais familiar do que empresarial e movida por uma ética do cuidado e não pela ganância de lucro; aos olhos do sistema, a atividade econômica camponesa é uma anomalia. Mesmo quando está inserida no mercado, e, portanto, passível de ser valorizável, aparece como um desvio, uma perversão...

Orientadas para a reprodução da vida e não para a produção voltada para o lucro, a *milpa*, a chacra, o *conuco* e, em geral todas as modalidades da agricultura doméstica, são tachadas de desleixadas, ineficientes, não competitivas, pré-modernas... Embora nos alimente e contribua com boa parte de matérias-primas utilizadas pela indústria, o trabalho das famílias camponesas é subestimado e invisibilizado... assim como se subestima e invisibiliza o trabalho rotineiro das mulheres que faz girar o tear do mundo.

Polifônica, diversificada, orientada ao bem-estar e dirigida por uma ética do cuidado, a complexa e ritmada vida econômica camponesa é mais semelhante ao entrevero de inumeráveis afazeres próprios dos lares que ao forçado e monótono desempenho das fábricas e dos agronegócios.

Nas comunidades rurais há polarização classista, sexismo, conflitos religiosos, confrontações políticas, violência... Mesmo assim, mais do que se assemelhar à desanimada, invariável, gananciosa e fria ordem capitalista, o espaço camponês se conforma como o cálido, cativante e barulhento mundo das mulheres, dos velhos e das crianças... Um mundo povoado por deuses, que incluem os vivos mas também os mortos, e compartilhado por pessoas, galinhas e porcos, pastos e hortas, montanhas e rios...

Em uma ordem sem alma, que marginaliza e desqualifica tudo aquilo que não resulta lucrativo, que fratura o entorno natural-social e que produz morte, os camponeses, gestores e preservadores da vida, são as outras mulheres do mundo.

Primazia rural de uma postura associada com o feminino, que se torna mais evidente nos momentos críticos em que os desastres climáticos ou mercantis arruínam a produção comercial empurrando os homens para a diáspora. Então, quando eles se desesperam, sucumbindo à impotência, ou vão para longe à procura de emprego, as boas mulheres da terra, que mantêm, faça chuva ou faça sol, uma produção de autoconsumo que é ao mesmo tempo satisfação e rede de proteção, mostram-se como sempre têm sido e seguem sendo: as que dão luz e amortalham, as preservadoras do fogo e a memória, as cuidadoras do lar, o rosto verdadeiro da agricultura, a raiz profunda da vida camponesa.

Comunidade obstinada

Individualista e competitivo, o capitalismo corrói a vida coletiva. Talvez por esse motivo, seu questionamento está associado com a reivindicação da comunidade em suas diferentes formas. Esta é a comunidade ancestral, meio descoberta e meio inventada pelo etno-historiador Lewis Morgan; a comunidade ideal, que alguns (socialistas) utópicos como Robert Owen e Charles Fourier quiseram construir à margem (do sistema); a livre e igualitária comunidade com a qual sonham os marxistas... Mas, tirando as comunidades do passado, as marginais e as do futuro, irrompe em plena modernidade a comunidade realmente existente; a perseguida, ferida e saqueada e, às vezes, degradada, porém sempre resistente, comunidade camponesa.

Os camponeses não são simplesmente indivíduos, não são apenas famílias, são, acima de tudo, comunidades. Coletividades territoriais e coesas que, de modo geral, contemplam bens comuns, produção familiar, sociabilidade solidária, algum tipo de governo tradicional e um poderoso mundo simbólico... dimensões estreitamente articuladas que se sustentam em sistemas mais ou menos híbridos de usos e costumes.

Preservar comunidades das quais depende sua existência material e espiritual é a principal tarefa dos camponeses. E quando as lutas das mulheres e dos homens da terra triunfam, o que se revigora, em primeiro lugar, são as próprias comunidades. Porque a boa vida em comunidade é a mais profunda e compartilhada das utopias rurais.

Dizem que os trabalhadores lutam e são revolucionários porque não têm nada a perder além de suas correntes. Os camponeses, em contrapartida, lutam e são revolucionários porque têm algo a perder; porque não querem ser despossuídos do que ainda lhes resta, suas comunidades: os pequenos e afetuosos mundos que souberam preservar do capitalismo e que quiseram disseminar para o mundo inteiro.

Para saber mais

BARTRA, A. *El capital en su labirinto:* de la renta de la tierra a la renta de la vida. Ciudad de México: Unam, 2006.

______. *Os novos camponeses:* leituras a partir do México profundo. São Paulo: Cultura Acadêmica; Cátedra Unesco de Educação do Campo e Desenvolvimento Rural, 2011.

CAPITALISMO VERDE

CAMILA MORENO
LARISSA AMBROSANO PACKER

C

O termo capitalismo verde é uma crítica cunhada por movimentos sociais e parte da sociedade civil global à proposta de países da Europa, dos Estados Unidos e de empresas transnacionais em torno da chamada 'economia verde'. Ao nomear esta dita 'nova economia' como mais uma etapa do processo de acumulação capitalista, o termo capitalismo verde evidencia as tentativas de mercantilização e financeirização da natureza e da vida como falsa solução para as crises ambiental e climática. O conceito se popularizou no processo de construção da Cúpula dos Povos, paralela à Conferência das Nações Unidas sobre Desenvolvimento Sustentável, a Rio+20, realizada de 13 a 22 de junho de 2012, na cidade do Rio de Janeiro, quando foi utilizado como grande símbolo político para rechaçar os novos ativos e mercados verdes que estavam no centro da proposta durante a Conferência.

Para uma crítica à Economia Verde

Embora o termo 'economia verde' apareça na literatura, especialmente na economia ecológica, desde meados dos anos 1970, a atual proposta em torno do termo foi trazida a partir de 2009 pelo Programa das Nações Unidades para o Meio Ambiente (Penuma), e popularizada com a realização da Rio+20, em 2012. Para seus proponentes, trata-se de uma nova economia capaz de manter o crescimento econômico com desenvolvimento social e proteção ambiental e climática, a fim de implementar o já conhecido princípio do *desenvolvimento sustentável*.

A proposta, conhecida como o *New Deal verde global* é concebida essencialmente por economistas de tradição neokeynesiana,[1] ao propor a intervenção do Estado e mecanismos de regulação para se criar novos mercados verdes. Em linhas gerais, a economia verde apresentada pela ONU centra-se na antiga fórmula economicista diante do problema da escassez de recursos e excesso de resíduos produzidos pelo modo de produção e consumo: inovação tecnológica, valorização econômica de bens até então fora das relações de mercado, aplicação de direitos de propriedade sobre bens comuns [VER BENS COMUNS] e criação de novos mercados.

Partindo-se do pressuposto de que é possível se manter um crescimento econômico por meio dos atuais padrões de produção e consumo, a chamada economia verde propõe:

1) inovação tecnológica, de forma a dissociar o crescimento econômico do consumo de energia e materiais e da produção excedente de resíduos, por meio de uma nova geração de tecnologias transgênicas (como de resistência ao *stress* hídrico) e de *novas tecnologias* [VER NOVAS BIOTECNOLOGIAS];

2) regulação de direitos de propriedade intelectual sobre os processos e produtos gerados com a aplicação industrial das novas tecnologias desenvolvidas, principalmente em favor das corporações da biotecnologia;[2]
3) valorização econômica dos bens comuns e inserção em novos mercados verdes, como o mercado de carbono e de biodiversidade. Essa terceira proposta parte de um antigo diagnóstico da economia tradicional de que a escassez dos recursos ambientais decorre de uma *falha de mercado* dos bens comuns devido à falta de disposição dos usuários em pagar para a conservação de um bem que não pertence a ninguém. Essa *falha de mercado,* segundo essa corrente, deve ser superada com a valorização monetária e aplicação de direitos inerentes à propriedade sobre bens até então comuns, de modo a permitir que um só sujeito de direito se aproprie e disponha de um bem ambiental, permitindo sua introdução nas dinâmicas comerciais, como qualquer outra mercadoria.

Deste modo, a economia verde busca valorar o meio ambiente com base na valorização monetária, de modo a chamar a atenção dos tomadores de decisão sobre o alto custo econômico produzido pelas externalidades ambientais negativas das cadeias de produção global.[3] Para tanto, desenvolve metodologias matemáticas e modelagens, como o estudo encomendado em 2007 pelo G8–5 (Grupo dos Oito + Cinco, que reunia os chefes de governo dos países do G8 – Canadá, França, Alemanha, Itália, Japão, Rússia, Reino Unido e Estados Unidos –, mais os líderes das cinco principais economias emergentes – África do Sul, Brasil, China, Índia e México), denominado Teeb (expressão em inglês, *The economic of ecossistms and biodiversity* – A economia dos ecossistemas e da biodiversidade), a fim de quantificar monetariamente o valor atual ou potencial dos 'serviços dos ecossistemas' e visibilizar os custos econômicos de longo prazo, permitindo a comparação entre o custo a se pagar para manter a conservação ambiental e o custo de se manter o crescimento e realizar o dano, chamado *custo de oportunidade.*

Nova etapa de apropriação e expropriação

A regulamentação da propriedade privada como direito de excluir todos os outros – não proprietários – do acesso sobre as coisas do mundo que ganham valor econômico, por serem meios de produção, é parte da construção de qualquer mercado no modo de produção capitalista. O direito de apropriação sobre a força do trabalho humana se deu sob a forma da escravidão, formas de servidão[4] e,atualmente, também por meio do salário, como forma de extração da mais-valia sobre o valor do trabalho social. No Brasil, o solo, como meio de produção da vida, se torna propriedade em 1850, com a Lei de Terras, cujo acesso passa a se dar mediante compra do título de domínio e registro da matrícula.

A propriedade sobre as sementes é instituída internacionalmente em 1968, com os direitos de proteção a cultivar autorizados pela União para Proteção das Obtenções Vegetais (Upov), mediante a outorga de um título especial de proteção

C

ou de uma patente (art. 2.1). Já a propriedade sobre construções genéticas de seres vivos, com os direitos de patentes sobre os produtos e processos da biotecnologia, passa a ser permitida com a criação da Organização Mundial de Comércio (OMC) e a aprovação do Acordo sobre Aspectos dos Direitos de Propriedade Intelectual Relacionados ao Comércio (Trips), em 1994, de assinatura compulsória a todos os países-membro da OMC.

A solução econômica apresentada para a escassez – inovação tecnológica, imputação de valor econômico sobre bens comuns e aplicação de direitos de propriedade – mostra-se, entretanto, sua própria causa. A propriedade gera, necessariamente, escassez para os não proprietários. A aplicação do direito de propriedade sobre as sementes pelas corporações excluiu todos os outros do acesso aos meios de produção da agricultura e dos alimentos, transformando agricultores, melhoradores históricos da agrobiodiversidade, em consumidores. Passados cerca de 60 anos da dita Revolução Verde [VER REVOLUÇÃO VERDE] e 20 anos da introdução das 'biotecnologias', a Organização das Nações Unidas para a Alimentação e a Agricultura – FAO (2017) continua a anunciar: a fome no mundo voltou a crescer e afetou 815 milhões de pessoas em 2016, o que representa 11% da população mundial.

Assim como a terra e as sementes, transformadas em objetos apropriáveis e, portanto, mercadoria, a proposta em torno deste 'capitalismo verde' traz, com novas roupagens, a extensão dos direitos de apropriação de funções ecossistêmicas que até então não assumiam um valor econômico autônomo, como o ar puro (sequestro e estoque de gases efeitos estufa mensurados em toneladas de CO_2), a água limpa, a floresta nativa (Cota de Reserva Ambiental – CRA), a polinização de insetos, dentre outros.

Tais funções ecossistêmicas ou qualidades ambientais transformadas em mercadoria passam a ser renomeadas como 'serviços ambientais'. O chamado pagamento por serviços ambientais (PES – *payment for enviromental services,*[5] na sigla em inglês), torna possível a subordinação dos bens comuns ambientais – indivisíveis, inapropriáveis e indisponíveis – à apropriação de apenas um só titular, chamado de *fornecedor-recebedor*, novo sujeito de direito capaz de alienar e fazer circular tais funções ambientais como qualquer outra mercadoria, a quem tenha disponibilidade de comprar, o denominado '*usuário-pagador*'. Como a integridade ambiental é um bem intangível, insuscetível de apropriação física, são emitidos títulos representativos de bens ambientais que passam a incorporar um valor econômico autônomo (1 tonelada de CO_2 eq.ev ou 1 hectare de vegetação nativa), para que então possam circular no mercado como '*ativos ambientais*'.

A introdução destes chamados 'serviços ambientais' em mercados se deu, no âmbito internacional, com a aprovação em 2005 do Protocolo de Kyoto na Convenção-Quadro da ONU sobre Mudanças Climáticas. O Protocolo, embora tenha fixado meta global obrigatória de redução das emissões de GEE (gases efeito estufa) para os países industrializados, ao mesmo tempo, autorizou o cumprimento de parte desta meta de redução por meio da compra de permissões ou créditos de carbono equivalente evitado (CO_2 eq.ev.)[6] daqueles que reduziram suas emissões além de sua meta, ou dos países que não possuíam metas obrigatórias, como os países megadiversos do Sul Global.

Nos termos de Kyoto, o capitalismo verde propõe uma gestão ambiental a partir da estruturação de mercados de direitos ambientais transacionáveis, induzidos e regulamentados por acordos internacionais e leis nacionais. Estes mercados possuem natureza *cap and trade* (limites e comércio), em que, simultaneamente, fixam metas máximas de emissões de GEE (gases efeito estufa), como o atual Acordo de Paris, ou limites mínimos de preservação ambiental, como as Metas de Aichi na Convenção sobre Diversidade Biológica (CDB) ou a própria Reserva Legal, para se gerar uma demanda por serviços ambientais (*cap*), ao mesmo tempo que se autoriza o seu cumprimento por meio de mecanismos de mercado, por meio da aquisição de 'ativos ambientais' que gerem direitos de compensação no mercado de carbono (créditos de carbono representativos de GEE evitados) e de biodiversidade (cotas representativas de outros serviços ambientais). No Brasil, o tratamento da integridade ambiental como 'serviços ambientais' passíveis de formar um mercado de direitos ambientais transacionáveis foi autorizado pelo *Código Florestal* [VER CÓDIGO FLORESTAL], por meio da previsão do mecanismo econômico dos 'pagamentos por serviços ambientais', art. 41, I e §§4 e 5 da Lei n. 12.451/12, da Cota de Reserva Ambiental (CRA), art. 44 a 50, e da conceitualização dos 'créditos de carbono', art. 3, inciso XXVII (Brasil, 2012).

Por meio dessa fórmula, os principais poluidores e degradadores ambientais podem manter suas taxas de crescimento e transferir sua responsabilidade para os territórios biodiversos, onde o custo dos ativos ambientais representativos dos 'serviços ambientais' é menor do que o custo de impor limites à atividade produtiva (custo de oportunidade compensa). Assim, realizar o dano ambiental e compensá-lo através da compra de ativos ambientais é mais econômico do que cessar ou limitar a atividade produtiva. Nestes termos, os mercados de 'serviços ambientais' só se mantêm se o lastro dos ativos ou títulos de compensação ambientais estiverem em áreas de baixo valor da terra, de modo a formar um preço menor do que o custo necessário para manter a vegetação em pé no local. Nesta etapa inicial de formação dos mercados verdes, o estoque de serviços ambientais de maior procura é formado por áreas que possam emitir CRAs e créditos de carbono mais baratos, como em territórios indígenas, unidades de conservação e assentamentos de reforma agrária, que estejam fora da pressão especulativa do avanço da indústria extrativista. Tais áreas *fornecedoras de serviços ambientais* passam a assumir a responsabilidade ambiental, civil e penal em nome do usuário comprador desses serviços.

Esta é a lógica por trás da já mencionada Cota de Reserva Ambiental, a CRA, título que confere direitos inerentes ao de propriedade sobre um hectare de floresta nativa em qualquer estágio de regeneração sobre o excedente de reserva legal de um imóvel rural ou ainda sobre a reserva legal de imóveis de até quatro módulos rurais ou terras indígenas e de comunidades tradicionais. A CRA é necessariamente negociada em bolsas de valores e balcão organizado, para compensar a reserva legal de outro imóvel que tenha desmatado, desde que estejam no mesmo bioma (e não mais na mesma microbacia), e que guarde identidade ecológica. Entretanto, a cota pode ser adquirida como "ativo ambiental" por atores do mercado financeiro que queiram aterrissar capital sobre áreas fornecedoras de serviços ambientais, especulando com o valor da terra e dos serviços. O fornecedor da cota recebe um pagamento por serviço ambiental por manter a reserva legal, art. 41, I, alínea "g" (Brasil, 2012) e assumir a responsabilidade ambiental para o *usuário-pagador*, cujo custo de oportunidade para legalizar sua propriedade é menor por meio da aquisição do direito de desmatar, frente ao custo de perder a área cultivada com o reflorestamento ou regeneração. É por esta razão que muitos especialistas criticam a CRA, por configurar instrumento indutor de desmatamento ao generalizar o mecanismo de compensação.

A possibilidade de emitir títulos representativos de bens ambientais, como o ar puro ou redução de emissões de GEE (créditos de carbono) ou o hectare de floresta nativa (CRA), coloca a preservação ambiental sob as leis da oferta e da procura. Quanto maior a taxa de emissões de GEE ou de desmatamento, menor a quantidade do bem ambiental que o título representa, ou seja, menor a quantidade de ar puro e de florestas, portanto, maior o valor do título verde. Quanto mais avança a 'economia marrom' com a queima de combustíveis fósseis e maior a expansão da fronteira agrícola, menor a oferta de 'serviços ambientais', portanto, maior o valor dos 'ativos verdes', e maior o lucro do capitalismo verde.

É o chamado ganha-ganha (*win-win*, em inglês); a fórmula é estritamente econômica, e nada tem a ver com proteção ambiental. Diante da crise financeira, principalmente com os títulos podres das hipotecas nos Estados Unidos em 2008 (*subprimes*), a busca por lastro real para que os trilhões de dólares virtuais em risco pudessem aterrissar gerou um capitalismo verde que autoriza, a um só tempo, o crescimento da *economia marrom* e a continuidade da economia financeirizada, ao encontrar novos lastros verdes, ainda não penetrados pelas relações capitalistas.

Esta engenharia econômica e legal gera a transição dos bens ambientais de um regime de natureza constitucional público como direito humano e bem comum dos povos, art. 225 da Constituição Federal (Brasil, 1988) – portanto bens fora do comércio – para um regime privado, em que se permite sua apropriação e transação negocial, possibilitando uma nova acumulação das relações capitalistas em despossessão das presentes e futuras gerações. Apesar das Ações declaratórias de inconstitucionalidade contra diversos dispositivos do código florestal (ADI 4901; 4902; 4903; 4937), o STF declarou, em grave retrocesso socioambiental, os artigos referentes a este capitalismo verde constitucionais.

Da forma como proposta, pelos mesmos atores corporativos e visando a manutenção do modo de produção e consumo, o capitalismo verde funciona como fórmula para se manter a subordinação tecnológica entre o Norte e Sul Global, assim como possibilitar a entrada dos territórios biodiversos dos povos do campo e das florestas como lastro do capital financeiro internacional, permitindo uma nova bolha verde especulativa. Estes territórios passariam a 'prestar serviços ambientais' a um baixíssimo valor, em expropriação da soberania, agricultura e dos modos de vida destes povos.

Atenta ao efeito perverso de inclusão das florestas nativas no mercado financeiro para compensar as emissões dos países do Norte Global, historicamente poluidores, a comunidade internacional, com forte pressão do Brasil, acabou por vetar a possibilidade de compensação dos créditos de carbono florestais (REDD+)[7] no Acordo de Paris, no âmbito da Convenção do Clima. Deste modo, os recursos financeiros recebidos por um país para apoiar ações de redução do desmatamento e da degradação florestal não podem gerar direitos de compensação e títulos de crédito de carbono negociáveis em mercados e direitos de compensação das metas voluntárias assumidas.

Diante da escassez ou superconcentração dos recursos naturais, a única alternativa econômica e ecológica possível é a imposição de limites ao crescimento econômico e uma progressiva alteração do modo de produção e consumo, de modo a recolocar no centro das decisões políticas a dignidade da vida, mantendo o existencial fora das formas da propriedade privada e do comércio.

C

Referências

BRASIL. Presidência da República. Casa Civil. Subchefia para Assuntos Jurídicos. *Lei n. 12.651, de 25 de maio de 2012*. Dispõe sobre a proteção de vegetação nativa, altera as Leis n. 6.938, de 31 de agosto de 1981, e 9.393, de 19 de dezembro de 1996, e 11.428, de 22 de dezembro de 2006; revoga as Leis n. 4.771, de 15 de setembro de 1965, e 7.754, de 14 de abril de 1989, e a Medida Provisória n. 2.166-67, de 24 de agosto de 2001; e dá outras providências. Disponível em: http://www.planalto.gov.br/ccivil_03/_ato2011-2014/2012/lei/l12651.htm#:~:text=Esta%20Lei%20estabelece%20normas%20gerais,n%C2%BA%20571%2C%20de%202012. Acesso em: 22 mar. 2021.

BRASIL. Presidência da República. Casa Civil. Subchefia para Assuntos Jurídicos. *Constituição da República Federativa do Brasil de 1988*. Art. 255. Disponível em: http://www.planalto.gov.br/ccivil_03/constituicao/constituicao.htm. Acesso em: 22 mar. 2021.

ORGANIZAÇÃO DAS NAÇÕES UNIDAS PARA A ALIMENTAÇÃO E A AGRICULTURA (FAO). *Relatório Estado da Segurança Alimentar e da Nutrição no Mundo*. 2017. Disponível em: http://www.fao.org/state-of-food-security-nutrition/es/

SANTOS, M.; GLASS, V. (org.) *Atlas do agronegócio*: fatos e números sobre as corporações que controlam o que comemos. Rio de Janeiro: Fundação Heinrich Böll, 2018.

Para saber mais

BENSAÏD, D. *Os despossuídos*: debates sobre a lei referente ao furto de madeira. São Paulo: Boitempo, 2017.

CASALINO, V. *O direito e a mercadoria*: para uma crítica marxista da teoria de Pachukanis. São Paulo: Dobra Editorial, 2011.

FATHEUER, T.; FUHR, L.; UNMÜBIG, B. *Crítica à economia verde*. Rio de Janeiro: Fundação Heinrich Böll, 2016.

MORENO, C.; CHASSÉ, D. S.; FUHR, L. *A métrica do carbono*: Abstrações globais e epistemicídio ecológico. Rio de Janeiro: Fundação Heinrich Böll, 2016.

PACKER, L. A. Pagamentos por serviços ambientais e flexibilização do Código Florestal para um capitalismo verde. Curitiba. *Terra de Direitos*. 19 ago. de 2011, 21 p. Disponível em: https://terradedireitos.org.br/uploads/arquivos/Analise-PSA-CODIGO-Florestal-e-TEEB-_Terra-de-direitos.pdf. Acesso em: 22 mar. 2021.

Notas

1 São chamadas de keynesianas o conjunto de teorias e medidas propostas pelo economista britânico John Maynard Keynes (1883-1946) e seus seguidores, que defendiam a necessidade de uma forte intervenção econômica do Estado na economia, com o objetivo principal manter o livre-mercado capitalista, de um lado, e a garantia do pleno emprego, de outro. De modo geral, medidas de intervenção econômica do Estado diante de crises são usualmente utilizadas, como diante da crise de 1929 e mesmo a crise das hipotecas de 2008 nos EUA, em que o governo Obama salvou o setor bancário e financeiro.

2 ChemChina-Syngenta, Bayer-Monsanto e Dow-Dupont dominam mais de 60% do mercado de sementes e agrotóxicos, tendo a Bayer-Monsanto sozinha um terço do mercado de sementes e um quarto do de agrotóxicos (Santos; Glass [org.], 2018, p. 20).

[3] Externalidades ambientais são os efeitos não previstos da produção de bens e serviços sobre a sociedade, que podem ser positivos ou negativos. As externalidades de uma determinada atividade estão na diferença entre o custo-benefício privado e o custo-benefício social gerado, ou seja, determinada atividade produtiva pode gerar poluição e desmatamento – externalidade negativa –, ao passo que também pode gerar empregabilidade na região – externalidade positiva. A proposta da chamada 'economia verde' seria introduzir as externalidades ambientais – positivas e negativas – no custo das cadeias de produção de valor.

[4] A servidão é caracterizada pela *Convenção suplementar sobre a abolição da escravidão do Tráfico de Escravos e das Instituições e Práticas Análogas à Escravatura*, adotada em Genebra, a 7 de setembro de 1956, como o estado ou condição de qualquer um que seja obrigado pela lei, pelo costume ou por um acordo, a viver e trabalhar em uma terra pertencente a outra pessoa e a fornecer a essa outra pessoa, contra remuneração ou gratuitamente, determinados serviços, sem poder mudar sua condição, seja por dívida contraída ou por sua condição de mulher, criança, ou em razão de etnia e raça (art. 1). Já a escravidão é o estado ou a condição de um indivíduo sobre o qual se exercem todos ou parte dos poderes atribuídos ao direito de propriedade (art. 7, §1º).

[5] Classificação trazida pela primeira vez no *The Millennium Ecosystem Assessment* (MA), estudo lançado em 2005, encomendado pela ONU em 2001 a fim de avaliar as consequências das mudanças ecossistêmicas e dar as bases científicas para aumentar a conservação e o uso sustentável do meio ambiente e seus 'serviços ambientais'.

[6] Crédito de carbono é caracterizado como um título representativo de uma tonelada de carbono equivalente evitado. O termo equivalente é utilizado a fim de unificar, na métrica do carbono (CO_2), uma representação de valor, tal qual uma moeda. O CO_2 equivalente é o resultado da multiplicação das toneladas de GEE pelo seu potencial de aquecimento global. Sendo o potencial do CO_2 estipulado em um, os demais GEEs geram o número de créditos equivalentes a seu potencial de aquecimento, como o gás metano que é 21 vezes maior que o CO_2, portanto, uma tonelada de metano reduzido equivale a 21 créditos de carbono. Potencial de aquecimento dos demais GEE: N_2O – Óxido nitroso = 310; HFCs – Hidrofluorcarbonetos = 140 ~ 11.700; PFCs – Perfluorcarbonetos = 6.500 ~ 9.200; SF_6 – Hexafluoreto de enxofre = 23.900.

[7] Redução do Desmatamento por Desmatamento e Degradação (REDD+). Foi introduzido na COP 11, em Montreal, como mecanismo que deveria autorizar a geração de créditos de carbono oriundos da manutenção e aumento do estoque florestal, assim como da diminuição do fluxo de carbono por meio da adoção de técnicas e tecnologias que, teoricamente, emitem menos GEE, como por exemplo o plantio direto que, ao não revolver o solo, diminuiria as emissões do setor agrícola, sendo passíveis de geração de créditos de carbono.

CICLAGEM DE NUTRIENTES

Carlos Armênio Khatounian

Nutrientes minerais de plantas

Todos os seres vivos são compostos majoritariamente de três elementos químicos: carbono (C), oxigênio (O) e hidrogênio (H). Nas plantas, esses três elementos constituem ao redor de 95% da matéria seca, sendo que H e O provêm da água e C, do gás carbônico do ar. Nos 5% restantes, há um elenco de outros elementos químicos, coletivamente chamados de nutrientes minerais. Dentre os nutrientes minerais, três são necessários em maiores quantidades, o nitrogênio (N), o fósforo (P), o potássio (K), sendo designados como macronutrientes minerais primários, seguidos pelo cálcio (Ca), pelo magnésio (Mg) e pelo enxofre (S), chamados de macronutrientes secundários. As plantas precisam ainda, em quantidades sensivelmente menores, de boro (B), cloro (Cl), cobre (Cu), ferro (Fe), manganês (Mn), molibdênio (Mo), cobalto (Co), níquel (Ni) e zinco (Zn), que são ditos micronutrientes. O silício (Si) é também muito frequente, sendo considerado essencial para algumas plantas.

Para crescer e completar seu ciclo satisfatoriamente, as plantas precisam estar supridas de todo o conjunto. Como as plantas são fixas no solo, todos esses nutrientes precisam estar disponíveis no local em que se desenvolvem suas estruturas de absorção, particularmente as raízes. Para serem absorvidos, os nutrientes precisam estar dissolvidos na solução do solo que permeia os espaços capilares. Dessa solução, passam às raízes e sobem até os sítios onde participam da fisiologia da planta.

Solos de diferentes regiões contêm diferentes quantidades de nutrientes minerais, e podem apresentar também elementos tóxicos, como o alumínio (Al) livre. Como as plantas são fixadas pelas raízes ao solo, elas tiveram de desenvolver, ao longo de sua evolução, mecanismos de adaptação às proporções em que os nutrientes minerais aí se apresentam, e também estratégias de convivência com elementos tóxicos.

Por essa razão, embora necessitem dos mesmos nutrientes minerais, as espécies vegetais diferem nas proporções dos elementos de que necessitam. Diferem também na capacidade de extração dos nutrientes do solo e na tolerância a elementos tóxicos. Por isso, plantas que evoluíram em diferentes ambientes, como o trigo em solos calcários sob clima semiárido temperado e o arroz em solos ácidos do trópico úmido, desenvolveram adaptações diferentes. Como consequência, pedem condições distintas para expressar plenamente seu potencial produtivo.

Particularidades da dinâmica de P, K e N no sistema solo-planta

Fósforo

Os nutrientes minerais apresentam comportamentos químicos muito distintos. Por sua importância, consideraremos aqui os três macronutrientes principais.

Como regra, o P no solo não cultivado é derivado essencialmente da rocha matriz, fonte original para a absorção pelas plantas e incorporação em sua biomassa. Quando essa biomassa é decomposta, o P é liberado na solução do solo, na forma de ânions fosfato. Nessa forma, ele reage prontamente com cátions, particularmente com alumínio e ferro nos solos tropicais. Os fosfatos formados, de alumínio e ferro, são praticamente insolúveis, de modo que o fósforo se torna indisponível para a maior parte das culturas agrícolas. Esse processo é chamado de fixação do fósforo. Para não ser fixado, o P liberado precisa ser prontamente reabsorvido por uma planta em crescimento, o que requer raízes em atividade.

Quando o fósforo é aplicado como fertilizante mineral, ele sofre o mesmo processo de fixação, de modo que seu aproveitamento pela cultura normalmente é de apenas 5 a 10%. O P fixado pode ser recolocado em circulação por culturas que evolutivamente desenvolveram a capacidade de extraí-lo desses fosfatos insolúveis, como a mandioca, o feijão guandu, as mucunas e a fava mineira.

A exportação de P pelas colheitas normalmente é da ordem de algumas dezenas de kg por hectare. Como as concentrações de P na solução do solo são baixas, as perdas por lixiviação são pouco importantes na escala de tempo agrícola. A via mais importante de perda de P é a erosão do solo, no qual o P está associado ao material particulado, de modo que o controle da erosão é a principal medida para evitar perdas de P.

Potássio

Como para o P, a fonte original do K é a rocha matriz do solo. Liberado da matriz, o potássio se apresenta predominantemente como cátion K^+, que forma sais muito solúveis, ao contrário do P. Depois do sódio (Na), o K é o metal que forma os sais mais solúveis em água, e por isso está presente em todos os líquidos das plantas.

No solo, os minerais de argila e o húmus formam uma esponja química com cargas negativas, que é capaz de reter na sua superfície íons de carga positiva, como o K^+. Em química do solo, essa retenção superficial é chamada de adsorção, e os íons adsorvidos podem ser posteriormente absorvidos pelas raízes das plantas. A capacidade de troca de cátions (CTC) é uma medida de poder do solo em reter nutrientes com cargas positivas.

Como o K tem muita afinidade por água, uma chuva intensa é capaz de retirar K das folhas e levá-lo ao solo, onde ele será adsorvido pelo complexo argila-húmus. Se a quantidade de água for muito elevada, e a CTC reduzida, parte desse K pode ser carreada pela chuva, ou pela irrigação, e descer a camadas mais profundas do solo com a água de percolação. Esse arraste com a água de percolação é chamado de lixiviação. Se o K for lixiviado para uma profundidade além do alcance das raízes, ele estará perdido para efeito da nutrição mineral da planta.

Em climas úmidos, a lixiviação usualmente conduz à perda de uma fração importante do K. Quanto mais profundo e mais denso o sistema radicular, menor é essa perda.

A exportação de K no produto colhido normalmente varia entre várias dezenas e algumas centenas de kg por hectare, dependendo do tipo e da quantidade de produto colhido. Como o K tem muita afinidade por água, a exportação é sensivelmente menor em produtos secos, como grãos, do que em produtos úmidos como cana-de-açúcar, banana ou mandioca.

Nitrogênio

Ao contrário do P e do K, o N nos sistemas naturais não provém da rocha matriz do solo, mas do ar, do qual sua forma gasosa N_2 representa cerca de 80%. Sua incorporação ao solo pode se dar por meio de descargas elétricas e, sobretudo, por meio da atividade de organismos capazes de converter sua forma gasosa N_2 em formas orgânicas. Essa conversão é dita "fixação biológica" de nitrogênio (FBN). Observe que aqui o termo "fixação" tem significado diferente de quando é utilizado para o fósforo. Dentre os vários sistemas de fixação biológica de N, a associação de leguminosas com bactérias, ditas rizóbios, é o de maior expressão na agricultura.

Depois da água, o N costuma ser o fator que mais rápida e visivelmente promove o desenvolvimento das plantas. Juntamente ao C, H e O, o N é parte integrante das proteínas, que formam as enzimas, ferramentas que medeiam todo o metabolismo do mundo vivo, inclusive a fotossíntese. Uma vez incorporado à biomassa das leguminosas, o N vai participar do desenvolvimento da planta. No final do ciclo, parte dele será direcionado para as sementes, e parte ficará nos restos vegetais que serão trabalhados pelos decompositores [VER TEIA ALIMENTAR].

Em ambiente bem arejado, o N nos restos vegetais é convertido em nitrato (NO_3^-), um ânion com extrema afinidade pela água, de modo que, como o K^+, está sujeito a lixiviação. Contudo, por ter carga negativa, o nitrato não é retido no complexo de troca no solo, de modo que as perdas são muito elevadas, salvo se houver um sistema radicular denso o bastante para absorvê-lo antes que seja lixiviado. Como os terrenos submetidos ao uso agrícola passam por longos períodos sem nenhuma vegetação, as perdas de nitrato por lixiviação costumam ser muito importantes.

Em função dessa dinâmica química, repor os estoques de N no solo foi exigência natural para recuperar o potencial de produção dos terrenos agricultados ao longo da história da agricultura. Para essa recuperação, a principal estratégia foi o pousio ou "descanso", que exigia deixar o terreno fora de cultivo por vários anos. Com a invenção dos adubos nitrogenados sintéticos, os longos períodos de pousio puderam ser dispensados, passando-se a ocupar o terreno ano após ano com culturas agrícolas. Essa foi a razão de o prêmio Nobel de Química de 1918 ter sido atribuído a Fritz Jacobus Haber, alemão de origem judia que desenvolveu o processo químico de fixação de N. Esse processo, adaptado à indústria por Carl Bosch, é o mesmo hoje utilizado para a produção da ureia ofertada no mercado de fertilizantes. Com o tempo, a utilização continuada dos adubos nitrogenados sintéticos trouxe problemas não antevistos, de modo que hoje os nitrogenados sintéticos são evitados na agricultura de base ecológica e proibidos na *produção orgânica*. Mas esse assunto foge ao foco do presente verbete [VER AGRICULTURA ORGÂNICA].

Voltando à dinâmica do N, tanto a ureia como outros adubos nitrogenados sintéticos são convertidos em nitrato se o ambiente for bem arejado, da mesma forma que o N em restos vegetais, de modo que as perdas por lixiviação são igualmente importantes.

Além da lixiviação, o N pode ser perdido do sistema por outras vias. Quando os tecidos vegetais contendo N ou o próprio nitrato são submetidos a condições quimicamente redutoras, como é o caso de ambientes cobertos por água e com matéria orgânica abundante, o N é convertido em outras formas químicas, especialmente em amônia (NH_3) ou nitrogênio gasoso (N_2). Assim, em situações como lavouras de arroz irrigado ou lagoas de armazenamento de efluentes de criações de suínos, o N contido no material é perdido para a atmosfera por volatilização.

Outra forma de perda é por meio da urina dos animais. Em sistemas com população elevada de grandes animais, como bovídeos, essa pode ser a maior fonte de perdas de N. Os animais concentram o N digerido em sua urina, e, ao urinar, o depositam em uma área pequena, normalmente uma mancha circular com menos de um metro de diâmetro. No centro da mancha, a concentração de N pode exceder quinhentos kg por hectare, aplicada de uma vez, o que resulta em lixiviação, porque o pasto não é capaz de absorver tal quantidade de N imediatamente.

Em situação de seca, a perda de N tende a ser ainda mais expressiva. A alta concentração de N na forma de ureia, somada ao K e ao Na presentes na urina, criam um ambiente altamente salino, de modo que o pasto chega a queimar no centro da mancha. Do centro para as bordas da mancha, a concentração salina vai se reduzindo; o pasto não chega a morrer, é fertilizado pelo N e irrigado pela água da urina, formando-se um halo verde azulado ao redor do centro queimado. No centro queimado, a ureia vai sendo convertida em NO_3^-, que aí se acumula. Com o retorno da chuva, os sais de K e de Na e o NO_3^- são dissolvidos e descem no perfil do solo com a água de percolação.

O resultado líquido desse processo é uma perda de N do sistema cada vez que uma rês urina. Essa é a principal forma de perda desse nutriente em pastagens, e leva a um empobrecimento contínuo. Os agricultores não veem essa perda, e a maioria dos agrônomos não sabe dela, mas o empobrecimento da pastagem é claramente percebido.

Essa contínua perda de N cria condições favoráveis ao estabelecimento de plantas capazes de realizar FBN, particularmente de leguminosas, que fazem a reposição no solo retirando o N do ar. Nos sistemas de pastoreio rotacionado convencionais, a reposição é feita com a aplicação de ureia cada vez que o gado é retirado de um piquete.

Em terrenos ocupados com a produção de lavouras, as subtrações de N são quantitativamente elevadas, seja pela exportação no produto colhido ou pelas perdas, especialmente por lixiviação. Por essa razão, a inserção de leguminosas na rotação/consorciação de culturas é essencial nos sistemas de base ecológica.

A essa altura, o leitor provavelmente percebeu que a dinâmica química do N é complexa, e que seu manejo adequado requer estudo e planejamento bem maior do que o dos outros nutrientes. Não há dicas. Esse verbete é apenas um estímulo à elaboração de um plano de manejo adequado ao seu sistema de produção, começando pelo mais simples e indo até o nível de complexidade exigido.

Comparando-se os movimentos de N, P e K nos ecossistemas, fica evidente que, na escala de tempo agrícola, apenas o N apresenta entradas regulares, que justificam falar em "ciclagem". Para P, K e todos os outros nutrientes, na escala de tempo agrícola, o que de fato se observa é um movimento no sentido da terra para o mar. Esse movimento é um fluxo de perdas, que precisam ser de alguma maneira compensadas pela ação humana nos sistemas de agricultura permanente. Nos tópicos que seguem, tratamos de compreender melhor esses movimentos para reduzir as perdas, e assim reduzir a necessidade de reposição.

Ciclagem de nutrientes minerais em sistemas naturais e agrícolas

Os nutrientes minerais estão em movimento constante e complexo, e exigem que o agricultor os conheça bem para bem manejá-los. Esses movimentos se devem às características químicas de cada nutriente, aos fatores da natureza, como o clima e a fauna, e também à interferência humana [VER NUTRIÇÃO VEGETAL]. Por facilidade de exposição, dividimos esses movimentos em três categorias designadas como ciclagens natural, automática e intencional.

Ainda que o termo ciclagem possa ser inadequado do ponto de vista do fenômeno natural, ele é adequado para chamar a atenção do leitor para a necessidade de reaproveitar todos os materiais local e regionalmente disponíveis para direcioná-los no sentido de otimizar a produção vegetal.

Ciclagem natural de nutrientes minerais

Em cada ponto da superfície do planeta, a vegetação natural ali presente está plenamente adaptada às condições de crescimento nesse local, posto que qualquer espécie pobremente adaptada é eliminada por outra de melhor adaptação. Cada planta germina, cresce, se reproduz, e para isso faz fotossíntese para gerar biomassa, captando CO_2 do ar, e água e nutrientes minerais do solo. Morta, a planta é decomposta, o CO_2 volta ao ar e os nutrientes minerais voltam ao solo, de onde serão absorvidos novamente por outra planta em crescimento. Esse processo ocorre continuamente nos ecossistemas naturais e é parte essencial do funcionamento da natureza.

Ao produzir biomassa por meio da fotossíntese, a partir de água e CO_2, a planta absorve e incorpora os nutrientes minerais, que passam a fazer parte de si. A biomassa produzida é fonte de alimento para herbívoros e decompositores, e, quando decomposta, libera os nutrientes minerais simultaneamente à liberação de CO_2 e água. Os nutrientes sobem do solo à planta, e descem depois da planta ao solo. Assim, nos ecossistemas naturais, *a ciclagem de nutrientes minerais está acoplada à ciclagem de biomassa e os nutrientes se movimentam predominantemente na vertical*. Essa é a ciclagem "natural" de nutrientes minerais.

Ciclagem automática de nutrientes minerais

Nos ambientes manejados por humanos ocorrem os mesmos processos de fotossíntese, absorção de nutrientes minerais, produção e decomposição da biomassa. *Contudo, na operação do sistema de produção agrícola acaba havendo na horizontal um intenso deslocamento da biomassa produzida, ao largo do terreno, e parte dessa biomassa é exportada como produto agrícola.*

Além disso, os terrenos agricultados costumam permanecer sem ou com pouca vegetação na entressafra, de modo que nutrientes podem ser perdidos por erosão e por lixiviação. Por essas razões, a ciclagem nos terrenos agrícolas apresenta muito mais perdas, de modo que a reposição de nutrientes se torna uma necessidade, inclusive na agricultura de base ecológica. Nessa situação, a grande questão é como minimizar as perdas, para minimizar a necessidade de reposição.

Nos sistemas onde são criados animais, a biomassa e os nutrientes minerais são deslocados das áreas onde cresce sua alimentação para os espaços onde eles depositam seus dejetos, concentrando-se aí. Uma parte do terreno é fertilizada às custas do empobrecimento de outra parte. Retiros, mangueirões, pocilgas e galinheiros são espaços de concentração de nutrientes minerais. Esses nutrientes não têm utilidade na produção enquanto permanecerem nesse espaço porque a presença constante das criações impede o desenvolvimento de plantas. Por essa razão, a forma como o esterco será coletado e transportado para as áreas de produção vegetal merece especial atenção do agricultor.

Nos sistemas de produção animal intensiva, para alimentar as aves ou porcos num barracão de 1 mil a 2 mil m^2 durante um ano são necessários duas a quatro centenas de hectares de soja e de milho. Isso significa que a biomassa colhida nessas centenas de hectares terá de passar por um funil muito estreito, de modo que quaisquer perdas nesse funil são muito relevantes.

Uma das formas de deslocamento de nutrientes minerais mais usuais nos sistemas agrícolas, e que frequentemente passa despercebida, é sua concentração nas imediações da casa do agricultor. O agricultor traz lenha para seu fogão, depois joga as cinzas em algum lugar por ali. Traz milho para os animais, que são tratados e eliminam seus dejetos por ali. Traz frutas, hortaliças, palhas, cujos resíduos acabam ficando por ali. Com isso, ao longo do tempo, o entorno da habitação vai se enriquecendo em nutrientes e biomassa.

Essa movimentação que ocorre em função da operação da propriedade, usualmente sem que o agricultor perceba, é chamada de ciclagem automática. Ela se dá, sobretudo, na horizontal, empobrecendo os espaços de produção vegetal e enriquecendo os espaços onde se concentram animais e as cercanias da casa.

Ciclagem intencional de nutrientes minerais

Quando o agricultor aplica esterco, restos vegetais, cinzas etc. no ambiente de crescimento de plantas ele está *intencionalmente* direcionando a movimentação de nutrientes aos pontos do sistema que são de seu interesse. O ideal é que a ciclagem intencional potencialize a utilização dos nutrientes presentes no sistema, pré-existentes ou introduzidos, e que otimize seu aproveitamento para a produção biológica e econômica do sistema [VER AGROFLORESTA].

A coleta de resíduos da produção vegetal e animal para aplicar em hortas e plantações é parte dessa ciclagem intencional. Mas há um grande potencial para melhorar o aproveitamento dos nutrientes no sistema. A realização desse potencial exige, como ponto de partida, que o agricultor identifique a oportunidade, para então ajustar o manejo e/ou a estruturação do sistema de modo a captar os benefícios.

O aproveitamento dos estercos muito frequentemente é baixo, devido à dificuldade de coletá-lo. Para melhorar esse aproveitamento, é preciso que as instalações sejam projetadas prevendo a utilização dos estercos e o manejo tome em consideração o padrão de eliminação da urina e das fezes. A situação mais difícil para a coleta de estercos ocorre quando os animais são criados completamente soltos. E a mais fácil quando são criados totalmente fechados. Em contrapartida, as criações completamente soltas requerem muito menos trabalho e alimentação, posto que os animais procuram por si mesmos atender suas necessidades, enquanto a criação fechada depende totalmente do cuidado humano.

Contudo, há também situações intermediárias. Acostumar as aves a dormir dentro de um galinheiro possibilita a coleta do esterco produzido durante a noite. Um plantel de 20 a 30 galinhas, número usual na produção para consumo doméstico dos agricultores, pode gerar esterco suficiente para uma horta de 50 a 200 m^2, eficiente para abastecer uma família de verduras ao longo do ano. De maneira análoga, o recolhimento do gado de maior ou menor porte à noite possibilita aproveitar com relativa facilidade o esterco produzido até a manhã seguinte.

Características e cuidados com os estercos

Como ponto de partida, é preciso conceituar o que o termo "esterco" significa. Quando se coleta esterco de gado ou de cavalo num pasto, mangueirão ou retiro, o material consiste essencialmente em fezes com diferentes quantidades de umidade e estágios de decomposição. As fezes são a fração não digerida do alimento, rica em celulose, e impregnada de pequenas quantidades de nutrientes minerais (N, P, K, Ca, Mg etc.) que o processo de digestão não foi capaz de extrair.

Quando os animais são mantidos presos, sobre pisos impermeáveis, e com cama, o termo esterco é utilizado para designar a mistura que inclui, além das fezes, o material da cama e a urina. Nesse caso, sua composição e dinâmica química e biológica são diferentes. Em primeiro lugar, há o material da cama, tal como a maravalha, cascas de amendoim, casca de arroz, palhas etc. Em segundo lugar, há a urina, uma solução para a qual o corpo do animal direciona os resíduos do seu metabolismo, particularmente os produtos finais da digestão de substâncias nitrogenadas e os excedentes de sais solúveis em água, especialmente o K da forragem e o Na do sal de cozinha. Ao contrário dos nutrientes nas fezes, que apenas são disponibilizados para as plantas ao cabo de semanas ou meses, à medida que elas são decompostas por microrganismos, os nutrientes na urina são prontamente disponibilizados. O principal composto nitrogenado na urina é a ureia, de modo que a urina diluída apresenta efeitos sobre as plantas semelhantes aos da ureia de origem industrial. Pura, a urina é muito salina e pode matar as plantas.

Os excrementos de porcos seguem o mesmo padrão dos de bovinos, sendo as fezes de ação mais lenta que a urina. Contudo, como a alimentação dos porcos é composta majoritariamente por tecidos vegetais ricos em amidos e proteínas, principalmente grãos, suas fezes se decompõem muito mais rapidamente que as de herbívoros, cujo principal componente são as fibras de celulose. Como no caso dos bovinos, o melhor aproveitamento dos nutrientes nos excrementos de porcos é obtido com piso impermeável e com cama alta de material celulósico (serragem de madeira, maravalha, palhas picadas etc.). Com o constante fuçar dos porcos, a urina e as fezes acabam misturadas com o material de cama.

Com o tempo, esse material vai se umedecendo, de modo que precisa ser removido antes de se transformar em uma pasta que suje os animais. O material retirado é uma mistura pronta para o desenvolvimento das bactérias termofílicas, de modo que, acumulado em pilha, se aquece imediatamente. Esse aquecimento é muito benéfico do ponto de vista sanitário, porque elimina os propágulos de organismos patogênicos comuns aos suínos e humanos. A eliminação é tanto mais eficiente quanto mais vezes a pilha é revolvida.

O tempo para a substituição da cama varia com a relação entre a capacidade de absorção de umidade do material utilizado e a quantidade de umidade excretada pelos animais nas fezes e na urina. Como referência, uma camada de 20 cm de pó de serra em uma baia de 3 x 3 m^2 é o suficiente para uma leitegada desmamada por um a dois meses.

C

Do ponto de vista da alimentação, porcos e galinhas são alimentados com os mesmos tipos de produtos, o que faria pensar em estercos com características semelhantes. Contudo, há duas particularidades no sistema digestório das galinhas que tornam seu esterco diferente: a moela e o ácido úrico. Nas aves, a fragmentação dos alimentos ocorre na moela, uma diferenciação do estômago, com músculos potentes, que reduz o material ingerido a uma pasta muito mais fina do que os dentes dos porcos conseguem fazer. As aves e os répteis passaram por um ambiente muito seco durante seu passado evolutivo, que induziu um sistema de eliminação dos resíduos nitrogenados num composto insolúvel em água, o ácido úrico. Assim, enquanto os mamíferos precisam de muita água para eliminar a ureia, as aves não gastam água na eliminação do ácido úrico. Em uma placa de excrementos de galinha, as fezes são a placa maior, mais escura, e o ácido úrico é a parte clara, em forma de vírgula, em cima da placa. Essa vírgula clara é o equivalente à urina dos suínos e bovinos.

A fragmentação mais fina e a presença do ácido úrico tornam os excrementos de galinhas mais ricos em N e de decomposição muito mais rápida do que as fezes de suínos e bovinos. Por isso, se houver umidade, os excrementos de galinhas são rapidamente atacados por bactérias que desdobram o ácido úrico em água, gás carbônico, e amônia (gás amoníaco). O odor forte, pungente e tóxico dos barracões de frango é devido justamente à volatilização da amônia. Para o bom aproveitamento do N dos excrementos de galinha, é preciso desidratar rapidamente o material, o que pode ser conseguido com uma cama seca. Quando o esterco de aves é armazenado úmido e puro para curtir, a maior parte do N se perde como amônia, de modo que o produto curtido é boa fonte de P e de K, mas não de N. As perdas de N são menores no esterco seco.

Por ser mais concentrado, o esterco de aves puro deve ser utilizado com mais cuidado, para não prejudicar as plantas. Em hortas, não convém ir além de um a dois litros de material seco por metro quadrado de canteiro. Comparativamente, o esterco de aves apresenta menores preocupações para a saúde humana do que o de suínos.

Uma questão que sempre se apresenta nessa temática é a do aproveitamento dos excrementos humanos como material fertilizante. Efetivamente, esse material tem sido utilizado há milhares de anos nos sistemas agrícolas centrados no arroz no Oriente, enquanto no Ocidente permanece como um tabu.

Do ponto de vista de sua composição e de riscos sanitários, os excrementos humanos são muito parecidos com os excrementos de suínos, valendo as mesmas considerações. A compostagem das fezes humanas sanitiza o material, tornando-o seguro como material fertilizante. A urina humana é de coleta muito mais fácil do que a de qualquer outro animal, e pode ser utilizada como fonte de N para quaisquer culturas. O cuidado é apenas diluí-la em água, para evitar a salinidade, sendo a diluição de 1:10 bem tolerada pela maioria das culturas.

No Oriente, os excrementos humanos tradicionalmente são aplicados diretamente nas culturas, particularmente nos tabuleiros de arroz, sem compostagem. Disso resulta uma contaminação ambiental generalizada por organismos presentes nas fezes humanas. Para contornar esse inconveniente, os povos orientais, particularmente os chineses, tomam a água fervida, na forma de chá, e as hortaliças sofrem algum tipo de tratamento térmico antes de serem consumidas [VER SANEAMENTO ECOLÓGICO].

Decomposição de biomassa e compostagem

Na operação de sistema de produção agrícola, sempre há movimentações importante de biomassa na horizontal, e parte dessa biomassa pode acabar empilhada em determinados pontos do sistema. Esse material sofrerá a ação de organismos de tamanho variado, resultando num produto escuro, friável, de cheiro agradável, com elevado potencial fertilizante.

Quando o material empilhado é rico em substâncias de fácil ataque por microrganismos, como carboidratos simples e compostos nitrogenados, e a pilha é arejada, ocorre um rápido aquecimento até pouco acima de 60° C. Esse aquecimento seleciona bactérias termofílicas, que se tornam os principais agentes decompositores. O aquecimento da pilha não é uniforme; ocorre em uma calota abaixo da superfície da pilha. Na superfície, falta água, e no centro, falta arejamento. Ao cabo de poucas semanas, a calota esfria, porque o material aí presente atacável pelas bactérias termofílicas se esgotou. Se a pilha for revolvida, volta a se aquecer, em função de o material da parte externa e do centro da pilha, redistribuídos, realimentarem a calota. Assim, quanto mais frequente o revolvimento, mais rápida é a decomposição e mais efetivo o tratamento térmico sobre toda a massa da pilha. O material resultante desse processo é chamado de composto, apresenta elevado potencial fertilizante, reestruturador e recolonizador do solo.

Quando a pilha é composta por materiais predominantemente celulósicos e com baixo teor de N, como as palhas de cereais, folhas senescidas de árvores e resíduos de serraria, o aquecimento não ocorre. Falta alimento para as bactérias termofílicas. Nesse caso, a decomposição envolverá outros organismos, ocorrerá a frio, e muito mais tempo será necessário para se chegar ao material fertilizante, semelhante ao composto. Uma variedade muito maior de organismos trabalhará sobre o material, de maneira similar à que ocorreria na serapilheira de uma floresta. Nesse caso, a eliminação de propágulos de patógenos é menos eficiente, porque não há tratamento térmico.

A dinâmica do N, do P e do K segue padrões diferentes nas pilhas, independentemente de a decomposição ocorrer a frio ou a quente. O N sempre é perdido, seja na forma de amônia volatilizada ou nitrato lixiviado. Pode-se tentar reduzir as perdas, mas estancá-las totalmente é impossível. O P se mantém no material, sendo as perdas de muito pequena monta. A situação com o K é função da quantidade de água que percola através da pilha. Como o K é muito solúvel, a água de percolação o carreia para o solo abaixo da pilha, concentrando-o aí.

O resultado conjunto desses processos é uma mudança na proporção entre os nutrientes N, P e K. Em comparação com o material colocado na pilha, o composto pronto é proporcionalmente mais rico em P e mais pobre em N e K. Para o K, o empobrecimento é tanto maior quanto mais água tiver percolado a pilha.

Disso resulta que a aplicação continuada de composto faz aumentar os teores de P no solo, mas não os de N ou de K. O mesmo fenômeno de aumento dos teores de P ocorre com qualquer outra forma de aplicação de biomassa, embora num ritmo mais lento.

Cinzas

Da biomassa seca das plantas, como referência, 95% são compostos por C, H e O, sendo os 5% restantes construídos de nutrientes minerais. Do ponto de vista químico, queimar significa reagir com oxigênio, de modo que os elementos presentes na biomassa são convertidos em óxidos. Os óxidos que são gasosos volatilizam, como é o caso do gás carbônico (CO_2), da água (H_2O) e do óxido de enxofre (SO_2). Os óxidos que são sólidos permanecem no local da queima, e são coletivamente chamados de cinzas, sendo os principais o de cálcio (CaO), o de magnésio (MgO), o de potássio (K_2O) e a sílica (SiO_2). As proporções entre esses óxidos dependem do tipo de biomassa queimada.

A sílica é um material inerte que, na forma líquida, forma o vidro. Na palha da cana de açúcar, 70% das cinzas é sílica, de modo que se formam pedras de vidro nos fornos das usinas. Ao contrário da sílica, os óxidos de cálcio, de magnésio e de potássio são muito reativos. Quando umedecidos, formam os respectivos hidróxidos, de reação fortemente alcalina. Por isso, quando são aplicados no solo, não apenas aportam nutrientes como corrigem a acidez. Quando aplicados sobre plantas, desfavorecem o ataque de fungos, que, de maneira geral, preferem meios ácidos. Além disso, o K é o elemento de maior efeito protetor, contribuindo sobremaneira para a sanidade vegetal.

Por essas razões, as cinzas são um recurso valioso, cuja utilização merece uma atenção especial no sistema de produção.

Ciclagem de nutrientes, consumo doméstico e segurança alimentar

Um espaço privilegiado para a produção vegetal, mas pouco aproveitado, é o entorno da casa de moradia, a que aludimos na ciclagem automática. Além de biomassa e nutrientes minerais, há aí maior disponibilidade de trabalho e de água. Biomassa, nutrientes minerais, trabalho e água tornam esse entorno a área de maior potencial de produção na maior parte dos sistemas agrícolas [VER PERMACULTURA].

Mas esse espaço costuma ser pouco aproveitado, devido a uma falha na percepção desse potencial, e devido à presença de criações soltas. Os agricultores percebem que as galinhas e porcos criados fechados não produzem bem como os criados soltos, e por isso relutam em fechá-los. Mas as criações soltas impedem o pleno aproveitamento do potencial de produção do entorno da casa.

Uma alternativa para conciliar o aproveitamento do potencial de produção com as criações soltas é cercar uma área nas proximidades da casa, e cultivá-la intensivamente. Para fertilizar esse cercado são conscientemente direcionados todo os resíduos trazidos para as proximidades da habitação, convertendo essa parte da ciclagem automática em uma ciclagem intencional. A proximidade da habitação permite transformar em produção vegetal qualquer pequeno período de tempo disponível. Uma pequena parte do cercado, a critério do agricultor, pode receber hortaliças que necessitem de irrigação.

Um cercado com 1 mil a 2 mil m^2, com 20 a 100 m^2 irrigados, assim localizado e manejado, pode abastecer a maior parte da alimentação de uma família de três a cinco pessoas ao longo do ano. Na parte sem irrigação pode-se cultivar produtos como mandioca, milho verde, pipoca, amendoim, abóboras, feijões, batata-doce, quiabo, gengibre, pimentas etc. Na pequena fração irrigada podem ser produzidos, de acordo com a estação do ano e a região, couve, repolho, alface, cenoura, vagem, cheiro-verde, cebola de cabeça etc. O entorno dessa área e a cerca em si são um espaço privilegiado para plantas como o guandu e trepadeiras, como a orelha de padre (*Dolichos lablab*), as favas, o maracujá, o chuchu etc. Na experiência pessoal do responsável por esse verbete, uma hora de trabalho por dia pode ser o suficiente para conduzir um cercado desse tipo, dependendo das dimensões e da complexidade das plantas cultivadas e do conhecimento e habilidade das pessoas envolvidas.

Uma visão de conjunto

À luz dos variados aspectos trazidos à tona nesse verbete, compreende-se como e porque a organização da propriedade e o manejo das lavouras e criações afetam o aproveitamento dos nutrientes minerais disponíveis no sistema de produção.

Na agricultura de base ecológica, uma parte significativa do sucesso está no conhecimento pelo agricultor de como cada nutriente se comporta, de forma que as quantidades presentes de cada nutriente possam ser utilizadas da melhor maneira possível. Por exemplo, envidando esforços para evitar as perdas de potássio sob as pilhas de biomassa, manejando as criações de modo a otimizar o aproveitamento de esterco e disciplinando o destino dos resíduos do material trazido para a residência para fertilizar o cercado.

O conhecimento potencializa a utilização dos nutrientes, mesmo quando eles estão em quantidades limitadas. Isso não quer dizer, no entanto, que é indesejada a incorporação de material fertilizante, químico ou orgânico, de fora do sistema. Um solo pobre em fósforo, como é usual no Brasil, pode produzir bem mandioca, arroz e guandu, por exemplo. Mas se ele for fertilizado com esse nutriente poderá produzir bem uma maior variedade de culturas. De forma análoga, a aplicação de calcário para neutralizar o alumínio livre pode ampliar o leque de espécies cultiváveis no sistema.

Nas últimas duas décadas, houve notável expansão do uso de pós de rocha, além dos tradicionais calcário e fosfatos naturais. Os pós de rocha, aplicados adequadamente, podem promover a remineralização dos solos, engrossando o caudal de nutrientes em circulação no sistema. Também a adubação dita "química" pode contribuir nesse mesmo sentido.

No entanto, o ponto central desse verbete é chamar a atenção do leitor para os processos envolvidos, de modo que, qualquer que seja o tamanho do estoque de nutrientes no sistema, o agricultor tenha elementos para gerenciá-lo com a maior eficiência possível.

Para saber mais

Com o objetivo de permitir ao leitor um voo mais alto e ao mesmo tempo um mergulho mais profundo no assunto, comentamos a seguir três obras, sem a pretensão de esgotar o assunto.

JENKINS, J. *The humanure handbook*. White River Junction, VT, Chelsea Green Publishing, 1999. 301p

É um texto prático e bem-humorado de um autodidata em compostagem, que desde o final da década de 1970 vem compostando os excrementos de sua própria família e utilizando o composto para produzir alimentos.

KHATOUNIAN, C. A. *A reconstrução ecológica da agricultura*. Botucatu: Editora Agroecológica/ Instituto Agronômico do Paraná, 2001. 345p

Texto de base sobre a agricultura de base ecológica, que tem servido como âncora para a estruturação e manejo de sistemas de produção orientados para esse paradigma. Baseado em experiência em primeira mão do autor.

NOVAIS, R. F. *et al.* (ed.) *Fertilidade do solo*. Viçosa (MG): Sociedade Brasileira de Ciência do Solo, 2007. 1017p.

Livro organizado pela Sociedade Brasileira de Ciência do Solo, cobre um amplo espectro de aspectos da química de solo, dinâmica de nutrientes e nutrição mineral de plantas.

C

CICLO DA ÁGUA

ALTAIR SALES BARBOSA

Para entendermos as diversas questões ligadas à diminuição drástica da vazão da maior parte dos rios do Brasil, bem como a diminuição dos reservatórios e o desaparecimento de centenas de cursos d'águas do Planalto Central brasileiro, torna-se necessário compreendermos a dinâmica do planeta Terra que se encontra acima das nossas cabeças, e a dinâmica que se encontra abaixo dos nossos pés.

Não podemos ignorar que a Terra é um planeta dinâmico e se encontra sempre em mutação, ou seja, as forças que atualmente nele atuam são as mesmas que sempre atuaram desde os primórdios. É importante também trabalharmos com uma afirmação e uma indagação. A quantidade de água que hoje existe na Terra é a mesma que sempre existiu, pelo menos no parâmetro de tempo de 600 milhões de anos para cá. A indagação poderia seguir o seguinte caminho: a água que existe ou existiu em alguns locais da Terra pode desaparecer? Toda água hoje existente no Planeta também pode desaparecer?

Para respondermos a tais indagações, é necessário entendermos, como já falamos, o que ocorre acima das nossas cabeças e o que ocorre abaixo dos nossos pés. É bom também que se diga que esses fenômenos estão intimamente interligados.

Acima de nossas cabeças existe a atmosfera com diversas camadas; cada uma delas possui composições e dimensões diferenciadas. A penúltima camada é a exosfera, que se situa acima dos 500 km sobre nossas cabeças e constitui o espaço sideral. Envolvendo a exosfera, encontra-se um escudo protetor da Terra, que se denomina magnetosfera. Esse escudo protege o planeta Terra dos ventos solares. Sabe-se que o sol irradia em todas as direções um vento de alta velocidade, que varia de 300 a 900 km por segundo. Se parte significativa da magnetosfera se romper e esses ventos em sua totalidade atingirem o nosso planeta, tudo que existe será varrido de sua superfície, incluindo a água, que vai se evaporar, além de inúmeras outras consequências. A existência da magnetosfera depende do equilíbrio magnético da Terra, que orienta, por exemplo, o movimento de rotação do planeta. Este equilíbrio já foi minimamente afetado pelo menos por duas vezes durante a história evolutiva da Terra, e causou transtornos imensuráveis. Atualmente, existem autores que afirmam que, em virtude de obras monumentais na superfície da Terra, o seu equilíbrio, como também o movimento de rotação, estão sendo alterados. Segundo esses mesmos autores, fatos já estão afetando de forma crescente a magnetosfera. Portanto, uma das questões pode ser assim respondida: a água superficial da Terra, incluindo os oceanos, pode sim desaparecer se a magnetosfera se romper.

Entretanto, enquanto isso não ocorre, trataremos de fenômenos menores, como por exemplo a primeira camada da atmosfera terrestre, denominada troposfera.

A troposfera é a primeira camada da atmosfera que se situa dos nossos pés até uma altura média de 10 km. Atualmente, essa camada é composta em média por 76% de nitrogênio, 21% de oxigênio, 1% de argônio e o resto por outros componentes, como: dióxido de carbono, vapor d'água etc. A temperatura e a composição da troposfera variam de latitude para latitude e de altitude para altitude, conferindo a cada lugar uma característica especial.

As correntes aéreas que trazem umidade, seca, calor e frio para os continentes circulam na troposfera e variam ciclicamente. Por exemplo, durante o último período glacial, situado entre 18 e 13 mil anos antes do presente, essas correntes modificaram quase que totalmente a face do planeta, transformando lugares úmidos e temperados em desertos e áreas desérticas em áreas úmidas.

São vários os fenômenos que alteram a circulação aérea da troposfera, mas citaremos apenas alguns a título de exemplificação: o primeiro é a modificação da circulação das correntes marinhas, que de forma direta influenciam as correntes atmosféricas. As correntes marinhas podem modificar seu curso e temperaturas mediante causas naturais: glaciação; aquecimento das águas oceânicas, fenômeno conhecido como El Niño, ou resfriamento dessas águas, fenômeno conhecido como La Niña. Segundo dados da Nasa, desde quando se começou a mensuração de El Niño, 2015 foi o ano em que o fenômeno se mostrou mais intenso, provocando chuvas torrenciais nas áreas subtropicais e estiagem prolongadas em alguns locais situados nas faixas tropicais.

Sabe-se hoje que correntes marinhas profundas e frias que se deslocam a 4 km de profundidade, oriundas da Groenlândia, circulam também pelos oceanos de forma lenta e aleatória, alterando a temperatura da água oceânica por onde passam.

Ainda acima dos nossos pés, acontece um conjunto de ações antrópicas capaz de modificar drasticamente o clima local e regional. Os exemplos mais clássicos são os desmatamentos e a crescente urbanização; esta exige a pavimentação de grandes áreas, impedindo a transpiração dos solos, a infiltração da água, formando ilhas de calor e zonas de baixa pressão atmosférica, que podem provocar transtornos imprevisíveis.

Mesmo em época recente, várias áreas foram afetadas por períodos de longa estiagem e obrigaram as populações a migrarem para outros locais, deixando cidades inteiras abandonadas; o exemplo mais clássico é dos Maias, no sul do México e Guatemala.

Abaixo dos nossos pés está toda uma complexa estrutura composta pelas placas tectônicas e pelas camadas internas da Terra, a começar pelo manto até o núcleo. O manto da Terra, que se situa abaixo da crosta, local caracterizado pelas placas tectônicas, é constituído de matéria fluida. No manto se encontram as plumas e as superplumas, que formam as correntes de convecção; quando essas correntes quentes ou frias se aproximam da crosta, alteram a temperatura das águas oceânicas para quente ou fria, que por sua vez influenciam as correntes marinhas, mudando sua orientação e composição, e assim por diante.

Bem, uma das questões foi respondida: a água que atualmente existe na Terra poderá um dia desaparecer do Planeta. Entretanto, com relação às questões ligadas à diminuição da vazão ou desaparecimento de cursos d'água de um local, como isso é possível?

Num primeiro instante, torna-se necessário que sejam ressaltados alguns elementos da hidrosfera.

A hidrosfera é constituída por vários elementos: vapor de água, água subterrânea, água congelada nas geleiras, água dos oceanos e aquela pequena, mas importante quantidade de água confinada nos canais da terra, denominada águas correntes. Se 97,2% da água existente no planeta Terra está nos oceanos, 2,15% está sobre as massas continentais, mas congelada em geleiras, especialmente na Antártida e Groenlândia, e 0,83% de toda a água se encontra nos rios, nos lagos e nos lençóis subterrâneos.

Uma outra questão importante a ser considerada é que as correntes fluviais constituem sistemas dinâmicos que se ajustam de forma contínua às mudanças naturais e às mudanças provocadas pelo homem. Mudanças climáticas certamente afetam a quantidade de água disponível. Porém, em contrapartida, a pavimentação das áreas urbanas aumenta o efêmero escoamento de superfície. E a retirada da vegetação nativa diminui drasticamente o nível dos lençóis subterrâneos, responsáveis pela perenização dos rios.

Outro elemento importante a ser considerado é o que se denomina ciclo hidrológico. Independentemente de sua fonte, o vapor d'água sobe para atmosfera onde ocorrem processos complexos de formação de nuvens e condensação. Grande parte da precipitação mundial, 80%, cai diretamente nos oceanos e 20% das precipitações restantes caem sobre a terra, uma grande quantidade voltando para o oceano pelo escoamento. Todavia, uma pequena parcela dessas precipitações fica armazenada em lagos, pântanos, geleiras, ou penetra sob a superfície formando sistemas de água subterrânea. Todo esse sistema é interligado, mesmo a água liberada pelas plantas por meio da transpiração entra na atmosfera, e todas as águas continentais acabam voltando para o oceano, iniciando um novo ciclo hidrológico.

A água subterrânea é um reservatório de suprimento mundial de água doce. Como todas as águas, num ciclo hidrológico, a fonte definitiva da água subterrânea provém dos oceanos, mas sua fonte imediata é a precipitação que se infiltra nos solos e penetra nos vazios desses solos, sedimentos ou rochas. O lençol subterrâneo desempenha papel fundamental para a vida dos rios. Mas, para compreender a sua formação, alguns elementos são importantes.

Parte da precipitação que cai sobre a terra evapora e parte entra nas correntes e volta para o oceano pelo escoamento superficial. O restante penetra no solo. À medida que a água se aprofunda, uma parte adere ao material no qual se move e interrompe a descida. A parte que penetra e se acumula procura preencher os espaços dos poros disponíveis. Dessa maneira, são definidas duas zonas, de acordo com o conteúdo dos espaços ocupados nos poros, pelo ar ou pela água: a zona de aeração e a zona de saturação. A superfície que separa as duas é o lençol freático. Uma vez saturado o lençol freático, de acordo com a porosidade das rochas, a água penetra nelas, formando o lençol artesiano ou aquífero. A perenização dos rios depende normalmente das águas dos dois lençóis. Entretanto, há locais em que os rios não são alimentados por aquíferos e somente recebem água do lençol freático. Neste caso, o desmatamento pode eliminar o lençol freático, que também pode desaparecer em função de uma estiagem prolongada. Quando os dois fenômenos acontecem de forma simultânea, a vida do lençol é curta e o rio pode secar imediatamente. Isso acontece, por exemplo, com os rios do semiárido brasileiro e com a maior parte dos rios afluentes da margem direita do São Francisco, que só são alimentados pelos lençóis freáticos. Alguns processos de desmatamento nesses locais já impedem a formação de novos lençóis e os rios que ali existiam deixaram de existir para sempre.

Esta é uma forma do desaparecimento de cursos d'água, através da intervenção humana. Outro exemplo clássico de intervenção humana desastrosa se refere à transposição dos rios Amur-Darya e Syr Darya pela antiga União Soviética, para irrigar plantações de algodão. Os dois rios citados eram os alimentadores da bacia endorreica do Mar de Aral. Consequência: o mar praticamente secou, deixando um solo com alto índice de salinidade, em que somente uma espécie vegetal ali se desenvolve, além da poeira salgada provocar doenças, incluindo o câncer em mais de 30 milhões de pessoas, sem falar nas plantações de algodão que não vingaram. O mesmo fenômeno está acontecendo no Brasil, com a transposição do Rio São Francisco.

Um outro fator que faz com que vários cursos d'água desapareçam ou tenham sua vazão extremamente diminuída refere-se à retirada sem precedentes da cobertura vegetal natural do Centro-Oeste brasileiro. Essa vegetação é responsável pela absorção das águas das chuvas, pois as deposita nas bacias de sedimentação intracratônica (ver mais adiante o que é Cráton). Desse modo são formados os aquíferos, responsáveis pela alimentação, vida e perenização de todas as águas que vertem para a bacia hidrográfica amazônica (margem direita), para a bacia hidrográfica do São Francisco, para a bacia hidrográfica do Paraná e para outras bacias hidrográficas menores independentes, como a bacia do Parnaíba, Jequitinhonha e Doce.

As águas desses aquíferos, durante milhões de anos, foram armazenadas nas rochas porosas dos arenitos Urucuia, Botucatu, Bauru, Poti, Aquidauana etc., que formam as bacias geológicas do Parnaíba/Maranhão e do Paraná.

C

Um Cráton é uma grande superfície onde ocorrem, em diferentes profundidades, rochas graníticas bastante antigas, de idade Pré-Cambriana. Os minerais que o compõem estão bem fundidos, impedindo a porosidade dessas rochas. Portanto, as águas que correm sobre um Cráton são águas do lençol freático. Como já dissemos, o desmatamento nestas áreas ou uma forte estiagem são fatores que exterminam esses lençóis, impedindo o acúmulo de água para alimentar o fluxo corrente. No Brasil, há duas formações cratônicas significativas. O Cráton do São Francisco, que abrange quase a totalidade da sua margem direita e pequena porção da margem esquerda, e o Cráton do Amazonas, que abrange sua margem esquerda, mergulhando pela calha até atingir a margem direita, até a altura baixa de seus afluentes.

Entre esses dois Crátons estão as diversas bacias sedimentares de idades diferentes. A maior extensão abrange as bacias geológicas do Parnaíba/Maranhão e Paraná.

Seu núcleo principal está coberto por *Cerrado* [ver Cerrado], que é a vegetação que em função de seu sistema radicular absorve a água da chuva e a armazena nas rochas porosas dos aquíferos. A partir de 1970, um novo modelo de organização territorial foi implantado no centro do Brasil, fato que contribuiu para que o Cerrado entrasse num processo global de entropia e fosse gradativamente perdendo seus elementos essenciais, fauna, flora, cultura e inclusive suas reservas de água.

Para saber mais

BARBOSA, A. S. *O piar da Juriti Pepena*. Goiânia: Ed. PUC-GO, 2014.
______. *O livro da Terra*. Goiânia: Ed. América, 2019.
SUGUIO, K. *A evolução geológica da Terra e a fragilidade da vida*. São Paulo: Edgar Blucher, 2003.
WICANDER, R. *et al. Fundamentos de Geologia*. São Paulo: Cengag Learning, 2009.

CÓDIGO FLORESTAL

Luiz Henrique Gomes de Moura

Por que é importante compreender o Código Florestal? Muito mais do que uma lei, o Código Florestal (daqui em diante escrito como CF) é parte importante da expressão ambiental da luta de classes e da questão agrária e ambiental no Brasil. Entendermos seu histórico, seus pontos centrais e as disputas recentes que o perpassam contribui para o trabalho sobre as disputas territoriais e de classe que ocorrem em nosso país, principalmente ao longo do século XX e XXI.

Neste verbete, buscaremos trabalhar na perspectiva da totalidade, fugindo da falsa dicotomia criada pela grande mídia de que essa é uma disputa entre ambientalistas e agronegócio. O centro das disputas em torno do CF está, na realidade, situado na função social da terra e na soberania popular sobre os bens comuns de nosso país [VER BENS COMUNS]. Nesse sentido, abordaremos um breve histórico da Constituição dos marcos basilares do CF, seguido da contextualização das mudanças ocorridas nos últimos 20 anos. Por fim, trabalharemos os impactos dessas mudanças e sua conexão com as novas formas de acumulação capitalista dos bens comuns.

A história do Código Florestal brasileiro

Quando invadiram as terras e águas que compõem o que conhecemos hoje como Brasil, os portugueses e espanhóis se depararam com uma grande diversidade de povos e manejos dos diferentes biomas que aqui existem. As distintas relações do metabolismo socioecológico [VER RUPTURA DO METABOLISMO SOCIOECOLÓGICO] pré-colombiano constituíram territórios sociobiodiversos. Portanto, não devemos considerar que existia uma natureza "selvagem", "intocada" em nosso país (Diegues, 2008). Ao contrário, cada quilômetro quadrado de nossos biomas possui algum nível de interação com coletivos humanos originários e é justamente essa coevolução ser humano-natureza que produziu os bens comuns que conhecemos.

A dinâmica implementada pelos invasores, entretanto, estava pautada pela lógica de acumulação capitalista. Esses inúmeros territórios foram interpretados como fonte de lucro para a metrópole europeia, e, sempre que possível, foram explorados intensamente. A destruição ocorreu em todos os biomas, mas foi na Mata Atlântica onde encontrou-se a escala maior (Dean, 2013), que se inicia com a extração do pau-brasil e alcança níveis dramáticos com os ciclos da cana-de-açúcar e da mineração.

Frente à voracidade capitalista, a resistência dos povos indígenas mantinha a expansão da destruição em ritmo descompassado, que ora avançava em fronteiras agrícolas e minerais, ora consolidava territórios de exploração ou mesmo recuava territorialmente. Nesta dinâmica secular, alguns poucos, mas importantes lampejos de racionalidade surgiram, buscando a conservação de árvores. Essa racionalidade não tinha como preocupação a questão ambiental ou cuidados com o Brasil especificamente, mas sim com a sustentação dos planos de exploração portugueses, preservando espécies florestais para uso marítimo e ferroviário, principalmente.

É nesse contexto que a Coroa portuguesa editou diversas Cartas Régias, principalmente no final do século XVIII, orientando a conservação de florestas ou mesmo proibindo o corte de determinadas espécies com fins importantes para a Coroa – é daí que surge o termo "madeira de lei". Havia também reservas florestais de propriedade exclusiva da Coroa e algumas iniciativas de planejamento foram tomadas depois da chegada da família real em 1808, como por exemplo a criação do Jardim Botânico do Rio de Janeiro – novamente, com fins econômicos, para a compreensão da ecologia de potenciais produtos oriundos da flora nacional e aclimatação de espécies exóticas, como variedades de chás.

Mas será somente às vésperas da "independência" do Brasil que aparecerá a essência de uma conservação planejada das florestas em propriedades privadas. Um dos responsáveis é José Bonifácio de Andrada e Silva, um brasileiro que estudou em Portugal e tornou-se cientista

C

renomado nas áreas de biologia, geologia e geografia. Ele retornou ao Brasil em 1819, encontrando o país em uma dramática situação de exploração pela Coroa portuguesa, baseada na destruição das florestas, no latifúndio e na escravidão.

Figura decisiva no processo de independência, ele buscou, entre 1821 e 1822, aprovar medidas que articulavam a questão agrária e florestal, baseando-se fundamentalmente na regularização das sesmarias produtivas e redistribuição das improdutivas por meio de venda ou para colonização de indígenas, negros e mestiços, em uma espécie de reforma agrária. Nas mesmas propostas, colocou a necessidade de que todas essas propriedades mantivessem um sexto da área com bosques preservados. Ou seja, desde a gênese da propriedade privada da terra (que só iria ocorrer com a Lei de Terras de 1850), está colocado que o interesse público é superior ao interesse privado.

Esse movimento lento do Estado (colonial e depois imperial) em frear a devastação acelerada da floresta encontra grande resistência por parte dos latifundiários e empresários da época, embora consolide uma perspectiva de legislação sobre a questão florestal. No romper do século XX, com o início da República, os princípios liberais penetram fortemente na sociedade brasileira e ao longo de quase 40 anos vai desmontar não apenas a frágil base legal, mas, fundamentalmente, a já precária materialidade dessa proteção florestal (jurídica e de fiscalização).

Durante a era Vargas, no âmbito das reformas modernizadoras da Constituição de 1934, ressurgirá a perspectiva de Estado com papel central na questão florestal, impondo aos interesses privados os interesses públicos.[1] Nessa década os Códigos da Mineração, das Águas, da Pesca e Florestal são criados, bem como os primeiros Parques Nacionais. E nela se organiza de forma inequívoca a ideia das florestas como bem de interesse comum, sendo que o Estado poderia inclusive definir áreas de preservação ou de formação de florestas de exploração mesmo em propriedades privadas.

A estruturação dos instrumentos estatais para aplicação do primeiro Código Florestal teve a fragilidade dos períodos anteriores e a exploração das áreas florestais continuou em ritmo acelerado. Somente na década de 1950 o debate articulado entre reforma agrária e conservação do solo, das águas e das matas possibilitará o retorno da importância do tema (Moura, 2010).

Na ebulição do período pré-golpe empresarial-militar, a sociedade brasileira estava consideravelmente amadurecida e importantes avanços estavam ocorrendo sobre a questão ambiental em todo o mundo. O latifúndio estava completamente vinculado a uma perspectiva de atraso, sendo que as culturas de café e cana, além do gado, encontravam-se em decadência. As terras eram sinônimo de poder, mas o sistema produtivo não gerava alimentos nem empregos decentes, ao mesmo tempo que degradava cada vez mais o solo e aumentava o desmatamento. A reforma agrária surgia como possibilidade de desenvolvimento do país, mas também como perspectiva de práticas menos agressivas de produção, com conservação do solo e das águas (Stedile, 2005).

Além destes fatores, os grandes avanços do mundo socialista impunham aos países capitalistas a necessidade de implementar medidas que abrandassem a voracidade do lucro, formando uma perspectiva de social-democracia, na qual o Estado deveria criar alguns freios aos capitalistas (Streeck, 2018). Nas Américas, a Revolução Cubana, a força das organizações populares – como as Ligas Camponesas – e o amadurecimento do mundo acadêmico aumentavam essa pressão, que inicialmente foi tratada com contornos democráticos.

É nesse ambiente que se formam os elementos para a constituição do Código Florestal de 1965 (Brasil, 1965). Embora publicado já durante o período ditatorial, sua elaboração foi coordenada por Osny Duarte Pereira, um importante magistrado e jornalista que tinha uma visão nacional-desenvolvimentista. Osny, acompanhado de diversos especialistas, buscou articular o que havia de mais moderno na legislação ambiental do mundo com a tentativa de superação da atrasada agricultura brasileira e os interesses privados que historicamente tanta devastação fizeram no território nacional.

A redação possuía caráter produtivo, no sentido de manter porções florestais que poderiam ser utilizadas no futuro, mas também caráter conservacionista, atualizado pelas descobertas científicas que já ocorriam nas décadas anteriores ao lançamento do novo código.

O núcleo do Código Florestal está no entendimento de que as formações florestais nativas são bens de interesse comum a todos os habitantes do país (artigo 2º), interesse que está acima de um possível poder absoluto da propriedade privada. É nesse sentido que se definem as áreas de preservação permanente (APPs) como aquelas que devem ser mantidas em sua composição original, protegendo os corpos hídricos – como nascentes, beiras de rios – e as regiões com topografia mais propícia a erosões.

Além das APPs, há também a Reserva Legal (RL), que seria uma porcentagem da área que varia entre 20% e 80%, a depender do bioma, onde é proibido o corte raso, ou seja, o desmate total. Essa deve ser uma porção da propriedade privada na qual a utilização deve ser realizada em sistemas que conservem as características florestais, promovendo práticas como o manejo florestal madeireiro e não madeireiro, agroflorestas, coleta de sementes e frutos, utilização de plantas medicinais, dentre outros.

Destruição do Código Florestal e o agronegócio do século XXI

Ao longo de quatro décadas, o Código Florestal passou por inúmeras alterações, normalmente voltadas para o aperfeiçoamento de sua dimensão ambiental e sua atualização às mudanças ocorridas na legislação agrária. Sua aplicação também teve crescente importância, com destaque para o período após a Eco-92, o que, juntamente à consolidação do Sistema Nacional de Unidades de Conservação e diversas políticas públicas, estruturou enfim uma nova dinâmica do papel do Estado sobre a questão ambiental na história brasileira.

Essa realidade, embora com muitas fragilidades, se defrontou com as práticas arcaicas do latifúndio, num primeiro momento, e, posteriormente, com a forma mais contemporânea de organização capitalista da agricultura, o agronegócio. Buscando consolidar territórios grilados ou ilegalmente desmatados ou mesmo manter a dinâmica de expansão da fronteira agrícola, os grandes proprietários de terra descumpriram sistematicamente o Código Florestal e por vários anos buscaram alterar suas regras em benefício próprio.

As condições políticas, econômicas e ideológicas favoráveis à investida decisiva contra o Código Florestal ocorreram na transição da primeira para a segunda década do século XXI por uma conjunção de fatores. O primeiro fator foi que a representação parlamentar do agronegócio alcançou índices históricos (Castilho, 2012), chegando a compor mais da metade de toda a Câmara dos Deputados no mandato 2010-2014. Como o Governo Federal aprofundou sua dependência do Congresso, no que se chama "governabilidade", o poder da banca ruralista se elevou não apenas quantitativa, mas também qualitativamente.

Os fatores ideológicos estão ligados à construção da hegemonia do agronegócio na sociedade brasileira, por meio de uma sólida ofensiva midiática e intelectual, que buscou arrebatar corações e mentes da sociedade em geral e de parte da intelectualidade nacional. Nesse sentido, derrotar o Código Florestal tornou-se prioridade, pois era o passo decisivo para consolidar um novo período, onde os avanços legais ligados ao campo seriam destruídos. O Código Florestal, pela sua amplitude temática, extrapolava o debate agrário e mobilizou, historicamente, setores médios urbanos. Derrotá-lo seria mais difícil – e, portanto, mais importante – do que vários marcos legais, como agrotóxicos, financiamento e renegociação de dívidas, demarcação de territórios indígenas e quilombolas e a função social da terra.

Por último, o fator territorial, que está ligado à expansão da fronteira agrícola. Não estamos falando de coisa secundária. O total de Reserva Legal (RL) e Área de Proteção Permanente (APP), segundo o Código Florestal vigente até 2012, era de 326 milhões de hectares. O detalhe por região está expresso na Tabela 1.

Tabela 1 – Situação da APP e RL por bioma

Biomas	APP (Mha1)			Reserva Legal (Mha[1])		
	Exigida	Déficit	Déficit (%)	Exigida	Déficit	Déficit (%)
Amazônia	31	09	29	146	25	17
Caatinga	16	07	44	15	01	07
Cerrado	25	09	36	47	06	13
Mata Atlântica	22	16	73	22	09	41
Pampas	04	02	50	03	01	33
Pantanal	02	0,2	10	03	0,02	01
Total	100	43	43%	236	42	18%

Fonte: Adaptada de Sparovek *et al.*, 2011.
[1] Milhões de hectares

O interesse do agronegócio é, primeiro, consolidar juridicamente a ocupação ilegal que foi feita historicamente em áreas de APP e RL, ou cerca de 85 milhões de hectares. Por isso a Confederação Nacional da Agricultura sempre fala em "segurança jurídica", que nada mais é do que regularizar seus crimes. Portanto, a flexibilização da RL e APP foi a pauta central. Um segundo interesse é criar as condições para avançar sobre parcela dos demais 241 milhões de hectares que estão, segundo a Tabela 1, em algum estágio de conservação.

Portanto, estamos tratando fundamentalmente de renda da terra, que o agronegócio busca se apropriar a partir desses novos territórios conquistados ou legalizados. Estamos discutindo também a guerra de movimento, à medida que as peças do agronegócio avançaram algumas casas no xadrez da luta de classes, demonstrando força para o conjunto da sociedade e impondo suas pautas (Moura, 2014).

O papel da luta popular e a nova síntese

Curiosamente, apesar de toda a importância agrária do Código Florestal que já tratamos nesse verbete, na história, sua defesa foi uma pauta principalmente de movimentos ambientalistas de caráter urbano. O autoritarismo dos órgãos ambientais estaduais, que operam de forma violenta e preconceituosa contra o campesinato, gerou um certo distanciamento dessa classe social de sua defesa, tendo, inclusive, setores que se somassem ao agronegócio na defesa da modificação da lei.

Porém, a dinâmica do enfrentamento recente sobre o Código Florestal, compreendido não como pauta específica, mas como parte decisiva do projeto de hegemonia do agronegócio, permitiu uma reconfiguração das forças políticas que se articularam para defendê-lo. Diversas iniciativas foram ensaiadas, tendo como resultado final de maior expressão o Comitê Brasil em Defesa das Florestas e do Desenvolvimento Sustentável, no qual se articularam organizações como a Via Campesina Brasil, Fetraf, Confederação Nacional das Associações dos Servidores do Incra (CNASI), CUT, Comissão Brasileira de Justiça e Paz, OAB, Associação Brasileira de Imprensa, Greenpeace, Instituto Socioambiental, WWF e diversas outras organizações ambientalistas (Moura, 2014).

Essas organizações conseguiram encontrar consensos importantes, como a manutenção das exigências para os grandes proprietários, o estabelecimento de uma política nacional de desmatamento zero, políticas públicas para o desenvolvimento de agroflorestas em áreas de RL e de manejo florestal comunitário madeireiro e não madeireiro. Organizaram também uma inédita pluralidade de táticas de lutas, passando por marchas, organização de comitês municipais, seminários e articulação por meio de redes sociais (Moura, 2014).

Embora o novo Código Florestal (Brasil, 2021) tenha sido aprovado por expressivas votações tanto na Câmara quanto no Senado, o simbolismo na sociedade foi de derrota para o povo e para os bens comuns. Isso se expressou na grande mobilização pelo "Veta, Dilma" e no sentimento geral de que foi um ataque ao meio ambiente. Essa vitória ideológica, que confirma a denúncia dos interesses por trás dessa alteração, deve-se, em grande parte, a essa mobilização de frente ampla.

O debate produzido a partir do enfrentamento potencializou inúmeras iniciativas de agroflorestas, mutirões de plantio de árvores, recuperação de APPs. As organizações camponesas passaram por um importante processo de politização da questão ambiental, incorporando-a em sua leitura da realidade, em suas lutas e no cotidiano de seus territórios.

Em contrapartida, o Novo Código Florestal também possibilitou a formação das bases nacionais do capitalismo verde. É a primeira vez que o orde-

C

namento jurídico brasileiro tem uma lei nacional que induz diretamente o cumprimento da legislação ambiental por meio de mecanismos de mercado (Packer, 2015). Em seu artigo 41, a lei institui os marcos do Pagamento de Serviços Ambientais (PSA), retirando do controle do Estado os mecanismos de comando e controle e integra estes a um mercado global de emissões de gases efeito estufa e similares [VER CAPITALISMO VERDE].

A ousadia, porém, foi maior, e os legisladores introduziram um mecanismo completamente novo. A Cota de Reserva Ambiental (CRA), instituída no artigo 44, transforma a natureza em título transacionável em bolsas de mercadorias. Ou seja, a obrigação de respeitar a reserva legal por parte do latifúndio pode se transformar em uma possibilidade de ganhos para o capital financeiro.

As medidas anunciadas de recomposição das áreas desmatadas anteriormente ao estabelecido na nova lei tampouco foram efetivas. Ao contrário, os prazos legais foram sucessivamente postergados, legalizando por fim as áreas desmatadas. Após a aprovação do Código Florestal, o país passou a conviver com índices crescentes de desmatamento nos biomas Amazônico, Pantanal, Cerrado e Mata Atlântica.

Algumas das consequências desse avanço das forças destrutivas do capital são: crise hídrica, desmatamento e queimadas, poluição atmosférica, redução da biodiversidade e perda das camadas superficiais do solo. O outro lado da moeda, a financeirização da natureza conservada, também avança em sua regulamentação e em políticas estaduais.

A resposta popular vem do cuidado dos bens comuns por meio das práticas agroecológicas. O legado da função socioambiental, do qual o Código Florestal contribuiu, está presente como elemento da atual questão agrária brasileira [VER QUESTÃO AGRÁRIA BRASILEIRA]. A agroecologia e suas diversas formas de manejo do meio ambiente apresentam uma possibilidade real de um projeto para o campo brasileiro que esteja baseado em novas relações ser humano-natureza.

Referências

BRASIL. Presidência da República. Casa Civil. Subchefia para Assuntos Jurídicos. *Lei n. 4.771, de 15 de setembro de 1965*. Institui o novo Código Florestal. Disponível em: http://www.planalto.gov.br/ccivil_03/leis/l4771.htm. Acesso em: 22 mar. 2021.

______. Presidência da República. Casa Civil. Subchefia para Assuntos Jurídicos. *Lei n. 12.651, de 25 de maio de 2021*. Dispõe sobre a proteção da vegetação nativa; altera as Leis n. 6.938, de 31 de agosto de 1981, 9.393, de 19 de dezembro de 1996, e 11.428, de 22 de dezembro de 2006; revoga as Leis n. 4.771, de 15 de setembro de 1965, e 7.754, de 14 de abril de 1989, e a Medida Provisória n. 2.166-67, de 24 de agosto de 2001; e dá outras previdências. Disponível em: http://www.planalto.gov.br/ccivil_03/_Ato2011-2014/2012/Lei/L12651.htm#art83. Acesso em: 22 mar. 2021.

CASTILHO, A. L. *Partido da terra*. São Paulo: Contexto, 2012.

DEAN, W. *A ferro e fogo*: a história e a devastação da Mata Atlântica brasileira. São Paulo: Companhia das Letras, 2013.

DIEGUES, A. C. *O mito moderno da natureza intocada*. São Paulo: Hucitec/Nupaub-USP, 2008.

MOURA, L. H. G. Legislação ambiental aplicada às áreas de assentamentos da reforma agrária: o caso do licenciamento ambiental. *In*: IV Simpósio sobre reforma agrária e assentamentos rurais, 2010, Araraquara. *Anais do IV Simpósio sobre Reforma Agrária e Assentamentos Rurais*, 2010.

______. Código Florestal: elementos sobre a expressão ambiental da luta de classes no Brasil. *Campo-Território*: revista de geografia agrária. Edição especial do XXI ENGA-2012, p. 1-25, jun. 2014.

PACKER, L. *Novo Código Florestal & pagamentos por serviços ambientais*: regime proprietário sobre os bens comuns. Curitiba: Juruá, 2015.

SPAROVEK, G. *et al.* A revisão do Código Florestal brasileiro. *Novos Estudos Cebrap*. São Paulo, v. 89, p. 111-135, 2011.
STEDILE, J. P. (org) *A questão agrária no Brasil*. v. 3. São Paulo: Expressão Popular, 2005.
STREECK, W. *Tempo comprado:* a crise adiada do capitalismo democrático. São Paulo: Boitempo, 2018.

Nota

[1] É importante aqui não incorrer em maniqueísmos. O interesse público hegemônico era o fortalecimento da emergente burguesia industrial frente às frações mais atrasadas da burguesia agrária e aos cafeicultores, que demandavam terras recém-desmatadas para implantar seu sistema produtivo. Era importante para os industriais o uso minimamente planejado das áreas florestais, principalmente para a construção de ferrovias e para o abastecimento das fornalhas das fábricas.

C

COMPLEXOS DE ESTUDO

Valter de Jesus Leite
Marlene Lucia Siebert Sapelli

Para o entendimento do que sejam complexos de estudo, estão aqui apresentados elementos históricos, tanto da trajetória da construção da proposta de educação do Movimento dos Trabalhadores Rurais Sem Terra (MST) como da origem na pedagogia socialista soviética. Também estão explicitados as concepções, as categorias-síntese e os processos que orientam (e podem orientar) a implementação da referida proposta em diferentes contextos e escolas do campo. A referência da abordagem é uma recriação particular que foi feita da noção de complexo por uma prática específica, vinculada ao MST, em escolas do Paraná.

Para a leitura do verbete é preciso considerar que, apesar de ter as mesmas bases, a proposta de educação presente nas escolas vinculadas ao MST não é homogênea em todo território brasileiro, e que há uma incorporação, em alguns estados, dos elementos da referida pedagogia ao que foi produzido no processo de constituição da proposta do Movimento, desde os anos 1980.

Os complexos de estudo têm sua origem no leste europeu; compõem parte da pedagogia socialista soviética, formulada após a Revolução Russa de 1917 pela Comissão Estatal Científica do Comissariado Nacional da Educação (*Narkompros*). Em 1918, o *Narkompros*, diante do desafio de reconstruir o sistema educacional da Rússia para formação das crianças, jovens e adultos em consonância aos princípios e valores da edificação da sociedade comunista, publicou a "Deliberação do Comitê Central sobre a Escola Única do Trabalho" e a "Declaração sobre os princípios fundamentais da Escola Única do Trabalho" (Krupskaya, 2017, p. 285-308), as quais embasaram, inicialmente, a constituição das escolas experimentais-demonstrativas, entre elas, as escolas-comunas (Freitas, 2009). Entre os anos de 1918 e 1925 objetivou-se, com estas escolas, fundamentar a elaboração dos programas de ensino a serem generalizados para o sistema escolar na república dos sovietes.

No interior das escolas-comunas, os complexos foram construídos como uma forma de organizar o currículo escolar/plano de estudo de modo que propiciasse aos estudantes, desde a menor idade, a apropriação das questões da atualidade, na perspectiva materialista histórica dialética,[1] ou seja, a apreensão da realidade, buscando explicitar suas contradições, compreendendo-as a partir das relações entre o singular, o particular e o universal, portanto, a partir das suas múltiplas determinações. Também que promovesse a exercitação de processos de auto-organização, tendo o trabalho como categoria de sustentação e como método geral (Pistrak, 2009).

Inspirado pela teoria marxista, o sistema por complexos foi desenvolvido tendo por base o trabalho humano enquanto um pressuposto ontológico e ético-político no processo de socialização humana. Em decorrência, concebe o trabalho como princípio educativo, na perspectiva da educação politécnica [ver Educação Politécnica], contrapondo-se à perspectiva utilitarista de assimilação do trabalho aos espaços escolares, restrito à apreensão de técnicas.

O complexo baseia-se em "[...] um método científico específico, isto é, um método que exige o estudo das coisas e fenômenos não de forma isolada, mas em suas inter-relações, nas ligações de uns com os outros, na sua totalidade, complexidade" (Krupskaya, 2017, p. 310). É "[...] a complexidade particular de um fenômeno tomado da realidade e que reúne ao seu redor determinado tema central ou ideia" (p. 313). A essência do sistema de complexos, não consiste na interdisciplinaridade por si só, "[...], mas na ligação dos fenômenos que de fato encontram-se na vida, e no estudo destes fenômenos em sua complexidade, em suas interações, no estudo da correlação entre fenômenos" (p. 313).

O complexo não diz respeito a um método de ensino, e sim a uma concepção pedagógica (Freitas, 2009), uma unidade da didática socialista fundamentada no trabalho e sua centralidade na constituição do ser humano [ver Pedagogia do Trabalho] e enquanto objeto científico a ser estudado em sua gradativa complexidade, desde as relações locais, nacionais e internacionais em interface com a experiência da humanidade em seu desenvolvimento histórico (Programas Oficiais, 1935, p. 32-37).

Por isso, o complexo organiza o processo de estudo da *natureza* e da *sociedade* na mediação e conexão com o *trabalho*. Estas três dimensões são articuladas no esquema da Comissão Estatal Científica em três colunas que organizam o programa de estudo,[2] sendo na coluna da esquerda a *natureza*, na central, o *trabalho* e na direita, a *sociedade*, "as quais, em conjunto, devem refletir a 'complexidade' daquela parte da realidade escolhida para estudo – sua dialética e sua atualidade, vale dizer, suas contradições e lutas – seu desenvolvimento enquanto natureza e enquanto sociedade" (Freitas, 2009, p. 36-37).

Em sua essência, o complexo objetiva, além de proporcionar condições para compreender e analisar em perspectiva histórica as relações sociais com suas contradições, "[...] *atuar* para *mudar* o existente em uma direção determinada, fundamentada pela análise" (Pistrak,

2009, p. 122, grifos do autor). O autor também entende que, além de conhecer a atualidade, é preciso dominá-la, na perspectiva de transformá-la; eis a imprescindibilidade das categorias pedagógicas da auto-organização e do trabalho socialmente necessário articuladas pelo trabalho ao estudo da atualidade como a "[...] melhor forma de introduzir as crianças na vida laboral, ligar-se com a classe construtora, e não apenas entendê-la, mas *viver* sua ideologia, aprender a lutar, aprender a construir" (Shulgin, 2013, p. 41, grifos do autor).

Tendo por base esses pressupostos, o MST, nos seus 35 anos de existência, com o intuito de aproximar a escola de sua estratégia política, forjou uma proposta que incorporou diferentes elementos na busca da transformação do seu conteúdo e da sua forma. A pedagogia socialista russa esteve presente desde o início desse processo de formulação da *Pedagogia do Movimento*, especialmente com Pistrak (1981), mas a falta de traduções das obras do conjunto dos autores russos limitou a compreensão da totalidade da proposta naquele momento.

Mais recentemente, o acesso a outras obras de autores do período proporcionou ao MST avançar na elaboração pedagógica vinculada aos desafios formativos da luta pela Reforma Agrária Popular, entre eles, o de massificar modos de trabalho e de vida humana que possibilitem a reconstrução ecológica da agricultura e da vida em sociedade, combinado ao desafio da formação geracional de *lutadores* e *construtores* de uma sociedade sem exploração humana, com condições de entender e atuar sobre as contradições de seu tempo (Movimento dos Trabalhadores Rurais Sem Terra, 2013; Caldart, 2015).

Os Complexos de Estudo e a Pedagogia do Movimento

A partir de 2011, foi realizado um movimento de estudo de novas obras da pedagogia socialista e isso serviu de suporte para incorporar os complexos de Estudo à proposta, o que permitiu construir, considerando a materialidade atual, uma nova articulação das categorias centrais do projeto educativo.[3] A maioria dos elementos já existentes foram potencializados e outros incorporados. A nova organização da proposta político pedagógica, a partir desse processo, pode ser vista no esboço (ver Figura 9, adiante, p. 791).

No esboço, uma das partes mostra as bases comuns a todo e qualquer complexo que for construído nas diferentes escolas (lado esquerdo do quadro) e a outra, os elementos que compõem cada complexo, representadas em forma circular. A articulação e movimentação dos elementos que integram a parte comum e a parte diversificada da proposta por meio do planejamento e desenvolvimento do trabalho educativo proporciona a exercitação teórico-prática dos complexos de estudo para atingir os objetivos formativos e de ensino; por isso, cada elemento da proposta assume centralidade na materialização do complexo de estudo. A mera conexão dos conteúdos à realidade (porções da realidade) limita-se ao que Pistrak (1981) denominou de "complexos sentados" ou estéreis, por restringir o processo de estudo a metodologias livrescas.

O complexo de estudo requer a incorporação desde a concepção materialista histórica dialética de sociedade, educação e desenvolvimento humano até o exercício e a mudança na forma de planejar, avaliar e desenvolver o trabalho educativo concatenado aos processos de trabalho

C

real dos estudantes e de auto-organização interna e externamente à escola, materializando os complexos de estudo geradores de ação (Pistrak, 1981).

Uma das bases refere-se ao entendimento do MST *como o grande educador*, pois ele é o articulador dos sujeitos num processo de luta que educa. A escola do movimento se insere nesse contexto. Ao adotar o MST como referência principal, a proposta toma como base inicial os princípios filosóficos,[3] e pedagógicos,[4] forjados na luta (Movimento dos Trabalhadores Rurais Sem Terra, 2005).

Sintonizados aos princípios indicados, a adoção da *concepção de educação* como processo de formação humana omnilateral indica que o processo educativo deve contribuir para desenvolver as diferentes dimensões humanas: afetiva, intelectual, política, ética, corporal, estética, social e organizativa, dentre outras. Nesse sentido, "ajudar a formar seres humanos mais plenos e que sejam capazes e queiram assumir-se como lutadores, continuando as lutas sociais de que são herdeiros, e construtores de novas relações sociais" (Movimento dos Trabalhadores Rurais Sem Terra, 2013, p. 9).

As *matrizes pedagógicas* – trabalho, cultura, organização coletiva, história e luta social – são categorias-síntese da proposta educacional do MST e são uma das bases para a organização do trabalho pedagógico, portanto, orientam também a definição dos objetivos formativos.

Ter o *trabalho como método geral* é compreendê-lo como atividade humana, como constituidor do ser humano, como princípio educativo, e exige que se estabeleça a conexão entre a teoria e a prática, ora pela dimensão do trabalho compreendido como prática social ampla (cultura universal) como objeto de estudo das bases das ciências, da filosofia e da arte, ora pelo trabalho social articulado à auto-organização dos estudantes, no qual proporciona o vínculo da escola de modo efetivo com a prática social na luta pela terra e na produção da vida, por meio dos processos organizativos, políticos, econômicos e culturais.

Outra base é a *organização política da escola*, que diz respeito à gestão democrática plena, que direciona a urgência de alterar a lógica de poder na escola por meio da horizontalização das relações entre os diferentes sujeitos, compreendendo a escola como um conjunto de relações (Shulgin, 2013).

A proposta é implementada a partir de diferentes *tempos educativos*, que desde sua origem no trabalho educativo do MST são organizados compreendendo que a escola é espaço intencional de formação humana (Movimento dos Trabalhadores Rurais Sem Terra, 2009), por isso, a importância de diversificar os tempos da escola, movimentando as diferentes dimensões do ser humano para potencializar a apropriação de conhecimentos e habilidades diversas por meio de oficinas, pelo trabalho produtivo coletivo, a organização individual e coletiva, a vivência da mística, o gosto pela literatura e pela arte (Movimento dos Trabalhadores Rurais Sem Terra, 2009).

A *concepção de avaliação* que dá sustentação à proposta é processual e diagnóstica; indica a necessidade de acompanhar sistematicamente a apropriação das bases das ciências, da filosofia e da arte e o desenvolvimento das diversas dimensões humanas, direcionadas pelos objetivos formativos de cada faixa etária que contemplam as dimensões cognitiva, ética, política, corporal, artística, organizativa, de posicionamento, valores, atitudes e o jeito de ser (Movimento dos Trabalhadores Rurais Sem Terra, 2013). Trata-se de um processo de análise individual e coletiva, que subentende a necessidade de crítica e autocrítica.

A partir da proposta dos ciclos de formação humana nas escolas itinerantes do Paraná, que continha esses diversos elementos como centrais, foram incorporados os complexos de estudo que não são a transposição didática da proposta soviética, mas sim a incorporação de novos elementos na proposta do Movimento, que permitem conceber sistematicamente uma articulação metodológica entre conhecimento, atualidade, auto-organização e trabalho socialmente necessário.

Cada complexo de estudo, na proposta do MST, é uma unidade curricular multifacetada (Movimento dos Trabalhadores Rurais Sem Terra, 2013), que tem por base os elementos anteriormente explicitados; é processo que, ao orientar a organização do trabalho pedagógico, coloca em relação os objetivos de ensino: a porção da realidade; as bases das ciências, da filosofia e da arte; o trabalho socialmente necessário; as fontes educativas a partir do uso de métodos em tempos específicos, bem como da auto-organização dos estudantes e de diferentes formas de agrupamentos e reagrupamentos dos estudantes

A definição de cada complexo é decisão de cada coletivo, mas deve partir dos elementos que se apresentam nos inventários da realidade, construídos em cada comunidade; portanto, tem como centralidade um dos seus elementos: a porção da realidade que movimenta as unidades curriculares. Freitas (2003) indica que a escola deve formar na atualidade, entendendo-a como "tudo aquilo que na vida da sociedade do nosso tempo tem requisitos para crescer e desenvolver-se e que em nosso caso tem a ver com as grandes contradições da nossa sociedade" (p. 56). Para desvelar as contradições sociais e sua historicidade durante o processo de estudo, faz-se necessário 'pesquisar para compreender e compreender para transformar a si e ao meio" (Movimento dos Trabalhadores Rurais Sem Terra, 2013, p. 23).

Nesse sentido, há a necessidade de se construir o *inventário da realidade* que possibilita realizar um levantamento, por meio de pesquisa etnográfica do meio social, natural, econômico e cultural das comunidades nas quais estão inseridos os estudantes da escola, de modo que os coletivos escolares conheçam sistematicamente o contexto de inserção da escola em suas relações sociais e ecológicas em interface com as determinações locais e globais (Caldart, 2017). Esse processo é necessário para apreender a ligação entre a escola e a vida e a estruturação dos Complexos com a definição das porções da realidade que movimentará o estudo e o trabalho social.

A realização do inventário se dá em duas fases. A primeira, organizada a partir dos objetivos específicos de cada escola, corresponde ao levantamento de informações que podem ser organizadas em blocos (podem ser referentes a, por exemplo: recursos naturais, pessoas/famílias, produção, formas de trabalho e sua organização, lutas sociais e formas de organização política das famílias, escola, ocupações das crianças e jovens fora da escola, dentre outros), a partir de instrumentos, como: análise de documentos e acervo de fotos já existentes, entrevistas, rodas de conversa, filmagens, registro fotográfico, observação e outros. Na segunda fase, ocorre a organização e sistematização das informações coletadas, o que possibilitará a construção de sínteses provisórias. Também podem ser organizados álbuns de fotografias, acervos de vídeos e de objetos. Tanto na primeira como na segunda fase é importante envolver todos os sujeitos ligados, de alguma forma, ao processo educativo (Caldart, 2017).

No processo de construção do inventário, a questão da agroecologia [VER AGROECOLOGIA] pode ser potencializada por meio da pesquisa de campo, identificando elementos que contribuam para compreender o processo histórico de transformação do território no qual a escola está inserida, bem como a construção de um mapa da biodiversidade dos agroecossistemas, explicitando os sistemas de produção, o trabalho e o uso de tecnologias presentes nestes (Caldart, 2017).

Para compreender a atualidade, cada complexo traz as bases das ciências, da filosofia e da arte, portanto, elementos de diferentes disciplinas, mas não obrigatoriamente de todas que compõem o currículo de cada escola (Movimento dos Trabalhadores Rurais Sem Terra, 2013), que podem estar articuladas em diferentes complexos. Os conceitos que compõem as disciplinas na conexão com as porções da realidade chamam para dentro da escola a vida que pulsa na sociedade. Pela prática, se materializa a interdisciplinaridade, pela ligação dos conhecimentos e aspectos formativos de cada disciplina com pontos de ancoragem no meio social e natural, "criando relações entre a teoria e a prática circundante. Não se trata de uma reflexão sobre uma prática, mas da inserção da escola na prática social" (Movimento dos Trabalhadores Rurais Sem Terra, 2013, p. 10).

A base da proposta ainda é disciplinar, porém, como o método de sustentação é o materialismo histórico dialético, propõe a superação da fragmentação do conhecimento, mas preserva a especificidade de cada área, pois organiza o processo com vistas à compreensão da realidade na relação do singular, particular e universal.

A partir da definição da porção da realidade e das bases das ciências, da filosofia e da arte, são construídos os objetivos de ensino que expressam um conjunto de valores, capacidades, atitudes, conceitos, procedimentos a serem desenvolvidos e aprendidos. Isso exige também a definição de métodos e tempos específicos, bem como a busca de diversificadas fontes educativas presentes no meio, a serem identificadas pelo inventário da realidade. A definição desses processos pode promover atividades que exijam diferentes formas de agrupamentos e reagrupamentos dos estudantes, ou seja, não há limite na série, no ciclo, há múltiplas possibilidades de interação entre eles.

O processo de construção do inventário da realidade explicita uma categoria importante: o trabalho socialmente necessário (TSN) (categoria incluída à proposta com a incorporação dos complexos), que compreende um impacto social, de intervenção na melhoria da qualidade de vida nas suas diferentes esferas. Pode potencializar a relação com a comunidade, em particular com outras organizações de trabalhadores (sindicatos, agroindústria, a cooperativa, a assistência técnica, o coletivo de mulheres e de juventude, entre outros) e exige a mudança da forma escolar, tradicionalmente fechada em si mesma. Também contribui para que se exercite a auto-organização dos estudantes (articulada a vivências que os levem a praticar a coletividade, a iniciativa, a autonomia, a capacidade de planejar, trabalhar, bem como de liderar e ser liderado, habilidades necessárias na luta pela transformação social) e propicia aprendizagem de conceitos, desenvolvimento de capacidades, construção de atitudes e valores necessários à formação para o trabalho, do mais simples ao mais complexo.

É principalmente a partir desse aspecto que se potencializa a possibilidade de a escola incorporar, como orientadora do trabalho pedagógico, também a agroecologia, que representa, na luta originária da Educação do Campo [VER EDUCAÇÃO DO CAMPO], a mudança na forma de produção nas relações e na definição da propriedade da terra sua vinculação. Na articulação com trabalhos socialmente necessários, a escola pode colocar em interação estudantes, educadores e comunidade na perspectiva da agroecologia. Podem ser exemplos: a proteção das fontes; a criação de hortas, de agroflorestas; o uso do solo e a produção de alimentos de forma adequada, sem o uso de agrotóxicos; a classificação do lixo e o aproveitamento dos resíduos orgânicos, a reutilização da água, bem como o encaminhamento dos materiais recicláveis; dentre outros.

A partir disso, haverá uma mudança na definição e abordagem dos próprios conteúdos escolares, fortalecendo, por exemplo, o estudo da história da agricultura; o entendimento do agroecossistema; da função social da agricultura no âmbito da produção de alimentos saudáveis; a problematização das relações sociais nos processos de produção, incluindo as questões da divisão social do trabalho a partir do gênero; o questionamento sobre a propriedade privada da terra em detrimento da sua função social, dentre outros.

Assim, com tais mudanças e vinculando-se à agroecologia, as escolas se transformam processualmente, em termos dos tempos, forma e conteúdo, contribuindo para o desvelamento da atualidade; o diálogo de diferentes saberes e apropriação do conhecimento historicamente construído; a criação de espaços para exercitar relações horizontalizadas de estudo e trabalho, questionando, inclusive, as relações de gênero e as distintas formas de violência aos seres humanos; a participação nas lutas sociais; a inserção de novos conteúdos e a potencialização da relação com a comunidade.

Sustentar a organização do trabalho pedagógico no inventário da realidade, portanto, nos elementos da materialidade, que tem implícitas as relações para a produção da vida, inclusive, às vezes, na perspectiva da agroecologia e empreender esforços para compreendê-la dialeticamente, exige potencializar processos de estudo e de organização para a formação de sujeitos capazes de levar a proposta de produção agroecológica para a vida das comunidades, podendo ou não transformar as relações de produção neste contexto. Entendemos que essa é uma das muitas contribuições da proposta dos complexos de estudo. Há, portanto, uma relação íntima entre a formação agroecológica e a referida proposta.

São caminhos e possibilidades de avançar e enfrentar o desafio formativo da escola com nova forma e conteúdo da classe trabalhadora do campo e da cidade, de contribuir na luta pela massificação de bases científicas às novas gerações para subsidiar o processo de produção social alicerçado em novas relações sociais e que objetivam a reconstrução e transição para formas ecológicas e economicamente sustentáveis de produzir alimentos e a vida.

Referências

CALDART, R. S. Desafios do vínculo entre trabalho e educação na luta e construção da Reforma Agrária Popular. *In*: CALDART, R. S.; STEDILE, M. E.; DAROS, D. (org.). *Caminhos para a transformação da Escola 2*: Agricultura Camponesa, educação politécnica e escolas do campo. Reflexões desde práticas da Licenciatura em Educação do Campo. São Paulo: Expressão Popular, 2015.

______. (org). *Caminhos para a transformação da Escola 4*: Trabalho, agroecologia e estudo nas escolas do campo. 1. ed. São Paulo: Expressão Popular, 2017.

FREITAS, L. C. *Ciclos, seriação e avaliação*. Confronto de lógicas. São Paulo: Moderna, 2003.

______. A luta por uma pedagogia do meio: revisitando o conceito. *In*: PISTRAK, M. M. (org.) A Escola-Comuna. São Paulo: Expressão Popular, 2009.

______. Materialismo histórico-dialético: pontos e contrapostos, *Cadernos do Iterra*, n. 14, Veranópolis, dez. 2007.

KRUPSKAYA, N. K. *A construção da pedagogia socialista: escritos selecionados*. São Paulo: Expressão Popular, 2017.

MOVIMENTO DOS TRABALHADORES RURAIS SEM TERRA. *Dossiê MST Escola*. Documentos e estudos 1990-2001. Veranópolis: Iterra, 2005.

______. *Pedagogia que se constrói na itinerância*: orientações aos educadores. Coleção de Cadernos da Escola Itinerante. SEED: Curitiba, Ano II, n. 4, Curitiba, PR, nov. 2009.

______. *Plano de Estudos*. Cascavel: Unioeste, 2013.

PISTRAK, M. *Fundamentos da Escola do Trabalho*. São Paulo: Brasiliense, 1981.

______. *A Escola Comuna*. São Paulo: Expressão Popular, 2009.

PROGRAMAS OFICIAIS. *A educação na República dos Soviets*. Trad. de Violeta Sandra. São Paulo: Companhia Editora Nacional, 1935.

SHULGIN, V. *Rumo ao politecnismo*. São Paulo: Expressão Popular, 2013.

TONET, I. Método científico: uma abordagem ontológica. São Paulo: Instituto Lukács, 2013.

Para saber mais

CALDART, R. S. *et al.* Inventário da Realidade: guia metodológico para uso nas escolas do campo. *In*: CALDART, R. S. (org.). *Caminhos para a transformação da Escola 4*: Trabalho, agroecologia e estudo nas escolas do campo. 1. ed. São Paulo: Expressão Popular, 2017.

KRUPSKAYA, N. K. *Carta metodológica*. Primeira carta: sobre o ensino por complexos. *In: A construção da pedagogia socialista*: escritos selecionados. São Paulo: Expressão Popular, 2017.

SAPELLI, M. L. S.; FREITAS, L. C.; CALDART, R. S. (org.). *Caminhos para a transformação da escola 3*: organização do trabalho pedagógico nas escolas do campo. Ensaios sobre Complexos de Estudo. São Paulo: Expressão Popular, 2015.

SAPELLI, M. L. S.; LEITE, V. de J.; BAHNIUK, C. *Ensaios da Escola do Trabalho na luta pela terra*: 15 anos da Escola itinerante no Paraná. São Paulo: Expressão Popular, 2019.

Notas

1 Para compreender de forma mais aprofundada os elementos dessa perspectiva, podemos consultar a obra *Método científico – uma abordagem ontológica*, de Ivo Tonet, publicada em 2013, pelo Instituto Lukács, especialmente da página 65 a 126; também o artigo do professor Luiz Carlos de Freitas, intitulado "Materialismo histórico-dialético: pontos e contrapostos", publicado nos *Cadernos do Iterra* (2007).

2 Ver exemplo da matriz com as colunas em Krupskaya (2017, p. 340) ou Programas Oficiais (1935).

3 Destacamos elementos principalmente da reconstrução da experiência dos complexos nas Escolas Itinerantes e algumas escolas de assentamento do Paraná.

4 São princípios filosóficos: educação para a transformação social; educação para o trabalho e cooperação; educação voltada para as várias dimensões do ser humano; educação para/com valores humanistas e socialistas; educação como processo permanente de formação/transformação humana (Movimento dos Trabalhadores Rurais Sem Terra, 2005).

5 São princípios pedagógicos: relação entre teoria e prática; combinação entre processos de ensino e de capacitação; a realidade como base da produção do conhecimento; conteúdos formativos socialmente úteis; educação para o trabalho e pelo trabalho; vínculo orgânico entre processos educativos e políticos; vínculo orgânico entre processos educativos e econômicos; vínculo orgânico entre educação e cultura; gestão democrática; auto-organização dos estudantes; criação de coletivos pedagógicos e formação permanente dos(as) educadores(as); atitude e habilidades de pesquisa (Movimento dos Trabalhadores Rurais Sem Terra, 2005).

COMPRAS PÚBLICAS DE ALIMENTOS

Silvio Isoppo Porto
Cátia Grisa

C

Conceito e delimitação da análise

Compra pública refere-se ao processo por meio do qual o governo ou organizações do setor público buscam adquirir serviços, bens e equipamentos necessários ao seu funcionamento, em conformidade com as leis e normas em vigor (Squeff, 2014; Uyarra; Flanagan, 2010). Nesta perspectiva, Thai (2001) relata que o primeiro regramento de compras públicas foi encontrado na Síria no período entre 2400 e 2800 a.C. Ainda segundo o autor, nos Estados Unidos, os governos municipais foram precursores na temática, antes mesmo dos governos estaduais ou federal. Somente no início de 1800 os governos estaduais começaram a criar órgãos ou departamentos responsáveis pelas compras, sendo raras as compras centralizadas. Oklahoma foi o primeiro estado a criar, em 1810, um órgão centralizado para a realização de compras para todas as agências e departamentos do Estado (Thai, 2001). No caso brasileiro, Assis (2015) relata a existência do primeiro regramento para a realização de compras públicas em 1828.

Longe de querer dar conta de todas as problemáticas relacionadas com as compras públicas (compras de produtos em geral, mecanismos de aquisição etc.), neste verbete discutimos principalmente a aquisição de alimentos e o papel desse processo no desenvolvimento. Concordamos com McCrudden (2004, p. 257), para quem "as compras públicas podem ser uma alavanca para atingir objetivos mais amplos do governo, como estimular a inovação nos mercados de suprimentos, usar recursos públicos para apoiar objetivos ambientais ou sociais e apoiar os mercados internos". Como argumentam Morgan e Sonnino (2010), o "prato público" expressa as opções que os gestores públicos e a sociedade fazem em termos de alimentação e desenvolvimento.

Contexto internacional das compras públicas

Em âmbito internacional, o arranjo institucional dirigido às compras públicas de alimentos tende a ser bastante distinto entre os países, sendo que em muitos casos o Estado recebe ajuda internacional (em especial nos países do Sul Global), tanto por órgãos multilaterais como de organizações não governamentais (ONGs). Essas compras podem ser dirigidas a públicos distintos, tais como crianças, mulheres e população idosa. Além das ações de ajuda humanitária – em geral, coordenadas pelo Programa Mundial de Alimentos (PMA), Agência vinculada às Nações Unidas –, as práticas de compras públicas de alimentos tendem a ser estabelecidas a partir de princípios neoliberais. Neste sentido, não é considerado um dever do Estado, sendo comuns as ações promovidas por ONGs ou executadas por organizações privadas.

Em contrapartida, a partir do final dos anos 1990 e início dos anos 2000,

C

os países do norte vêm experimentando ações de promoção ao desenvolvimento sustentável, cunhando assim "novos" conceitos, como "compras sustentáveis" e "compras públicas verdes" (Soldi, 2018; Brammer; Walker, 2011; McCrudden, 2004). Em 2002, os países membros da União Europeia assumiram o compromisso de implementar diretrizes relativas à promoção das compras públicas sustentáveis de bens e serviços. Segundo Steurer *et al.* (2007), cerca de 14 países dos 27 Estados-membros da UE haviam avançado nessa direção, tendo elaborado planos de ação ou projetos visando promover as compras sustentáveis. Isso ocorreu de forma mais intensa no Reino Unido, Holanda e Dinamarca, e posteriormente houve avanços em vários países, tais como França, Itália, Bélgica e Alemanha (Brammer; Walker, 2011). Na Itália, legislações de 1999 passaram a estabelecer a oferta de alimentos orgânicos nas cantinas escolares em diálogo com as tradições e culturas locais, sendo que, em 2006, 658 cantinas escolares ofereciam alimentação totalmente orgânica (Morgan; Sonnino, 2008). Na Eslovênia, desde 2012 há regramentos que determinam a aquisição de, no mínimo, 10% de alimentos orgânicos e as compras nacionais devem seguir o princípio dos circuitos curtos (Soldi, 2018).

Em outras regiões do mundo também foram adotadas medidas semelhantes. Em 2001, o Japão adotou procedimentos legais obrigando os órgãos governamentais a promover "compras verdes". O Canadá implementou o escritório de operações governamentais ecológicas e passou a estabelecer metas de "compras verdes", inclusão de minorias étnicas e treinamento de pessoal para atuar nessa área (European Coalition for Corporate Justice, 2007). Além de promover o componente ambiental nas compras públicas, os Estados Unidos estabeleceram mecanismos para incorporar nesse mercado empresas pertencentes a mulheres e minorias, em especial indígenas (McCrudden, 2004). Nessa mesma linha, a África do Sul e Canadá adotaram medidas para promover igualdade de oportunidades para populações específicas. O Estado sul-africano passou a estabelecer, entre o final da década de 1990 e início de 2000, uma política afirmativa visando incluir a população negra na economia do país, por meio do estímulo à formação de pequenas empresas, incentivos fiscais, recursos para investimentos e compras de bens e serviços dessas empresas pertencentes aos negros, revertendo em parte o privilégio econômico histórico dos brancos em relação à população negra (Department of Trade and Industry, 2003).

Contexto nacional das compras públicas de alimentos

Entendimento sobre mercado institucional e breve histórico sobre as compras públicas de alimentos[1]

Em 2003, o governo brasileiro inovou em suas políticas públicas ao criar o Programa de Aquisição de Alimentos (PAA). Por meio dele, o Estado comprou alimentos da agricultura familiar e distribuiu para equipamentos públicos de alimentação e nutrição, e doou para organizações socioassistenciais. A partir dos aprendizados e resultados positivos para a promoção da agricultura familiar e da segurança alimentar e nutricional, em 2009 o governo federal mudou o Programa Nacional de Alimentação

Escolar (Pnae), estabelecendo que, no mínimo, 30% dos recursos do Fundo Nacional de Desenvolvimento da Educação (FNDE) destinados à alimentação escolar devem ser empregados na aquisição de alimentos da agricultura familiar. Confluente neste sentido e viabilizado por meio do PAA, em 2015, o governo institucionalizou o Decreto n. 8.473 (Brasil, 2015), que estabelece no âmbito da administração pública federal o percentual mínimo de 30% destinado à aquisição de gêneros alimentícios de agricultura familiar. Estas ações, somadas a iniciativas emergentes nos governos estaduais, colocaram o tema dos mercados institucionais na agenda governamental, pública e acadêmica. Os mercados institucionais tornaram-se uma das principais inovações políticas do período recente.

Contudo, em termos conceituais, mercados institucionais não dizem respeito a algo novo. Seguindo perspectivas institucionalistas, pode-se afirmar que todos os mercados estão imersos em regras, normas e estruturas de governança, ou seja, todos os mercados são permeados por instituições (Niederle, 2011; Fligstein; Dauter, 2007; Nee; Ingram, 1998). A especificidade da definição de mercado institucional no contexto das políticas brasileiras refere-se ao papel do Estado na construção de mercados, particularmente na realização de compras governamentais para serem utilizadas em ações públicas de abastecimento ou outros fins (Maluf, 1999; Maciel, 2008). Neste contexto, mercado institucional refere-se a uma configuração específica de mercado em que as redes de troca assumem uma estrutura particular, previamente definida por normas e convenções negociadas por um conjunto de atores e organizações, em que o Estado assume papel central na estruturação das regras e na realização de compras públicas (Grisa, 2010).

No entanto, as compras públicas também não são algo novo. No caso de produtos agroalimentares, há pelo menos um século as compras públicas de produtos agropecuários são recorrentes no Brasil, ainda que com diversas configurações e objetivos. Na crise econômica do café, no início do século XX, já se observava a atuação de governos estaduais e, logo em seguida, do governo federal via compras públicas. A queda dos preços internacionais do café, a valorização cambial e a superprodução do café em 1906 desencadearam a Primeira Política de Valorização do Café (Convênio de Taubaté) que, dentre outras medidas, visava elevar o preço do produto e assegurar a proteção de renda para o setor cafeicultor por meio da retirada de parte da produção do mercado via compras efetuadas pelos governos estaduais e a respectiva formação de estoques. Para auxiliar o setor, estas medidas foram repetidas em outros momentos e adotadas de modo permanente pelo governo federal a partir de 1924 (Coelho, 2001). Em 1929, os estoques públicos atingiram o montante de 20 milhões de sacas provocados pelas grandes safras de 1927 e 1928, e pela quebra da bolsa de valores de Nova York. Diante deste contexto, iniciou-se a destruição física do produto (incluída a queima dos estoques), que se estendeu de 1931 a 1944.

Dando sequência à política de aquisições públicas, formação de estoques e regulação de preços alimentares, na década de 1940 o governo federal expandiu essas ações para o setor de grãos e outros produtos, com a criação

C

da Comissão de Financiamento da Produção (CFP). A partir de 1965, no bojo das políticas de modernização da agricultura, foram adotadas medidas para reformulação e regulamentação da Política de Garantia de Preços Mínimos (PGPM). A partir de então, a PGPM passou a operar por meio de "dois braços" (Coelho, 2001): os Empréstimos do Governo Federal (EGF) e as Aquisições do Governo Federal (AGF). Como um crédito de comercialização, o EGF era oferecido sem opção de venda (SOV) e com opção de venda (COV) da produção para o governo federal (transformada em uma AGF) caso os preços dos produtos no mercado, até o final do contrato, não fossem compensadores. Neste sentido,

> O governo interviria toda vez que o preço de mercado se situasse abaixo do preço mínimo, comprando o excedente. Por outro lado, caso o preço de mercado estivesse em níveis muito elevados, definido por um critério de preço de intervenção – o Preço de Liberação de Estoque preestabelecido –, haveria desmobilização dos estoques. (Delgado; Conceição, 2005, p. 27)

Ilustrando outro segmento de compra pública de alimentos, citamos as ações do Serviço de Alimentação da Previdência Social (Saps), estabelecido em 1940 (Fogagnoli, 2011). Como parte de uma estratégia de melhoria das condições de vida dos trabalhadores, o Saps contemplava as seguintes ações: a) restaurantes populares que ofereciam refeições a "preços módicos", visando melhorar a qualidade da alimentação da população (marcada por carências nutricionais) e promover a educação alimentar dos trabalhadores; b) postos de subsistência, por meio dos quais "o Saps comprava gêneros de primeira necessidade diretamente dos produtores e os revendia aos trabalhadores a quase preço de custo, com um acréscimo máximo de 10%, que se destinava a cobrir a administração das despesas e do transporte dos produtos" (Fogagnoli, 2011, p. 14);[2] c) auxílio alimentar, que consistia em fornecimento de alimentos a trabalhadores desempregados. "O auxílio era enviado às casas das famílias necessitadas em caminhões térmicos do Saps, ou alugados pela instituição" (Fogagnoli, 2011, p. 19).

Similarmente aos restaurantes populares do Saps, também podemos citar a compra de alimentos para a oferta em restaurantes universitários e na própria educação básica. Os restaurantes universitários emergiram na Universidade do Brasil, localizada no Rio de Janeiro, na década de 1950, sendo disseminados na década de 1970 em virtude da construção de *campi* universitários em locais afastados do centro das cidades, do aumento do tempo de deslocamento entre as casas dos estudantes e a universidade, e do incremento de discentes de outros locais que não a sede da universidade (portanto, longe de seus familiares) (Haddad, 2013).

Ainda para ilustrar outros casos de compras públicas, mencionamos três programas nacionais: a) criado em 1977 e mediado pela Companhia Brasileira de Alimentação (Cobal), o Programa de Racionalização da Produção de Alimentos Básicos (Procab) articulava a compra de produtos dos pequenos agricultores e articulava a destinação destes para as ações do II Programa Nacional de Alimentação e Nutrição (Pronan) na região do Nordeste (Bragatto, 2010); b) criado em 1979 como uma das ações do II Pronan, o Programa de Alimentos Básicos em Áreas de Baixa Renda (Proab) viabilizava a compra de alimentos de áreas rurais do Nordeste (principalmente pequenos agricultores) e destinava à comercialização subsidiada ao pequeno varejo localizado na periferia das grandes cidades nordestinas (Petry, 1993);[3] c) implementado em 1993 como emergencial e incorporado no Programa Comunidade Solidária em 1995, o Programa de Distribuição Emergencial de Alimentos (Prodea) articulava a oferta de alimentos presentes nos estoques públicos com a distribuição de cestas básicas à população em situação de vulnerabilidade social.

Ainda que os exemplos citados representem diferentes institucionalidades de compras públicas, o PAA e o PNAE apresentam "novidades" em relação a eles. Em diversos casos mencionados, tratava-se de compras públicas de um único produto, visando a sua regulação de preço e atendendo a pressões de grupos de interesse, notadamente situados no âmbito da produção e comercialização; em outras situações, o objetivo principal consistia em promover o acesso à alimentação aos consumidores (trabalhadores, universitários, escolares ou à população em situação de vulnerabilidade), sem preocupações com a origem dos alimentos e suas repercussões no âmbito da produção.

Diferindo e qualificando as compras públicas, o PAA e o PNAE provocam mudanças nessa trajetória: a) de aquisições públicas de "qualquer" produtor rural brasileiro ou empresa, passa-se a beneficiar a agricultura familiar, os assentados da reforma agrária, os povos indígenas, as comunidades quilombolas e os demais Povos e Comunidades Tradicionais (PCTs) [VER POVOS E COMUNIDADES TRADICIONAIS], com preocupações relativas ao atendimento da diversidade socioeconômica e cultural destas categorias sociais; b) de compras públicas de um único produto e de apoio a cadeias produtivas, estimula-se a diversificação dentro das unidades de produção, por meio da comercialização de um conjunto variado de produtos; c) de aquisições que poderiam envolver grandes distâncias e amplos mercados (ainda que com repercussões no espaço local por meio da interferência na regulação dos preços), promove-se os circuitos curtos de comercialização e a aproximação entre produção e consumo; d) de aquisições de produtos de "qualquer lugar", sem preocupações com articulações entre o local de produção e o lugar de consumo, valoriza-se os produtos do "lugar", relacionados com a cultura produtiva e alimentar regional; e) de aquisições que não tinham preocupações com sistemas produtivos e modelos tecnológicos passa-se a estimular a agroecologia; e, f) de aquisições com foco exclusivo no produtor ou no consumidor, passa-se a promover as reconexões entre produção e consumo e relações virtuosas de fortalecimento da segurança alimentar e nutricional no contexto do território.

Deste modo, ainda que as compras públicas não sejam "novidades" no período recente brasileiro, as mudanças provocadas pelos "novos mercados institucionais" são demarcadoras de mudanças expressivas na trajetória destes. Para além das compras públicas atenderem ao cumprimento de missões governamentais ou necessidades técnicas, passa-se a articular o potencial econômico dessa demanda com outros objetivos sociais, ambientais e culturais associados ao processo de desenvolvimento.

Algumas considerações sobre PAA e PNAE no período recente (2011-2017)

Ao longo de sua trajetória, o PAA sofreu uma série de ajustes, em especial a partir da modalidade da compra institucional, regulamentada em 2012, com a finalidade de atender as demandas regulares de consumo de alimentos, por parte da União, dos estados, do Distrito Federal e dos municípios. O que justificou a criação dessa modalidade foi a expectativa de abertura de novos espaços para a agricultura familiar comercializar sua produção por meio do mercado institucional, com vistas a abastecer parte da demanda da rede de restaurantes universitários e hospitalares, assim como as compras realizadas pelos órgãos das Forças Armadas. Essa iniciativa buscava ainda estimular os estados e municípios a adotar o mesmo procedimento a partir do uso das dotações orçamentárias próprias destinadas à compra de alimentos (Porto, 2014). Por orientação do Ministério do Desenvolvimento Social (MDS), a Companhia Nacional de Abastecimento (Conab) também passou a utilizar essa modalidade para aquisição dos alimentos destinados à composição das cestas de alimentos que vão para acampados, indígenas e quilombolas nos anos de 2013 e 2014. Em 2015, como já comentado, houve uma determinação para que todos os órgãos federais, a exemplo do PNAE, passassem a adquirir pelo menos 30% das compras de gêneros alimentícios oriundas da agricultura de base familiar a partir do uso da modalidade de compra institucional.

Desde então, o PNAE e a compra institucional tornaram-se os principais instrumentos de compras públicas federais da agricultura familiar, em detrimento de outras modalidades do PAA (compra com doação simultânea, formação de estoques e compra direta), o que repercutiu na própria sustentação política e financeira desse programa. Em 2017, foram aplicados no programa apenas 21% do volume dos recursos financeiros (R$ 124,7 milhões) executados em 2012 (ano de maior execução do PAA) (R$ 586,6 milhões de reais), atendendo a 18,7 mil famílias agricultoras (enquanto em 2012 foram 119,9 mil) (Companhia Nacional de Abastecimento, 2018; 2013).

Ademais, é importante considerar que as repercussões produzidas pela compra institucional podem não ser as mesmas que o PNAE e demais modalidades do PAA. De modo geral, as compras institucionais (por envolverem grandes volumes e produtos menos diversificados) tendem a incorporar organizações da agricultura familiar com maior acesso ao mercado formal de alimentos, contemplando principalmente médias e grandes cooperativas (Porto, 2014). Neste contexto:

> O processo de construção social do mercado, que foi um dos grandes avanços do Programa, tende a perder relevância. A tônica do mercado local, o processo de fortalecimento do tecido social, a promoção das relações sociais entre as organizações que fornecem os alimentos e as que os consomem estão perdendo o foco e deixando de ser a prioridade. (Porto, 2014, p. 115-116)

Perspectivas das compras públicas de alimentos

Dialogando com crescente literatura internacional sobre compras públicas sustentáveis, que reivindica a integração de elementos sociais e ambientais nas compras governamentais (Soldi, 2018; Brammer; Walker, 2011), entendemos que os instrumentos de compras públicas de alimentos brasileiros (PAA, PNAE, modalidade compra institucional e outros possíveis mercados) deveriam ser utilizados como ferramentas para a promoção do desenvolvimento rural, em bases sustentáveis, sobretudo promotora da agroecologia, da diversidade da agricultura familiar e do consumo de uma alimentação saudável. Nesse sentido, se faz necessário ampliar os recursos, em especial para os pequenos municípios, pois nestes espaços rurais há maior dificuldade para estabelecer dinâmicas de articulação entre produção e consumo.

Por fim, em que pese a relevância das compras governamentais, é importante destacar o quanto é estratégico para as organizações sociais, vinculadas à agricultura familiar e camponesa, se desafiarem a ampliar as alternativas na perspectiva da construção social de mercados e mudanças nos padrões de produção e consumo em âmbito territorial. Essas alternativas prescindem de criatividade e fortalecimento de mecanismos de reciprocidade entre os diferentes atores que atuam no urbano e rural, com a perspectiva de contribuir para o estabelecimento de uma nova ordem alimentar. Cita-se, como exemplo, a articulação com pequenos supermercados, restaurantes, *chefs* de cozinha, relação direta com consumidores (feiras, cestas de alimentos e outras) e demais alternativas que valorizam a origem social dos alimentos, a desconcentração econômica, a valorização da biodiversidade e promoção da comida de verdade de cada território.

Referências

ASSIS, S. A. F. *Modernização da burocracia das compras públicas:* sistema de registro de preços em uma instituição federal de ensino superior. Lavras, 2015. 173 p. Dissertação (Mestrado Profissional em Administração Pública), Universidade Federal de Lavras.

BRAGATTO, S. A. *Programa de aquisição de alimentos*: segurança alimentar e inclusão social no campo. São Paulo, 2010. Tese (Doutorado em Nutrição Humana Aplicada). Universidade de São Paulo.

BRAMMER, S.; WALKER, H. Sustainable procurement in the public sector: an international comparative study. *International Journal of Operations e Production Management – Int. J. Oper. Prod. Manage*, v. 31, n. 4, p. 452-476, 2011.

BRASIL. Presidência da República. Secretaria-Geral. Subchefia para Assuntos Jurídicos. *Decreto n. 8.473, de 22 de junho de 2015*. Estabelece, no âmbito da Administração Pública federal, o percentual mínimo destinado à aquisição de gêneros alimentícios de agricultores familiares e suas organizações, empreendedores familiares rurais e demais beneficiários da Lei n. 11.326, de 24 de julho de 2006, e dá outras providências. Disponível em: http://www.planalto.gov.br/ccivil_03/_ato2015-2018/2015/decreto/D8473.htm. Acesso em: 22 mar. 2006.

COELHO, C. N. 70 anos de política agrícola no Brasil (1931-2001). *Revista de Política Agrícola*, n. 3, p. 3-58, 2001.

COMPANHIA NACIONAL DE ABASTECIMENTO (CONAB) (Brasil). *Sumário Executivo – 2012*. Brasília: Conab, 2013. Disponível em: https://www.conab.gov.br/component/k2/item/download/23858_c1c592e9e094ca96a3d1169dacfc8c45 Acesso em: 14 jul. 2020

COMPANHIA NACIONAL DE ABASTECIMENTO (CONAB) (Brasil). *Compêndio de Estudos Conab / Companhia Nacional de Abastecimento*. v. 13. Brasília: Conab, 2018. Disponível em: https://www.conab.gov.br/component/k2/item/download/17417_4b331bfd304f48b58e83dba1f579f78e. Acesso em: 14 jul. 2020

DELGADO, G. C.; CONCEIÇÃO, J. C. P. R. Políticas de preços agrícolas e estoques de alimentos: origens, situação atual e perspectivas. *Revista Paranaense de Desenvolvimento*, Curitiba, n. 108, p. 25-32, jan.-jun. 2005.

DEPARTMENT OF TRADE AND INDUSTRY (DTI). (África do Sul). *South Africa's Economic Transformation:* A Strategy for Broad-Based Black Economic Empowerment. Cape Town (South Africa): DTI, 2003.

EUROPEAN COALITION FOR CORPORATE JUSTICE (ECCJ). *Sustainable Procurement in the European Union:* Proposals and Recommendations to the European Commission and the European Parliament. Bruxelas (Bélgica), 2007.

FLIGSTEIN, N.; DAUTER, L. The sociology of markets. Annual review of sociology. n. 33, p. 105-128, 2007.

FOGAGNOLI, M. M. "Almoçar bem é no SAPS!": os trabalhadores e o Serviço de Alimentação da Previdência Social (1940-1950). Niterói, 2011. 119 p. Dissertação (Mestrado em História). Universidade Federal Fluminense.

GRISA, C. As redes e as instituições do Programa de Aquisição de Alimentos (PAA). *Revista Brasileira de Gestão e Desenvolvimento Regional,* v. 6, n. 2, p. 97-129, 2010.

GRISA, C.; PORTO, S. I. Dez anos de PAA: as contribuições e os desafios para o desenvolvimento rural. *In:* GRISA, C.; SCHNEIDER, S. (org.) *Políticas públicas de desenvolvimento rural no Brasil.* Porto Alegre: Editora UFRGS, 2015, p. 155-180.

HADDAD, M. R. *O restaurante central como mecanismo de assistência estudantil:* um estudo na Universidade Federal do Espírito Santo. Vitória, 2013. 114 f. Dissertação (Mestrado em Administração Pública). Universidade Federal do Espírito Santo.

MACIEL, L. R. *MIA de Alimentos:* potencialidades e limites para a agricultura familiar. Brasília, 2008. 132 f. Dissertação (Mestrado em Agronegócios). Programa de Pós-Graduação em Agronegócio, Universidade de Brasília.

MALUF, R. S. Ações públicas locais de Apoio à Produção de Alimentos e à Segurança Alimentar. *Polis papers,* São Paulo, n. 4. Instituto Pólis, 1999.

MCCRUDDEN, C. Using public procurement to achieve social outcomes. *Natural Resources Forum* (a United Nations Sustainable Development Journal), v. 28, n. 4, p. 257-67, 2004.

MORGAN, K.; SONNINO, R. Repensando a alimentação escolar: o poder do prato público. *In:* ASSADOURIAN, E. (org.). *Estado do mundo:* estado do consumo e o consumo sustentável. Salvador, BA: Uma Editora, 2010, p. 72-78.

NEE, V.; INGRAM, P. Embeddedness and beyond: institutions, exchange, and social structure. *In:* BRINTON, M. C.; NEE, V. (org.) *The new institutionalism in sociology.* New York: Russel Sage Foudation, 1998.

NIEDERLE, P. A. *Compromissos para a qualidade:* projetos de indicação geográfica para vinhos no Brasil e na França. Soropédica (RJ), 2011. 264 p. Tese (Doutorado de Ciências Sociais em Desenvolvimento, Agricultura e Sociedade). Universidade Federal Rural do Rio de Janeiro.

PETRY, A. L. G. *Aspectos socioeconômicos e adequação alimentar em áreas periféricas urbanas do Recife.* Recife (PE), 1993. Dissertação (Mestrado em Economia e Sociologia). Universidade Federal de Pernambuco.

PORTO, S. I. *Programa de Aquisição de Alimentos (PAA):* Política Pública de Fortalecimento da Agricultura Familiar e da agroecologia no Brasil. Espanha, 2014. Dissertação (Mestrado em Agroecologia) – Instituto de Sociología y Estudios Campesinos – ISEC, Universidad Internacional de Andalucía, Universidad de Córdoba, Universidad Pablo de Olavide de Sevilla.

SOLDI, R. *Sustainable public procurement of food.* União Europeia, 2018. Disponível em: https://op.europa.eu/en/publication-detail/-/publication/b1b7d65b-5334-11e8-be1d-01aa75ed71a1/language-en Acesso em: 14 jul. 2020.

SQUEFF, F. H. S. O poder de compras governamental como instrumento de desenvolvimento tecnológico: análise do caso brasileiro. *Texto para discussão 1922* – Instituto de Pesquisa Econômica Aplicada. Brasília: Rio de Janeiro: Ipea, 2014.

STEURER, R. *et al.* Sustainable Public Procurement in EU Member States: Overview of government initiatives and selected cases. *Final Report to the EU High-Level Group on CSR.* Viena (Áustria): Vienna University of Economics and Business Administration, 2007. Disponível em: https://sustainability.eu/pdf/csr/policies/Sustainable%20Public%20Procurement%20in%20EU%20Member%20States_Final%20Report.pdf. Acesso em: 15 jul. 2020.

THAI, K. V. Public procurement re-examined. *Journal of public procurement,* v.1, n. 1, p. 9-50, 2001.

UYARRA, E.; FLANAGAN, K. Understanding the innovation impacts of public procurement. *European planning studies,* v. 18, n. 1, p. 123-143, 2010.

Notas

1 Partes deste texto já foram discutidas em Grisa; Porto (2015).

2 Conforme Fogagnoli, (2011, p. 14), "segundo o argumento do governo, os Postos beneficiariam tanto os trabalhadores, enquanto consumidores, quanto aos produtores e fornecedores dos gêneros, que teriam seu mercado garantido e suas atividades desenvolvidas. Desse modo, argumentavam, os Postos

de Subsistência seriam uma obra completa por beneficiar tanto os trabalhadores quanto a economia nacional".

3 Os preços finais ao consumidor foram elaborados considerando margem de 7% para a Cobal (custos de logística e distribuição) e 11% para varejista sobre o preço de aquisição dos bens dos pequenos agricultores (Petry, 1993).

CONHECIMENTO AGROECOLÓGICO

Eugênio A. Ferrari
Nívia Regina Silva
Márcio Gomes da Silva

Ao tratar do tema conhecimento agroecológico, situamos a concepção de agroecologia na materialidade dos diferentes tempos/espaços em que se constrói o conhecimento, bem como a diversidade de sujeitos sociais e coletivos envolvidos nessa construção. Destacamos a importância da interação entre diferentes sujeitos (técnicos/as, agricultores/as, pesquisadores/as, estudantes) na produção, divulgação e uso do conhecimento produzido nessa interação. Traçamos alguns princípios que ajudam a orientar as diferentes práticas estabelecidas em diferentes tempos/espaços de construção do conhecimento agroecológico (ensino, pesquisa, extensão e processos educativos desenvolvidos por movimentos populares).

Muitas vezes, pensamos o conhecimento como algo dado e produzido previamente, distante de nós, como algo externo que possui uma superioridade inquestionável. Mas o processo de construção do conhecimento se dá na ação transformadora da realidade. É na experiência social, por meio da relação do trabalho, que o ser humano transforma a realidade e, "atuando sobre a natureza externa e modificando-a, ao mesmo tempo modifica sua própria natureza" (Marx, 2013, p. 211). Nesse sentido, o trabalho [ver Trabalho] é um elemento fundante da formação humana, ou seja, do ser social.

No que se refere à agricultura, historicamente o ser humano desenvolveu, a partir da interação com a natureza, um repertório de conhecimentos ecológicos sobre os processos produtivos que configuravam estratégias de usos múltiplos dos recursos naturais. Nesse contexto, o trabalho era marcado por técnicas de manejo das paisagens que garantiam a reprodução da unidade produtiva. Essa lógica permanece na agricultura camponesa, na forma como se estabelece a relação ser humano-natureza nesse tipo de agricultura e, em certa medida, garante a reprodução socioeconômica e sociocultural das famílias.

Entretanto, esse modo de apropriação do ecossistema presente na

C

agricultura tradicional ou camponesa se modifica, principalmente a partir da revolução industrial e científica. À medida que o capitalismo se efetiva e "integra" a agricultura no processo de reprodução do capital, se modificam também essas relações de produção (ser humano-natureza) e, consequentemente, as formas de produção de conhecimento. Um conhecimento que era produzido e compartilhado pela cultura, pela relação íntima com os ciclos ecológicos se artificializa, se torna mercadoria.

É a partir da expansão da agricultura capitalista, marcada historicamente pela modernização da agricultura, que se constitui a forma hegemônica de se fazer agricultura. A produção de conhecimento nesse contexto é marcada pela artificialização, pela padronização, pelo uso de insumos químicos, mecanização, por monoculturas, em contraponto à agricultura camponesa. Essa agricultura tem arraigado na cultura e nos modos de vida um repertório específico de conhecimento acerca do funcionamento dos *agroecossistemas* [VER AGROECOSSISTEMAS].

É a partir dessa contradição que se constitui a agroecologia como ciência, prática e movimento. A partir dessa concepção se estruturam diferentes tempos/espaços de produção de conhecimento. Seja na estruturação de processos de intervenção social, seja na conformação de pesquisas científicas, o pressuposto é que esse conhecimento seja compartilhado e, ao mesmo tempo, desenvolva processos sociais capazes de promover sistemas agroecológicos.

Concepção de agroecologia e conhecimento agroecológico

Podemos compreender a dimensão epistemológica da agroecologia enquanto ciência, prática e movimento (Wezell *et al.*, 2009). Como ciência, a agroecologia se configura em um paradigma multidisciplinar, que tem seus fundamentos científicos desenvolvidos a partir dos estudos vinculados à ecologia, botânica e outras áreas, a partir de agriculturas tradicionais e camponesas. Foi por meio do diálogo entre cientistas e camponeses, na diversidade expressa nesses modos de vida e de técnicas utilizadas na agricultura tradicional, que se elaboraram os fundamentos científicos da agroecologia (Altieri, 2012).

Como prática, a agroecologia ressignifica práticas tradicionais de manejo dos agroecossistemas. Essas práticas reúnem características em seu interior que são fundamentais na produção do conhecimento. A interação ser humano-natureza, estabelecida nessas formas de agricultura em diferentes biomas, é um princípio ecológico e educativo importante e nos serve como referência de produção de conhecimento. Também orienta a elaboração de técnicas e tecnologias adaptadas às especificidades locais.

Cabe realçar o papel das mulheres camponesas, portadoras legítimas de conhecimentos agroecológicos que lhes permitem captar o potencial dos agroecossistemas com os quais convivem há gerações. Destaca-se um significativo conhecimento sobre os recursos genéticos e fitogenéticos, assegurando por meio de sua atividade produtiva as bases para a segurança e soberania alimentar [VER SOBERANIA E SEGURANÇA ALIMENTAR].

Como movimento, a agroecologia está associada à luta pela construção de um projeto de campo no qual a socialização da propriedade da terra (e a reforma agrária popular), a diversidade cultural dos povos do campo, as diferentes formas de trabalho camponês, a luta das mulheres e a construção social de mercados se colocam como pautas e temas nos processos de construção de conhecimento. Essa dimensão demonstra que a agroecologia é parte integrante da ação política, e das lutas contra os processos de opressão do capital e do agronegócio.

Processo de produção e disseminação do conhecimento agroecológico

A partir dessa concepção de agroecologia, é possível adentrarmos na materialidade dos processos sociais na qual o conhecimento agroecológico é produzido. O termo "construção e disseminação do conhecimento agroecológico" vem sendo utilizado para se referir a um conjunto de práticas desenvolvidas por organizações da sociedade civil, movimentos populares, universidades e institutos de pesquisa e extensão rural, junto à agricultores/as. Para a Associação Brasileira de Agroecologia (ABA-Agroecologia), o termo é utilizado:

> [...] para referir-se a processos de produção e disseminação coletiva de novos conhecimentos sobre a gestão dos agroecossistemas que buscam, tanto quanto possível, mobilizar a efetiva participação de profissionais de distintos ramos do saber científico acadêmico e de agricultores/as, além de promover uma maior integração entre as ações de ensino, pesquisa, assistência técnica e extensão rural. (Associação Brasileira de Agroecologia, 2007)

Nessa perspectiva, alguns componentes são apresentados como princípios, como uma forma de orientação teórico-prática de produção do conhecimento a partir do enfoque da agroecologia. Podemos destacar duas principais: a interação entre diferentes sujeitos (técnicos/as, agricultores/as, pesquisadores/as, estudantes) e a divulgação, acesso e uso do conhecimento produzido a partir dessa interação.

Para tanto, pressupõe-se uma forma de produção científica que deva ser participativa, e permita, a partir da práxis agroecológica, compreender que existem outros critérios de validação, outras formas de pensar, de organizar e sistematizar o conhecimento (Arroyo, 2014). Para que isso ocorra, é necessária uma mudança nas relações sociais de produção científica.

Nesse sentido, os sujeitos da pesquisa devem ser compreendidos como pesquisadores/as experimentadores/as, como sujeitos de conhecimento. O conhecimento produzido nessa relação deve ser acessível, de forma que contribua para mudanças profundas nos sistemas produtivos e na ampliação das práticas agroecológicas.

Para a Associação Brasileira de Agroecologia (ABA), a definição a respeito da construção e disseminação do conhecimento agroecológico "[...] se faz mediante a revalorização dos saberes locais sobre o uso e manejo dos recursos naturais e sua integração como os saberes de origem acadêmica" (Associação Brasileira de Agroecologia, 2007, p. 9).

Nessa definição, destaca-se a "sinergia entre cultura e ciência" (Associação Brasileira de Agroecologia, 2007, p. 9), a relação entre uma forma de conhecimento ancorada na cultura

C

camponesa, mobilizada para o manejo dos agroecossistemas e a relação desse conhecimento na elaboração de fundamentos científicos. Pressupõe-se, nessa definição, que a partir de metodologias participativas é possível favorecer a "criação de canais horizontais de diálogo entre os conhecimentos dos/as agricultores/as e dos/as técnicos/as" (Associação Brasileira de Agroecologia, 2007, p. 9).

Portanto, na produção do conhecimento agroecológico, destacam-se alguns princípios, tais como: i) o diálogo de saberes, ou seja, a relação entre diferentes formas de conhecimento; ii) os princípios ecológicos da agricultura, do qual se tem o entendimento das interações do ecossistema que dão suporte para a elaboração de práticas sustentáveis; iii) os métodos participativos como ferramenta, como instrumento que permite o diálogo entre técnicos/as e agricultores/as; e entre agricultores/as. Esses princípios orientarão as diferentes práticas estabelecidas em diferentes tempos/espaços de construção do conhecimento agroecológico [VER EDUCAÇÃO POPULAR EM AGROECOLOGIA; METODOLOGIAS EMANCIPATÓRIAS].

Também no âmbito da chamada "extensão rural", após uma elaboração crítica do processo de difusão de tecnologias implementadas pela Revolução Verde [VER REVOLUÇÃO VERDE], o enfoque agroecológico resultou em um entendimento de que o conhecimento local é fundamental na construção e disseminação do conhecimento agroecológico, ou seja, a realidade vivida pelos camponeses e camponesas deve mediar o processo educativo. Portanto, não se trata de difundir conhecimentos para alguém que se supõe não detê-los, mas sim de construir juntos as soluções aos desafios socioecológicos que se apresentam.

Partindo do pressuposto de que as experiências concretas dos sujeitos do campo sobre manejo, os processos organizativos, a construção de mercados, dentre outros são fontes de saberes, podemos estabelecer alguns aspectos orientadores de construção e disseminação do conhecimento agroecológico. São eles: i) organização das intervenções sociais a partir da realidade vivida pelos sujeitos do campo; ii) reconhecimento das iniciativas locais e das formas sócio-organizativas, de trabalho coletivo, como forma a otimizar o uso dos recursos locais; iii) a compreensão de que a interação entre os/as agricultores/as, que também são portadores de conhecimento, produz um conhecimento novo, que em diálogo com o conhecimento científico pode contribuir para a superação das problemáticas locais.

No âmbito do ensino (escolar e não escolar), temos processos relacionados a formações estruturadas de cursos superiores, cursos técnicos, escolas do campo, centros de formação e cursos não formais, além da agroecologia como prática e como ciência tomando forma de currículo, de complexos de estudos, de temas geradores. Nesse sentido, algumas contribuições são importantes para pensarmos a construção e disseminação do conhecimento agroecológico no ambiente acadêmico/escolar.

Compreendemos que a educação em agroecologia [VER EDUCAÇÃO EM AGROECOLOGIA] pode ter como referência importante a Educação do Campo, seja pelas experiências das escolas do campo, seja por processos formativos no âmbito dos movimentos populares, uma vez que:

> No plano da práxis pedagógica, a Educação do Campo projeta o futuro quando recupera o vínculo essencial entre a formação humana e a produção material da existência, quando concebe a intencionalidade educativa na direção de novos padrões de relações sociais pelos vínculos com novas formas de produção. (Caldart, 2012, p. 263).

Há princípios pedagógicos que podem orientar a construção do conhecimento agroecológico: i) a interdisciplinaridade como fundamento epistemológico básico que materializa a complexidade; ii) a valorização do trabalho pedagógico partilhado/coletivo; iii) a formação científica e teórica articulada à prática e ao trabalho socialmente necessário; iv) a pesquisa como constituinte do processo educativo.

A compreensão do trabalho como princípio educativo (compreensão do processo de produção da existência em geral e em particular dos camponeses) pode orientar a elaboração de conteúdos curriculares (de escolas e universidades) e de processos formativos no âmbito dos movimentos populares. Dessa forma, as bases científicas da agroecologia, bem como os processos sócio-organizativos dos camponeses, podem ser apreendidas em um vínculo direto com a realidade agrária na qual estão inseridos. Os processos de trabalho no campo são pilares essenciais do projeto educativo voltado para a construção e disseminação do conhecimento agroecológico.

Apesar de termos abordado a pesquisa, a "extensão" e o ensino como tempos/espaços distintos, é preciso destacar que, em uma abordagem agroecológica, estes processos se articulam e se entrecruzam, são indissociáveis. Assim como são indissociáveis a teoria e a prática, também é a agroecologia como ciência, prática e movimento.

No âmbito dos movimentos populares, podemos dizer que há um conhecimento agroecológico produzido não só nas dinâmicas organizativas dos movimentos de camponeses e de populações tradicionais, mas também no que se denomina como "movimento agroecológico" no Brasil. Um movimento que tem uma identidade coletiva que se contrapõe a sujeitos políticos que constroem um modelo de desenvolvimento baseado no agronegócio. Esse movimento tem contribuído para organizar e conscientizar a sociedade a partir de sua própria experiência, articulando um projeto de vida e de sociedade no qual a agroecologia ocupa um lugar de destaque.

O conhecimento gerado no seio deste movimento tem sido construído a partir de uma práxis política inovadora assentada na realização de leituras compartilhadas sobre os conflitos e projetos em disputa no campo brasileiro. Essas leituras são feitas a partir da sistematização participativa de experiências que evidenciam a contribuição da agroecologia no importante papel que a agricultura familiar camponesa e populações tradicionais cumprem para o conjunto da sociedade.

Produz-se um entendimento coletivo a partir da realização de encontros, caravanas agroecológicas e culturais, jornadas de agroecologia, feiras de trocas de sementes, realizadas nos âmbitos local, regional e nacional, dentre outras atividades. Dessa forma, se produz conhecimentos relacionados tanto à prática da agroecologia (de manejo, comercialização etc.) quanto a aspectos metodológicos e de ação política (ação política de enfrentamento e diálogo com a sociedade).

O movimento agroecológico consegue, a partir de sua ação, ampliar a esfera pública de debate sobre os rumos do desenvolvimento do campo para o Brasil e demonstrar para a sociedade a importância de apoiar a agroecologia. Por meio desse movimento, a sociedade toma conhecimento sobre os conflitos socioambientais e as propostas de superação desses conflitos. São diferentes temas mobilizados e debatidos junto ao conjunto da sociedade.

A agroecologia como bandeira de luta de diferentes movimentos populares revela que a superação do desenvolvimento capitalista do campo requer transformações em diferentes âmbitos. Transformações que, para alcançar escala e abrangência, necessitam de políticas públicas. E uma dimensão importante no crescimento da agroecologia no Brasil foi justamente a necessidade de construir e implementar políticas públicas de promoção da agroecologia. A partir de muita pressão e incidência dos movimentos populares do campo, especialmente das mulheres agricultoras, foram formuladas e implementadas políticas públicas que contribuíram para o fortalecimento da agricultura familiar e dos povos e comunidades tradicionais.

Houve, neste processo de incidência, a construção e disseminação de conhecimentos sobre a realidade vivida por camponeses/as, o que permitiu a elaboração de programas e ações voltadas às necessidades concretas das populações, adaptadas aos contextos socioculturais e ecológicos locais, executadas por organizações da sociedade civil. Isso gerou um grande impacto nos territórios, da mesma forma que pode garantir autonomia, qualidade de vida, renda e segurança alimentar.

Em síntese, o conhecimento agroecológico não está dado, ele está em permanente construção. E se constrói a partir da relação dos seres humanos com a natureza, por meio de práticas de manejo e de processos de trabalho vinculados à agricultura camponesa em articulação com os conhecimentos socialmente produzidos.

É a partir dessa referência que se constituem os princípios epistemológicos da agroecologia, que são compartilhados por uma relação de produção científica que considera os diferentes tipos de saberes presentes no campo e, ao mesmo, tempo questiona a produção científica dominante.

No âmbito da extensão rural, o conhecimento agroecológico se produz por meio de um processo dialógico, no qual se estabelecem relações horizontais entre os diferentes sujeitos e formas de conhecimento.

No âmbito do ensino, a construção do conhecimento em agroecologia tem referências na Educação do Campo, nos dispositivos pedagógicos que vinculem os processos vividos pelos camponeses/as às bases científicas da agroecologia.

Para a efetiva ampliação da agroecologia e superação do modelo de agricultura capitalista, que tem sua expressão no agronegócio, a construção e disseminação do conhecimento em agroecologia se dá no âmbito dos movimentos populares. Esses movimentos são fundamentais para incidência em políticas públicas voltadas para as populações do campo e para o diálogo com o conjunto da sociedade sobre o entendimento do porquê devemos apoiar a agroecologia.

Referências

ARROYO, M. G. *Outros sujeitos, outras pedagogias.* Petrópolis: Vozes, 2014.
ASSOCIAÇÃO BRASILEIRA DE AGROECOLOGIA (ABA). *Construção do conhecimento agroecológico.* Brasília-DF: ABA, 2007.
ALTIERI, M. *Agroecologia: as bases científicas para uma agricultura sustentável.* São Paulo/Rio de Janeiro: Expressão Popular/ASPTA 2012.
CALDART, R. S. Educação do Campo. *In*: CALDART, R. S. *et al. Dicionário de educação do campo.* Rio de Janeiro/São Paulo: Escola Politécnica de Saúde Joaquim Venâncio/Expressão Popular, 2012.
MARX, K. *O capital*: Crítica da Economia Política: livro I. 31ª ed. Rio de Janeiro: Civilização Brasileira, 2013, p. 211- 231.
WEZELL, A. *et al.* Development Agroecology as a science, a movement and a practice. A review. *Agronomy for Sustainable Development.* v. 9, n. 4, p. 503-515, 2009.

Para saber mais

PETERSEN, P. e DIAS, A. (org.) *Construção do conhecimento agroecológico:* novos papéis, novas identidades. Caderno do II Encontro Nacional de Agroecologia. Articulação Nacional de Agroecologia, jun. 2007.
REVISTA AGRICULTURAS: Experiências em Agroecologia. Rio de Janeiro, v. 10, n. 2, 2013. Construção Social dos Mercados. Disponível em: http://aspta.org.br/revista/v10-n2-construcao-social-dos--mercados/. Acesso em: 22 mar. 2021.
Outros materiais de apoio (inclusive vídeos) podem ser encontrados nos seguintes *sites*: ASPTA. Disponível em: http://aspta.org.br/revista-agriculturas/; Acesso em: 22 mar. 2021.
Agroecologia. Disponível em: http://www.agroecologia.org.br/; Acesso em: 22 mar. 2021.
Associação Brasileira de Agroecologia. Disponível em: http://aba-agroecologia.org.br/wordpress/projeto-neas/varal-de-saberes/. Acesso em: 22 mar. 2021.

CONSTRUÇÃO SOCIAL DE MERCADOS

Paulo André Niederle
Julian Perez-Cassarino

Sem mercados não há agroecologia! Esta frase pode soar como uma heresia. De fato, ela é exatamente isso, pois contraria as doutrinas estabelecidas tanto por alguns economistas quanto por certos movimentos sociais. O objetivo deste verbete é precisamente argumentar por que os mercados e, mais especificamente, os processos de construção social dos mercados, são tão essenciais para a agroecologia. Para tanto, primeiro apresentamos a compreensão de agroecologia que nos orienta nesta reflexão. Em seguida, discutimos o papel dos mercados em face desta compreensão. Segue a isso a discussão dos principais referenciais teóricos para uma análise não economicista dos mercados. Por fim, apresentamos algumas pistas para uma agenda de pesquisa sobre mercados e agroecologia.

A agroecologia já se tornou muito mais do que uma ciência, uma prática e um movimento social. Nos termos de Karl Polanyi (1980), como um dos principais teóricos da formação dos mercados modernos, poderíamos dizer que a agroecologia se tornou expressão de um amplo "contramovimento" social ao modo como o capitalismo produziu um processo de "desenraizamento" da economia em relação ao conjunto de instituições, valores e crenças que organizam as sociedades. Em outras palavras, a agroecologia se tornou uma espécie de paradigma ou referencial alternativo àquele que foi imposto pelos atores dominantes no moderno sistema agroalimentar, tais como as corporações transnacionais, os fundos de investimentos e as redes de supermercados [VER IMPÉRIOS ALIMENTARES].

Neste sentido, a agroecologia não é apenas uma alternativa de produção agrícola, e tampouco se restringe a um ou outro movimento social. Ela apresenta uma alternativa societária de transição para o conjunto do sistema agroalimentar. E é por isso que sem mercados não há agroecologia. Essa transição civilizatória para novos modelos de produção e consumo passa necessariamente pela construção de novos espaços de troca; mercados nos quais as relações econômicas não são baseadas prioritariamente no interesse utilitário dos agentes envolvidos. Essa ampla transição depende da construção de redes alimentares cívicas, nas quais os valores associados à defesa dos bens comuns se sobrepõem à lógica da mercadoria [VER BENS COMUNS].

A visão construída pelos economistas neoclássicos é de que os mercados são o resultado do cálculo racional realizado pelo agente econômico. Nesta perspectiva, as relações de mercado não sofreriam influências de cunho cultural e social. Possíveis desvios da lógica racional, como o oportunismo e a má-fé, seriam resolvidos pela recorrência das transações, ou seja, a partir do momento em que alguém se sente prejudicado ou insatisfeito, passaria a negociar com outro vendedor ou comprador. Esta lógica, apesar de simplória, responde por um dos grandes pilares de sustentação do que hoje denominamos de neoliberalismo, a ideia de que a suposta livre concorrência pode ser a base de sustentação da economia global, sendo uma das principais justificativas para a redução do papel do Estado, deixando que as "forças do mercado" regulem a economia.

Porém, nada mais distante da definição desses mercados do que a ideia de um mecanismo abstrato e impessoal regido por uma lógica "racional". Mercados são espaços sociais concretos, erigidos pelas mãos visíveis de sujeitos sociais reais, portadores de interesses, mas também de valores, crenças e ideais. E isso não é válido apenas para os mercados ditos "alternativos". Todos os mercados são espaços sociais que operam com lógicas muito distintas do que imagina a economia neoclássica. Isto significa que não apenas as feiras livres, mas também as negociações nas bolsas de valores estão imersas em relações pessoais, morais e políticas, ou seja, o mercado não é aquele ente autônomo, sem face; ele é permeado por pessoas e influenciado pelas relações e interesses que entre elas se estabelecem. O que se altera de um caso para o outro são os atores e os sentidos predominantes nas ações econômicas.

Os mercados são muito importantes para serem deixados apenas aos economistas, sobretudo para aqueles que não enxergam ali nada além de curvas de oferta e demanda. Foi por isso que, a partir dos anos 1980, estes espaços sociais também se tornaram objeto de crescente interesse de sociólogos e antropólogos. Ancorados nos estudos clássicos de autores como Karl Marx, Max Weber, Karl Polanyi, Georg Simmel, Thorstein Veblen, Werner Sombart, Joseph Schumpeter, dentre outros, os cientistas sociais romperam o muro que até então separava os mercados das demais esferas sociais. Os fenômenos econômicos se tornaram fatos sociais nas mãos de autores como Mark Granovetter, Neil Fligstein, Michel Callon, Viviana Zelizer, Richard Swedberg, Philippe Steiner, Luc Boltanski, Laurent Thévenot, Jens Beckert, Fred Block, Ronald Burt, Peter Evans, dentre outros (Smelser; Swedberg, 2005).

Estes autores desenvolveram diferentes abordagens para a análise dos mercados. Alguns se apoiaram na metáfora das "redes" para tratar, sobretudo, das múltiplas conexões entre diferentes tipos de atores sociais (Granovetter, Callon, Burt). Essas análises demonstraram o papel dos laços sociais na articulação de "pontes" que, por exemplo, facilitam a aproximação de produtores e consumidores. Em grande medida, foi a partir dessa discussão que emergiu a literatura contemporânea sobre redes alimentares alternativas e circuitos curtos de comercialização (Wilkinson, 2008; Goodman; Dupuis; Goodman, 2012; Gazolla; Schneider, 2017).

Outros autores privilegiaram um olhar para as dinâmicas conflitivas nos mercados. A metáfora dos "campos sociais" teve um papel relevante neste sentido. A partir dela foram arquitetadas análises sobre as disputas políticas entre atores "incumbentes" e "desafiantes" pelo controle da produção das instituições (regras, normas, valores, padrões, classificações etc.) que definem como as transações econômicas devem ocorrer e, portanto, que estabelecem hierarquias na divisão dos recursos econômicos (Fligstein, Beckert). Com relação ao sistema agroalimentar, esta leitura esteve presente, por exemplo, em estudos sobre as estratégias das empresas e as disputas envolvendo a produção de normas de qualidade (Mazon, 2016; Magalhães, 2009).

Na esteira das discussões sobre mercados como construções políticas, também ganhou força a análise das interações entre mercados, Estado e Movimentos Sociais (Fligstein, Block, Evans). Aqui, por um lado, se destacam as pesquisas acerca da transformação do papel do Estado que, para além da regulação da atividade econômica, passou a atuar mais diretamente na construção de novos mercados, com destaque para os programas de compras governamentais (Perez-Cassarino *et al.*, 2016; Grisa *et al.*, 2011). Em contrapartida, esta agenda também incorporou uma preocupação com a ação política dos movimentos sociais organizados na construção de mercados, às vezes de maneira articulada com a ação estatal. Os exemplos são inúmeros: os mercados da reforma agrária criados pelas organizações do Movimento Sem Terra; os circuitos de comércio justo e economia solidária impulsionados por associações e cooperativas; os novos modelos de distribuição amparados por movimentos de consumidores, dentre tantos outros (Wilkinson, 2008; Portilho, 2009; Perez-Cassarino, 2012).

Outra porta de entrada para a compreensão dos mercados como construções sociais esteve associada a um olhar mais detido para a diversidade de valores que orientam a ação econômica (Boltanski, Thévenot, Zelizer). Estes estudos procuraram desvelar que o comportamento dos atores não se pauta apenas pelo interesse utilitário, mas por um complexo conjunto de convenções que é distinto de uma realidade social para outra. Com isso, por um lado, se demonstrou que não existe uma única lógica ou racionalidade mercantil. No máximo, poder-se-ia falar em "racionalidades situadas". Por outro lado, também se tornou claro que os agentes econômicos incorporam diferentes valores e lógicas dependendo do contexto em que estão imersos. Isto implica, por exemplo, que o comportamento de um agricultor se altera quando interage com uma agroindústria ou diretamente com um consumidor.

Para não nos estendermos demasiadamente, um último conjunto de pesquisas que poderíamos referir abarca os estudos sobre a capacidade performativa dos dispositivos institucionais e sociotécnicos na construção dos mercados (Callon, Thévenot). Neste caso, o foco volta-se para o modo como padrões, regras, classificações e tecnologias criam trajetórias de inovação que potencializam e, ao mesmo tempo, limitam as trocas econômicas. Com relação ao sistema agroalimentar, um objeto particularmente relevante nestes estudos foram os sistemas de certificação, incluindo os estudos sobre o papel que estes dispositivos possuem na estruturação do mercado de alimentos orgânicos (Niederle; Radomsky, 2017).

Como essas pesquisas sobre construção social de mercados podem servir aos debates sobre agroecologia? Que passos podem ser dados na direção de uma agenda de pesquisas que identifique quais mercados podem potencializar os valores de democracia alimentar e justiça socioambiental que definem a agroecologia como alternativa de transição para o sistema agroalimentar?

Nos últimos anos, avanços importantes foram realizados na perspectiva de identificar as especificidades dos mercados locais e circuitos curtos de abastecimento. As contribuições das feiras livres para a promoção da agroecologia estão amplamente documentadas. O mesmo pode ser dito em relação aos "mercados institucionais" relacionados aos programas governamentais. Não obstante, ainda existem inúmeras trilhas praticamente inexploradas. A primeira delas diz respeito à configuração de novos esquemas de comercialização direta mediados por novos sistemas de informação. Como a mediação da ação econômica por dispositivos eletrônicos afeta as relações entre produtores e consumidores no que diz respeito à construção de valores sociais? Como relações de solidariedade, empatia e reciprocidade características das formas presenciais de venda direta se configuram quando estes dispositivos entram em ação?

Uma segunda trilha a explorar diz respeito ao alargamento dos circuitos locais para redes alimentares mais extensas. Também neste caso, uma questão central é como fazer com que um alimento agroecológico, portador de inúmeros valores e significados, carregue consigo estas "qualidades" ao longo de toda sua trajetória social do agricultor até o consumidor. De certo modo, disto depende a possibilidade de reconhecimento da sociedade de todas as contribuições da agroecologia ao meio ambiente, à saúde, à cultura etc. Em alguma medida, espera-se que as marcas e os selos de certificação deem conta de expressar estes valores. Mas eles nunca conseguem apreender todos os valores do alimento. Que outros mecanismos podem contribuir neste sentido?

Um desafio que tem sido enfrentado nos últimos anos, mas que ainda requer pesquisas mais aprofundadas, diz respeito à articulação entre diferentes redes, incluindo os chamados "mercados convencionais". Nem os agricultores, muito menos os consumidores, limitam suas relações a um único tipo de mercado. Ambos circulam entre diferentes "ordens alimentares" (Niederle; Wesz Jr., 2018). A questão é como eles gerem práticas e discursos contraditórios, muitas vezes antagônicos. Saem da feira orgânica para almoçar no McDonalds e, aparentemente, está tudo bem. Mas e se não estiver? E se isto implica em uma incapacidade de organizar as dietas alimentares com profundas consequências não apenas fisiológicas, mas também cognitivas? Esta é uma área nebulosa de pesquisas que aproxima a socioantropologia dos mercados da psicologia social.

Associada a esta discussão, coloca-se na pauta a própria questão da transição agroecológica do sistema agroalimentar. Duas posições têm caracterizado este debate. De um lado estão pesquisadores que identificam sinais de esgotamento do regime alimentar dominante e, a partir disso, as brechas para uma transição radical na direção de sistemas sustentáveis de produção e consumo (Ploeg, 2008). De outro, pesquisadores mais céticos sobre tal nível de ruptura. Estes preferem apontar para a coexistência de diferentes mundos ou ordens alimentares, cada qual operando a partir de relações mais ou menos específicas, mas com inúmeros pontos de hibridização. Nesta perspectiva, a agroecologia seria a expressão de uma "ordem cívica" emergente (Niederle; Wesz Jr., 2018).

E o que viria a ser essa nova "ordem cívica"? Trata-se de olhar para a agroecologia, como já dissemos, como estratégia para repensar e redesenhar os sistemas alimentares como um todo, em que os mercados cumprem um papel fundamental. Nesse sentido, podemos inclusive falar de uma perspectiva agroecológica de construção social dos mercados. Desse ponto de vista, as diferentes teorias e leituras aqui apresentadas sobre o enraizamento social dos mercados se traduzem na construção de mercados que promovam espaços de sociabilidade e troca entre agricultores e consumidores, espaços esses que convivam e se sobreponham às relações mercantis (Marques; Conterato; Schneider, 2016).

Ao mesmo tempo, a autonomia dos/as agricultores/as na gestão dos mercados cumpre um papel fundamental no seu enraizamento social, o que pode ser entendido, por exemplo, como sua capacidade de definir os locais e formatos de comercialização dos produtos, participar na formação de preços dos produtos e gerar processos de organização social e comunitária a partir dos mercados. Em contrapartida, a mobilização e organização dos/as trabalhadores/as urbanos, sobretudo por meio de grupos de consumo e compras coletivas, estruturaram redes sociais em torno das relações de mercado.

Apenas como referência de como se materializam essas relações em variadas formas de mercados, podemos falar das feiras agroecológicas em seus mais diversos formatos, de pequenos a grandes municípios, centralizadas, descentralizadas, em escolas, igrejas, praças públicas, feiras ambulantes (em ônibus ou caminhões) e com os mais diversos processos de organização social em seu entorno. Apesar de poderem ser tomadas como um "símbolo" das formas alternativas de mercados, as feiras estão longe de representar a gama de possibilidades que se desenvolvem no âmbito da agroecologia atualmente. Entregas de cestas; grupos de compras coletivas; vendas de casa em casa; em beiras de estrada; centros de comercialização (lojas) de organizações camponesas e da agricultura familiar ou de consumidore(a)

C

s; circuitos de circulação de alimentos agroecológicos; vendas nas unidades de produção; turismo rural; eventos comunitários e regionais; os mercados institucionais, as cooperativas de consumo, a aliança com os pequenos varejos locais (armazéns, padarias, pequenos mercados etc.) são exemplos das possibilidades de construção social de mercados.

O contraponto desse perfil de mercados com o que conhecemos como mercados de alimentos dentro do sistema alimentar hegemônico é evidente, inclusive quando se trata de alimentos orgânicos. Cada vez mais, grandes conglomerados transnacionais de alimentos adquirem e incorporam empresas e redes locais de produção e comercialização de alimentos orgânicos. O diálogo e a convivência entre a agroecologia e os espaços de comercialização controlados pelas grandes redes varejistas, lojas especializadas, restaurantes e outros, é tema de grande tensão social e política no âmbito das organizações camponesas e da agricultura familiar.

Muitas experiências têm mostrado que, de uma forma geral, as organizações do campo da agroecologia optam por estratégias híbridas, em que se articulam formas inovadoras de mercados com o acesso a mercados, digamos, "convencionais". Porém, torna-se inevitável as tensões que se estabelecem entre os diferentes formatos de comercialização, tal como na formação de preços, na diversificação ou especialização da produção, na construção ou não de marcas próprias, nas exigências sanitárias e fiscais, nos volumes comercializados em cada espaço, na influência das organizações na gestão dos processos, na valorização de diferentes processos de certificação e controle, entre outros.

Neste sentido, o domínio do sentido político, econômico e cultural da perspectiva da construção social dos mercados torna-se uma ferramenta fundamental para a definição destas estratégias e das tomadas de decisão. Compreender e buscar desconstruir e reconstruir as relações de poder que permeiam os espaços de compra e venda de alimentos torna-se missão estratégica para aquelas organizações de agricultore/as e consumidore/as que se propõem a fazer da agroecologia um espaço de reordenamento da ordem alimentar vigente.

Referências

GAZOLLA, M.; SCHNEIDER, S. (org.). *Cadeias curtas e redes agroalimentares alternativas*. Porto Alegre: UFRGS, 2017.

GOODMAN, D.; DUPUIS, E. M.; GOODMAN, M. *Alternative Food Networks*: knowledge, practice and politics. London: Routledge, 2012.

GRISA, C. *et al.* Contribuições do Programa de Aquisição de Alimentos à segurança alimentar e nutricional e a criação de mercados para a agricultura familiar. *Revista Agriculturas*, v. 8, p. 34-41, 2011.

MAGALHÃES, R. S. Habilidades sociais no mercado de leite. *In*: MARTES, A. (org.). *Redes e Sociologia Econômica*. São Paulo: EdUFSCar, 2009.

MARQUES, F. C.; CONTERATO, M. A.; SCHNEIDER, S. (org.). *Construção de mercados e agricultura familiar*: desafios para o desenvolvimento rural. Porto Alegre: UFRGS, 2016.

MAZON, M. S. O mercado do leite e agricultores: a qualidade em questão. *Política & Sociedade*, v. 15, p. 46-67, 2016.

NIEDERLE, P.; RADOMSKY, G. F. W. *Quem governa por dispositivos?* A produção das normas e padrões para os alimentos orgânicos no Brasil. *Tomo*, v. 30, p. 227-265, 2017.

NIEDERLE, P.; WESZ Jr., V.J. *As novas ordens alimentares*. Porto Alegre: UFRGS, 2018.

PEREZ-CASSARINO, J. *A construção social de mecanismos alternativos de mercados no âmbito da Rede Ecovida de Agroecologia*. Curitiba, 2012. Tese (Doutorado em Meio Ambiente e Desenvolvimento). Universidade Federal do Paraná.

PEREZ-CASSARINO, J. *et al.* Promoção da Soberania e Segurança Alimentar e Nutricional (SSAN) por meio do mercado institucional: a experiência brasileira. *In*: BEZERRA, I.; PEREZ-CASSARINO, J. (org.). *Soberania Alimentar (SOBAL) e Segurança Alimentar Nutricional (SAN) na América Latina e Caribe*. Curitiba: UFPR, 2016. p. 223-246.

PLOEG, J. D. van der. *Camponeses e impérios alimentares*: luta por autonomia e sustentabilidade na era da globalização. Porto Alegre: UFRGS, 2008.

POLANYI, K. *A grande transformação*: as origens da nossa época. Rio de Janeiro: Campus, 1980.

PORTILHO, F. Novos atores no mercado: movimentos sociais econômicos e consumidores politizados. *Política & Sociedade*, v. 8, p. 199-224, 2009.

SMELSER, N.; SWEDBERG, R. (ed.). *Handbook of Economic Sociology*. Princeton, NJ: Princeton University, 2005.

WILKINSON, J. *Mercados, redes e valores*: o novo mundo da agricultura familiar. Porto Alegre: UFRGS, 2008.

C

Para saber mais

REVISTA AGRICULTURAS: Experiências em Agroecologia. Rio de Janeiro, v. 10, n. 2, 2013. Construção Social dos Mercados. Disponível em: http://aspta.org.br/revista/v10-n2-construcao-social-dos-mercados/. Acesso em: 22 mar. 2021.

NIERDELE, P. A.; ALMEIDA, L.; VEZZANI, F. M. (org). *Agroecologia: práticas, mercados e políticas para uma nova agricultura*. Curitiba: Kairós, 2013. Disponível em: http://aspta.org.br/2013/07/05/livro-agroecologia-praticas-mercados-e-politicas-para-uma-nova-agricultura-2/. Acesso em: 22 mar. 2021.

PROGRAMA FIDAMERCOSUR-CLAEH, GEPAD-UFRGS (org.). *Experiências inovadoras na agricultura familiar brasileira:* atores, práticas e processos para o desenvolvimento rural. 1ª ed. Montevidéu: CLAEH, 2017. Disponível em: http://fidamercosur.org/claeh/images/2017/Publicaciones/Experiencias-inovadoras-na-agricultura-familiar-brasileira_colBPAF3.pdf. Acesso em: 22 mar. 2021.

COMITÊ MUNDIAL DE SEGURANÇA ALIMENTAR (CSA). *La vinculación de los pequeños productores com los mercados*. Roma: FAO, s/a. Disponível em: http://www.fao.org/fileadmin/templates/cfs/Docs1415/Events/HLF_Small/CFS_HLF_Smallholders_Markets_ES.pdf. Acesso em 22 mar. 2021.

MAGNANTI, N. J. *Abastecimento agroecológico de consumidores articulado com soberania e segurança alimentar e nutricional*. Lages: Mayer 2017. Disponível em: https://cepagroagroecologia.wordpress.com/comunicacao/publicacoes/. Acesso em: 22 mar. 2021.

CONVIVÊNCIA COM O SEMIÁRIDO

NAIDISON DE QUINTELA BAPTISTA
ALEXANDRE PIRES
ANTONIO GOMES BARBOSA

O semiárido brasileiro, também conhecido como sertão, é uma região que corresponde a aproximadamente 12% do território do Brasil, com 1,03 milhão de km², área onde se encontram 1.262 municípios e uma população de mais de 27 milhões de pessoas. Com uma característica climática de baixos índices pluviométricos, chuvas irregulares e dispersas e com ciclos de longos períodos de grande estiagem, as políticas públicas para a região foram sempre desastrosas e inadequadas, baseadas no combate à seca.

As políticas de combate à seca sempre se voltaram aos efeitos, e nunca às causas do fenômeno. Nunca buscaram construir a autonomia da população, com base na pequena agropecuária apropriada, captação e distribuição democrática da água e assistência técnica adequada a um processo de semiaridez. Ao contrário, sempre se centraram em ações assistencialistas que mal matavam a fome da população, mas a mantinha submissa aos seus escusos propósitos políticos de manutenção do poder.

Historicamente, seu povo foi marginalizado e discriminado, às vezes de modo violento, outras, de forma mais sutil, cotidianamente desqualificado como ignorante e preguiçoso, entre outros adjetivos, mesmo quando se sabe que as condições de pobreza e miséria foram resultado das políticas equivocadas dos governos e do Estado brasileiro.

Há algumas décadas, essa região, que junto do agreste e o litoral é parte do Nordeste brasileiro, vem mudando sua fisionomia graças à perspectiva da "convivência com o Semiárido". Nessa perspectiva, as potencialidades e saberes locais são reconhecidas e valorizadas, e se busca estar atento ao movimento da natureza, dos animais e do próprio povo, que ao longo de séculos de experiência e aprendizado desenvolveu tecnologias sociais e estratégias inteligentes para "escapar" do sofrimento, já que estava, por parte dos poderes públicos, "largado à própria sorte". Essa é uma região onde a concentração da terra, da água, da educação e das oportunidades por um pequeno grupo de pessoas e famílias ainda é muito forte. Entretanto, o acúmulo de vivências e lições apreendidas pelo povo sertanejo com esse ambiente, às vezes viçoso e outras vezes hostil, deixa provado que, ao contrário do que se repete anos a fio, as potencialidades do semiárido são também imensas, desde a diversidade natural até o sábio e teimoso processo de resistência de seu povo, que continua vivo apesar de todas as tentativas para aniquilá-lo.

Costuma-se pôr a culpa na natureza, especialmente na falta de chuvas, para justificar a fome e a mortalidade infantil ainda existentes em pleno século XXI, a expulsão de sua gente pela migração, as mortes e o não acesso de sua população às oportunidades. Coloca-se, assim, a débito da natureza os resultados das ações iníquas e de exploração do povo pelas elites, famílias tradicionais que se alternam nos poderes constituídos locais. Dessa forma, essa exploração se transforma em algo "naturalizado", quando até a crença dos povos é usada nas narrativas dos poderosos para justificar a situação de descaso e inoperância dos governos, tamanha é a falta de crença nos governos, políticos e Estado brasileiro.

Em 1999, enquanto a Organização das Nações Unidas (ONU) realizava a Conferência das Partes para o Combate à Desertificação e as Secas (COP3) em Recife, surgia a Articulação no Semiárido Brasileiro (ASA) [VER ARTICULAÇÃO DO SEMIÁRIDO BRASILEIRO]. Fruto de um processo de articulação e mobilização para construção de um Fórum Paralelo, modo alternativo, no qual a sociedade civil participou, a ASA fez ecoar as vozes dos povos do semiárido denunciando o descaso dos governos ao longo de décadas, agravado pelo período de seca que naquele momento mais uma vez castigava, além de apresentar propostas concretas para o contexto do semiárido.

A ASA nasceu de um processo de questionamento do paradigma do combate à seca, que objetiva políticas assistencialistas dominadoras e excludentes, e propõe o paradigma da *convivência com o semiárido*, através do qual se busca estabelecer possibilidades e meios de conviver com as condições, os conhecimentos e recursos locais. Nessa perspectiva, o importante seria criar condições de armazenar para conviver: armazenar água para consumo humano, armazenar água para produção de alimentos, armazenar alimentos para os animais e as pessoas, armazenar sementes locais, conservar a vegetação da Caatinga e suas múltiplas possibilidades de criação e recriação de vida, associados à criação de animais adequados à região.

Esse paradigma tornou claro e visível que na sociedade brasileira, e nordestina em especial, há um conflito. *De um lado*, um modelo que defende a acumulação da água, da terra e das oportunidades por meio de grandes projetos inconclusos, sem controle social e caríssimos e, por isso mesmo, provocador das injustiças, opressão e dependência socioeconômica e política das populações do semiárido, muito divulgado pela mídia nos tempos de maior rigor climático. *De outro*, o paradigma do compartilhar, da produção de conhecimentos, da participação, de promoção da vida e das oportunidades para todos.

Materializando o paradigma da convivência, a ASA lançou o Programa 1 Milhão de Cisternas (P1MC) para o Semiárido, iniciativa provocadora, ousada e sonhadora, que sugeria metodologias e meios concretos de se realizar o armazenamento da água para o consumo de 1 milhão de famílias, cerca de 5 milhões de pessoas no semiárido. O projeto 1 Milhão de Cisternas não era apenas uma intencionalidade; propôs uma quantidade determinada de cisternas, com os custos, o processo metodológico e a indicação de onde e como deveriam ser construídas, e com que tecnologias. Portanto, projetava uma política universal, sob gestão direta da sociedade civil, mas em parceria com os governos. Além disso, teve no Conselho Nacional de Segurança Alimentar e Nutricional (Consea, extinto pelo governo Bolsonaro) o principal espaço de concertação, como modo mais adequado para a convivência com o semiárido.

A participação das organizações da sociedade civil nos espaços de controle social e construção de políticas públicas (em esfera nacional, estadual, regional e municipal) foi fundamental para a irradiação do conceito de convivência com o semiárido. Compor os Conseas estaduais (assim como Conselhos de Desenvolvimento, Conselhos da Criança e do Adolescente e Conselhos de Assistência Social) foi fundamental para pautar a convivência tanto no campo das formulações quanto no apontamento dos debates do orçamento público, principalmente no âmbito federal. Também o foi a constituição do Consea Nacional, o Conselho Nacional de Desenvolvimento Rural Sustentável (Condraf), o Conselho de Economia Solidária, a Comissão Nacional de Agroecologia e Produção Orgânica (CNAPO) e diversas comissões em escala nacional. E foi assim que se conseguiu inserir, mesmo que somente como política de governo em vez de política de Estado, a convivência com o semiárido no orçamento.

Nos caminhos de reafirmação e construção da convivência com o semiárido construiu-se, nos últimos 20 anos, um movimento de oposição ao paradigma do combate à seca, que dizimou milhões de pessoas no semiárido e concentrou oportunidades, riqueza e vida nas mãos de alguns. Não se quer meramente a convivência com a seca; isso seria muito pouco. Busca-se a convivência com o semiárido, com suas possibilidades, com seus múltiplos biomas, com sua gente bonita, valorosa e combativa, com seu conhecimento, sua cultura, sua vida, seu modo próprio e, por vezes, comunal de produzir.

C

Como afirma o conhecido especialista em semiárido, o professor Haroldo Schuster, fundador do Instituto Regional da Pequena Agropecuária Apropriada (IRPAA), organização-membro da ASA, "conviver com o semiárido é ouvir da natureza como lidar com ela, o que se deve e pode plantar, o que guardar de alimentação para pessoas e animais, o que e como guardar água para consumo e produção, o que criar, o que conservar e proteger".[1] Nessa perspectiva política e metodológica, a ASA decide abrir o leque de suas ações de convivência com o semiárido e resolve, em tempos distintos, trabalhar tecnologias para captação e armazenamento de água para a produção de alimentos, cisternas nas escolas associadas à educação contextualizada e dar maior atenção às práticas de armazenamento, gestão e conservação das sementes crioulas, produzidas, reproduzidas e trocadas pelos próprios agricultores e agricultoras.

O Programa Cisternas nas Escolas constrói, assim, uma perspectiva de garantir a instalação de cisternas nas escolas rurais como condição para o funcionamento do processo educacional. No entanto, se desafia às novas aprendizagens e metodologias. Essa iniciativa exigiu das organizações a capacidade de negociação com o poder público municipal, uma vez que professores e professoras e demais trabalhadores/as das escolas, na condição de servidores públicos, deveriam participar do processo de formação para assegurar a sustentabilidade do programa. Um importante passo foi transformar essas experiências locais em políticas públicas possíveis de serem replicadas.

O programa abriu novas possibilidades por meio dos diálogos com os gestores municipais da educação para a formação de professores, professoras e estudantes na perspectiva da educação contextualizada. A escola sediada no semiárido e nas demais regiões e biomas brasileiros não pode ignorar a realidade em que está inserida, deve procurar conviver com esse ambiente e preparar os pais, professores e estudantes para estarem juntos nessa construção.

O Programa Uma Terra e Duas Águas (P1+2) tem oportunizado o desenvolvimento de uma série de iniciativas que fortalecem e valorizam os conhecimentos e práticas dos agricultores e agricultoras sobre o uso correto e sustentável dos solos, da biodiversidade e a gestão da água para a produção de alimentos de base agroecológica em hortas, pomares e criatórios de animais, utilizando sistemas simplificados de irrigação.

Os agricultores e agricultoras envolvidos desenvolveram uma diversidade de tecnologias adequadas para captar e armazenar a água para a produção de alimentos: cisternas calçadão, cisternas de enxurrada, barragens subterrâneas, "barraginhas", tanques de pedra, entre outras (Articulação do Semiárido Brasileiro). Por meio de suas organizações, a ASA localizou, sistematizou e aperfeiçoou essas iniciativas das comunidades de geração endógena de tecnologia, num processo partilhado, que reconhece os agricultores e agricultoras como sujeitos de seu caminho, que sempre construíram e constroem conhecimento, e é a partir destes conhecimentos que se deve operar a transformação do semiárido. É necessário valorizar o que seu povo produziu no caminhar da resistência de séculos, aperfeiçoar essas descobertas e fazer com que elas sejam massificadas e se transformem em políticas públicas estruturantes, a serem levadas adiante pelo Estado brasileiro nos seus diversos níveis, e que sejam acessíveis à toda população, sobretudo à população empobrecida. O semiárido não necessita importar tecnologias, mas sim diálogos de conhecimentos.

Na perspectiva da convivência, a metodologia de formação mais adequada não é aquela em que os técnicos consideram os agricultores como não produtores de conhecimento e querem "injetar" neles seus conhecimentos. A melhor metodologia de formação é aquela do intercâmbio de experiências, no qual agricultores visitam agricultores, trocam informações, animam-se e se convencem mutuamente, olham como as tecnologias são possíveis e decidem brigar para que elas se transformem em políticas públicas. Em outras palavras, o conhecimento popular e o controle social são as bases da convivência com o clima semiárido.

O arco da convivência não se fecha com a água, nas suas várias dimensões; por isso, é necessário entender a convivência como um conjunto de práticas, conceitos e processos que materializam sua complexidade. Reconhecendo essa dimensão, a ASA construiu, a partir das experiências dos próprios agricultores e agricultoras, o Programa Semente do Semiárido. Sementes que garantem a autonomia dos agricultores e agricultoras, pois ao possuí-las armazenadas, no âmbito familiar ou comunitário, eles se libertam das distribuições assistencialistas e por vezes de sementes inadequadas à realidade local, realizadas pelos governos e que ainda atuam como instrumento de "colonização" e dominação eleitoral. Sementes que geram autonomia porque retiram os agricultores das mãos das empresas de transgenia e detentoras das sementes comerciais; resgatam processos comunitários ricos; criam condições para que o agricultor e a agricultora se encontrem com sua história, seus antepassados, sua região, sua cultura de forma alegre, viva e sertaneja.

Reconhecendo o papel fundamental das sementes para a autonomia e segurança alimentar, para além das tecnologias, é essencial incorporar debates e reflexões mais políticas das andanças nas comunidades. As sementes abriram espaço para debates como a autonomia das comunidades em relação ao Estado na decisão do que plantar, época e tipos de sementes; a dependência da distribuição das sementes; a exploração política eleitoral das comunidades; a autonomia em relação às empresas que dominam o campo das sementes etc.

No contexto de acúmulo de experiência para mudanças globais nessa região do Brasil, destaca-se a comunicação, que teve e tem um papel fundamental, e cujo principal desafio talvez seja a desconstrução da visão do semiárido como um lugar ermo, sem vida, desprovido de recursos; de um povo ignorante e sem coragem, de pessoas famintas e dependentes. O princípio de valorizar seus saberes, suas práticas, suas inovações, de tirar da invisibilidade a coragem de mulheres e homens que lutam por décadas para sobreviver, e constroem a resistência em simplicidade e inspirados

C

na força da caatinga, verde quando é possível e cinza para escapar e sobrevier. Tornar visível a beleza de sua diversidade cultural e mostrar que suas armas para a liberdade estão escondidas pela opressão do ainda vigente coronelismo secular.

Foram fundamentais para o resgate da autoestima e da reafirmação do povo do semiárido como sujeito do seu destino as diversas estratégias de sistematização das experiências, como os boletins de experiências O *Candeeiro*, os vídeos, as cartilhas, os encontros comunitários, os intercâmbios entre agricultores, os Encontros Nacionais da ASA (EnconASA), os Encontros de Agricultores e Agricultoras Experimentadoras e a oportunidade de fala e outras formas de expressão em todos esses espaços.

Instituições públicas de pesquisa e de ensino como a Embrapa Semiárido, o Instituto Nacional do Semiárido (INSA) e diversas universidades e institutos federais, da região ou de fora dela, por meio de seus pesquisadores e dos núcleos de agroecologia têm contribuído de forma significativa para a produção de conhecimento sobre o semiárido. Diversos estudos acadêmicos têm mostrado que o paradigma da convivência com o semiárido é libertador e promotor da autonomia dos sujeitos políticos desse território. A convivência, em contraponto ao combate à seca, construiu novas narrativas, entre as quais o protagonismo dos agricultores e agricultoras na construção de sua história; suas capacidades de inovação a partir de seus saberes e necessidades; a perspectiva da construção coletiva do conhecimento e as formações e capacitações a partir da interação de saberes entre agricultores na dimensão do intercâmbio de experiências; o resgate e aperfeiçoamento de experiências realizadas nas comunidades na vivência da convivência.

No entanto, os impeditivos para o avanço da convivência com o semiárido permanecem ativos, como a concentração da terra, impeditivo este fundamental para se ter mais produção e mais água sob a gestão dos agricultores e agricultoras familiares. Há agricultores que não podem ter acesso às tecnologias porque não detêm a terra para viver e trabalhar. Há de se pensar em outros tipos complementares de serviços de abastecimento de água, para as pequenas cidades e os arraiais; há de se pôr um "freio" na irrigação predatória, que mata boa parte dos rios perenes do semiárido; há de frear a predação da vegetação da Caatinga e do Cerrado [VER BIOMA CERRADO]; há de se implementar mais sistemática e corajosamente uma educação contextualizada para toda região semiárida.

Muitos e muitos ainda são os desafios, e o Estado mantém vivos, ao lado da proposta de convivência e concorrendo com ela, muitos elementos da proposta de combate à seca ou coisas piores.

Para saber mais

ARTICULAÇÃO DO SEMIÁRIDO BRASILEIRO (ASA). *Cartilha*: caminhos para a convivência com o semiárido. Disponível em: https://asabrasil.org.br/acervo/publicacoes?artigo_id=278. Acesso em: 22 mar. 2021.

CONTI, I. L. & SCHROEDER, E. O. (org.) *Convivência com o Semiárido Brasileiro, autonomia e protagonismo social*. Brasília: IABS, 2013.

LIMA, J. R. T. de (org.). *Agroecologia e movimentos sociais*. Recife: Bagaço, 2011.

PONTES, E. T. M. *Transições paradigmáticas*: do combate à seca à convivência com o semiárido nordestino, o caso do programa 1 Milhão de Cisternas no município de Afogados da Ingazeira – PE. Recife: Ed. Universitária UFPE, 2010.

SANTOS, A. P. *et al. Representações do semiárido* [Livro eletrônico], 2017. Disponível em: https://portal.insa.gov.br/acervo-livros/1091-representacoes-do-semiarido. Acesso em: 22 mar. 2021.
Sites:
ASA BRASIL. Disponível em: http://asabrasil.org.br/acervo/publicacoes . Acesso em: 22 mar. 2021.
INSA. Disponível em: https://portal.insa.gov.br/. Acesso em: 22 mar. 2021.
Embrapa/cpatsa. Disponível em: http://www.cpatsa.embrapa.br:8080/index.php?op=principal. Acesso em: 22 mar. 2021.

C

Nota

1 Fala do professor Haroldo Schuster no painel "Experiências Institucionais de convivência com o semiárido na prática", durante o evento de celebração dos 25 anos do Instituto Regional da Pequena Agropecuária Apropriada (IRPAA). 16 de abril de 2015, Juazeiro (BA).

COOPERAÇÃO AGRÍCOLA

Pedro Ivan Christoffoli

O verbete discute o processo de cooperação agrícola em sua relação com a construção da agroecologia. Ele se relaciona com discussões já desenvolvidas em outras obras e particularmente com o verbete Cooperação Agrícola no *Dicionário de Educação do Campo* (Christoffoli, 2012, p. 159). Aqui, o enfoque da discussão da cooperação agrícola se volta particularmente à sua relação com a construção da agroecologia. Parte-se de uma pergunta fundamental que remete para a discussão proposta: *Qual a relação entre a Cooperação Agrícola e a Agroecologia? Em que medida a primeira é relevante para a construção de um outro modo de produção, em bases agroecológicas?* Essas questões são consideradas centrais para entender parte dos limites no avanço atual quanto à massificação da agroecologia. A questão posta estaria, portanto, no fato de que a emergência de uma forma de produção sustentável, baseada na agroecologia, dependeria também, para se desenvolver, de uma evolução na forma em que se dão as relações de produção agrícola na agricultura, superando as relações individuais e de exploração sobre os trabalhadores, pela gradual emergência e estabelecimento de relações de cooperação entre os mesmos.

O processo da cooperação no capitalismo

Segundo Marx, na produção das condições de vida, o ser humano entra necessariamente em relação com a natureza e com outros seres humanos, ou seja, somos seres sociais, forjados em condições históricas concretas. Essas relações cooperadas de produção visam a melhoria da condição de vida humana, no sentido de obter maiores e melhores resultados (mais produção em determinada área, mais resultados na caça, pesca ou coleta de alimentos, ou na fabricação de produtos etc.). A cooperação diz respeito "à forma de trabalho em que muitos trabalham planejadamente lado a lado, no mesmo processo de produção ou em processos de produção diferentes, mas conexos" (Marx, 1988, p. 246).

A ação visando a sobrevivência humana, historicamente, pressupôs que se desenvolvesse concomitantemente a cooperação. Ou seja, o processo de cooperação é um fenômeno histórico, que vem se ampliando à medida em que as sociedades evoluem. Entretanto, também a história humana marca a existência de relações de exploração do homem pelo homem (inicialmente com o escravismo, depois com o feudalismo e finalmente com o capitalismo). O capitalismo aprofunda e desenvolve tanto a forma de trabalho explorado como, em contradição, formas de trabalho cooperado, ampliando-os à escala mundial. O processo de cooperação se amplia ainda mais com a globalização, ou internacionalização da produção capitalista. Cada vez mais os processos produtivos se conformam em cadeias produtivas globais. Na fase atual do capitalismo, a cooperação atinge graus impressionantes, seja na fabricação de produtos, seja na prestação de serviços, ao ponto de que a produção atual é crescentemente globalizada, sendo uma parte dos processos de produção feitos num país, por exemplo, e o restante feito em diversos outros, em uma cooperação à escala planetária, e que exige um grau de coordenação bastante complexo.

Sendo uma das características do capitalismo, a ampliação do trabalho cooperado se dá, porém, de forma subordinada, heterogerida. Ou seja, o processo de trabalho não se dá de forma autogestionada, como expressão da livre vontade, do livre arbítrio dos trabalhadores. Ao contrário, eles são constrangidos a trabalhar coletivamente, sob pena de não conseguirem alcançar sua reprodução social, visto terem perdido o acesso aos meios de produção básicos que assegurariam sua manutenção como produtores independentes de mercadorias e/ou de suas condições de vida. Logo, essa forma constrangida de cooperação não é o que se entende como uma forma emancipadora, de libertação do ser humano dos grilhões que o oprimem. O processo de cooperação como forma portadora de sementes de libertação da espécie humana do reino da necessidade pressupõe a livre e consciente autodeterminação individual e coletiva, em um processo de igualdade real entre as pessoas, contrapondo-se à igualdade formal que se verifica nas sociedades capitalistas.

Outro aspecto contraditório dessa relação é de se constituir uma ideologia dominante que coloca o individualismo como centro de tudo. Apesar da produção se dar em escala global, e de, cada vez mais, a produção das condições de vida pressupor a cooperação em larga escala, emerge na sociedade uma subideologia individualista, a qual dificulta sobremaneira a organização de coletivos livres autogestionários. Para muitos trabalhadores, libertar-se do jugo capitalista equivale a assumir a condição de produtor simples de mercadorias, supostamente livre da dominação de patrões (mas também ausente de mecanismos coletivos de autodeterminação). Como consequência dessa ideologia, a antítese de ser explorado e subordinado pelo capitalismo não seria a autogestão social, a gestão autônoma pelo coletivo de trabalhadores, e sim a organização produtiva de pequena escala, a busca por uma certa ilusão da autonomia individual (ou individual-familiar, no caso da agricultura), pela recriação de formas produtivas da pequena produção, característica de uma curta fase inicial do capitalismo concorrencial, hoje historicamente superado. Ainda que legítimas e, particularmente no caso do campesinato, historicamente justificáveis, tais formatos organizativos trazem consigo desvantagens estruturais à competição em mercados capitalistas.

Essas formas podem ser ilusórias, porque, a não ser que o regime social capitalista seja superado, o processo de competição dos mercados, as crises de superprodução, os mecanismos econômicos e extraeconômicos de dominação capitalista se farão sentir, destruindo as iniciativas de pequena escala e de pouca capacidade produtiva e financeira. Isso explica também a pouca duração dos empreendimentos econômicos de pequeno porte, cuja ampla maioria se desfaz em poucos anos. Entretanto, a partir da experiência de exploração vivenciada pelos trabalhadores sob o capitalismo, muitos decidem romper com o modelo dominante e buscam alternativas societárias para sua superação. No campo econômico, muitas vezes se adota a cooperação autogestionária como caminho para esse enfrentamento. Entretanto, formas coletivas avançadas tampouco têm mostrado apelo para que amplas massas camponesas se somem, impossibilitando assim uma escala ampliada e mais sólida de enfrentamento aos mercados e aos mecanismos de exclusão capitalista. Há mesmo questionamentos quanto a sua viabilidade política, devido à forte tradição familiar do campesinato.

Agroecologia, produção em escala e cooperação

O desenvolvimento da produção capitalista na agricultura do Brasil resultou na implantação de um modelo tecnológico e produtivo altamente predatório. Ao mesmo tempo que elevou a produção a níveis bastante consideráveis, trouxe consigo a destruição das matas, dos rios, a contaminação por agrotóxicos e por consequência a ocorrência de epidemias de doenças provocadas pelos pesticidas. A agroecologia surge como resposta a esse modelo, e desde os anos 1980 busca constituir um campo alternativo e de oposição ao modelo dominante. As tecnologias agroecológicas apontam um novo modelo produtivo, baseado na interação homem-natureza, na busca de recomposição dos agroecossistemas [VER AGROECOSSISTEMAS], na sua recomplexificação, na reconstrução da fertilidade, na promoção da saúde ambiental. Busca-se também uma maior interação com a ciência, não aquela sequestrada pelo capital, mas a que se propõe a compreender e potencializar as relações entre seres vivos e o meio social e biofísico.

Um dos limites na expansão dos sistemas agroecológicos diz respeito às escalas, à capacidade de se produzir um volume de alimentos, fibras e energia de forma a dar conta da sociabilidade, das relações de produção da vida atual, ainda que com as devidas críticas e possíveis correções a serem adotadas no atual modelo consumista e produtivista. Há ainda problemas de produtividade física e custos dos agroecossistemas agroecológicos. Porém, também há o fato que os mercados não levam em conta as externalidades representadas pelos modelos produtivos em disputa. A contaminação, as doenças e a destruição do futuro não entram na conta dos custos e lucros do agronegócio. A força política do agronegócio subverte a lógica sensata: consegue subsídios e isenções fiscais, ao passo que a agroecologia amarga com os custos de mostrar que produz alimentos não contaminados (arcando com os custos da certificação), isso sem acesso a crédito e a apoios na geração de tecnologias para superação de seus atuais gargalos produtivos.

Há ainda um incipiente avanço organizativo de formas de cooperação que deem conta de constituir estruturas e estratégias de logística, agroindustrialização e distribuição da produção agroecológica em uma escala que assegurem, de um lado, a necessária capacidade de enfrentamento aos desafios econômicos e, de outro, a necessária consideração pela opção individual-familiar dos arranjos produtivos agroecológicos dominantes. Ou, na outra ponta, via organização de grupos de consumidores, de feiras livres, de programas de compras diretas entre agricultores-consumidores, da criação de aparelhos e mecanismos organizativos também nas cidades.

Esse fato tem a ver com alguns elementos para os quais uma necessária evolução de nossa compreensão e formulação acerca da cooperação agrícola parece ser uma resposta. De um lado, temos a questão do desenvolvimento de iniciativas associativas de produção agroecológica que assegurem escala financeira e contínua inovação tecnológica, na perspectiva da tecnologia social, o que pressupõe o avanço da intercooperação entre as formas cooperadas de base. De outro, a organização de arranjos socioprodutivos que contemplem formas mistas de organização, respeitando a voluntariedade da base camponesa, ao passo que permitam enfrentar os desafios da competição com o setor capitalista, com os necessários ganhos tecnológicos a várias escalas.

A constituição de grupos, associações e cooperativas agroecológicos deve ser estimulada e apoiada a partir o Estado, sob pena de se demorar a superar os gargalos atuais de acesso aos mercados (ou melhor, às famílias, comunidades e empresas que usufruem dos produtos agroecológicos). Há também o desafio de desenvolvimento e acesso à mecanização agrícola adaptada à produção agroecológica e camponesa, para dar conta do aumento de carga de trabalho necessária para a condução de sistemas agroecológicos. Produzir agroecologicamente implica aumento do tempo e da carga de trabalho por parte dos agricultores. Isso deriva em parte de um insuficiente desenvolvimento das forças produtivas do trabalho agroecológico [VER TECNOLOGIAS SOCIAIS] e, em parte, do incipiente desenvolvimento da cooperação, que possibilitaria o acesso de máquinas e equipamentos adaptados à produção agroecológica em diversos graus de escala (desde a pequena produção camponesa cooperada até sistemas complexos de larga escala).

Outro elemento fundamental para um avanço em larga escala da produção agroecológica diz respeito à forma de organização de base das organizações de cooperação. A partir da análise de uma das experiências que mais avançou no Brasil em termos de massificação agroecológica, identifica-se a necessidade de organização de base via grupos de produtores, por linha de produção (Martins, 2017). A nucleação de base e a adoção de políticas organizativas que respeitem e aglutinem os agricultores a partir da materialidade produtiva são fundamentais para o avanço concreto no estabelecimento de formas de cooperação. Mais ainda, articular as ações políticas a essa organização produtiva de base tem demonstrado um potencial imenso no avanço da agroecologia em sua vertente politizadora, emancipadora.

Como enfrentar a competição emergente nos mercados orgânicos-agroecológicos?

Uma dinâmica presente em sociedades capitalistas é a disputa intercapitalista que se apresenta de forma crescente também no segmento de produtos agroecológicos. Há que se preparar para o ponto em que o próprio capital, responsável maior pela destruição ambiental e pela exploração dos trabalhadores, visualize nos mercados de alimentos orgânicos uma fonte significativa de lucros. Isso já vem ocorrendo embrionariamente, constituindo-se negócios capitalistas (como a WholeFoods nos EUA, ou a Mundo Verde e Mãe Terra, no Brasil), que se apropriam do esforço de produção agroecológica, em grande parte camponesa, para auferir lucros extraordinários com o sobrepreço praticado na comercialização de produtos orgânicos. É inevitável que o mercado de orgânicos se constitua como um segmento organizado tipicamente em moldes capitalistas, trazendo como consequências o aumento da exploração do trabalho camponês, a exclusão social e a concentração e centralização de capitais no setor.

O enfrentamento dessa tendência, no longo prazo, pode se dar pela criação de arranjos produtivos operários-camponeses e de produtores/consumidores, de tipo intercooperativo, que induzam a ganhos sistêmicos de eficiência técnica e econômica, ao passo que fomentem mecanismos de intercooperação, para enfrentamento aos conglomerados capitalistas do setor. Para isso é fundamental avançarmos a partir do conceito de Marx, fundamental para a compreensão das sociedades, na perspectiva materialista, que é o de Forças Produtivas (na forma cooperativada, acrescentaríamos).

> A produção da vida aparece imediatamente como uma relação dúplice, por um lado como relação natural, por outro como relação social, social no sentido que por ela se entende a cooperação de vários indivíduos, independentemente das condições, o modo e o fim da cooperação. Disso se depreende que um determinado modo de produção ou estádio industrial vai sempre acompanhado de um determinado modo de cooperação, ou estádio social, *e este modo de cooperação é ele mesmo uma 'força produtiva'*. (Marx, 2007, p. 34)

O caráter duplo da produção material, como relação (técnico-natural) entre o homem e a natureza e, em contrapartida, como relação (histórico-social) entre os homens, na formulação de Marx é o ponto de partida para uma leitura complexa e necessária da realidade social. A questão é se podemos construir uma força produtiva agroecológica em moldes cooperativos.

> 'Força produtiva' não é senão a capacidade de trabalhar real dos homens vivos: a capacidade de produzir por meio do seu trabalho e com a utilização de determinados meios materiais de produção e em uma forma de cooperação determinada por eles, os meios materiais para a satisfação das necessidades sociais da vida, o que quer dizer em condições capitalistas, a capacidade de produzir 'mer-

C

> cadorias'. *Tudo o que aumenta esse efeito útil da capacidade humana de trabalhar* (e portanto, em condições capitalistas, inevitavelmente também o lucro dos seus exploradores) é uma nova 'força produtiva' social. (Korsch, 1938, p. 1)

C

Fazem parte das forças produtivas materiais de uma sociedade em um determinado momento histórico as forças da natureza, a técnica, a ciência, e a própria organização social e as forças criadas nela por cooperação e divisão industrial do trabalho, as quais são desde o princípio energias sociais (Korsch, 1938). A cooperação se relaciona, no esquema marxista de desenvolvimento, com as relações sociais de produção.

O enfrentamento das corporações capitalistas na organização da agroecologia (como complexos agroindustriais de produção orgânica), portanto, deve ser buscado também em arranjos cooperativos complexos baseados na intercooperação entre os diversos atores sociais do campo agroecológico: camponeses, trabalhadores rurais, consumidores (operários e trabalhadores urbanos) articulados em redes que apontem num certo sentido para a formação de complexos intercooperativos que se reforcem mutuamente. Outra opção derivaria da busca de nichos de atuação localizados, que possibilitem ocupação marginal dos futuros mercados de produtos orgânicos, mais como forma de resistência.

Fundamentos da cooperação agrícola na agroecologia

O desenvolvimento da cooperação parte de uma série de princípios e pressupostos, alguns dos quais já se encontram descritos em Christoffoli (2012). Busca-se aqui avançar em outros elementos complementares e focados na interação com a temática da agroecologia. O primeiro elemento diz respeito à cooperação como relação social de produção necessária para o fortalecimento da agroecologia, como parte de um novo modo de produção e de agricultura. O segundo elemento diz respeito à busca de compreender a materialidade das relações sociais presentes atualmente nos ensaios de produção agroecológica e em porque eles não estão conseguindo propiciar saltos produtivos suficientes para ameaçar o domínio da agricultura biocida, desenvolvida pelo agronegócio.

A produção agroecológica atualmente se embasa principalmente em relações sociais de produção não capitalistas, ancoradas na produção familiar camponesa. Entretanto, uma parcela significativa dessa produção já é acaparada por atravessadores de tipo capitalista, que visam absorver parte da mais-valia gerada e da elevada demanda qualificada (pessoas de renda média-alta e alta como principais consumidores) ou de mercados de exportação. Um mercado nicho de produtos orgânicos que representa um segmento crescente do mercado capitalista vem se constituindo. Isso faz com que um número significativo de empreendimentos alternativos, surgidos com o início do movimento de contestação ao agronegócio, venham sendo incorporados por empresas capitalistas.

Um dos desafios da produção agroecológica camponesa está na geração de excedentes produtivos e econômicos, de forma a possibilitar algum grau de acumulação de capital nessas unidades. Atualmente, esse tem sido um dos limites ao seu desenvolvimento, particularmente em regiões periféricas aos grandes mercados (geralmente situados nas capitais e nos grandes aglomerados urbanos). A baixa produtividade do trabalho camponês na agroecologia deriva de vários fatores: a) um incipiente desenvolvimento dos mercados de produtos orgânicos, incapaz de absorver a produção atual; b) o não desenvolvimento de agroindústrias de transformação da produção atualmente gerada, consequentemente desestimulando aumentos adicionais de produção/produtividade; c) o insuficiente desenvolvimento de equipamentos e máquinas voltados à agricultura camponesa, que possibilitem reduzir o tempo e a penosidade do trabalho na agroecologia; d) o ainda insuficiente desenvolvimento das tecnologias sociais de produção agroecológica, o que resulta na baixa produtividade de alguns cultivos e criações agroecológicos; e) o baixo grau de desenvolvimento da cooperação, que permitiria atuar sobre os diversos elementos da cadeia anteriormente citados.

Considera-se fundamental o avanço na cooperação, sob o risco desta ser capturada pelo próprio capital em sua expansão constante em busca da ampliação do lucro. A cooperação para o avanço da agroecologia se daria, portanto, em diferentes frentes:

a) No estabelecimento de relações de cooperação em nível de geração de conhecimento agroecológico – a esse respeito temos pistas claras no Movimento Campesino a Campesino (Sosa *et al.*, 2013), em Paulo Freire (1983), dentre outros.
b) Na realização de processos associativos e cooperativos de trabalho, com a retomada desde formas mais simples de cooperação como é o caso dos mutirões, das trocas de serviços, da geração de novos processos (dias de campo, intercâmbios tecnológicos, certificação participativa etc.) até o estabelecimento de processos e arranjos complexos de trabalho coletivo, como é o caso de grupos de mulheres, cooperativas de trabalho e CPAs. Cabe ressaltar a importância da organização com base nas linhas de produção, levando sempre em conta a materialidade concreta em que se organiza o processo produtivo de base.
c) Na cooperação em vista do estabelecimento de condições materiais para aumento da produtividade do trabalho agroecológico (compartilhamento de máquinas e ferramentas agrícolas que automatizem tarefas repetitivas e penosas, economizando trabalho e assegurando a saúde dos trabalhadores).
d) No estabelecimento de iniciativas de intercooperação que assegurem a combinação de processos descentralizados, com iniciativas autogestionárias de intercooperação avançada, possibilitando ganhos de escala e de competitividade, inicialmente frente aos conglomerados competidores (capitalistas) e posteriormente para a organização de redes e cadeias de suprimento dos centros urbanos com produtos agroecológicos para a massa da população.
e) No limite, no estabelecimento de conglomerados cooperativos articulados a fundos financeiros comuns que possibilitem o en-

frentamento, nesse segmento, do grande capital especulativo e de setores do capitalismo industrial ou comercial, atualmente os grandes acaparadores do valor excedente gerado no segmento de orgânicos.

C

Conclusão

O desafio da massificação da agroecologia nos remete diretamente à necessidade de avançar na construção de formas de cooperação agrícola e urbanas que apontem para patamares superiores de articulação dos processos relativamente isolados que vêm sendo historicamente construídos até o presente. A necessidade de repensar os vários níveis de articulação da produção agroecológica e de sua inserção nos mercados ou na reorganização dos processos de distribuição e consumo traz desafios de monta que só podem ser vencidos com a atuação em várias frentes. A retomada do estímulo à cooperação em todos os níveis é fundamental para alcançarmos esse salto.

Referências

CHRISTOFFOLI, P. I. Cooperação Agrícola. *In*: CALDART, R. S. *et al. Dicionário da Educação do Campo.* São Paulo/Rio de Janeiro: Expressão Popular/EPSJV. 2012. Disponível em: http://www.epsjv.fiocruz.br/sites/default/files/l191.pdf. Acesso em: 22 mar 2021.
FREIRE, P. *Extensão ou comunicação?* São Paulo: Paz e Terra, 7. ed. 1983.
KORSCH, K. *O conceito de forças produtivas materiais.* [1938]. Disponível em: https://www.marxists.org/portugues/korsch/ano/mes/conceito.htm. Acesso em: 21 out. 2018.
MARTINS, A. F. G. *A produção ecológica de arroz nos assentamentos da região metropolitana de Porto Alegre*: territórios de resistência ativa e emancipação. Porto Alegre, 2017. Tese (Doutorado). Universidade Federal do Rio Grande do Sul.
MARX, K. *O capital.* v. I. São Paulo: Nova Cultural, 1988.
______. *A ideologia alemã.* São Paulo: Boitempo, 2007.
SOSA, B. *et al. Revolução Agroecológica*: o Movimento de Camponês a Camponês da Anap em Cuba. 2. ed. São Paulo: Expressão Popular, 2013.

Para saber mais

CHAYANOV, A. *A teoria das cooperativas camponesas.* Porto Alegre: EDUFRGS, 2018.

COSMOVISÕES

CARLOS BARRIENTOS

O termo "cosmovisão" é uma adaptação da expressão *Weltanschauung*, no idioma alemão, composta por duas palavras: *Welt*, "mundo", e *anschauen*, "observar". O termo foi cunhado pelo filósofo alemão Wilhelm Dilthey em várias de suas obras, em particular em seu livro *Introdução às ciências da cultura*, publicado em 1914.

Dilthey defendia que a experiência vital se formava com base no conjunto de princípios da sociedade e da cultura no qual se havia formado uma pessoa. As relações, sensações e emoções produzidas pela experiência específica no mundo, em meio a um ambiente determinado, contribuiriam para conformar uma cosmovisão particular. Todos os produtos culturais ou artísticos seriam, por sua vez, expressões da cosmovisão em que são criados. Contudo, o fato de que esse termo tenha sido cunhado no século XX não nega que as cosmovisões existam há milhares de anos e se forjem ao longo da história. Por isso, para além da formação do termo, devemos entender a cosmovisão como o conjunto de opiniões e crenças que conformam a imagem ou conceito geral do mundo que prevalece em um povo ou em uma sociedade, a partir do qual interpreta sua própria natureza e tudo o que existe.

A cosmovisão define noções comuns que se aplicam a todos os campos da vida, desde a política, a economia ou a ciência, até a religião, a moral ou a filosofia. A cosmovisão não é uma teoria particular sobre o funcionamento de alguma entidade particular, mas uma série de princípios comuns que inspirariam teorias ou modelos em todos os níveis: uma ideia da estrutura do mundo que funda o marco para as demais ideias (Fernández González, 2010).

A cosmovisão é, portanto, a imagem geral do universo e da existência construída por cada cultura e que permite explicar a realidade e estabelecer conceitos comuns que se plasmam na espiritualidade, nos valores, e em todo campo da vida social. Um elemento central da cosmovisão é que se constitui de representações coletivas sobre o universo, as entidades sobrenaturais, os seres vivos e não vivos, a territorialidade, a organização social etc. que são compartilhados por boa parte dos membros de um grupo social (Barabas, 2015).

Características das cosmovisões

É importante ter presente que as cosmovisões não são imutáveis ou eternas; surgem em um contexto histórico, social e específico e se modificam através do tempo nas diferentes conjunturas sociopolíticas. Por isso, podemos falar de cosmovisões, no plural, e nelas podem existir contradições internas e incongruências lógicas, por não serem primevas, eternas ou heranças históricas estáticas.

O fato de resultarem de processos históricos e conjunturas sociopolíticas significa que se modificam e se nutrem de diversas experiências coletivas ou se adaptam às condições em que se desenvolvem, mantendo um núcleo central e adicionando, adaptando ou eliminando aqueles componentes que possibilitam uma melhor compreensão do mundo e do tempo histórico às pessoas que integram os povos ou sociedades.

Cada cosmovisão provê à pessoa humana um ponto de partida, uma base sobre a qual constrói o sentido de sua existência; possibilita também a reprodução cultural, a adaptação criativa, a transmissão de conhecimentos e o apoio às formas de organização social.

Neste sentido, não se deve desconsiderar que cada povo e sociedade tem uma forma particular de conceber a vida, de relacionar-se com seus semelhantes e com o meio que o rodeia.

Contudo, não se pode perder de vista que as cosmovisões também são fruto da dinâmica de classes que prevalece em uma sociedade (Sánchez Cortéz, 2001); desta forma, é possível observar que certos componentes da cosmovisão vão desaparecendo ou deixando de ter relevância nos casos de interesse das classes dominantes, mas, ao mesmo tempo, no caso de povos que foram subjugados ou dominados também é possível encontrar outras cosmovisões subordinadas ou invisibilizadas, em uma mesma sociedade ou país.

Embora haja uma série de pontos em comum entre cosmovisão e ideologia, esta última é o sistema de ideias ou representações sociais, bem como de atitudes e comportamentos sociais fundamentais, conformados histórica e socialmente, que permite organizar o conhecimento, as crenças e opiniões com os quais as classes sociais ou setores das classes sociais explicam e reproduzem seus interesses e sua visão da ordem social e que, em síntese, diz respeito à manutenção ou transformação das condições e dinâmicas sociais existentes. A ideologia se expressa, entre outros aspectos, no relato histórico, na interpretação religiosa, no Direito e na consciência que as classes sociais têm de si mesmas, e é difundida através da educação, da doutrina religiosa, dos meios de comunicação, das redes sociais e todas aquelas práticas que possibilitam a reprodução de conteúdos.

A ideologia, ao desenvolver-se historicamente e constituir-se a partir das condições da vida material no marco de um sistema econômico que predomina em dado momento e que, por sua vez, expressa os interesses de determinadas classes, atua sobre o desenvolvimento da sociedade, reproduzindo, protegendo ou questionando a ordem legal e as instituições de uma sociedade.

Precisamente pelo papel que desempenha na garantia da dominação, as classes dominantes ocultam a carga ideológica que têm a educação, as leis, a história etc. Com isso, pretendem dar a entender que a única concepção "correta", "apolítica", "natural" etc. é a sua. Porém, quando são outros os fundamentos ideológicos com os quais se quer dirigir a educação, as leis, a história etc., acusam a estes projetos e a quem os elaboram de "ideologizados". No entanto, este ocultamento também é ideológico, porque busca manter e reproduzir o sistema de ideias e de representações sociais das classes dominantes. Por essa razão, Marx defendeu que, em uma sociedade, as ideias da classe dominante são as ideias dominantes.

Em síntese, a cosmovisão se constrói a partir da relação dos seres humanos com a natureza, o mundo, o cosmos e, neste marco, a relação dos seres humanos entre si, enquanto a ideologia se constrói no marco de um sistema econômico e expressa e reproduz a visão, as concepções e interesses das classes sociais. Ambas são criações humanas e podem ser utilizadas em função de determinados interesses de classe.

Esta relação pode ser exemplificada com o uso e desenvolvimento da medicina: a medicina ocidental parte da síntese de determinados compostos químicos utilizados nos processos biológicos para combater os efeitos das doenças. A acupuntura, desenvolvida na Ásia Oriental, parte da concepção de equilíbrio das energias presentes no ser humano e busca combater as doenças, recuperando o equilíbrio de tais energias. As duas partem de cosmovisões diferentes, mas, no mundo capitalista e no interesse das classes dominantes, no lugar de promover o conhecimento e utilização de plantas medicinais ou o uso da acupuntura, se desenvolveu a indústria farmacêutica, que fatura bilhões de dólares por ano.

Cosmovisão dominante

Quando se fala de "cosmovisão", geralmente se faz referência à cosmovisão dos povos originários ou indígenas; todavia, se esquece que em nossas sociedades existe uma cosmovisão dominante que favorece determinadas classes sociais e que geralmente se denomina "visão ocidental", mas que, quando tratada em termos genéricos, perde-se de vista qual é o seu caráter de classe; portanto, uma especificação se impõe como necessária.

Ao falar de cosmovisão dominante, nos referimos a uma cosmovisão que foi sendo forjada ao longo dos séculos e que se nutre de diferentes origens. Entre seus fundamentos, há a visão *greco-romana*, que toma a concepção de separação e de contraposição entre o mundo sensível e as ideias, tal como expressara Platão. Da mesma forma, este e outros filósofos gregos estabeleceram uma separação entre o corpo, onde se alojam os desejos e as impurezas do ser humano, e a alma imortal, que constitui a verdadeira essência do ser, como se expressa no mito do cavalo alado. A partir dessas definições, na cosmovisão dominante, se estabelece uma separação e uma contraposição entre o espiritual e o material. Dos gregos também se herdou o pensamento de que o ser humano é o centro do universo; basta recordar a concepção de universo de Aristóteles, em que a Terra ocupa o centro. Os romanos não apenas herdaram as ideias gregas, mas também legislaram sobre a propriedade privada, seu alcance e limitações. Estas definições são tão importantes que, na atualidade, vários cursos de Direito têm o direito romano como um dos conteúdos básicos.

A cosmovisão dominante se nutre do mundo *judaico-cristão*, que considera que o homem está destinado a dominar a natureza, tal como está expresso em diversas passagens do livro do *Gênesis*. No capítulo 1, versículo 26, pode-se ler: "Deus disse: 'Façamos o ser humano à nossa imagem e segundo nossa semelhança, para que domine sobre os peixes do mar, as aves do céu, os animais domésticos, todos os animais selvagens e todos os animais que se movem pelo chão".

Do judaico-cristianismo provém também certo nível de intolerância: no livro do *Êxodo* (capítulo 20, versículos 3 e 5) se afirma: "Não terás outros deuses além de mim.". "Não te prostrarás diante dos ídolos, nem lhes prestarás culto, pois eu sou o Senhor teu Deus, um Deus ciumento". É esta visão que, ao longo dos últimos 2 mil anos, levou a rechaçar tudo que não seja a visão cristã católica ou evangélica. Finalmente, o conceito de bem e de mal provém destas concepções e, portanto, de moralidade que predomina em nossas sociedades.

Da mesma forma, esta cosmovisão dominante se nutre do *liberalismo*, que impulsionou a divisão formal de poderes, embora na prática as burguesias controlem o poder real; igualmente o individualismo é impulsionado e exaltado desde uma visão liberal, em detrimento do coletivo ou comunitário, junto ao "sagrado" direito de propriedade, além da distorção do conceito de liberdade que se equipara com a liberdade para comercializar.

A cosmovisão dominante se baseia no *positivismo*, que não admite outros conhecimentos como válidos cientificamente, mas apenas aqueles que procedem da experiência; o fato é a única realidade científica, e a experiência e a indução, os métodos exclusivos da ciência. De acordo com essa visão, somente se entende a realidade com base na razão e nas provas, dados, experimentos etc. que comprovam o conhecimento de tal realidade.

Da mesma forma, um componente fundamental na cosmovisão dominante é o *patriarcado*, que se define como um sistema de poder no qual o homem possui um poder superior e um privilégio econômico (Eiseinstein, 1980), que oprime as mulheres através de instituições sociais, políticas e econômicas e, para isso, os postos-chave de poder (político, econômico, religioso e militar) se encontram, exclusiva ou principalmente, em mãos masculinas, e a sociedade se conforma a partir da visão dos homens e da subordinação das mulheres.

Finalmente, também se pode mencionar o *racismo* como parte do núcleo fundamental da cosmovisão dominante. Para justificar os níveis de opressão e exploração sobre os diferentes povos que têm sido dominados pelas potências coloniais, se criou o mito da suposta "superioridade" europeia frente às sociedades originárias da América, África ou Ásia. Essa justificativa e construção social na qual supostamente existem populações "superiores" prevalece até nossos dias.

Esta cosmovisão, funcional às classes dominantes e ao capitalismo, gerou um modelo de relacionamento entre os seres humanos e a natureza. A partir daí se considera "desenvolvimento" tudo o que permite desenvolver uma forma de vida com elevado consumo de energia, desigualdades, dilapidação de recursos, sem pensar nas futuras gerações. Tudo, incluindo os seres humanos, pode ser apropriado para venda ou compra, segundo convenha à satisfação individual daqueles que têm os recursos para comprar. Essa cosmovisão é a que nos coloca à beira do desastre ambiental.

Cosmovisões dos povos originários e identidade

Face à cosmovisão dominante, se ergue uma cosmovisão que tem sido negada, relegada e menosprezada; é a cosmovisão dos povos indígenas ou originários que explica o mundo, a realidade e o entorno a partir da compreensão de que há uma relação permanente entre as coletividades humanas, o entorno em que vivem e o cosmos; e concede um simbolismo e uma ritualidade a cada aspecto dessa relação, que se expressa no tempo e na concepção do espaço, cujo exemplo é o *Tahuantinsuyo* entre os incas.

Assim, nesta cosmovisão, o ser humano não é o centro do universo, apenas um componente a mais de um equilíbrio que deve existir com a Mãe Natureza e o Universo, que são parte do mesmo todo ao qual pertencemos como seres humanos; a terra não é somente um meio de produção, senão a Mãe que dá a vida e pela qual se deve retribuir. Contudo, é preciso situar alguns elementos históricos que explicam a importância destas cosmovisões, em particular de nosso continente, denominado pelo povo Puna do Panamá como *Abya Yala*.

Nossa América, ou *Abya Yala*, é um continente que foi colonizado na época em que estava se constituindo o modo de produção capitalista na Europa, a que Marx chamou de período da acumulação primitiva. Foi, de alguma maneira, a primeira experiência colonial da época burguesa.

Ao chegarem, os invasores, que posteriormente colonizaram nosso continente, encontraram sociedades indígenas que haviam alcançado diferentes modalidades de desenvolvimento. Desde povos nômades de caçadores e coletores até sociedades com um desenvolvimento intensivo da agricultura, nas quais havia florescido um mundo humano que se caracterizou por haver alcançado suas próprias formas de organização social e conquistas extraordinárias na ciência e na arte.

Em todo nosso continente, conviviam diversos povos que, em seu processo formativo, haviam desenvolvido suas próprias cosmovisões, mas com elementos comuns: a ideia de que o ser humano é parte de um grande equilíbrio com a natureza; que a vida é uma totalidade que integra as diferentes expressões do universo; que tudo o que é animado e inanimado, visível ou invisível, está carregado, em maior ou menor grau, com o que geralmente é definido como um tipo de essência ou energia sagrada, razão pela qual não apenas plantas, animais e pessoas têm vida, mas também a Mãe Terra, os rios e lagos, o vento etc. E é através da espiritualidade, entendida como tudo aquilo que transcende o ser humano, expressa no ritual, que se estabelece essa comunhão e comunicação com o todo vivo e com o cosmos.

A outra característica desta etapa histórica de *Abya Yala* foi a interrupção violenta dos processos de constituição das nacionalidades ou Estados nacionais que estavam em gestação nestas sociedades, impondo-se a estes povos o Estado colonial espanhol, português, inglês ou francês sobre estes povos.

Para justificar essas ações, utilizaram a religião cristã, imposta a sangue e fogo, e o mito da suposta superioridade europeia contra a suposta inferioridade dos povos originários e afrodescendentes, o que gerou práticas racistas, excludentes e discriminatórias que levaram a casos de extermínio completo das populações originárias, como aconteceu no Caribe. Em outros casos, a prática dominante foi isolar os povos originários, como aconteceu com as reservas indígenas nos atuais Estados Unidos e Canadá, as reservas ou demarcações na Colômbia, no Brasil, no Chile e em outros países. Nos territórios onde existiam concentrações de populações originárias, como os astecas, maias, incas, aproveitaram parte da configuração preexistente, mas em uma espécie de segregação colonial: nas cidades viviam os invasores ou seus descendentes e, no campo, os povos indígenas.

Esta separação dos territórios permitiu que se mantivesse, nos lugares onde viviam as populações dos povos originários, uma base material própria que possibilitava reproduzir o tipo e a forma de produção, os sistemas agrícolas ancestrais, as relações sociais características etc., o que permite explicar a sobrevivência e a reprodução da cosmovisão dos povos originários na nova sociedade colonial.

Ao mesmo tempo, explica também porque a organização econômico-social dos povos originários não pode se desenvolver, limitada pela realidade colonial imposta violentamente. Em outras palavras, foi como plantar uma árvore em um vaso: começa a crescer, mas chega um ponto em que não pode se desenvolver mais.

O outro elemento que permite explicar a sobrevivência dessa cosmovisão é a resistência dos povos originários. Resistência e rejeição que iam desde o sincretismo religioso até as rebeliões armadas locais, passando por todas as formas de resistência cultural que o sentido de identidade étnica leva a criar no ser humano oprimido, em semelhantes circunstâncias.

Desta forma, parte da resistência consistiu em manter, reproduzir e adequar cosmovisões próprias nas quais, em que pese a diversidade dos povos existentes em *Abya Yala*, também é possível identificar alguns princípios comuns:

- princípio de inter-relação: este princípio nos mostra que tudo está vinculado com tudo, o que nos leva a afirmar que o mais importante são as relações, os vínculos que se estabelecem.
- princípio de complementariedade: segundo este princípio, nenhum ser, nenhuma ação, existe por si mesmo, isolado no mundo, mas está articulado a diversas relações com outros seres e outras ações. A complementariedade pode ser a união dos contrários e se relaciona com a dualidade que é expressão de pares com qualidades diferentes, mas complementares; tudo tem sua frente e verso, por exemplo, o dia tem a noite, a claridade se complementa com a escuridão, fêmea e macho são complementares, céu e terra também. A dualidade complementar está presente em tudo.
- princípio de reciprocidade: para que tudo exista e se mova com normalidade é preciso retribuir, dar e devolver à terra, ao céu, aos irmãos animais e plantas, às montanhas e aos rios. A reciprocidade deve ser praticada em todos os níveis da vida, nos afetos, na economia e no trabalho, até no âmbito religioso, uma vez que mesmo o divino está sujeito a este princípio. A cada ato corresponde uma ação complementar, outro ato recíproco.

A partir desta cosmovisão, cada povo forjou e adequou uma identidade que está constituída por uma memória histórica preservada e transmitida na forma de tradições orais, escritas ou diversas manifestações de arte; formas de organização social baseadas em modos característicos de distribuição de papéis ou funções entre seus membros; sistemas produtivos nos quais se inter-relacionam diferentes produtos e tipos de produção com algum alimento central que se considera sagrado, como o milho, a batata, a mandioca etc.; estruturas políticas nas quais estabelecem suas próprias categorias de "autoridade", quem são seus integrantes, como são indicados, como são avaliados e em que âmbito atuam; as normas sociais que possibilitam a convivência em comunidade e que utilizam tanto para organizar o cotidiano como para resolver as diferenças ou conflitos, que em diferentes experiências têm mais peso que a legislação nacional e, finalmente, suas representações culturais próprias, que se expressam em manifestações como o idioma, os alimentos, as artes, o vestuário, a espiritualidade etc.

Um exemplo de como se configuraram estas cosmovisões pode ser encontrado na ideia da existência de um lugar fértil, de abundância e agradável, como a *Yvy Marãe'ỹ* ou Terra Sem Mal, do Povo Mapuche, que se assemelha à *Paxil K'ayal'a*, do Povo Maya K'iche', contida no *Popol Wuj*, o livro que contém a mitologia e a história do Povo K'iche', transcrito entre 1554-1558 em símbolos latinos.

Da mesma forma, há os conceitos de *suma qamaña*, escrito no idioma Aymara, que se traduz como Viver Bem, ou *suamk kawsay*, escrito em Kichwa, que também significa Bem Viver, embora a tradução que mais se aproxime seja Vida em Plenitude, Vida Plena. Este conceito, no idioma Mapuche, é conhecido como *kyne mogen*, e em idioma maya k'iche' se denomina *raxalaj kaslemalil*, que também se pode traduzir como Plenitude de Vida.

O conceito de Bem Viver ou Viver Bem é uma aplicação de uma série de princípios. De acordo com o povo Aymara, estes princípios são:

- *Suma Manq'aña:* saber comer, saber alimentar-se, que não é o mesmo que encher o estômago, mas obter alimentos sãos e indispensáveis, tanto para os seres humanos como para os animais, as plantas, a Mãe Terra e demais seres viventes;
- *Suma Umaña:* saber beber, que se inicia com dar de beber à *Pachamama*, complementar-se, entrar no coração, tirar do coração e emergir do coração;
- *Suma Thukhuña:* saber dançar, entrar em relacionamento e conexão cósmica;
- *Suma Ikiña:* saber dormir, para recuperar as energias;
- *Suma Irnakaña:* saber trabalhar, pois o trabalho não é sofrimento, é alegria que deve ser realizada com paixão;
- *Suma Lupiña:* meditar em silêncio, porque equilibra e harmoniza; conectar-se com o entorno e com o próprio silêncio, como consequência desta interação, se alcança a tranquilidade e a calma;
- *Suma Amuyaña:* saber pensar; é a reflexão a partir não apenas do racional, mas também do sentir;
- *Suma Munaña, Munayasiña:* saber amar e ser amado, é o processo de complementação. O respeito a tudo o que existe gera a relação harmônica;
- *Suma Aruskipaña:* falar bem. Antes de falar, é preciso sentir e pensar bem. Significa falar para construir, para encorajar, para contribuir;
- *Suma Ist'aña:* saber escutar. Não apenas escutar com os ouvidos; é perceber com todo nosso ser. Se tudo vive, também tudo fala;
- *Suma Samkasiña:* saber sonhar. Tudo começa a partir do sonho. Através do sonho, percebemos e projetamos a vida;
- *Suma Sarnaqaña:* saber caminhar. Estar consciente de que nunca se caminha sozinho, caminhamos com a Mãe Terra, com o vento, com os antepassados e com outros seres;
- *Suma Churaña, Suma Katukaña:* Saber dar, saber receber. Reconhecer que a vida é uma conjunção de muitos seres e muitas forças. Recebemos e damos; a interação destas duas forças gera vida. Dar é reconhecer; agradecer é saber receber.

No marco desta cosmovisão, em 23 de abril de 2008, no Fórum Permanente para as Questões Indígenas das Nações Unidas, o Presidente [da Bolívia] Evo Morales propôs os "Dez Mandamentos para Salvar o Planeta, a Humanidade e a Vida":

1. acabar com o sistema capitalista;
2. renunciar à guerra;
3. um mundo sem imperialismo e sem colonialismo;
4. a água é vida;
5. energias limpas e amistosas com a natureza;

6. respeito à Mãe Terra;
7. serviços básicos como direito humano;
8. consumir o necessário, priorizar o que produzimos e consumimos localmente;
9. promover a diversidade de culturas e economias;
10. Viver Bem;

C

Os elementos antes descritos são o núcleo da identidade de cada povo, que tem as suas raízes na cosmovisão. Esta identidade adquire especial importância em situações de dominação e opressão, uma vez que a identidade de cada povo se constitui em trincheira de resistência, porque permite a um povo manter sua dignidade, quer dizer, reafirmar o que são como povo. E esta reafirmação respalda a luta e a resistência popular, permite que a identidade se transmita de geração a geração e, diante de determinadas condições históricas, é fonte de convicções e energias para lutar.

A importância da cosmovisão dos povos originários consiste em suas consequências políticas. Em primeiro lugar, a identidade como povos, que se nutre da cosmovisão, é um direito que reafirma a dignidade coletiva.

Segundo, na medida que oprimam, menosprezem, tornem folclórico ou excluam a cosmovisão dos povos originários, os Estados Nacionais serão monoculturais, excludentes e racistas que oprimem setores mais ou menos numerosos da população que costuma ser ao mesmo tempo explorada, o que possibilita a síntese entre as lutas classistas e as lutas pelo direito de existir e se desenvolver como povos com uma cosmovisão e identidade particular. Terceiro, os elementos que são coincidentes, convergentes e complementares com o projeto de transformação social contribuem para a definição de um novo modelo de sociedade e inclusive um novo modelo civilizatório.

Referências

BARABAS, A. M. Cosmovisiones, mitologías y rituales de los pueblos indígenas de Oaxaca. *In:* AUSTIN, A. L.; ESPINOSA, A. G. (coord.). *Cosmovisión mesoamericana:* Reflexiones, polémicas y etnografías. México: Fideicomiso Historia de las Américas/El Colegio de México/Fondo de Cultura Económica/ Benemérita Universidad Autónoma de Puebla, 2015.

BÍBLIA CLERUS. Vaticano. Disponível em: http://www.clerus.org/bibliaclerusonline/pt/index.htm Acesso em abril 2021.

EISEINSTEIN, Z. *Patriarcado capitalista y feminismo socialista.* México: Editorial Siglo XXI, 1980.

FERNÁNDEZ GONZÁLEZ, L. *Cosmovisión y explicación del término weltanschauung*, 2010. Disponível em: https://www.gestiopolis.com/cosmovision-y-explicacion-del-termino-weltanschauung/. Acesso em: 22 mar. 2021.

SÁNCHEZ-CORTÉS, M. S. El reto de la educación ambiental. *Ciencias*, n. 64, p. 42-49, Octubre-Diciembre 2001. Ciudad del Mexico: Facultad de Ciencias/Unam, 2001. Disponível em: http://www.revistas.unam.mx/index.php/cns/article/view/11805/11127. Acesso em 6 jan. 2021.

Para saber mais

COLOP, S. *Traducción al español del Popol Wuj.* Guatemala: Editorial Cholsamaj, 2008.

ESHELMAN, C. G. Las cosmovisiones, la historia y la tradición intelectual en Mesoamérica. *In: Cosmovisión mesoamericana.* Reflexiones, polémicas y etnografías. México: Fondo de Cultura Económica, 2015.

MAMANI, F. H. *Vivir bien/Buen vivir.* Filosofía, políticas, estrategias y experiencias regionales. III-CAB, 2010.

MORALES AYMA, E. *La tierra no nos pertenece, nosotros pertenecemos a la tierra.* Mensajes del Presidente Evo Morales Ayma sobre la Pachamama y el cambio climático. 2009. Disponível em: https://www.cancilleria.gob.bo/webmre/sites/default/files/libros/01%20la%20tierra%20no%20nos%20pertenece%20nosotros%20pertenecemos%20a%20la%20tierra.pdf. Acesso em: 6 jan. 2021.

CULTURA E AGROECOLOGIA

Jade Percassi
Juliana Bonassa
Sylviane Guilherme

C

Introdução

O ponto de partida em relação aos conceitos de cultura e agroecologia trabalhados neste verbete se baseia na ideia central de que é preciso caminhar para a consolidação de uma *cultura agroecológica*. Isso implica necessariamente compreender a cultura para além da arte, e a agroecologia para além da produção de alimentos. Este enfoque se refere à forma de organizar a vida no seu sentido mais amplo. A construção da *cultura agroecológica* sugere uma abordagem da forma de produção e reprodução da existência humana que se desenvolve em territórios de forma coletiva, partindo inclusive de uma perspectiva de projeto para o campo considerando sua intrínseca relação com a cidade.

Para se aproximar do que seria este processo de organização da vida, neste texto serão desenvolvidas algumas reflexões como: o que é cultura; as disputas ideológicas e organizativas que estão postas neste campo; a indústria cultural como estrutura de dominação do sistema capitalista e seu papel na legitimação do agronegócio como projeto capitalista para o campo; e algumas práticas emancipatórias em que a *cultura agroecológica* se desenvolve.

O conceito de cultura é em si mesmo complexo. Sobre ele é possível encontrar diversas leituras com visões e perspectivas distintas. Durante vários séculos, o conceito foi se transformando e correspondendo a interesses específicos. Como ocorre com todos os conceitos, o de cultura não é neutro, assim como não o são seus processos de conformação.

A abordagem de cultura utilizada aqui não busca engessar as diversas dimensões e relações que as práticas culturais comportam; porém, é uma compreensão com posição política assumida, que parte do ponto de vista da classe trabalhadora, com ênfase nos fenômenos culturais que se desenvolvem no campo brasileiro, considerando suas dinâmicas, práticas e conformações.

Este posicionamento se faz necessário, pois os conceitos, assim como as práticas culturais, estão sendo disputados cotidianamente. Tal disputa se dá entre dois projetos antagônicos para o campo brasileiro: o do agronegócio e o da agroecologia [ver Agronegócio; Agroecologia]. Tendo cada um deles seus desdobramentos em diversas esferas: a econômica, tecnológica, social, produtiva etc. Mas é, sobretudo, na esfera cultural que esta disputa pode ou não legitimar um dos dois projetos. Vale ressaltar que nesta batalha, por compreender a cultura como campo de ação eficaz, o *agronegócio* está em franca vantagem, como será apresentado mais adiante neste texto.

Um passo fundamental para que se avance na compreensão dessa disputa é conhecer as diferentes apreensões da cultura e sua relação com a concepção de sociedade. Tal exercício se faz necessário para questionar, radicalmente, a própria compreensão hegemônica de cultura que é apresentada desde a escola, na universidade, nos meios de comunicação, redes sociais e demais espaços em que se debate e se vivencia o tema. Por ser elitista e elitizada, ela estrutura uma forma de pensar e agir que torna os sujeitos que lutam por uma vida digna reféns de uma concepção estéril.

Na concepção hegemônica de cultura, as mediações e relações não são ressaltadas ou, então, são naturalizadas. Desconstruir as bases que estruturam o conceito hegemônico de cultura e dar uma dinâmica orgânica e de vida para o processo cultural significa tomar parte neste enfrentamento. E para tanto, compreender a origem da palavra cultura como ocupação da terra e o desenvolvimento da vida nela favorece a ideia de que o desenvolvimento da cultura agroecológica (Leff, 2001), como sistema amplo de organização da vida, é uma posição contra-hegemônica no campo cultural.

A origem da palavra cultura e seu desenvolvimento

A origem mais antiga da palavra encontra-se no verbo do latim *colere*, que significa cultivar, cuidar. Dele, derivam a puericultura – cultivo e cuidado das crianças, forma original de pensar a educação; culto – à dimensão sagrada da vida, à ancestralidade e às divindades; e a agricultura, o cultivo e o cuidado com a terra, preparar as condições para fazer brotar, florescer e frutificar. Agricultar, então, significava ocupar a terra, trabalhar na terra, viver na terra. Relacionar-se com a terra pode ser considerado um dos mais antigos atos culturais e essa relação também nos permite compreender a história da humanidade (Chauí, 2001).

Nos estudos antropológicos, amplia-se o conceito para além da ação em si: a cultura compreende as práticas de um conjunto de pessoas, as relações sociais estabelecidas para execução de tais práticas e os valores e representações simbólicas compartilhadas por essas mesmas pessoas. Segundo a leitura marxista, determinadas relações sociais de produção (portanto, de relações entre pessoas para modificar a natureza, a fim de satisfazer as necessidades humanas) são a base sobre a qual serão estabelecidos determinados valores, pensamentos e representações simbólicas. As experiências de um grupo se enraízam com a de seus antecessores por meio de mediações simbólicas, como as canções, as danças, histórias. Os cantos de trabalho, por exemplo, surgem da vida coletiva e estabelecem relações com a história, com a memória.

A cultura e sua relação com a terra, com a posse e o trabalho na terra, estiveram ligadas historicamente a processos econômicos e políticos, permeados pela luta de classes. A cultura tem sido um amplo campo de disputa de significados e de modos de vida. Cultura, economia e política não se separam ao longo da história. Num determinado período histórico, durante o século XVIII, a cultura passou a significar um conjunto de práticas (arte, ciência, técnicas, filosofia, ofícios) que permite avaliar e hierarquizar determinado povo, país ou regime como mais ou menos evoluído, segundo os parâmetros das classes dominantes.

Foram os parâmetros das classes dominantes ao longo de três séculos que estabeleceram a separação intencional entre a alta cultura, ou cultura erudita, que compreende as produções artísticas supostamente mais complexas e os saberes científicos desenvolvidos na esfera dos espaços acadêmicos, de um lado, e de outro lado a cultura popular, que é considerada, por essa perspectiva hegemônica, de menor valor, por reunir saberes populares não sistematizados sobre a natureza e manifestações artísticas que correspondem a formas de relações sociais de produção não capitalistas.

Em contraposição a essa concepção burguesa, há a cultura popular como um campo de práticas, saberes populares, trocas, processos organizativos, conhecimentos e desenvolvimento de técnicas culturais e artísticas de alta complexidade e diversidade, que não podem ser medidas com os parâmetros hegemônicos. Não por acaso, a hegemonia cultural tenta continuamente eliminar ou absorver a cultura popular, com o intuito de transformá-la em mercadoria. O desenvolvimento orgânico das manifestações da cultura popular é perigoso para a manutenção dos valores hegemônicos capitalistas.

Cultura é a produção e reprodução da existência humana em determinado contexto histórico. É prática social, e justamente em suas relações e mediações é que se desenvolve o processo organizativo da vida: o que e como se planta, come, estuda, aprende; como se cuida das crianças e idosos; como se faz arte, crenças, hábitos, a forma de fazer política. Os seres humanos desenvolvem sua humanidade através da cultura, que por sua vez constitui os mesmos seres humanos em uma relação dialética, de práxis social.

Para Marildo Menegat, a cultura está no campo da práxis social, no qual o trabalho intelectual e a prática não se desvinculam. Segundo ele:

> Falar em cultura significa pensar a partir desse universo da práxis social, a cultura faz parte da reprodução da vida humana em sociedade. Isso significa que todo ato de cultura, mesmo que seja isolado, está relacionado com o todo da vida social. (Menegat, 2016, p. 16)

Essa práxis social em que a cultura se desenvolve também é disputada pela visão hegemônica do sistema capitalista, e resulta em muitos conflitos. Por isso, faz-se necessário desmontar os pilares que a sustentam. Dado que estes pilares levam a um processo de alienação, eliminar a divisão social do trabalho e a propriedade privada, portanto, são tarefas vitais para se projetar uma cultura para a emancipação humana.

Conceber a cultura dessa forma seria o caminho para uma reconciliação dos seres humanos entre si e com a natureza nas suas mais diversas esferas. Essa reconciliação pode ser desenvolvida ao passo em que se consolida a compreensão e a prática de uma *cultura agroecológica* como pilar do desenvolvimento da vida no campo, em contraposição ao modo de produção capitalista. Pois, se se compreende a cultura como campo em que se assentam as bases e as práticas da reconstrução de uma práxis social emancipatória, a agroecologia figura como elemento fundamental para a reconstrução ecológica da agricultura e da cultura como um todo.

C

A partir desta perspectiva, a Reforma Agrária Popular [VER REFORMA AGRÁRIA POPULAR] é o programa que propõe esta fusão entre cultura e agroecologia, na qual seres humanos, natureza, alimentos, educação dos sentidos, arte, relações humanas, sociais, econômicas e políticas se relacionam de maneira orgânica.

A indústria cultural como estrutura de dominação

Ao contrário do parâmetro de cultura como dimensão da práxis social, o pensamento predominante no senso comum, como fruto da ideologia burguesa, define a cultura como uma espécie de acúmulo que se pode mensurar: teriam "mais cultura" ou seriam "mais cultas" as pessoas de classes sociais abastadas. Por este viés, a cultura torna-se um fator de distinção, um elemento de reconhecimento social (Bourdieu, 2007).

Saber tocar um instrumento musical, interpretar ou cantar, ter o hábito de ler livros, conhecer amplo repertório de filmes do cinema nacional e internacional são, antes de mais nada, direitos fundamentais inerentes a todas e todos os seres humanos. Entretanto, no mundo capitalista esses direitos muitas vezes são negados e tornam-se privilégios. As classes mais abastadas investem seus recursos na formação diferenciada de seus filhos, enquanto à maioria da classe trabalhadora é negado o acesso aos bens culturais e os meios para que se tornem produtores na esfera das linguagens artísticas, por exemplo.

Na dinâmica atual de extrema mercantilização da vida, a arte, que é resultado da produção humana da experiência sensível – capaz de produzir bens simbólicos que não têm uma finalidade prática imediata – foi apropriada, no decorrer dos tempos, e transformada em mercadoria. O direito à educação estética dos sentidos como experiência coletiva da humanidade é muitas vezes sonegado, pelos fenômenos que alguns pesquisadores denominaram indústria cultural, uma estrutura sofisticada e articulada de dominação que relaciona as esferas da cultura, da política e da economia desde meados do século XX.

O conceito de indústria cultural foi cunhado pelos professores Theodor Adorno e Max Horkheimer, atuantes na Universidade de Frankfurt (Alemanha). Para os autores, a Indústria Cultural era uma dinâmica característica do momento histórico gerado pelo aparecimento da grande empresa capitalista na Inglaterra. O início da fase imperialista do capitalismo, com uma nova organização do capital bancário, configurando o capital financeiro, a concentração e centralização de capital chamado por diferentes correntes marxistas de "capitalismo monopolista".

O principal aspecto da indústria cultural está na articulação mercadológica entre cultura, arte e divertimento, tendo em vista a perpetuação da dominação do sistema produtivo sobre o trabalhador, também em seu tempo livre. "A diversão é o prolongamento do trabalho sobre o capitalismo tardio" (Adorno; Horkheimer, 1985, p. 128). Conforme afirmam os autores do verbete *Indústria Cultural e Educação* do Dicionário da Educação do Campo:

> Em outros termos, trata-se do fetichismo da mercadoria encobrindo os fundamentos da extração de mais-valia sob o capitalismo monopolista. Ao consolidar a diversão em

> mercadoria, a Indústria Cultural assenta os termos de dominação social do capitalismo no século XX. [...] Seguindo os argumentos de Adorno e Horkheimer, podemos afirmar que a IC é uma redução imediata e absoluta da superestrutura ideológica aos fundamentos da base econômica pelos termos do valor de troca. (Bastos *et al.*, 2012, p. 413)

No campo das providências, o primeiro passo é reconhecer a indústria cultural (e suas formas de operação) como um problema a ser pensado e combatido. A formação em sentido emancipatório pressupõe um processo de acumulação estética, a partir do legado artístico que formalizou as contradições do processo histórico. Esse processo cumulativo gera novos parâmetros de fruição e de consciência dos dilemas da experiência brasileira, periférica, colonizada, contraditória. A educação para a percepção das estruturas formais tem a potencialidade de se contrapor à influência da ideologia produzida e propagada pela indústria cultural. A educação deve, portanto, proporcionar meios críticos de percepção da mediação que a indústria cultural estabelece entre os indivíduos e o mundo, entre vida e realidade. Porém, a educação é restrita, e não pode mudar de fato as relações sociais que produzem as diferentes formas de exploração e opressão. Nesse aspecto, os espaços educativos devem ir além da condição de oferta de acesso aos bens culturais, posição que gira em falso sobre o eixo da lógica capitalista do consumo, e transformá-los em espaços de produção cultural, de socialização dos meios de produção artística e de compreensão crítica da realidade.

Agroecologia, cultura e arte: práticas emancipatórias

A arte surge como expressão do desenvolvimento da sociabilidade. Quando os seres humanos iniciaram o processo de humanização, que os distinguiu dos animais, também teve início o desenvolvimento da arte. A arte é parte do processo de experiência dos seres humanos como seres criadores e produtores de vida nas suas diversas dimensões. A criação dos instrumentos de trabalho e da arte se deu em conjunto no desenvolvimento humano. Porém, com o advento da sociedade dividida em classes, com a divisão social do trabalho entre trabalho manual e trabalho intelectual, foram conferidos sentidos distintos para a arte e para o trabalho. Compreender essa separação é fundamental para que se compreenda o papel da arte como dimensão da cultura, entendida como práxis social.

Segundo Menegat, se o resultado do trabalho atua na esfera da resolução imediata ou em curto prazo do existir:

> A arte nos coloca um problema em relação ao mundo, sempre nos coloca um 'podemos ser'. Num mundo de crise civilizatória, como o nosso, a arte e a cultura só têm sentido se forem uma arte e uma cultura que tenham esta clareza. Ser contra a barbárie é ter consciência de que o que está em jogo é salvar a humanidade, na qual estamos incluídos. (Menegat, 2016, p. 33)

Em uma perspectiva emancipatória para os povos do campo, a cultura tem o papel de contrapor-se à divisão entre trabalho e arte.

Nessa interpretação, portanto, é no universo do trabalho coletivo que se assentam os modos de conceber desde a astronomia, passando pela apreensão do funcionamento dos ecossistemas, da natureza e das formas de cultivar a terra, até as aprimoradas técnicas alquímicas de preparo do alimento de cada culinária. São ainda dessas relações de trabalho que os saberes sobre as ervas e os remédios naturais perpassam a medicina tradicional [VER MEDICINA TRADICIONAL], que se configuram a espiritualidade e a religiosidade de um grupo, e de onde, inclusive, são extraídas as matérias-primas para a arte no sentido amplo: a dança, a música, a literatura, as artes visuais, o teatro etc.

Contudo, processos coletivos de resistência anunciam a necessidade de nutrir formas e modos populares de organização da vida que considerem o equilíbrio harmônico entre ser humano e natureza. Nessa direção, a agroecologia vem se construindo como inadiável e imprescindível para defender as memórias, cultivar as sabedorias e garantir, assim, o futuro da humanidade (Toledo; Barrera-Bassols, 2015).

Na agroecologia, em seus pressupostos e práticas, a valorização e recriação dos conhecimentos e técnicas acumuladas pelos povos originários e comunidades tradicionais nas suas correntes ancestrais – na agricultura, na culinária, na saúde, na educação e/ou na arte – é apresentada como vital para a garantia da sobrevivência humana.

Esta vitalidade existe por projetar na produção e na reprodução da vida um diálogo e equilíbrio, justo e necessário, das relações com os bens naturais e os bens culturais, considerando, ainda, o contexto das disputas econômicas, conflitos políticos e lutas sociais do seu tempo.

> Coitado do pescador/Que precisa de pescar/Atrás da nota de cem/Pro pão não deixar faltar/A turma da força verde/Estão saindo pro mar/ [...] Eles vêm de voadeira/E prendem nosso pescado/Depois vão com a família/Almoçar lá no mercado/ Depois comem com cerveja/O peixe que foi pescado/[...] Nem mesmo o meu fandango/Eu posso mais tocar/ Pra viola de fandango/Caxeta não retirar. (Domingues; Costa, 2017)

Esta chimarrita do Fandango do litoral paranaense, chamada *Moda da força verde* (Domingues; Costa, 2017), composta pelos mestres Aorélio Domingues e Ivo Costa, e que compõe o álbum *Amanhece* (2017), conta, canta e tamanqueia o cotidiano de resistência dos pescadores contra algumas das formas de opressão e violência sobre a secular cultura caiçara. Nesta canção do Fandango Caiçara, as relações indissociáveis de produção e reprodução da vida aparecem com evidência. Natureza e ser humano, trabalho e arte, como dimensões elaboradas e desenvolvidas organicamente no cotidiano destes pescadores, agricultores, artistas e devotos do Divino Espírito Santo. O teor político da canção está para além dos versos de denúncia, mas fundamentalmente no fato de resistirem pescando, plantando, tocando, cantando, rezando de forma combinada e integrada.

Dentre vários exemplos, outro é o das Quebradeiras de Coco Babaçu. Ocupando um território entre a caatinga e o cerrado, nos estados do Maranhão, Pará, Piauí e Tocantins, muitas mulheres camponesas fazem do extrativismo do babaçu – uma das principais palmeiras do Brasil – fonte de vida. Protagonizando a organização social das comunidades às quais pertencem, elas coletam os cocos e, enquanto os quebram, entoam cantigas e versos a partir do ritmo das batidas dos paus nos facões. Da casca do coco fazem carvão, colares, adornos e obras de arte. Da castanha preparam o azeite, a farinha e o sabão, de comer e de banhar. Da palha das folhas do babaçu são produzidas as coberturas e paredes das casas, cestarias e chapéus. E ao cair da noite, transitando entre o sagrado e o profano, celebram suas santas e suas danças, evocando a força feminina das palmeiras e da natureza, que para estas mulheres está confirmada nos contornos de cada teta do coco de babaçu.

> Ave Palmeira, que sofre desgraça/Malditos derrubam, queimam e devastam/Bendito é teu fruto que serve de alimento/E no leito da morte ainda nos dá sustento/Santa mãe palmeira/Mãe de leite verdadeiro/Em sua hora derradeira/Rogai por nós quebradeiras. (Silva, 2016, p. 13)

Há, ainda, espaços de convergência de várias dessas produções e memórias bioculturais. Um deles é a Feira Nacional da Reforma Agrária, que vem sendo realizada pelo MST na capital de São Paulo desde 2015. As feiras propõem dias intensos de atividades artísticas, alimentares e formativas acerca da Agroecologia, alinhavando cada uma das dimensões que a compõem na construção de uma cultura emancipadora, que aproxima campo e cidade por meio do alimento.

Dessa forma, é organizada a feira de produtos agroecológicos *in natura*, beneficiados e de artesanato; a culinária da terra, com pratos típicos regionais; a partilha de mudas e sementes crioulas; os intercâmbios e oficinas de práticas agroecológicas; os remédios, ervas, chás e curas milenares tradicionais; os seminários e debates sobre saúde popular, relações de gênero, educação do campo, cultura popular, contra o uso de agrotóxicos etc.; e, ainda, as apresentações das mais diversas linguagens, nas quais artistas e grupos populares se encontram, contam e cantam a vida na terra, nas águas e nas florestas. Tudo registrado e divulgado em uma intensa vivência de comunicação popular.

A arte na agroecologia é assim: o cotidiano vivo, em movimento estético de transformação recíproca entre seres humanos e natureza. A terra onde pousa a semente e nasce a flor e o fruto, nas mãos humanas se torna pigmento mineral para desenhos, pinturas, esculturas e bandeiras. Os movimentos e ritmos da natureza e do trabalho se dobram, revolvem e viram danças nos corpos individuais e coletivos, nos terreiros ou nas marchas. A palavra e o nome de cada coisa que um dia não tinha nome se combina em versos, vira história, causo, cria mundo imaginado e organização popular. Os sons dos bichos, das águas, dos ventos, dos trabalhos, das gentes, se propagam pelo ar em músicas e canções fazendo das peles, madeiras ou crinas instrumentos de encantaria e rebeldia.

Referências

ADORNO, T. W.; HORKHEIMER, M. *Dialética do esclarecimento:* fragmentos filosóficos. Rio de Janeiro: Ed. Jorge Zahar, 1985.

BASTOS, M. D. *et al.* Indústria Cultural. *In:* CALDART, R. S. *et al.* (org.). *Dicionário da Educação do Campo.* Rio de Janeiro/São Paulo: Ed. Expressão Popular, 2012. p. 412-419.

BOURDIEU, P. A *distinção:* crítica social do julgamento. São Paulo/Porto Alegre: Edusp/ Zouk, 2007.

CHAUÍ, M. *Cultura e Democracia.* 9. ed. São Paulo: Cortez Editora, 2001.

DOMINGUES, A.; COSTA, I. Moda da força verde. *In: Amanhece:* Fandango Pancada, 2017. 1 vídeo (5 min 26). Publicado pelo canal Mandicuera Associação de Cultura Popular. Disponível em: https://www.youtube.com/watch?v=icrW7jRCnuk. Acesso: 09 jul. 2020.
LEFF, E. *Saber ambiental.* Petrópolis: Vozes, 2001.
MENEGAT, M. Da arte de nadar para o reino da liberdade. *In:* VILLAS BÔAS, R. L., SILVA, E. M. S.; NAPOLITANO, J. E.; BASTOS, S. (org.). *Pequenos projetos ecossociais de quebradeiras de coco babaçu:* reflexões e aprendizados. Brasília: ISPN, 2016.
TOLEDO, V. M.; BARRERA-BASSOLS, N. *A memória biocultural:* a importância ecológica das sabedorias tradicionais. São Paulo: Expressão Popular, 2015.

C

Para saber mais

BOGO, A. *O MST e a cultura.* ANCA. São Paulo: ANCA, 2000.
FREIRE, P. *Ação cultural para a liberdade.* 5 ed. Rio de Janeiro: Paz e Terra, 1981.
PEREIRA, P. M. *Cultura, arte e comunicação.* São Paulo: Outras Expressões, 2015.
PRIMAVESI, A. M. *A convenção dos ventos.* Agroecologia em contos. São Paulo: Expressão Popular, 2016.
SCHWARZ, R. Política e cultura. *In: Que horas são?* São Paulo: Companhia das Letras, 1987.

D

DESERTIFICAÇÃO

Aldrin Martin Perez-Marin
Luis Felipe Ulloa Forero

No âmbito da Convenção das Nações Unidas de Combate à Desertificação e Mitigação dos Efeitos da Seca (United Nations Convention to Combat Desertification – UNCCD), a desertificação é entendida "como degradação da terra nas zonas áridas, semiáridas e subúmidas secas, resultantes de vários fatores, incluindo as variações climáticas e as atividades humanas" (Brasil, 2006, p. 7).

Por degradação da terra, a UNCCD entende

> [...] a redução ou perda da produtividade biológica ou econômica e da complexidade das terras agrícolas de sequeiro, das terras agrícolas irrigadas, das pastagens naturais, das pastagens semeadas, das florestas e das matas nativas devido aos sistemas de utilização da terra ou a um processo ou combinação de processos, incluindo os que resultam da atividade do homem e das suas formas de ocupação do território, tais como: a) a erosão do solo causada pelo vento e ou pela água; b) a deterioração das condições físicas das propriedades físicas, químicas e biológicas ou econômicas do solo; e c) a destruição da vegetação por períodos prolongados. (Brasil, 2006, p. 8)

Por sua vez, as zonas áridas, semiáridas e subúmidas secas são entendidas como "todas, com exceção das polares e subpolares, nas quais a razão entre a precipitação anual e a evapotranspiração potencial está compreendida entre 0,05 e 0,65". Ou seja, regiões que se caracterizam por apresentar uma baixa precipitação anual (i.e., pouca chuva) e alta evapotranspiração (i.e., perda de água do solo por evaporação e perda de água das plantas por transpiração – evapotranspiração). No sertão, popularmente se diz que chove de baixo para cima, pois a precipitação média anual é de 800 mm, enquanto a evapotranspiração é em média de 2.500 milímetros, prevalecendo déficit hídrico ao longo de todo o ano. O balanço negativo entre a precipitação e a evapotranspiração resulta num período curto para o crescimento dos cultivos.

O conceito de desertificação da UNCCD é vago quando diz ser "resultante de vários fatores". Em tese, segundo a UNCCD, a desertificação pode ter múltiplas causas e pode gerar múltiplas consequências interligadas por mecanismos que se retroalimentam. Isto implica que a definição de desertificação pode ser interpretada como tendo uma abrangência muito ampla, envolvendo fatores estruturais como: desigualdades sociais, pobreza, decisões políticas, concentração de terra, renda, biodiversidade, água [VER ÁGUA], meios de produção e alta densidade demográfica; ou bem mais restrita, como a degradação das terras utilizadas pela ação humana, como a *mineração* [VER MINERAÇÃO], por exemplo, que degrada de forma significativa a terra. Devido a isso, quase todas as afirmativas sobre desertificação têm uma forte dose de subjetividade, com sua consequente baixa confiabilidade.

Pedagogicamente, percebe-se que esta definição delimita o conceito de desertificação a dois aspectos: a) as zonas climáticas onde ela pode ocorrer; e b) a degradação da terra, os fatores e causas das quais resulta, focadas nas atividades humanas e variações climáticas.

Sobre as zonas climáticas onde pode ocorrer

Em outras palavras, a definição limita a desertificação às terras secas, situadas entre os 20° e 45° de latitude, que, com diversos graus de aridez, representam cerca de 47,2% da área continental do planeta, correspondendo a dois terços da superfície total de 150 países e se encontram entre as regiões mais excluídas pela maioria dos programas de desenvolvimento (United Nations Environment Programme, 1997; Pimm, 2001) (ver Figura 10, adiante, p. 792).

Estima-se que 42% da população mundial viva nestas áreas e que 22% da produção mundial de alimentos tenha origens nestes ambientes (Food and Agriculture Organization, 2007; Dobie, 2011), acumulando experiências de vida vinculadas a processos de desertificação e *mudanças climáticas* (Perez-Marin *et al.*, 2017). Segundo a Food and Agriculture Organization (FAO) (2007), cerca de 69,5% das terras secas encontram-se afetadas pela desertificação, a uma taxa anual de degradação de 0,13%.

É importante não confundir desertificação com deserto. São paisagens semelhantes, porém com processos e resultados distintos. A desertificação é um processo cumulativo de degradação da terra, plausível de ser revertido, que ocorre durante lapsos de tempo relativamente grandes (dez anos ou mais) e que resulta essencialmente da ação humana, pois raramente ocorre de forma espontânea. Ou seja, a ação humana tem um papel decisivo, seja na instalação, seja no avanço, seja na reversibilidade do fenômeno da desertificação, que também raramente ocorre de forma espontânea. O deserto, por sua vez, é um ecossistema natural, que se forma sem a interferência humana. Dentre os principais processos naturais de formação de um deserto, podemos destacar a pouquíssima precipitação (entre 200 a 400 mm) e a elevadíssima evapotranspiração (2.500 a 3.000 mm). Consequentemente, são quentes, áridos e muito suscetíveis a processos de desertificação (degradação da terra) resultantes das ações humanas. O maior deserto de nosso planeta é o Saara, localizado ao norte da África.

Na América, as terras secas ocorrem na forma de manchas de diferentes tamanhos, do sul do Canadá ao sul da Argentina. Particularmente na América Latina e Caribe, as regiões com características de aridez estão localizadas no Brasil, Argentina, Chile, Bolívia, Venezuela, Colômbia e no corredor seco centro-americano. Todas estas áreas cobrem 313 milhões de hectares, compreendendo 80% das áreas tropicais e subtropicais.

No Brasil, esta definição restringe a desertificação a uma parte da região Nordeste e do norte de Minas Gerais. Áreas com índice de aridez superior a 0,65 (isto é, zonas de clima úmido) não se enquadram nesta definição. Isto quer dizer que nas outras regiões do Brasil pode haver processos de degradação da terra semelhantes aos desta parte do Nordeste e de Minas Gerais, mas no âmbito da UNCCD eles não podem ser denominados de desertificação porque não se enquadram no âmbito da Convenção. Por exemplo, não se pode usar o termo desertificação para caracterizar um problema sério de arenização que há no Rio Grande do Sul, popularmente conhecido por lá como "Deserto do Alegrete", ou para indicar os problemas de desmatamento e degradação do solo na região Amazônica, porque estes locais não estão no contexto da situação climática de aridez, semiaridez ou subúmida seca.

Desta forma, no Brasil, as áreas suscetíveis à desertificação compreendem 1.340.863 km^2, incluindo 1.488 municípios localizados em dez estados da região semiárida do Nordeste brasileiro, municípios no norte de Minas Gerais e do Espírito Santo, onde o grau de conhecimento destes processos degradativos e sua extensão é ainda deficitário e necessita de constantes atualizações.

Nessa perspectiva, a região semiárida do Brasil, devido à sua extensão, é considerada uma das maiores áreas do mundo suscetíveis ao processo de desertificação e mudanças climáticas. Esta região estende-se por uma área igual a 1.127.953 km^2, compreendendo 1.262 municípios. Abriga uma população que gira em torno de 28 milhões de habitantes, dos quais 17,3 milhões residem em áreas urbanas (IBGE, 2018; Instituto Nacional do Semiárido, 2018). Destes (17,3 milhões), uma parcela significativa vivencia uma dinâmica rural, uma vez que 90% dos municípios do Semiárido são classificados como pequenos, por apresentarem menos de 50 mil habitantes. A região apresenta 1,8 milhões de estabelecimentos rurais, sendo 1 milhão com menos de 5 hectares, mas que respondem por 31% do valor da produção dessa região (Perez-Marin *et al.*, 2012; Medeiros *et al.*, 2012; Instituto Nacional do Semiárido, 2018). O PIB *per capita* (de R$ 6.520,00) é 67% menor que a média nacional. O analfabetismo oscila entre 36 e 46% em aproximadamente 46% dos municípios, e cerca de 60% dos municípios apresentam um baixo IDH (0,5 a 0,59) (Instituto Nacional do Semiárido, 2018).

Sobre a degradação da terra e os fatores e causas das quais resulta

Segundo o Ministério do Meio Ambiente (Brasil, 2004), as áreas onde os processos estão mais avançados são os denominados Núcleos de Desertificação no Semiárido Brasileiro (SAB): Seridó, (Rio Grande do Norte/Paraíba), Cariris Velhos (Paraíba), Inhamuns (Ceará), Gilbués (Piauí), Sertão Central (Pernambuco), Sertão do São Francisco (Bahia). Estes núcleos se constituem na fiel expressão da inadequação ou ausência de práticas adequadas, quando da interação entre as ações produtivas e os recursos naturais disponíveis em um ambiente de equilíbrio ecologicamente frágil (Vasconcelos Sobrinho, 1971; Almeida, 2010; Sales, 2003).

Em geral, as áreas em processo de desertificação caracterizam-se por grandes manchas desnudas, presença ou não de cobertura vegetal rasteira e sinais claros de erosão do solo, sendo esta última um dos principais fatores da degradação. A erosão é um processo através do qual as partículas do solo são deslocadas e removidas para outros locais pela ação da água ou do vento, e que quase sempre começa com o desmatamento e a substituição da vegetação nativa por outra cultivada de ciclo e porte diferente. Associado a isto, o cultivo contínuo, com a retirada dos produtos, ano após ano, e sem reposição dos nutrientes, leva à perda da fertilidade do solo. Nas áreas irrigadas, o uso de água com teores elevados de sais ou mau manejo de irrigação e a ausência de drenagem geram a salinização.

Nestas condições, o solo erodido perde sua fertilidade e sua capacidade produtiva. A superfície da área de onde o solo foi levado, arrastado pelo vento e a chuva, resseca-se e impermeabiliza-se. A cobertura vegetal que brotava dele perde a pujança e degrada-se, logo a atmosfera desidrata-se e se aquece, dificultando as precipitações. As reservas de água das profundidades do solo minguam, as fontes estancam-se e os rios tornam-se intermitentes. Isso tem provocado, ao longo dos anos, redução da área agricultável, baixo rendimento das culturas e assoreamento de rios e reservatórios, com graves prejuízos à produtividade, à integridade do meio ambiente e à rentabilidade do agricultor.

Segundo Sampaio *et al.* (2003), um aspecto muito preocupante da erosão é que mesmo perdas de grande magnitude de solo são pouco observáveis em curto prazo. Perdas laminares de 100 toneladas por hectare durante o ano equivalem a menos de um centímetro de profundidade do solo, e podem passar despercebidas. Apenas o acúmulo das perdas por vários anos de cultivo tem o efeito marcante de reduzir visivelmente a profundidade do solo.

No sistema de agricultura itinerante ou migratória,[1] esses anos são diluídos em vários ciclos de cultivo, cada ciclo de dez a 20 anos ocupando todo o período de vida de um agricultor. Ao longo da vida de cada geração, as perdas de solo (ver Figura 11, adiante, p. 793) são pouco sentidas, mas os 200 a 300 anos de práticas agrícolas inadequadas já deixaram sua marca irreversível em muitos locais (Sampaio *et al.*, 2003). O grande desafio é confrontar essa degradação dos solos de forma participativa, transgeracional e efetiva.

Com a redução da capacidade produtiva, ocorre uma deterioração das condições sociais das famílias que ocupavam aquele solo ou aquela terra, agora desertificados.

Quando isso ocorre, as famílias fogem, migrando para grandes centros urbanos. Como refugiadas ambientais, se estabelecem em áreas periféricas geralmente inadequadas para ocupação. Segundo o Atlas Mundial da Desertificação (World Atlas of Desertification), de 2018, até 2050, cerca de 700 milhões de pessoas serão deslocadas devido a problemas relacionados com a desertificação. Esse número poderá atingir 10 bilhões de pessoas até o final do século (Cherlet *et al.*, 2018).

Nessas áreas, por sua vez, dadas as intensas chuvas, ocorrem deslizamentos ou deslaves de terras, expulsando as famílias e obrigando-as a viver na rua, sem moradia digna. Quando isso ocorre, dizemos que há uma decomposição social nas áreas afetadas; este é o nível mais elevado de degradação da terra, tornando-se assim a desertificação um problema ambiental, social, econômico, cultural e político.

Atualmente, especula-se que a desertificação se agrava com as mudanças climáticas e vice-versa. Ao aumentar os episódios extremos de secas em frequência e gravidade devido às mudanças climáticas, a degradação das terras nas zonas áridas, semiáridas e subúmidas secas, tende a aumentar ou formar um "vínculo de retroalimentação" com a perda da vegetação provocada pela desertificação (United Nations Convention to Combat Desertification, 2015). Um aumento de 3 °C ou mais, na temperatura média, deixaria ainda mais secos os locais que hoje têm maior *deficit* hídrico. Nessas condições, a produção agrícola de subsistência em grandes áreas das zonas áridas e semiáridas pode se tornar inviável, colocando a própria sobrevivência do ser humano em risco. Em contrapartida, o aumento da temperatura, aliado à tendência de aumento de chuvas torrenciais, tende a aumentar a degradação do solo, afetando as atividades agrícolas (Painel Brasileiro de Mudanças Climáticas, 2014). Algumas consequências das secas podem permanecer, como a eliminação de determinadas espécies (por exemplo, baraúna-do-sertão, aroeira-do-sertão, umburana-de-cheiro e quixabeira), o abandono de culturas mais sensíveis (por exemplo, milho, feijão, fava, sorgo, mandioca etc.) e as sequelas econômicas e sociais na população afetada. Estes efeitos, que perduram além do período da seca, podem ser enquadrados como parte do processo de desertificação e as mudanças climáticas seriam um agravante do processo (Sampaio *et al.*, 2003). Eles dependem, primordialmente, da intensidade da seca, ou seja, da duração dos períodos de suspensão de chuvas, da redução no volume total e da sua distribuição no tempo.

Também vale destacar que fatores estruturais como a concentração de terra, renda, biodiversidade, água e meios de produção e alta densidade demográfica contribuem de forma significativa para o agravamento da desertificação.

As consequências desses processos de desertificação se apresentam em âmbitos local, regional, nacional e global, visto que resulta no empobrecimento da população local e declínio da qualidade ambiental nesses ambientes, em processos migratórios intrarregionais, perda de biodiversidade, perda de *território* [VER TERRITÓRIO] produtivo do país e na elevação do risco social em uma extensa área e, finalmente, nos aspectos negativos referentes ao clima do planeta, com a elevação da temperatura, interferências em processos biogeoquímicos, particularmente, na ciclagem da água e do carbono. Dessa forma, o processo de desertificação deve ser encarado como um problema pan-geoespacial, articulado às demais áreas em desertificação do planeta. Com o advento das mudanças climáticas em movimento, espera-se que estes processos se intensifiquem.

O monitoramento dessas áreas também deve receber especial atenção, por parte dos órgãos de governo, visando a identificação, experimentação

D

e pactuação de indicadores que permitam o monitoramento participativo socioambiental.

Vale destacar que, ao redor do mundo, muitas famílias agricultoras experimentadoras em *transição agroecológica* [VER TRANSIÇÃO AGROECOLÓGICA] vêm respondendo às condições climáticas cambiantes, demonstrando inovação e resiliência frente às mudanças climáticas e à desertificação. É o que se vê, por exemplo, na agricultura familiar agroecológica no semiárido brasileiro, que vem promovendo processos de intensificação da produção baseados na valorização dos recursos locais, no emprego de tecnologias e práticas de manejo que diversificam os sistemas produtivos com atividades que se complementam e permitem a formação de estoques de riquezas (água, forragem, alimentos e sementes) e uma maior *circulação de nutrientes* [VER CIRCULAÇÃO DE NUTRIENTES] dentro do *agroecossistema*, [VER AGROECOSSISTEMA] estratégias estas interligadas com uma forte articulação social, organização e momentos sinérgicos de comunicação entre os diversos sujeitos com interesses em jogo nas comunidades ou territórios (Perez-Marin *et al.*, 2017). Desse modo, os conhecimentos gerados nesses contextos poderiam ser aproveitados como parte das práticas das sociedades modernas e, assim, contribuir para a sustentabilidade dos sistemas de produção.

A integração de políticas públicas ambientais, territoriais, patrimoniais e urbanísticas também é fundamental para que as ações possam se dar de forma concatenada, em vez da dispersão de esforços verificada em diversas áreas.

Referências

ALMEIDA, E. R. *Desertificação no Ceará:* uma análise socioeconômica sobre o município de Monsenhor Taboa. Fortaleza, 2010. 55 p. Monografia (Graduação em Ciências Econômicas). Faculdade de Economia, Administração, Atuária e Contabilidade, Universidade Federal do Ceará.

BRASIL. Ministério do Meio Ambiente (MMA). *Convenção das Nações Unidas de Combate à Desertificação.* Brasília, Distrito Federal: MMA/SRH, 2006.

________. *Programa de Ação Nacional de Combate à Desertificação e Mitigação dos Efeitos da Seca* – PAN-Brasil. Brasília, Distrito Federal: MMA/SRH, 2004, 220p.

CHERLET, M. *et al.* (ed.). *World Atlas of Desertification.* Luxembourg: European Union, 2018. 248p.

DOBIE, P. *The global drylands partnership.* CIDA, UNSO, UNDPIGEF, IUCN, WWF, NEF. Nairobi: UNDP, 2011.

FOOD AND AGRICULTURE ORGANIZATION (FAO). *Secuestro de Carbono en tierras áridas.* Informes sobre recursos mundiales del suelo, n. 102. Roma, Itália, 2007. 135p.

IBGE. *Censo Agropecuário 2017.* Rio de Janeiro, 2018. 108 p.

INSTITUTO NACIONAL DO SEMIÁRIDO (INSA/SIGSAB). *Sistema de gestão da informação e do conhecimento do semiárido brasileiro.* Campina Grande: INSA, PB, 2018.

MEDEIROS, S. S. *et al. Sinopse do censo demográfico para o semiárido brasileiro.* Campina Grande: INSA, 2012. 103p.

PAINEL BRASILEIRO DE MUDANÇAS CLIMÁTICAS (PBMC). *Base científica das mudanças climáticas.* Contribuição do Grupo de Trabalho 1 do Painel Brasileiro de Mudanças Climáticas ao Primeiro Relatório da Avaliação Nacional sobre Mudanças Climáticas [Ambrizzi, T., Araujo, M. (ed.)]. COPPE. Universidade Federal do Rio de Janeiro, Rio de Janeiro, RJ, Brasil, 2014, 464 p.

PEREZ-MARIN, A. M. *et al. Núcleos de desertificação no semiárido brasileiro: ocorrência natural ou antrópica? Parceria Estratégica.* Brasília, v. 17, n. 34, p. 87-106, 2012.

________ *et al.* Agroecological and Social Transformations for Coexistence with Semi-Aridity in Brazil. *Sustainability,* v. 9, n. 6, p. 990, jun. 2017.

PIMM, S. L. *The World According to Pimm: A Scientist Audits the Earth.* Chicago: McGraw-Hill, 2001. 287 p.

SALES, M. C. L. Evolução dos estudos de desertificação no nordeste brasileiro. *GEOUSP Espaço e Tempo,* São Paulo, n. 14, p. 9-19, 2003.

SAMPAIO E. V. B. *et al. Desertificação no Brasil:* conceitos, núcleos e tecnologias de recuperação e convivência. Recife: Ed. Universitária da UFPE, 2003. 202 p.
UNITED NATIONS CONVENTION TO COMBAT DESERTIFICATION (UNCCD). *Climate change and Desertification:* Anticipating, Assessing & Adapting to Future Change in Drylands. Impulse report for the 3° UNCCD Scientific conference. [Mark, S and Lindsay C.S (eds)]. UNCCD, Agropolis International, Cancún, Mexico, 2015. 140p.
UNITED NATIONS ENVIRONMENT PROGRAMME (UNEP). *World Atlas of Desertification,* 2. ed. Edited by N. Middleton and D. Thomas. London: Unep. 1997, 182pp
VASCONCELOS SOBRINHO, J. Núcleos de desertificação no Polígono das Secas. *In: Anais do ICB.* Recife: Universidade Federal de Pernambuco, 1971, p. 69-73.

Para saber mais

SANTANA, M. O. (org.) *Atlas das áreas susceptíveis à desertificação do Brasil.* MMA/Secretaria de Recursos Hídricos/Universidade Federal da Paraíba; Brasília: MMA, 2007.
INSTITUTO NACIONAL DO SEMIÁRIDO (INSA). *A cesta metodológica.* Campina Grande, PB. (Jogo de 21 cartilhas).
MORALES, C.; PARADA, S. (ed.). *Pobreza, desertificación y degradación de los recursos naturales.* Santiago de Chile, Chile: Comisión Económica para América Latina y el Caribe (Cepal), 2005. 273p.
PERNAMBUCO. Secretaria de Ciência, Tecnologia e Meio Ambiente. *Para compreender a desertificação:* uma abordagem didática e integrada. Recife: Secretaria de Ciência, Tecnologia e Meio Ambiente; Fundação Joaquim Nabuco; Instituto Desert, 2001. 56 p. (Cartilha).
VASCONCELOS SOBRINHO, J. *Desertificação no Nordeste do Brasil.* Recife, Editora Universitária, 2002. 127p.

Nota

1 Sistema de produção de subsistência em que, após um período de cultivo contínuo (5-20 anos), a terra é abandonada ou deixada em repouso por outros cinco a 20 anos, para depois ser reutilizada novamente com cultivos alimentícios.

DESERTO VERDE

João Dagoberto dos Santos

A visão metafórica, simbólica e de certa forma conceitual atrelada ao termo “deserto verde” advém da percepção popular e científica de extensas áreas ocupadas por monocultivos agrícolas/florestais que, apesar de serem constituídos por espécies vegetais (vivas), representam uma homogeneização das paisagens do ponto de vista visual, ambiental, social, cultural e mesmo recreativo.

O termo passa a ser utilizado em 2002, a partir dos debates sobre os impactos da monocultura da cana-de-açúcar (*Saccharum officinarum*). A partir de 2008, a noção de *deserto verde* passa a ser associada aos monocultivos de eucalipto (*Eucalyptus spp.* Eucalipto: do grego, eu + καλύπτω = “verdadeira cobertura”, é a designação vulgar das várias espécies vegetais do gênero *Eucalyptus*, pertencente à família das mirtáceas, que com-

D

preende outros 130 gêneros). A partir de 2009, é possível encontrar referências ao termo deserto verde em estudos relacionados a praticamente todos os sistemas agrícolas com base em monocultivos extensivos, principalmente soja (*Glycine max*), algodão (*Gossypium* spp.), milho (*Zea mays*), café (*Coffea* spp.), palmáceas (ex. dendê, *Elaeis guineensis*) e seringueira (*Hevea brasiliensis*). Mas foi em 2011 (com base na realização de uma meta-análise – Técnica de revisão sistemática da literatura, com inclusão de artigos e referências especificados) que o termo se consolidou, atribuído diretamente aos monocultivos de árvores, principalmente o *Eucalipto spp.*, a partir de uma releitura e do reconhecimento da publicação *Impacto ambiental do eucalipto*, de Walter de Paula Lima (1996). Nesse livro, o autor atribui e correlaciona os impactos causados pela silvicultura (cultivo de espécies arbóreas), principalmente do eucalipto, enumerando interações, mudanças ou modificações no meio ambiente provocada por atividades humanas que podem ter conotação positiva ou negativa para o meio ambiente físico e o ambiente social. Passados mais de 20 anos desde a publicação desse livro, fica evidente como o tema demorou para ser tratado pela sociedade como um todo, apesar das evidências empíricas dos impactos causados pelos monocultivos.

Neste verbete, será dado foco aos impactos relacionados aos monocultivos florestais, entendendo que parte das considerações apresentadas cabe igualmente para outras culturas agrícolas e sistemas produtivos associados. Cabe, contudo, ressalvar que no caso dos monocultivos de árvores, as implicações podem ser mais graves e intensas, em função do tempo de cultivo das árvores (em média sete anos para eucalipto, 15 anos ou mais para *Pinus spp.* etc.), lembrando que há espécies que podem sobreviver por centenas de anos, e que seu cultivo pode requerer intensa imobilização de solos dada a lógica atual da gestão dos arranjos produtivos envolvendo árvores e o setor florestal a que estão atreladas.

Complexos florestais têm gerado intensas discussões há várias décadas e em todo mundo. São diversos os exemplos onde grandes empresas de celulose e de base florestal se instalaram, prometendo trazer desenvolvimento e gerar empregos, mas causando muitas vezes mais pobreza, poluição e êxodo rural. África do Sul, Quênia, Suazilândia, Argentina, Chile, Uruguai, Venezuela, China, Indonésia, Índia, Laos, Malásia, Tailândia, Vietnã e Brasil: para todos esses países, gigantes na produção de celulose, o setor trouxe, junto a suas promessas, prejuízos aos recursos naturais e desestruturação das comunidades locais.

Estima-se que, no mundo, existam 200 milhões de hectares de plantações florestais. Destes, cerca de 25 milhões de hectares são plantações de rápido crescimento, que correspondem a cerca de 1% da área florestal mundial e fornecem cerca de 40% das necessidades de madeira a nível mundial. O país com maior área de plantações de eucalipto é o Brasil.

O Brasil tem aproximadamente 9,85 milhões de hectares de florestas plantadas, sendo 75,2% de eucalipto e 20,6% de pinus, mostra o levantamento Produção da Extração Vegetal e da Silvicultura (Pevs) 2017, divulgado pelo Instituto Brasileiro de Geografia e Estatística (IBGE). A concentração dessas áreas está nas regiões Sul e Sudeste, que respondem, respectivamente, por 36,1% e 25,4% do valor da produção total. O líder é o estado do Paraná, com R$ 3,7 bilhões de valor de produção, seguido por Minas Gerais, com R$ 3,3 bilhões, e Santa Catarina, com R$ 1,8 bilhão. Do total de áreas plantadas, 41,9% do eucalipto estão na região Sudeste e 87,7% do pinus ficam na região Sul (Nitahara, 2018). Esses plantios são destinados a diversos usos (Tabela 1). Desse total, 34% pertence às empresas do segmento de celulose e papel; em segundo lugar, com 29%, encontram-se proprietários independentes e pequenos e médios produtores do programa de fomento florestal, que investem em plantios florestais para comercialização da madeira *in natura*. Na terceira posição, está o segmento de siderurgia a carvão vegetal, que representa 14% da área plantada.

Tabela 1 – Área plantada por Segmento Industrial no Brasil em Milhões de Hectares

Porcentagem da área plantada	Segmento Industrial
35%	Celulose e papel
13%	Siderurgia a carvão vegetal
9%	Investidores financeiros
6%	Painéis de madeira
4%	Produtos sólidos de madeira
3%	Outros
30%	Produtores independentes

Fonte: Indústria Brasileira de Árvores (IBÁ), 2018.
Área com algum tipo de certificação socioambiental – 5,8 milhões de hectares (Indústria Brasileira de Árvores, 2018)
Receita bruta do setor – R$ 73,8 bilhões (2018) (Indústria Brasileira de Árvores, 2018)
Saldo da balança comercial – 10 % balança do Agronegócio em 2018 (Indústria Brasileira de Árvores, 2018)

A ONU projeta para 2050 uma população mundial de 9,3 bilhões de pessoas, com mais de 10 bilhões em 2100. Para atender a esse contingente crescente, mantendo-se os padrões atuais de consumo, serão necessários cerca de 250 milhões de hectares adicionais de florestas plantadas no mundo. A expectativa do setor é que a utilização das tecnologias mais avançadas de produção permita aproveitar, no futuro, 100% das "florestas plantadas", possibilitando novos usos, como a lignina, o etanol de segunda geração, uma nova geração de bioplásticos, nanofibras e óleos. Assim, as árvores serão também provedoras de matéria-prima para outros segmentos produtivos e indústrias, entre eles, a automobilística, a farmacêutica, a química, a cosmética, a aeronáutica, a têxtil e a alimentícia.

A se confirmar essa previsão, a tendência é que as áreas de *deserto verde* cresçam também no Brasil e, com ela, os impactos relacionados. Esses impactos podem ser avaliados em diversas dimensões, sendo que, de maneira geral, todas estão interligadas.

Impactos sociais, econômicos e ambientais dos plantios de eucalipto (usado aqui como modelo de reflexão) são relatados em vasta bibliografia, como as compilações realizadas pela Organização das Nações Unidas para a Alimentação e a Agricultura (Food and Agriculture Organization, 2002; Poore; Fries, 1985). Entre os impactos abordados na literatura estão: expropriação de terras, destruição de ecossistemas, expulsão de populações, desmatamento, êxodo rural, poluição, empobrecimento do solo, perda de biodiversidade, enfraquecimento cultural, perda de meios de subsistência, escassez de água etc. Tais impactos são apontados como motivos de conflitos em vários países (Fanzeres, 2005; Aylwin; Yáñez; Sánchez, 2012; Carrere; Lohmann, 1995; Leys; Vanclay, 2010a; 2010b; Overbeek; 2010a; 2010b).

Impactos do "deserto verde"

Do ponto de vista ecológico, figuram as dimensões de redução da biodiversidade de forma drástica dentro dos sistemas produtivos, por meio da supressão total ou parcial da vegetação nativa, inibição da regeneração natural pelo uso de herbicidas, alteração da macro e da microbiota aérea e de solo, desaparecimento da maior parte das espécies da fauna nativa, alteração de microclimas, perda de resiliência, invasão de ecossistemas, compactação de solos, alta demanda por nutrientes e desertificação.

Do ponto de vista hidrológico, os desertos verdes de eucalipto, que podem ser comparados a outros monocultivos de árvores (com diferentes impactos dependendo da velocidade de crescimento e ciclo silvicultural – tempo de corte), respondem por consumo excessivo de água, gerando um desbalanço no deflúvio —água azul e verde, que se refere ao consumo de água e a água que fica disponível na bacia hidrográfica – (Falkenmark; Folk, 2002), alteração e comprometimento e capacidade dinâmica física dos solos, contaminação da água e da biota com uso de agrotóxicos e produtos químicos.

Do ponto de vista da paisagem, a expansão das monoculturas de árvores promove perda de conectividade (impedimento do deslocamento biológico e fluxo gênico) entre áreas naturais e pode ainda propagar pragas e doenças advindas dos monocultivos.

Sobre o eucalipto transgênico: com o seu advento, liberado comercialmente em 2014, os riscos potenciais da biotecnologia aplicada a culturas agrícolas somam-se aos dos desertos verdes, com destaque para potenciais efeitos negativos relacionados às questões hídricas, à fauna apícola e aos polinizadores de forma geral, assim como ao aumento do uso de herbicidas. Ou seja, são afetados os serviços ecossistêmicos, ocasionando perda de resiliência em âmbito de paisagem e de forma mais intensa que os atuais impactos. As consequências deletérias do atual modelo de produção florestal no Brasil têm demonstrado sinais alarmantes desse modelo de produção, principalmente com o uso cada dia mais intenso de agrotóxicos, em função da perda de estabilidade ecológica dos sistemas produtivos. Esses efeitos negativos ao ambiente podem ser agravados pelo uso inadequado de novas tecnologias, principalmente da transgenia. Os transgênicos vigoram em muitas espécies de plantas alimentares, como milho, soja e algodão, assim como na produção de vacinas e, mais recentemente, o seu uso no eucalipto. O objetivo da modificação genética no caso do eucalipto é basicamente aumentar a velocidade de crescimento, com o encurtamento do ciclo da cultura de 7 para 5/4,5 anos, ou ainda a introdução de resistência a herbicidas e ação inseticida. Vários aspectos dessa tecnologia vêm sendo questionados, indicando a necessidade de maiores estudos prévios à sua utilização em escala comercial, principalmente porque é o primeiro do mundo, podendo ser um bom ou mau exemplo. O eucalipto é considerado grande consumidor de água, quando plantado em megaescala, como ocorre em várias regiões do Brasil, devendo o transgênico proposto aumentar este impacto. Especialistas em hidrologia florestal apontam que o maior consumo de água no eucalipto em questão é justamente nos primeiros dois a três anos, havendo um declínio na demanda por água após essa fase. A previsão, comprovada experimentalmente no sudeste do Brasil, é de que vai ser encurtada sua vida útil para o período mais crítico de consumo de água (será ampliado o período de alto consumo de água). Enfatiza-se que, no processo de liberação comercial do eucalipto transgênico avaliado pela Comissão Nacional de Biossegurança (CTNBio), a questão do consumo de água não foi considerada como aspecto essencial na avaliação de impactos ambientais. Com o alerta recente das Nações Unidas sobre a crise iminente da água, e com o debate intenso sobre mudanças climáticas essa questão deveria configurar como tema básico e principal na discussão do eucalipto transgênico.

Outra questão ambiental muito importante ligada aos impactos do eucalipto transgênico diz respeito à sua polinização e interações com a fauna principalmente de insetos, que é efetuada pela abelha europeia africanizada (*Apis mellifera*) e por outras espécies de abelhas nativas. Os hábitos da abelha já foram muito estudados cientificamente e atestou-se que a espécie voa à longa distância ou até alguns quilômetros, podendo levar o pólen transgenes da espécie modificada para outras não transgênicas. Já existe regulamentação da CTNBio que estipula distância mínima de 1 mil a 3 mil metros entre plantações de eucalipto e apiários para evitar a contaminação por pólen transgênico, mas que é ignorada na prática. Existem outras espécies de eucalipto para outros fins (madeira, energia, carvão, óleo essencial e mel) cuja contaminação por transgenes voltados para o aumento da produção de celulose não são de interesse.

Boa parte das plantações de eucalipto no Brasil, principalmente para celulose, é realizada por propagação vegetativa (plantio de mudas), porém, isso não elimina o direito daqueles que plantam eucalipto por sementes terem suas plantações não contaminadas. Por exemplo, existe variedade de eucalipto voltada para energia e madeira (*E. camaldulensis*), ou para mel e madeira (*E. urophylla*), plantadas por agricultores familiares.

A abelha é a grande produtora de mel a partir do néctar das flores do eucalipto, rendendo aos apicultores, no geral agricultores familiares, renda básica para cerca de 350 mil produtores no Brasil, em boa parte, orgânicos. A lei que dispõe sobre a regulamentação da produção de orgânicos não aceita transgênicos, devendo ser esse um entrave aos pequenos produtores, assim como aos consumidores. Parte significativa da produção nacional de mel é exportada, podendo trazer problemas no comércio internacional pela contaminação por pólen e néctar GM.

Não há dúvidas sobre os riscos de contaminação pelo pólen do eucalipto transgênico, mesmo sendo alegado pelas empresas proponentes que estas irão utilizar comercialmente a variedade em dois a 3% de suas áreas, já que isso representa uma área significativa no total. Essa contaminação pode sim comprometer os usos múltiplos de outras espécies de eucalipto, que cruzam entre si facilmente na natureza, com certeza gerando impactos negativos na fauna de polinizadores (abelhas).

Não menos importante, a organização internacional (FSC) que emite

D

certificação ambiental, econômica e social das plantações de eucalipto no Brasil ratificou em sua assembleia geral, ao final de 2014, reconfirmando em 2017 a decisão de não admitir eucalipto transgênico nas áreas por ela certificadas. Isso demonstra que a decisão de aprovar comercialmente, neste momento, o eucalipto transgênico proposto, com todas as questões e dúvidas apontadas, continua, no mínimo, uma temeridade.

Não se trata de ser contra a pesquisa; muito ao contrário, o setor florestal e a sociedade é que não podem ficar reféns de pesquisas inconclusivas; o que se pede não é a interrupção das pesquisas, até que não haja mais dúvidas. Árvores são perenes, vão estar aqui florescendo e frutificando no longo prazo.

Impactos sociais: os impactos ambientais decorrentes dos desertos verdes estão associados a impactos sociais e econômicos desse modelo produtivo e de ocupação do espaço. Destacam-se nesse campo os conflitos pelo uso da água para consumo humano, animal e da sociedade de maneira geral (comprometimento de abastecimento, acesso e qualidade da água). A saúde do trabalhador também pode ser afetada pela contaminação das águas superficiais e subterrâneas, pela contaminação direta e indireta por agrotóxicos utilizados nessas plantações, ocasionando contaminações agudas e doenças crônicas em comunidades em áreas de entorno. Eliminação do emprego no campo e desagregação de comunidades rurais também pode ocorrer como consequência desse modelo.

Nas áreas onde se realizam os plantios e onde a matéria-prima é efetivamente processada e industrializada, pode-se observar um fenômeno de desigualdades nas questões tributárias e de impostos. Por se tratar basicamente de um modelo exportador, cujos impostos já estão todos desonerados pela lei Kandir, de 1996, as monoculturas de eucalipto contribuem muito pouco para os cofres públicos dos municípios e dos estados, levando em conta que a produção de celulose necessita de milhares de hectares que se espalham em diversos municípios, mas os impostos e a movimentação tributária só se dão no município onde a fábrica se encontra. Na esteira dessa desigualdade fiscal, percebem-se ainda impactos nos empregos: redução de empregos, aumento da violência em áreas periféricas, migrações temporárias e subempregos.

O termo deserto provém tanto do efeito de desertificação, [VER DESERTIFICAÇÃO] erosão dos solos e maior demanda por água, quanto do vazio em biodiversidade e em populações humanas que passa a caracterizar as regiões de cultivo. Esse vazio humano desses desertos é resultado de conflitos com populações tradicionais, agricultores familiares e unidades de conservação. Esse processo de esvaziamento do campo, que também é um processo de aumento na concentração de terras, pode ocorrer pela ocupação de áreas devolutas e públicas (o que ocorreu de forma significativa nos últimos 30 anos), tendo como uma de suas consequências a inflação do custo de oportunidade da terra.

Os mecanismos históricos de imposição e construção dos modelos de produção e de ocupação dos solos e zonas rurais, principalmente nas últimas cinco décadas, têm trazido de certa maneira alguma forma de progresso ao Brasil, mas também profundos impactos sociais e ambientais.

Cada dia mais, a percepção da sociedade sobre os impactos negativos dos monocultivos e dos desertos verdes tem aumentado, gerando uma gama muito intensa de pesquisas e em muitos casos embates e conflitos, muitas vezes violentos. Ao mesmo tempo, nunca esse modelo de produção (monocultivos) cresceu tanto, criando um ambiente de intensos debates sobre os "paradigmas" da sociedade moderna e da capacidade de suporte do planeta.

A apropriação capitalista dos meios de produção na agricultura, o que de maneira geral tem reduzido a participação da sociedade de forma geral na tomada de decisão sobre o modelo de desenvolvimento no campo, assim como as tecnologias associadas a esses modelos, apontam para um cenário de crises intensas e conflitos profundos, mesmo levando em conta a intensa urbanização das sociedades.

É preciso ampliar o debate nos meios acadêmicos, técnicos e políticos, sobre os diversos aspectos relacionados aos impactos dos "desertos verdes" nas mais diferentes escalas e amplitudes da sociedade moderna, para que as tomadas de decisão sejam feitas de forma mais democrática.

O atual cenário político brasileiro e mesmo internacional, que acaba impulsionando a diversidade de impactos de diversas naturezas, amplitude e intensidade, traz uma visão bastante pessimista sobre a real participação da sociedade nas tomadas de decisão em contraponto às crescentes demandas relacionadas ao aumento populacional.

A transgenia e muitas das chamadas biotecnologias utilizadas na produção agrícola mundial e brasileira, da forma como são gestadas na atualidade, podem representar um grave fator na ampliação dos impactos negativos dos desertos verdes e, assim, na eclosão de conflitos socioterritoriais e ambientais.

D

Referências

AYLWIN, J.; YÁÑEZ, N.; SÁNCHEZ, R. *Pueblo Mapuche y recursos forestales en Chile*: devastación y conservación en un contexto de globalización económica. Observatorio Ciudadano IWGIA, 2012.

CARRERE, R.; LOHMANN, A. *Impactos de la Forestación en Uruguay*. Montevideo: ITEM/REDES, 1995.

FALKENMARK, M.; FOLKE, C. The ethics of socio-ecohydrological catchment management: towards hydrosolidarity. *Hydrol. Earth Syst. Sci.*, n. 6, p. 1-10, 2002. Disponível em: https://doi.org/10.5194/hess-6-1-2002. Acesso em: 24 mar. 2021.

FANZERES, A. (coord). *Temas conflituosos relacionados à expansão da base florestal plantada e definição de estratégias para minimização dos conflitos identificados*. Relatório Final de Consultoria. Programa Nacional de Florestas. Brasília: Secretaria de Biodiversidade e Florestas, Ministério do Meio Ambiente, mar. 2005.

INDÚSTRIA BRASILEIRA DE ÁRVORES (IBÁ). *Relatório Ibá 2018* – Ano-base 2017. Relatório Anual 2017. Brasília: 2017.

LEYS, A. J.; VANCLAY, J. K. Land-use change conflict arising from plantation forestry expansion: views across Australian fence-lines. *International Forestry Review*. v. 12, n.3, p. 256-269, 2010a.

________. Role of stakeholder participation in reducing controversy over rapid plantation forestry expansion in Australia. *Regional Environmental Change*. DOI: 10.1007/s10113-010-0132-6. 2010b

LIMA, W. P. *Impacto ambiental do eucalipto*. 2. ed. São Paulo: Edusp, 1996. 301p.

OVERBEEK, W. Brazil: Communities hit by monoculture eucalyptus plantations exchange experiences in Minas Gerais. *World Rainforest Movement, Bulletin* n. 153, abr. 2010a. Disponível em: https://wrm.org.uy/bulletins/issue-153/. Acesso em: 25 fev. 2021.

________. *The expansion of tree monocultures in Mozambique*. Impacts on local peasants communities in the Province of Niassa. *World Rainforest Movement*, MNontevideo, Series on Tree Plantations, n. 14. 1-27, 2010b. Disponível em: https://wrm.org.uy/wp-content/uploads/2013/01/Book_Mozambique.pdf. Acesso em: 24 mar. 2021.

NITAHARA, Akemi. IBGE: *Brasil tem 9.85 milhões de hectares de florestas plantadas*. Agência Brasil, Rio de Janeiro, 20 set. 2018. Disponível em: https://agenciabrasil.ebc.com.br/geral/noticia/2018-09/ibge-brasil-tem-985-milhoes-de-hectares-de-florestas-plantadas. Acesso em: 09 ago. 2021.

POORE, M. E. D; FRIES, C. *The ecological effects of eucalyptus*. FAO, 1985. Disponível em: http://www.fao.org/3/an793e/an793e.pdf. Acesso em: 24 mar. 2021.

Para saber mais

BRASIL. Presidência da República. Casa Civil. *Lei Complementar n. 87*, de 13 de setembro de 1966. Dispõe sobre o imposto dos Estados e do Distrito Federal sobre operações relativas à circulação de mercadorias e sobre prestações de serviços de transporte interestadual e intermunicipal e de comunicação, e dá outras providências. (Lei Kandir). Disponível em: http://www.planalto.gov.br/ccivil_03/leis/lcp/lcp87.htm. Acesso em: 24 mar. 2021.

COMISSÃO TÉCNICA NACIONAL DE BIOSSEGURANÇA (CTNBIO). Parecer Técnico n. 4408-2015 *Processo: 01200.000202/2014-71 – Liberação comercial do eucalipto geneticamente modificado – Evento H421*. Disponível em: http://ctnbio.mctic.gov.br/liberacao-comercial/-/document_library_display/SqhWdohU4BvU/view/686100;jsessionid=78D76445D73CF33EE96E73FCF3C9B474.columba. Acesso em: 25 fev. 2021.

KUDLAVICZ, M. *Dinâmica agrária e a territorialização do complexo celulose/papel na microrregião de Três Lagoas/MS*. Três Lagoas, 2011. Dissertação (Mestrado em Geografia). Universidade Federal do Mato Grosso do Sul.

MEIRELLES, D.; CALAZANS, M. *H_2O para celulose x água para todas as línguas* – O conflito ambiental no entorno da Aracruz Celulose S/A Espírito Santo. Vitória: FASE, 2006. 68 p.

MONOCULTURA DE EUCALIPTO. DESERTO DISFARÇADO DE VERDE? Cadernos Instituto Humanitas Unisinos em formação, ano 4, n. 27, 2008. Instituto Humanitas. Universidade do Vale do Rio dos Sinos. Disponível em: https://pt.calameo.com/read/000073590a426478d2c72. Acesso em: 25 fev. 2021.

D

DETERMINAÇÃO SOCIAL DA SAÚDE

Anamaria Testa Tambellini
Ary Carvalho de Miranda

Os modelos de explicação da saúde e da doença sempre estiveram relacionados às diferentes formas de organização das sociedades humanas, e seus conceitos vão depender de cada momento histórico. Assim, para os povos da Antiguidade, as epidemias eram castigo divino e as práticas de cura, muito ligadas aos indivíduos, portanto dependentes das diferentes tendências religiosas que predominavam no período. A filosofia grega rompe com tais paradigmas ao colocar as relações do homem com a natureza no centro da compreensão dos fenômenos relacionados à saúde e à doença. Hipócrates (460-337 a.C.) expressa esta ruptura ao conceber o ser humano como uma unidade organizada, sua saúde como equilíbrio dos fluidos do organismo humano e a doença como desorganização desse estado, a partir de sua relação com a natureza. Na Idade Média europeia, a influência do cristianismo manteve a concepção da doença como resultado do pecado, estando a cura relacionada à fé, conferindo, por isso, atribuições de cura aos religiosos. Com o fim da Idade Média, o Renascimento Cultural possibilitou maior compreensão da constituição do corpo humano, estudado pelo conhecimento proporcionado pela ciência nascente, e as doenças passaram a ser atribuídas a causas naturais (Scliar, 2007).

A partir do século XVI, e principalmente em fins do século XVIII e início do século XIX, a expansão mercantilista consolida o desenvolvimento da indústria capitalista, em que a exploração da força de trabalho se constitui como elemento central na acumulação de riquezas, a partir de um avanço considerável das ciências biológicas, das tecnologias e do conhecimento médico deles advindo. Já no nascer do século XVIII, era publicado o livro de Bernardino Ramazzini intitulado *As doenças dos trabalhadores* (2000), cuja obra reunia suas observações e conclusões sobre doenças específicas de trabalhadores ligadas aos seus próprios trabalhos, uma indicação primitiva, porém precisa, da tese sobre a influência socioeconômica na produção das doenças. Nesse contexto, como destaca Foucault (2008, p. 80), "[...] o controle da sociedade sobre os indivíduos não se opera simplesmente pela consciência ou pela ideologia, mas começa no corpo, com o corpo". A saúde torna-se, então, uma questão social, passando a figurar nas inquietações dos movimentos sociais emergentes, assim como transforma-se em objeto das políticas públicas dos Estados.

Os estudos de Diderichsen *et al.* (2012) apontam que, por volta de 1850, vários estudos já evidenciavam os efeitos das condições de vida sobre a saúde dos pobres na Dinamarca. Inicia-se então, neste país, um longo processo político, econômico, social e sanitário para fazer frente às desigualdades na saúde e, em 1891-1892, é aprovada a primeira legislação de Bem-Estar, muito antes da própria criação do Estado de Bem-Estar Social na Europa. Tanto na Dinamarca como em outros países europeus, as consequências das desigualdades na saúde já se constituíam num tópico político para o Estado, [VER ESTADO] dada a preocupação com os efeitos dessas desigualdades e sua relação com o trabalho, embora as questões da saúde não fossem ainda muito significativas nas reivindicações dos movimentos sociais.

Já no início do século XX, a partir das concepções de Taylor (1995) e Ford (1926), o capitalismo inaugura a organização científica do trabalho, que vai orientar toda a lógica da produção em massa do sistema. Os interesses do capital cada vez mais se projetam na estrutura do Estado, responsável pelas formulações das políticas públicas, incluindo a de saúde. Após a Segunda Guerra Mundial, acreditava-se ser possível à medicina (dado o já conquistado desenvolvimento científico e tecnológico a ela relacionado e, por meio de maior acesso ao sistema de atenção à saúde, assim como ao sistema de seguro saúde) resolver os problemas de saúde das populações relacionados às desigualdades sociais. O projeto mais ambicioso e promissor nesse campo aconteceu na Grã-Bretanha, com a criação do Sistema Nacional de Saúde do Reino Unido, em 1948. Entretanto, nos 30 anos que se seguiram à Segunda Guerra Mundial, os problemas relativos às desigualdades sociais na saúde não foram solucionados. Ao contrário, houve aumento dos diferenciais dessas desigualdades, ou seja, não houve soluções adequadas diante das medidas propostas e estudos científicos demonstravam, ainda, influências negativas e não controladas das condições sociais na saúde. Tais estudos descortinaram o papel de alguns indicadores nesse quadro (como renda, condições de moradia, trabalho e padrões culturais) como fatores fundamentais para a saúde humana.

Ainda assim, as políticas públicas continuaram nucleadas na lógica assistencialista, agora destacando a expansão dos cuidados primários à saúde e dos seguros previdenciários, como também a tentativa de enfrentamento aos acidentes de trabalho.

Neste contexto, na Europa nos anos de 1970, pesquisas mais aprofundadas e controladas do ponto de vista epidemiológico sobre as consequências das iniquidades sociais e saúde são realizadas. Tais interesses se concretizam no trabalho intitulado *The Black Report 1980, Inequalities and Health* (Department of Health and Social Security, 1980) [em tradução livre, *O relatório Black 1980, Iniquidades e saúde*], elaborado por um Grupo de Trabalho do Sistema de Saúde do Reino Unido, no qual são evidenciadas significativas desigualdades sociais nas taxas de mortalidade desde 1930, neste país. Essas evidências foram de tal impacto que a então primeira-ministra inglesa Margareth Thatcher procurou ocultar o estudo, conforme denunciado pela *Socialist Health Association* da Inglaterra.

Segundo Blane (1985), o *Black Report* identificou quatro tipos de explicações possíveis para as diferenças de classes sociais relativas à saúde: 1) artefato de medida (não causal), quando os dados sobre as questões investigadas ou os indicadores são precários ou não correspondem à realidade; 2) seleção natural ou social (causal), que se refere mais propriamente às possibilidades de mobilidades sociais darem conta das diferenças para todos os grupos populacionais, o que não se verifica na realidade, apesar de explicar casos individuais; 3) diferenças culturais e de comportamento (causal), que só produzem efeitos sobre a saúde de certos agrupamentos populacionais e indivíduos isolados, efeitos esses que são limitados no tempo e espaço e funcionam somente para aqueles fatores considerados por muitos como suscetíveis ao controle individual; 4) materialista (determinista), que explica as diferenças de classe na saúde como resultado estruturalmente determinado pelas diferenças na maneira com que os membros dessas classes sociais levam sua vida e são compreendidas como uma das instâncias da relação geral entre o padrão de vida e a saúde.

Os autores do *Black Report* consideraram a explicação materialista como a mais importante dentre as consideradas, principalmente porque as diferenças se haviam mantido, apesar da melhoria da saúde da população como um todo. Entretanto, Blane (1985) destaca que essas diferenças sociais na saúde, mantidas no tempo, podem ser consideradas como uma das instâncias da relação geral entre o padrão de vida e a saúde. Acrescenta que contemporaneamente as diferenças nos níveis de saúde entre países pobres e ricos e as melhorias históricas nos níveis da saúde das diferentes populações também seriam outras instâncias dessa relação. Advoga, por fim, que "[...] o conceito de classe social [...] se refere à combinação de alguns diferentes tipos de vantagens ou privações, sendo que a soma e interação desses fatores necessita ser estudada" (Blane, 1985, p. 440).

Com o acesso ao relatório, os estudos de Rose e Marmot (1981) comprovaram que, a partir dos anos 1940, o aumento significativo da desigualdade social na mortalidade por doenças cardíacas coronarianas era explicado pelas diferenças na mortalidade específica entre trabalhadores e trabalhadoras qualificados e não qualificados, demonstrando a relação da saúde com o padrão de vida e gênero dos trabalhadores.

Outros países europeus como Suécia, Dinamarca, Itália e Espanha passaram a realizar pesquisas contínuas que constataram aumentos de desigualdade na mortalidade e, em seguida, iniciaram estudos que relacionavam esses aumentos a condições sociais tais como: desemprego, baixos salários, más condições de moradias, grau de desenvolvimento econômico e, em contrapartida, avaliaram os efeitos negativos dos diferenciais sociais da doença e óbito para a economia e para o processo de desenvolvimento local. Essas evidências fazem com que o Banco Mundial lance, em 1993, um documento denominado *Investing in Health* [Investindo na saúde] e crie um grupo de investigação chamado *Global Health Equity Initiative* [Iniciativa de equidade global em saúde] para verificar a situação desses diferenciais sociais na saúde no mundo (Diderichsen *et al.*, 2012; Galafassi, 2005).

Em contrapartida, na América Latina e, particularmente no Brasil, em 1946, os estudos de Josué de Castro publicados no livro intitulado *Geografia da Fome* (1986) sobre as desigualdades sociais e o estado nutricional das populações mais carentes levantavam a discussão das condições sociais como componente fundamental para a compreensão da condição humana e, consequentemente, das condições de saúde. Esta abordagem foi reforçada, nos anos 1960, pelos estudos de Samuel Barnsley Pessoa, publicados sob o título de *Ensaios médico-sociais* (1960), que tinha como foco a questão da saúde das populações rurais a partir de uma abordagem conceitual que estabelecia relações entre a estrutura agrária e as endemias rurais e entre latifúndio e doenças, ao mesmo tempo que propunha a adesão a um projeto de transformação da sociedade brasileira (Hochman, 2015).

A partir dos anos 1970, outro processo se desenvolvia também na América Latina e Caribe, num contexto em que, em vários países do continente, governos ditatoriais se estabeleciam em paralelo aos ventos socialistas que sopravam de Cuba por toda parte, fertilizando a reflexão crítica pela construção de uma outra sociedade, mais justa e democrática, o que alcançou também o campo da medicina preventiva e da saúde pública. Esta reflexão, principalmente no Brasil, México e Equador, proporcionou abordagens não a partir da base empírica dos estudos científicos, mas de formulações teórico-epistemológicas que passaram a orientar a própria pesquisa científica para a compreensão das relações sociais e suas expressões na saúde das populações. Estas iniciativas foram os embriões das concepções que incorporam a *Determinação Social da Saúde*, cujo elemento embrionário pode ser encontrado nos trabalhos pioneiros de Asa Cristina Laurell (1976), sobre as relações de desenvolvimento socioeconômico e saúde; de Anamaria Testa Tambellini [Arouca] (1975; 1978a; 1978b), que articulam as categorias produção/trabalho/ambiente e saúde, tendo em vista o desenvolvimento econômico; e de Jaime Breilh (1979), que coloca a discussão da saúde a partir da produção/reprodução social no interior da abordagem epidemiológica. Cabe destacar que esses três autores elaboraram suas abordagens tendo como referencial analítico o materialismo histórico e dialético e levando em conta o momento do capitalismo na América Latina.

É importante destacar que, neste mesmo período, no Brasil, através do chamado Movimento da Reforma Sanitária, no escopo da luta contra a ditadura civil/militar implantada em 1964, iniciou-se também a elaboração da proposta de um sistema de saúde que

D

superasse as perversidades do sistema de saúde construído a partir dos anos 1930, restritivo à cidadania, calcado da previdência social, centrado em atividades assistencialistas hospitalares e com forte componente privatista. Essa luta culminou na conquista do Sistema Único de Saúde (SUS), de concepção universal, descentralizado e com participação social, inscrito na Constituição de 1988, mas que, apesar de seus preceitos civilizatórios, não foi plenamente realizado e tem sofrido importantes ataques das forças mercantilizadoras da saúde.

Em março de 2005, quando eram evidentes os impactos referentes ao aumento das desigualdades sociais consequente à chamada reestruturação produtiva sustentada pelo neoliberalismo, foi criada a Comissão de Determinantes Sociais da Saúde pela Organização Mundial da Saúde pela OMS (*Commission on Social Determinants of Health*) (Buss; Pellegrini, 2007). O relatório dessa comissão explicita que seus objetivos são o de promover, em âmbito internacional, uma tomada de consciência sobre a importância dos determinantes sociais na situação de saúde de indivíduos e populações e sobre a necessidade do combate às iniquidades em saúde. Um ano depois, em março de 2006, por decreto presidencial, foi criada, no Brasil, a Comissão Nacional Sobre Determinantes Sociais da Saúde e, em 2008, é publicado seu relatório. Tal como expresso no relatório da OMS, este relatório foi baseado no modelo de Dahlgren e Whitehead e os *Determinantes Sociais da Saúde* são dispostos em diferentes camadas, segundo o nível de abrangência. Consideram-se os determinantes individuais (idade, sexo e fatores hereditários), passando pelos fatores comportamentais e estilo de vida (acesso a alimentos, lazer, etc.), alcançando as redes comunitárias e de apoio, que expressam o nível de coesão social e, finalmente, no último nível estão situados os chamados macrodeterminantes, que incluem as condições econômicas, culturais e ambientais da sociedade (Comissão Nacional sobre Determinantes Sociais da Saúde, 2008).

Como destaca Roberto Passos Nogueira, este relatório, apesar de apresentar uma faceta progressista por enunciar a necessidade de enfrentamento das desigualdades em saúde, tem forte influência positivista, na medida em que interpreta o que é social na saúde mediante o efeito de fatores causais, conforme o modelo das ciências naturais e da epidemiologia tradicional. Diz o autor: "[...] faz tábula rasa do fato de que a saúde pública é um campo de políticas que deve ter em conta a contribuição não só da epidemiologia e das ciências médicas, mas também da sociologia, da antropologia e da filosofia" (Nogueira, 2009, p. 398). Em seguida, enfatiza que essa ótica dos determinantes sociais da saúde foi também criticada por autores vinculados à Associação Latino-Americana de Medicina Social (Oliva; Escudero; Carmona, 2008), quando enunciam que os determinantes sociais são desprovidos de historicidade e reduzidos a fatores causais. Desse modo, a cosmovisão positivista separa o sujeito do mundo que o cerca e converte as relações sociais que o rodeiam em meras externalidades, criando uma falsa relação de conexões externas de variáveis (Breilh, 2013).

Várias outras publicações de autores latino-americanos, entre as quais Tambellini Arouca; Schütz (2009), Einbenschutz; Tamez; Gonzalez (2011) e Borde; Martinez-Alvarez; Porto (2015), também elaboraram críticas ao modelo dos *determinantes* por meio do ponto de vista científico, epistemológico e filosófico, apontando a dificuldade de sua aplicação concreta pelo Estado ou pelos diferentes trabalhadores da saúde em suas atividades, quaisquer que sejam.

Portanto, a abordagem dos *determinantes* apresenta todos os fatores constitutivos da *determinação social da saúde* com uma aparente autonomia, sem história e sem desenvolvimento. É a partir dessa perspectiva crítica que destacamos a necessidade da compreensão das relações sociais e a saúde/doença humana de uma maneira que supere a abordagem dos *determinantes sociais da saúde*. Será, então, a concepção da *determinação social da saúde/doença* que nos permitirá um melhor entendimento de tais relações, na medida em que exige uma abordagem integral, não cartesiana, portanto, que considere as relações sociais da saúde/doença, constituídas nas sociedades, de forma articulada em seus componentes políticos, econômicos, socioecológicos, culturais, biológicos e psíquicos, porém histórica e dialeticamente determinados. Ou seja, trata-se de pensar de forma inclusiva a determinação do processo saúde e doença, em todos os seus componentes. E, se tratamos das diferentes dimensões da vida na sua relação com a saúde humana, temos também que considerar a expressão individual de cada um de nós, geneticamente constituída e socialmente transformada, como um elemento a mais que faz diferenciar os seres e suas capacidades de reação às exposições e cargas socioambientais a que estamos submetidos.

Com esse referencial de análise, a saúde/doença deve ser vista como resultante das condições de alimentação, habitação, educação, renda, meio ambiente, trabalho, transporte, emprego, lazer, liberdade, acesso e posse da terra, acesso aos serviços de saúde e demais componentes da vida humana. São condições que se potencializam em um processo que, encerrado em contradições nas quais vicejam interesses e necessidades opostas entre o conjunto dos trabalhadores e os detentores das riquezas produzidas por esses mesmos trabalhadores, lhe confere um caráter histórico e dialético em sua determinação social. Esta compreensão, ademais de se constituir como um referencial metodológico de análise, deve ser o vetor orientador das políticas públicas de saúde que definem suas práticas, incluindo a assistência e o sistema que as organiza.

Por fim, cabe destacar a importância desta compreensão para a agroecologia. Sustentada em três concepções, como assevera Paulo Petersen, a agroecologia tem como elementos de sua sustentação uma teoria crítica com radical questionamento ao modelo da agricultura industrial (que gera enormes impactos socioambientais como graves consequências à saúde humana), que fornece conceitos e métodos para o desenvolvimento de agrossistemas sustentáveis; [VER AGROECOSSISTEMAS] como prática, em coerência com seus conceitos e métodos, e como movimento social, que articula um conjunto de atores em defesa da justiça social, da saúde ambiental e de uma economia solidária e ecológica (Petersen, 2012). Nesse universo, a compreensão da questão da saúde/doença das populações envolvidas exige uma abordagem que permita escrutinar todos os seus componentes articulados, cujos preceitos de análise são fundamentados na *determinação social da saúde*.

D

Referências

BLANE, D. An assessment of The Black Report's explanations of health inequalities. *Sociology of Health and Illness*, v. 7, n. 3, p. 423-446,1985.

BORDE, E.; MARTINEZ-ALVAREZ, M.; PORTO, M. F. S. Uma análise crítica da abordagem dos determinantes sociais da saúde a partir da medicina social e saúde coletiva latino-americana. Ensaio. *Saúde em Debate*, v. 39, n. 106, p. 841-854, jul-set 2015.

BREILH, J. *Epidemiología: economía política y salud. Bases estructurales de la determinación social de la salud*. Quito: Universidad Andina Simón Bolívar / Corporación Editora Nacional,1979.

______. La determinación social de la salud como herramienta de transformación hacia una nueva salud pública (salud colectiva). *Rev. Fac. Nac. Salud Publica*, n. 31, 2013 (Suplemento n. 1): S13-S27.

BUSS, P. M.; PELLEGRINI F. A. A saúde e seus determinantes sociais. *Physis*, Rio de Janeiro, v. 17, n. 1, p. 77-93, jan.-abr., 2007.

CASTRO, J. A. *Geografia da Fome*. Rio de Janeiro: Editora Antares, 1986.

COMISSÃO NACIONAL SOBRE DETERMINANTES SOCIAIS DA SAÚDE (CNDSS). *As causas sociais das iniquidades em saúde no Brasil*. Rio de Janeiro: Editora Fiocruz, 2008.

DIDERICHSEN, F. *et al*. Health Inequality – determinants and policies. *Scandinavian Journal of Public Health*, v. 40 (Supl. n. 8). p. 12-105, nov. 2012.

DEPARTMENT OF HEALTH AND SOCIAL SECURITY (DHSS)– The Black Report 1980. Inequalities and Health – *Report of a Research Working Group, 1980*. Disponível em: https://www.sochealth.co.uk.>the-black-report. Acesso em: nov. 2018.

EINBENSCHUTZ, C.; TAMEZ, S.; GONZÁLEZ, R. (org.) *¿Determinación social o determinantes sociales de la salud?* Memoria del Taller Latinoamericano sobre Determinantes Sociales de La Salud. México, DF: Editora Universidad Autónoma Metropolitana, 2011.

FORD, H. *Minha vida e minha obra*. Rio de Janeiro/São Paulo: Companhia Editora Nacional, 1926.

FOUCAULT, M. *Microfísica do Poder*. São Paulo: Ed. Graal, 2008.

GALAFASSI, G. *Naturaleza, sociedad y alienación:* ciencia y desarrollo en la Modernidad. Montevideo: Nordan Comunidad, 2005.

HOCHMAN, G. Samuel Barnsley Pessoa e os determinantes sociais das endemias rurais. *Ciênc. e Saúde Coletiva*, Rio de Janeiro, v. 20, n. 2, fev. 2015.

LAURELL, A. C. Enfermidad y desarollo: análisis sociológico de la mortalidad en dos pueblos mexicanos. *Rev. Mex. Cienc. Pol. Soc.*, n. 84, p. 131-157, 1976.

NOGUEIRA, R. P. Determinantes, determinação e determinismo sociais. Rio de Janeiro, *Saúde em Debate*, v. 33, n. 83, setembro-dezembro, p. 397-406, 2009.

OLIVA, L. A.; ESCUDERO, J. C.; CARMONA, L. D. Los determinantes sociales de la salud. Una perspectiva desde el Taller Latino-americano de Determinantes Sociales de la Salud. ALAMES. *Medicina Social*, v. 3, n. 4, nov. 2008.

PESSOA, S. B. *Ensaios Médico-Sociais*. São Paulo: Editora Guanabara-Koogan, 1960.

PETERSEN, P. Agroecologia em construção: terceira edição em um terceiro contexto. *In*: ALTIERI, M. *Agroecologia*: bases científicas para uma agricultura sustentável. São Paulo/Rio de Janeiro: Editora Expressão Popular/AS-PTA, 2012.

RAMAZZINI, B. *As doenças dos trabalhadores*. São Paulo: Ed. Fundacentro, 2000.

ROSE, G.; MARMOT, M. *Social class and coronary heart disease. British Heart Journal*, n. 45, p. 13-19, 1981.

SCLIAR, M. História do conceito de saúde. *PHYSIS: Rev. Saúde Coletiva*, Rio de Janeiro, vol. 17, n.1, p. 29-41, 2007.

TAMBELLINI AROUCA, T. *Contribuição à análise epidemiológica dos acidentes de trânsito*. Campinas, 1975, 224 p. Tese (Doutorado em Medicina e Preventiva e Social). Faculdade de Ciências Médicas, Universidade Estadual de Campinas, 1975.

______. O trabalho e a doença. *In:* Guimarães, R. (org.) *Saúde e Medicina no Brasil:* contribuição para um debate. Rio de Janeiro: Editora Graal, 1978a.

______. Análise dos determinantes das condições de saúde da população brasileira. *In*: GUIMARÃES, R. (org.) *Saúde e Medicina no Brasil:* contribuição para um debate. Rio de Janeiro: Editora Graal, 1978b.

TAMBELLINI AROUCA, T.; SCHÜTZ, G. E. Repensando processos sociais, determinações e determinantes da saúde. *Saúde em Debate*, v. 33, n. 83, p. 371-379, set-dez, 2009.

TAYLOR, F. W. *Princípios de administração científica*. São Paulo: Editora Atlas, 1995.

DIVERSIDADE SEXUAL E DE GÊNERO

Leonardo Nogueira Alves
Iuri Assunção
Thaís Paz

Um novo projeto de sociedade pressupõe repensarmos as relações sociais entre homens e mulheres e seu intercâmbio com a natureza. A crítica à atual sociabilidade exige-nos um compromisso com a construção de projetos contra-hegemônicos na educação enquanto dimensão da formação humana e na maneira como produzimos a nossa vida material. A educação popular e a agroecologia estão intimamente relacionadas às formas de resistência que na atualidade materializam alternativas à crise civilizatória que vivemos.

Enfrentar esse contexto adverso implica conhecer a realidade e edificar ações que contribuam na transformação social. No campo e na cidade, na economia e na cultura, na subjetividade e nas estruturas sociais, gênero e sexualidade também conformam o modo como homens e mulheres se identificam e constroem suas histórias de vida. Ou seja, é fundamental visibilizar e analisar como gênero e sexualidade se fazem presentes em todos os espaços, entre estes, nas práticas educativas e agroecológicas. Dito isso, é fundamental desvelar, em suas múltiplas dimensões, como as relações de gênero e sexualidade atravessam o cotidiano e o conjunto das práticas sociais.

A discussão teórica e política no âmbito dos estudos sobre gênero e diversidade sexual é atravessada por diversas contribuições do pensamento social. No Brasil, as formulações foram majoritariamente influenciadas pelas pesquisas estadunidenses e francesas que expressam perspectivas que vão desde uma análise marxista até o chamado campo de estudos pós-estruturalistas.

Para além das intervenções no âmbito da produção do conhecimento, esta temática tem sido objeto de lutas e ações políticas que têm exigido a eliminação do preconceito contra gays, lésbicas, bissexuais, travestis e transexuais, haja vista o crescimento da violência e dos assassinatos de LGBTs no país.

Nesse verbete, nosso objetivo é dialogar principalmente com as contribuições no âmbito dos estudos feministas na perspectiva do método de análise da realidade materialista histórica e dialética. Ou seja, nosso esforço é compreender a diversidade sexual e de gênero levando em consideração a interação entre dinâmica da produção e reprodução da vida social, articulando as determinações materiais, culturais e simbólicas num esforço sistemático de apreender estas categorias.

Relações patriarcais de gênero e heterossexismo: conceitos preliminares

Convencionou-se, no âmbito da teoria social, definir sexualidade como uma experiência histórica, política e

D

cultural de homens e mulheres voltadas à vivência da afetividade e do desejo, e o "gênero" como uma construção social do modo como os seres humanos exercem os padrões de masculinidade e feminilidade, lhes conferindo o *status* de "homem" e "mulher".

As categorias de análise, ao serem expressões da realidade, não devem ser compreendidas isoladamente. Gênero e sexualidade só podem ser analisados mediante os processos históricos que tornaram possível a experiência social, que estamos nos referindo como "relações patriarcais de gênero" e "heterossexismo". O debate sobre as relações patriarcais de gênero requer recuperar o significado de outra mediação fundamental: o patriarcado, o qual também contribuirá na compreensão do heterossexismo.

A nossa premissa analítica está assentada nas indicações de Marx e Engels (2007) que destacam a primazia das relações sociais de produção estabelecidas por homens e mulheres visando a sua própria constituição e desenvolvimento. A interação dos seres humanos entre si e com a natureza é mediada pelo trabalho e, posteriormente, por um conjunto de objetivações mais complexas, como a práxis social. O exercício de autoprodução da humanidade coloca imediatamente duas questões de ordem fundamentais, nas quais se fazem presentes arranjos de gênero. Vejamos.

A primeira diz respeito às formas de cooperação que vão expressar, desde já, a chamada *divisão sexual do trabalho*. Para manterem-se vivos, os seres humanos buscam melhores condições de moradia, alimentação e procriação que, por sua vez, apresenta ao longo da história certa *diferenciação* do papel desempenhado por homens e mulheres nestas atividades. Por conseguinte, o desenvolvimento histórico da divisão sexual do trabalho não evidencia harmonia e complementaridade. Ao contrário, a literatura feminista tem denunciado o caráter opressor que essa forma de organização das atividades assumiu. Tabet (2014) explica essa condição ao reconhecer que há uma situação de "subequipamento" das mulheres, noutros termos, um acesso inferior aos instrumentos de trabalho em virtude da apropriação masculina destes.

Com estas considerações, podemos caracterizar a segunda questão de ordem: a *propriedade privada*. Engels (2010) foi precursor ao destacar o significado da propriedade dos instrumentos de trabalho. Antes mesmo de colocarmos em questão a apropriação do excedente produzido, a posse dos instrumentos de trabalho nos indica uma permanente tensão no processo de desenvolvimento histórico-econômico da humanidade. Essa tendência geral pode ser observada, conforme Tabet (2014), até mesmo em sociedades em que mulheres desenvolviam atividades semelhantes aos homens. Para a autora, embora o trabalho se realizasse com funções idênticas ou muito parecidas, homens e mulheres possuíam instrumentos diferentes.

Divisão sexual do trabalho e propriedade privada são os fundamentos das relações patriarcais que incidem sobre as categorias gênero e sexualidade. O modo de ser homem e mulher nas sociedades que se desenvolvem a partir destas duas dimensões tendem a expressar relações de dominação/exploração dos homens sobre as mulheres. Exigem a construção de uma masculinidade compatível com o exercício do poder e com uma feminilidade nos limites da sujeição. Do ponto de vista da formação cultural e simbólica, as bases estão dadas para assegurar aos homens espaços que se desenvolvem com parca participação das mulheres como, por exemplo, no desenvolvimento da política, do direito, ciência, filosofia etc. Em contrapartida, naturaliza lugares e atividades (im)postos às mulheres no âmbito privado como o cuidado da casa e dos filhos. Neste sentido, Guillaumin (2014) evidencia que há um processo de apropriação coletiva e privada das mulheres por meio de uma relação de sexagem, ou seja, em uma interação entre servidão/escravidão e sexismo, surgem formas singulares de apropriação do trabalho, dos produtos do trabalho e do corpo das mulheres.

Nessa direção, se coloca também a imposição de um regime de sexualidade que responda aos interesses da manutenção das relações de dominação/exploração caracterizadas. A heterossexualidade, enquanto prática afetiva/sexual entre pessoas do sexo oposto, vai adquirindo, econômica, política e simbolicamente, o *status* de natural e legítima. As práticas sexuais não heterossexuais que sempre existiram passam a ser taxadas como perversão ao serem encaradas como crime, pecado e doença. A hegemonia de relações patriarcais está circunscrita ao regime de heterossexualidade obrigatória; assim sendo, a lógica de manutenção da divisão sexual do trabalho e da propriedade privada exige que homens e mulheres estabeleçam relações heterossexuais e monogâmicas (embora aos homens seja permitido acesso ao corpo de outras mulheres sem prejuízos de erosão do heterossexismo).

Em suma, gênero e sexualidade são categorias atravessadas pelo contexto de desenvolvimento de relações patriarcais. Neste sentido, nos referenciamos em Saffioti (2004) ao destacar a existência de uma "ordem patriarcal de gênero", ou seja, relações sociais estabelecidas entre homens e mulheres sob determinações patriarcais e, no caso atual, capitalistas e racistas, que enovelam a realidade social em sua totalidade concreta.

Diversidade sexual e de gênero

Diversidade sexual e de gênero refere-se ao conjunto de identidades que não se enquadram no padrão tradicional que determina a vivência da sexualidade e do gênero. Essa divergência é resultado da imposição de um modelo de sexualidade que considera a heterossexualidade enquanto única forma socialmente aceita de expressão da afetividade e do desejo sexual, baseando-se na moral sexual que entende o sexo biológico como determinante da identidade de gênero e que defende a existência de único tipo de família.

A imposição da heterossexualidade para todo o gênero humano foi determinada por um conjunto de fatores, dentre os quais destaca-se o modo de produção capitalista; afinal, o processo sócio-histórico que resultou na emergência da propriedade privada consolidou a família como a conhecemos atualmente, isto é, a família patriarcal, monogâmica e heterossexista. Esse processo, marcado pela divisão sexual do trabalho e das relações sociais, conformou as relações patriarcais de gênero.

Na sociedade ocidental, essa construção foi balizada pela tradição religiosa judaico-cristã e sua moral sexual,

D

expressa na intrínseca relação estabelecida entre Estado e religião. Ela foi responsável por reescrever preceitos religiosos em forma de legislação, permeando as definições políticas e jurídicas do Estado por crenças presentes em textos bíblicos – a exemplo dos preceitos contidos no livro *Levítico* do Antigo Testamento, que considera a homossexualidade um pecado passível de pena de morte

Observa-se também que a negação à diversidade sexual e de gênero foi influenciada por discursos médicos e saberes científicos. Durante o século XIX, por meio do discurso da perversão sexual, a medicina passou a ser um dos mecanismos para propagar preconceitos contra essa população, sendo responsável por considerar como doença a homossexualidade e a transexualidade, sujeitando LGBTs a supostos "tratamentos" através de eletrochoques e clínicas de reabilitação.

Esse processo resultou, segundo Foucault (2014), em uma caça às sexualidades periféricas, que articulou a proibição legal – e a consequente punição – com os discursos clínicos acerca das práticas e desejos sexuais fora do padrão heterossexista. Tal relação traduziu, no seio do modo de produção capitalista, as distintas identidades sexuais e de gênero como perversoras ou desviantes. Conforme Daniel Borrillo (2010), as sexualidades periféricas obcecavam as mentes coloniais, ao mesmo tempo que a medicina pressupunha que a perversão sexual era própria das classes populares, divergindo de uma suposta moral sexual burguesa.

Adrienne Rich (2010) destaca que o controle da sexualidade e a proibição da diversidade sexual e de gênero é resultante não apenas de mecanismos coercitivos, mas também de processos fincados na consciência humana. De acordo com a autora, o pensamento heterossexual impõe o mesmo comportamento sexual de forma compulsória. Assim, ao tratar da lesbianidade, Rich (2010) nota que o cinto de castidade e o casamento heterossexual, bem como o apagamento da existência lésbica, são formas de se construir a compulsoriedade heterossexual, pelo uso da força e pelo controle da consciência.

O conjunto de pessoas que se reconhecem na bandeira de luta pela diversidade vivenciam o gênero e a sexualidade de distintas maneiras. Esse grande grupo é formado por lésbicas, gays, bissexuais, travestis, transexuais, transgêneros e pessoas intersexuais, que, agrupadas na sigla LGBT, se organizam em movimentos sociais para construir suas próprias narrativas, defendendo o direito de amar livremente e o direito de viver o gênero com o qual se identificam.

No Brasil, os primeiros grupos organizados de LGBTs em luta pela diversidade sexual e de gênero datam dos fins da década de 1970 e início dos anos 1980, com a criação do grupo Somos, em 1978, e do Grupo de Ação Lésbica-Feminista (Galf), em 1981, que cumpriam o papel de defender as identidades sexuais diversas, mas também de denunciar os abusos, a censura e a repressão da ditadura civil-militar.

Nos dias atuais, o movimento LGBT se organiza em torno da defesa da vida, da cidadania e dos direitos dessa população, visando superar as dificuldades do acesso de LGBTs a direitos sociais como educação, trabalho e saúde, notadamente quando se referem a travestis e transexuais. Portanto, o movimento LGBT, além de defender a diversidade sexual e de gênero, atua com o objetivo de estabelecer e aprofundar mecanismos de combate à LGBTfobia.

Considerações finais

O estudo das relações patriarcais de gênero e sexualidade não deve ser parte de uma agenda restrita às mulheres ou pessoas LGBTs. Por se tratar de um tema de envergadura histórica, atrelado aos modos de produzir e reproduzir a vida material, é necessário dar visibilidade a estes temas na economia, na educação, na cultura e na política.

Qualquer perspectiva que esteja radicalmente vinculada à tentativa de construção de uma nova ordem social precisa questionar de que maneira os padrões de gênero e sexualidade reproduzem o patriarcado e o heterossexismo. Se a divisão sexual do trabalho e a propriedade privada, elementos que constituem as relações sociais de produção no capitalismo, estão na base dessas formas de exploração e dominação, os desafios no campo da transformação se tornam ainda mais complexos.

Uma formação verdadeiramente humana, como se propõe o movimento agroecológico no Brasil, precisa articular conhecimento dos processos sociais, respeito às diversidades e ações transformadoras. Quando os/as LGBTs Sem Terra do MST gritam "o capitalismo destrói, o patriarcado faz a guerra: o sangue LGBT também é sangue Sem Terra", estão posicionando no horizonte da transformação a unidade entre as lutas dos segmentos oprimidos.

D

Referências

BORRILLO, D. *Homofobia*: História e crítica de um preconceito. Tradução: Guilherme João de Freitas Teixeira. Belo Horizonte: Editora Autêntica, 2010.

ENGELS, F. *A origem da família, da propriedade privada e do Estado*. São Paulo: Expressão Popular, 2010.

FOUCAULT, M. *História da sexualidade I*: a vontade de saber. São Paulo: Paz e Terra, 2014.

GUILLAUMIN, C. Prática de poder e ideia de natureza. *In*: FERREIRA, V. (org.). *O patriarcado desvendado*: três feministas materialistas: Collette Guillaumin, Paola Tabet e Nicole-Claude Mathieu. Recife: SOS Corpo, 2014.

MARX, K.; ENGELS, F. *A ideologia alemã*: crítica da mais recente filosofia alemã em seus representantes Feuerbach, B. Bauer e Stiner, e do socialismo alemão em seus diferentes profetas. São Paulo: Boitempo, 2007.

RICH, A. Heterossexualidade compulsória e existência lésbica. *Revista Bagoas*, n. 5, 2010.

TABET, P. Mãos, instrumentos e armas. *In*: FERREIRA, V. (org). *O patriarcado desvendado*: três feministas materialistas: Collette Guillaumin, Paola Tabet e Nicole-Claude Mathieu. Recife: SOS Corpo, 2014.

SAFFIOTI, H. *Gênero, patriarcado, violência*. São Paulo: Perseu Abramo, 2004.

Para saber mais

NOGUEIRA, L. *et al.* (org.). *Hasteemos a bandeira colorida*: diversidade sexual e de gênero no Brasil. São Paulo: Expressão Popular, 2018.

NOGUEIRA, L; PEREIRA, M; TOITIO, R. *O Brasil fora do armário*: diversidade sexual, gênero e lutas sociais. São Paulo: Expressão Popular, 2020 [Coleção Emergências].

SAFFIOTI, H. *A mulher na sociedade de classes*: mito e realidade. São Paulo: Expressão Popular, 2013.

STERNS, P. N. *História da sexualidade*. São Paulo: Contexto, 2010.

WELZER-LANG, D. A construção do masculino: dominação das mulheres e homofobia. *Estudos Feministas*, n. 15, p. 460-482, 2000

E

ECOLOGIA

LEONARDO BOFF

A ecologia, em seu sentido filológico, significa uma reflexão (*logos-logia*) sobre a casa (*oikos*), sobre o *habitat* e, em uma ampliação mais globalizante, sobre a Casa Comum, que é a Terra. O termo foi cunhado por um discípulo de Darwin, o zoólogo alemão Ernst Haeckel (1834-1919). Nesse texto, abordamos a ecologia do ponto de vista da teologia da libertação.

O que é propriamente a ecologia

Haeckel a define assim: "É o estudo da interdependência e da interação entre os organismos vivos (animais e plantas) com o seu meio ambiente (inorgânico)" (citado por Boff, 1993, p. 17).

Com essa compreensão, o próprio Haeckel possivelmente não deu conta da revolução intelectual que introduziu. Até ele, cada ciência se ocupava de um objeto específico, sem ser relacionado a outros: quem estuda as pedras, quem as plantas, quem os animais, quem o ser humano etc. É a base da ciência moderna atomizada e dividida em suas especialidades.

Haeckel introduziu um elemento novo que mais tarde veio a ser o núcleo teórico fundamental da física quântica: tudo está relacionado com tudo em todos os momentos e em todas as circunstâncias. Tudo é relação, e nada existe fora da relação.

Haeckel teve o mérito de ter percebido que a ciência não pode se ater à análise dos seus objetos de conhecimento tomados em si mesmos, sem relacioná-las à realidade na qual estão inseridos. Ele se deu conta de que, para existirem, uma rede de relações liga e religa todos eles. Para entendê-las, precisamos compreender as suas relações. Daí que, para Haeckel, a ecologia é a ciência das relações: de cada ser com o seu *habitat* e com os demais seres em presença.

A Ecologia é, pois, a ciência das relações de todos os seres entre si, desde as galáxias mais distantes até a formiga que anda em cima de minha mesa. Estão relacionados entre si por aquilo que os suporta: a energia gravitacional, além de serem formados pelos mesmos elementos que amadureceram no interior das grandes estrelas vermelhas, durante alguns bilhões de anos, após a incomensurável explosão, o *Big Bang*.

Tal pan-relacionalidade forma o meio ambiente, expressão cunhada em 1800 por Jakob von Uexküll (1864-1944). Tal concepção fez com que a ciência não se restringisse aos laboratórios, mas se inserisse organicamente na natureza, na qual tudo convive com tudo, constituindo a vasta comunidade de vida. Nessa perspectiva, a ecologia não pode ser definida em si mesma, fora de suas implicações com outros saberes. Ela não é um saber de objetos de conhecimento, mas de relações entre os objetos. Ela se apresenta como um saber de saberes entre si relacionados. É a ecologização dos saberes.

E

Dessa rede de conexões surgiu o conceito de *holismo* (*holos*, em grego, significa totalidade). Essa expressão foi introduzida pelo general sul-africano Jan Christian Smuts para superar a visão reducionista e parcializada da natureza em favor do conhecimento das teias de relações que ligam todos com todos.

A vida: parte essencial do planeta Terra

Um nome, porém, cabe ser citado, pois não é quase referido pela literatura ecológica: o do geoquímico russo Vladimir Vernadsky (1863-1945). Na ocasião, já circulava o conceito de biosfera, introduzido pelo austríaco Edward Suess (1831-1914). Mas quem lhe deu centralidade e o tornou uma palavra-chave da ecologia foi Vernadsky, com seu livro publicado em 1926 com o simples título *Biosfera*.

O autor russo mostrou que a vida é *parte essencial do planeta Terra*, um componente que transforma as irradiações cósmicas em energia terrestre ativa. A vida não pode ser compreendida sem as relações indissociáveis com os fenômenos físico-químicos que ocorrem no planeta.

Em razão dessa compreensão holística, Vernadsky (2019) sugere uma *ecologia global*, quer dizer: uma ecologia do *globo terrestre* como um todo e com o conjunto de suas relações cósmicas. Assim, fez da Terra com todos os seus ecossistemas um objeto de estudo e de análise, como o fez posteriormente James Lovelock (2020) com sua teoria da Terra como *Gaia*, superorganismo vivo.

Essa ideia somente ganhou força nos últimos tempos, quando fenômenos globais como o aquecimento, a escassez de água potável, a erosão da biodiversidade e a desertificação de vastas regiões do planeta, a frequência de tufões e tsunamis obrigaram a considerar a Terra em sua globalidade. Ela nos fez entender nosso destino comum, pois todos estamos dentro da mesma nova arca de Noé, que é o planeta Terra, regulado pela biosfera.

Curiosamente, ela estabelece uma solidariedade objetiva dos seres humanos com todos os demais seres vivos que precisam igualmente da biosfera (água, ar puro, alimentos, fibras e outros) para poder viver e sobreviver.

A ecologia ficou por quase um século como um subcapítulo da biologia. Essa situação mudou quando, em 1972, a ONU solicitou ao Massachusetts Institute of Technology (MIT) de Harvard, sob a orientação de A. Meadows, um estudo sistemático da saúde da Terra.

Os resultados assustaram os cientistas: a Terra estava doente e sem imunidade para manter sua vitalidade. O diagnóstico foi certeiro: a doença da Terra se deve ao tipo de desenvolvimento depredador e consumista de nossas sociedades.

O diagnóstico, também conhecido como *Relatório do Clube de Roma* (que reunia cientistas, chefes de Estado, empresários e outros sábios), fez com que a ecologia deixasse a universidade, caísse na rua e entrasse diretamente para o campo da política mundial. Trata-se de garantir a sustentabilidade da Casa Comum, sem a qual nem a vida, nem a espécie humana, nem a Terra como superorganismo vivo terão futuro.

Como se depreende, a ecologia se tornou tema central de todas as políticas sociais, da saúde, da atmosfera e de qualquer um dos empreendimentos; analisa-se em que medida afetam o meio ambiente, o poluem ou o preservam, garantindo a vitalidade e a habitabilidade de cada ecossistema e da Terra como um todo.

Antes de abordarmos as várias tendências atuais da reflexão ecológica, precisamos abordar dois temas fundamentais, sem os quais a compreensão e as práticas ecológicas se tornam ineficazes, pois serão sempre mais do mesmo. "O pensamento que criou a crise [dizia Einstein] não pode ser o mesmo que nos vai tirar dela". Temos que buscar uma nova cosmologia que redefina a relação para com a natureza e a Terra. Ou mudamos ou vamos ao encontro de um armagedom ecológico.

Os caminhos da ecologia integral

A partir desta reflexão-raiz e também mais diretamente com a preocupação política e social com a questão ecológica surgiram os vários estudos e tendências: ecologia como preservação das espécies ameaçadas, ecologia vegetal, ecologia animal, ecologia das populações, ecologia ambiental, ecologia social, ecologia profunda (*deep ecology*) e outras.

Nós nos ateremos a quatro tendências básicas, pois elas pretendem contemplar uma ecologia integral na linha da encíclica do Papa Francisco, *Laudato Si: sobre o cuidado da Casa Comum* (2015) e da *Carta da Terra* (2000), da Unesco, de cuja redação participei.

a) A ecologia ambiental: a qualidade de vida

Para que vigore *a qualidade de vida*, importa que o ar seja puro, as águas não contaminadas, os solos não envenenados e o ambiente geral cuidado com carinho e respeito. Somente assim garantiremos o que chamamos de uma boa qualidade de vida, ou como os andinos dizem, alcancemos "*o bem-viver e conviver*" que é a harmonia com todas as coisas, primeiramente na família, com a natureza, com as águas, com as montanhas e com uma economia não de acumulação, mas de subsistência.

O Papa Francisco denuncia em *Laudato Si: sobre o cuidado da Casa Comum* (2015): "Nunca maltratamos e ferimos a nossa Casa Comum como nos últimos dois séculos" (n. 53). Por isso, devemos "fazer uma radical conversão ecológica" (Francisco, 2015, n. 5) para evitarmos um caminho sem retorno. O consumo deve ser solidário e submeter-se à moderação compartilhada. Como propôs o primeiro-ministro da China Xi Jinping em seu discurso no Congresso do Partido Comunista em 2017: "a China deve formar uma sociedade moderadamente abastecida" (Jinping, 2017).

b) A ecologia político-social: a sustentabilidade

Cada sociedade organiza a sua forma de acessar os bens e serviços naturais, como distribuí-los e como cuidar para que possam se reproduzir e não se exaurirem. O objetivo é alcançar a *sustentabilidade*, quer dizer, permitir que, com o capital natural existente, se possa atender às necessidades humanas da presente geração e das futuras e, ao mesmo tempo, permitir que a natureza possa repousar, se regenerar e repor o que tiramos dela.

E

A conquista do mundo e a colonização de toda a Ameríndia se fizeram com extrema violência. Ademais, a Terra nem sempre foi vista na história como a grande mãe que tudo nos dá, mas apenas como uma coisa inerte, uma espécie de baú de bens e serviços à disposição do ser humano no seu projeto de crescimento ilimitado.

Pela tecnociência, esse projeto foi aprofundado, o que trouxe grandes benefícios à vida humana, desde o antibiótico até as viagens ao espaço sideral. Mas, simultaneamente, criou uma máquina de morte com armas químicas, biológicas e nucleares, capazes de destruir toda a vida na Terra.

Gestou duas injustiças: uma *social*, fazendo com que menos de 20% da humanidade opulenta disponham de 80% de todos os bens naturais e os demais, os 80% da população empobrecida e injustiçada, dispusessem de apenas 20% desses bens. Adverte o Papa Francisco em seu texto sobre o cuidado da Casa Comum: "Já se passaram os limites máximos de exploração do planeta, sem termos resolvido o problema da pobreza" (Francisco, 2015, n. 27). Incisivamente, constata: "Estas situações provocam os gemidos da irmã Terra, que se unem aos gemidos dos abandonados do mundo, com um lamento que reclama de nós outro rumo. Por isso, devemos ouvir tanto o grito da Terra como o grito dos pobres" (Francisco, 2015, n. 53 e 49).

A outra injustiça é a *ecológica*, dilapidando ecossistemas inteiros a ponto de a Terra mostrar sinais de estresse. Ela precisa de um ano e meio para repor o que nós lhe tiramos durante um ano.

Um planeta limitado não suporta um projeto de crescimento ilimitado. Por essa razão, a Terra perdeu seu equilíbrio, que se mostra pelo aquecimento global, pelo desarranjo climático e outros eventos extremos. Diz-se hoje que no último século inauguramos uma nova era geológica: o *Antropoceno* [VER ANTROPOCENO], isto é, o ser humano é meteoro rasante capaz de dizimar a Terra. Ele, com seu comportamento consumista e dilapidador, emerge como o grande perigo para o futuro da vida e do planeta vivo, a Terra. Na linguagem do grande biólogo Edward O. Wilson, "ele se fez o satã da Terra [...] transformou o paraíso terrenal num matadouro" (2002, p. 121).

O Papa Francisco vai na mesma linha, afirmando:

> As previsões catastróficas já não se podem olhar com desprezo e ironia. Para as próximas gerações poderíamos deixar demasiadas ruínas: desertos e lixo. O ritmo do consumo, desperdício e alteração do ambiente superou de tal maneira as possibilidades do planeta, que o estilo atual de vida, por ser insustentável, *só pode desembocar em catástrofes*. (Francisco, 2015, n. 161)

Esta é a razão pela qual o Papa Francisco insiste repetidamente que uma ecologia integral deve incorporar a questão da justiça social para atender a todos os gritos da natureza e da multidão de pobres do mundo inteiro.

c) A ecologia mental: novas mentes e corações

Esse ramo da ecologia se ocupa com a mente humana e com aquilo que se passa dentro dela. Geralmente, todas as coisas começam por alguma ideia ou um sonho que habita nossa mente. Hoje temos que mudar a nossa mente.

A *Carta da Terra* adverte: "Como nunca antes na história, nosso destino comum nos conclama a buscar um novo começo. Isso requer uma *mudança na mente e no coração*" (2000, p. 3).

Mudar a mente significa não considerar mais a Terra como algo morto, mas como Gaia, um superorganismo vivo que se autorregula e que articula o físico, o químico e o ecológico para sempre manter a vida no planeta. Ela é viva e nossa Casa Comum.

Mudar o coração significa resgatar a inteligência cordial ou sensível. Temos que enriquecer a inteligência racional e analítica que predomina em nossa cultura e com a qual organizamos o mundo. Mas ela tem de ser completada com a inteligência cordial. Nesta está a sede da sensibilidade, do amor, da compaixão, da ética e da espiritualidade.

É ela que nos faz sentir – enfatiza o Papa Francisco em sua encíclica ecológica – "como nosso o sofrimento do mundo" (Francisco, 2015, n. 49). E continua: "Quero lembrar que Deus nos uniu tão estreitamente ao mundo que nos rodeia, que a desertificação do solo é como uma doença para cada um e podemos lamentar a extinção de uma espécie como uma mutilação" (Francisco, 2015, n. 89). Nosso impulso de união com a natureza não pode ser autêntico "se ao mesmo tempo não houver, no coração, ternura, compaixão e preocupação com os seres humanos" (Francisco, 2015, n. 91).

Se não sofremos com a Mãe Terra, como vamos cuidá-la como cuidamos de nossa mãe? Da razão cordial nascem atitudes de respeito, de compaixão para com a natureza que sofre e de amor para com todos os seres. A isso chamamos de *biofilia*: amor a tudo o que vive. É a mesma atitude de São Francisco, patrono da ecologia, que chamava todos os seres com o doce nome de irmãs e irmãos. Sem a sensibilidade do coração, continuaremos depredando a Terra viva e os bens naturais, colocando em risco o futuro da vida e de nossa civilização. *Sem o coração, a razão enlouquece.* Pensemos na Schoah, no Gulag, nas duas Guerras Mundiais, na destruição do Iraque com monumentos de uma das mais antigas culturas e nas degolações, Estado Islâmico, de todos os que não se convertiam ao seu o de muçulmanismo.

d) A ecologia integral-espiritual: somos parte do universo

Esta corrente da ecologia, chamada também de "ecologia profunda", nos faz entender nosso pertencimento a este planeta Terra e também a todo o universo. Somos feitos dos mesmos elementos físico-químicos que há milhões de anos se forjaram no coração das grandes estrelas vermelhas. Quando elas explodiram, jogaram esses elementos por todo o espaço, dando origem às galáxias, às estrelas, ao Sol, à nossa Terra e a cada um de nós.

A Terra é parte do imenso universo que já existe há 13,7 bilhões de anos; possui 4,45 bilhões de anos e dista 28 mil anos-luz do centro da nossa via láctea, na parte interior de um braço da espiral de Orion (Boff, 2015).

É um minúsculo ponto azul-branco, perdido entre os bilhões e bilhões de galáxias, estrelas e planetas. Mas é aqui que vivemos, daqui pensamos e contemplamos a *grandeur* do universo em sua deslumbrante harmonia.

O grande físico e cosmólogo inglês Stephen Hawking afirmou, em *Uma breve história do tempo* (1992), que se uma das quatro energias fundamentais, a gravitacional, que atrai todos os seres, fosse forte demais, haveria explosões sobre explosões e não se formariam os seres existentes. Da mesma forma, se fosse fraca demais, não haveria densidade suficiente para formar as estrelas, não existiria a Terra nem nós estaríamos aqui escrevendo sobre tudo isso.

As quatro misteriosas energias, a gravitacional, a eletromagnética, a nuclear fraca e a nuclear forte, que atuam sempre articuladas, seriam, segundo o grande cosmólogo Brian Swimme, a forma como *atua o espírito ordenador e inteligente do universo.* Completa o físico britânico Freeman Dyson: "Quanto mais examino o universo e os detalhes de sua arquitetura, mais acho evidências de que o universo sabia que um dia, lá na frente, iríamos surgir" (1979, p. 250, *apud* Boff, 2019, p. 125).

Terra e humanidade formam uma grande e complexa unidade. É o que nos testemunham os astronautas que puderam ver a Terra da Lua ou de suas naves espaciais. Todos eles confirmam: daqui de cima não há separação entre Terra e humanidade; formam uma única entidade (Boff, 2006). Por isso, podemos afirmar: o ser humano é a porção da Terra que sente, pensa, ama e venera. Lembramos que homem vem de *húmus,* terra fértil e boa; Adão, em hebraico, vem de *adamah,* terra arável.

Essa visão de totalidade nos torna humildes e ao mesmo tempo orgulhosos por nos sentirmos parte do universo, aquele ser pelo qual o próprio universo se sente, se pensa e venera a Fonte Originária de todos os Seres. Então emerge em nós o sentimento de reverência face àquela Energia poderosa e amorosa, Deus, que tudo criou e nos colocou neste pequeno e belo Planeta Terra, nossa única Casa Comum.

Referências

A CARTA DA TERRA. *Valores e Princípios para um Futuro Sustentável.* 2000. Disponível em: https://edisciplinas.usp.br/pluginfile.php/4463897/mod_book/chapter/20806/Biodiversidade_2012/CartadaTerra.pdf

BOFF, L. Características do Novo Paradigma Eco-cosmológico. *In:* LESBAUPIN, I.; CRUZ, M. *Novos Paradigmas para um outro mundo possível.* São Paulo: Abong, 2019. pp. 123-128.

_______. *Ecologia – Mundialização – Espiritualidade.* São Paulo: Ática, 1993.

_______. *Ecologia:* grito da Terra, grito dos pobres: dignidade e direitos da Mãe Terra. Edição revista e ampliada. Petrópolis: Vozes, 2015.

_______. Ética e Sustentabilidade. *In:* MINISTÉRIO DO MEIO AMBIENTE. *Caderno de Debate Agenda 21 e Sustentabilidade.* Brasília: Secretaria de Políticas para o Desenvolvimento Sustentável, Coordenação da Agenda 21, 2006.

FRANCISCO. *Carta encíclica: Laudato si' do Santo Padre Francisco sobre o cuidado da casa comum.* [Cidade do Vaticano]: Libreria Editrice Vaticana, 2015. Disponível em: http://www.vatican.va/content/francesco/pt/encyclicals/documents/papa-francesco_20150524_enciclica-laudato-si.html. Acesso em: 24 mar. 2021.

HAWKING, S. *Uma breve história do tempo.* Lisboa: Gradiva, 1992.

JINPING, X. Discurso do primeiro-ministro no XIX Congresso do Partido Comunista Chinês. In: *Operamundi,* 20 out. 2017. Disponível em: https://webcache.googleusercontent.com/search?q=cache:yY4wfVEjy3wJ:https://operamundi.uol.com.br/permalink/48290+&cd=3&hl=pt-PT&ct=clnk&gl=br. Acesso em: 24 mar. 2021.

LOVELOCK, J. *Gaia:* um novo olhar sobre a vida na terra. Lisboa: Edições 70, 2020.

MEADOWS, D. L., MEADOWS, D. H., RANDERS, J. & BEHRENS, W.W. *Limites do crescimento*: um relatório para o Projeto do Clube de Roma sobre o dilema da humanidade. São Paulo: Ed. Perspectiva, 1972.

ODUM, E. *Fundamentos de ecologia*. 6a. ed. Lisboa: Fundação Calouste Gulbenkian, [2001].
Uexküll, J. von. *Dos animais e dos Homens*: Digressões pelos seus mundos próprios. Lisboa: Livros do Brasil, s.d. Disponível em: http://files.grupo-hermes.webnode.com/200000015-3051e314ca/JakobUexk%-C3%BCllTexto-reduzido%201.pdf
UMA Breve História do Tempo. Documentário. Direção: Errol Morris. EUA, Japão, Inglaterra, 1992. 88min
UNESCO. *Carta da Terra*. Paris Unesco, 2000.
VERNADSKY, V. 1. ed. *Biosfera*. Rio de Janeiro. Dantes, 2019.
WILSON, E. *O futuro da vida*. Rio de Janeiro: Campus, 2002.

Para saber mais

BOFF, L. *Reflexões de um velho teólogo e pensador*. Petrópolis: Vozes, 2018.
_______. *Civilização planetária*. Rio de Janeiro: Sextante, 1994.
_______. *Saber cuidar*. 20. ed. Petrópolis: Vozes, 2014.
_______. Ética e *ecoespiritualidade* Petrópolis: Vozes, 2011.
_______. *Proteger a Terra-cuidar a vida*. Como evitar o fim do mundo. Rio de Janeiro: Record, 2010.

E

Ecologia dos agroecossistemas

Gabriel Bianconi Fernandes

Um ecossistema pode ser considerado um ambiente natural onde interagem plantas, animais, água, solo, nutrientes e luz solar. Um ecossistema natural tem por característica a tendência ao equilíbrio dinâmico entre os elementos que o compõem, equilíbrio no sentido da relação entre as populações que ele sustenta e os recursos localmente disponíveis. Uma área de floresta, de mangue ou uma lagoa são exemplos de ecossistemas naturais. No outro extremo, temos a cidade, um ambiente extremamente artificializado. A Ecologia é a ciência que estuda as relações entre esses diferentes componentes bióticos e abióticos dos ecossistemas. É o estudo dos organismos na sua casa, ou, nas palavras de Eugene Odum (1975), um dos principais autores sobre o tema: "a Ecologia define-se usualmente como o estudo das relações dos organismos ou grupos de organismos com o seu ambiente, ou a ciência das inter-relações que ligam os organismos vivos ao seu ambiente" (2001, p. 4).

Para plantar e criar animais, o ser humano modifica seu ambiente. Chamamos de Agroecossistema [VER AGROECOSSISTEMA] um ecossistema natural usado para fins agrícolas. Quanto mais o ecossistema for alterado, mais longe ele ficará de seu estado natural. Esse é o caso, por exemplo, das monoculturas, o padrão tecnológico disseminado pela Revolução Verde [VER REVOLUÇÃO VERDE]. Lembrando que a natureza tende ao equilíbrio dinâmico, uma área natural biodiversa convertida em lavoura ou pastagem voltará em algum tempo a seu estado original. Esse processo é conhecido como sucessão ecológica natural e é aplicado nos sistemas agroflorestais [VER SISTEMAS AGROFLORESTAIS] e também na Permacultura [VER PERMACULTURA]. Para manter a sucessão ecológica nos seus estágios iniciais – que é o ambiente onde as culturas agrícolas se desenvolvem – e para compensar esses desequilíbrios causados no ambiente–, emprega-se energia na forma de produtos químicos (como herbicidas e adubos solúveis) e de trabalho, seja com tratores, máquinas, animais ou com os próprios braços. O uso repetido desses insumos, sobretudo dos agrotóxicos, [VER AGROTÓXICOS] torna o ambiente ainda mais artificial, e aquilo que um dia foi habitado por muitas espécies de plantas e animais e tinha o solo bem estruturado e com cheiro agradável, passa a ter uma única espécie de planta, poucos animais e solos duros [VER SOLOS].

As populações de insetos, fungos, bactérias e demais seres vivos que habitam essa área interagem entre si formando uma teia alimentar [VER TEIA ALIMENTAR]. Nas áreas mais simplificadas pelas monoculturas e uso intensivo de insumos químicos, algumas espécies são prejudicadas pela falta de recursos para sua sobrevivência, e outras são beneficiadas e se multiplicam de forma desequilibrada, tornando-se pragas. Essas populações que se sobressaem vão se alimentar do recurso disponível na área, que é a própria lavoura. Por não avaliar que a ocorrência de uma dada praga é resultado de um desequilíbrio mais amplo nas interações ecológicas [VER INTERAÇÕES ECOLÓGICAS] daquele ambiente, a agricultura convencional recomenda a aplicação de agrotóxicos para combater aquele organismo em desequilíbrio que está causando dano. Mas esse tipo de intervenção não ataca as origens do problema. As raízes da planta encontram uma terra dura e quente, e não conseguem crescer direito, deixando a planta fraca e suscetível a doenças e pragas. Uma planta nessas condições que recebe adubação química fica ainda mais suscetível a insetos-praga, é o que nos explica a teoria da trofobiose [VER TROFOBIOSE]. Tem-se então um agroecossistema desequilibrado onde será muito difícil produzir.

Como será então um agroecossistema mais equilibrado? Este deve ser o objetivo dos agricultores que pretendem usar suas terras e mantê-las produtivas por muito tempo: modificar o ambiente natural de forma que seja possível produzir sem que este perca muito de suas características.

Se o agroecossistema for um ambiente modificado, porém mais próximo à dinâmica e à estrutura do ambiente natural do que do artificial, o agricultor conseguirá maior estabilidade de produção e maior capacidade de reagir a condições adversas como seca, calor e outros (resiliência). Com isso, ele precisará usar cada vez menos produtos de fora de sua propriedade. Adubos químicos poderão ser substituídos, agrotóxicos abandonados e as sementes transgênicas serão totalmente desnecessárias. A sustentabilidade de um sistema tem a ver com sua capacidade de se auto-organizar e de se autorreproduzir. É isso o que a agroecologia faz ao incorporar princípios da ecologia no estudo e no manejo dos agroecossistemas.

E

Para saber mais

ALTIERI, M. *Agroecologia:* bases científicas para uma agricultura ecológica. Expressão Popular/ AS-PTA, 2013.
FUKUOKA, M. *Agricultura Natural:* teoria e prática da filosofia verde. São Paulo: Nobel, 1995.
GLIESSMAN, S. *Agroecologia:* processos ecológicos em agricultura sustentável. Porto Alegre: Editora da Universidade UFRGS, 2001.
KHATOUNIAN, C. A. *A reconstrução ecológica da agricultura.* Botucatu: Agroecológica, 2001.
PRIMAVESI, A. M. *O manejo ecológico dos solos:* a agricultura em regiões tropicais. São Paulo: Nobel, 2006.

ECONOMIA FEMINISTA

MIRIAN NOBRE

A economia feminista propõe uma visão ampliada do trabalho, que inclua e tire da invisibilidade o trabalho doméstico e de cuidado, hoje majoritariamente realizado pelas mulheres.

As críticas às economias dominantes (clássica e neoclássica) se manifestaram concomitantemente às grandes mobilizações feministas (ondas) de meados do século XIX e XX. Espaços de discussão entre as mulheres economistas e feministas em encontros acadêmicos nos Estados Unidos, publicações pioneiras como Waring (1990), conformaram acúmulos para a formação, em 1992, da Associação Internacional de Economia Feminista, que publica desde 1994 a Revista *Feminist Economics*, com maior presença no mundo acadêmico de língua inglesa.

No Brasil, a Rede Economia e Feminismo (REF), criada em 2001, aprofundou a leitura de textos teóricos de língua espanhola e a desdobrou em análises e propostas para o mercado de trabalho, economia solidária e agroecologia, em diálogo com a Marcha Mundial das Mulheres (MMM).

Ampliando o conceito de trabalho

Muitas agricultoras dizem que preferem carpir um canteiro ao serviço de casa. Em atividades de formação, muitas vezes elas dizem que "quando você carpe uma leira, está com a cabeça naquilo, e ao final do dia pode ver o resultado do seu esforço. Enquanto que o serviço de casa você faz várias coisas ao mesmo tempo, ao final do dia está cansada e nem consegue dizer o que fez". Elas sabem que as atividades realizadas na roça contribuem para a produção, da qual uma parte pode ser vendida.

O trabalho das mulheres na roça é *trabalho*, [VER TRABALHO] não ajuda. E a economia feminista vai mais além. O serviço da casa não é serviço, é trabalho. Trabalho produz mercadorias (bens e serviços com valor de troca), mas também produz as pessoas como trabalhadoras.

Nas famílias e nas comunidades, em sua maioria, as mulheres realizam atividades que proveem as pessoas de alimentação, saúde, bem-estar, afeto, segurança emocional. Elas despendem energia – esfregam roupa, levantam colchão, utilizam de coordenação motora fina, põem a linha na agulha, picam tempero; e mantêm-se alertas às necessidades das pessoas à sua volta, muitas vezes antes mesmo que sejam expressas. Por isso, algumas economistas feministas dizem que o cuidado é mais que trabalho, pois envolve um estado de disponibilidade permanente.

Em 2012, as mulheres rurais dedicavam a esse trabalho quase o triplo de horas que os homens urbanos e rurais (Organización de las Naciones Unidas para la Agricultura y la Alimentación, 2017). Em 2017, as mulheres trabalharam em média 20,9 horas por semana em afazeres domésticos e no cuidado de pessoas, quase o dobro das 10,8 horas dedicadas pelos homens (IBGE, 2018).

Esta imensa quantidade de trabalho realizado pelas mulheres produz valores de uso, mas não é externa ao processo de acumulação capitalista. A reprodução da força de trabalho não é garantida apenas pelo salário ou pelo preço dos produtos agrícolas vendidos no mercado. A produção para o autoconsumo e o trabalho doméstico realizados pelas mulheres estão na base da economia e são uma variável de ajuste no conflito entre capital e trabalho pela distribuição da riqueza produzida.

Os trabalhadores assalariados de setores do agronegócio considerados dinâmicos são boias-frias, ou seja, têm que trazer sua comida de casa. A empresa transfere para a família o custo da refeição que permite ao trabalhador recuperar suas forças. O Estado neoliberal, quando corta orçamento na saúde ou na educação, considera que haverá pessoas, em geral mulheres, que possam ser acompanhantes no hospital, ou que se revezem para acompanhar as crianças no transporte escolar.

Isto acontece porque o capitalismo, o patriarcado e o racismo se sustentam mutuamente. Nessa sociedade, o trabalho doméstico e de cuidados realizado pelas mulheres é considerado como expressão do que é ser mulher (isto é, da identidade de gênero feminina). A mulher cuida da criança doente porque é boa mãe, faz uma comida gostosa sem gastar muito porque é boa esposa. Todo este trabalho reduzido à manifestação de amor aos seus e identidade, faz com que fiquem ocultos os vínculos da produção para o mercado e a produção do viver. Assim, as empresas e o Estado podem transferir custos de produção e manejar taxas de desemprego e utilização da força de trabalho sem maiores reações.

Crítica à economia clássica e neoclássica

Um dos principais economistas clássicos, David Ricardo (1772-1823), desenvolveu a ideia de que o trabalho humano cria riqueza em sistemas socioeconômicos que produzem as condições de sua reprodução. Posteriormente, Karl Marx (1818-1883), ao realizar a crítica da Economia Política, analisou que apenas parte da riqueza produzida pelo trabalhador lhe é retribuída na forma de salário, com valor equivalente ao necessário à sua reprodução e de seus descendentes, segundo padrões definidos em uma sociedade marcada por desigualdades e conflitos. O excedente é apropriado na forma de mais-valia, que assegura a acumulação capitalista. No entanto, Marx não considerou o trabalho realizado no espaço doméstico, basicamente pelas mulheres, para a reprodução da força de trabalho. O cálculo da força de trabalho considerava apenas os itens adquiridos no mercado.

> A ocultação do trabalho doméstico e de cuidados despolitizou as tensões que têm lugar fora do mercado. Ao naturalizar a divisão sexual do trabalho, consideraram como único conflito social o que tem lugar nos marcos da reprodução capitalista. Por isso que a conceituação do trabalho e da economia feita pelos pensadores clássicos – criticada pela economia feminista – estabelece uma identificação simbólica trabalho-emprego. (Carrasco, 2018, p. 39)

Já a economia neoclássica deixa de lado a centralidade do trabalho e passa a considerar o indivíduo e seu comportamento no mercado. O funcionamento econômico se daria pela somatória de atitudes individuais. Este indivíduo padrão, denominado *homo economicus*, realizaria "escolhas racionais" na competição por recursos escassos de forma eficiente, o que terminaria por organizar o mercado por meio de uma mão invisível. As economistas feministas consideram que este *homo economicus* mais parece um fungo, que já nasce pronto, adulto, sem necessidade de cuidados, e que seu comportamento padrão se assemelharia ao de um homem branco heterossexual no auge de sua potência e nativo do Norte geopolítico. Elas questionam os pressupostos da economia neoclássica: as explicações que reduzem complexas inter-relações a modelos matemáticos, e a ideia de que a família se caracteriza pela cooperação e altruísmo complementares aos interesses egoístas no mercado (Strassmann, 2002).

Economia de gênero

O feminismo, como ciência e prática política, tem uma vertente liberal centrada na igualdade formal e na remoção das barreiras para a inclusão das mulheres na ordem estabelecida. Essa vertente considera que a desigualdade de gênero é uma construção ideológica que impacta a estrutura econômica, mas não que seja parte de sua própria constituição. A desigualdade de gênero acarretaria, portanto, um mau funcionamento do mercado e um uso pouco eficiente dos recursos e do capital humano.

Esta visão se expressa em políticas das instituições multilaterais (por exemplo, Banco Mundial, União Europeia) restritas ao empoderamento individual das mulheres para ampliar seu acesso a ativos (meios de produção, como terra, animais e equipamentos; capital de giro, como dinheiro e joias). Segundo a Food and Agriculture Organization (FAO), se as mulheres tivessem o mesmo acesso que os homens a recursos produtivos, elas poderiam incrementar entre 20 e 30% as áreas cultivadas, e entre 2,5 e 4% a renda proveniente da agricultura, nos países considerados em desenvolvimento (Organización de las Naciones Unidas para la Agricultura y la Alimentación, 2011). A *Convenção sobre a eliminação de todas as formas de discriminação contra a mulher* (CEDAW) tem como referência o modelo ocidental de propriedade privada individual, e as políticas de regularização fundiária rural ou urbana, apoiadas pelo Banco Mundial, ao fim visam o acesso ao crédito e suas garantias (Talahite, 2017). O princípio é remover barreiras para que as mulheres se integrem à economia de mercado e à agricultura industrial.

Outro aspecto são as políticas de conciliação entre trabalho doméstico e de cuidados e trabalho remunerado. Por exemplo, com incentivos ao trabalho em domicílio e jornadas parciais. Como trabalham menos horas de forma remunerada, as mulheres terminam por ter menores rendimentos. Além disso, elas tendem a se retirar do mercado de trabalho em algumas fases da vida, quando os filhos são pequenos, quando idosos necessitam de atenção permanente, de modo a não contribuir de forma regular para a previdência. Estes fatos resultam em uma pobreza específica das mulheres. Este modelo não altera a dinâmica de presença/ausência feminina no mercado e em casa, e a presença exclusiva dos homens no mercado. As tensões dele decorrentes, como a sobrecarga até o limite do adoecimento, são tratadas pelas mulheres de forma isolada em suas famílias. As empresas quando provém serviços, muitas vezes o fazem com isenções de impostos. O Estado atua concentrando ainda mais a riqueza e desconsidera a imensa dívida econômica para com as mulheres.

Economia feminista da ruptura

A economia feminista é uma ruptura teórica e uma proposta política quando considera que o que move a economia não deveria ser a acumulação e o lucro, mas sim assegurar as condições para que as pessoas tenham uma vida plena, em relações harmônicas entre elas e delas com a natureza. A *sustentabilidade da vida* como motor da economia implica outras formas de produção e consumo.

O princípio é entender como as necessidades humanas básicas são respondidas e, assim, revelar que a parte visível da economia – aquela contabilizada no Produto Interno Bruto (PIB) – é uma pequena parte, e se sustenta nos bens e serviços da natureza, naqueles produzidos para o autoconsumo, e no cuidado, realizados em maior grau no âmbito das famílias e das comunidades.

A imagem de um *iceberg* é utilizada para demonstrar que a economia dominante só enxerga o que circula no mercado, e invisibiliza a enorme quantidade de trabalho que sustenta a vida. O Grupo de Trabalho de Mulheres da Articulação Nacional de Agroecologia [VER ARTICULAÇÃO NACIONAL DE AGROECOLOGIA] adaptou essa imagem do *iceberg* em uma árvore, onde o solo representa os sistemas naturais, onde se assentam as raízes que descrevem os trabalhos não visíveis realizados pelas mulheres.

A *interdependência* é outra ideia chave. Nós, seres humanos, somos intrinsecamente vulneráveis. Todas e todos necessitamos de cuidados em alguma etapa de nossas vidas – quando somos crianças, quando estamos doentes, ou quando, no avançar da idade, diminuem nossas

E

capacidades motoras ou intelectuais. Precisamos do apoio de quem prepare a comida, mantenha a casa e as roupas limpas, trate de nossa saúde. Também somos intrinsecamente seres relacionais. Precisamos de segurança emocional e afeto para desenvolver nossa autoconfiança e nossas habilidades de interação com outras pessoas e seres. A fim de nos tornarmos seres humanos autônomos, nós sempre necessitamos de cuidado.

A sociedade capitalista, patriarcal e racista se baseia na *distribuição desigual dos cuidados*. Em geral, as mulheres cuidam mais do que os homens. As mulheres negras, indígenas e migrantes cuidam mais ainda. Esta imposição é velada pela naturalização das habilidades desenvolvidas pelas mulheres ao longo de sua socialização como mulheres, para estarem atentas ao cuidado do outro e pela ideologia da maternidade como destino. A cadeia internacional de cuidados, por exemplo, mobiliza as mulheres filipinas, consideradas alegres e confiáveis, cujas remessas em dólares a seus familiares tornam-se divisas utilizadas para pagamentos de dívida e *royalties* (MacGroven, 2012). A maternidade é colada à identidade feminina; é comum se ouvir dizer que "uma mulher só é completa quando é mãe". As exigências da maternagem mudam conforme o período histórico e a classe social. Enquanto o manejo da oferta de trabalho dos homens é feito pelo sistema industrial prisional, para as mulheres é feito por meio do discurso sobre a necessidade da presença materna.

A sobrecarga das mulheres, a exaustão das que cuidam, as práticas de servidão e o abandono de muitas pessoas em situação de dependência dão mostras de uma *crise dos cuidados*. As políticas de austeridade, *austericidas*, implicam cortes na educação, saúde, a privatização da água, o aumento do preço do gás, que provocam aumento do tempo e energia mobilizados pelas mulheres, inclusive energia emocional para minimizar os efeitos destes ataques.

Não se trata mais unicamente de um conflito "capital x trabalho", mas de um *conflito "capital x vida"*. Os processos, ritmos e lógicas da acumulação capitalista são irreconciliáveis com os tempos e lógicas da vida. Os tempos de descanso e reposição das forças, como o horário de almoço, são reduzidos. Imigrantes indocumentados conformam uma força de trabalho sujeita a condições análogas à escravidão. A adição hormonal é utilizada para evitar a menstruação – apresentada como um desconforto inútil – e a menopausa, considerada uma perda de vigor. Trata-se da dificuldade de reproduzir a vida em condições dignas, ou simplesmente que seja vida, e não um exercício de sobrevivência.

O horizonte político de superação deste conflito implica, portanto, uma "subversão feminista da economia", ou seja, "atuar contra o sistema econômico hoje em dia hegemônico, que se impõe globalmente mediante a violência e a sedução" (Pérez Orozco, 2017, p. 30). As propostas e práticas de subversão se dão em esfera macro, como a desfinanceirização da economia [ver Financeirização da Economia] e mudança de indicadores; em esfera média, com medidas contra discriminações no mercado de trabalho e reforma fiscal; e na esfera micro, como a erosão da divisão sexual do trabalho no cotidiano (Pérez Orozco, 2017, p. 30).

Confluência de análises críticas

A economia feminista se desenvolve em diálogo com outras vertentes críticas da economia, como a ecológica e a solidária.

A vida humana tem duas dependências materiais incontornáveis: a natureza e seus limites, e a vulnerabilidade da vida humana. Somos natureza e obtemos da natureza o que necessitamos para estar vivos. A natureza é cíclica: cada resíduo de um processo se transforma em matéria-prima de outro processo, em um determinado tempo para sua regeneração. A sociedade capitalista ignora a existência de limites físicos do planeta e oculta e desvaloriza os tempos necessários para a reprodução social cotidiana. Este processo biocida se mantém com base nos mitos de que a produção pode se desvincular da vida e que terra e trabalho podem ser substituídos por capital.

A economia feminista e a economia ecológica têm como centro a vida humana e a natureza, e para reorganizar a economia traçam uma agenda que inclui:

> A redução da extração e da pressão sobre os ciclos naturais por meio de um processo que seja debatido, decidido, antes que os recursos cheguem a níveis mínimos, e que sejam redistribuídos com critérios de igualdade.
>
> A reorganização da produção e do mercado de trabalho, desmantelando setores que não são socialmente necessários, e apoiando os trabalhadores destes setores, em uma transição a outro modelo produtivo.
>
> A valorização do cuidado e superação da divisão sexual do trabalho. Igualdade e distribuição da riqueza, que passa por debater a função social da propriedade (Herrero, 2020).

A economia capitalista coloca o mercado como o princípio central de integração econômica entre produção, distribuição e satisfação das necessidades. No entanto, como descreve Karl Polanyi (2000), a economia é plural, e na vida concreta as lógicas de mercado convivem com lógicas de autossuficiência, reciprocidade e redistribuição, operadas nos espaços domésticos, comunitários e pelas instituições estatais.

A economia solidária [VER ECONOMIA SOLIDÁRIA] organiza iniciativas cidadãs, ao mesmo tempo políticas e socioeconômicas, pois reivindicam o espaço público e combinam diferentes princípios de integração econômica. Desta forma, reconhecem os princípios de autossuficiência e reciprocidade que tendem a ser invisibilizados e naturalizados como atribuições femininas. Reconhecem nas experiências locais as possibilidades de respostas às necessidades básicas, ao mesmo tempo que criam um espaço de intermediação entre Estado, mercado e família, indo além da dicotomia público/privado (Hillenkamp; Guérin; Verschuur, 2016). O potencial do diálogo entre economia feminista e solidária se expande, considerando que boa parte dos empreendimentos de economia solidária são formados por mulheres, ainda que elas tendam a reduzir sua presença quando estes são institucionalizados. Para que o diálogo prospere, algumas condições são requeridas: a decisão política de superar a divisão sexual do trabalho e hierarquias de poder com base no gênero na autogestão; a de considerar o trabalho de cuidados como corresponsabilidade de todos os trabalhadores envolvidos; e campo de iniciativas e experimentações.

O diálogo da economia feminista com outras vertentes da economia crítica, como a economia ecológica e a socioeconomia interpela a *agroecologia* [VER AGROECOLOGIA]. Estão postos, na prática, temas como o reconhecimento da produção para o autoconsumo, doação e troca, os conhecimentos das mulheres sobre manejo da biodiversidade, os usos do tempo, e o corpo como território (Sempreviva Organização Feminista, 2018). Como movimento, a consigna "Sem feminismo não há agroecologia" incorpora o reconhecimento do trabalho de cuidado e a erosão da divisão sexual do trabalho. Como ciência, ainda permanecem desafios, sobretudo no debate sobre economia camponesa. Alguns autores consideram que as decisões na família camponesa em busca do equilíbrio entre trabalho e consumo podem ser marcadas por imposições de ordem patriarcal e permeadas por conflitos de gênero e geração (Van der Ploeg, 2013). Indo mais além, a crítica proveniente das mulheres como sujeito coletivo aponta outras formas de organizar a vida com maior justiça e liberdade.

E

Referências

CARRASCO, C. A economia feminista. Um panorama sobre o conceito de reprodução. *Temáticas*. Campinas: IFCH-UNICAMP, v. 52, ano 26, p.31-68, ago./dez. 2018.

HERRERO, Y. Economia ecológica e economia feminista: um diálogo necessário. *In:* SEMPREVIVA ORGANIZAÇÃO FEMINISTA (SOF). *Economia feminista e ecológica:* resistências e retomadas de corpos e territórios. São Paulo: SOF, p. 16-31, 2020.

HILLENKAMP, I.; GUÉRIN, I.; VERSCHUUR, C. *A economia solidária e as teorias feministas:* possíveis caminhos para uma convergência necessária. São Paulo: SOF, 2016.

IBGE. *Mulheres continuam a cuidar mais de pessoas e afazeres domésticos que homens.* 2018. Disponível em: https://agenciadenoticias.ibge.gov.br/agencia-noticias/2012-agencia-de-noticias/noticias/20912-mulheres-continuam-a-cuidar-mais-de-pessoas-e-afazeres-domesticos-que-homens. Acesso em: 26 set. 2018

MACGROVEN, L. *Globalization, Labor Export and Resistance.* A Study of Filipino Migrant Domestic Workers in Global Cities. Londres: Routledge, 2012.

ORGANIZACIÓN DE LAS NACIONES UNIDAS PARA LA AGRICULTURA Y LA ALIMENTACIÓN (FAO). *Atlas de las mujeres rurales de América Latina y Caribe.* Santiago de Chile: FAO, 2017.

_______. *El estado mundial de la agricultura y alimentación 2010-2011:* las Mujeres en la Agricultura Cerrar la brecha de género en aras del desarrollo. Roma: FAO, 2011.

PÉREZ OROZCO, A. ¿Espacios económicos de subversión feminista? *In:* CARRASCO, C.; DÍAZ, C. (ed.). *Economía feminista:* desafíos, propuestas, alianzas. Barcelona: Entrepueblos, 2017.

POLANYI, K. *A grande transformação.* Rio de Janeiro: Ed. Campus, 2000.

STRASSMANN, D. A Economia Feminista. *In:* FARIA, N.; NOBRE, M. *Economia Feminista.* São Paulo: SOF, p 29-43, 2002.

SEMPREVIVA ORGANIZAÇÃO FEMINISTA (SOF). *Práticas feministas de transformação da economia: autonomia das mulheres e agroecologia no Vale do Ribeira.* São Paulo: SOF, 2018.

TALAHITE, F. Pour une économie politique genrée des droits de propriété. *In: Cahiers du Genre:* Femmes et droits de propriété. Paris: L'Harmattan, n. 62, p. 19-42, 2017.

VAN DER PLOEG, J. *Peasants and the art of farming:* A Chayanovian Manifesto. Winnipeg: Fernwood Publishing, 2013.

WARING, M. *If Women Counted.* A New Feminist Economics. São Francisco: HarperCollins, 1990.

Para saber mais

ECONOMIA FEMINISTA: APRENDENDO COM AS AGRICULTORAS. vídeo (19,18 minutos). Publicado canal SOF Sempreviva Organização Feminista, 2020. Disponível em <https://www.youtube.com/watch?v=MkUbORBmqk4&t=3s>. Acesso: 9 jul. 2020.

MULHERES E O MUNDO DO TRABALHO. vídeo (24,55 minutos). Publicado no canal PACS, 2012. Disponível em: <https://www.youtube.com/watch?v=5kNmdIjGs_c> Acesso: 9 jul. 2020.

SEMPREVIVA ORGANIZAÇÃO FEMINISTA (SOF). *Para entender a economia feminista.* E colocar a lógica da vida em primeiro lugar. Disponível em: <http://www.sof.org.br/wp-content/uploads/2015/08/cartilhaEconomiaFeminista-web.pdf> Acesso: 9 jul. 2020. São Paulo: SOF, 2014.

ECONOMIA SOLIDÁRIA

HENRIQUE NOVAES

E

A economia solidária é o conjunto das formas de produção e comercialização baseadas no cooperativismo e associativismo de trabalhadores. Eric Hobsbawm (1996), no livro *A era dos extremos*, caracterizou o breve século XX, que vai de 1914-1989, como o século dos extremos. Tudo leva a crer que entramos na era da barbárie, ou o que ele chama de "era do desmoronamento". O capitalismo não tem mais absolutamente nada a oferecer para a humanidade, ainda que possa demorar centenas de anos para ser completamente superado. Prova disso é o crescimento do analfabetismo e do analfabetismo funcional, o colapso ambiental, o crescimento do desemprego e subemprego em escala planetária, a intensificação da exploração dos trabalhadores, a destruição dos direitos do trabalho e a longa contrarreforma do Estado. Podemos acrescentar também os processos de favelização e condominização o roubo de terras, assassinato de posseiros, indígenas, quilombolas, sem-terra, como fenômenos da era da barbárie.

A era da barbárie abriu um novo ciclo de lutas pelos trabalhadores em todas as partes do globo terrestre. No Brasil, a economia solidária faz parte dessas lutas travadas pela classe trabalhadora mais pauperizada. Ela possui várias dimensões: a) experiências concretas de cooperativismo e associativismo no meio rural e urbano; experiências de comercialização, assistência técnica, bancos populares, extensão universitária e educação popular, com suas positividades, contradições e limites; b) sua vinculação com as "políticas públicas" implementadas principalmente pelo Partido dos Trabalhadores; c) as lutas da economia solidária contra o Estado capitalista para a criação daquilo que Karl Marx chamou de condições gerais de produção e reprodução em bases associadas; d) uma teoria particular da compreensão da realidade das cooperativas e associações e do caminho de "transformação para uma outra economia", principalmente do militante e teórico Paul Singer.

Mundo do Trabalho Associado Rural

Vêm de muito longe as lutas no meio rural tendo em vista a produção coletiva na terra e a tentativa de construção de outras formas de sociabilidade. Poderíamos destacar aqui o Quilombo dos Palmares e Belo Monte-Canudos, "a comuna mística" (Macedo e Maestri, 2004), e nos anos 1950-1960, as Ligas Camponesas. Em um de seus primeiros escritos sobre economia solidária – depois de resgatar as experiências de socialismo utópico na Europa – Paul Singer (2002) destaca, na era da barbárie, o trabalho coletivo nas experiências do Movimento Sem Terra nos anos 1990 como algo paradigmático para a economia solidária.

Afora seus elogios ao MST, posteriormente Paul Singer caracterizou a economia solidária no meio rural como formas de produção e comercialização, institucionalizadas ou não, baseadas na cooperação e no cooperativismo [VER COOPERAÇÃO AGRÍCOLA] que giram em torno da agricultura familiar.[1]

E

Mundo do trabalho associado urbano

Desde o final dos anos 1970, houve na América Latina uma "explosão" de lutas para colocar fim às ditaduras na região e lutas por demandas clássicas por terra, habitação, saneamento, creches, direito ao emprego e trabalho, além da resistência das populações atingidas por barragens e por grandes obras de infraestrutura.

As cooperativas e associações urbanas surgem como iniciativas da classe trabalhadora mais pauperizada num contexto de altíssimo desemprego, subemprego e de reformas neoliberais.

Estas experiências baseiam-se nos seguintes fundamentos: a) construção de assembleias democráticas e exercício de decisões coletivas pelos trabalhadores, onde todos têm direito a voz e a voto; b) propriedade coletiva dos pequenos meios de produção; c) construção de novas formas de remuneração que em alguma medida se diferenciam da forma salarial; e d) novas formas de repartição do excedente, quando existem (Cruz, 2006).

Paul Singer (2002) também destaca as empresas recuperadas pelos trabalhadores (ERT) como algo paradigmático no meio urbano. No contexto de desindustrialização, valorização do câmbio e abertura comercial do país, houve a multiplicação de empresas que faliram. Inicialmente, os trabalhadores lutam pela manutenção dos postos de trabalho, mas daí surgem bandeiras trazidas pelos trabalhadores mais politizados que colocam em questão a construção da autogestão no microcosmo fabril e até mesmo da economia mundial (Ruggeri, 2018; Novaes, 2018). Com a falência de muitas pequenas e médias empresas, as empresas recuperadas representam a possibilidade do controle das fábricas pelos trabalhadores associados. No Brasil, somam cerca de 68 experiências (Henriques, 2018). Ainda que numericamente insignificantes, do ponto de vista qualitativo as ERT cumpriram e cumprem um papel primordial do ponto de vista do exercício da autogestão.

No meio urbano, a imensa maioria das experiências de economia solidária estão nos setores têxtil (confecção e vestuário), de produção de alimentos, fabricação de móveis e produtos da madeira e artesanato (Gaiger, 2016; Wirth, 2013). É preciso salientar a predominância de mulheres trabalhadoras. Nestes ramos, temos algumas poucas associações avançadas em termos políticos e econômicos, e a grande maioria seguindo aos "trancos e barrancos", na luta diária pela sobrevivência econômica. Outras tantas em processo de degeneração no mercado concorrencial capitalista da pequena produção.

Wirth (2013) destaca que, apesar do "fracasso" relativo em termos econômicos, estas cooperativas e associações têm cumprido um papel fundamental no fortalecimento político de mulheres que antes tinham medo de seus maridos, que tinham pouca autonomia familiar e econômica. Nas cooperativas e associações, as mulheres encontram a força da luta coletiva. Passam a dialogar mais, passam a socializar seus dramas cotidianos e assim encontram respostas coletivas para seus problemas. Esta ressalva se faz necessária, pois muitas análises economicistas tendem a observar a pequena renda obtida por estas cooperativas e associações, desconsiderando as vitórias políticas destas vitórias que ultrapassam a organização de cooperativas individualmente e avançam rumo à formação de associações de cooperativas, muitas delas com peso decisivo nas lutas sociais contemporâneas.[2] Mas, ao mesmo tempo e contraditoriamente, não podemos deixar de observar a permanência de muitos dos traços do trabalho degradante nas cooperativas e associações populares, que, de resto, fazem parte da tendência geral de precarização do trabalho na atual fase do capitalismo financeirizado.

No que se refere à construção civil, a dissertação de mestrado de José Baravelli (2005) relata a influência do cooperativismo uruguaio na habitação social de São Paulo no período da "transição democrática" (anos 1980). Ele parte da reflexão das cooperativas da Federación Uruguaya das Cooperativas de Vivienda por Ayuda Mutua (Fucvam) e chega até a Associação de Moradia Unidos de Vila Nova Cachoeirinha (São Paulo). Assim como a associação da Vila Nova, surgiram inúmeras associações Brasil afora que vão desde a prática do mutirão até a formação de uma associação de bairro. Uma delas, que inclusive gerou a primeira experiência de Banco do Povo (Banco Palmas), é a Comunidade Palmeiras da cidade de Fortaleza (Ceará). No entanto, é preciso ressaltar que são pouquíssimas as experiências de formação de cooperativas e associações de trabalho na construção civil (Ewbank, 2007).

As associações e cooperativas de coleta e triagem de materiais recicláveis

Uma das consequências mais nefastas da crise estrutural do capital foi o aumento alarmante de pobres e miseráveis no globo terrestre. Com o aumento da pobreza e da miséria, somado a uma das características do modo de produção e destruição capitalista, isto é, a produção intrinsecamente destrutiva do ser humano e da natureza, tivemos o surgimento de inúmeras associações e cooperativas de catadores de materiais recicláveis (Wirth, 2013; Fraga, 2012).

A academia brasileira vê com muita desconfiança a possibilidade de construção do trabalho associado neste "setor" da economia. Tendem a ressaltar as condições desumanas do trabalho nos lixões, as péssimas condições de trabalho nas cooperativas e associações: galpões quentes, sujos e fétidos, o ritmo de trabalho intenso etc. Uma outra parcela dos pesquisadores-extensionistas prefere estabelecer relações estreitas com os catadores, sem fechar os olhos para essa questão social. É aqui que surgem inúmeras ações de incubadoras de cooperativas, com graus variados de radicalidade crítica e prática, atuando junto aos catadores. Marx possivelmente chamaria os catadores de lumpemproletariado – *lumpen* em alemão significa trapo, farrapo.

E

Dentre as positividades do trabalho associado neste "setor", podemos destacar as tentativas de organização do trabalho sob novas relações sociais: a construção de assembleias democráticas e formação de comissões para gerir o cotidiano, as tentativas de construção da igualdade substantiva entre homens e mulheres na produção e administração, o papel dos pesquisadores-extensionistas na relação estabelecida com o Movimento Nacional de Catadores, os projetos de educação popular nas associações de catadores, inclusive com a formação de bibliotecas e alfabetização de muitos trabalhadores que foram deixados à própria sorte. Nesta esteira, algumas universidades estão tentando reprojetar as máquinas, além de ajudar a criar novas formas de organização do trabalho, menos alienantes. Por incrível que pareça, também é preciso destacar que para muitos destes trabalhadores que vivem à beira da miséria, o cooperativismo e associativismo na coleta e triagem de materiais recicláveis representa um ganho em relação à situação vivenciada antes da entrada nas cooperativas e associações. Nos relatos dos trabalhadores, as cooperativas são vistas como algo melhor se comparadas com a situação de desemprego por longo período de tempo, mendicância, vulnerabilidade social, rigidez da jornada de trabalho etc. (Wirth, 2013).

As políticas públicas de economia solidária

Para Lopes e Rizek (2005), é possível haver o controle da "política pública" habitacional pelos movimentos sociais. Para Wirth (2013), também é possível haver o controle da "política pública" de limpeza urbana pelos catadores. No entanto, as experiências práticas de relação das cooperativas com o Estado ainda são muito limitadas. O neoliberalismo pode ser compreendido como o avanço do controle do Estado por parte das corporações. De fato, estamos diante do Estado mínimo para os trabalhadores e o Estado máximo para o capital financeiro. Neste contexto, sobrou pouco espaço para as políticas voltadas às cooperativas e associações. As políticas públicas criadas, em geral, por prefeituras e governos ligados ao Partido dos Trabalhadores foram muito tímidas em relação às inúmeras necessidades de crédito, assistência técnica, escolarização, habitação etc. dos trabalhadores cooperados. No plano federal, vimos que a luta dos catadores levou ao surgimento de inúmeras "políticas públicas". Basta lembrar que metade dos recursos da Secretaria Nacional de Economia Solidária (Senaes – MTE) no ano de 2012 foi destinada aos catadores. O melhor exemplo do impacto do golpe de 2016 foi a substituição de Paul Singer por Natalino Oldakoski, indicado pelo ilegítimo Michel Temer. Nos anos 1990 e 2000, foram ensaiadas algumas políticas como o Plano Nacional de Qualificação (PNQ), fundos do Banco Nacional de Desenvolvimento Econômico e Social (BNDES) para as empresas recuperadas, criação dos centros de formação em economia solidária, apoio às associações de catadores etc. Uma espécie de pedra protossocialista num imenso colar de políticas públicas pró-capital. Na nossa interpretação, ações muito aquém do necessário para a criação das condições gerais de produção e reprodução decente do mundo do trabalho associado.

Negatividade do cooperativismo na era da barbárie

Dentre as negatividades das cooperativas e associações, poderíamos destacar as condições inadequadas para a realização de um trabalho não alienante, o ritmo de trabalho intenso, as oscilações do mercado e a concorrência que afeta as cooperativas, o papel dos atravessadores na cadeia produtiva, a ausência de uma renda mínima para estes deserdados em sua própria terra, deserdados que são empurrados para a miséria pela crise estrutural do sociometabolismo do capital (Gaiger, 2003). Poderíamos destacar também os limites das políticas públicas de Economia Solidária, em geral muito modestas frente às inúmeras necessidades dos trabalhadores associados. É preciso lembrar que estas lutas também são assimiladas pelas grandes corporações. Para registrar, a Coca-Cola estampa nas suas garrafas que "apoia as cooperativas e associações de catadores". Aqui, é preciso destacar que o capital e seu novo dicionário leva as pessoas a acreditar que "empreendedorismo social" e economia solidária são uma coisa só, criando armadilhas teóricas e ideológicas.[3]

Recentemente, surgiu no Brasil um debate entre a incineração do "lixo", estratégia típica da pequena burguesia. Basta lembrar que a coleta do lixo é a principal "consumidora" dos recursos dos municípios brasileiros. A coleta do lixo já matou muitos prefeitos no Brasil, enriqueceu muitos tecnocratas corruptos e muitos empresários que vivem do lixo.

A teoria da "transformação social" para os defensores da economia solidária: de cooperativas isoladas a uma "outra economia"

Paul Singer (1998) tem razão ao nos mostrar que os patrões, os gestores e tecnocratas são prescindíveis. No microcosmo autogestionário, temos a hegemonia das assembleias democráticas, os conselhos são eleitos pelos trabalhadores, há rodízio e revogabilidade dos cargos, todas estas medidas antiburocratização. São criadas novas formas de remuneração em alguma medida distintas do sistema salarial e da meritocracia, bases do modo de produção capitalista. Da mesma forma, são criados fundos que – quando existem – adquirem outro sentido para os associados. Singer (1998) também tem razão ao elogiar as conquistas das cooperativas de trabalhadores no modo de produção capitalista. No entanto, sua teoria da transição rumo a uma "outra economia" nos parece limitada. De acordo com Aníbal Quijano (2002) – no texto *Sistemas alternativos de produção?* –, um dos limites da economia solidária é que autogestão e pequena escala podem ser sinônimo de insignificante, politicamente independente pode ser sinônimo de sem poder, baixo custo pode ser sinônimo de subfinanciado num mundo controlado por corporações transnacionais com os seus tentáculos em todas as esferas da produção e reprodução da vida.

Um dos limites dos adeptos da economia solidária é justamente não ter uma teoria adequada da transição para outro modo de produção que guie suas ações. Eles acreditam que é possível reformar gradualmente as instituições, convivendo com as grandes corporações transnacionais, sem a necessidade de uma revolução política.

Temos nos debruçado na teoria da transição de István Mészáros. Para ele, a construção de uma economia comunal será fruto de uma revolução política internacional, puxada pela classe

E

trabalhadora unida de todas as partes do mundo. Será uma revolução que se inicia como revolução política, mas que vai precisar de centenas de anos para realizar uma "revolução econômica, ambiental e de gênero", que imprima um novo sentido ao trabalho e à vida. Mészáros (2002) destaca alguns pilares da economia comunal:

a) *desmercantilização ou produção de valores de uso.* Para ele, a autogestão avança na medida em que os trabalhadores conquistam graus crescentes de controle da produção, tendo em vista a satisfação das necessidades humanas, isto é, a produção de valores de uso sem a concomitante produção de valores de troca. A produção de valores de uso necessariamente questiona um dos pilares do capitalismo: a produção destrutiva que está acabando com a possibilidade de vida na terra, voltada para a acumulação de capital;
b) *autogestão no macrocrosmo social:* a autogestão no sentido amplo significa a superação do Estado capitalista, isto é, a supressão da burocracia estatal e das formas de dominação típicas da democracia burguesa. Neste caso, a luta pelo fenecimento do Estado capitalista é a luta pela criação das condições gerais de produção e reprodução da economia comunal, e não mais das condições gerais de produção e reprodução do capital. Para a reprodução da vida social não alienada, os trabalhadores necessariamente deverão reduzir drasticamente a sua jornada de trabalho e dar outro sentido ao trabalho, tendo tempo para decidir os rumos do bairro, da cidade, do país etc. e para a eleição de representantes com cargos revogáveis. Enfim, terão tempo e poder para controlar as decisões fundamentais da sociedade. Da mesma forma, terão tempo e informações para decidir a composição e destinação dos fundos públicos;
c) *educação para além do capital:* A economia comunal necessita da educação para além do capital, isto é, um novo conteúdo e uma nova forma ao sistema escolar tendo em vista a formação dos construtores da sociedade para além do capital. Sua base será a escola unitária, pois esta não diferencia os saberes e o papel das classes sociais. A história será ensinada na perspectiva do materialismo histórico e todos deverão compreender teórica e praticamente os princípios científicos do trabalho;
d) *universalização do trabalho emancipado:* todos deverão trabalhar. E o trabalho será organizado através da igualdade substantiva, isto é, de cada um segundo as suas possibilidades, a cada um segundo as suas necessidades. No trabalho, o desenvolvimento do ser humano se dará em sua integralidade. No que se refere ao trabalho reprodutivo, a igualdade substantiva traz consigo o princípio da superação do patriarcalismo, isto é, a mulher cuidando da casa e dos filhos e o homem "provedor";

e) *a propriedade real dos meios de produção pelos trabalhadores:* para a autogestão avançar na sociedade, necessariamente os trabalhadores deverão questionar a propriedade privada dos meios de produção. Nas palavras de Marx, teremos a "expropriação dos expropriadores". A reconciliação entre os trabalhadores e os meios sociais de produção e reprodução material da vida social se dará em distintas formas de economia comunal (Mészáros, 2002). Para ele, enquanto as funções controladoras vitais do sociometabolismo não forem efetivamente ocupadas e exercidas de modo autônomo pelos produtores associados, e não mais deixadas à autoridade de um pessoal de controle separado, ou seja, um novo tipo de personificação do capital, o próprio trabalho continuará a reproduzir o poder do capital contra si mesmo, mantendo-o materialmente e, dessa forma, estendendo a dominação da riqueza alienada sobre a sociedade

O desafio é, portanto, retomar o controle da produção e reprodução da vida tendo em vista a produção de valores de uso. As cooperativas e associações cumprem um papel fundamental na demonstração prática de que outro mundo é possível, ainda que seja um papel muito pequeno frente ao enorme poder das corporações transnacionais. É urgente, então, retirar o controle das corporações e do Estado e avançar rumo ao controle da produção e reprodução da vida pelos trabalhadores livremente associados.

E

Referências

BARAVELLI, J. *O cooperativismo uruguaio na habitação social de São Paulo* – das cooperativas FUCVAM à Associação de Moradia Unidos de Vila Nova Cachoeirinha. São Paulo, 2005. Dissertação (Mestrado em Arquitetura e Urbanismo). Universidade de São Paulo.

CHRISTOFFOLI, P. *O desenvolvimento de cooperativas de produção coletiva de trabalhadores rurais no capitalismo*: limites e possibilidades. Marília: Lutas anticapital, 2018.

CRUZ, A. *A diferença da igualdade:* a dinâmica da Economia solidária em quatro cidades do Mercosul. Campinas, 2006.Tese (Doutorado em Economia). Instituto de Economia, Universidade Estadual de Campinas.

EWBANK, E. *Autogestão* possibilidade de organização da força de trabalho na construção civil e suas implicações. São Paulo, 2007. Dissertação (Mestrado em Arquitetura e Urbanismo. Universidade de São Paulo.

FRAGA, L. S. *Extensão e transferência de conhecimento:* as incubadoras tecnológicas de cooperativas populares. 2012. 242 f. Tese (Doutorado em Política Científica e Tecnológica) – Universidade Estadual de Campinas (UNICAMP), Campinas, SP, 2012.

GAIGER, L. A economia solidária diante do modo de produção capitalista. *Caderno CRH* (UFBA. Impresso), UFBA, Salvador, v. 39, n. 39, p. 181-211, 2003.

GAIGER, L. I. *A descoberta dos vínculos sociais:* Os fundamentos da solidariedade. 1. ed. São Leopoldo: Editora Unisinos, 2016.

HENRIQUES, F. C. *et al. Empresas recuperadas por trabalhadores.* Marília: Lutas anticapital, 2018.

HOBSBAWM, E. *A era dos extremos.* São Paulo: Cia das Letras, 1996.

LOPES, J. M. de A.; RIZEK, C. S. *O mutirão autogerido como procedimento inovador na produção da moradia para os pobres:* uma abordagem crítica. Porto Alegre: ANTAC, 2006. Disponível em: https://www.yumpu.com/pt/document/read/12675944/o-mutirao-autogerido-como-procedimento-inovador-na-habitare

MACEDO, J. R.; MAESTRI, M. *Belo Monte* – uma história da guerra de Canudos. São Paulo: Expressão Popular, 2004.

MÉSZÁROS, I. *Para além do capital.* São Paulo: Boitempo, 2002.

NOVAES, H. T. *et al. Mundo do trabalho associado e embriões de educação para além do capital*. Marília: Lutas anticapital, 2018.
QUIJANO, A. Sistemas alternativos de produção? *In*: SOUSA SANTOS, B. *Produzir para viver*: os caminhos da produção não capitalista. Rio de Janeiro: Civilização Brasileira, 2002.
RUGGERI, A. *Empresas recuperadas pelos trabalhadores*: ocupações e autogestão na Argentina. Marília: Lutas anticapital, 2018.
SINGER, P. *Uma utopia militante*: repensando o socialismo. Petrópolis: Vozes, 1998.
________. A recente ressurreição da Economia Solidária. *In*: SOUSA SANTOS, B. (org.) *Produzir para viver*: os caminhos da produção não capitalista. Rio de Janeiro: Civilização Brasileira, 2002, p. 81-129.
WIRTH, I. *Mulheres na triagem, homens na prensa*. Questões de Gênero em Cooperativas de Catadores. São Paulo: Annablume, 2013.

Notas

E

1 Para o debate do cooperativismo e da cooperação no meio rural, as cooperativas do MST e as experiências de cooperação da agricultura familiar, ver especialmente Christoffoli (2018).

2 Ver, por exemplo, a *articulação do semiárido* (ASA) e a Rede Xique-Xique, que além de outras coisas, são importantes na promoção da agroecologia no Nordeste.

3 No novo dicionário do capital, trabalhadores se tornam colaboradores, agrotóxicos se tornam defensivos agrícolas, latifúndio se torna agronegócio, imperialismo vira globalização e assim por diante.

EDUCAÇÃO AMBIENTAL

RODRIGO DE A. C. LAMOSA

A Educação Ambiental (EA) se constituiu, no decorrer das últimas décadas, como um campo social formado por agentes advindos dos movimentos ambientalistas, das universidades, mas também das escolas de Educação Básica, assim como de movimentos sociais, empresas e organizações privadas sem fins lucrativos. Não se objetiva aqui expor todo o histórico de formação desse campo ou descrever os inúmeros eventos e toda uma trajetória de institucionalização por meio de legislações, decretos e políticas públicas que muitos autores já trataram em outros trabalhos (Carvalho, 2004; Loureiro, 2007, 2012; Lima, 2009). Centraremos os esforços em apresentar as polêmicas que diferenciam as vertentes que formam a Educação Ambiental frente aos desafios postos à luta de classes no século XXI.

A compreensão de que a EA se constituiu em um campo social considera que esta é formada por um espaço caracterizado pela atuação de agentes sociais portadores de perspectivas teóricas e posicionamentos políticos que disputam e estabelecem entre si relações de poder, conflitos e consensos. Segundo Bourdieu (2001, 2004), um campo social é um espaço relativamente autônomo, formado por um ordenamento próprio, responsável pela produção e reprodução de bens culturais.

De acordo com Lima e Layrargues (2014, p. 25), observando a Educação Ambiental a partir da noção de campo social, pode-se dizer que esta é formada por um conjunto heterogêneo de agentes e instituições sociais que compartilham um núcleo de valores em comum, embora se diferenciem "em suas concepções sobre a questão ambiental e nas propostas políticas, pedagógicas e epistemológicas que defendem para abordar os problemas ambientais". Estes agentes disputam a hegemonia do campo e sua direção frente às questões relativas à compreensão do mundo, buscando, como identificou Gramsci (2001), a tarefa de incorporar suas concepções de mundo não apenas aos círculos científicos, mas ao senso comum.

Em Carvalho (2004), Tozoni-Reis (2004) e Trein (2012), dialogamos com uma importante interrogação acerca do papel da educação e, particularmente, da Educação Ambiental frente à falha sociometabólica produzida pela ordem capitalista e seu modo de produção da vida. Carvalho (2004) problematiza as razões que levaram a adjetivar a educação de "ambiental". Toda educação já não ser a ambiental? A adjetivação, de acordo com a autora, tornou-se necessária em função dessa dimensão ter permanecido diluída e invisível em correntes pedagógicas dominantes que se apoiaram em uma concepção generalista e essencialista do "homem" que historicamente apagou dimensões que a Educação Ambiental se propõe a resgatar.

A Educação Ambiental, de acordo com Tozoni-Reis (2004), se situa e se define no próprio debate do campo da educação. A autora compreende a educação como prática social historicamente definida que se constitui e se define na disputa entre distintas concepções de mundo que atravessam a sociedade. De acordo com Tozoni-Reis, o princípio educativo nada tem a ver com uma dada "ideologia da harmonia", nem com o fetiche da ciência, ele se realiza nas "efetivas necessidades histórico-concretas da sociedade, expressas pela atividade essencial, o trabalho – compreendido em sua amplitude filosófica –, tomado como síntese da produção individual e coletiva" (Tozoni-Reis, 2004, p. 145). Portanto, a Educação Ambiental está longe de ser uma agenda de consenso de toda a humanidade ou que possa ser reduzida em dualidades como "homem x natureza", reproduzindo uma imagem genérica deste homem. A Educação Ambiental se constitui, tal como a educação, como prática social que se define historicamente nos conflitos que caracterizam social e politicamente uma determinada época.

No Brasil, segundo Trein (2012, p. 303), só tardiamente a Educação Ambiental se incorporou ao campo educativo. Sua origem está associada ao campo ambiental e ao âmbito dos movimentos sociais, sendo a articulação com o campo educacional ocorrido de forma gradual. De acordo com a autora, "nos parece que ao afirmar o ambiental, o campo da EA assume uma perspectiva limitada. É como se a EA olhasse a educação de outro campo". A consequência disso para a Educação Ambiental foi que esta, não raramente, adquiriu um caráter prescritivo e comportamental que define o que e como as escolas e professores devem trabalhar.

No decorrer da formação histórica da Educação Ambiental no Brasil,

E

segundo diversos autores (Loureiro, 2007, 2012; Lima; Layrargues, 2014), é possível verificar, em um primeiro momento, uma clara associação entre esta e o pensamento conservacionista que problematizaremos a seguir, a partir de práticas que se restringiam às propostas de sensibilização e conservação. A inserção institucional da Educação Ambiental se deu, ainda neste sentido, por meio das agências estatais ambientais, ainda no contexto da ditadura empresarial-militar, muito antes da sua interlocução com o sistema educacional, incluindo seus dispositivos legais. Estes mesmos autores afirmam que, no momento seguinte, sobretudo a partir dos anos 1990, a Educação Ambiental se caracterizava por um espectro bem mais amplo de correntes de pensamento: humanista, conservacionista, sistêmica, problematizadora, naturalista, científica, moral, zerista, biorregionalista, da sustentabilidade, crítica, ecossocialismo, etnográfica, feminista, entre outras definições.

No Brasil, alguns trabalhos já realizaram o exercício de mapeamento das correntes que formam o campo da Educação Ambiental. De acordo com Sorrentino (1995), nos anos 1990 havia a existência de quatro vertentes: conservacionista; ao ar livre; relacionadas à gestão ambiental; e à economia ecológica. Lima e Layrargues (2014), em um trabalho mais recente, identificaram a existência de três correntes: conservacionista; pragmática; e crítica. Embora estas definições contenham problemas, pois pelo próprio esquematismo do método classificatório perdem aspectos significativos nas disputas no interior do campo, o exercício proposto pelos autores revela elementos que são relevantes para a compreensão das disputas no interior do campo da Educação Ambiental.

A macrotendência conservacionista, de acordo com Lima e Layrargues (2014, p. 393), se define, sobretudo, "por meio das correntes conservacionista, naturalista, da alfabetização ecológica e do movimento *Sharing Nature*; atualizou-se desde a virada do século, ampliando-se sob outras expressões que vinculam a Educação Ambiental à "pauta verde". Historicamente, está associado ao ecoturismo, trilhas ecológicas, observação e a espaços como as unidades de conservação. A vertente conservacionista perdeu a hegemonia no campo da Educação Ambiental a partir da emergência e multiplicação de agentes, individuais e coletivos, que passam a disputar a direção e as políticas públicas, incluindo já neste momento aquelas em interlocução com o campo educacional, num movimento de aprofundamento teórico. De acordo com Lima e Layrargues (2014, p. 28), duas novas tendências passam a organizar os educadores ambientais insatisfeitos com a hegemonia conservacionista: a vertente crítica, contraponto à vertente conservacionista; e a vertente pragmática, "derivação da vertente conservacionista, nutrindo-se inicialmente da problemática do lixo urbano-industrial nas cidades, como um dos temas cada vez mais utilizados nas práticas pedagógicas".

A Educação Ambiental pragmática é definida por Lima e Layrargues (2014) como uma renovação da tendência conservacionista diante do novo contexto social. Ambas partem do mesmo referencial comportamentalista e individualista, sendo a tendência pragmática uma versão em sintonia com os novos arranjos provocados pelos movimentos de recomposição liderados pela burguesia e realizados como resposta à crise estrutural (Mészáros, 2009), quando os sinais da transformação das forças produtivas em forças de destruição tornaram-se aparentes e seus fenômenos (crise econômica, crise ambiental, crise ética etc.) já não podiam mais ser escamoteados. É neste contexto que são difundidos inúmeros projetos e ações baseados em respostas superficiais, individualistas e comportamentais por organizações (empresas, institutos, fundações, ONGs). Estas iniciativas não atingem as razões estruturais da crise e ainda difundem os valores dominantes que exaltam as boas práticas empresariais que agregam valor a mercadorias e à imagem das corporações.

A emergência da tendência pragmática no campo da Educação Ambiental ocorreu no Brasil na década de 1980, no contexto de redemocratização em que a classe dominante redefiniu suas estratégias e formas de atuação e organização, assim como dirigiu uma intensa contrarreforma na administração pública das agências da sociedade política. De acordo com Martins e Neves (2005), a burguesia passou a ser portadora de uma nova pedagogia da hegemonia, o que se refletiu em uma intensa articulação no interior da sociedade civil, dimensão em que as classes sociais se organizam em aparelhos privados de hegemonia (associações, partidos, jornais, clubes etc.). Esse rearranjo realizado no interior da classe dominante produziu no Brasil, segundo Casimiro (2019), uma "nova direita" que, sem abandonar os "tradicionais" métodos baseados na coerção, intensifica a realização de um numeroso conjunto de estratégias de cooptação tendo em vista a conquista da hegemonia [VER PEDAGOGIA DO CAPITAL].

Neste novo arranjo político, a burguesia passou a dirigir uma ampla contrarreforma do Estado [VER ESTADO], caracterizada por meio das privatizações do patrimônio público, retirada e transformação de direitos em serviços prestados por organizações privadas sem fins lucrativos. Na educação, verifica-se, de acordo com Santos (2012), uma privatização de tipo novo em que os agentes privados, encarnados pela bandeira da própria corporação ou por uma organização social que a representa, passam a definir o processo educativo, desde a elaboração das políticas educacionais até o trabalho escolar propriamente dito.

A entrada e difusão de ações, projetos e programas empresariais, tendo a Educação Ambiental pragmática como referência, tiveram as organizações privadas sem fins lucrativos como portadoras. No Brasil, de acordo com pesquisa realizada nos anos 1980 (Fontes, 2010), existiam, então, 1.041 "Organizações Não Governamentais", em 24 unidades da federação e 213 cidades. De acordo com Fontes (2010, p. 268), "o terreno da associatividade civil supostamente ocupado pelas ONGs, tendo como porta-voz a Associação Brasileira de Organizações Não Governamentais (Abong), se modificara completamente na década de 1990". Em pesquisa do Instituto Brasileiro de Geografia e Estatística (IBGE) com o Instituto de Pesquisa Econômica Aplicada (Ipea) (órgão público vinculado à Presidência da República), a Abong e o Grupo de Instituições e Fundações Empresariais (Gife), realizada em 2013) verificou-se um crescimento vertiginoso das Fundações Privadas e Associações Sem Fins Lucrativos (Fasfil), constituído em boa medida pela criação de associações empresariais. De acordo com o Ipea, entre 1996 e 2002, o número de Fasfil cresceu de 105 mil para quase 276 mil entidades. Em 2018, relatório do Ipea identificou o espantoso número de 820 mil organizações privadas sem fins lucrativos existentes no país.

Estas organizações atuam em diferentes áreas de interesse, incluindo a educação. A Associação Brasileira do Agronegócio (Abag), por exemplo, realiza desde 2001, em diferentes redes públicas de ensino, o Programa Educacional Agronegócio na Escola, por meio do qual realiza uma Educação Ambiental pragmática interessada na valorização do setor (Lamosa, 2016). Neste sentido, diversos autores (Lamosa, 2016; Kaplan, 2017; Loureiro, 2012; Trein, 2012) vêm questionando qual o sentido deste tipo de programa, quais concepções estão sendo difundidas entre docentes e discentes e em que medida esta Educação Ambiental pragmática difundida nas escolas relega aos sujeitos das comunidades escolares o papel de intelectuais subalternos do capital.

Em contraposição às perspectivas conservacionistas e pragmáticas, a Educação Ambiental Crítica emergiu questionando seus pressupostos individualistas, comportamentalistas e essencialistas. Esta corrente da Educação Ambiental se caracteriza por uma multiplicidade de tradições teóricas que se afirmaram na esquerda mundial: marxistas, anarquistas, popular, emancipatória, transformadora, socioambiental etc. A partir dos trabalhos de Trein (2012) e Tozoni-Reis (2004), retomamos a questão: Educação Ambiental crítica, mas crítica do quê? Antes que se possa imaginar definir uma régua de radicalidade, é necessário retomar a definição de "radical" como proposto por Marx: ser radical é tomar as coisas pela raiz. Mas, para o homem, a raiz é o próprio homem.

Neste sentido, Trein (2012), retomando os elementos fundantes do materialismo histórico e dialético, resgata que a marca distintiva entre os seres humanos e os demais seres vivos se dá pelo trabalho. O trabalho, enquanto atividade ontológica, é distintivo, pois é por meio da atividade intencional que os homens realizam suas necessidades materiais e espirituais, modificam a natureza, as relações sociais e a si mesmos. É neste sentido que nos interrogamos sobre as relações entre as mudanças produzidas no mundo do trabalho e as alterações provocadas no ambiente, diante de um modo de exploração que sacrifica e interrompe vidas.

A crise desencadeada nos anos 1970 revelou os limites da organização fordista num primeiro momento e, em última instância, do próprio capitalismo em resolver a falha sociometabólica (Foster, 2005) que caracteriza a relação entre as demandas do capital e a capacidade de suporte da natureza. Esta crise expôs, de um lado, a unidade entre os diversos aspectos fenomênicos desta crise (ambiental, econômica, ética etc.) e, de outro, a impossibilidade de superar somente um destes fenômenos separadamente dos demais (Altvater, 2010).

Nestes marcos, trabalho e educação são inseparáveis [VER PEDAGOGIA DO TRABALHO]. As mudanças radicais no mundo do trabalho e nas relações de produção da vida social exigem mudanças também radicais na concepção de mundo que definem as ideologias, o fazer científico e todas as demais dimensões da vida. Neste sentido, é fundamental a educação como prática social portadora de um potencial transformador.

A Educação Ambiental Crítica, mesmo considerando a enorme heterogeneidade entre as diferentes matrizes teóricas expressas no interior desta vertente, se caracteriza pelo questionamento ao aprofundamento da exploração capitalista. Em especial, as matrizes que se referenciam no pensamento marxista têm buscado realizar uma crítica aos fundamentos da sociedade de classes e da acumulação do capital, compreendendo que esta precisa ser realizada considerando as categorias fundantes deste modo de produção da vida: classe social, exploração, totalidade, Estado, conflito, entre outras. Nesta perspectiva, o exercício dos processos educativos é fundamental e não pode se restringir à compreensão dos aspectos fenomênicos, nem reduzir o todo às partes.

Um universo bem extenso de práticas escolares realizadas em escolas públicas brasileiras, associadas à Educação do Campo, ou nas escolas situadas nas periferias urbanas, vem se constituindo em uma frente de resistência, inclusive ao avanço do agronegócio, como em Matão, na região de Ribeirão Preto, ou no sul da Bahia, onde trabalhadores da educação vêm enfrentando o avanço de projetos de organizações do agronegócio junto às redes públicas de ensino. Esta resistência tem sido realizada tomando por princípio a luta em defesa da autonomia do trabalho docente, a necessidade de formação continuada deste trabalhador e organização de processos formativos produzidos em parcerias das escolas com movimentos sociais e universidades. A Educação Ambiental defendida por essa vertente repousa sua ação-reflexão sobre a crítica à Economia Política burguesa e na tarefa de elaborar os elementos de uma nova pedagogia produtora de uma nova hegemonia: a hegemonia da classe trabalhadora.

Referências

ALTVATER, E. *O fim do capitalismo como o conhecemos*. Rio de Janeiro: Ed. Civilização brasileira, 2010.

BOURDIEU, P. *Lições da aula*. São Paulo: Editora Ática, 2001.

_______. *Os usos sociais da ciência: por uma sociologia clínica do campo científico*. São Paulo: Editora Unesp, 2004.

CARVALHO, I. C. de M. Educação Ambiental Crítica: nomes e endereçamentos de educação. *In*.: LAYRAGUES, P. P. (coord.) *Identidades da educação brasileira*. Brasília: Ministério do Meio Ambiente, 2004.

CASIMIRO, F. A *Nova Direita: aparelhos de ação política e ideológica no Brasil contemporâneo*. São Paulo: Ed. Expressão Popular, 2019.

FONTES, V. *Brasil e o capital imperialismo*. Rio de Janeiro: Ed. UFRJ, 2010.

FOSTER, J. B. *A ecologia de Marx*: materialismo e natureza. Rio de Janeiro: Ed. Civilização Brasileira, 2005.

GRAMSCI, 2001

INSTITUTO DE PESQUISA ECONÔMICA APLICADA (Ipea). *Pesquisa detecta crescimento de entidades sem fins lucrativos*. Ipea, 2003 Disponível em: https://www.ipea.gov.br/acaosocial/article0045.html?id_article=43. Acesso em: 25 mar. 2021.

LAMOSA, R. *Educação e agronegócio*: a nova ofensiva do capital nas escolas públicas. Curitiba: Ed. Appris, 2016.

LAYRARGUES, P. P. Educação ambiental com compromisso social: o desafio da superação das desigualdades. *In*: LOUREIRO, C. F. B.; LAYRARGUES, P. P.; CASTRO, R. S. *Repensar a educação ambiental*: um olhar crítico. São Paulo: Cortez, 2009.

LIMA, G. Questão ambiental e educação: contribuições para o debate. *Revista Ambiente & Sociedade*. v. 2, n. 5, p. 135-153, 2009.

LIMA, G.; LAYRARGUES, P. P. As macrotendências político-pedagógicas da Educação Ambiental brasileira. *Revista Ambiente & Sociedade*. São Paulo, v. XVII, n. 1, p. 23-40, jan.-mar., 2014.

LOUREIRO, C. F. B. Educação ambiental crítica: contribuições e desafios. *In*: MELLO, S. S., TRAJBER, R. (Coord.). *Vamos cuidar do Brasil: conceitos e práticas em Educação Ambiental na escola*. Brasília: Ministério da Educação/Ministério do Meio Ambiente/Unesco, 2007.
_______. C. F. B. *Sustentabilidade e educação: um olhar da ecologia política*. São Paulo: Cortez, 2012.
KAPLAN, L. *A inserção capitalista dependente do Brasil e a política de escolas sustentáveis:* um estudo de caso na Baía de Sepetiba (RJ). Rio de Janeiro, 2017. 342 f. Tese (Doutorado em Educação). Programa de Pós-Graduação em Educação da Universidade Federal do Rio de Janeiro, Rio de Janeiro, 2017.
MARTINS, A.; NEVES, L. *A nova pedagogia da hegemonia*. São Paulo: Ed. Xamã, 2005.
MÉSZÁROS, I. *A crise estrutural do capital*. Rio de Janeiro: Ed. Boitempo, 2009.
SANTOS, A. T. *Pedagogia do Mercado:* neoliberalismo, trabalho e educação no século XXI. Rio de Janeiro: Ed. IbisLibris, 2012.
SORRENTINO, M. *Educação ambiental e universidade:* um estudo de caso. São Paulo, 1995. Tese (Doutorado em Educação). Universidade de São Paulo.
TOZONI-REIS, M. F. de C. *Educação Ambiental:* natureza, razão e história. Campinas: Autores Associados, 2004.
TREIN, E. A Educação Ambiental crítica: crítica de quê? *Revista Contemporânea de Educação*, v. 7, n. 14, agosto/dezembro 2012.

E

EDUCAÇÃO BÁSICA E AGROECOLOGIA

Anakeila de Barros Stauffer
Dionara Soares Ribeiro
Elisiani Vitória Tiepolo
Maria Cristina Vargas

Este verbete se propõe a contribuir com a construção da conceituação e com a reflexão sobre as exigências formativas da agroecologia na educação de crianças, adolescentes, jovens e adultos nas diferentes etapas da Educação Básica. Tomamos como referência as escolas do campo; no entanto, entendemos ser importante extrapolá-las, por considerarmos a agroecologia um conhecimento essencial na formação dos estudantes em diferentes territórios.

Iniciamos nossa discussão buscando compreender e questionar a forma pela qual as escolas organizam seu trabalho pedagógico, a partir da concepção hegemônica de educação. Centramo-nos na Educação Básica pelo fato desta se constituir, a partir da Constituição Federal (Brasil, 1988) e da Lei de Diretrizes e Bases da Educação Nacional, LDB n. 9394/96 (Brasil, 1996), como um dever do Estado e direito da pessoa. É importante destacar que, na década de 1980, a luta pela Educação Básica possuía uma dimensão progressista e, considerando-se a desigualdade educacional brasileira, procurava-se articular as diferentes etapas da escolarização, a fim de garantir o que é essencial na formação humana:

Educação Infantil, Ensino Fundamental e Ensino Médio. Expressava, também, o desafio de trazer a base formativa tanto para a continuidade dos estudos como para a inserção no mundo do trabalho.

Porém, apesar da existência da legislação, muitas pessoas ainda não têm acesso garantido à escola pública, sobretudo, nas etapas da Educação Infantil e do Ensino Médio. Na modalidade da Educação do Campo, independentemente da etapa da Educação Básica, o descaso educacional é ainda mais grave, visto que além do acesso limitado, há falta de condições para a permanência e a conclusão dos estudos por conta da ausência e da precarização dos transportes, da falta de professores e de funcionários, do fechamento de escolas, dentre outros fatores. Uma das consequências disso é que, dos 7,2% de analfabetos do país, aproximadamente 20% encontram-se em áreas rurais (IBGE, 2017). Esses fatores se articulam ainda com a perspectiva de uma educação que impede o sujeito de se reconhecer enquanto classe trabalhadora, em sua especificidade camponesa, bem como a uma lógica educacional que visa padronizar a cultura dos educandos com a do agronegócio.

A ofensiva em transformar as escolas públicas em espaços de disseminação de conteúdos de acordo com a necessidade do capital não acontece só no campo. Por ser uma construção social, a escola é uma instituição vinculada a seu tempo histórico, constituindo-se como um espaço para apropriação dos valores e conteúdos necessários para a perpetuação das relações sociais vigentes, voltada para a formação de força de trabalho. A escola tem se tornado, portanto, um lugar central para a socialização das relações sociais do capitalismo contemporâneo que, sobretudo nas áreas rurais, corresponde a uma formação que se subsume à lógica do agronegócio. Nesse processo de intensificação da mercantilização da educação, o empresariado avança também no controle dos processos educativos e escolares, ancorados na lógica gerencial, voltados aos resultados e às metas. A concepção de formação humana se reduz e são instituídos no cotidiano escolar processos que reforçam a lógica gerencialista, tais como: a instauração de objetivos de aprendizagem pré-definidos que deverão se refletir no encarceramento do currículo – materializado em bases e parâmetros curriculares nacionais configurados por supostos *experts* em educação – e a constituição de uma avaliação de larga escala. Não menos importante é a utilização da tecnologia como um fetiche para resolver os chamados problemas educacionais, mas que serve para monitorar o alinhamento desses processos que visam instaurar nos corações e mentes tanto de educadores como de educandos a crença e o exercício da meritocracia e da responsabilização (Freitas, 2016). Dessa forma, vão se instaurando as condições para a constituição da hegemonia da privatização por dentro das escolas públicas.

No entanto, a escola é um espaço também de contradições e, a depender das relações estabelecidas, pode se tornar um espaço fundamental para o desenvolvimento do ser humano em suas diferentes dimensões. Assim, ela pode ultrapassar a concepção de que se resume a um tempo restrito de certificar conhecimentos, constituindo-se como um lugar de estudos e aprendizados a partir da problematização das relações que se estabelecem dentro e fora dela. Nesse sentido, não é possível entender-

E

mos a escola isolada das contradições do momento histórico em que se insere.

A partir de uma concepção crítica, compreendemos a escola como um dos espaços/processos que incidem na formação do ser humano, apreendida e situada de acordo com o projeto político, com as contradições do sistema vigente e com as reações da classe trabalhadora. Necessitam-se considerar as práticas sociais que estão além da vida escolar cotidiana como elementos fundamentais na formação humana. Trata-se de compreender a educação em sua dimensão omnilateral (Frigotto, 2012), que desenvolva o ser humano em suas diversas dimensões. Assim, o debate acerca da implementação da agroecologia e seus múltiplos conhecimentos na Educação Básica é uma possibilidade necessária na formação dos educandos justamente porque a agroecologia não se constitui como uma ciência isolada da vida, da prática social, mas reafirma o ser humano como ser constitutivo da natureza.

Nesse contexto de lutas e contradições, a agroecologia [VER AGROECOLOGIA] se institui de forma mais radical como estratégia de enfrentamento ao sistema capitalista, às suas formas de depredação da natureza, de expropriação da classe trabalhadora de seus conhecimentos construídos historicamente. Contribui, também, para a luta pela soberania alimentar e energética, a defesa e a recuperação de territórios atingidos pela forma de expropriação do capitalismo, a luta pelas reformas agrária e urbana (Guhur; Toná, 2012); e se constitui como anúncio de um novo modelo de desenvolvimento para o campo ao mostrar a urgência de se instituir uma forma de agricultura que possibilite a produção de alimentos saudáveis, propicie aos trabalhadores e trabalhadoras do campo sua reprodução social de forma digna, permitindo a reconstituição da relação entre ser humano e a outra parte da natureza (tendo em vista que o ser humano é também natureza), de forma não exploradora (Vieira, 2018).

Trazer a agroecologia para o âmbito do debate da educação nos ajuda a conceber e transformar a realidade de exploração do ser humano e da outra parte da natureza em direção à superação do capitalismo para uma sociedade justa e solidária, calcada no coletivo, ou seja, uma sociedade que não seja hegemonizada pelo capital, mas, sim, pelo trabalho.

A agroecologia na Educação Básica vem se configurando de distintas formas: como uma disciplina a mais a compor o currículo escolar ou como conteúdo em diferentes disciplinas; como eixo transversal a várias disciplinas, sobretudo àquelas ligadas às ciências da natureza; como um tema gerador à luz da abordagem de Paulo Freire (2005); como porção da realidade nos complexos de estudo [VER COMPLEXOS DE ESTUDO], entre outros. Tais compreensões demonstram as experiências concretas em que os educadores e educandos tentam materializar a agroecologia no currículo da Educação Básica.

Destacamos a potencialidade da agroecologia na perspectiva de associar o trabalho como princípio educativo, a ciência e a cultura na direção de superar sua inserção de forma pontual e deslocada do projeto político pedagógico das escolas de Educação Básica. A perspectiva do trabalho é importante porque através dele o ser humano produz a sua existência, ou seja, atua sobre o real, modificando a natureza e modificando a si mesmo (Lukács, 1978); a ciência, por ser um conjunto de conhecimentos produzidos socialmente que busca dar respostas aos problemas da sociedade; e a cultura como um conjunto de valores éticos e estéticos que delineiam as condutas sociais.

O trabalho é compreendido como um princípio educativo que aprimora a vida dos indivíduos e de suas comunidades (Shulgin, 2013). Leite e Sapelli (2014), embasados em Shulgin (2013), destacam o desafio de trazer o trabalho socialmente necessário – e aqui estamos abordando o desafio de uma produção agroecológica – para o interior da Educação Básica, pois se faz necessário que a escola articule trabalho manual ao trabalho intelectual, explicitando a necessidade de intervenção na vida e a vivência do trabalho socialmente necessário de forma orgânica:

> [...] avançar na formação da consciência agroecológica exige acessar a complexidade dos conhecimentos das diferentes ciências que integram a unidade de análise e de campo do conhecimento da agroecologia, a ecologia, a biologia, a química, a agronomia, a antropologia, a história, a sociologia, entre outras (Caldart, 2016; Arl, 2015). Portanto, é por este viés que é de interesse dos trabalhadores do campo, por meio da Escola do Trabalho em construção, incorporar a agricultura 'como '[...] o ponto de partida para a educação politécnica [...] um complexo tecnológico, necessariamente conectado a outros complexos a outras indústrias, no sentido das práticas, dos conhecimentos tecnológicos e científicos de base' (Iejc, 2015, p. 53) que podem ser exercitados a partir da escola na relação com seu meio social, por meio do trabalho socialmente necessário e igualmente possibilitando a análise e a compreensão das contradições no seio das relações sociais capitalistas. (Leite; Sapelli, 2014, p. 7)

Tal perspectiva pode contribuir para o desvelamento da alienação do trabalhador, pois tem a potência de explicitar como o capital destitui a classe trabalhadora do controle do processo de produção de seu próprio trabalho e, consequentemente, a desapropria dos conhecimentos científico-tecnológicos que permeiam sua atividade produtiva. Assim, ao inserir a agroecologia no currículo escolar, buscamos desenvolver, intencionalmente, a ligação entre ciência e trabalho, compreendendo o trabalho como princípio educativo que possibilita que trabalhadores e trabalhadoras do campo transformem a realidade em que estão imersos (Caldart, 2017). Além disso, essa inserção tensiona a fragmentação entre teoria e prática, entre os saberes tradicionais dos povos originários e camponeses que lutam por fazer frente à tecnificação do campo – imposta pela lógica de acumulação capitalista (Guhur; Toná, 2012) – e o conhecimento escolar. Ou seja, exige constituir o currículo a partir da práxis camponesa e dos povos tradicionais, uma síntese entre ação política, socialização da ciência e da técnica, construção e reflexão crítica sobre as experiências.

Na proposta coletiva de organizar a agroecologia na Educação Básica e na construção de uma organização curricular que a contemple, sistematizadas no livro *Agroecologia na Educação Básica, questões propositivas de conteúdo e metodologia* (Ribeiro *et al*., 2017), realizaram-se ensaios sobre algumas dimensões importantes – o que demonstra que a inserção da agroecologia no currículo da Educação Básica é um processo em construção. Uma dessas dimensões se refere ao fato de instigar a análise crítica da realidade e, dessa forma, propiciar a concretização de um novo projeto de campo, diferente do proposto pelo capitalismo verde e seus programas de educação ambiental tão caros ao capitalismo.

Outra dimensão diz respeito ao fato de que a agroecologia se torna um fenômeno da prática social dos camponeses e de sua luta por uma nova forma de se fazer agricultura, estabelecendo conexões entre as experiências, saberes, formas de produzir e de se organizar das comunidades – forjadas em assentamentos, acampamentos, comunidades tradicionais e, até mesmo, iniciativas no meio urbano. Esses conhecimentos partem da vida social das comunidades, das pautas políticas dos movimentos sociais, das lutas pelo acesso e permanência na terra, da preservação da cultura quilombola e indígena, das denúncias e campanhas contra os agrotóxicos e pelo direito à alimentação saudável. Partem, também, de conhecimentos históricos acerca da agricultura natural que estão na memória dos camponeses, dos indígenas e quilombolas mais velhos e dos conhecimentos científicos e suas tecnologias que estão sendo construídos para melhorar a produção a partir dos princípios agroecológicos. Todo esse processo demonstra uma forte relação entre os conhecimentos específicos (técnicos), os propósitos de ensiná-los e o contexto produtivo em que esses conhecimentos podem vir a ser aplicados.

Nesse sentido, a organização curricular deve expressar a complexidade das escolas do campo, desafiando-as a realizar o constante exercício de criatividade e de articulação entre teoria e prática, entre os saberes populares e os conhecimentos científicos. A agroecologia na educação transborda de perspectivas e desafios na medida em que, sendo um processo em construção permanente, construído por diversos sujeitos sociais (comunidades, educadores, educandos, agentes públicos da educação e instituições diversas), só se faz nas contradições cotidianas encontradas em seu fazer.

Um dos aspectos que merece atenção é que precisamos inserir a agroecologia na educação levando em consideração as distintas fases do desenvolvimento dos educandos. Tendo Vygotsky (2007a) como fundamento para a compreensão do desenvolvimento humano, a criança, na Educação Infantil, apresenta grande curiosidade e a ludicidade faz parte de sua forma de descobrir e vivenciar o mundo. Assim, favorecer experiências em que a criança brinque, jogue, dramatize são relevantes para que ela explore, observe, reflita, construa hipóteses sobre suas vivências, sobre o território em que habita a fim de compreender-se como um ser humano que é parte constitutiva da natureza. A alfabetização (compreendida aqui não como um ano escolar, mas como um tempo específico para a compreensão do mundo escrito) começa a se constituir quando ela inicia o processo de significar a escrita e, no fluxo de seu desenvolvimento, percebe que pode desenhar mais que coisas, ou seja, desenhar a própria fala através de palavras (Vygotsky, 2007b). Contudo, a alfabetização – como a constituição de processos de aquisição da leitura, da escrita, da aritmética e das ciências naturais e sociais – exige o exercício de funções psicológicas complexas que ainda não estão completamente desenvolvidas, mas que, através das mediações da cultura, contribuem para esse desenvolvimento. Na interface com a agroecologia, esse ciclo que se inicia na Educação Infantil tem como objetivo levar a criança a "compreender as relações ecológicas; despertar a reflexão sobre hábitos alimentares, identificar os tipos de trabalho na agricultura existentes no núcleo familiar e comunitário, conhecer e desenvolver práticas agroecológicas de produção" (Ribeiro *et al.*, 2017, p. 33).

Esse processo tem continuidade nos anos iniciais do Ensino Fundamental, com as primeiras observações dos espaços vividos durante a Educação Infantil, e deve ser aprofundado, problematizado e sistematizado a partir das diferentes áreas do conhecimento, analisando-se as relações ecológicas e históricas entre a sociedade e a natureza: sistemas agrários da região e do Brasil [VER SISTEMAS AGRÁRIOS], a soberania alimentar [VER SOBERANIA ALIMENTAR E SEGURANÇA ALIMENTAR E NUTRICIONAL], as práticas agroecológicas e os ciclos ecológicos são questões fortes a serem estudadas nesse momento (Ribeiro *et al.*, 2017).

Nos anos finais do Ensino Fundamental, os estudantes já apresentam uma maior capacidade de abstração, estabelecendo relações entre conhecimentos mais gerais e a vida em sua comunidade, realizando análises para além do contexto imediato em que vivem. Do ponto de vista curricular, vários conceitos podem ser inseridos, estabelecendo o diálogo com os conhecimentos trazidos das práticas sociais dos educandos, tais como: agroecossistemas [VER AGROECOSSISTEMAS]; biodiversidade/agrobiodiversidade; bases ecológicas da agroecologia do ponto de vista científico; análise do território em que vivem e sua inter-relação com a realidade regional, nacional e internacional; história da agricultura [VER AGRICULTURA] e a concepção contra-hegemônica de agricultura; concepção crítica da agroecologia como um projeto para o campo (Ribeiro *et al.*, 2017). O objetivo principal é que os estudantes possam analisar as relações ecológicas [VER INTERAÇÕES ECOLÓGICAS] e históricas entre a sociedade e a natureza, os sistemas agrários de sua região e do Brasil.

No Ensino Médio, assim como na Educação de Jovens e Adultos, o objetivo se direciona ao estabelecimento de relações ativas e interpretativas na elaboração de novos conhecimentos sobre a origem e as bases ecológicas da agricultura e das revoluções agrícolas, aprofundando os conhecimentos sobre os agroecossistemas e a agrobiodiversidade, analisando-se as relações ecológicas e históricas entre a sociedade e a natureza (Ribeiro *et al.*, 2017). Ao final da Educação Básica, espera-se que os estudantes tenham se apropriado dos fundamentos (dos princípios, finalidades e das leis) que organizam a base agrícola agroecológica e seus nexos e relações com a produção agrícola em geral (Caldart, 2019).

Como a discussão e a implementação da agroecologia na Educação Básica é bastante recente, são muitos os aprendizados a serem construídos, visto que a estrutura da Educação Básica dominante – carga horária, visão fragmentada dos conhecimentos, pouca inserção da vida escolar nas comunidades, entre outros aspectos – torna ainda mais desafiador o exercício da compreensão do conceito da agroecologia, exigindo um papel militante e atuante. Outra questão importante é que o trabalho de agroecologia não tem êxito sem o envolvimento das distintas áreas do conhecimento existentes na escola, além da inter-relação com o saber popular. Ainda, é preciso destacar a visão reducionista pela qual a agroecologia é colocada, muitas vezes, não intencionando uma análise de totalidade acerca

E

dos processos produtivos e sociais, sendo conduzida como mais uma técnica de produção de alimentos. Em contrapartida, são inegáveis as contradições entre as atividades teóricas e práticas realizadas no ambiente escolar e as práticas agropecuárias realizadas pelos familiares e pela comunidade – o que tem servido como um bom elemento para pedagogizar e refletir criticamente sobre a própria realidade vivida pelos educandos e educadores. Na medida em que a agroecologia não é uma forma predominante de produção e organização da sociabilidade dos educandos e educadores, a escola, ao inserir esse conhecimento em sua prática pedagógica, acaba por confrontar as lógicas de produção existentes, hegemonicamente dominadas pelo agronegócio.

Sendo assim, a agroecologia, como componente fundamental na materialização da Pedagogia do Movimento, propicia a reconexão da escola com a vida, permitindo a relação entre estudo e trabalho com maior densidade formativa (Caldart, 2019). Nesse caminho, o conhecimento agroecológico impulsiona uma relação com o meio, a comunidade, as famílias, o território, com as tensões e contradições sociais historicamente construídas. As escolas são, assim, ocupadas pelos "conhecimentos científicos que compõem a agroecologia em sua dimensão de ciência vinculada organicamente à produção, construído e reconstruído pelas práticas de luta e resistência produtiva da agricultura camponesa, milenar e mundial" (Caldart, 2019, p. 1). Esses elementos implicam uma relação direta entre os conhecimentos dos educandos e a sua prática social e envolvem em boa medida suas famílias em questionamentos sobre o porquê se produz de uma forma e não de outra. Propicia-se, assim, um processo educativo que contribui para a formação da consciência crítica, que, segundo Paulo Freire, leva as pessoas a ultrapassarem as aparências, procurando questionar, investigar e agir conscientemente sobre a realidade (Freire, 1992).

A agroecologia se insere, então, no terreno da Educação Básica justamente porque se coloca enquanto um fenômeno da prática social dos camponeses, que a veem como uma outra possibilidade para produzir e organizar sua vida no campo. Essa outra lógica, ainda sob as relações sociais capitalistas, busca, não sem limites, questionar e criar uma nova forma de se produzir a existência humana e sua relação equilibrada com a natureza.

Referências

BRASIL. Presidência da República. Casa Civil. Subchefia para Assuntos Jurídicos. *Constituição da República Federativa do Brasil de* 1988. Disponível em: http://www.planalto.gov.br/ccivil_03/constituicao/constituicao.htm. Acesso: 5 fev. 2019.

______. Presidência da República. Casa Civil. Subchefia para Assuntos Jurídicos. *Lei n. 9.394 de 20 de dezembro de 1996*. Estabelece as diretrizes e bases da educação nacional. Disponível em: http://www.planalto.gov.br/ccivil_03/leis/l9394.htm. Acesso: 5 fev. 2019.

CALDART, R. S. Trabalho, agroecologia e educação politécnica nas escolas do campo. *In*: CALDART, R. S. (org.). *Caminhos para a transformação da escola*: trabalho, agroecologia e estudos nas escolas do campo. São Paulo: Expressão Popular, 2017, p. 115-160.

______. *Extrato de registros do processo de construção para exposição na Reunião Região Sul*. Mimeo, 2019.

FREIRE, P. *Pedagogia do oprimido*. 42. ed. Rio de Janeiro: Paz e Terra, 2005.

______. *Pedagogia da Esperança*: um reencontro com a Pedagogia do Oprimido. Rio de Janeiro: Paz e Terra, 1992.

FREITAS, L. C. de. Três teses sobre as reformas empresariais da educação: perdendo a ingenuidade. *In*: *Cadernos Cedes*. Campinas, v. 36, n. 99, p. 137-153, mai.-ago., 2016.

FRIGOTTO, G. Educação omnilateral. *In*: CALDART, R. S. *et al.* (org.). *Dicionário da Educação do Campo*. Rio de Janeiro/São Paulo: Escola Politécnica de Saúde Joaquim Venâncio/Expressão Popular, 2012, p. 265-272.
GUHUR, D. M. P.; TONÁ, N. Agroecologia. *In*: CALDART, R. S. *et al.* (org.). *Dicionário de Educação do Campo*. Rio de Janeiro/São Paulo: Escola Politécnica de Saúde Joaquim Venâncio/Expressão Popular, 2012, p. 57- 65.
IBGE. *Pesquisa Nacional por Amostra de Domicílios*. Brasília, DF: IBGE, 2017.
LEITE, V. J.; SAPELLI, M. L. Possibilidades de trabalho pedagógico com práticas introdutórias à agroecologia. *In*: *Formação em Agroecologia dos jovens no Ensino Médio das Escolas Itinerantes do Paraná:* do saber popular ao conhecimento científico para o cuidado com a terra e com a vida. Financiado a partir da CHAMADA MCTI/MDA-INCRA/CNPq n. 19/2014 – FORTALECIMENTO DA JUVENTUDE RURAL, s/d.
LUKÁCS, G. As bases ontológicas do pensamento e da atividade do homem. *Temas de Ciências Humanas*. Tradução Carlos Nelson Coutinho. São Paulo: Livraria Editora Ciências Humanas, 1978.
RIBEIRO, D. *et al. Agroecologia na Educação Básica:* questões propositivas de conteúdo e metodologia. São Paulo: Expressão Popular, 2017.
SHULGIN, V. N. *Rumo ao politecnismo*. São Paulo: Expressão Popular, 2013.
VIEIRA, T. C. L. V. *A relação educação e agroecologia:* um estudo sobre experiências em escolas do MST no Paraná. Dissertação de Mestrado. Universidade Estadual do Centro-Oeste. Guarapuava, 2018.
VYGOTSKY, L. S. *A formação social da mente*. São Paulo: Martins Fontes, 2007a.
_______. *Pensamento e Linguagem*. São Paulo: Martins Fontes, 2007b.

Para saber mais

PRIMAVESI, A. *A Convenção dos Ventos:* Agroecologia em contos. São Paulo: Expressão Popular, 2016.
VARGAS, M. C. e SILVA, N. R. (org.). *De onde vem nossa comida?* Caderno de Educação em Agroecologia. São Paulo: Expressão Popular, 2015.
A HISTÓRIA DE JOÃO DAS ALFACES. Disponível em: https://www.youtube.com/watch?v=N4p-qg--jHXM. Este é um filme de animação que foi adaptado do livro de Adriana de Aquino e Maria Cristina P. Neves, intitulado "A história de Seu João das Alfaces: Uma introdução à agricultura orgânica". Conta a história de um agricultor que, buscando exterminar as pragas de sua plantação, passa a usar agrotóxicos e adoece. Com orientação técnica, aprende a realizar uma plantação mais saudável. Direção: Cacinho, MG, 2007.
O VENENO ESTÁ NA MESA 1. Direção: Silvio Tendler. Disponível em: https://www.youtube.com/watch?v=8RVAgD44AGg, 2011. Acesso em: 25 mar. 2021.
AGRICULTURA TAMANHO FAMÍLIA: UMA ALTERNATIVA AO AGRONEGÓCIO. Direção: Silvio Tendler. 2014. Disponível em: https://www.youtube.com/watch?v=m9hzzcgVVpM&list=PLuCYHAVIbSBktTj__VCI6sp9358Qi7K3s. Acesso em: 1 fev. 2021.

EDUCAÇÃO DO CAMPO E AGROECOLOGIA

Roseli Salete Caldart

Educação do Campo é o nome que, na atualidade, identifica e reúne diferentes lutas feitas pelo povo que vive e trabalha no campo para garantir seu acesso à educação pública. Acesso que lhe tem sido historicamente negado ou atendido de modo precário, quase sempre descolado de suas necessidades humanas e combinado com a negação de outros direitos que a evolução da humanidade instituiu como universais.

Pode ser entendida como prática social, como conceito e concepção. Como prática social, assim chamada, a Educação do Campo tem data de início e localização geográfica: nasceu no Brasil e completou 20 anos em 2018. O batismo foi feito pelos sujeitos coletivos que, em determinado momento e contexto histórico, decidiram associar lutas e práticas em uma mobilização nacional pela construção de políticas públicas capazes de efetivar este direito que é de todos. Direito humano ao acesso a diferentes formas de educação e direito social de participar da condução dos processos educativos.

Como conceito, a Educação do Campo é construção do percurso, autodefinição construída pelos seus próprios sujeitos e expressão do movimento prático que define suas finalidades e sua dinâmica. Reflete a análise de quem participa desse movimento sobre as contradições sociais que vinculam a origem da Educação do Campo a uma história que vem de mais longe e a uma realidade que não se resolve somente no campo.

Os sujeitos coletivos da Educação do Campo foram identificados logo no início desse percurso: são as diferentes formas de organização dos trabalhadores e das trabalhadoras do campo; organizações camponesas, quilombolas, indígenas, sem-terra; de comunidades ribeirinhas, de assentamentos; de agricultores familiares, assalariados rurais; são comunidades que trabalham na terra. Classe trabalhadora do campo.

A Educação do Campo é uma forma associativa de lutas coletivas cujo foco é a educação, mas que não se aparta de outras lutas pela vida que a precedem ou completam: terra, trabalho, cultura; alimento, saúde, participação política. Sua dinâmica inclui espaços de articulação dos sujeitos do trabalho do campo entre si e com outros setores da sociedade. Tem organizado práticas educativas de realização em comum que, por sua vez, fortalecem a unidade política e organizativa, ampliam os sujeitos da construção, para além do campo, e reafirmam as finalidades e o sentido social da existência da Educação do Campo, em cada realidade que a exige.

O movimento prático e a reflexão teórica produzem uma determinada concepção de Educação do Campo. Concepção que não é óbvia nem dada. É construída e disputada nas relações sociais em que sua vida prática acontece. Trata-se de um modo de lutar, de pensar e de fazer a educação que se enraíza no trabalho do campo e em seus sujeitos, suas lutas, sua cultura, seu modo de produzir e respeitar a vida. Se fundamenta na compreensão das determinações sociais das ações que seus sujeitos protagonizam e em uma concepção de educação com finalidades emancipatórias (Caldart, 2019).

O desenvolvimento do conceito, como sistematização teórica mais ampla da concepção de Educação do Campo, se torna chave metodológica de compreensão e análise das práticas e das lutas que a produziram e de outras, feitas em diferentes realidades por outros sujeitos, com este nome ou não, mas com finalidades sociais comuns. A visão em perspectiva insere a Educação do Campo na história da educação brasileira, assim como é expressão e parte da história das lutas e da resistência camponesa que se faz em qualquer lugar do mundo.

No processo coletivo de sistematização teórica dessa concepção, produzimos o *Dicionário da Educação do Campo*, publicado em 2012 (Caldart *et al.*, 2012). Os verbetes que o compõem tratam de um conjunto amplo de aspectos históricos, características e práticas de Educação do Campo e entrelaçam conceitos que compõem seus fundamentos e podem servir como ferramenta de análise da realidade e como caminho de estudo.

A forma de produção desse *Dicionário* buscou mostrar as conexões principais entre as esferas campo, política pública, educação e direitos humanos, definidoras da vida prática da Educação do Campo e de uma concepção que permite pensá-la como guia de estudo para além de si mesma, continuando sua construção (cf. Caldart, 2019).

Essa sistematização teórica coletiva é nossa referência para prosseguir na atualização da síntese conceitual sobre Educação do Campo, sempre buscando apreender a espiral de seu desenvolvimento histórico. E para pensar o vínculo entre Educação do Campo e agroecologia, objeto central da obra em que este texto se insere. A agroecologia compõe nossa concepção de Educação do Campo.

A agroecologia pode ser definida como um processo vivo de sistematização científico-cultural da transformação histórica da agricultura desde seus próprios fundamentos, ou seja, desde sua base camponesa. Transformação que cada vez mais se define no confronto à forma dominante de produção que muda as finalidades sociais da agricultura e pode chegar a matar a essência do que ela é, pondo em perigo o futuro da humanidade. Agricultura [VER AGRICULTURA] é cultivo da terra para a produção de alimentos que são portadores de vida e a preservam. Vida humana e vida da natureza da qual o ser humano é parte. Cultivo da terra que é também cultivo do modo de ser de quem o pratica.

A agroecologia nasceu junto ao avanço do capital sobre a agricultura; como crítica à forma de desenvolvimento tecnológico que subordina a produção agrícola à lógica do negócio, do lucro imediato, que justifica a depredação da natureza e a artificialização insana dos processos produtivos. Uma lógica que degenera a agricultura, mas é necessária à reprodução do capital por meio dela.

Em sua base, a agroecologia reúne práticas e "modos de ser agri-culturais" (Tardin; Guhur, 2017, p. 45), conhecimentos científicos diversos, relações sociais, lutas políticas e práticas educativas. Tem raiz indígena e camponesa. Junta ciência e memórias ancestrais de cultivo da terra e de relação do ser humano com a natureza, para pensar outro paradigma de avanço das forças produtivas da agricultura. Ela é feita por agricultores e cientistas e tem interessado a todos que prezam o acesso a alimentos vivos e se ocupam de cultivar o futuro.

Nos elementos que conecta, a agroecologia reafirma a agricultura como trabalho-cultura que visa à produção de alimentos sadios, em uma forma de manejo dos sistemas produtivos que interage com a natureza, construindo agroecossistemas que respeitam os ciclos de desenvolvimento da vida, em sua necessária diversidade. Na síntese de Tardin e Guhur (2017, p. 44), a agroecologia é "uma contribuição camponesa à emancipação humana e à restauração revolucionária da relação metabólica sociedade-natureza", rompida pelo modo de produção capitalista.

No período mais recente, movimentos populares e organizações de trabalhadores camponeses, indígenas e quilombolas têm assumido o desafio de participar dos processos de reconstrução ecológica e social da agricultura desde os parâmetros da agroecologia. Isso tem fortalecido as lutas camponesas pela terra e alargado a concepção de agroecologia, pela conexão que se estabelece entre a dimensão ecológica da produção, a questão da função social da terra e a reforma agrária; reapropriação coletiva dos bens naturais e processos de transformação da sociedade.

É essa conexão que tem recolocado na agenda da atualidade o debate sobre a função social dos camponeses, reafirmando-os como responsáveis pelo desenvolvimento da forma de produção de alimentos que garante a soberania alimentar dos povos e a saúde das pessoas. Pauta junto o trabalho associativo entre famílias e comunidades camponesas. E, em particular, redefine o papel das mulheres e da juventude nos processos de trabalho que visam restaurar a interação entre ser humano e natureza.

No Brasil, muitas das organizações que estão construindo a agroecologia são também as que constroem a Educação do Campo. O desafio de dar uma dimensão social (não apenas local) às práticas agroecológicas mostra a seus sujeitos a exigência da ampliação dos processos formativos. É preciso preparar todas as gerações de trabalhadores para a construção de uma agricultura que retorna a sua raiz camponesa sem retroceder no seu desenvolvimento histórico. Agroecologia "chama educação". Precisa dela para seu avanço e por isso integra as lutas da Educação do Campo.

Já são muitas as iniciativas educativas problematizadoras das relações entre camponês – técnico – cientista, ensaiando formas de educação profissional que subvertem a lógica convencional da formação de técnicos e de agricultores. E há processos promissores de inserção da agroecologia nas escolas de Educação Básica do Campo, restaurando a "relação metabólica" da educação com processos produtivos vivos; relação que foi rompida pelo modo capitalista de pensar a educação e a escola.

A agroecologia [VER AGROECOLOGIA] é mais antiga que a Educação do Campo. São fenômenos de natureza distinta, cada um com seu percurso e suas finalidades. Entretanto, ambos foram produzidos por uma mesma realidade social e em um mesmo tempo histórico. Têm raiz comum no trabalho camponês, em sua rica diversidade de sujeitos e de culturas, construindo os mesmos territórios. Tendem, portanto, a se desenvolver em coevolução.

Na história viva, porém, o encontro entre agroecologia e Educação do Campo não é algo dado porque há circunstâncias sociais que contrariam essa tendência. Há na sociedade uma forte disputa de projetos de campo que também são projetos de sociedade e contradição entre visões de mundo e modos de vida.

Os donos dos negócios da agricultura têm feito um trabalho ideológico ostensivo para que todos acreditem – inclusive as famílias camponesas e os sujeitos coletivos da Educação do Campo – que a "evolução" da agricultura camponesa depende de sua inserção na lógica do negócio. Quando dizem "o agro é tudo" ou "somos todos agro" tentam que se creia que "tudo é agronegócio". E que as tecnologias próprias da forma industrial capitalista, seja a dos venenos e transgênicos ou já a dos orgânicos, produzidos na mesma lógica industrial, são toda agricultura.

De fato, na base de toda a produção está "a terra cultivada", que é o sentido da palavra "agro". Mas "agro" não é agronegócio. É "agri-cultura". E agricultor é quem domina a arte e a ciência do cultivo da terra e da relação com a natureza, e não do negócio com ela ou seus frutos. A agricultura inclui relações de comércio e distribuição de produtos; mas quando seus processos produtivos se subordinam à lógica capitalista de extração da mais-valia, que implica exploração máxima do trabalho e da natureza, essa produção deixa de ser, em sua essência, agricultura para se tornar apenas negócio. É essa contradição que a ideologia do agronegócio tenta mascarar.

Entretanto, a relação entre Educação do Campo e agroecologia tem sido construída pela intencionalidade política e formativa dos seus sujeitos coletivos. Essa relação incide no desenvolvimento histórico de ambas e fortalece princípios comuns.

Educação do Campo e agroecologia não supõem padronização de práticas ou de métodos porque é de sua concepção interagir com cada realidade particular em que acontecem. Entretanto, ambas se regem por alguns princípios básicos, válidos para todos os processos. Do contrário, não seria possível tratar de concepção e não se chegaria a uma ciência da agroecologia e a uma teoria da Educação do Campo.

Um dos princípios reafirmados por essa relação é o da *diversidade*, dos sujeitos que as constituem e das suas formas de luta, de trabalho de cultura, com todas as dimensões que isso abarca. Pelo caminho da agroecologia fica ainda mais fácil compreender a importância desse princípio: na natureza, a diversidade de espécies é sinal evolutivo e condição para uma agricultura sustentável. Na Educação do Campo, tem sido desafio a construção política e formativa em comum, respeitando-se a forma de lutar e de pensar a educação dos seus diferentes sujeitos. Tanto na natureza como na sociedade, a diversidade explicita contradições (nem sempre antagônicas) e traz tensões na vida prática, em um movimento de superação necessário às finalidades tanto da agroecologia como da Educação do Campo.

A agroecologia não é criação de um povo, de um país ou de uma forma de organização camponesa. Ela já se constitui como patrimônio das comunidades camponesas do mundo e da comunidade de cientistas que com elas interagem. Da mesma forma que a Educação do Campo se fortalece pela ampliação cada vez maior dos sujeitos que dela participam. A internacionalização da Educação do Campo é um desafio projetivo reforçado pelo seu encontro com a agroecologia.

Outro princípio reafirmado pela inserção da Educação do Campo em processos de territorialização da agroecologia é o da *ligação orgânica entre processos educativos e processos de produção material da vida*; entre educação, trabalho, cultura e produção. Essa conexão integra a tradição pedagógica emancipatória em que a Educação do Campo se insere. Entretanto, esse vínculo potencializa a relação entre ser humano e natureza, base de qualquer forma de trabalho, mas que tem sido pouco considerada nas pedagogias do trabalho e é central na concepção de formação humana que a agroecologia traz em si.

Por sua vez, a agroecologia se realiza como práxis quando é apropriada pelos camponeses, em formas "agri-culturais" marcadas pela diversidade étnica, cultu-

E

ral, política, e isso implica educar todas as gerações na direção da desalienação, do trabalho e da natureza. Desalienação que quer dizer reapropriação cultural coletiva do modo de fazer agricultura de que são os sujeitos criadores, mas do qual têm sido expropriados. Esse processo não se resolve pela educação. Precisa do trabalho transformado, em conexão com uma intencionalidade política e educativa na mesma direção.

A relação entre educação e produção traz entranhada uma concepção de conhecimento, elemento central no desenvolvimento dessa intencionalidade. Pensada desde os desafios da forma agroecológica de produção, essa relação alarga a visão de conhecimento, inserindo-o no âmbito da cultura, que multiplica suas formas. Ao mesmo tempo, aumenta as exigências da forma científica do conhecimento e abre imensas possibilidades de apropriação e produção das diferentes ciências, em especial das ciências da natureza, muitas vezes distantes de processos de formação emancipatória.

O desafio de religação entre educação, produção, ciência, cultura e formação política envolve diferentes formas de educação e precisa do envolvimento das escolas, especialmente quando se pensa na formação de crianças e jovens inseridos nos territórios camponeses. Trata-se de reconstruir a função social das escolas do campo (da terra, das águas, das florestas...), tradicionalmente vista como preparação dos estudantes para sair do campo ou dos processos produtivos relacionados à agricultura camponesa.

A relação entre Educação do Campo e agroecologia reafirma como princípio comum também uma *forma de construção e gestão das políticas públicas* que fortalece os sujeitos coletivos em suas práticas, sem a tutela pedagógica e política do Estado. Processos de produção agroecológica, assim como processos educativos dos trabalhadores camponeses e das escolas do campo, devem ser geridos coletivamente pelos seus próprios sujeitos. As lutas por recursos do fundo público a que têm direito como membros da sociedade continuarão sendo feitas enquanto se estiver sob relações sociais de desigualdade.

Agroecologia e Educação do Campo se desenvolvem entre nós ainda no interior de relações sociais de produção capitalista e são, portanto, por elas contraditoriamente determinadas. Seu encontro pode evitar desvios pressionados por esse ambiente social. A territorialização da agroecologia vinculada a lutas e práticas da Educação do Campo fortalece a ligação com quem as produz. Para a agroecologia, essa raiz impede que seja tomada como um corpo autônomo de conhecimentos de propriedade privada de grupos ou de instituições de pesquisa (ou já de empresas), desvio que restabelece a cisão entre quem faz e quem concebe o trabalho, princípio essencial à produção capitalista, em todos os setores. Essa cisão facilita um uso parcial da ciência da agroecologia, com o objetivo de adiar a explosão das contradições do modelo de agricultura do capital, o que retarda os processos de reterritorialização da agricultura camponesa. Esses processos, por sua vez, são vitais ao fortalecimento dos sujeitos que garantem a existência da Educação do Campo. Além de evitar tendências ao refúgio em ideários pedagógicos descolados das lutas ou que seus sujeitos se afundem na lógica das políticas públicas do sistema que precisa ajudar a transformar.

Agroecologia e Educação do Campo são nomes femininos de processos que entrelaçados se fortalecem. E germinam futuro. Muitos coletivos têm assumido essa construção como luta de vida inteira, para que as novas gerações tenham mais possibilidades de superar a lógica mercantilista mesquinha que o tempo social presente ainda lhes impõe. Eles são como a nossa "nobre amiga toupeira" (Marx, 2008) que sabe trabalhar pacientemente sob a terra, em um movimento que a torna mais viva.

Referências

CALDART, R. S. *et al.* (org.). *Dicionário da Educação do Campo*. Rio de Janeiro/São Paulo: EPSJV/Expressão Popular, 2012.

CALDART, R. S. Concepção de Educação do Campo: um guia de estudo. *In:* MOLINA, M. C.; MARTINS, M. F. A. (orgs). *Formação de formadores*. Reflexões sobre as experiências da Licenciatura em Educação do Campo no Brasil. Belo Horizonte: Autêntica, 2019, p. 55-76.

MARX, K. O 18 Brumário de Luis Bonaparte. In: MARX, K. A *Revolução antes da Revolução II*. São Paulo: Expressão Popular, 2008.

TARDIN, J. M.; GUHUR, D. M. P. Agroecologia: uma contribuição camponesa à emancipação humana e à restauração revolucionária da relação metabólica sociedade-natureza. *In:* MOLINA, M. C. *et al.* (org.). *Análise de práticas contra-hegemônicas na formação dos profissionais de ciências agrárias* (v. II). Brasília: Editora Universidade de Brasília, 2017, p. 44-99.

EDUCAÇÃO EM AGROECOLOGIA

Romier da Paixão Sousa
Carlos Renilton Freitas Cruz
Páulea Zaquini
Danielle Cerri

O objetivo deste texto é trazer uma reflexão sobre o termo *educação em agroecologia*, assim como apresentar elementos de sua gênese histórica e suas principais características, visando sua melhor compreensão e aplicação. Apesar de partilharmos da concepção de educação em agroecologia que se realiza em diversos espaços, muito além da escola, e podendo designar processos amplos e continuados de educação relacionados à construção do conhecimento agroecológico, daremos relevo ao seu uso mais consolidado – processos formais de educação.

Iniciamos reafirmando nossa concepção de agroecologia [ver Agroecologia], visando clarificar sua relação com a educação. A agroecologia possui bases epistemológicas ancoradas no pensamento complexo e transdisciplinar (Ruiz-Rosado, 2006) pautando-se nos conceitos e princípios ecológicos, sociais e econômicos associados às práticas históricas e culturais dos agricultores familiares camponeses, em uma perspectiva da memória biocultural (Toledo; Barrera-Bassols, 2015).

A educação em agroecologia articula a natureza (ecossistema-agroecossistema-paisagem), o trabalho e a cultura, visando uma formação humana crítica-emancipatória-ecológica em contraposição à pedagogia do capital [VER PEDAGOGIA DO CAPITAL]. Prima pelos princípios da proteção da vida, da promoção da saúde, da proteção ambiental, da solidariedade entre os povos, do respeito e valorização das diversidades – étnica, biológica, cultural, de gênero e geracional –, de respeito aos tempos e processos ecológicos e de valorização do cuidado com o outro. Pressupõe um diálogo entre o saber popular e o conhecimento científico, havendo necessidade de partir sempre da realidade como princípio pedagógico, visando seu conhecimento para sua transformação.

Fundamenta-se nos pressupostos da Educação Popular, da Educação do Campo [VER EDUCAÇÃO DO CAMPO], da Pedagogia do Movimento e demais matrizes educacionais emancipatórias e transformadoras da sociedade. Porém, a aproximação com essas matrizes integra a construção histórica da agroecologia na sua relação com a educação, mas isso não é algo dado por completo, ou que sempre esteve ou está presente. Há tensões epistemológicas entre essas matrizes e na relação com as bases epistemológicas de constituição da agroecologia. Essas tensões não serão tratadas nesse texto, mas é importante ressaltar que há um processo em curso de aproximação dialética entre essas matrizes e a agroecologia.

Compreendemos, ainda, a agroecologia como um enfoque científico, teórico, prático e metodológico, com base em diversas áreas do conhecimento, que se propõe a estudar processos de desenvolvimento sob uma perspectiva ecológica e sociocultural e, a partir de uma abordagem sistêmica – adotando o agroecossistema [VER AGROECOSSISTEMAS] e os sistemas agroalimentares como unidades de análise. Evidencia-se uma perspectiva multidimensional e multiescalar, destacando-se as ênfases ecológico-agronômica, socioeconômica, política, cultural e alimentar (ABA–Agroecologia, 2019; Sevilla Guzmán; Woodgate, 2013; González de Molina, 2011).

Sendo assim, a agroecologia se constitui como uma possibilidade de construção de relações sociais, econômicas, culturais e ambientais menos degradantes, devendo estar presente nas discussões da produção alimentar, da promoção e prevenção da saúde, impulsionando a construção de novos sistemas econômicos que considerem que condições dignas e emancipatórias de trabalho e renda sejam primordiais na proteção e recuperação do meio ambiente e de seus recursos, incluindo os do solo, das águas e do ar.

A partir destas premissas, as práticas de educação em agroecologia no Brasil se estabelecem, de maneira mais efetiva, na década de 1970, em contraponto ao modelo de modernização da agricultura. Nasce das críticas aos métodos lineares e unidirecionais de produção e difusão de conhecimentos, especialmente no âmbito das ciências agrárias.

Foi a partir da valorização de ambientes de organização sociopolítica criados, principalmente pelas Comunidades Eclesiais de Bases (CEB), que o movimento social do campo incorporou os preceitos da educação popular, e, ao discutir a realidade local dos camponeses e seus modos de produção, deu os primeiros passos na construção do enfoque agroecológico, propondo alternativas ao modelo hegemônico de produção agroindustrial. Esse processo exigiu uma nova pedagogia, que privilegiasse o diálogo e a valorização dos conhecimentos acumulados historicamente pelos camponeses e camponesas na relação direta com a natureza.

Do mesmo modo, nas universidades e outras instituições de formação, pesquisa e extensão rural, diversos pesquisadores, professores e técnicos, junto aos estudantes, passam a questionar os conhecimentos ensinados no ambiente escolar, baseados nos pacotes da Revolução Verde [VER REVOLUÇÃO VERDE]. Assim, a partir dos anos de 1980, surgem os Encontros Brasileiros de Agricultura Alternativa (EBAs), que proporcionaram debates sobre a então chamada agricultura alternativa, os problemas experimentados pela modernização da agricultura, entre outros temas de relevância naquele período (Aguiar, 2010).

Diante deste cenário histórico, emergem, quase que paralelamente, diferentes iniciativas de educação em agroecologia: aquelas articuladas pelo movimento estudantil e grupos de engenheiros agrônomos, criando uma resistência acadêmica-científica; as do movimento por uma Educação do Campo, com protagonismo dos movimentos sociais do campo; iniciativas criadas nos Centros de Formação por Alternância (Ceffas); ações de diversas organizações não governamentais que estabeleceram processos formativos diversos, com o intuito da promoção da agroecologia; e iniciativas de formação de profissionais para atender a uma demanda de produção orgânica crescente no país e no mundo, criadas a partir da indução do Estado, com um forte conteúdo tecnológico.

No entanto, todas essas articulações e ações desenvolvidas pelo movimento agroecológico no Brasil e vinculadas ao desenvolvimento das resistências políticas, acadêmicas e científicas, junto às organizações dos agricultores familiares camponeses, até final dos anos de 1990, tinham pouca ou nenhuma institucionalidade no âmbito das Instituições de Ensino Superior e de Instituições de Educação Profissional e Tecnológica. Foi a partir da criação do Programa Nacional de Educação na Reforma Agrária (Pronera), em 1998 (Brasil, 2020) que se iniciou a implementação dos primeiros cursos formais em agroecologia, ainda como projetos, mas que logo se institucionalizam por dentro do aparelho do Estado, fortemente influenciados pelos movimentos sociais do campo, em atenção às suas reivindicações de educação no espaço rural (Sousa, 2017).

Considerando a longa trajetória dos cursos de Agronomia e das Ciências Agrárias no país, a educação formal em agroecologia é muito recente, porém já possui territorialização nacional. A partir de 2002, foram criados dezenas de cursos de Ensino Médio profissionalizante em agroecologia, além de cursos de graduação e pós-graduação reconhecidos pelo Ministério da Educação (Brasil, 2002). Apesar dos primeiros cursos formais em agroecologia nascerem, em grande parte, com uma abordagem muito semelhante aos currículos das Ciências Agrárias – em especial, aos cursos de Técnico em Agropecuária e de Agronomia –, a educação em agro-

E

ecologia é mais ampla, abrangendo as áreas de ciências humanas, biológicas, da saúde e engenharias.

A institucionalização da educação em agroecologia deu-se de diferentes maneiras, como: disciplinas em diversos cursos, grupos de estudantes, núcleos de estudos em agroecologia, projetos de pesquisa e extensão, cursos formais em diferentes níveis e modalidades; cursos formais com outras nomenclaturas, entre outros arranjos.

E

Este movimento diverso e plural de criação de cursos e outros espaços de formação profissional em agroecologia não vem ocorrendo de maneira linear no cotidiano de escolas e demais instituições de ensino. Ele é fruto de um longo processo de aprendizagem entre camponeses, técnicos, pesquisadores e demais sujeitos sociais envolvidos. Há tensões nas compreensões dos processos formativos. Pelo menos três linhas podem ser identificadas: espaços de formação profissional articulados com os movimentos sociais do campo; outro que atende ao nicho de mercado dos orgânicos, crescente no país; e cursos formais oriundos da expansão da rede federal de ensino profissional e tecnológica – grande parte desses cursos foram criados em função da ampliação do número de unidades de ensino vinculadas à Rede Profissional e Tecnológica no país, especialmente nas antigas Escolas Agrotécnicas (Sousa, 2015).

Nesse contexto, a partir de 2005, a Associação Brasileira de Agroecologia (ABA-Agroecologia) promoveu uma série de espaços para a reflexão e disseminação do termo Educação em Agroecologia. Estas reflexões e problematizações partem das diferentes experiências desenvolvidas e sistematizadas no país e são compartilhadas através dos Seminários Nacionais de Construção do Conhecimento Agroecológico [VER CONHECIMENTO AGROECOLÓGICO] realizados durante os Congressos Brasileiros de Agroecologia (CBA) em Belo Horizonte, 2005, Guarapari, 2007 e Curitiba, 2009, e mais recentemente nos Seminários Nacionais sobre Educação em Agroecologia (SNEA), Olinda, 2013 e Seropédica, 2016.

Diante da necessidade de se pensar formas de aprimorar os espaços de formações que envolvem a educação em agroecologia, a partir do I SNEA, realizado em 2013 (Seminários Nacionais sobre Educação em Agroecologia, 2013), estabeleceram-se quatro princípios fundamentais para a educação em agroecologia, que entendemos como fundamentais para a compreensão do termo.

O primeiro é o princípio da vida em que a perspectiva biocentrista deve ser levada em consideração. Ou seja, o respeito à vida em sua plenitude, de modo que se valorizem processos educativos que considerem o conjunto dos seres vivos e fortaleçam os ciclos vitais.

O segundo, o princípio da diversidade, contrapondo-se às visões homogeneizadoras e padronizadoras existentes na educação dominante, estabelece as bases para a valorização de uma diversidade humana, reconhecendo os saberes dos povos e comunidades tradicionais e a importância de visibilizar as práticas ancestrais e as diferentes cosmologias das diversas etnias existentes no país, combatendo o racismo e o preconceito étnico. Também se relaciona com o pensar de uma diversidade ecológica, de sistemas biodiversos, adequados às realidades locais e territoriais.

O terceiro princípio, o da complexidade, afasta-se da simplificação da realidade, da compartimentalização e fragmentação dos processos educativos. Esse princípio indica que a educação em agroecologia deve primar pelo pluralismo metodológico e epistemológico e privilegiar ações que construam a transdisciplinaridade e articulem diferentes conhecimentos científicos, associados aos saberes locais.

A educação em agroecologia se propõe a problematizar a realidade para transformá-la. Assim, o quarto princípio é o da transformação, visando práticas educativas emancipatórias, de construção de autonomia socioecológica, ações de autogestão e auto-organização dos sujeitos sociais envolvidos. É importante também a superação do machismo e das relações de gênero desiguais. A educação em agroecologia pressupõe a visibilidade e a valorização do papel das mulheres na construção do conhecimento agroecológico.

> As experiências mostraram que essas conquistas só foram possíveis nos processos em que a produção agroecológica foi articulada com a superação da divisão sexual do trabalho, a promoção do acesso à informação e com estratégias de garantia da autonomia econômica e política das mulheres. (Cardoso; Rodrigues, 2009, p. 15)

Mas como essas proposições e princípios podem, de fato, ser inseridas nos projetos políticos-pedagógicos e nas práticas educativas considerando a necessidade que temos da construção de uma nova consciência social? Como fomentarmos possibilidades de construção, de forma democrática, de novas relações com a terra, com os povos tradicionais, com os povos do campo, das águas, das cidades e da floresta, com a produção agrícola e com o trabalho humano?

É importante destacar que, na perspectiva da emancipação, a educação em agroecologia como um todo organicamente interligado e interdependente deve ser desenvolvida em uma perspectiva de totalidade e de formação omnilateral. A formação omnilateral propicia ultrapassar a alienação – tanto da alienação de um ser humano por outro ser humano como a alienação do ser humano em relação à natureza. Assim, transgride-se esse processo de alienação ao possibilitar uma concepção de educação mais ampla e profunda, que considera o desenvolvimento completo, multilateral, de todos os sentidos e faculdades humanas, e das forças produtivas para a satisfação das necessidades de homens e mulheres (Manacorda, 2010).

Considerando as possibilidades da educação em agroecologia em ambientes formais de educação, para além dos cursos universitários e técnicos, elas estão, ou deveriam estar, presentes nos projetos políticos-pedagógicos de escolas de Educação Básica [VER EDUCAÇÃO BÁSICA E AGROECOLOGIA] – ou seja, desde a Educação Infantil até o Ensino Médio.

Ao trazer a agroecologia para as instituições formais de educação precisamos estar atentos ao que destaca Caldart:

> [...] a escola não pode desenvolver sua tarefa educativa apartada da vida, suas questões e contradições, seu movimento. Mas esta ligação entre escola e vida (trabalho, luta, cultura, organização social, história) precisa de uma formulação

E

> séria, para que os momentos de estudo não se reduzam a conversas sobre aspectos ou problemas da realidade, mas possam garantir efetiva apropriação de conhecimentos necessários à construção de novas relações sociais e de relações equilibradas entre o ser humano e a natureza. (2017, p. 164)

Embora a educação em agroecologia exceda as fronteiras da escola, pensar processos educativos a partir dela exige uma nova forma de estruturá-las, no seu sentido amplo. Os espaços formativos precisam ser ressignificados, reestruturados e adequados a currículos com práticas transformadoras da realidade, com ênfase no território e no trabalho. O currículo deve ser direcionado a problematizar a realidade local como ponto de partida, mas sem se restringir a ela, pois sendo uma educação com intencionalidade, necessita ampliar a capacidade de pensar e refletir sobre diferentes escalas de atuação. É necessária, portanto, a superação de um tipo de estudo e de conhecimento da realidade que esteja desconexo de proposições mais orgânicas de intervenções e de pesquisas que sejam capazes de modificar e questionar o metabolismo socioecológico pautado pelo capital, que depreda a natureza, superexplora a força de trabalho e antagoniza o campo e a cidade.

Outro elemento importante é a inserção da abordagem sistêmica nos ambientes de formação, incorporando uma visão mais totalizante da relação entre sociedade e natureza, negando a perspectiva reducionista de ensino compartimentalizado, que evidencia produtos-mercadorias e o campo apenas como espaço de produção agropecuária. Sobre isso, Primavesi nos chama a atenção:

> A sociedade é parte do aspecto ambiental, mas se insiste em separar isso nos cursos universitários. Esse conhecimento fragmentado, compartimentado, analista, especializado é o grande mal. Se não for alterado para um ensino sintetizador, integrador, holístico, generalista, não vai haver solução em curto prazo. (Primavesi, 2017, p. 193)

Ao discutir a educação em agroecologia, precisamos fazê-lo dentro de uma perspectiva emancipatória do campesinato, dos povos tradicionais, dos povos das águas, das cidades e da floresta. Lembrando Paulo Freire, "se a educação sozinha não transforma a sociedade, sem ela tampouco a sociedade muda" (Freire, 2000, p. 31). Nesse sentido, compreendemos que a educação em agroecologia se propõe a ser uma ferramenta que possa questionar, subverter e contribuir com o rompimento da estrutura sociometabólica empreendida pelo desenvolvimento do modo de produção capitalista.

O arcabouço teórico e prático da agroecologia nos permite refletir sobre como a educação precisa promover o diálogo entre instituições formadoras distintas – família, escola, movimentos sociais, dentre outras – de modo a entrelaçar saberes e práticas em uma ação pedagógica contextualizada, cujo pano de fundo são os agroecossistemas, os sistemas agroalimentares e os processos sociais e econômicos que os forjaram, assim como as demandas por sua transformação e seguindo os ensinamentos de Ana Maria Primavesi, que nos direciona a pensar que é preciso muita observação e visão integrada nos processos de ensinar, criar, recriar, produzir e aprender (Primavesi, 2017).

Referências

ASSOCIAÇÃO BRASILEIRA DE AGROECOLOGIA (ABA). *Estatuto da Associação Brasileira de Agroecologia*. Rio de Janeiro: ABA, 2015. Acesso em 5 de setembro de 2019. Disponível em https://aba-agroecologia.org.br/wp-content/uploads/2018/05/Estatuto_ABA_2015.pdf.

I SNEA. Seminário Nacional de Educação em Agroecologia. *Princípios e Diretrizes da Educação em Agrocologia*. 2013. Disponível em: http://www.aba-agroecologia.org.br/index.php/cad/article/view/20800/12191. Acesso em agosto de 2016.

AGUIAR, M. V. A. Educação em Agroecologia: que formação para a sustentabilidade? *Revista Agriculturas*, v. 7, n. 4, 2010.

BRASIL. Instituto Nacional de Colonização e Reforma Agrária (Incra). *Programa Nacional de Educação na Reforma Agrária* (Pronera), 2020. Disponível em: https://antigo.incra.gov.br/pt/programas-e-acoes-categoria/96-programa-nacional-de-educacao-na-reforma-agraria-pronera.html. Acesso em: 25 mar. 2021.

TOLEDO, V. M.; BARRERA-BASSOLS, N. *A memória biocultural: a importância ecológica das sabedorias tradicionais*. 1. ed. São Paulo: Expressão Popular/AS-PTA, 2015.

CALDART, R. S. Trabalho, agroecologia e educação politécnica nas escolas do campo. *In:* CALDART, R. S. (org.) *Caminhos para a transformação da escola:* trabalho, agroecologia e estudos nas escolas do campo. São Paulo: Expressão Popular, 2017 p. 164.

CARDOSO, E. M.; RODRIGUES, V. S. Mulheres construindo a agroecologia no Brasil. *Revista Agriculturas*, v. 6, n. 4, p. 15, 2009.

FREIRE, P. *Pedagogia da indignação:* cartas pedagógicas e outros escritos. São Paulo: Editora UNESP, 2000. 134 p.

GONZÁLEZ DE MOLINA, M. de. *Introducción a la Agroecología*. Madrid: Sociedad Española de Agricultura Ecológica, 2011.

MANACORDA, M. A. *Marx e a pedagogia moderna*. Campinas: Alínea, 2010.

PRIMAVESI, A. Observar, conhecer e integrar. Passos para uma perspectiva sistêmica Entrevista concedida a João Vitor Santos em maio 2016. *In:* CALDART, R. S. (org.) *Caminhos para a transformação da escola:* trabalho, agroecologia e estudos nas escolas do campo. São Paulo: Expressão Popular, 2017.

RUIZ-ROSADO, O. Agroecología: una disciplina que tiende a la transdisciplina. *Interciencia*, Caracas, v. 31, n. 2, 2006. p. 140-145.

SEVILLA GUZMÁN, E.; WOODGATE, G. Agroecology: Foundations in agrarian social thought and sociological theory. *Agroecology and Sustainable Food Systems*, v. 37, n. 1, 2013. p. 32-44.

SOUSA, R. P. Agroecologia e educação do campo: desafios da institucionalização no Brasil. *Educação & Sociedade*, v. 38, n. 140, 2017.

SOUSA, R. P. *Educación profesional y sabidurías de los jóvenes campesinos en la Amazonía:* una reflexión desde la agroecología política. UPO. Sevilla, 2015 (Tesis Doctoral). Disponível em: https://rio.upo.es/xmlui/bitstream/handle/10433/2140/paixao-sousa-tesis15.pdf?sequence=1&isAllowed=y. Acesso em: 25 mar. 2021.

Para saber mais

MOLINA, M. C. *et al.* (org.) *Práticas contra-hegemônicas na formação dos profissionais das Ciências Agrárias:* reflexões sobre Agroecologia e Educação do Campo nos cursos do Pronera. Brasília: MDA, 2014. 292 p.

PEREIRA, I. B. Interdisciplinaridade. *In:* PEREIRA, I. B.; LIMA, J. C. F. (org.) *Dicionário de Educação Profissional em Saúde*. Rio de Janeiro: EPSJV, 2009, p. 263.

PETERSEN, P.; DIAS, A. (org.) *Construção do conhecimento agroecológico:* novos papéis, novas identidades. Brasília: Articulação Nacional em Agroecologia, 2007.

SANTOS, C.; MICHELOTTI, F.; SOUSA, R. Educação do campo, agroecologia e protagonismo social: a experiência do Programa Nacional de Educação na Reforma Agrária (Pronera). *Revista Agriculturas*, v. 7. n. 4, dez. 2010.

E

EDUCAÇÃO POLITÉCNICA E AGROECOLOGIA

Roseli Salete Caldart
Gaudêncio Frigotto

E

O objetivo deste verbete é organizar uma chave conceitual para pensar a relação entre Educação Politécnica e agroecologia a partir de algumas sínteses teóricas tomadas como referência, e tendo o vínculo entre trabalho e educação como eixo organizador. São destacados no texto os elementos essenciais do raciocínio teórico que constitui o conceito de Educação Politécnica e se busca identificar, desde essa chave de análise, o núcleo central das formulações teóricas da agroecologia de modo a indicar os termos da constituição teórica e prática de sua relação.

É nosso pressuposto a compreensão de que a essência do trabalho, comum a todas as formas sociais da vida humana (Marx, 2013, p. 261), é o "processo entre o homem e a natureza, processo este em que o homem, por sua própria ação, medeia, regula e controla seu metabolismo com a natureza" (Marx, 2013, p. 255), princípio formativo do *ser* humano. Parte dessa compreensão passa pela crítica à forma histórica que o trabalho assume no modo de produção capitalista, baseada em relações de compra e exploração da força de trabalho, separação de braços e mentes e quebra da interação metabólica entre o ser humano e a natureza de que este é parte.

As primeiras formulações sobre Educação Politécnica foram feitas por Karl Marx (1818-1883), como parte dos seus estudos científicos sobre a lógica ou as leis internas de funcionamento do modo de produção capitalista, feitos na parceria política e intelectual com Friedrich Engels (1820-1895). Foram estudos de vida inteira, com o objetivo central de armar teoricamente a classe trabalhadora para suas lutas contra a exploração e para a sua missão histórica de instaurar novas e mais avançadas relações sociais de produção.

Marx não entendia a Educação Politécnica no sentido literal da expressão que começava a ser usada pela burguesia de sua época, como aprendizado de "variadas técnicas" ou mesmo de "múltiplos ofícios", visando uma maior "versatilidade" do trabalhador. Entendia, no entanto, que essas novas exigências desvelavam contradições a potencializar nas lutas e nos processos formativos.

No diálogo crítico com essas formulações, ele passou a defender o direito dos trabalhadores a uma Educação Politécnica, entendida como *educação tecnológica*, no sentido principal de apropriação dos sistemas de conhecimento, particularmente da ciência, que estão ao mesmo tempo entranhados nas atividades produtivas e delas desprendidos. A "ciência da tecnologia" expressa, e por isso permite compreender, os diferentes componentes dos processos produtivos e suas conexões. Ela é obra dos trabalhadores, mas é deles dominantemente expropriada pela lógica cristalizada da divisão capitalista do trabalho (cf. Marx, 2013, cap. 13).[1]

Depois de Marx, foram os pedagogos do período inicial da revolução soviética de 1917 que, a partir das suas indicações gerais e da análise das circunstâncias históricas sobre as quais atuavam, erigiram um sistema educacional que tinha a politecnia como um de seus pilares centrais (cf. Krupskaya, 2017; Shulgin, 2013; Pistrak, 2015). Suas formulações pedagógicas tornaram-se referência para a construção prática de uma *escola do trabalho politécnica*, fundamentada em uma teoria materialista, histórica e dialética de formação humana, de educação.

Na análise construída por Marx e Engels, a finalidade principal da Educação Politécnica é devolver ao trabalhador a formação que lhe é roubada pela lógica das relações sociais capitalistas. Sua expropriação formativa é dupla: como alienação no interior dos processos de trabalho e como estreitamento formativo instituído pelas políticas de educação dos trabalhadores subordinadas aos interesses do capital. Essa lógica é própria do trabalho assalariado, mas acaba se estendendo a outras formas de trabalho, quando subordinadas às mesmas relações de produção. Chega também ao trabalho camponês de nossos dias.

Nos processos de trabalho tipicamente capitalistas, o motor do desenvolvimento das forças produtivas, expresso no movimento histórico que vai da invenção das primeiras máquinas da indústria fabril até o uso hoje da "inteligência artificial" da chamada "indústria 4.0",[2] é ao mesmo tempo o mecanismo que separa o trabalhador do conhecimento vivo sobre o trabalho. Esse motor é uma forma de conexão entre ciência e produção que não existia nos modos de produção anteriores.

Vincular o desenvolvimento da ciência à solução de problemas da produção, convertendo-a em uma força produtiva direta, possibilitou tornar cada processo de trabalho analisável, isto é, passível de decomposição em seus componentes constitutivos e em conhecimentos que podem ser estudados e apropriados fora do trabalho e como força separada e independente da produção (cf. Marx, 2013). De um lado, isso permitiu conectar o conhecimento produzido na realização de uma determinada atividade produtiva (antes de apropriação direta e exclusiva de seus produtores) a conhecimentos universais de todas as esferas de criação humana, resultando em mudanças tecnológicas nos processos de trabalho, rápidas e cada vez mais complexas. De outro, permitiu que essas mudanças pudessem voltar à massa dos trabalhadores na forma de operações simplificadas, pouco exigentes de conhecimentos científicos e, menos ainda, de uma visão de totalidade da produção.

No sistema capitalista, o avanço qualitativo do trabalho não implica qualificação tecnológica correspondente dos trabalhadores. Essa contradição permite o trabalho em escala e aumenta a produção. Ao mesmo tempo, tira a força política do trabalhador e degenera o sentido humanizador de seu trabalho. O desemprego, que integra a lógica de acumulação do capital, é exacerbado pelas inovações tecnológicas. Mas sendo o trabalho assalariado o fundamento do capital, quando as possibilidades de emprego diminuem descontroladamente (como hoje), a geração da mais-valia é afetada. Acontecem então as chamadas "crises", que são uma forma do capital recompor o movimento de sua autorreprodução: são necessárias

E

novas oportunidades de assalariamento e se busca inserir outras formas de trabalho, e o conhecimento nelas produzido, no circuito de valorização do capital. Sem conhecimentos laborais prévios não há inovações tecnológicas (cf. Harvey, 2018).

A disputa dos empresários pelo controle da formação dos trabalhadores, dentro e fora dos processos de trabalho (incluída a educação escolar), tem sido um dos mecanismos para enfrentar as contradições dessa lógica, sem resolvê-las. Primeiro, nem todos os trabalhadores podem ser desqualificados e descartáveis o tempo todo; é preciso que continuem existindo trabalhadores interessados no assalariamento. Segundo alguns poucos trabalhadores devem ser formados como cientistas ou como especialistas com a visão de conjunto necessária à criação de inovações tecnológicas. Terceiro, é necessário garantir o controle ideológico ostensivo das esferas da educação e da cultura, para que a exploração e o modo de vida que lhe corresponde sigam naturalizados.

A forma de ligação entre ciência e produção inaugurada pelo capitalismo trouxe avanços históricos indiscutíveis. Ela é a base da noção de politecnia em Marx. Mas, no sistema do capital, essa ligação fica presa a uma "contradição absoluta" (Marx, 2013, p. 557): as mudanças tecnológicas rearranjam a produção, mas não podem alterar em essência a velha e degenerada divisão capitalista do trabalho, fundada no antagonismo entre as classes próprio desse sistema. Ao contrário, as inovações tecnológicas são cada vez mais condicionadas ao objetivo de aumentar a produtividade do trabalho a qualquer custo (humano e ambiental) e de retirar o controle dos trabalhadores sobre seu trabalho, radicalizando o processo de alienação. Essa lógica chega também à produção da ciência e da tecnologia, que de bens comuns a serviço da humanidade passam elas próprias à condição de mercadorias. Sua subordinação à lógica do negócio, combinada com o desligamento de seus produtores dos processos vivos nos quais incidem, leva a uma degeneração de suas finalidades e, portanto, de seus resultados.

Na proposição marxiana, a Educação Politécnica se define pelo contraponto à lógica e às finalidades formativas do capital, potencializando as contradições do seu sistema de produção. No seu horizonte está o trabalho social (o trabalho que se faz para e com os outros) e a devolução do comando da produção aos trabalhadores, livremente associados. Sua forma e seus conteúdos específicos serão desenhados pela análise de cada contexto histórico, em um movimento de reapropriação politécnica do trabalho, de complexidade progressiva.

Na formação dos trabalhadores, os conteúdos estruturantes desse movimento podem ser pensados em três níveis, que na prática devem acontecer interligados. Em um primeiro nível está o domínio tecnológico pelo trabalhador do seu ofício ou da atividade produtiva que realiza mais regularmente. Quanto mais ele entende do que faz, tanto mais controle e força política sobre seu trabalho passa a ter. Isso é mais do que domínio de habilidades técnicas, como vimos; supõe um conhecimento básico dos componentes do trabalho e das conexões, naturais e sociais, que movem a ação produtiva. O segundo nível se refere à apropriação de conhecimentos sobre diferentes processos produtivos, incluindo finalidades e aspectos organizacionais, de modo a garantir uma visão em perspectiva, que ajuda na realização do trabalho e na tomada de decisões sobre o conjunto da produção. A experiência de inserção em diferentes tipos de trabalho contribui nessa apropriação. E no terceiro nível de complexidade está o estudo dos princípios, das finalidades e leis que movem a produção em geral, exatamente o que o esforço da ciência desentranha das expressões particulares de trabalho. Esse estudo será facilitado se for parte de uma educação geral, desde a infância, que permita entender as forças motrizes da sociedade e da natureza. E se a relação dialética entre os três níveis for intencionalizada no conjunto dos processos formativos.

Essa mesma perspectiva formativa pode compor o projeto educativo das novas gerações e chegar à escola. Já em Marx, a Educação Politécnica foi indicada como uma das dimensões fundamentais da educação geral básica, desde as crianças pequenas. No entanto, na educação de crianças e jovens, a ordem e a ênfase dos níveis se invertem, embora a progressão da complexidade seja ainda mais necessária. Isto porque o objetivo primeiro não é a educação profissional e sim a formação geral, alargada, multilateral e orientada pelo princípio educativo do trabalho. A progressividade do estudo será então adequada às características de cada idade e às circunstâncias sociais da inserção dos estudantes em processos vivos, diversificados e cada vez mais complexos de trabalho, observando-se a necessária e tensa relação entre conhecimento empírico e teórico.

É nesse vínculo que o estudo sistemático das diferentes matérias científicas assume um novo sentido, que se amplia quando trata de atividades produtivas de natureza politécnica, isto é, cuja matriz tecnológica entranha conhecimento universal. Essa inserção é processual e mesmo um trabalho simples pode ter uma abordagem politécnica, ou seja, que vá além de habilidades e conteúdos técnicos (cf. Krupskaya, 2017). Mas em qualquer idade ou etapa, sem inserção real no trabalho não há Educação Politécnica porque as conexões (que incluem as contradições) não são apreendidas.

A agroecologia teve origem na crítica à matriz tecnológica da produção capitalista tal como ela se realiza na agricultura. Na sua base está outra contradição fundamental do modo de produção capitalista, que se refere à relação ser humano, social, e natureza, já indicada por Marx e Engels (Foster, 2005), e hoje compreendida com mais profundidade pela força de seus efeitos perversos.

As ciências naturais que serviram de suporte à base tecnológica revolucionária do capitalismo, desde seu fundamento filosófico mecanicista, tomaram a natureza "como um objeto morto (em vez de fecundo e vivo) aberto à dominação e manipulação humana" (Harvey, 2018, p. 120). A natureza foi "dissecada" em busca de mecanismos para exercer o controle absoluto sobre ela, tal como sobre o trabalho. A quebra do metabolismo entre ser humano e natureza tornou-se fetiche: o ser humano como senhor da natureza e não como parte de uma ordem na qual ele incide, mas não determina.

Foi essa visão mecânica e fetichista que serviu de base para a revolução capitalista da agricultura, introduzindo nela as mesmas bases tecnológicas e relações de trabalho criadas para a indústria fabril. A nova forma foi chamada de "agricultura moderna" ou "agricultura industrial", base produtiva do que hoje

E

conhecemos como "agronegócio" [VER AGRONEGÓCIO]. A agricultura camponesa foi tratada pela visão hegemônica de ciência como atraso. As monoculturas são um dos resultados visíveis da aplicação do modelo de indústria do capitalismo na agricultura. Elas contrariam a ordem da natureza cujo princípio básico é a biodiversidade, mas na lógica do capital, se aumentam a produção, ou a produtividade em si, mesmo acabando com a fecundidade do solo, qual o problema? É só inventar um componente sintético que reponha na terra o que lhe é tirado. Depois inventar outro insumo artificial (remédios) para corrigir no corpo humano os problemas que alimentos produzidos dessa forma geram nele. E assim se sucedem as inovações tecnológicas que expressam e alimentam uma lógica de produção e de consumo cada vez mais insana e historicamente insustentável, mas que se mostrou eficiente para a reprodução do capital.

Os limites dessa lógica começaram a ser analisados cientificamente ainda no século XIX (Foster, 2005). Esses estudos, entretanto, foram sendo usados para resolver os problemas da lógica, sem alterá-la. Por isso, até hoje, são conhecimentos divulgados mais amplamente apenas nas doses que as contradições pressionam e a estabilidade do sistema permite – vide a questão dos agrotóxicos [VER AGROTÓXICOS]. Mas a força das contradições é maior do que supõe a "vã filosofia" do capital. A forma capitalista de agricultura conseguiu dominar os negócios do agro, porém nunca chegou a dar conta das finalidades essenciais da agricultura: produzir alimentos capazes de sustentar a energia vital do ser humano, respeitando as formas de autorrenovação das forças naturais e sociais de produção.

Por isso, o capital não pode destruir a agricultura camponesa que, desde outra lógica de produção e outra visão de natureza, tem garantido essas finalidades, ao longo da história da humanidade; precisa dela para manter o equilíbrio do sistema. Mas a voracidade do capital sobre a agricultura e o conjunto dos bens da natureza têm gerado um descontrole que explicita com mais força as contradições. Isso acelera a construção teórico-científica da matriz tecnológica que tem a produção camponesa como base e projeta outra lógica às transformações da agricultura.

Como ciência, a agroecologia articula os avanços da ciência em geral que esclarecem os problemas gerados pelo modelo capitalista, com o esforço de sistematização científica do conhecimento, milenar e diverso, produzido pelas comunidades camponesas em todo mundo. Sua finalidade é fundamentar os processos de reconstrução ecológica e social da agricultura (cf. Tardin; Guhur, 2017; Gliessman, 2000).

A sistematização, que tem suporte em pesquisas de diferentes áreas do conhecimento, torna agora analisável e, portanto, comparável a outros processos produtivos, na agricultura e em outras indústrias, os componentes (naturais e sociais) constitutivos da produção camponesa. Mas não na lógica da decomposição e do tratamento mecânico, e sim da apreensão das conexões e interações que recompõe a agricultura em um todo orgânico, que vai além da produção e religa, nos mesmos sujeitos, conhecimento científico e ação produtiva. Isso permite o avanço tecnológico dessa forma de agricultura e a torna objeto de formação intencional (crítica) dos camponeses e das novas gerações do conjunto dos trabalhadores. Os princípios da nova matriz produtiva na agricultura fundamentam, por sua vez, transformações em outras indústrias e dimensões da práxis humana.

Note-se o movimento contraditório: a sistematização científica da base tecnológica da indústria fabril capitalista leva ao entendimento teórico do seu modelo de agricultura e suas contradições; ela permite, dialeticamente, fazer a crítica e pensar as tendências de sua superação. A agroecologia tem em sua base o conhecimento produzido pelos produtores da agricultura tradicional camponesa, aquela que não foi subsumida às relações capitalistas plenas; sistematização que tem a forma determinada pelas condições históricas do encontro de cientistas e camponeses. Nessa base há outra concepção de natureza, que põe novas questões e exigências à ciência, gerando uma matriz tecnológica que não é a da agricultura camponesa tradicional "pura" e não é a da agricultura industrial capitalista. É a superação de ambas, com recriações tecnológicas desde os fundamentos da primeira e das contradições da segunda. É esse mesmo espiral que permite ao capital se apropriar desta nova base científica e tecnológica e usar aspectos dela para retardar a explosão das contradições de seu modelo de agricultura (vide a produção de insumos orgânicos pelas empresas do agro).

No *núcleo central da agroecologia*, em sua dimensão de ciência que se vincula organicamente à produção, está o conhecimento das conexões entre os componentes e as forças que produzem e transformam a vida na natureza e constituem o trabalho humano. Conhecimento que sustenta e pode ser apropriado em um modo de produção (o industriar humano sobre ecossistemas) que interage com a complexidade das forças naturais. Por sua vez, essa forma de produzir, já sistematizada em princípios e procedimentos de manejo dos agroecossistemas, se realiza em relações de trabalho e formas organizativas que dão suporte material para que os trabalhadores, em comunidade, reassumam o controle sobre seu trabalho e aprofundem sua interação com a natureza.

A matriz produtiva agroecológica, que se institui como modo de vida, firma uma visão de natureza, de ser humano, de relações sociais, bem como um método de conhecimento científico dos fenômenos naturais e sociais, de base materialista e dialética, que projeta uma nova forma de produção da própria ciência. E a constituição histórica da agroecologia é ao mesmo tempo expressão e fundamento de lutas sociais que a inserem como dimensão necessária da superação da ordem do capital.

Agroecossistema [VER AGROECOSSISTEMAS] é a unidade básica (universal) da agroecologia em torno da qual se tem objetivado esse conhecimento e o método de análise do modo de fazer agricultura (produzir agroecossistemas). Por isso, esse conceito, e os componentes materiais (naturais e sociais) que ele interliga, tem sido chave de estudo da agroecologia, desde diferentes intencionalidades formativas (cf. Monnerat; Santos, 2017).

Os sujeitos da base material fundante da agroecologia são os camponeses. Porém, enquanto estivermos sob as forças de alienação do sistema do capital, os fundamentos científicos de sua lógica de produção (o núcleo central da agroecologia) não serão de seu pleno domínio sem uma intencionalidade formativa nessa direção. Nessa intencionalidade, é essencial que a análise das conexões seja feita com ou pelos próprios produtores, a partir do que sua forma de manejo da terra desvela. Isso vai permitir a apropriação do conhecimento sobre o trabalho no ato mesmo de produzi-lo e no vínculo orgânico com estudos teóricos sistemáticos, em condições que as lutas das comunidades camponesas buscam ampliar: novas relações sociais de produção da ciência, novas relações educativas na produção (Michelotti *et al.*, 2018).

A relação entre Educação Politécnica e agroecologia se constitui no quadro dos desafios formativos tratados ao longo desse texto. Ela não é uma questão dada e não é usual que componham as mesmas formulações teóricas. Pensar essa relação é um dos desafios do nosso tempo, visando incidir na luta de classes que acontece na esfera da produção e da formação pelo e para o trabalho. Há germes dessa relação nos vínculos entre educação e processos de resistência camponesa ao capital (Caldart, 2017), que, desenvolvidos e socializados, ajudam no (re)encontro emancipatório entre trabalho e educação, no seio mesmo das forças que hoje lhe são antagônicas.

A chave teórica da politecnia, construída para pensar a formação dos trabalhadores em geral, pode organizar a intencionalidade educativa de setores específicos que lutam por maior autonomia em relação ao capital, como é o caso das comunidades camponesas dedicadas à agroecologia. Por sua vez, o núcleo central da agroecologia emerge como conteúdo necessário dos processos específicos de formação para o trabalho na agricultura e da formação politécnica dos trabalhadores em geral, na conexão entre os níveis de reapropriação politécnica do trabalho antes referidos.

Na formação dos camponeses, essa relação alarga a visão de finalidades e conteúdos dos processos de educação em agroecologia: o controle dos processos de trabalho, relativo sob as relações sociais capitalistas, não prescinde do conhecimento geral da produção e da economia política que rege os destinos dos sistemas agroalimentares em que se inserem.

Na outra ponta, trata-se de uma chave de compreensão que ajuda a refinar a intencionalidade dos estudos sobre agroecologia que começam a se expandir nas escolas de Educação Básica. Desdobrar o núcleo central da agroecologia e fazer a ligação com o plano de estudos das ciências (naturais e sociais) das escolas é um dos momentos dessa intencionalidade, que por sua vez compõe uma tarefa educativa grandiosa, do nosso tempo e de longo prazo: tornar simples a compreensão da complexidade da produção da vida e ajudar no reencontro entre ser humano, trabalho e natureza, desde a infância. Muitos dos verbetes deste dicionário poderão ser lidos e discutidos nessa perspectiva.

Referências

CALDART, R. S. *et al.* (org.). *Dicionário da Educação do Campo*. Rio de Janeiro/São Paulo: EPSJV/Expressão Popular, 2012.

CALDART, R. S. Trabalho, agroecologia e educação politécnica nas escolas do campo. *In:* CALDART, R. S. (org.) *Caminhos para transformação da escola n. 4*. São Paulo: Expressão Popular, 2017, p. 115-160.

FOSTER, J. B. *A ecologia de Marx:* materialismo e natureza. Rio de Janeiro: Civilização Brasileira, 2005.

GLIESSMAN, S. R. *Agroecologia:* processos ecológicos em agricultura sustentável. 2. ed. Porto Alegre: Universidade-Editora da UFRGS, 2000.

HARVEY, D. *A loucura da razão econômica*. Marx e o capital no século XXI. São Paulo: Boitempo, 2018.

KRUPSKAYA, N. K. *A construção da pedagogia socialista*. Escritos selecionados. São Paulo: Expressão Popular, 2017.

MARX, K. *O capital*. Crítica da Economia Política. Livro I: o processo de produção do capital. São Paulo: Boitempo, 2013.

MICHELOTTI, F. *et al*. Agroecologia, campesinato e disputas de terra e território. *In*: SILVA, A. L. *et al. (org.). Educação do Campo, Agroecologia e Questão Agrária: a experiência do curso de residência agrária na construção do IALA Amazônico. 1 ed. Marabá: Iguana Editorial, 2018, v. 1.*

MONNERAT, P. F.; SANTOS, A. L. Educação e agrofloresta: conexão com a vida. *In*: CALDART, R. S. (org.) *Caminhos para transformação da escola n. 4*. São Paulo: Expressão Popular, 2017, p. 19-36.

PISTRAK, M. M. *Ensaios sobre a escola politécnica*. São Paulo: Expressão Popular, 2015.

SHULGIN, V. *Rumo ao politecnismo*. São Paulo: Expressão Popular, 2013.

TARDIN, J. M.; GUHUR, D. M. P. Agroecologia: uma contribuição camponesa à emancipação humana e à restauração revolucionária da relação metabólica sociedade-natureza. *In*: MOLINA, M. C. *et al*. (org) *Análise de práticas contra-hegemônicas na formação dos profissionais de ciências agrárias* (v. II). Brasília: Editora Universidade de Brasília, 2017, p. 44-99.

Para saber mais

FRIGOTTO, G., CIAVATTA, M.; CALDART, R. S. (org.) *Karl Marx; Friedrich Engels*. História, natureza, trabalho e educação. São Paulo: Expressão Popular, 2020 (especialmente Parte III, "Trabalho e Educação" e Parte IV, "Natureza e Questão Agrária").

JUNIOR, A. L. *et al*. (org) *Educação do campo, agroecologia e questão agrária*. Marabá: Editorial Iguana, 2018, p. 79-105.

PISTRAK, M. M. *Fundamentos da escola do trabalho*. São Paulo: Expressão Popular, 2018.

Notas

1. Tenhamos presente o sentido alargado da tecnologia em Marx (2013, p. 446, nota 89): "A tecnologia desvela a atitude ativa do homem em relação à natureza, o processo imediato de produção de sua vida e, com isso, também de suas condições sociais de vida e das concepções espirituais que delas decorrem[...]". Indica uma "tecnologia natural", que se refere à "formação dos órgãos das plantas e dos animais como instrumentos de produção da vida"; e à "tecnologia humana", isto é, "a formação dos órgãos produtivos do homem social [...]".

2. Há uma matéria didática sobre a chamada quarta revolução industrial, a do uso das tecnologias da inteligência artificial na substituição da mão de obra humana na *Revista Poli* da EPSJV. Ver:

EDUCAÇÃO POPULAR EM AGROECOLOGIA

José Maria Tardin
Ronaldo Travassos

A educação popular em agroecologia se insere no contexto de reação ao avanço vertiginoso do agronegócio e de sua ideologia nas últimas décadas. Ela busca uma perspectiva crítica, com bases teóricas e práticas para a atuação política diante dos antigos e persistentes problemas da questão agrária, somados aos novos desafios da atual conjuntura, notadamente o problema ambiental e o acirramento da luta de classes. É possível identificar um conjunto de propostas e de práticas agroecológicas presentes nos movimentos sociais do campo, considerando a agroecologia como um caminho importante na geração de um projeto de sociedade e de atuação político-pedagógica.

A relação movimento social e educação existe a partir das ações práticas de movimentos e grupos sociais. Isso ocorre no interior do próprio movimento social, dado o caráter educativo de suas ações, e na sua interação com instituições educacionais. A relação entre educação popular e movimentos sociais possibilita discutir propostas diferenciadas na luta política das classes populares para se articularem em redes contra-hegemônicas ao capital, hoje cada vez mais globalizado (Sader, 2009 *apud* Zitkoski, 2017).

E

No presente texto, tecemos algumas ponderações acerca da educação popular e do saber popular, uma vez que foi a partir dos processos populares de apreensão e socialização comunitária de saberes que se estabeleceu uma síntese teórico-epistemológica-metodológica que está na origem da agroecologia como ciência. Ilustramos com dois processos de educação popular em agroecologia, o *Diálogo de saberes no encontro de culturas* e o *método campesino a campesino*, e concluímos com uma reflexão acerca do vínculo necessário entre a agroecologia e a educação popular.[1]

Ponderações acerca da educação popular

Partimos do fato de que a educação popular não aparece como uma forma única e paralela às práticas pedagógicas já existentes, tampouco um sistema alternativo de ensino, mas sim um domínio de ideias e práticas regidas pela diferença, para buscar um novo sentido de educar. Pensar a *educação popular* no sentido de trilhar novos caminhos necessariamente nos obriga a repensar a própria educação. Nesse sentido, qualquer tentativa de buscar uma definição do conceito de educação popular corre o risco de tornar sua prática nociva à construção de novos saberes oriundos das classes populares.

A educação popular expressa uma visão de mundo, de forma de vida, de opção política e necessariamente uma postura crítica diante das injustiças, da discriminação e da desigualdade social. E na educação não há neutralidade, é preciso optar. É necessário que o trabalhador social deixe claro em que lado se posiciona, conforme afirma Freire:

> Por isso, o trabalhador social não pode ser um homem neutro frente ao mundo, um homem neutro frente à desumanização ou humanização, frente à permanência do que já não representa os caminhos ou à permanência desses caminhos. O trabalhador social, como homem, tem que fazer sua opção. Ou adere à mudança no sentido da verdadeira humanização do homem, de seu ser mais, ou fica a favor da permanência. (Freire, 1997, p. 26)

As pessoas se educam entre si, criam formas para fazer com que o saber, as ideias, as crenças se tornem um bem comunitário, pertencente a todos, como tudo que é construído pelo trabalho e durante a vida da comunidade. A educação popular emerge ciente da exigência da ruptura da forma e do conteúdo escolar da educação, por considerar que na prática educativa outros saberes são possíveis. São saberes da formação humana, de sua raiz, ou seja, da própria origem de seu ser social. Esse processo sistemático e contínuo de construção de saberes *na práxis popular libertária* leva *mais e mais* à emancipação do ser social.

No saber coletivo, ensinar e aprender tornam-se imprescindíveis para que os sujeitos sociais – homens e mulheres de qualquer grupo ou natureza – sobrevivam no presente e através do tempo. Portanto, assim como a convivência, as situações de trabalho são criadas como formas de circulação do saber.

A produção do saber popular nasce de maneira diferente do saber acadêmico, usualmente considerado como verdadeiro. O que há é um saber construído coletivamente pelas classes populares, um saber de todos, que ao ser organizado e dominado por especialistas se tornou sábio e erudito; o saber legítimo que reflete a vida da comunidade e que se estabelece como *popular*.

Logo, o processo ensino-aprendizagem se dá por meio da experiência e da convivência com o outro, pela construção compartilhada do conhecimento. Assim se originam saberes diversos, capazes de comportar as necessidades, anseios e desejos de indivíduos e grupos cuja percepção de mundo é a das classes populares. Em contrapartida, em uma sociedade fragmentada com divisões desiguais de poder e de trabalho, o saber circula como domínio do especialista. O profissional detentor de conhecimento especializado, localizado nas instituições educativas públicas e privadas é o responsável pelo trabalho educativo nas diversas áreas do conhecimento.

Em um sentido de ensinar e aprender ainda muito distante do que temos hoje, as formas de ensinamento dos saberes não sistematizados diferem do ensino escolar. O saber que circula nas comunidades ou populações faz com que ele se torne um saber de todos, e esse é o primeiro sentido da *educação popular*. O ponto de partida do processo pedagógico é o saber coletivo construído pela comunidade. Isso significa ter como base as experiências das pessoas, dos grupos sociais e das organizações populares na luta por melhores condições de vida, sem discriminação de gênero e etnia.

A educação popular se estabelece pelo diálogo no qual as falas dos participantes possibilitam a revelação de experiências individuais e grupais, permitem a compreensão da vida na comunidade. É um lugar em que a palavra do outro só é sentida quando há escuta. Aqui todos têm a liberdade de falar o que pensam, de opinar sobre o tema gerador.

Na relação dialógica nasce o tema gerador com os conteúdos designados pelos participantes, que serão problematizados de acordo com as necessidades do grupo. Naturalmente, outros temas surgem por meio das discussões, que por sua vez estão relacionadas à realidade mais próxima da vida da comunidade. Ouvindo o outro, podemos refazer nossas ideias e ampliar a construção coletiva do saber popular.

Portanto, admitir outro saber significa disposição para estabelecer um diálogo – pressuposto da educação popular. Dado que o diálogo demanda buscar seus elementos constitutivos, as dimensões ação-reflexão-ação se destacam de tal forma solidária e em uma interação tão radical a ponto de desvelar que: "Não há palavra verdadeira que não seja práxis. Daí que dizer a palavra verdadeira seja transformar o mundo" (Freire, 2005, p. 89).

O saber popular é como uma radical ruptura coletiva do silenciamento histórico, diante da opressão e da exploração de classe, como ação-reflexão-ação com que os sujeitos sociais transformam o mundo, dado que: "Existir, humanamente, é *pronunciar* o mundo, é modificá-lo. O mundo *pronunciado*, por sua vez, se volta problematizado aos sujeitos *pronunciantes*, a exigir deles novo *pronunciar*" (Freire, 2005, p. 90).

E

A contextualização do tema gerador e dos conteúdos deve levar em conta os sujeitos sociais em sua existência real, localizados espacialmente em determinado território e circunstanciados em conexões com a sociedade e a natureza. Em se tratando de seres humanos, independentemente das suas vontades eles sofrem variadas consequências das determinações da ordem social burguesa dominante, o capitalismo, que em geral se expressam na opressão de classe e na exploração do trabalho (Marx, 2008), em múltiplas formas de violências: de gênero, de etnias, geracional, de negação da humanidade do humano, de depredação da natureza, entre outras.

Vale destacar as manifestações da alienação que alcançam o conjunto da sociedade, tanto em âmbito material quanto nas relações sociais de produção no capitalismo, assim como, nas formas sociais da consciência, desumanas e desumanizantes, que se tornam bloqueadoras, desvirtuadoras do devir emancipatório como possibilidade humana, naquilo que Paulo Freire (2005) trata como a vocação de ser-mais.

Daí que a educação popular herda a assertiva de que aos oprimidos e explorados e às oprimidas e exploradas compete a efetivação histórica da sua libertação como processo de emancipação humana, no qual tal libertação implica também libertar os opressores e exploradores, humanizá-los (Marx; Engels, 2008), uma vez que a emancipação humana [VER EMANCIPAÇÃO HUMANA] somente pode se estabelecer contínua e expansivamente com a supressão da propriedade privada dos meios de produção fundamentais e do poder político da burguesia.

A agroecologia [VER AGROECOLOGIA] corresponde à práxis multidimensional; portanto, abarca o ser humano em sua práxis total, daí que, em síntese, sua concepção é expressa como prática social, luta e ciência. Nessa perspectiva, apresentamos aqui dois processos de educação popular em agroecologia: o *Diálogo de saberes no encontro de culturas* e o *método campesino a campesino* [VER METODOLOGIAS EMANCIPATÓRIAS].

O diálogo de saberes no encontro de culturas

Na perspectiva humanista emancipatória e revolucionária, largamente fundamentada por Paulo Freire, em 1968, no livro *Pedagogia do oprimido* (Freire, 2005), e retomada e direcionada por Freire, em 1969, no livro *Extensão ou comunicação?* (Freire, 1997), como profissionais das ciências agrárias seguimos nos orientando pela atualidade por cursos técnicos e de graduação em agroecologia, na perspectiva do que denominamos *diálogo de saberes no encontro de culturas*, organizados pelo Movimento dos Trabalhadores Rurais Sem Terra (MST) e pela Coordenadoria Latino-Americana de Organizações do Campo (Cloc)/Via Campesina (Toná, 2007; Guhur, 2010; Guhur *et al.*, 2016; Rezende, 2018).

A educação escolar profissional em ciências agrárias, desde sua origem e desenvolvimento histórico, esteve hegemonicamente submetida aos interesses e necessidades da burguesia capitalista, para especialmente proporcionar orientação técnica à adoção dos pacotes tecnológicos de origem industrial e do crédito bancário – a assistência técnica, também nominada de insistência técnica (Tardin; Guhur, 2017) – e, ao mesmo tempo, solapar os sistemas sociais de agri-culturas camponias, constituindo, nas palavras de Freire, a invasão cultural (Freire, 2005).

A iniciativa do MST, em 2003, de pioneiramente constituir as primeiras escolas e cursos técnicos em agroecologia no país desencadeou uma ruptura radical na formação profissional, significando a derrubada da cerca do monopólio do conhecimento em ciências agrárias. Em suas escolas de agroecologia no Paraná, se assumiu um currículo que superasse a visão e a prática da invasão cultural do/a técnico/a tecnicista a serviço da reprodução do capital para a formação do/a militante técnico/a pedagogo/a-educador/a da agroecologia (Tardin; Guhur, 2017), capaz de tomar os agroecossistemas, junto das camponesas e camponeses, como objetos de estudos e análises críticas e forjar a síntese cultural (Freire, 2005), correspondendo, assim, aos interesses e necessidades de classe do campesinato e aos objetivos estratégicos do MST.

No lugar da assistência técnica – insistência técnica –, a convivência social de sujeitos comprometidos com sua libertação, orientados pela perspectiva da radical emancipação humana e cônscios do seu pertencimento cósmico.

Em se tratando de agroecologia, o universo imediato da ação é o agroecossistema [VER AGROECOSSISTEMA] – ambiente agri-culturalmente transformado –, portanto, espaço natural transformado pela práxis camponia (Tardin; Guhur, 2017).

Como já afirmado anteriormente, inserindo-se nesses espaços sociais sob a perspectiva da educação popular em agroecologia, o *diálogo de saberes no encontro de culturas* implica necessariamente ação coletiva dialógica-problematizadora, na qual o "diálogo" já se instaura no processo organizado da investigação do "universo temático do povo ou o conjunto dos seus temas geradores" (Freire, 2005, p. 101).

Desse ponto de partida, são sistematizados os conteúdos da investigação da história de vida dos sujeitos gestores e a estrutura e funcionamento dos agroecossistemas, destacando as "falas e práticas significativas", as quais podem expressar "potencialidades, limites, perdas e contradições" (Tardin; Guhur, 2012, p. 6), situando, então, o conjunto dos temas geradores presentes em cada realidade.

Enquanto, para Freire, são as contradições postas localmente, identificadas como situações-limite, que constituem os temas geradores, uma vez que "se apresentam aos homens como se fossem determinantes históricas, esmagadoras, em face das quais não lhes cabe alternativa senão adaptar-se" (Freire, 2005), no *diálogo de saberes no encontro de culturas* os temas geradores incluem àquelas, mas também as potencialidades, os limites e as perdas identificadas nos agroecossistemas, procurando abarcar ampla e continuamente as objetivações materiais e imateriais da práxis camponia.

A análise do *agroecossistema* demanda ainda amplo referencial teórico-filosófico-político-ecológico, com o qual se pode aferir qualitativamente sua sustentabilidade temporal (Monteiro, 2012; Guhur; Toná, 2012).

O desdobramento objetivo que segue é o planejamento e a realização da ação pedagógica, em que os diferentes temas geradores são tomados no processo coletivo dialógico-problematizador, oportunizando assumir criticamente para si as contradições, os limites e as perdas como desafios epistemológicos (Freire, 2005), tendo em vista superá-los, bem como as potencialidades humanas individuais e coletivas, sociais e ecológicas e os meios e processos à sua exponenciação – realidade conscientizada.

A resultante nesse processo coletivo de "síntese cultural" é a definição do plano de ação de transformação da realidade, a práxis, que no movimento da sua realização retroalimenta o processo de investigação e a continuidade dinâmica do *diálogo de saberes no encontro de culturas*. Chamamos de síntese cultural na medida em que já não há prevalência desta ou daquela posição particular, mas das proposições coletivamente acordadas no diálogo problematizador, e que dadas as variações de cada contexto e as múltiplas dimensões que correspondem à agroecologia, as ações contemplarão em cada local temas geradores de ordem sociocultural, política, tecnológica produtiva, agroindustrial, ambiental, comercial, entre outros.

A escala da experiência do *diálogo de saberes no encontro de culturas* tem se restringido ao exercício pedagógico de diferentes turmas de educandas e educandos de cursos técnicos, de graduação e de pós-graduação em agroecologia, portanto, não alcançando até o presente a esfera da ação programática de instâncias orgânicas de algum movimento social popular do campo (Tardin; Guhur, 2017).

O método campesino a campesino

Em direção idêntica, mas original, um coletivo de camponeses da localidade de San Martín Jilotepeque, no Departamento de Chimaltenango, na Guatemala, se organizou nos anos de 1970 num processo social que tomou para si sua realidade imediata e se propôs a transformá-la, inovando tecnologicamente sua produção agropecuária em bases ecológicas, e que ficou conhecido como o *método campesino a campesino* – CaC (Giménez, 2008).

A iniciativa endógena da coletividade camponesa de San Martín Jilotepeque, *campesino a campesino*, logo atraiu a aproximação de técnicos e fundações e, nesse diálogo de saberes, se constituiu "uma pedagogia camponesa, uma aprendizagem que transforma" (Giménez, 2008, p. 147):

> Na pedagogia camponesa, os pequenos agricultores não fazem uma diferenciação técnica entre investigação, experimentação, formação e extensão. Tampouco separam as práticas de ensinar e aprender. Todas estas atividades se desenvolvem inter-relacionadas, em relação entre 'aprendizes que ensinam' e 'professores que aprendem' de uma maneira fluida, espontânea, sem hierarquias. (Giménez, 2008, p. 147).[2]

Nos anos de 1980, o método CaC é expandido para o México e para Honduras, e nos anos de 1990 é disseminado em vários outros países da América Central. No Caribe, foi assumido programaticamente em Cuba a partir de 1994, pela Associação Nacional dos Pequenos Agricultores (Anap), constituindo-se na sua estrutura orgânica como Movimento Agroecológico, mobilizando atualmente mais de 150 mil famílias camponesas em processos de transição agroecológica.

A centralidade pedagógica-educativa corresponde à camponesa e ao camponês, que no seu agroecossistema desenvolvem soluções técnicas ou de outra natureza e em ação protagonista se colocam solidariamente à disposição para ensinar a outras camponesas e camponeses, daí o nome *camponês a camponês* (CaC).

No transcorrer da sua expansão, emergiu um sujeito mediador – o/a facilitador/a –, em geral com formação técnica, com a função de apoiar a organização das atividades práticas de campo e a divulgação e organização dos eventos coletivos que se dão nos agroecossistemas, em cursos e reuniões ou em assembleias de organizações sociais camponesas, quando, em relação CaC, camponesas e camponeses socializam seus conhecimentos.

O protagonismo campônio se dá tanto no âmbito interno dos agroecossistemas quanto no dos experimentadores e promotores, à medida que os mesmos sujeitos desenvolvem técnicas localmente adequadas – agricultoras e agricultores experimentadores –, e as comunicam a quem lhes visitam – agricultoras e agricultores promotores –, ou nas atividades externas na localidade onde residem ou outras, e em eventos para os quais são convidados e mobilizados programaticamente pelos movimentos sociais populares dos quais são integrantes.

No Brasil, várias organizações não governamentais (ONGs) e movimentos sociais populares do campo, com base nas experiências centro-americana e caribenha do *movimento campesino a campesino*, promoveram adequações locais de forma, conteúdo e metodologia e vêm, com êxito, impulsionando processos sociais educativos de agroecologia.

Agroecologia e educação popular

No processo histórico das agri-culturas objetivadas por povos originários, tradicionais, camponeses, pescadores, dentre outros, é que se materializa o que nos anos de 1980 o meio acadêmico-científico passou a investigar e sistematizar como agroecologia. Do diálogo de saberes entre determinados profissionais, acadêmicos e cientistas, e a longa empiria dos povos do campo, das águas e das florestas na transformação agri-cultural dos ecossistemas em seus processos populares de apreensão e socialização comunitária de saberes se estabeleceu uma síntese teórico-epistemológica-metodológica que está na origem da agroecologia como ciência. Com a consolidação acadêmica da ciência da agroecologia, sua socialização como conteúdo da formação técnico-profissional e da escolarização em geral potencializou sua repercussão no conjunto da sociedade.

Nesse encontro dialógico problematizador de saberes emergidos e emergentes das práxis populares dos povos do campo, das águas e das florestas e dos profissionais acadêmicos e técnicos de diversas áreas do conhecimento, verificamos uma dinâmica de retroalimentação que vem potencializando e exponenciando velozmente a agroecologia no campo, por meio de múltiplos processos populares de educação – dos quais indicamos de maneira ilustrativa anteriormente apenas dois –, por todos os biomas brasileiros, mas também em muitas cidades, pela agricultura urbana, a educação ambiental, alimentar, nutricional e de saúde da população.

E

O dinamismo da educação popular em agroecologia, que se dá dispersa em todo o território do país, também se expressa em múltiplas articulações regionais, estaduais e nacionais, com continuada e crescente reverberação política, congregando ampla diversidade de processos prático-educativos. Tais processos incidem diretamente sobre os sistemas produtivos orientados à produção diversificada de alimentos vegetais e animais, plantas condimentares, fitoterápicas, ornamentais, florestais; em uma efervescência criadora e recriadora de tecnologias, insumos, instrumentos e ferramentas, e em processos de trabalho em bases de cooperação simples e complexa, que se estruturam em mútua ajuda, associativismo, cooperativismo e em sistemas agroindustriais e de certificação e comercialização.

Esse mesmo processo de educação popular em agroecologia simultaneamente se efetiva em múltiplas dimensões da coletividade humana, mobilizando e socializando saberes gastronômicos e a ampla manifestação das artes – música, literatura, dança, teatro, artesanato, escultura, pintura, tecelagem, entre outras. Na luta política, concretiza-se em ações diretas contra o agronegócio e ante o Estado, reivindicando as políticas públicas estruturantes e necessárias à efetivação e à generalização da agroecologia no país.

A educação popular em agroecologia se constitui pelos saberes oriundos das práticas dos trabalhadores e trabalhadoras para manter uma forma de vida humanamente viável, com a preservação de técnicas ancestrais, articuladas aos conhecimentos científicos e novos saberes construídos pelas experiências atuais que orientam formas originais de sociabilidade em relações sustentáveis na e com a natureza.

A magnitude e a complexidade da agroecologia somente podem ser assumidas em um processo educativo que oriente a transformação radical das mundividências campônias e, nesses termos, reverberar na sociedade em geral, superando os limites da assistência técnica – insistência técnica (Tardin; Guhur, 2017), nos marcos das rupturas do conteúdo e forma assumidos na educação popular.

Referências

FREIRE, P. *Educação e mudança.* São Paulo: Paz e Terra, 1997.

______. *Pedagogia do oprimido.* 43ª ed. Rio de Janeiro: Paz e Terra, 2005.

GIMÉNEZ, E. H. *Campesino a campesino:* voces de latinoamérica. Movimiento Campesino a Campesino para la agricultura sustentable. Manágua: Simas, 2008.

GUHUR, D. M. P. *Contribuições do diálogo de saberes à educação profissional em agroecologia no MST:* desafios da educação do campo na construção do projeto popular. Maringá, 2010. 265 f. Dissertação (Mestrado em Educação). Universidade Estadual de Maringá.

GUHUR, D. M. P. *et al.* As práticas educativas de formação em agroecologia da Via Campesina no Paraná. *Cadernos de Agroecologia*, v. 11, n. 1, jun. 2016.

GUHUR, D. M. P.; TONÁ, N. Agroecologia. *In:* CALDART, R. S. *et al.* (org.). *Dicionário da educação do campo.* Rio de Janeiro/São Paulo: Escola Politécnica de Saúde Joaquim Venâncio/ Expressão Popular, 2012. p. 59-67.

MARX, K. *Contribuição à crítica da Economia Política.* Tradução e Introdução: FERNANDES, F. São Paulo: Expressão Popular, 2008.

MARX, K.; ENGELS, F. *Manifesto do Partido Comunista.* São Paulo: Expressão Popular, 2008.

MONTEIRO, D. Agroecossistemas. *In:* CALDART, R. S. *et al.* (org.). *Dicionário da Educação do Campo.* Rio de Janeiro/São Paulo: Escola Politécnica de Saúde Joaquim Venâncio/ Expressão Popular, 2012, p. 67-73.

PALUDO, C. Educação popular. *In:* CALDART, R. S. *et al.* (org.). *Dicionário da Educação do Campo.* Rio de Janeiro/São Paulo: Escola Politécnica de Saúde Joaquim Venâncio/ Expressão Popular, 2012, p. 282-287.
REZENDE, S. A. *Diálogo de saberes no encontro de culturas:* o desafio da construção do conhecimento em agroecologia na Educação do Campo. Curitiba, 2018. Dissertação (Mestrado em Educação). Universidade Federal do Paraná.
TARDIN, J. M.; GUHUR, D. M. P. Agroecologia: uma contribuição camponesa à emancipação humana e à restauração revolucionária da relação metabólica sociedade-natureza. *In:* MOLINA, M. C. *et al.* (org.). *Análise de práticas contra-hegemônicas na formação de profissionais de ciências agrárias:* reflexões sobre o Programa Residência Agrária. Brasília: Editora da Universidade de Brasília, 2017. p. 44-99. (volume 1).
_______. *Diálogo de saberes, no encontro de culturas:* caderno da ação pedagógica. Maringá: Escola Milton Santos de Agroecologia, 2012. (CD-ROM).
TONÁ, N. A pesquisa nos cursos de agroecologia e nas escolas e centros de formação dos movimentos sociais do campo no Paraná. 7 f. *In:* MOVIMENTO DOS TRABALHADORES RURAIS SEM TERRA. *II Seminário Nacional. O MST e a pesquisa:* pesquisa e educação científica nas escolas e cursos formais do MST. Guararema: Escola Nacional Florestan Fernandes, 14-17 mar. 2007. (mimeo.)
ZITKOSKI, J. J. Educação popular e movimentos sociais na América Latina: o desafio da participação cidadã. *Educação,* Santa Maria, v. 42, n. 1, p. 73-84, jan./abr. 2017.

E

Para saber mais

Experiência das mulheres yanomami de Maturacá, oeste da terra indígena yanomami, estado do Amapá, sistematizado no livro Përisi — o fungo que as mulheres yanomami usam na cestaria:
Disponível em: https://medium.com/@socioambiental/n%C3%B3s-yanomami-apresentamos-uma-grande-descoberta-para-os-cientistas-1f0514eea123. Acesso em: 25 mar. 2021.
Vídeo *Paulo Freire: MST e a Busca da Autonomia.* Disponível em: https://www.youtube.com/watch?v=7rx2mw9iF5s&list=PLB7C8634DE4D72D26. Acesso em: 1 fev. 2021.

Notas

1 Para uma discussão acerca da gênese, trajetória e atualidade da educação popular de maneira geral, ver Paludo (2012).

2 Tradução livre (original em espanhol).

EMANCIPAÇÃO HUMANA

Gaudêncio Frigotto

O objetivo central deste verbete sobre emancipação humana não se prende na busca de uma definição abstrata sobre o conceito, mas na compreensão de que se trata de um processo histórico em construção de superação de todas as formas de alienação, exploração e dominação de classe ou grupos sobre outros. Um processo que para Marx significava a superação da pré-história da humanidade, marcada pela exploração de seres humanos por outros seres humanos, e a instauração das relações sociais onde o livre desenvolvimento solidário e cooperativo de cada um signifique o desenvolvimento de todos. Trata-se, pois, de entender a emancipação humana inscrita em uma concepção de ser humano em que não haja dominantes e dominados ou seres superiores e inferiores.

Há um fecundo debate sobre a concepção de emancipação humana na obra de Marx e de Engels, efetivado por vários autores. O leitor poderá tanto ir diretamente aos textos originais de Marx e Engels quanto a autores que, a partir de suas obras ou de outras perspectivas, trataram do tema da emancipação. Obras como as de Adorno, *Educação e emancipação* (1995), de Paulo Freire, *Pedagogia do oprimido* (2005) e *Pedagogia da autonomia* (2010) e de Ivo Tonet, *Educação, cidadania e emancipação* (2005), são contribuições fundamentais para entender os processos educativos, na sociedade e na escola, que concorrem para a emancipação humana e não para sua alienação.

Neste verbete, nos fundamentamos na concepção de Marx e Engels de emancipação humana por ser esta, a nosso ver, a que assume um sentido político, social e ético que implica, ao mesmo tempo, a conquista da emancipação religiosa e política circunscritas na legalidade capitalista da liberdade, propriedade e igualdade formal; a crítica pela raiz das relações sociais de produção da existência sob o capitalismo; e a ação prática de organização da classe trabalhadora para a abolição da propriedade privada e, em consequência, das classes sociais.

Dentro desta perspectiva, o processo de emancipação humana se fundamenta em uma concepção de ser humano, de ciência ou conhecimento e de ação prática ou práxis transformadora das relações de classe que obstaculizam ou limitam não apenas a satisfação de suas necessidades vitais do comer, beber, ter um teto e vestir conquistadas pelo trabalho, mas, também, a negação dos seus direitos universais da educação, saúde, cultura, lazer e desenvolvimento dos sentidos e qualidades humanas.

Dentro desta compreensão, trataremos sucintamente das concepções de ser humano, ciência/conhecimento e da práxis que orientam o processo de emancipação humana. Em seguida, também de forma indicativa, apontaremos as formas de alienação[1] que as relações sociais capitalistas produzem, assimiladas desde a infância, e que dificultam a organização e as lutas coletivas dos trabalhadores do campo e da cidade nos processos de emancipação religiosa, política e econômica, cultural, social e estética.Por fim, em forma de síntese, sublinhar que a emancipação humana entendida como processo histórico tem como desafio fundamental a superação da propriedade privada, pois nela reside a fonte de todas as formas de alienação e de manipulação política.

Desde o momento em que seres humanos justificaram a apropriação da produção excedente, não imediatamente necessária à manutenção dos que viviam em comunidade, e a terra, a água, os frutos eram bens coletivos, define-se um grupo ou classe que domina os demais seres humanos em proveito próprio. Para justificar essa apropriação por um grupo ou classe social, um dos mecanismos é afirmar como natural determinada concepção a-histórica e do ser humano.

Assim, nas formações sociais pré-capitalistas, partia-se do pressuposto que os escravos eram seres naturalmente inferiores. Na modernidade, na transição para o capitalismo, o escravizado não era tratado como ser humano, mas como meio de produção, um animal que falava. O fim da escravidão, no plano jurídico formal, foi ao mesmo tempo fruto de lutas pela emancipação política e uma necessidade para instaurar o modo de produção capitalista, pois este, para funcionar, precisa de que a maior parte dos seres humanos seja duplamente "livre": não tenha acesso aos meios e instrumentos de produção e que não seja propriedade privada de um dono e que disponha unicamente de sua energia física e psíquica como mercadoria a ser negociada por um salário.[2]

A concepção de ser humano que busca legitimar a desigualdade social e os processos de exploração e de alienação sob o capitalismo parte do pressuposto de uma natureza humana fixa e imutável. E este pressuposto é de que todo o ser humano busca o que lhe dá prazer e o que lhe é útil. Cada indivíduo é movido pelo interesse próprio. Um egoísmo positivo que move cada um a competir e buscar o melhor para si. É sobre este suposto que Adam Smith compara o mercado à providência divina. Uma mão invisível que ordenaria as escolhas racionais individuais conduzindo ao equilíbrio. Esta concepção ignora o processo histórico de exploração nas sociedades escravocratas e, atualmente, sob as relações sociais capitalistas. Portanto, o que se afirma como mérito individual, no mais das vezes, esconde a meritocracia, o privilégio e a desigualdade.

A concepção de ser humano que se inscreve no processo de sua emancipação política, social, cultural e, sobretudo, humana, é de que não nascemos humanos, mas nos tornamos humanos ou desumanos historicamente na sociedade. Esta compreensão Marx a explicita ao longo de sua obra, com ênfase nos *Manuscritos Econômicos-filosóficos de 1844* (Marx, 2001), no qual desenvolve o sentido do ser humano como ser eminentemente histórico-social, tendo o trabalho concreto, socialmente útil e como valor de uso, a sua categoria fundante e fundamental.

Um ano depois (1845), no livro *A sagrada família*, escrito em parceria com Engels, Marx destaca:

> Se o homem é formado pelas circunstâncias, será necessário formar as circunstâncias humanamente. Se o homem é social por natureza, desenvolverá sua verdadeira natureza no seio da sociedade e somente ali, razão pela qual devemos medir o poder de sua natureza não através do poder do indivíduo concreto, mas sim através do poder da sociedade. (Marx, 2003, p. 150)

Neste mesmo texto e página, Marx sublinha que os crimes também não podem ser julgados fora das relações sociais que conduzem os seres humanos a cometê-los. "[...] os crimes não deverão ser castigados no indivíduo, mas [deve-se] sim destruir as raízes antissociais do crime e dar a todos a margem social necessária para exteriorizar de um modo essencial sua vida". (p. 150). Uma direção oposta às teses em voga no Brasil atualmente, que buscam determinantes biológicos para explicar a violência e o crime. Ou então se exime a análise das determinações e condições sociais que produzem a criminalidade e individualiza-se a culpa. Daí surge o lema neofacista: *bandido bom é bandido morto.*

O conhecimento que concorre para a emancipação humana é o que nos ajuda a desvelar e mostrar tanto os mecanismos que produzem a desigualdade e a exploração e as diferentes esferas de alienação humana quanto os processos destrutivos da natureza e, portanto, das bases da vida. Um conhecimento que ajuda a cada ser humano tornar-se sujeito autônomo e entender como funciona a sociedade humana e a da natureza da qual somos parte.

O embate no campo das ideias e concepções é fundamental para dar direção à luta política, mas somente as ações concretas na práxis cotidiana é que fazem avançar o processo de emancipação humana. Lutas por direito à terra para trabalhar, direito ao trabalho digno e à moradia, à educação de qualidade, à saúde, à cultura, à arte, à diversidade e à liberdade de pensamento são a materialidade concreta e prática da construção não apenas da emancipação política, mas do que impede a emancipação humana. A afirmação acima é interessante, mas precisaria ser desenvolvida um pouco mais, ou deixar mais claro o que se quer dizer. Sugiro ainda remeter adiante, no verbete onde se aponta a diferença entre emancipação política e emancipação humana.

É neste processo de ação concreta que coletivamente podemos perceber as diferentes formas de alienação a que estamos submetidos e que nos torna submissos a poderes que nos dominam e impedem que nos tornemos sujeitos autônomos.

Marilena Chauí (2000), num pequeno e denso texto, faz uma síntese do pensamento de Marx sobre diferentes formas de alienação, e destaca três formas básicas: social, econômica e intelectual.[3] Além de estarem relacionadas, elas têm como fundamento – assim como as outras formas de alienação (educacional, cultural, religiosa, da natureza, estética) – a alienação econômica.

A alienação social se caracteriza pelo fato de os indivíduos não se reconhecerem como sujeitos produtores da história e não perceberem que o tipo de sociedade desigual, concentradora de propriedade privada que acumula riqueza e produz miséria, fome, doenças, desespero é fruto não da vontade dos deuses ou de uma suposta natureza humana, mas sim obra de seres humanos. Isso se expressa na atitude de não se considerar individual e coletivamente as pessoas como sujeitos políticos. Vale dizer, a consciência de que, em uma sociedade de classes, a conquista dos direitos básicos, sociais e subjetivos resulta da organização e luta coletiva dos excluídos. Naturaliza-se, assim, a ideia de que política é coisa de profissionais. Perversa também é a tese de que o Banco Central, controlador do fundo público e da riqueza da sociedade, seja blindado da política. Isto leva à situação na qual o fundo público, que é para atender direitos universais, passa a ser apropriado privadamente por empresas e bancos privados.

Um dos elementos da alienação social se manifesta no plano cultural pela alienação religiosa. Não se trata de negar a espiritualidade, seja ela ligada ou não a uma determinada denominação religiosa. Trata-se de situá-la estritamente no plano da opção pessoal privada e, portanto, separada do estado. Desse modo, o Estado laico não elimina o direito pessoal à religião, mas esse direito não pode fazer parte e nem se sobrepor às leis que regulam a vida de todos os cidadãos, crentes ou não.

O Estado laico e democrático não pode permitir o uso da religião e da fé simples do povo para resigná-lo ao seu sofrimento e pobreza ou explorá-lo. Cabe a esse Estado impedir práticas de charlatães dos novos vendilhões dos templos que por suas redes de TV e rádio usam o nome de "deus" como mercadoria. Em nome dele, vendem litros de água e saquinhos de sabão em pó que teriam o poder de lavar os pecados.

A alienação social tem como contrapartida atualmente, no Brasil, a junção de três fundamentalismos que não apenas anulam a democracia e o Estado laico e de direito, mas atentam, por diferentes caminhos que se potenciam mutuamente, contra a vida dos pobres, dos negros, dos LGBTs e contra o pensamento divergente: fundamentalismo econômico, onde tudo é reduzido ao mercado; político, que vê os adversários e críticos como inimigos a eliminar; e religioso, que busca restabelecer o criacionismo como doutrina do Estado.

A alienação econômica resulta da divisão da sociedade em classes sociais e da propriedade privada e constitui-se na base de todas as formas de alienação por incidir na atividade vital do trabalho humano. Não há possibilidade de reprodução da vida humana sem um determinado tempo de trabalho. Por isso, a superação da propriedade privada é condição necessária para que se efetive não apenas a emancipação religiosa e política, mas a emancipação humana.

A economia é entendida não como um fator isolado, que mecanicamente determina a vida social, mas como estrutura econômica social que expressa as relações sociais que os seres humanos estabelecem entre si e em relação com a natureza para produzir, pelo trabalho, os bens materiais imprescindíveis à vida: o comer, o beber, o vestir, o ter um teto para morar. Sem essa condição autônoma de trabalhadores associados e como proprietários coletivos dos meios de produção da ciência e tecnologia como bens coletivos, a emancipação humana não se realiza de forma efetiva.

Assim, a alienação econômica efetiva-se no fato de que o trabalho humano, como atividade vital e imperativa de intercâmbio dos seres humanos com a natureza na produção e reprodução social de si mesmos, é subvertido pelas relações sociais capitalistas, assentadas na propriedade privada da mercadoria força de trabalho. Mediante o direito positivo, legaliza-se o impedimento da maioria dos seres humanos a esta relação vital com a natureza para solidariamente produzirem, no menor tempo possível, a sua reprodução material e ampliarem o tempo livre para desenvolver suas qualidades e sentidos humanos.

Assim, sob as relações de produção capitalistas, o trabalhador e a classe trabalhadora, em seu conjunto, são alienados e roubados sob três dimensões intrínsecas. A primeira e fundamental dimensão da alienação dá-se pelo fato de que, ao vender sua força de trabalho, o trabalhador é expropriado da concepção e do produto de seu trabalho. Ou seja, ao ser impelido a vender sua força de trabalho, perde a condição de ser o autor de seu trabalho e de regular o tempo da produção e perde, igualmente, o produto de seu trabalho. O trabalhador é reduzido nesta relação alienadora à coisa – mercadoria força de trabalho administrada por quem a comprou.

Nesse processo, em que nem a concepção, nem o produto do seu trabalho lhe pertencem, e seu trabalho não tem como função precípua responder a necessidades humanas, mas produzir mercadorias e serviços que engendram exploração para produzir lucro e mais-valia, estabelecem-se as demais dimensões de sua alienação: a separação de si mesmo, do conjunto dos demais trabalhadores e do gênero ou espécie humana.

Duas dimensões que derivam desta tríplice alienação. A primeira é que a ciência e o conhecimento apropriados pelas grandes corporações econômicas e financeiras não somente determinam uma superexploração dos trabalhadores empregados, mas de forma crescente deslocam grandes massas de desempregados às mais degradantes formas de informalidade ou o simples descarte. A segunda dimensão é de que a terra, as riquezas minerais e a água, apropriadas privadamente e mediante uma produção destrutiva em nome do lucro, atentam contra a saúde e a vida da humanidade.

A manutenção da alienação social e econômica implica que se instaurem na sociedade mecanismos de alienação intelectual. A divisão em classes sociais e a produção capitalista, para se reproduzirem, têm, entre suas leis imanentes, a divisão do trabalho manual e intelectual; em outras palavras, a separação entre quem concebe a produção e quem a executa e a hierarquiza. Aliena-se, assim, o direito da classe trabalhadora ao conhecimento científico, tecnológico, cultural e estético coletiva e historicamente produzidos. Por outra parte, sob a suposta neutralidade do conhecimento, os intelectuais da classe dominante, mediante os seus aparelhos de hegemonia (grandes corporações de mídia empresarial, institutos privados de pesquisa e a própria escola etc.), buscam definir como universal aqueles conhecimentos que expressam e afirmam seus interesses.

O entendimento da emancipação humana como um processo histórico em curso nos permite perceber, primeiramente, que todas as lutas empreendidas pelas classes oprimidas e dominadas pelas conquistas de direitos universais comuns a todos os seres humanos são partes deste processo. Também faz parte dele a batalha das ideias, confrontando e desmascarando as concepções de ser humano e de conhecimento naturalizados que sustentam os processos de alienação social, econômica, intelectual, cultural e estética.

Ao analisar, no livro *A questão judaica*, o debate na sociedade alemã sobre a emancipação dos judeus, Marx (2010) reconhece a importância de sua emancipação religiosa e política, mas coloca estas conquistas nos limites da cidadania burguesa. Por isso, sustenta que a emancipação humana não se restringe a um povo ou a uma nação, mas diz respeito ao gênero humano. A efetiva emancipação humana tem como condição necessária a superação da sociedade de classes e, portanto, o fim da propriedade privada dos meios de produção. A tarefa histórica da superação da emancipação política pela emancipação da humanidade se efetivará pela consciência e organização coletiva da classe trabalhadora. Por isso, o processo de emancipação humana em curso se efetivará quando a pré-história da humanidade, sob a sociedade de classe, for abolida, e com ela a dominação e exploração de seres humanos por outros seres humanos. Trata-se de relações sociais centradas, não na exploração e no indivíduo isolado, egoísta e competitivo, mas seres humanos solidários, cooperativos, em que os meios de produção são propriedade da humanidade.

Referências

ADORNO, T. W. Educação e emancipação. *In*: ADORNO, T. W. *Educação e emancipação*. Tradução de Wolfgang Leo Maar. Rio de Janeiro: Paz e Terra, 1995.
CHAUÍ, M. *Convite à Filosofia*. São Paulo: Editora Ática, 2000, p. 216-220.
SILVA, J. M. *Raízes do conservadorismo brasileiro*. Rio de Janeiro: Civilização Brasileira, 2018.
FREIRE, P. *Pedagogia da autonomia*: saberes necessários à prática educativa. 41ª reimpressão. São Paulo: Paz e Terra, 2010.
_______. *Pedagogia do oprimido*. Rio de Janeiro: Paz e Terra, 2005.
GORENDER, J. *A escravidão reabilitada*. São Paulo: Expressão Popular, 2016.
LOSURDO, D. *Contra história do liberalismo*. São Paulo: Ideias e Letras, 2006.
MARX, K. Crítica da crítica absoluta ou a crítica, conforme o Senhor Bruno. *In:* MARX, K.; ENGELS, F. *A sagrada família*. São Paulo: Boitempo, 2003.
_______. *Manuscritos econômicos filosóficos*. São Paulo: Martin Claret, 2001.
_______. *Sobre a questão judaica*. São Paulo: Boitempo, 2010.
TONET, I. *Educação, cidadania e emancipação humana*. Ijuí: Editora Unijuí, 2015

E

Notas

1 A palavra alienação vem do latim *alienus*, que significa que pertence a outro. O sentido que damos neste verbete é o dado por Marx e Engels, que desenvolveremos ao longo do texto. Uma obra fundamental para o aprofundamento desta perspectiva é *Marx: a teoria da alienação*, do filósofo István Mészáros (1981). O autor analisa diferentes esferas da vida nas quais incide a alienação nas relações sociais capitalistas: economia, política, ontológica, moral e estética.

2 Para uma compreensão sobre o longo processo histórico, em diferentes partes do mundo, pela abolição da escravidão e emancipação política dos escravos, ver Losurdo (2006). Como o escravizado não era só para o trabalho forçado, mas também mercadoria para negócio, as lutas emancipatórias, como mostra esse autor, tiveram, paradoxal e contraditoriamente, forte resistência dos fundadores do liberalismo. No Brasil, a escravidão durou mais de três séculos e isso explica em grande parte a constituição de uma classe capitalista predatória e violenta contra os direitos dos trabalhadores. Duas obras nos ajudam a entender o longo processo de emancipação política formal, mas no plano das relações sociais ainda parcial dos escravos e seus descendentes e os entraves nas lutas pela emancipação humana em nossa sociedade. Ver: *As raízes do conservadorismo brasileiro* (Silva, 2018) e *A escravidão reabilitada* (Gorender, 2016).

3 Cf. Chauí, 2000. Ver especialmente, da página 216 a 220.

EMPATES

Elder Andrade de Paula

No *Dicionário Houaiss da Língua Portuguesa* (2001), a palavra "empatar" é definida como "dificultar a continuidade de; sustar, suspender, embaraçar". No estado do Acre, o uso dessa palavra é recorrente, notadamente entre os seringueiros e demais camponeses oriundos da região. Ela é sempre usada no sentido de indicar algum tipo de impedimento nas situações mais diversas: "a ponte caiu e está empatando a passagem", "caiu um pau na estrada e empatou a passagem do caminhão", "choveu o dia inteiro, empatou meu trabalho no roçado" e assim por diante. Em suma, de um modo geral, o seu uso cotidiano designa algum tipo de impedimento.

Foi exatamente nesse sentido de impedimento que a palavra "empate" foi usada para denominar uma forma de mobilização coletiva. Essa mobilização ocorreu pela primeira vez em março de 1976 no seringal Carmem, município de Brasileia, quando um fazendeiro ameaçou expulsar os seringueiros da área e eles se recusaram a sair. A saída encontrada por esses camponeses e pela direção do Sindicato dos Trabalhadores Rurais de Brasileia foi organizar um grupo para se concentrar na área onde estava iniciando a primeira etapa dos trabalhos de desmatamento, para "empatar" o trabalho dos peões. Durante três dias, esse grupo formado por aproximadamente 60 camponeses, munido com suas espingardas de caça, cercou o acampamento dos peões contratados pelo fazendeiro para fazer o desmatamento em parte do seringal. Realizou-se, assim, o primeiro de uma série de "empates" que posteriormente se notabilizariam como uma das marcas singulares do sindicalismo rural no Acre. "Esse 'empate' representou um passo importantíssimo para a luta dos seringueiros: na medida em que afirmou a eficácia da ação coletiva como forma de pressão para conquistar seus direitos, ao mesmo tempo, inaugurou a adoção de uma outra linha de ação pelo sindicalismo emergente na região" (Paula, 2016, p. 96).

Esse primeiro "empate" se realizou em um contexto marcado por intensos conflitos sociais pela posse da terra no estado do Acre, a exemplo do que ocorria em outros estados da Amazônia brasileira [ver Bioma Amazônico]. Esses conflitos sociais resultaram do novo ciclo de desenvolvimento e expansão de fronteiras capitalistas na Amazônia, desencadeado sob a ditadura militar no pós-1964. A marcha dessa expansão da fronteira seguiu o rito que marca esse processo em escala planetária: expropriação de terras/territórios do campesinato e povos indígenas, violência de todo o tipo, morte e destruição acelerada das florestas e todo o ambiente [ver Campesinato e Terras Indígenas].

A invenção do "empate" como forma de luta resultou não só da situação imediata no enfrentamento dos conflitos sociais pela posse da terra, mas da combinação de outros três elementos: 1) a trajetória dos seringueiros e suas experiências de resistência nos interstícios da empresa extrativista; 2) a chegada da Confederação Nacional dos Trabalhadores na Agricultura (Contag) no Acre em 1975, estimulando a organização do movimento sindical, que passou a representar esse campesinato até então politicamente invisível e destituído de representação formal na esfera estatal; 3) o processo de formação desencadeado pelas Comunidades Eclesiais de Base (CEBs), ligadas à Teologia da Libertação (Paula, 2016).

Sob esse ambiente de conflitos e efervescência política, o sindicato passou a ser visto como o próprio sujeito da libertação, como mostra parte desse poema de autoria de um seringueiro da região, publicado pelo *Jornal Varadouro* no final dos anos 1970 e transcrito por nós (Paula, 2016, p. 82): "Está aqui, meu povo, o sindicato que veio nos ajudar/Que veio mandado por Deus para nos libertar/Estão aí também os companheiros de nossa união/ Que deram o primeiro passo na libertação/ Nos libertou a borracha e nos livrou do patrão/ Da cadeia e da prisão".

Esse reconhecimento e todo o peso simbólico que o permeia fez do sindicato o núcleo aglutinador das lutas, articulador e incentivador de ações coletivas de resistência pela terra, notadamente os "empates". Entre março de 1976 e julho de 1980 – data do assassinato do presidente do STR de Brasileia, Wilson Pinheiro –, os "empates" foram em sua maioria capitaneados pelo STR de Brasileia. Além de conter parcialmente o avanço voraz da expropriação e destruição das florestas e vidas de seus moradores, assegurou a conquista de lotes de terras por parte de uma parcela do campesinato, segundo os critérios estabelecido pelo Estatuto da Terra, Lei n. 4.504, de 1964 (Brasil, 1964).

A retomada dos "empates" foi marcada por um vigoroso processo de resistência, liderado pelo STR de Xapuri no intervalo de 1983-1988, ano em que foi assassinado Chico Mendes, presidente daquele sindicato. Enfrentando desde grupos econômicos poderosos, como o da Bordon, até fazendeiros medianos, como Darli Alves – um dos executores do assassinato de Chico Mendes –, os "empates" realizados nos seringais de Xapuri se distinguiram dos realizados anteriormente em três aspectos importantes: 1) pauta de reivindicações; 2) alianças externas; 3) visibilidade para além das fronteiras nacionais.

O essencial na pauta de reivindicações foi o deslocamento do critério de "obediência da lei" para outro, direcionado para a "mudança da lei". Os "empates" passaram a almejar um horizonte mais amplo em relação aos vislumbrados na segunda metade da década de 1970, na sua fase inicial. As mobilizações, em vez de reivindicarem um lote de terras, têm como objetivo não só "empatar" a realização dos desmatamentos, mas também rechaçar esse tipo de acordo. A luta passou a ter uma conotação diferente: a de garantir a permanência dos seringueiros nas suas colocações, preservando-se a sua forma de vida, trabalho e valores culturais (Paula, 2016).

Daí resultou a proposta de reservas extrativistas, a "reforma agrária dos seringueiros", como dizia Chico Mendes. Isto é, a regularização do território de acordo com a forma de ocupação e uso de seus moradores. Em decorrência das suas virtudes ecológicas – agricultura para autoconsumo, coleta de látex, castanha e outros produtos extrativos não madeireiros de forma compatível com a conservação das florestas –, essa forma de uso social da terra passou a atrair simpatias em outros lugares. As alianças externas e a visibilidade para além das fronteiras nacionais foram desdobramentos do interesse despertado em torno da proposta de Reservas Extrativistas. Chico Mendes teve papel destacado na construção dessas alianças com organizações e movimentos ambientalistas, de intelectuais e de estudantes universitários, entre outros.

Simbolicamente, esses "empates" passaram a ter, para os seringueiros, o mesmo significado que têm as greves para os operários.

> É um momento de mudança no seu cotidiano, quando param de exercer atividades normais de trabalho e afazeres diversos e partem para a luta, a fim de defender seus direitos. Nesse momento, é criado tanto um

E

espaço de confraternização entre os seus participantes (nas conversas informais, nas brincadeiras, nas cantorias), como também, em certas ocasiões, para o estreitamento dos laços de união nos momentos de maior tensão, nos confrontos com a polícia e com os capatazes dos fazendeiros nos acampamentos dos peões. (Paula, 2016, p. 126-127)

Os "empates" estabelecem o confronto, marcando a diferença de interesses. Os seringueiros vivenciam esse fato nas suas reuniões, nas áreas de conflitos e no enfrentamento da polícia que, ao defender os interesses dos fazendeiros, mostra nitidamente de que lado está o governo. Isso politiza mais esses conflitos, criando condições para que, no processo de lutas, eles reconheçam o seu lugar na sociedade, os seus aliados e os seus inimigos, contribuindo decisivamente na formação de sua identidade política.

Dada essa caracterização geral dos "empates" e seu contexto, trataremos finalmente de mostrar como eram organizados. O processo de preparação dos "empates" começava, via de regra, com um relato de moradores junto ao delegado sindical ou membro da diretoria do sindicato, denunciando a entrada dos peões em uma determinada área para realizar desmatamento. O passo seguinte era dado pela direção sindical, convocando os seringueiros da zona atingida para discutir o problema e tomar uma posição.

No decorrer dessas reuniões, os dirigentes sindicais repassavam informações mais pormenorizadas a respeito do desmatamento planejado: dimensões da área, nome do proprietário etc. Depois se avaliava o número de "colocações" – área ocupada individualmente pelo seringueiro e sua família – que seriam atingidas, direta e indiretamente. A seguir, discutia-se a posição que os seringueiros deveriam tomar. A decisão era sempre a de "empatar" o desmatamento, e então os detalhes eram combinados: quem iria participar, as estratégias a serem adotadas, o horário de saída para o local do acampamento dos peões, entre outros encaminhamentos.

Ao chegar ao acampamento dos peões, os líderes do grupo procuravam o responsável pela "empreita" e comunicavam a decisão de "empatar" o desmatamento, aconselhando-os a se retirar da área. O clima era sempre marcado por muita tensão. Quando não havia proteção policial – a polícia era quase sempre acionada pelos fazendeiros para "proteger" os peões –, os peões se retiravam da área e os seringueiros "apagavam" os seus vestígios na mata, derrubando suas barracas de acampamento, às vezes apreendendo motosserras e outros equipamentos utilizados nos desmates. A presença da polícia nos "empates" provocava o agravamento do clima de tensão na área. Quando não havia solução negociada entre as lideranças dos seringueiros e o comandante da guarnição policial, acabavam ocorrendo prisões de muitos seringueiros. Pouco depois, o sindicato acionava um advogado para libertá-los da prisão, sob a alegação de falta de provas do delito de que eram acusados.

Na maioria desses "empates", os seringueiros compareciam armados de suas espingardas de caça ou com terçados (um tipo de facão de grande dimensão utilizado no trabalho dos seringueiros e de outros trabalhadores da região), o que assustava muito os "peões", fazendo com que estes abandonassem a área. Com a intervenção da polícia, os seringueiros procuravam esconder suas armas para evitar que estas fossem apreendidas. Com a evolução das lutas em Xapuri e a projeção que começaram a adquirir no cenário político nacional e internacional, os "empates" passaram a ficar mais sofisticados politicamente. Nas palavras Chico Mendes:

> Quando nós temos 100, 200 companheiros na luta de empate, enfrentamos motosserras e as foices dos peões da fazenda, ao mesmo tempo, nós temos uma equipe para transmitir o que está acontecendo para todo o país e, posteriormente, para o exterior [...]. Daqui pra frente nós vamos ter uma equipe de resistência organizada nas áreas do desmatamento, uma equipe aqui em Xapuri que fica transmitindo para todo o canto do país e pra nível internacional o que está acontecendo naquele momento, pedindo solidariedade, e uma equipe trazendo, comunicando, que fica trazendo a ligação entre o movimento de resistência e a equipe de apoio na cidade, então essa é a luta que nós estamos fazendo. (Grybowsky, 1989, p. 39)

Outra novidade nos "empates" foi a incorporação de novos personagens, como mulheres e crianças dos seringueiros. Tratou-se de uma estratégia usada para tentar coibir a repressão policial, pois a "polícia pensaria duas vezes antes de atirar em uma criança ou em uma mulher, na família dos seringueiros", representantes de central sindical, partidos políticos. Anteriormente, só os homens participavam e era rara a presença de outras pessoas que não estivessem diretamente envolvidas no cotidiano do sindicato (Paula, 2016).

Após o assassinato de Chico Mendes (presidente do Sindicato dos Trabalhadores Rurais de Xapuri), em 22 de dezembro de 1988, os "empates" foram gradativamente abandonados como formas de luta – os últimos ocorreram ainda em meados da década de 1990. Diante das inesperadas repercussões internacionais de mais esse crime praticado pelos latifundiários na Amazônia, o governo brasileiro adotou uma série de políticas voltadas para mitigar os conflitos sociais pela posse da terra e território, tais como criação de reservas extrativistas e ampliação do número de projetos de assentamento. Dessa forma, os conflitos sociais pela posse da terra e território foram reduzidos temporariamente.

Em Paula (2013), analisamos esse processo de forma mais detalhada. Além das ações de governo nas diferentes esferas, destacamos as repercussões da ideologia do "desenvolvimento sustentável" e da prática de grandes ONGs conservacionistas na desmobilização do outrora poderoso Movimento Sindical dos Trabalhadores Rurais no Acre, notabilizado pela realização dos "empates" nas décadas de 1970-1980.

Finalmente, deve-se destacar que sob esse cenário marcado pela crescente espoliação praticada pelo capital também na Amazônia continental, os conflitos pela posse e uso da terra e território se espraiam por todo o estado do Acre, a exemplo do que ocorre nos demais estados da Amazônia brasileira. Em pesquisa concluída recentemente, Milenna Rocha (2016) analisou os velhos e novos conflitos sociais pela posse da terra e território no Acre. De acordo com ela,

> Dados da Comissão Pastoral da Terra (CPT) registram o aumento considerável nos registros no núme-

ro de conflitos por terra no Acre. De quatro (4) registros em 2010, para cinquenta e oito (58), em 2015 atingindo mais 4.750 famílias e uma média de vinte e três mil e setecentas pessoas (23.700). Ainda nos baseando nos dados apresentados pela Comissão Pastoral da Terra, percebemos que os conflitos não se localizam especificamente em uma regional administrativa específica do Acre. Atingem todo o estado e as mais diversas categorias de camponeses florestais como posseiros, ribeirinhos, sem-terra, seringueiros e indígenas. (Rocha, 2016, p. 66)

Referências

BRASIL. Presidência da República. Casa Civil. Subchefia para Assuntos Jurídicos. *Lei n. 4.504, de 30 de novembro de 1964*. Dispõe sobre o Estatuto da Terra, e dá outras providências. Disponível em: http://www.planalto.gov.br/ccivil_03/leis/l4504.htm. Acesso em: 25 mar. 2021.

GRYBOWSKY, C. *O testamento do homem da floresta*: Chico Mendes por ele mesmo. Rio de Janeiro: Fase, 1989.

HOUAISS, A; SALLES VILLAR, M. de. *Dicionário Houaiss da Língua Portuguesa*. 1. ed. Rio de Janeiro: Ed. Objetiva, 2001.

ROCHA, L. M. *Capitalismo verde, campesinato e conflitos por terra/territórios na Amazônia*: O caso Acre. Dissertação (Mestrado). PPGMDR, Universidade Federal do Acre, 2016.

PAULA, E. A. *Seringueiros e sindicatos*: um povo da floresta em busca da liberdade. Rio Branco: Nepan Editora, 2016.

_______. *Estado e (des)envolvimento insustentável na Amazônia Ocidental*: dos missionários do progresso aos mercadores da natureza. Rio Branco: Edufac, 2013. 2. ed. E-Book disponível em: http://www.ufac.br/editora/livros/des-envolvimento-insustentavel.pdf. Acesso em: 12 jan. 2021.

Para saber mais

Jornal Varadouro – pode ser acessado no Portal Biblioteca da Floresta: http://bibliotecadafloresta.ac.gov.br/wps/portal/biblioteca-floresta/biblioteca-floresta/principal. Acesso em: 25 mar. 2021.

Nesse mesmo Portal podem ser encontrados vídeos, revistas etc.

Dossiê o Acre (Conselho Indigenista Missionário – Cimi) que os mercadores da natureza escondem. Disponível em: https://cimi.org.br/wp-content/uploads/2017/11/Dossie-acre_2012.pdf. Acesso em: 12 jan. 2021 (ver especialmente entrevista com Dercy Teles de Carvalho, presidente do Sindicato dos Trabalhadores e Trabalhadoras Rurais de Xapuri).

CHIAVERINI, T. O "Acre contra Chico Mendes", Repórter Brasil. Disponível em: https://reporterbrasil.org.br/acre/. Acesso em: 12 jan. 2021.

EPISTEMOLOGIA DA AGROECOLOGIA

Dominique Guhur
Nívia Regina da Silva

A epistemologia se preocupa com o "como conhecer", através de uma modalidade peculiar de conhecimento (entre outras, como a arte, o conhecimento prático da vida cotidiana, o conhecimento mágico-religioso), que é o conhecimento científico; estuda de um ponto de vista histórico e crítico os princípios, as hipóteses e as conclusões das diferentes ciências, bem como a filosofia das ciências; seu objeto privilegiado de estudo "são as ciências em via de se fazerem, em seu processo de gênese, de formação e de estruturação progressiva" (Japiassú; Marcondes, 2001, p. 63).

A agroecologia é comumente considerada como uma ciência emergente, ainda em processo de construção e organização. No campo científico, ela surge no final dos anos 1920 e início da década de 1930 como um interesse crescente por se estudar a agricultura e os sistemas agrícolas sob uma perspectiva ecológica, ou seja, levando em conta as interações entre os organismos e destes com o meio. Na ecologia [VER ECOLOGIA], buscou conceitos-chave tais como comunidades e interações ecológicas, ecossistemas, coevolução, sucessão ecológica, ciclos biogeoquímicos, dentre outros. O agroecossistema, expressão material de uma determinada forma de agricultura, tornou-se a unidade básica de análise da Agroecologia (Gliessman, 2001). Da agronomia, buscou integrar diversas disciplinas, destacando-se a climatologia agrícola, a ciência do solo e a fisiologia vegetal, entre outras (Altieri, 1989).

Entretanto, o estudo mais sistemático de sistemas agrícolas tradicionais, camponeses e povos originários, principalmente a partir dos anos 1970, passou a demandar o aporte de outros campos científicos, que dessem conta também das dimensões sociais, econômicas e culturais: contribuições importantes vieram da geografia, da sociologia rural (em especial, do desenvolvimento rural e dos estudos camponeses), da economia (destacando-se a economia ecológica) e da antropologia (com aportes especiais da etnografia) (Hecht, 1989). Mais recentemente, a problematização de aspectos da formação da cultura camponesa e do patriarcado como base da cultura ocidental, de maneira geral, aproximaram também os estudos feministas.

A agroecologia requer, assim, uma abordagem integradora das formulações e métodos de diversas áreas do conhecimento, o que abre possibilidades, mediante diferentes e novas abordagens metodológicas, mas coloca também tensões e questionamentos a determinados aspectos da ciência positivista ou dominante. Coloca-se assim a questão: teria a agroecologia uma epistemologia própria? Esse tema tem sido abordado com frequência por pesquisadores da área (Gomes, 2005; Leff, 2007; Sicard, 2019; Caporal, 2011; Sevilla Guzmán, 2011; Borsatto; Carmo, 2012; entre outros).

Por se tratar de uma construção plural e em processo, propomos no presente texto uma contribuição ao debate, considerando os diferentes contextos, compreensões e perspectivas que o tensionam, e em diálogo com autores do campo agroecológico. Desde as elaborações práticas e teóricas dos movimentos sociais populares do campo articulados na Via Campesina, partimos de uma compreensão da agroecologia enquanto práxis, o que nos leva a uma reflexão sobre as bases ecológicas da agroecologia em uma perspectiva articulada à transformação social. Dividimos assim o texto em dois momentos principais: 1) de crítica às concepções herdadas da revolução científica, mas localizando-as no contexto mais amplo do papel da ciência na sociedade capitalista; 2) de contribuições a uma epistemologia da agroecologia.

Crítica à ciência positivista e mecanicista

O conhecimento, em suas diversas formas, tem como ponto de partida a produção da existência humana pelo trabalho em sua mediação com a natureza, na realização da apreensão do real desenvolvida na história a partir de sua reprodução social, de maneira que "[...] a forma como os homens trabalham e produzem suas condições de existência material determina a forma como eles pensam, sentem e representam o mundo em que vivem" (Rolo; Ramos, 2012, p. 155). Não se trata, evidentemente, de um mero reflexo mecânico, uma vez que as ideias anteriormente elaboradas exercem influência sobre a maneira de pensar e conhecer, e também transformações na produção da existência

Assim, a crítica ao positivismo, ao mecanicismo e ao reducionismo precisa buscar seus fundamentos na análise histórica das condições de surgimento da ciência moderna na Europa, entre os séculos XVI e XVIII, que determinou a visão científica do mundo. O que se constituiria como "método científico" pode ser identificado nas sistematizações de alguns pensadores, especialmente no empirismo de Francis Bacon e no racionalismo de René Descartes, embora também se deva destacar as contribuições de Galileu Galilei, Thomas Hobbes, John Locke, David Hume e Isaac Newton. Apesar das diferenças substantivas entre eles, desenvolveu-se uma concepção mecanicista do universo, da natureza e do ser humano, e uma perspectiva de domínio sobre a natureza (Andery *et al.*, 1996). O positivismo (iniciado com Augusto Comte, no século XIX) afirmaria, ainda, a neutralidade da ciência e a existência de um método único e universal de conhecimento (Rolo; Ramos, 2012).

A visão medieval do mundo ("a grande cadeia do Ser"), holística e integral, embora rigidamente hierarquizada e estática, foi substituída por um mundo atomizado (não apenas os elementos químicos, mas também as espécies e os seres humanos passaram a ser vistos como átomos isolados) (Levins, 2015). Tudo foi separado e dicotomizado: os elementos da natureza, a natureza e o humano, a mente e corpo etc. A natureza passou a ser compreendida como um agregado de coisas passivo e inerte, podendo ser desagregada, separada e depois reconstruída de diversas maneiras (O'Connor, 2001), tal qual um mecanismo, uma máquina, e o conhecimento foi reduzido a um saber como transformar, dominar e controlar a natureza para fins utilitaristas, em uma relação predatória e destrutiva com os processos naturais (Rolo, 2015).

Essas mudanças ocorreram de maneira concomitante ao processo de consolidação do capitalismo e de ascensão da burguesia como classe dominante, o que pode ajudar a explicar sua permanência, ainda hoje, como concepção de ciência dominante em que "[...] o individualismo do homem econômico é um modelo para a autonomia e o isolamento de todos os fenômenos, e onde uma indústria do conhecimento transforma ideias científicas em mercadorias comercializáveis" (Lewontin; Levins, 1996, p. 107). Assim, é preciso levar em conta, além dessa herança epistemológica, mais outros dois fatores: a) a Economia Política, que cria a mercadoria do conhecimento e b) a fragmentação institucional do conhecimento (Levins, 2015).

Sob as relações capitalistas de produção, o conhecimento foi gradativamente se transformando em uma mercadoria, e as pesquisas desejáveis são cada vez mais aquelas capazes de produzir lucro. Principalmente no século XX, a ciência tornou-se força produtiva do capital, atendendo às exigências do aparato produtivo e antecipando-se a elas, com a pesquisa passando a ser produzida em larga escala, em grandes corporações científicas associadas ao capital industrial e financeiro (Rolo, 2015), nas quais o pesquisador que executa uma agenda de pesquisa privada não tem controle sobre os resultados do seu trabalho.

Ao mesmo tempo, há uma contínua transformação das necessidades humanas em mercadoria, ao criar novas necessidades e inaugurar a superprodução e o desperdício em larga escala. Estabelece-se assim uma lógica produtivista, orientada a aumentar a produtividade do trabalho, a extração de mais-valia e a valorização do capital, que significa superexploração do trabalho humano e aprofundamento da depredação da natureza.

Trata-se de determinações mais profundas do desenvolvimento capitalista, com efeitos sobre os processos de trabalho e de produção do conhecimento, que passam a ser cada vez mais fragmentados, seccionados em partes. O parcelamento, simplificação e especialização das tarefas na indústria somam-se à separação entre concepção e execução; a pesquisa acaba restrita a um conjunto de profissionais da ciência cada vez mais qualificados e especializados, embora estes, em geral, desconheçam a cadeia da qual o seu trabalho é só uma parte, e tampouco tenham domínio das leis de mercado que regerão o consumo dos produtos de seu trabalho (Rolo, 2015). Assim, com o aprofundamento da divisão técnica do trabalho, o trabalhador perde a visão da totalidade, alienado da realização e do produto do seu trabalho, da relação com a natureza e das relações sociais/humanas, excluindo-se também a dimensão criativa do processo de trabalho.

Estes processos foram conformando a ideia de ciência, de conhecimento e compreensão dos fenômenos da realidade. Nas ciências agrícolas, conhecimentos desenvolvidos no século XIX, que sustentaram a [VER REVOLUÇÃO VERDE], se tornaram hegemônicos, ao exemplo das descobertas de Jacob Berzelius, Justus von Liebig, Friedrich Wöhler, cientistas que tiveram papel de destaque no desenvolvimento da agricultura de base industrial. Ao passo que outros, como Julius Hensel, Jean-Baptiste Boussingault, Sergei Winogradsky, Nikolai Vavilov (que desenvolveram aspectos ecológicos, fatores biológicos, a microbiologia do solo, as sementes e centros de origem da agrobiodiversidade), tiveram seus estudos não conhecidos, reconhecidos ou mesmo destruídos. A superação desse caminho precisa se dar, portanto, não apenas no nível epistemológico, mas também nas relações sociais de produção.

Contribuições a uma Epistemologia da Agroecologia

As contribuições que elencamos a seguir partem de uma compreensão da agroecologia enquanto *práxis* – prática social, ciência e luta como momentos ou dimensões que se integram e também se tensionam mutuamente [VER AGROECOLOGIA]. Na atualidade do modo de produção capitalista, as camponesas e camponeses, os povos tradicionais e originários têm suas vidas e territórios sob permanente

E

e violento ataque do agrohidromineronegócio, o que lhes exige ao mesmo tempo resgatar e reinventar práticas sociais e formas de luta, de resistência e enfrentamento. A agroecologia, em sua dimensão de *ciência*, é então tensionada a integrar, ao seu corpo de conhecimentos, uma chave de leitura que permita radicalizar sua abordagem social. Falamos aqui da necessidade de apropriação dos fundamentos da concepção materialista e dialética da história, para ir à raiz da forma capitalista de agricultura, do funcionamento da sociedade burguesa, compreendê-la em suas contradições e na sua dimensão histórica e, portanto, passível de superação, de reconstrução social e ecológica.

As elaborações dos movimentos, temperadas na luta e experimentadas na prática social, dialogam com e incorporam dialeticamente elementos de diversos autores e vertentes, reconhecendo a existência de diferentes concepções. Sem pretender esgotar o tema, nem estabelecer princípios gerais, elencamos a seguir algumas abordagens no caminho da epistemologia da agroecologia, indagando criticamente sobre quais teorias, conceitos e procedimentos contribuem para se conhecer um agroecossistema.

Centralidade dos sujeitos

Um agroecossistema [VER AGROECOSSISTEMA] é um ecossistema alterado pelo trabalho humano com finalidades produtivas; é também a objetivação de uma determinada forma de se fazer agricultura. Não é, portanto, um dado imediato da natureza. Assim, é preciso considerar a centralidade dos sujeitos camponeses que nele vivem para adequadamente "conhecer" um agroecossistema; levantar o "universo temático" (Freire, 2005) dos sujeitos que, com seu trabalho, criam, reproduzem e alteram aquela determinada forma de organização do agroecossistema, e que nesse processo também vão modificando sua maneira de pensar, de ser e estar no mundo. Não se trata, portanto, de pensar conceitos e significações simbólicas descolados das condições objetivas de vida (Loureiro, 2015), mas de levar em conta as mundividências, tradições, saberes, projetos e necessidades dos sujeitos, as quais vão se constituindo e sendo expressas nas interações com os elementos bióticos e abióticos ali presentes – ainda que no contexto mais amplo das relações sociais e sob coerções sistêmicas.

Delimitação

Pode-se considerar um agroecossistema a partir de um enfoque mais ou menos restrito: desde um campo de cultivo agrícola ou uma horta urbana; uma unidade de produção, individual ou coletiva (estabelecimento rural, assentamento de reforma agrária); um território ou região; até o sistema agroalimentar. Em qualquer uma dessas escalas, um agroecossistema não está isolado; nele se expressam ao mesmo tempo processos e determinações ecológicas e sociais, mesmo que não imediatamente perceptíveis.

Inter-relações e conexões

Por meio dos ciclos biogeoquímicos, um agroecossistema está conectado à biosfera, a qual tem existência anterior e independente do ser humano. Esse movimento ativo e dinâmico, de interações bióticas e abióticas, pode ser captado na sucessão ecológica (Vernadsky, 2019). A vida não se adapta passivamente; ela faz e refaz seu próprio ambiente (Margulis, Sagan, 2002), e pressiona pela apreensão de qualquer espaço livre da biosfera: "Na superfície terrestre, não há força química que atue de forma mais permanente e, portanto, mais poderosa em seus efeitos finais do que os organismos vivos como um todo" (Vernadsky, 2019, p. 37).

A partir do seu surgimento como espécie que altera intencionalmente o ecossistema, o ser humano, como ser social, participa na sucessão ecológica, coevoluindo em processos agriculturais contraditórios – ora sinergicos, complementares com a natureza, ora antagônicos, depredatórios. Importa, portanto, identificar no agroecossistema tanto os fluxos de matéria e energia quanto os fluxos de trabalho e renda, as potencialidades assim como os limites, perdas e contradições.

A relação entre o ser humano e o restante da natureza, a que podemos chamar de metabolismo, é mediada pelo trabalho, pela produção da vida material (Foster, 2005); [VER METABOLISMO SOCIOECOLÓGICO], o que implica o estabelecimento de determinadas relações também entre os seres humanos, que vão assumindo formas distintas ao longo da história. É preciso, portanto, localizar historicamente essas relações para perceber como se materializam no agroecossistema. Na sociedade capitalista, isso passa necessariamente pela crítica da Economia Política (Foster, 2005; 2020; Levins, 2015), pela compreensão crítica do funcionamento da economia do capital, em especial na agricultura, incluindo os meios de apropriação da riqueza socialmente produzida pelo campesinato [VER CAMPESINATO].

Diálogo de saberes

Os povos originários e tradicionais, as camponesas e camponeses construíram um processo dialético de resistência, enfrentamento e incorporação da agricultura capitalista. Essa dinâmica produziu historicamente formas próprias de experimentação, de produzir, organizar e sistematizar o conhecimento, possuindo critérios próprios de validação (Arroyo, 2014). No seu processo histórico de coevolução com os agroecossistemas que manejam, produziram (e produzem) saberes que são fruto de investigação empírica sistemática (observação, experimentação) e passaram pela "prova do tempo" (ou seja, sobreviveram como válidos ao largo de várias gerações), o que pode lhes conferir credenciais epistêmicas sólidas do ponto de vista da ciência (Lacey, 2019). Esses agroecossistemas tradicionais foram, é importante lembrar, a base material que permitiu aos pesquisadores identificar os princípios elementares da agroecologia.

Para que se estabeleça um diálogo de saberes entre os sujeitos camponeses e pesquisadores/técnicos em torno de um objeto comum de conhecimento (o agroecossistema), é importante ter presente que cada um desses sujeitos "leva consigo seu conhecimento e sua ignorância" nesse processo; cabe então perguntar de antemão qual é o "erro típico" que cada grupo costuma cometer, para que o ponto de partida seja "a autoconsciência de uma ciência crítica de si mesma" (Levins, 2015, p. 26) [VER EDUCAÇÃO POPULAR EM AGROECOLOGIA]. Isso passa também por reconhecer as diferenças de poder que cada sujeito dessa relação tem na sociedade de classes.

Totalidade, movimento e contradição

"Redução" é uma "tática investigativa", consistindo na busca dos elementos constitutivos daquilo que se deseja conhecer. Já *reducionismo* é a pretensão de que essa redução às unidades ou partes fundamentais seja suficiente para conhecer algo (Levins, 2015), quando ao contrário, os elementos ou partes se encontram sempre em inter-relação e em determinações recíprocas, formando conjuntos auto-organizados e estruturados (totalidades), num permanente movimento entre conservação e transformação (Bottomore, 1988). Como apontamos acima, um agroecossistema pode ser compreendido como uma totalidade complexa (que se encontra, por sua vez, inserida em totalidades maiores), cujos componentes encontram-se em interação dinâmica, onde, em cada nível de organização (população, comunidade, ecossistema), se expressam propriedades emergentes, que não estavam presentes no nível anterior (Gliessman, 2001).

Entretanto, estudar "tudo" de uma só vez é impraticável (além do que a realidade é inesgotável, sua riqueza, infinita). É preciso fazer escolhas, delimitar um problema. Ao contrário do reducionismo, que orienta a começar pelo menor problema possível, podemos "elaborar um problema suficientemente grande para que caiba uma solução, [...] cruzando fronteiras" entre campos diferentes do conhecimento, identificando variáveis que se influem mutuamente em escalas semelhantes, e perguntando regularmente pelo "resto do mundo" (Levins, 2015, p. 31-32), para localizar o problema em suas relações com a totalidade.

Além disso, é preciso estar atento ao fato de que mesmo aquilo que parece fixo é algo como a fotografia de um processo. Os processos podem ser de diferentes tipos e velocidades, havendo processos homeostáticos e outros "[...] que subvertem o sistema dentro do qual se desenvolvem" (Levins, 2015, p. 26). Entretanto, ao considerar os processos e conexões, é preciso cuidado para não os desprender da materialidade do que se conecta. Mesmo os processos sociais têm uma dimensão material.[1]

Cada objeto de certa complexidade é internamente heterogêneo, de maneira que apresenta processos conflitivos, contrários, e um mesmo processo produz fatores opostos. Por exemplo, internamente ao organismo temos "[...] o sistema nervoso simpático e parassimpático; autônomo e voluntário; inflamatório e anti-inflamatório" (Levins, 2015, p. 26); entre organismos de espécies diferentes, há associações "que podem ser simultaneamente parasíticas e mutualísticas em diferentes condições ambientais" (Carrapiço, 2009, p. 14) [VER INTERAÇÕES ECOLÓGICAS]. A ecologia lida com processos contraditórios, com "[...] a interdependência e a autonomia relativa, com a semelhança e a diferença, com o geral e o particular, com o acaso e a necessidade, com o equilíbrio e a mudança, com a continuidade e a descontinuidade (Lewontin; Levins, 1985,[2] *apud* Foster, 2005, p. 32-33). Assim, um bom ponto de partida no enfrentamento de um problema novo pode ser identificar quais são seus fatores opostos (Levins, 2015).

Conexão entre as Ciências da Natureza e as Ciências Sociais e Humanas

Embora a crítica à dissociação histórica entre as ciências da natureza e as ciências sociais e humanas possa parecer algo recente, a dialética marxiana já insistia em uma "conexão perpétua e íntima" entre elas (Foster, 2005, p. 21), uma vez que estudam dimensões intimamente interligadas e interdependentes. Nessa abordagem, contudo, nem a sociedade nem a natureza são inteiramente subsumidas uma na outra; e nosso próprio conhecimento da natureza é considerado "[...] um produto do nosso metabolismo social e humano, ou seja, nossa relação produtiva com o mundo natural" (Foster, 2020, p. 10).

Essa conexão precisa se fazer de maneira cuidadosa, para evitar aquilo que se critica – uma das ideias fundamentais do positivismo é justamente a de que a sociedade seria regida por leis naturais (Löwy, 2009). Uma vez que inicialmente pode ser necessário recorrer a analogias e metáforas, é preciso estar atento à tendência à antropomorfização da natureza (nela projetando ideias, valores e sentimentos humanos) e à zoomorfização da sociedade humana (explicação do seu funcionamento com base direta na herança genética, no instinto, na termodinâmica etc.), que, conectadas às formas materiais de reprodução do capital, acabam se tornando ideológicas. São exemplos: genes "egoístas" e "sobrevivência dos mais aptos"; "custos", "benefício" ou "prejuízo", "progresso", "sucesso", "guerra", "competição" e "investimento", referidos a processos ecológicos (Sacarrão, 1986), e ainda, "recursos naturais" e "capital natural".

A conexão entre as Ciências Naturais e as Ciências Humanas e Sociais, tão necessária à agroecologia, implica o reconhecimento da especificidade de cada uma dessas dimensões e a recusa às transposições mecânicas de uma dimensão à outra; ela reside na busca por uma verdadeira reconstrução conceitual, a partir da complexa conexão dialética entre os processos naturais e as relações sociais.

Encerrando o texto, seguindo com o debate

Como toda ciência, a agroecologia precisa "[...] construir o seu método, abrir o seu caminho, e não buscá-lo em ciências-fetiche. Não existem ciências por excelência e não existe um método por excelência, 'um método em si'" (Gramsci, 2001, *apud* Ferraro, 2015, p. 130). A epistemologia da agroecologia encontra-se ainda em aberto, em construção, com fundamentos teóricos e bases filosóficas diversos, não necessariamente convergentes, alguns complementares, outros conflitantes. A pesquisa em agroecologia pode dialogar com o acúmulo de outras estratégias de pesquisa, e conhecimentos produzidos desde referenciais teórico-metodológicos diferentes podem confluir para o mesmo objetivo de denunciar, enfrentar e superar a exploração da natureza e do ser humano como parte integrante dela.

Na agroecologia, busca-se conhecer para transformar – transformar práticas sociais de produção, e mais amplamente, a relação humana com a natureza, de modo a reconhecer "o caráter inegociável de nossas conexões" com as demais espécies (Margulis, Sagan, 2002, p. 20): a agroecologia como um acrescentamento à emancipação humana, e a emancipação humana como determinação social da agroecologia. Como práxis, convida, face ao desafio, a não se deixar seduzir por soluções simplificadoras e desmobilizadoras das lutas coletivas, que apostem isoladamente "na ética, na técnica, no conhecimento abstrato ou no comportamento como variáveis dissociadas da

E

materialidade social" (Loureiro, 2015, p. 173). Convoca a olhar também para além da ciência, para a potência da agroecologia enquanto possibilidade da práxis camponesa, atualizada no seu fazer prático (transformar-se transformando o mundo), desde que inserida em um processo social emancipatório, em conflito, enfrentamento, luta contra o capital e sua forma direta como agronegócio.

E

Referências

ARROYO, M.G. *Outros sujeitos, outras pedagogias*. Petrópolis: Vozes, 2014.
ALTIERI, M. A. *As bases científicas da Agricultura Alternativa*. 2. ed. Rio de Janeiro: PTA/Fase, 1989.
ANDERY, M. A. *et al.* (org.). *Para compreender a ciência:* uma perspectiva histórica. 6. ed. São Paulo/Rio de Janeiro: EDUC, 1996.
BHASKAR, R. Realismo crítico, relações sociais e defesa do socialismo. *Grupo de estudos em Antropologia Crítica (GEAC)*, ago. 2016. Disponível em: https://antropologiacritica.files.wordpress.com/2016/08/realismo-critico-relac3a7c3b5es-sociais-e-defesa-do-socialismo.pdf. Acesso: mar. 2020.
BORSATTO, R. S.; CARMO, M. S. Agroecologia e sua epistemologia. *Interciência,* v. 37, n. 9, set. de 2012.
BOTTOMORE, T. *Dicionário do pensamento marxista*. Rio de Janeiro: Jorge Zahar, 1988.
CAPORAL, F. R. Agroecologia: uma nova ciência para apoiar a transição a agriculturas mais sustentáveis. *In:* CAPORAL, F. R.; AZEVEDO, E. O. (org.) *Princípios e perspectivas da agroecologia*. Curitiba: IFPR-EaD, 2011, p. 83-122.
CARRAPIÇO, F.; RITA, O. Simbiogênese e Evolução. *In:* LEVY, A. *et al.* (ed.). *Evolução*. Conceitos e Debates. Lisboa: Esfera do Caos, 2009, p. 175-198.
O'CONNOR, J. *Causas naturales:* ensayos de Marxismo ecológico. México-DF: Siglo XXI, 2001, p. 38-43.
FERRARO, A. R. Epistemologia da agroecologia: dialética *versus* positivismo. *Desenvolvimento e meio ambiente*, v. 34, p. 117-134, ago. 2015.
FOSTER. J. B. *A ecologia de Marx: materialismo e natureza*. Rio de Janeiro: Civilização Brasileira, 2005.
_______. *Marx e a ruptura no metabolismo universal da natureza*. Esquerda on-line, 2020. Disponível em: https://esquerdaonline.com.br/2020/06/13/marx-e-a-ruptura-no-metabolismo-universal-da-natureza/ . Acesso: mar. 2020.
FREIRE, P. *Pedagogia do oprimido*. 43. ed. Rio de Janeiro: Paz e Terra, 2005.
GLIESSMAN, S. R. *Agroecologia:* processos ecológicos em agricultura sustentável. 2. ed. Porto Alegre: UFRGS, 2001.
GOMES, J. C. C. As bases epistemológicas da Agroecologia. *In*: AQUINO, A. M. D.; ASSIS, R. L. (org.). *Agroecologia*: princípios e técnicas para uma agricultura orgânica sustentável. Brasília: Embrapa, 2005, p. 71-99.
HECHT, S. B. A evolução do pensamento agroecológico. *In*: ALTIERI, M. A. *As bases científicas da Agricultura Alternativa*. 2. ed. Rio de Janeiro: PTA/Fase, 1989, p. 25-41.
JAPIASSÚ, H.; MARCONDES, D. M. *Dicionário básico de Filosofia*. Rio de Janeiro: Zahar, 2001.
LACEY, H. Ciência, valores, conhecimento tradicional/indígena e diálogo de saberes. *Desenvolvimento e Meio Ambiente*, v. 50, especial Diálogos de Saberes Socioambientais: desafios para epistemologias do Sul, p. 93-115, abril de 2019.
LEFF, E. *Aventuras de la epistemología ambiental*: de la articulación de ciencias al diálogo de saberes. 2. ed. México-DF: Siglo XXI, 2007.
LEVINS, R. *Una pierna adentro, una pierna afuera*. México-DF: CopIt-arXives y Editora C3, 2015. Disponível em: http://scifunam.fisica.unam.mx/mir/copit/SC0005ES/SC0005ES.html. Acesso: dez. 2019.
LEWONTIN, R.; LEVINS, R. *Capitalism, nature, socialism*, v. 2, n. 7, p. 103-107, 1996. Uma tradução está disponível em: https://www.pensamentoevolutivo.com/post/o-retorno-de-doenças-antigas-e-o-aparecimento-de-novas. Acesso: abr. 2020.
LOUREIRO, C. F. B. Educação Ambiental e Epistemologia Crítica. *Rev. Eletrônica do Mestrado em Educação Ambiental,* v. 32, n. 2, p. 159-176, jul./dez. 2015.
LÖWY, M. *As aventuras de Karl Marx contra o Barão de Münchausen*. São Paulo: Cortez, 2009.
MARGULIS, L.; SAGAN, D. *Microcosmos*. São Paulo: Cultrix, 2002.
ROLO, M; RAMOS, M. Conhecimento. *In*: CALDART, R., S. *et al.* (orgs). *Dicionário da Educação do Campo*. Rio de Janeiro, São Paulo: Escola Politécnica de Saúde Joaquim Venâncio/Expressão Popular, 2012, p. 151-159.

ROLO, M. A natureza como uma relação humana, uma categoria histórica. *In*: CALDART, R. S.; STEDILE, M. E.; DAROS, D. (org.). *Caminhos para transformação da escola:* agricultura camponesa, educação politécnica e Escolas do Campo. São Paulo: Expressão Popular, 2015, v. 2, p. 139-175.
SACARRÃO, G. F. *O abuso da metáfora em biologia e seus perigos*. Lisboa: Arquivos do Museu Bocage, Série D, Extensão Cultural e Ensino, II (3), 1986.
SEVILLA GUZMÁN, E. *Sobre los orígenes de la Agroecología en el pensamiento Marxista y libertario*. La Paz: Agruco, Plural ed., CDE, NCCR, 2011.
SICARD, T. L. Agroecología: desafíos de una ciencia ambiental en construcción. *In*: VERNADSKY, V. *Biosfera*. Rio de Janeiro: Dantes, 2019.

Notas

1 "Ainda que as estruturas sociais sejam dependentes da consciência que os sujeitos tenham de que as reproduzem e transformam, não são redutíveis a sua consciência. [E] as práticas sociais não se esgotam em seus aspectos conceituais" (Bhaskar, 2016, p. 3).

2 Edição em espanhol: Lewontin, Richard; Levins, Richard. *El biólogo dialéctico*. Ciudad Autónoma de Buenos Aires: RyR, 2015.

ESTADO

Sonia Regina de Mendonça

Os liberais e o Estado

O principal objetivo deste texto é apresentar as principais matrizes de concepção do Estado vigentes no mundo ocidental, desde o século XVII até os dias atuais. Pretende-se analisar os pressupostos teóricos centrais dessas matrizes, bem como as tensões até hoje existentes entre elas, as quais, muitas vezes, conduzem a uma visão "coisificada" ou "personalista" do que seja o Estado. Leituras como essas, derivadas do paradigma liberal, varrem "para baixo do tapete", conceitos caros à concepção socialista do Estado, como os de classes sociais, sujeitos coletivos, disputas de hegemonia, lutas de classe etc. O eixo orientador do verbete é a premissa de que o Estado é, ele mesmo, uma relação social.

Para tanto, serão abordadas as grandes matrizes teóricas que foram – e ainda são – concorrentes entre si, produzindo sentidos antagônicos e presentes, até hoje, nos debates acerca do Estado: a liberal e a marxista.

A matriz filosófica liberal tendeu a sobrepor-se às demais, tendo influenciado boa parte das reflexões sobre as bases do Estado e da política. Ela se baseou em uma jovem Economia Política, na escola histórica escocesa, além de ter recebido contribuições de teorias utilitaristas (Fontana, 1982; Macpherson, 1978).[1] A matriz liberal elaborou uma percepção de sociedade composta por indivíduos "em estado de natureza", com pleno exercício de seus interesses egoístas e belicosos, capazes de inviabilizar, no limite, a reprodução da espécie. Partindo dessa premissa, pensadores liberais definiram o Estado como fruto de um contrato, firmado entre cada indivíduo e seu governante, apto a assegurar os chamados direitos "naturais" fundamentais: a vida e a propriedade. A despeito dessa matriz ter travado ferrenha luta contra a Igreja e sua visão de um poder emanado do direito divino, o Estado era apresentado como um pacto dotado de duas frentes: o monopólio legítimo da violência física e uma racionalidade que lhe seria imanente, a pairar acima e fora da sociedade.

O Estado liberal era apresentado, assim, como um "sujeito de razão" derivado do direito natural e inerente à tradição iniciada pelos "três grandes pensadores": Hobbes, Locke e Rousseau, a despeito das várias diferenças entre eles existentes. Tais divergências, todavia, seriam superadas pelo método por eles gestado, capaz de transformar as ciências humanas em algo tão rigoroso e passível de demonstração quanto as ciências exatas, tomando a matemática como seu paradigma. Partindo desse pressuposto, trataram de criar leis universais da conduta humana, que comprovassem a repetição do comportamento humano, verificável em todo e qualquer tempo, tirando sua dimensão histórica.[2]

Por seu caráter a-histórico, a noção de Estado divulgada pelos liberais desembocou em uma leitura de "sociedade civil" como o somatório de indivíduos sem atributos que os vinculassem entre si, fazendo crer – como até os dias atuais – que a sociabilidade humana somente verifica-se no âmbito do político, o que não era/é fato. A consolidação de um Estado "sujeito", a pairar sobre os indivíduos e a sociedade, dotado de iniciativa própria e imune às pressões sociais dos "de baixo", difundiu noções ainda hoje presentes nos discursos cotidianos, tais como "o Estado fez", "o Estado decidiu" ou mesmo "o Estado tinha intenção de", sempre negando os conflitos sociais existentes em cada contexto histórico, já que deste prescindiam os pensadores liberais.[3]

Dessa matriz derivaram várias "linhagens", resultantes das significativas modificações políticas relacionadas às lutas populares do século XIX, quando a emergência da sociedade de massas tornou necessário reconfigurar a teoria. Uma dessas novidades foi a Teoria das Elites, elaborada pelos italianos Gaetano Mosca (1992) e Vilfredo Pareto (1984), tendo por pressuposto que toda sociedade contém, naturalmente, uma minoria formada por indivíduos "seletos" e "iluminados" que, portando atributos especiais – como riqueza, conhecimento, dons etc. –, deteriam, também naturalmente, o poder de dirigir a maioria.

Nessa reapropriação da matriz liberal, esbarramos com um forte viés abertamente pautado por princípios anti-igualitários e antidemocráticos, muitos deles ainda em voga e responsáveis, no plano cultural e simbólico, por transmutar capitalismo em neoliberalismo, em uma operação que oculta/abole categorias fundantes do capitalismo, como a superexploração dos trabalhadores, a superextração de sobretrabalho, a preponderância de grupos dominantes derivados do capital financeiro ou mesmo a existência das lutas de classes – intra e entre elas –, dentre outros escamoteamentos político-ideologicamente nocivos e desmobilizadores dos movimentos sociais organizados ou em vias de organização.

A matriz marxista e a disputa teórica pelo Estado

O século XIX viu nascer em seus primórdios, com o filósofo alemão G. W. F. Hegel, as primeiras críticas contundentes à concepção liberal de Estado, discordando ele, veementemente, de seu cunho a-histórico e da ideia de um "contrato social" que transferia ao governante todos os poderes. Além dessas críticas, somava-se outra, relativa à perspectiva individualista de conceber-se o Estado. A obra de Marx e Engels promoveria a total ruptura com o liberalismo, desde seus fundamentos econômicos até seus desdobramentos políticos e históricos.

Na matriz marxista, se há uma natureza humana biológica, ela é duplicada por uma forma especificamente sócio-histórica de existência, que integra as transformações produzidas pelos próprios seres sociais tanto sobre a natureza quanto sobre o conjunto das relações junto das quais se inserem. A isso denominamos historicidade. Assim, a sociabilidade deixava de restringir-se ao plano do político como espaço, por excelência, de exercitar-se a vontade coletiva.[4] O Estado não procede de um pacto. Ele surge do conjunto das relações sociais para assegurar a continuidade da produção e reprodução de sua existência. Ele tampouco consiste em uma exigência da natureza humana, resultando das diferenciações inerentes à vida social, derivadas da divisão da sociedade em classes. Nesse viés teórico, o poder do Estado deita suas raízes nas formas de dominação presentes na cena social (econômicas, sociais, culturais, políticas etc.). Marx, rastreando as bases sociais do processo de produção/reprodução do capital, aponta o Estado como a organização do conjunto da dominação de classe que assegurava as condições da reprodução ampliada do capital e simultaneamente sufocando/controlando as contradições dela decorrentes.

Alguns marxistas posteriores tenderam, entretanto, a fazer derivar as relações políticas ou culturais diretamente de uma base econômica cristalizada, tornando o Estado uma espécie de objeto manipulado por uma classe dominante supostamente homogênea. Tais apropriações mecanicistas devem ser vistas como a "vulgata" do marxismo, aproximando-se do estruturalismo e originando uma tradição pouco dialética e histórica, de grande penetração no meio universitário. Outros desdobramentos do marxismo, todavia, ativeram-se às bases originais e avançaram na construção teórica sobre a composição e as transformações do Estado capitalista.

Abrimos um parêntese para mencionar que, na década de 1970, em meio ao escasso debate historiográfico sobre as relações entre Estado, cultura e política, outras vertentes teóricas passaram a enfatizar a temática do poder, desconectando-a, contudo, do Estado. Vale destacar a contribuição de Michel Foucault, talvez o autor mais influente junto aos estudos sobre o poder, especialmente entre historiadores. Para ele, tratava-se de buscar, nos mínimos espaços sociais, como os poderes se multiplicavam, reproduzindo estratégias de dominação e criando novos mecanismos de opressão/subordinação. Deixando de lado a centralização e o controle exercidos pelo Estado, o foco passou a incidir sobre a capilaridade de micropoderes (Foucault, 1979) sustentando uma historiografia não propriamente política, porém culturalista, com ênfase na análise das representações, ritos e símbolos de poder.

E

Retomando as grandes transformações sócio-políticas ocorridas no alvorecer do século XX, ressaltamos que, dos próprios domínios do marxismo, outras concepções sobre o Estado emergiram, merecendo relevo aquela elaborada pelo filósofo e militante comunista italiano Antonio Gramsci, ainda nos anos 1930. A grande questão norteadora de suas reflexões foi, justamente, a necessidade de refinar a definição do Estado "ocidental" contemporâneo, enfatizando a complexidade de suas determinações e criticando a leitura "economicista" ou "mecanicista". Sua principal contribuição, claramente no âmbito do marxismo, é o conceito de Estado Ampliado elaborado a partir de uma análise fortemente histórica, tanto no tocante à construção das formas de intervenção social de classes, grupos e frações de classe, quanto no sentido de imbricar a expansão socioeconômica capitalista à política e ao Estado.

O conceito de Estado ampliado permite analisar a íntima correlação entre as formas de organização das vontades (singulares e coletivas), a ação e a própria consciência (desenvolvidas no âmbito da sociedade civil) – sempre enraizadas na vida socioeconômica – e as instâncias específicas do Estado em seu sentido restrito (sociedade política). Com isso, Gramsci supera a dualidade das análises que contrapunham a base à superestrutura, integrando a sociedade civil e a sociedade política em uma só totalidade, em permanente inter-relação.

O Estado, para Gramsci, não seria "sujeito" nem "objeto"; seria uma relação social, ou melhor, a condensação das relações sociais presentes em uma dada sociedade (Poulantzas, 1980), sendo por elas atravessado, absorvendo, nele mesmo, os conflitos nela presentes. Ele resgata conceitos clássicos do marxismo – como os de sociedade civil e sociedade política – porém as recria, recriando, ao mesmo tempo, o conceito de Estado – integral ou ampliado – que incorpora, dialeticamente, ambas as instâncias.

Segundo o pensador sardo, não mais seria possível, na análise do Estado capitalista contemporâneo, operar com uma lógica dual, sendo necessário assentar-se em uma lógica triádica que englobava, em uma totalidade, a infraestrutura (espaço das relações de produção e de trabalho); a sociedade civil (formada pelo conjunto dos sujeitos sociais organizados junto aos chamados aparelhos privados de hegemonia, espaços promotores da ação política consciente, capitaneados pelos intelectuais orgânicos de uma dada classe ou fração dela, quer do capital, quer do trabalho, em disputa pela afirmação hegemônica de seus respectivos projetos); e a sociedade política (ou Estado restrito, identificado aos aparelhos e agências do poder público).[5]

Todavia, para ele, o Estado restrito jamais pode ser concebido no registro da pura coerção pois, se assim o fosse – levando em conta o contexto italiano de afirmação do fascismo, pano de fundo de suas reflexões –, seria inexplicável que os mais oprimidos e despossuídos da Itália (camponeses) venerassem um ditador. Percebe-se que o Estado, em Gramsci, conta com outra dimensão além da força e do poder político-econômico da burguesia: a cultura. Mas não aquela dos eruditos, porém o conjunto dos projetos e visões de mundo – valores, crenças e autopercepções de indivíduos e grupos sobre seu lugar social – desenvolvido por cada classe ou fração dela, em permanente disputa. Afinal, segundo ele, todos os homens são intelectuais, pois mesmo os trabalhos físicos mais mecânicos exigem um mínimo de atividade intelectual criadora (Gramsci, 2001, p. 18). Com isso, Gramsci destaca a capacidade organizativa das vontades coletivas exercida por intelectuais oriundos das classes subalternas.

Logo, o Estado guarda também uma dimensão de consenso, obtido a partir da ação das vontades coletivas organizadas junto aos aparelhos de hegemonia da sociedade civil, e da atuação do Estado restrito, que generaliza a visão/projeto da fração de classe hegemônica num dado bloco histórico. É a disputa pela hegemonia de certa fração de classe que institui a política e o Estado ampliado, ambos indissociáveis da cultura. Para tanto, o filósofo reflete sobejamente sobre o papel dos intelectuais, já que, no capitalismo ocidental, cuja sociedade civil se complexificou em função das lutas populares, o intelectual detém uma função social específica.

Não por acaso seu primeiro exemplo remete ao organizador do processo produtivo (burguês) e seus "gestores", difusores de certa concepção de natureza, vida social e, em particular, disciplina e obediência. Eles desempenham, pois, o papel social de intelectuais orgânicos, que os liga ao processo de produção da existência, mas também à reprodução das formas de ser por ela requeridas. São intelectuais produtores da hegemonia das classes dominantes ou de suas frações.

Sempre atento às contradições que a realidade do processo produtivo capitalista amplifica, o filósofo pondera que, dado ao fato de certos grupos sociais nem sempre conseguirem organizar-se e gerar sua própria visão de mundo (pela dificuldade em manter seus próprios aparelhos privados de hegemonia), acabam por adotar como sua a visão de mundo de outros grupos, via de regra os dominantes. Essa é a premissa da dinâmica da hegemonia, ou seja, quando a cultura de uma classe, ou fração dela, se impõe sobre todas as demais, promovendo o consenso.

À guisa de conclusão, é possível afirmar que, partindo dos conceitos de Estado ampliado e de intelectuais orgânicos de Antonio Gramsci, torna-se impraticável supor o Estado sem a participação de intelectuais ligados às classes subalternas, organizadores das lutas contra-hegemônicas. Uma vez que o intelectual é, para Gramsci, um persuasor permanente, abre-se, necessariamente, a possibilidade e imperiosidade de os subalternos multiplicarem seus próprios aparelhos privados de hegemonia (partidos), visando contraporem-se e se defenderem da crescente dominação de classes, através da formação e reprodução de seus próprios intelectuais orgânicos (Gramsci, 2000, p. 85).

E

Referências

FONTANA, J. *Historia:* Análisis del pasado y proyecto social. Barcelona: Critica, 1982.

FOUCAULT, M. *Microfísica do poder*. Tradução: Roberto Machado. 7. ed. Rio de Janeiro: Graal, 1979.

GRAMSCI, A. *Cadernos do cárcere*. v. 1. Rio de Janeiro: Civilização Brasileira, 2001.

_______. *Cadernos do cárcere*. v. 3. Rio de Janeiro: Civilização Brasileira, 2000.

MACPHERSON, C. B. *A democracia liberal:* origens e evolução. Tradução: Nathanael Caixeiro. Rio de Janeiro: Zahar, 1978.

MENDONÇA, S. R. Estado e Sociedade. *In:* BADARÓ, M. (org.) *História:* pensar e fazer. Rio de Janeiro: Laboratório Dimensões da História, 1998.

_______. Estado. *In:* CALDART, R. S. *et al.* (org.) *Dicionário da Educação do Campo*. Rio de Janeiro/São Paulo: EPSJV/Expressão Popular, 2012.

______; FONTES, V. História e Teoria política. *In:* CARDOSO, C. F.; VAINFAS, R. (org.) *Novos domínios da História*. Rio de Janeiro: Elsevier, 2012.
______. O Estado Ampliado como ferramenta metodológica. *Marx e o marxismo*, v. 2, n. 2, jan/jul, p. 26-43, 2014.
MOSCA, G (1992). La classe politica. México: Fondo de Cultura Econômica, 1992.
POULANTZAS, N. *O Estado, o poder e o socialismo*. Tradução: Rita Lima. Rio de Janeiro: Graal, 1980.

Para saber mais

BOBBIO, N.; BOVERO, M. *Sociedade e Estado na filosofia política moderna*. Tradução: Carlos Nelson Coutinho. 2. ed. São Paulo: Brasiliense, 1987.
GRYNSZPAN, M. *Ciência política e trajetórias sociais:* uma sociologia histórica da teoria das elites. Rio de Janeiro: Ed. Fundação Getúlio Vargas, 1999.
NEGRO, A. L.; SILVA, S. (org.). *E. P. Thompson. As peculiaridades dos ingleses e outros artigos*. Campinas: Ed. Unicamp, 2001.
NEVES, L. M. W. (org.) *A nova pedagogia da hegemonia:* estratégias do capital para educar o consenso. São Paulo: Xamã, 2005.

Notas

[1] Este trecho encontra-se desenvolvido em capítulo de livro elaborado por Mendonça e Fontes, 2012.
[2] Estas formulações derivam das reflexões por mim desenvolvidas em Mendonça, 2014.
[3] Esse trecho deriva de capítulo de livro anteriormente elaborado por Mendonça, 1998.
[4] Esse trecho foi anteriormente desenvolvido em Mendonça, 1998.
[5] Esse trecho foi desenvolvido anteriormente em Mendonça, 1998.

F

FEMINISMO CAMPONÊS E POPULAR

IRIDIANI GRACIELE SEIBERT
LIZANDRA GUEDES
KELLI MAFORT

> Naquele momento já não se ouvia mais a respiração, porque havia outros sons mais fortes, o som da quebra das correntes nos arrepiava, nos provocava gritos emocionados, como se aquelas correntes que identificavam o latifúndio não fossem só isso, e de fato não eram. É nessa concentração, nesse poder que se apresentam o tráfico, a exploração, a violência, e a apropriação de nossos corpos, de nossas vidas, de nosso trabalho e do poder de dominação.
>
> Aquelas correntes de fato tão fortes, tão grossas, malditas, pesadas e cruéis tinham que ser quebradas, rompidas, estraçalhadas. O 'tililim' do impacto do machado e da marreta na quebra das correntes que nos aprisionam soava como uma música clássica aos nossos ouvidos tão desacostumados a escutar.
>
> Witcel, 2019

A barbarização humana e a urgência do feminismo

A crise atual tem caráter estrutural e sua duração é prolongada, com aspectos incontroláveis que afetam todas as dimensões da vida humana – econômica, política, social e ambiental. O capital, ao seguir seu impulso expansivo e de apropriação/dominação, não admite nenhum tipo de obstáculo, mesmo que interfira em questões éticas, de direitos adquiridos ou territórios conquistados.

Vivemos um retrocesso impressionante em direitos que até então pareciam intocáveis, que atingem principalmente os mais pobres, proletários do campo e da cidade, com pouca ou nenhuma autonomia sobre o processo produtivo e os meios de produção. A intensidade da precarização da vida não atinge a classe trabalhadora da mesma forma, pois cada vez mais somos provocadas/os a compreender as determinações sociais que constituem a nossa classe quanto a gênero, raça, diversidade sexual e posição geracional.

O capital persegue, fere e mata principalmente aqueles/as que já são historicamente considerados, nas sociedades de classes, como subordinados e passíveis de uma intensificação dos processos de exploração. Por isso a naturalização sobre o barbarismo é tão funcional para o comodismo da classe trabalhadora, e mesmo quem se importa com essas vidas humanas ceifadas, por vezes, se sente contemplado com uma dada luta setorial, sem nada fazer para alterar as estruturas dominantes basilares da sociedade de classes.

O sistema hegemônico está estruturado essencialmente no domínio das forças do capital, sobre as forças do trabalho. No entanto, existem outros pilares históricos que sustentam a sociedade de classes: o patriarcado e o racismo. E é justamente na crise em que tais estruturas de dominação se evidenciam com mais força, pois convivemos com um tipo de desemprego que é estrutural e uma parte da humanidade passa a ser sistematicamente descartada. Dessa forma, o capital abre mão do seu discurso liberal, de igualdade, ainda que falacioso, pois a desigualdade precisa ser assimilada, naturalizada e defendida, inclusive pelos mais atingidos por ela.

Nesse contexto, o racismo, o machismo, a misoginia, a lgbtfobia e o desprezo aos mais pobres assumem patamares insuportáveis, jogando ao chão qualquer ideia de avanço progressista, apoiado em uma esfumaçada crença de evolução da humanidade. As sociedades não só avançam e não só regridem, pois são resultantes das lutas de classes; assim, fica evidente que a velha sociedade não será enterrada através da luta que se coloca apenas contra um de seus pilares de sustentação.

Por isso as lutas feministas, antipatriarcais, antilgbtfóbicas e antirracistas são fundamentais não somente para "corrigir" mazelas da desigualdade, mas ao contrário, para destruir os pilares que estruturam a sociedade geradora das desigualdades e que se nutre da exploração humana.

Não é somente o conjunto das classes que precisa reconhecer as diferenças e criar espaços de participação. A questão atual está para além disso, pois em tempos de crise profunda do capital, ampliação da precarização do trabalho, desemprego estrutural, naturalização da violência, encarceramentos em massa, migrações forçadas, mercantilização acentuada dos bens naturais etc., nosso maior desafio é retomar a luta ofensiva, e para tal, é fundamental se imbuir coletivamente do posicionamento político de quem não teve direito à trégua, mesmo em tempos de aparente calmaria.

A vida das mulheres trabalhadoras é uma luta diária, e quanto mais se sobrepõem as dominações, mais potencial de reação está ali contido. É por isso que quando uma mulher trabalhadora se move, vai rompendo as correntes de classe e da sociedade patriarcal, estruturante da desigualdade de gênero.

No campo, em uma perspectiva continental e mundial, as mulheres foram se organizando a partir de suas distintas realidades, mas com a necessidade comum de enfrentar a origem da opressão de gênero que está no cerne da sociedade de classes, que através do patriarcado foi perpetuando a divisão sexual do trabalho pelos diferentes modos de produção.

> A construção social da subordinação da mulher foi imposta através de diferentes formas de dominação e, principalmente, por meio da violência, desempenhada pelos homens e pelo Estado, e consentida por toda a sociedade. Cotidianamente, as diversas expressões da violência contra as mulheres foram sendo naturalizadas,

> como se a mulher precisasse ser castigada até aprender qual é o seu lugar na sociedade. (Movimento dos Trabalhadores Rurais Sem Terra, 2015)

Antes do surgimento do feminismo – como um movimento social, político e cultural no século XIX –, as mulheres já organizavam distintas formas de resistência diante das imposições dominantes das sociedades de classes, e muitos foram os processos de enfrentamento a esses sistemas societários. É deste legado histórico que surge o feminismo, e muitos movimentos feministas foram criados com o avanço das lutas das mulheres por sua emancipação, vinculados a diferentes correntes teóricas e políticas.

Na perspectiva do feminismo das trabalhadoras, e, portanto, de luta por emancipação humana, estamos construindo o feminismo camponês e popular – *com identidade e revolucionário.* Suas bases estão estruturadas a partir de uma análise da realidade do campo em nível mundial, que identifica elementos comuns em toda parte onde atuamos como Via Campesina/Cloc: a apropriação e especulação sobre os bens naturais pelas empresas transnacionais, a padronização das *commodities* agrícolas e minerais como modelo hegemônico no campo e o forte aparato do Estado, subsidiando o capital, com financiamentos públicos, perdão de dívidas e um amplo arcabouço jurídico/institucional. Tais questões impedem avanços concretos na democratização do acesso à terra, na reforma agrária, na demarcação de territórios indígenas, no reconhecimento de territórios camponeses e quilombolas e em uma plataforma de políticas públicas voltadas para o fortalecimento da pequena agricultura, e em defesa dos povos do campo, das águas e das florestas.

As mulheres do campo têm desenvolvido um processo de resistência e lutas frente a esse modelo, e a maior expressão disso ocorre nas ações do 8 de março, dia internacional das mulheres, tal como a ação protagonizada pelas mulheres da Cloc/Via Campesina Brasil, em 2006, um marco histórico que teve como simbologia a destruição de mudas de eucalipto nos viveiros da empresa Aracruz celulose.

Feminismo – Movimento social e político de enfrentamento ao patriarcado, à divisão sexual do trabalho e às manifestações do machismo, do racismo, da lgbtfobia, da gordofobia etc.
Camponês – Sob a perspectiva das mulheres e dos movimentos sociais do campo, abarcando os povos da floresta e das águas.
Popular – Com um posicionamento político de classe, no desafio da construção do poder popular.
com Identidade – A partir das cosmovisões presentes nos diferentes povos e etnias, vinculando a luta pela terra ao território.
e Revolucionário – Rompendo com as estruturas de dominação e exploração presentes nas sociedades de classes. Forjar a nova sociedade, uma sociedade emancipada, uma sociedade socialista!
(MST, 2015)

Feminismo, agroecologia e soberania popular

Segundo a Food and Agriculture Organization (FAO)(2018), as mulheres rurais são responsáveis por mais de 45% da produção de alimentos no Brasil, chegando a 80% em outros países da América Latina e Caribe; o seu empoderamento, além de promover maior justiça social, poderá garantir a segurança alimentar do planeta e ampliar em 30% a produção agrícola. No entanto, apesar deste evidente protagonismo das mulheres na agricultura e na alimentação, elas e as crianças são as maiores vítimas da fome e somente 20% delas cultivam em suas próprias terras (Food and Agriculture Organization, 2017). Além disso, ocorre um processo acentuado de feminização do trabalho agrícola assalariado, dado que "entre 1994 e 2000, as mulheres ocuparam 83% dos novos empregos no setor da exportação agrícola não tradicional" (Vivas, 2012), que apesar de representar maior renda e possibilidade de emancipação financeira das mulheres, carrega as marcas da reprodução das desiguais relações de gênero na divisão do trabalho.

As mulheres do campo em sua luta cotidiana produzem rupturas e deslocamentos que abalam as estruturas do poder patriarcal e dominante. São as mulheres do milho, que revolvem a terra, alimentam reviravoltas no mundo e fazem renascer o sonho de um povo.

> [...] Y parece enterrado el pueblo.
> Pero el maíz vuelve a la tierra.
> Atravesaron el silencio
> sus implacables manos rojas.
> Desde la muerte renaceremos.
> (Neruda, *Arena Americana*)

Pensar sobre a agroecologia e o feminismo é pensar tradições, renovações, diálogos e práxis revolucionárias. A agroecologia para as mulheres do campo é parte do seu modo de vida, é aquela agricultura que foi feita pelos ancestrais, pelos povos originários, ou seja, é a agricultura antes da constituição da propriedade privada. Pois era uma agricultura que surgia a partir das necessidades locais, buscando observar e se inspirar nos ritmos e modos da natureza, uma agricultura possivelmente descoberta pelas mulheres e trabalhada por homens e mulheres. Mesmo sabendo que o nome agroecologia é recente, as mulheres do campo conseguem ver e compreender que suas origens estão em tempos remotos.

Na história recente da agroecologia construída como ciência, movimento e prática, ela surge como um enfrentamento direto ao modelo devastador da vida natural e social promovido pela Revolução Verde [ver Agroecologia; Revolução Verde]. São as mulheres as primeiras a compreender a importância dessa nova proposta de organizar a vida no campo, pois esse era o modelo que se baseava na própria experiência camponesa, indígena e negra. As mulheres viram suas práticas milenares serem resgatadas.

A agroecologia valoriza as sementes que as mulheres guardaram, enquanto muitos camponeses se deixaram levar pelo tecnicismo da assistência técnica e extensão rural, adotaram todo o pacote da Revolução Verde e abriram mão de sua soberania. A agroecologia valoriza a produção a partir de um diálogo e integração dos diversos subsistemas da roça familiar, ou da comunidade indígena e negra, valorizando assim aquela produção que nem era vista, mas que garantia a soberania alimentar dos povos e a diversidade na alimentação da família.

A partir desse olhar é possível perceber que o trabalho realizado pelas mulheres camponesas, indígenas e negras é muito importante para o fortalecimento da estratégia de autonomia e soberania camponesa, para a defesa dos territórios e para a preservação da natureza.

Mas a agroecologia também não está fora da realidade das relações sociais construídas pelo sistema capitalista, patriarcal e racista. Essa realidade faz com que as contradições se expressem também na construção da agroecologia, que na medida em que cresce e ganha visibilidade coloca as mulheres de volta na invisibilidade em nome do trabalho da família, que se expressa muitas vezes na valorização apenas do trabalho dos homens.

Na divisão sexual do trabalho no campo, as mulheres realizam tanto os trabalhos considerados pelo sistema capitalista como produtivo e o trabalho reprodutivo, de cuidados, gerando uma intensa e extenuante jornada de trabalho. Por ser invisibilizado, o trabalho das mulheres não é considerado como tal e em geral não é entendido como gerador de renda. Não contabilizar o trabalho das mulheres do campo em dinheiro poderia não ser um problema, se nessa sociedade capitalista, racista e patriarcal o valor das coisas não fosse medido a partir do dinheiro.

Dessa forma, uma das lutas centrais do feminismo camponês e popular é dar visibilidade e promover a valorização do trabalho das mulheres do campo, ao passo que também resgata e valoriza a sua identidade, intrinsecamente vinculada ao trabalho realizado por elas na construção da soberania alimentar a partir da agroecologia.

A agroecologia para as mulheres também é uma luta anticapitalista. Por isso, elas em suas lutas buscam dar destaque ao seu cotidiano de vida e de trabalho, porém, a partir de uma perspectiva feminista, ressignificando este lugar, demonstrando o valor social do seu trabalho e construindo novas relações entre homens e mulheres no trabalho de produção e de reprodução da vida humana no seio familiar e em toda a vida do campo (Movimento das Mulheres Camponesas, 2018).

Para as mulheres do campo, a agroecologia não é apenas uma ideia, é um modo de vida. É concreto, faz parte da sua realidade, é ciência forjada em suas experiências e, por isso, é construída no dia a dia das mulheres e homens do campo (Movimento das Mulheres Camponesas, 2018).

A construção do feminismo camponês e popular – que vem das diversas lutas travadas pelas camponesas, indígenas, mulheres negras do campo e assalariadas – constrói soberania e autonomia em diversos sentidos. Um deles é quando elas saem do aprisionamento da casa e do espaço doméstico, iniciando seu processo de libertação, construindo sua autonomia e capacidade de tomada de decisão, tornando-se sujeito político e social, percebendo-se e valorizando-se como trabalhadora (Movimento das Mulheres Camponesas, 2018).

Para as mulheres do campo, a agroecologia somente poderá avançar e se efetivar como proposta política de resistência ao capitalismo, e como fortalecimento do modo de vida pleno para os povos do campo, se avançar no reconhecimento do trabalho e da contribuição política das mulheres do campo na construção da agroecologia, na construção da resistência camponesa, e estabelecer como um de seus princípios o enfrentamento à exploração do trabalho, a todas as formas de desigualdade, opressão/dominação, discriminação, como também a todas as formas de violência praticadas contra as mulheres e populações negras e indígenas.

O feminismo camponês e popular reivindica o campo como lugar e espaço de vida, a terra, os territórios, os bens naturais, o resgate e a valorização da diversidade de culturas e identidades dos povos do campo, elementos centrais da luta feminista e camponesa. Contudo, com uma perspectiva crítica, também desvela e questiona as expressões culturais, sociais e econômicas, fundamentadas na ideologia patriarcal e racista que se expressam no campo, reproduzidas por estes sujeitos: o campesinato, os povos indígenas e populações negras. Por isso, o feminismo camponês e popular busca ressignificar a compreensão de campesinato, de povos do campo, que não oculte, em suas relações sociais, culturas e identidades, no interior das famílias, nas organizações populares do campo, práticas e ideias patriarcais, de discriminação, violência, desvalorização e inferiorização das mulheres.

O feminismo camponês e popular é a contribuição das mulheres do campo para avançar na construção de um projeto popular, com soberania dos povos sobre seu território e sobre os rumos políticos do país, onde as mulheres do campo e de toda a classe trabalhadora sejam protagonistas neste processo de libertação e nesta outra sociedade que buscamos construir.

Construção feminista no âmbito da Cloc/Via Campesina

As mulheres do campo sempre estiveram presentes e ativas nos processos de luta e resistência do campo nos diferentes contextos e momentos históricos. E não foi diferente nas lutas de resistência à implantação do modelo neoliberal nas décadas de 1980/1990 no continente latino-americano. No marco das comemorações dos 500 anos de "descoberta do continente" pelos colonizadores se constitui a Campanha de Resistência Indígena, Negra e Popular que deu origem à Coordenadoria Latino-americana de Organizações do Campo (Cloc)/Via Campesina, para articular a resistência às políticas neoliberais impostas e para fortalecer a defesa dos direitos e da soberania dos povos do campo e da classe trabalhadora.

As mulheres inseridas nas lutas do campo em âmbito local, nacional e continental se conscientizam, na ação cotidiana, de que precisam lutar contra a invisibilidade, pois muitas vezes estão alijadas das instâncias decisórias, dos grandes debates políticos sobre os rumos do movimento do campo no continente, e suas lutas ficam relegadas a segundo plano e não são percebidas pelo conjunto das lutas coletivas. Assim, elas se organizam em espaços próprios das assembleias de mulheres para garantir sua efetiva participação política em todas as instâncias e principalmente nos espaços de tomada de decisão, com paridade conquistada de gênero, para assumir coletivamente a transversalidade da discussão de gênero em todas as lutas e temas discutidos na Cloc/Via Campesina (Coordenadoria Latino-americana de Organizações do Campo, 1997 e 2015).

A organização e luta das mulheres do campo está inserida no seio das lutas populares do campesinato latino-americano, nas lutas por direito à terra, ao território, aos direitos às sementes, à produção de alimentos saudáveis e ao direito de viver no campo com soberania e dignidade. Nasce no leito histórico de lutas contra o sistema de exploração capitalista com suas expressões no campo – o modelo econômico, político e social do agro-hidro-minero negócio – que massacra e usurpa os direitos e a vida do campesinato, dos povos indígenas e populações negras do campo. Portanto, a luta das mulheres da Cloc/

Via Campesina parte da compreensão da perspectiva de gênero e classe, entendendo que as desigualdades que afetam as mulheres do campo são estruturais de uma sociedade capitalista, patriarcal e racista, e, assim, não se pode eliminar a opressão, dominação e exploração de gênero sem eliminar suas formas e expressões de classe e de raça/etnia (Coordenadoria Latino-americana de Organizações do Campo, 1997, 2005 e 2015).

Neste marco, se engajam e ajudam a construir como Via Campesina a Campanha Global pela Reforma Agrária. A luta em defesa das sementes e em defesa de outro modelo de produção em consonância com as identidades camponesa e indígena também é importante bandeira das mulheres do campo, rechaçando o uso de agrotóxicos, de organismos geneticamente modificados e de modelos destrutivos dos bens naturais. A partir das mulheres se constitui, no seio do movimento camponês latino-americano e mundial, a Campanha contra o Uso dos Agrotóxicos e pela Vida e a Campanha de Sementes Patrimônio dos Povos a Serviço da Humanidade. As mulheres também promovem debates sobre a agroecologia como estratégia e proposta de resistência dos povos do campo frente ao modelo do capitalismo agrário e como um modo de vida que impulsiona a construção da soberania alimentar, que é o direito dos povos, com justiça de gênero, em decidir sobre sua produção de alimentos, seus territórios e a vida no (Coordenadoria Latino-americana de Organizações do Campo, 1997, 2001, 2005 e 2010).

A luta contra a violência doméstica que assola cotidianamente a vida das mulheres do campo em suas diferentes expressões é outro grave problema social que ganhou visibilidade com a Campanha Basta de Violência contra as Mulheres assumida pelo conjunto do movimento da Via Campesina (La Via Campesina, 2008).

A partir dos processos políticos organizativos, das lutas concretas que mudam a vida econômica, social e política da classe trabalhadora, dos povos do campo, e em particular, das mulheres, encontram-se os elementos que determinam a práxis – prática cotidiana e coletiva das mulheres do campo, em que se desenvolve uma consciência militante feminista das mulheres da Cloc/Via Campesina. A partir da compreensão da importância da luta feminista como movimento protagonizado pelas mulheres em luta por seus direitos, autonomia e libertação, elas vão se dando conta de que todas as lutas que vinham travando historicamente eram lutas feministas. E passam a nomear este acúmulo político, organizativo e de luta das mulheres do campo de feminismo camponês e popular; ele é a expressão da luta das mulheres do campo em movimento no seio das lutas camponesas e populares. Este feminismo é a reafirmação de uma perspectiva social e histórica, de caráter coletivo, que parte da realidade, da vida e do trabalho das mulheres do campo, visando a transformação profunda da sociedade, uma nova sociedade, de novos valores, práticas e relações sociais socialistas (Coordenadoria Latino-americana de Organizações do Campo, 2010, 2015, e 2018).

Trata-se de um feminismo que promove transformações cotidianas e concretas na vida das mulheres do campo, e nas relações entre homens e mulheres, mas também se propõe e tem em seu horizonte as mudanças estruturais da sociedade. Por isso, coloca no marco das lutas feministas o enfrentamento ao sistema capitalista, ao enfrentar o modelo destrutivo e explorador do capitalismo agrário das transnacionais no campo. Um feminismo que luta pelo fim

F

de todas as formas de exploração, opressão, subordinação, discriminação e exclusão, e que, em contraposição, apresenta um projeto de agricultura camponesa, indígena, negra que promove o bem viver dos povos do campo, que alimenta a humanidade e preserva a natureza. Portanto, o feminismo camponês e popular se forja na luta cotidiana de resistência e enfrentamento ao capitalismo e ao patriarcado, particularmente em suas expressões no campo, sendo esta a contribuição desde as mulheres do campo para a construção dos caminhos de transformação rumo a uma sociedade socialista, onde haja uma humanização do gênero humano e uma verdadeira emancipação de mulheres e homens (Coordenadoria Latino-americana de Organizações do Campo, 2018).

Desse modo, reafirmamos que o Socialismo e o Feminismo são parte de nosso horizonte estratégico de transformação. Por isso, afirmamos um Feminismo Camponês e Popular, insubmisso, socialista, que questiona as concepções patriarcais e burguesas, que são funcionais às políticas de exploração capitalista. Desse modo, a concepção Feminista que estamos construindo como Via Campesina está fortemente vinculada a processos políticos, organizativos, de formação política e de lutas concretas, permanentes que alterem a vida social, econômica e política da classe trabalhadora e, particularmente, das mulheres trabalhadoras. (Movimento dos Trabalhadores Rurais Sem Terra, 2015)

Referências

COORDENADORIA LATINO-AMERICANA DE ORGANIZAÇÕES DO CAMPO (CLOC). *Declaración I Asamblea latinoamericana de mujeres del campo,* Participación política de las mujeres en las diferentes instancias, Relatorías de las comisiones de trabajo. Brasília, 1997. Disponível em: http://www.cloc-viacampesina.net/congresos/i-asamblea. Acesso em: 3 dez. 2018.

______. *Declaración de la II Asamblea Latinoamericana de Mujeres del Campo,* Mujeres del campo cultivando un milenio de vida, justicia e igualdad. Ciudad de México, 2011. Disponível em: http://www.cloc-viacampesina.net/congresos/declaracion-de-la-ii-asamblea-latinoamericana-de-mujeres-del-campo. Acesso em: 03 de dez. de 2018.

______. *Declaración de la III Asamblea Continental,* Mujeres del Campo en Lucha y Resistencia Cultivando un Milenio de Justicia, Igualdad y Libertad. Guatemala, 2005. Disponível em: http://www.cloc-viacampesina.net/congresos/declaracion-de-la-iii-asamblea-continental-de-mujeres. Acesso em: 3 dez. 2018.

______. *Declaración de Quito IV Asamblea de mujeres.* Sin Feminismo no hay Socialismo [arquivos CLOC]. Quito, 2010. Disponível em: http://www.mmcbrasil.com.br/site/node/259. Acesso em: 29 mar. 2021.

______. *Declaración Final V Asamblea de Mujeres, Sin Feminismo no hay Socialismo,* Buenos Aires, 2015. Disponível em: http://www.cloc-viacampesina.net/congresos/v-asamblea-de-mujeres. Acesso em: 03 de dez. de 2018.

______. *Declaración Final VI Asamblea de Mujeres, Sin Feminismo no hay Socialismo,* Artemisa / Cuba, 2019. Disponível em: http://www.cloc-viacampesina.net/vi-asamblea-de-mujeres/declaracion-vi-asamblea-de-mujeres-cloc-lvc. Acesso em: 01 de set. de 2019.

______. *Basta de violencia contra las mujeres,* Campaña basta de violencia contra las mujeres, [Cartilla]. Disponível em: https://viacampesina.org/es/wp-content/uploads/sites/3/2012/11/Cartilha-VCSudame%CC%81rica-espanhol-04set12.pdf. Acesso em: 03 de dez. de 2018.

______. *La lucha feminista, campesina y popular de las mujeres del campo de la Cloc/LVC,* Documento de estudio en preparación hacia la VI Asamblea Continental de Mujeres de la Cloc/LVC. Buenos Aires, 2018. Disponível em: https://cloc-viacampesina.net/declaracion-vi-asamblea-de-mujeres-cloc-lvc Acesso em: 29 mar. 2021.

LA VIA CAMPESINA. *Declaración de Maputo:* V Conferencia Internacional de la Vía Campesina, Soberanía alimentaria YA, Con la lucha y la unidad de los pueblos. Maputo, Mozambique, 2008, Disponível em: https://viacampesina.org/es/declaracie-maputo-v-conferencia-internacional-de-la-vcampesina/. Acesso em: 3 dez. 2018.

MOVIMENTO DE MULHERES CAMPONESAS (MMC). *Feminismo Camponês e Popular* [cartilha], 2018. Disponível em: http://www.mmcbrasil.com.br/site/materiais/download/Cartilha_feminismo_campones_popular-2018.pdf. Acesso em: 29 mar. 2021.

PULGA, V. L.; CALAÇA, M.; CINELLI, C.; SEIBERT, I.; CIMA, J. I (org.) *Mulheres camponesas: semeando agroecologia, colhendo saúde e autonomia*. Rede Unida, UFFS, Porto Alegre, 2018. Disponível em: https://editora.redeunida.org.br/project/mulheres-camponesas-semeando-agroecologia-colhendo--saude-e-autonomia/. Acesso em: 29 mar. 2018.
MOVIMENTO DOS TRABALHADORES RURAIS SEM TERRA – Setor de Gênero. *Feminismo Camponês e Popular com identidade e revolucionário*. Ceagro, Laranjeiras do Sul, 2015.
NERUDA, P. Arena Americana. Disponível em: https://www.poemas-del-alma.com/pablo-neruda-arena-americana-solemne.htm. Acesso em: 26 mar. 2021.
WITCEL. R. *Mulheres e a quebra das correntes*. Centro-Oeste, mimeo., 2019.

FINANCEIRIZAÇÃO DA ECONOMIA

LADISLAU DOWBOR

As finanças não constituem uma "área" da economia, algo para economistas. Saúde tem de ser financiada, tal como a compra de equipamentos industriais, a produção agrícola, a nossa aposentadoria. Trata-se do nosso dinheiro, de uma dimensão de todas as atividades. Qualquer proposta que tenhamos exigirá recursos. Mas ninguém nunca teve no Brasil uma só aula sobre como funciona o dinheiro, como se organizam as finanças, salvo em cursos muito especializados. Isto é particularmente grave, pois gera um ambiente de incompreensão, e abre espaço para os abusos que vivemos.

O dinheiro, a partir dos anos 1980, mudou de natureza: com a generalização do uso da informática, o dinheiro passou a ser representado por sinais magnéticos nos computadores, dinheiro virtual que, por exemplo, temos no nosso bolso sob forma de uma tarja no cartão. Tornou-se imaterial, intangível. Isso permitiu o surgimento de um conjunto de práticas inovadoras, e em particular dos processos especulativos. O banco não precisa mais mostrar que tem "liquidez" nos cofres. Aliás, o cofre é para o pouco de papel-moeda que guarda para pequenas retiradas nas agências. O cofre realmente existente, hoje, é o computador, e a sua chave é uma senha. O banco pode emprestar dinheiro que não tem. A especulação não é nova, mas a sua escala sim.

Com a informática, surgiu a internet, a conectividade global. Com os cabos de fibra ótica conectando os países e as instituições, e os satélites assegurando cobertura global, o dinheiro imaterial passou a ser instantaneamente transferível para qualquer parte do mundo, gerando uma volatilidade financeira planetária. O espaço morreu, comentam os manipuladores de dinheiro dos outros. As finanças passam a jogar no espaço-nave terra. O dinheiro pode navegar em segundos entre as chamadas "praças" financeiras, e gratuitamente.

Bem-vindos ao mundo da financeirização. Em vez de servir aos produtores com crédito barato para poder investir, e aos consumidores para que possam expandir o seu consumo, a máquina financeira passa a girar solta, com juros descontrolados, gerando dividendos para os que vivem de aplicações financeiras, sem precisar produzir.

Gerou-se com isso uma disfunção estrutural no planeta: enquanto o dinheiro navega no espaço global, especulando com as moedas de diferentes países ou com a cotação de matérias-primas, ou ainda com taxas diferenciadas de juros, os governos continuam nacionais, limitados pelas fronteiras. Onde navegam os satélites que repassam os sinais, não há fronteiras. Quando um governo tenta, por exemplo, controlar a especulação e ganhos improdutivos, o dinheiro simplesmente muda de país, buscando o que chamam de ambientes "amigáveis", *business-friendly*.

Como não há governo mundial, os grandes manipuladores de dinheiro, como bancos, investidores institucionais, *traders* de *commodities*, grandes fundos e outros atores sentem-se livres para gerar fluxos muito intensos de recursos financeiros que desequilibram as políticas nacionais de desenvolvimento. Temos sim o Fundo Monetário Internacional (FMI), o Banco Mundial, o Banco Internacional de Compensações BIS (BIS), instituições que tiveram a sua importância, mas que hoje, frente aos grandes bancos de impacto global, apenas dão bons conselhos. Gerou-se um imenso espaço mundial desgovernado. A crise financeira de 2008 teve raízes que hoje são claras.

Não só não temos mais capacidade política de regulação do sistema financeiro, como hoje sequer temos as leis para fazê-lo. A partir da crise de 1929, criada também pelo sistema financeiro, foi instituída a sua regulação pela lei Glass-Steagall (Banking Act, 1933), que separava os serviços bancários para correntistas e as operações especulativas. Os banqueiros poderiam fazer as suas operações especulativas mais ou menos arriscadas, mas com o próprio dinheiro, não o dos correntistas. A partir de 1980, com Margareth Thatcher na Grã-Bretanha e Ronald Reagan nos EUA, o sistema foi sendo liberalizado. Clinton colocou a pá de cal em 1999, repelindo a lei Glass Steagall (Banking Act, 1933). Com a desregulamentação total, dinheiro virtual e conectividade planetária, desapareceu qualquer capacidade de controle. Bem-vindos ao mundo caótico da financeirização.

O Brasil evoluiu de maneira paralela, mas diferenciada. O ponto de partida é a Constituição de 1988, que por meio do artigo 192º (Brasil, 1988a) definiu regras para o Sistema Financeiro Nacional, em particular limitando os juros a 12% ao ano mais inflação. Além desse teto, caracterizaria usura, crime punível por lei. O objetivo geral do sistema foi claramente definido: "O sistema financeiro nacional [será] estruturado de forma a promover o desenvolvimento equilibrado do país e a servir aos interesses da coletividade, em todas as partes que o compõem" (Brasil, 1988a). Esta definição de rumos é essencial, pois o banco, mesmo privado, trabalha com o dinheiro do público, e tem de fazê-lo com responsabilidade. Para poder funcionar, tem de obter uma carta patente do Banco Central, que o autorize a trabalhar com dinheiro dos outros.

Mas o marco jurídico do sistema financeiro foi sistematicamente desmantelado. Entre 1993 e 1995, a hiperinflação, que era uma das grandes pragas do Brasil e de mais 43 países, foi dominada em todos eles. Os bancos precisavam de uma moeda mais estável para participar do sistema global. Em compensação, ganharam em 1995 a possibilidade de colocar as nossas poupanças em títulos da dívida pública, remunerados 25% por ano, já com inflação baixa, drenando os nossos impostos: é a taxa Selic. No mesmo ano, como presente de natal, em 26 de dezembro, foi aprovada a isenção de impostos sobre lucros e dividendos distribuídos. Eu, como professor da PUC-SP, tenho 27,5% do meu salário descontado. Os milhões que entram no bolso dos aplicadores financeiros passaram a ser isentos.

O desmantelamento da regulação financeira continuou em 1997, com a aprovação, pelo Congresso, do financiamento corporativo das campanhas eleitorais. Dar dinheiro a um deputado para votar de determinada maneira continuaria sendo ilegal. Mas comprar um deputado ou senador por quatro anos se tornou legal. Este absurdo perdurou até o final de 2015, quando o STF notou, após 18 anos, que o artigo primeiro da nossa Constituição, "todo poder emana do povo" (Brasil, 1988b), tinha sido violado. É este Congresso, eleito de forma inconstitucional, que sob comando de uma figura bizarra como Eduardo Cunha, organizou e deu aparência legal ao golpe e ao conjunto de medidas que hoje travam o desenvolvimento do país. Em 1999, surgiu a proposta de emenda constitucional PEC 53, que abolia o artigo 192° que regulava o sistema financeiro nacional. Era a pá de cal. O Brasil entrava plenamente na era da financeirização, do vale-tudo da especulação e do endividamento.

Hoje temos uma visão clara do que funciona em economia. E não se trata de discussões teóricas sobre visões ortodoxas ou heterodoxas e debates semelhantes, mas do exame dos resultados práticos. Quando se faz uma política que favorece a massa da população, a chamada base da pirâmide, o consumo das famílias se expande. Trata-se do principal motor da economia. O consumo de massa, como foi chamado, amplia por sua vez a demanda de produtos tanto da indústria como da agricultura. A dinamização das empresas e da agricultura familiar exige mais mão de obra. O desemprego caiu de 12% em 2002 para 6,0% em 2012. A expansão do emprego e a sua formalização (foram 18 milhões de empregos formais criados) aumentam ainda mais a demanda. Como as empresas no Brasil têm uma grande capacidade ociosa, a expansão da demanda encontra os produtos correspondentes, não gerando inflação.

O consumo das famílias, ao crescer, aumenta o volume de impostos pagos, o que gera maior receita para o Estado. Da mesma forma, ao se dinamizar as atividades empresariais, aumenta também o volume de impostos sobre a produção, mais receita para o Estado. O resultado é que as contas do Estado ficam equilibradas. O dinheiro que o Estado coloca na dinamização do andar de baixo da economia gera mais recursos do que o que se investe, por efeito multiplicador natural do recurso bem alocado. Com mais recursos, o Estado passa também a expandir o consumo coletivo da população, o chamado salário indireto que vem através de serviços públicos gratuitos e universais como educação, saúde, saneamento básico, infraestruturas de transporte e semelhantes. Esse modelo, aplicado em muitos países, simplesmente funciona, ao contrário da chamada austeridade. Para o pequeno produtor rural, que depende do mercado interno para a comercialização da sua produção, a expansão da capacidade de compra da massa da população é essencial.

O bem-estar das famílias não depende apenas do dinheiro que chega no bolso, da chamada renda. Um exemplo ajuda a entender: o canadense pode ter um salário menor do que o americano, mas não precisa gastar com médico, com escola, com piscina (são públicas) e assim por diante. O salário indireto do canadense mais do que compensa o salário direto menor. A saúde custa em média ao americano US$ 10.400 por ano. Para o canadense, o custo é de US$ 4.400 por ano, com resultados muito superiores. No conjunto dos países ricos, os Estados Unidos são o país que mais gasta, e o que tem o pior nível de saúde. Isso é muito importante de se entender, pois envolve o papel do Estado, fundamental para assegurar serviços básicos públicos, gratuitos e universais. Reduz a desigualdade, melhora a qualidade, e a custos menores. A expansão das políticas sociais no Brasil não aumentou os gastos, ao contrário, liberou recursos.

Com o aumento da renda da base da população, e a expansão de infraestruturas e políticas sociais, o país foi se tornando simultaneamente mais justo e mais rico. É o chamado círculo virtuoso. Esse modelo de inclusão social funciona, mas não é nenhuma invenção brasileira. Foi assim que Roosevelt tirou os Estados Unidos do buraco nos anos 1930: taxou o sistema financeiro, liberou recursos para a massa da população, financiou pequenas obras disseminadas nos milhares de municípios. Com isso, o consumo se expandiu, as empresas voltaram a produzir e a empregar, e os impostos pagos cobriram a iniciativa. Política para os pobres funciona. Nos EUA, isso foi chamado de *New Deal*, novo pacto social.

Essa política de inclusão produtiva é o que permitiu o milagre da reconstrução da Europa no pós-guerra, chamado de *Welfare State*, Estado de bem-estar social. Ninguém disse aos europeus que primeiro precisava aumentar o bolo (dos ricos) para depois distribuir. Entre 1945 e 1975, foram os chamados 30 anos de ouro da Europa, e também da América do Norte. O milagre econômico da Coreia do Sul, ou do Japão, pertencem à mesma lógica em que a política, o econômico e o social se articulam em torno ao bem-estar das famílias. Não no futuro eternamente adiado, mas como ponto de partida.

O impressionante sucesso econômico da China se deve ao fato de ter aproveitado as imensas necessidades da população como um horizonte de expansão econômica, fator de oportunidades. O Banco Mundial estima que, do bilhão de pessoas que saíram da pobreza nas últimas décadas, 700 milhões são chinesas. E não é apenas com renda, mas com ampliação das políticas sociais (Camburray, 2020).

A realidade é simples, e a raiz financeira da crise não exige cálculos complicados. No conjunto, à medida que o governo popular foi expandindo a capacidade econômica dos mais pobres, o grande comércio e os bancos foram expandindo a captação do dinheiro que a massa da população ia ganhando. Tirar dinheiro do bolso de dezenas de milhões de pobres pode ser complicado. Mas quando o dinheiro é um sinal magnético, extrair pequenas quantias de uma massa grande de pessoas torna-se simples. O cartão de crédito representa hoje um canudinho eletrônico que abre acesso ao nosso dinheiro. Uma compra de R$ 100 no cartão de crédito custa R$ 100 ao comprador, mas o vendedor recebe apenas R$ 95, pois o banco cobra 5% sobre a operação. Multiplicado por dezenas de milhões de compras diárias, só esta e outras tarifas pagam uma vez e meia a folha de pagamento dos bancos. Não se trata de alta finança. Trata-se de milhões de pequenas extorsões. No Canadá se desconta apenas 6 centavos de dólar por operação com cartão. Faz sentido cobrar porcentagem?

Outro mecanismo são os crediários. A Associação Nacional dos Executivos de Finanças, Administração e Contábeis (Anefac) apresenta os juros praticados. Para artigos do lar, por exemplo, a média está na ordem de 76,10%. Ou seja, o grosso da população que não tem como pagar o eletrodoméstico à vista paga quase o dobro. Este sobrecusto do produto sequer é levado em consideração no cálculo da inflação. Mas é como se tivesse dividido por dois o dinheiro que a pessoa tem no bolso. Na Europa, a taxa de juros mais elevada que encontrei em crediários, na rede Midia@markt, é de 13% ao ano. No Brasil, apresentam o juro ao mês, e apresentam a prestação que "cabe no bolso".

A mesma distorção escandalosa se encontra no crédito bancário. O próprio crédito consignado é um escândalo, custando na faixa de 28%, quando na Europa é 3,5% ao ano. Quando as pessoas se enforcam na dívida, recorrem ao cheque especial, que chega a 150%, ou ao rotativo no cartão, acima de 250%. O resultado prático é que em 2019 tínhamos 64 milhões de adultos "negativados", com o chamado nome sujo, excluídos do crédito. Se acrescentarmos as famílias, estamos falando da metade da população brasileira.

A situação das empresas não é muito melhor. Enquanto as multinacionais tomavam dinheiro no exterior abaixo de 5% ao ano, e as poucas grandes conseguiam juros mais razoáveis com o Banco Nacional de Desenvolvimento (BNDES), a massa de pequenas e médias empresas era esmagada com juros acima de 40% no crédito bancário, e muito mais escandalosos evidentemente no cheque especial ou no rotativo do cartão. Somando os juros pagos pelas famílias e pelas empresas, cerca de 15% do PIB são sugados pelos intermediários financeiros, sem produzir rigorosamente nada. Esse é o sistema de agiotagem que quebrou o país.

A essa realidade temos de acrescentar a apropriação dos nossos impostos pelos intermediários financeiros. Lembremos que a taxa Selic foi criada em 1995, e a partir de 1 de julho de 1996 o governo passou a pagar 25% sobre os títulos da dívida pública, quando no resto do mundo raramente passam de 1% ou 2% ao ano. O mecanismo é simples. O cidadão que tem dinheiro o deposita no banco, que lhe paga um juro simbólico. O banco, por sua vez, aplica este dinheiro em títulos do governo que pagavam juros de 25%. Nos Estados Unidos, para comparar, pagavam 2% ao ano (2018). Para pagar aos bancos e outros aplicadores financeiros, o governo tem de desviar os nossos impostos do que deveria fazer – financiar infraestruturas, saúde etc. – para repassá-los aos bancos. Esses repasses eram, em 2019, da ordem de 310 bilhões de reais, cerca de 4,5% do PIB. O Bolsa Família, para se ter uma ideia da dimensão desses repasses, é da ordem de 30 bilhões. Se somarmos os 15% do PIB que se transformam em juros pagos por pessoas físicas e pessoas jurídicas, e os 4,5% que são pagos pelo governo (sobre os nossos impostos), temos uma sangria anual da ordem de 20% do PIB. Nenhuma economia pode funcionar assim.

Essa deformação já vinha se agravando durante o governo Lula e mais ainda durante o governo Dilma, já que a liquidação do Artigo 192 da Constituição (Brasil, 1988a), que limitava os juros reais a 12% ao ano, liberou as taxas. Entre 2012 e 2013, o fluxo de juros pagos aos bancos e também a rentistas da classe média alta, onerando as famílias, as empresas e o governo, estava estrangulando a economia, travando o seu crescimento. Dilma não tinha outra solução senão intervir reduzindo os juros no sistema público. Reduziu os juros para famílias e empresas na Caixa Econômica Federal e no Banco do Brasil, já que legalmente os bancos privados podem cobrar o que quiserem. Originou-se um fluxo de clientes dos bancos privados para os bancos públicos. Ao mesmo tempo reduziu a taxa Selic, para liberar recursos para uso produtivo, reduzindo a imensa mama que a dívida pública representava para os bancos, a classe média alta e os ricos em geral. Essas medidas eram absolutamente necessárias para reduzir o vazamento dos recursos para rentistas improdutivos. Em 2019, a taxa Selic foi reduzida drasticamente, mas o estoque da dívida tornou-se muito maior.

O sistema financeiro pode funcionar de outra maneira? Em vez de argumentos ideológicos, o melhor é olhar o que funciona. Na Alemanha, por exemplo, as famílias e pequenas empresas colocam o seu dinheiro em caixas de poupança municipais, *Sparrkassen*, e os recursos servem para financiar o desenvolvimento local. O dinheiro é do público, e o seu uso é público. Em vez de remunerar agiotas, promove o bem-estar. E se trata de mais de 60% da poupança privada. Os pequenos produtores locais, tanto na esfera urbana como no campo, têm tudo a ganhar com crédito barato e controlado localmente. A democracia política é reforçada pela democracia econômica. Os donos do dinheiro controlam o que com ele é feito.

A China é particularmente interessante. O *Bank of China*, tipo de BNDES, financia grandes infraestruturas. A indústria pesada, como siderurgia, cimento, centrais elétricas e semelhantes empresas estatais têm bancos próprios, de maneira a assegurar o controle financeiro e a flexibilidade de investimentos. Mas o grosso do financiamento é assegurado no âmbito local, em cada município, e orientado em função das necessidades do desenvolvimento, e não das necessidades de agiotas. O sistema financeiro é apenas um meio, não um fim. Os bancos locais assumem um papel de fomento, não de empobrecimento.

Inúmeros exemplos positivos e que funcionam bem podem ser encontrados. Desde a Islândia, que foi quebrada pela especulação financeira e simplesmente nacionalizou os bancos – podemos falar em desprivatização – até a Polônia, que se tornou capitalista, mas guardou do socialismo os seus 470 bancos cooperativos, que financiam o que os donos do dinheiro precisam que seja financiado. A Polônia apresenta 16 anos seguidos de crescimento de 4% ao ano. Na França, funciona uma rede de ONGs de intermediação financeira, que asseguram o que chamam de "aplicações financeiras éticas": as pessoas podem financiar projetos ambientais ou sociais, tornando o seu dinheiro útil, por meio de organizações comunitárias. Algumas destas ONGs têm recursos aplicados no volume próximo de 1 trilhão de Euros. E recebem garantia da *Banque de France*.

O essencial é que se trata de países e de iniciativas que se preocupam não com o quanto os bancos ganham, mas com quanto contribuem. No Brasil, com cinco bancos controlando 85% dos ativos do país, não há concorrência, e o que deveria ser um órgão regulador, o Banco Central, foi apropriado pelos banqueiros. Mas o resgate do poder político, uma regulação efetiva pelo Banco Central, e a utilização dos dois grandes bancos públicos, a Caixa Econômica Federal e o Banco do Brasil, no sentido de reduzir os juros e de reintroduzir a concorrência no sistema, poderia transformar radicalmente o sistema. Os bancos cooperativos existentes também podem ajudar na reconversão. Temos os bancos, temos as agências, temos pessoas que sabem manejá-los: a inversão necessária é que os bancos devem reaprender a servir à economia e ao desenvolvimento, em vez de se servirem destes, já que trabalham com dinheiro que não é deles.

Uma experiência particularmente interessante é a dos bancos de desenvolvimento comunitário. Hoje são 113 no Brasil, emitem a própria moeda e cartões de crédito, e escapam do dreno econômico dos usurários. O Banco Palmas foi pioneiro, e a sua experiência mostra como a moeda local, perfeitamente legal no Brasil, ao dinamizar as atividades locais sem cobrar juros astronômicos, torna o dinheiro produtivo.

As inovações não faltam. O que nos falta, evidentemente, é resgatar o poder sobre o nosso dinheiro. E já vimos que os rentistas que vivem de juros sobre o dinheiro dos outros – tanto bancos como a classe média alta rentista, e até muitas empresas antes produtivas que decidiram que rende mais aplicar no tesouro direto do que investir na produção – se agarram com unhas e dentes a um poder que trava o país. Resgatar a democracia significa também resgatar o direito ao nosso dinheiro.

F

Referências

BRASIL. Senado Federal. Atividade legislativa. *Constituição, 1988a, artigo 192*. Título VII: Da ordem econômica financeira. Capítulo IV: Do sistema financeiro nacional. Disponível em: https://www.senado.leg.br/atividade/const/con1988/con1988_atual/art_192_.asp. Acesso em: 29 mar. 2021.

______. Senado Federal. Atividade legislativa. *Constituição, 1988b, artigo 1º*. Título I: Dos princípios fundamentais. Disponível em: https://www.senado.leg.br/atividade/const/con1988/con1988_14.12.2017/art_1_.asp. Acesso em: 29 mar. 2021.

CAMBURRAY, M. China: êxito na retomada econômica e na luta contra a extrema pobreza. *Le Monde Diplomatique Brasil*, 26 nov. 2020. Disponível em: https://diplomatique.org.br/china-exito-na-retomada-economica-e-na-luta-contra-a-extrema-pobreza/. Acesso em: 29 mar. 2021.

FEDERAL RESERV HISTORY. *Banking Act*, 1933. Disponível em: https://www.federalreservehistory.org/essays/glass-steagall-act. Acesso em: 29 mar. 2021.

Associação Nacional dos Executivos de Finanças, Administração e Contabilidade (ANEFAC) – *Pesquisa mensal de juros*. Disponível em: https://www.anefac.org/pesquisa-de-juros. Acesso em: 29 mar. 2021.

Para saber mais

DOWBOR, L. *Como funciona a economia na era da financeirização*: Disponível em: http://dowbor.org/2018/08/curso-pedagogia-da-economia-com-ladislau-dowbor-instituto-paulo-freire-2018-15-aulas.html/. Acesso em: 29 mar. 2021.

______. *A era do capital improdutivo*: por que oito famílias têm mais riqueza do que a metade da população do mundo? São Paulo: Autonomia Literária, 2017. Disponível em: http://dowbor.org/blog/wp-content/uploads/2012/06/a_era_do_capital_improdutivo_2_impress%C3%A3oV2.pdf. Acesso em: 29 mar. 2021.

FOME

Maria Emília Pacheco

Um problema tão antigo quanto a própria humanidade. A falta do que comer para viver mostra o limite da própria sobrevivência da espécie humana. Mas este tema, durante longo tempo da história constituiu-se um tabu ou um tema proibido como denunciou o brasileiro, médico, escritor, geógrafo, sociólogo, diplomata e político, cidadão do mundo Josué de Castro.

Ao romper com a visão da calamidade da fome como fenômeno natural, ou como uma contingência que não se removia como a morte, e denunciar a fome como fenômeno social provocado pelos homens, esse autor explicou em seu célebre livro *A geografia da fome – o dilema brasileiro: pão ou aço*, em 1946, que o silenciamento sobre a fome devia-se a interesses econômicos e políticos, e a preconceitos (Castro, 1963).

A entrada da classe trabalhadora no cenário político, reivindicando melhores condições de vida, e a contribuição pioneira e corajosa de Josué de Castro falando sobre o flagelo da fome trouxeram à tona uma questão social. O subtítulo do livro – *pão ou aço* – indicava a preocupação com os rumos do desenvolvimento econômico, desde os anos 1930, ao mesmo tempo que argumentava ser necessário entender historicamente o aprofundamento da miséria e da pobreza, frutos da agricultura baseada no latifúndio e nos monocultivos, fazendo a defesa da Reforma Agrária. Objetivando o estudo da fome coletiva, como fenômeno social, o autor assim construiu o conceito:

> O nosso objetivo é analisar o fenômeno da fome coletiva – da fome atingindo endêmica ou epidemicamente as grandes massas humanas. Não só a fome total, a verdadeira inanição que os povos de língua inglesa chamam de *starvation*, fenômeno, em geral, limitado a áreas de extrema miséria e a contingências excepcionais, como o fenômeno muito mais frequente e mais grave, em suas consequências numéricas, da fome parcial, da chamada fome oculta, na qual, pela falta permanente de determinados elementos nutritivos, em seus regimes habituais, grupos inteiros de populações se deixam morrer lentamente de fome, apesar de comerem todos os dias. (Castro, 1963, p. 22)

Josué de Castro elaborou o primeiro mapa da fome no país, incorporando métodos da geografia e dialogando com a ecologia. Identificou cinco diferentes áreas alimentares, que formam *o mosaico alimentar brasileiro*. São elas: área Amazônica, área da Mata do Nordeste; área do Sertão; área do Centro-Oeste e área do Extremo Sul. Em cada uma delas identificou recursos típicos, com a dieta habitual e produtos regionais e seus diferentes grupos humanos com suas características próprias do ponto de vista psíquico, biológico e cultural.

Distinguiu as áreas de fome como aquelas em que pelo menos a metade da população apresentava manifestações carenciais no seu estado de nutrição, sejam elas permanentes (áreas de fome endêmica), sejam transitórias (áreas de epidemia de fome). Concluiu que três áreas na época eram nitidamente áreas de fome: Amazônica, Mata e Sertão Nordestino (Castro, 1963) Para a geração formada nos anos 1950 e 1960 no Brasil, o livro *Geografia da Fome* foi um clássico que influenciou reflexões e ações.

Desenterrar a dor

Na história da fome no Brasil, há fatos que têm sido esquecidos ou são desconhecidos. A memória social precisa ser valorizada e revisitada. E nessas lembranças de desenterrar a dor, e desnudar a barbárie, é importante ouvir vozes e entender outras narrativas, como falaria Josué de Castro, se estivesse vivo. Assim compreendemos o motivo pelo qual o autor, com toda a sensibilidade, dedicou o *Geografia da Fome* aos romancistas da fome no Brasil – Raquel de Queiroz, que escreveu *O Quinze* e José Américo de Almeida, autor de *A bagaceira*. Mas é, sobretudo, em Raquel de Queiroz que vemos o que afirmou Mário de Andrade: "É mais que uma conversão da seca à realidade, é uma conversão à humanidade" (Andrade, 2017). A leitura desse romance nos traz profunda emoção e uma tristeza amarga.

Confinar, controlar e vigiar pessoas em determinados locais aconteceu na seca de 1877, com os abarracamentos em torno de Fortaleza. E na seca de 1915, descrita por Rachel de Queiroz, houve o primeiro campo de concentração, chamado pelos retirantes de "curral do governo", porque se sentiam tratados como o gado que haviam perdido na seca, na região do Alagadiço, atual São Gerardo, no Ceará. E com força de imagem, nos convida a pensar sobre essa desumanidade:

> Conceição passava agora quase o dia inteiro no Campo de Concentração, ajudando a tratar, vendo morrer às centenas as criancinhas lazarentas e trôpegas que as retirantes atiravam no chão, entre montes de trapos, como um lixo humano que aos poucos se integrava de todo no imundo ambiente onde jazia. (Queiroz, 2017, p. 135)

Em 1932, a prática de manter a cidade dos ricos afastada (ou parcialmente afastada) da miséria concretizou-se novamente na construção de locais para o aprisionamento dos flagelados, bem como em frentes de trabalho, e também com as políticas de emigração forçada para outros estados. Nesta seca, o poder público isolou parte dos sertanejos em sete campos de concentração, distribuídos em lugares estratégicos, para garantir o encurralamento de um maior número de retirantes no Sertão do Ceará (Rios, 2014).

Ainda hoje, mantendo a tradição de mais de 20 anos, ano após ano, uma grande romaria, denominada Caminhada da Seca, em Senador Pompeu, termina no "Cemitério da Barragem", que foi criado em torno das valas comuns, onde os habitantes dizem que estão enterradas mais de mil pessoas.

Mas recordemos também da manifestação de protesto contra a fome, expressa na poesia do muito esquecido Francisco Solano Trindade, pernambucano, negro, poeta, ator e criador de alguns movimentos negros no Brasil do século XX.

Em 1944, durante a ditadura do Estado Novo, Solano, autor do sensível poema da dor da fome (*Tem gente com fome*), denunciava as mazelas sociais que a população pobre e negra sofria. Foi preso e teve o livro *Poemas de uma vida simples* apreendido. O poema foi duas vezes censurado no Brasil, uma em 1944 e outra em 1975, quando um grupo musical pretendia gravá-lo. Fatos que ocorreram nos dois regimes ditatoriais (Munanga e Gomes, 2006). O cenário de seus versos é o trajeto do trem que vai da Estação Leopoldina até a Estação Mauá, no Rio de Janeiro. Em sua travessia, percorre o subúrbio, algumas favelas e bairros de classe média, com o povo pobre que busca comida. E num tom lírico e triste, com os sons onomatopaicos dos movimentos do "trem sujo da Leopoldina, vai correndo, correndo e parece dizer tem gente com fome [...]". Na cadência do ritmo da estrada de ferro, vai deslizando o trem, repetindo "tem gente com fome [...]". Nas estações que vai parando, pede: "se tem gente com fome, dá de comer [...]". E o movimento se repete até chegar ao final da viagem, quando escutamos o "psiu" do silenciamento autoritário que manda o trem calar (Eddine e Gonçalves, 2016). Citamos Raquel de Queiroz e o poema de Solano Trindade por compartilharmos da visão segundo a qual

> [...] a literatura pode mudar vidas, não apenas em um sentido utópico de que ela reconstrói a realidade, mas também, ao desvelar sentidos sociais, culturais e históricos, trazendo formas de enxergar a realidade e, também, novas configurações subjetivas para combater preconceitos e discriminações. (Eddine e Gonçalves, 2016, p. 81)

Caminhando com os tropeços da história

A partir dos anos 1940, o Estado passa a intervir sobre essa questão social, com distintas orientações que percorrem a história. As primeiras iniciativas reportam-se ao governo Vargas, com a definição de um piso mínimo salarial, após um período de debates e reivindicações da classe trabalhadora ao longo dos anos 1930. Josué de Castro, com seu estudo sobre *As condições de vida das classes operárias do Recife*, em 1932, já chamava a atenção sobre o estado de penúria dos trabalhadores.

Nesse período, criou-se o Serviço Central de Alimentação do Instituto de Aposentadoria e Pensões dos Industriários, que foi chefiado por Josué de Castro. Posteriormente, transformou-se no Serviço de Alimentação da Previdência Social (Saps), sob a responsabilidade do Departamento de Administração do Setor Público (Dasp). O Saps tinha como principais atribuições atender os segurados da previdência social. Criou-se uma grande rede de restaurantes destinada aos trabalhadores. No ano de 1945, existiam seis unidades funcionando no Rio de Janeiro e 42 em outras partes do país (Silva, 2006). Mas como analisam vários autores, eram iniciativas calcadas na visão da cidadania regulada, ou seja, dirigida àqueles que estavam inseridos no mercado de trabalho. Como nos explica Wanderley Guilherme dos Santos:

> Por cidadania regulada entendo o conceito de cidadania cujas raízes encontram-se não em um código de valores políticos, mas em um sistema de estratificação ocupacional, e que, ademais, tal sistema de estratificação ocupacional é definido por norma legal. Em outras palavras,

> são cidadãos todos aqueles membros da comunidade que se encontram localizados em qualquer uma das ocupações reconhecidas e definidas em lei. (Santos, 1979, p. 75)

Na década de 1950, foi instituído o Plano Nacional de Alimentação (Brasil, 2015) voltado fundamentalmente para ações de suplementação alimentar de segmentos da população considerados vulneráveis. Mas é também nesta época, do governo Getúlio Vargas, que a merenda escolar, o mais antigo programa alimentar brasileiro, como ficou conhecido através dos tempos, foi oficializado, em 1955, sob a inspiração de Josué de Castro. Vinculado ao Ministério da Educação e Cultura, contava na época com doações internacionais de alimentos sob os auspícios da Organização das Nações Unidas para a Agricultura e Alimentação (FAO), baseadas na visão de assistência alimentar, pós Segunda Guerra Mundial, com o escoamento do excedente da produção dos países do norte. Como exemplo, havia a distribuição do leite em pó.

No período da ditadura militar, houve extinção de vários programas, mas manteve-se o programa ainda denominado merenda escolar. O Saps deixou de existir no ano de 1967. Houve também a interrupção do debate sobre o fenômeno da fome como produto da desigualdade socioeconômica e que precisaria ser enfrentado com medidas estruturais e emergenciais. A fome foi devolvida à condição de tema proibido (Cerri; Santos, 2002). E naquele contexto, os militares impuseram a cassação dos direitos políticos de Josué de Castro, que, em 1963, havia renunciado ao mandato de deputado federal para cumprir missões em organismos internacionais. Impedido de voltar ao país, foi viver na França, onde morreu em 1973. Seu célebre livro, *Geografia da fome*, caiu no esquecimento. Só foi reeditado em 2001, pela Fiocruz.

Chegando no período da redemocratização, foi fundamental a ação dos movimentos sociais, estudiosos e articulações da sociedade civil, que influenciaram o governo paralelo, desde 1991, organismo que antecedeu o Instituto pela Cidadania. A mobilização "Ação da Cidadania Contra a Fome, a Miséria e pela Vida", liderada pelo sociólogo Herbert de Souza (o Betinho) e a respectiva "Campanha Nacional de Combate à Fome", em 1993, recolocaram na agenda política a questão social da fome. Nessa época, foi também criado o Conselho Nacional de Segurança Alimentar e Nutricional (Consea), no governo Itamar Franco, como mecanismo inovador de parceria e governabilidade. A mobilização social com múltiplas representações da sociedade, por ocasião da I Conferência Nacional de Segurança Alimentar, em 1994, foi um passo significativo.

Com o início do governo FHC e o consequente arrefecimento do tema da segurança alimentar e nutricional, substituído pela proposta do Programa Comunidade Solidária, esses atores encontraram limitações políticas e institucionais para atuar na construção de políticas públicas.

Fome Zero: reorientação das políticas de Estado

Chegamos aos primeiros anos do século XXI com o projeto *Fome Zero – Uma Proposta de Política de Segurança Alimentar no Brasil*, lançado em outubro de 2001, pelo Instituto de Cidadania, órgão não governamental criado por Luiz Inácio Lula da Silva, entre outros. Com uma ampliação do debate sobre a fome, avançamos na definição da segurança alimentar e nutricional, e na proposta de inclusão do Direito Humano à Alimentação Adequada no Capítulo 6º da Constituição Federal de 1988 (Brasil, 1988).

O Programa Fome Zero (Brasil, 2011) ancorou-se em uma combinação de políticas *estruturais*, com a perspectiva de diminuir a vulnerabilidade alimentar das famílias, por meio do aumento da renda familiar, da universalização dos direitos sociais, do acesso à alimentação com qualidade e da diminuição da desigualdade de renda; *específicas*, destinadas a promover a segurança alimentar e combater diretamente a fome e a desnutrição dos grupos populacionais mais carentes; e *políticas locais*, com o estímulo a programas que já se encontravam em execução nos estados e municípios e que deveriam ser ampliados. O reconhecimento da agricultura familiar e camponesa como peça-chave para garantir a disponibilidade de alimentos redefiniu o seu lugar como ator social nas políticas.

Em 2004, a Escala Brasileira de Medida de Insegurança Alimentar (Ebia) foi incorporada, por decisão do Ministério do Desenvolvimento Social e Combate à Fome, à Pesquisa Nacional por Amostra de Domicílios (PNAD). Surgiu assim o primeiro diagnóstico, no Brasil, de *segurança e insegurança alimentar* domiciliar, com abrangência e representatividade nacionais. Os resultados mostraram que cerca de 40% da população brasileira convivia com algum grau de insegurança alimentar, sendo 18% com insegurança alimentar leve, outros 14,1% com insegurança alimentar moderada e 7,7% com insegurança alimentar grave. O que significava aproximadamente 14 milhões de brasileiros convivendo com a fome e outros 25 milhões com restrição quantitativa importante na sua alimentação, totalizando mais de 39 milhões de brasileiros (Segall e Leon-Marin, 2009).

Com a articulação de várias políticas, o país retirou 28 milhões de brasileiros da pobreza absoluta (Brasil, 2011) e saiu do mapa da fome em 2014. Nos últimos anos, com os desmontes da Política Nacional de Segurança Alimentar e Nutricional, o país caminha de volta ao mapa da fome.

Referências

ALMEIDA, J. A. *A bagaceira*. 43 ed. Rio de Janeiro: Ed. José Olympio, 2008.

ANDRADE, M. *In*: QUEIROZ, R. 107 ed. *O Quinze*. Rio de Janeiro: Ed. José Olympio, 2017. Transcrito de *Táxi e crônicas no Diário Nacional*, São Paulo, duas Cidades, 1976, p. 251-252. Publicado originalmente no Diário Nacional em 14 de setembro de 1930.

BRASIL. Ministério da Educação. Fundo Nacional de Desenvolvimento da Educação. *Programa Nacional de Alimentação Escolar*, 2015. Disponível em: https://www.fnde.gov.br/index.php/programas/pnae/pnae-sobre-o-programa/pnae-historico. Acesso em: 29 mar. 2021.

_____. Ministério do Desenvolvimento Social e Combate à Fome. *Plano Brasil Sem Miséria*. Brasília/DF, 2011. Disponível em: http://www.mds.gov.br/webarquivos/publicacao/Fome%20Zero%20Vol1.pdf /. Acesso: set. 2011.

_____. Senado Federal. Atividade Legislativa. *Constituição Federal*. Capítulo VI, Título II: Dos Direitos e Garantias Fundamentais. Capítulo II Dos Direitos Sociais. São direitos sociais a educação, a saúde, a alimentação, o trabalho, a moradia, o transporte, o lazer, a segurança, a previdência social, a proteção à maternidade e à infância, a assistência aos desamparados, na forma desta Constituição. 1988.

CASTRO, J. *Geografia da Fome*. O dilema brasileiro: pão ou aço. São Paulo: Brasiliense, 1963.
CERRI, C.; SANTOS, A. C. *Fome*: história de uma cicatriz social. Brasília, 2002.
EDDINE, E. A. C.; GONÇALVES, L. de J. A educação antirracista e o poema "Tem gente com fome", de Solano Trindade. *Revista Crioula*, n. 18, p. 76-91, dez. 2016. Revista Eletrônica dos Alunos de Pós-Graduação Estudos Comparados de Literaturas de Língua Portuguesa do Departamento de Letras Clássicas Vernáculas-DLCV-FFLCH-USP.
MUNANGA, K. & GOMES, N. L. *O negro no Brasil de hoje*. São Paulo: Global, 2006.
QUEIROZ, R. *O Quinze*, 107 ec. Rio de Janeiro: José Olympio, 2017.
RIOS, K S. *Isolamento e poder*: Fortaleza e os campos de concentração na seca de 1932. Fortaleza: Imprensa Universitária, 2014.
SANTOS, W. G. *Cidadania e justiça*: a política social na ordem brasileira. Rio de Janeiro: Campus, 1979.
SEGALL-CORREA, A. M.; MARIN-LEON, L. A Segurança Alimentar no Brasil: proposição e usos da escala brasileira de medida da insegurança alimentar (EBIA) de 2003 a 2009, *Revista Segurança Alimentar e Nutricional*, Campinas, v. 16 n. 2, p. 1-19, 2009.
SILVA, R. R. Principais políticas de combate à fome implementadas no Brasil. Porto Alegre, 2006. *Revista Virtual Textos & Contextos*, v. 5, n 1, nov. 2006, p. 1-19, Pontifícia Universidade Católica do Rio Grande do Sul. Porto Alegre, RS, Brasil. Disponível em: http://www.redalyc.org/articulo.oa?id=321527158003. Acesso em 2 dez. 2018

Para saber mais

BRASIL. Ministério do Desenvolvimento Social e Combate à Fome. *Fome Zero, uma História brasileira*, 3 v., Brasília, 2010. https://www.mds.gov.br/webarquivos/publicacao/Fome%20Zero%20Vol1.pdf Acesso em 2 dez. 2018.
JESUS, M. C. *Quarto de Despejo*: diário de uma favelada. 10 ed. São Paulo: Ática, 2014.
TAVARES, C. *Documentário sobre Histórias da Fome no Brasil*. Produtores associados: Daniel de Souza e Diego Paiva, lançamento em 2017. http://www.mpcfilmes.com.br/cinema-tv/catalogo/catalogo-doc/historias-da-fome-no-brasil. Acesso em 2 dez. 2018.
MINAYO, M. C. de S. (org.). *Raízes da Fome*. Petrópolis: Vozes/Fase, 1985.

FORMAÇÃO EM ALTERNÂNCIA

Salomão Mufarrej Hage
Maria Isabel Antunes-Rocha
Fernando Michelotti

A formação em alternância diz respeito às formas de organização do trabalho pedagógico em tempos e espaços diferenciados e inter-relacionados. Para apresentar o conceito, organizamos o texto apresentando inicialmente sua vinculação ao movimento da Educação do Campo. Em seguida, trazemos a pedagogia da alternância, paradigma no qual a Educação do Campo estabelece diálogo, mas que também se diferencia. Retomamos o conceito para apresentar como ele se organiza na Educação do Campo. Consideramos pertinente apresentar os marcos legais conquistados ao longo das últimas décadas, pois estes garantem a institucionalidade desta forma de organização pedagógica. Finalizamos com algumas reflexões sobre os limites e potencialidades da formação em alternância nas práticas educativas no contexto do campesinato e da agroecologia.

A alternância é uma prática formativa construída no âmbito do movimento da Educação do Campo no final da década de 1980 (Telau, 2015). Nessa condição, se constitui como uma estratégia teórico-metodológica de formação dos sujeitos do campo ancorada na relação trabalho-educação-território. Essa estratégia tem como intencionalidade se constituir como um processo educativo potencializador das dimensões que são estruturantes das formas de produzir e reproduzir a existência no contexto do campesinato.

A pedagogia da alternância tem suas raízes na França, nas décadas iniciais do século XX. Famílias agricultoras, preocupadas com a escolarização e o futuro dos filhos empreenderam esforços para criar uma escola cujo funcionamento possibilitasse a permanência destes com a família, garantindo também condições para que o projeto pedagógico atendesse às demandas das formas de vida vinculadas aos seus modos de existência. Nessa perspectiva, a alternância se organiza no meio familiar/profissional e no meio escolar. Em meados do século, há um processo de expansão dessa experiência para vários continentes (Begnami, 2004).

A primeira experiência brasileira ocorreu em 1969, na cidade de Anchieta, no estado do Espírito Santo. O movimento iniciou com apoio da Igreja Católica como uma associação criada por famílias focalizando a formação profissional, mas sem vínculos com a escola. Ao longo do tempo, passou a ofertar as séries finais do Ensino Fundamental e o Ensino Médio articulado à formação profissional, constituindo-se como uma rede de ensino. Nas diferentes regiões brasileiras, recebem denominações diferenciadas como Escolas Famílias Agrícolas (EFA), Casas Familiares Rurais (CFR) e Escolas Comunitárias Rurais (ECOR). Na última década, estas diferentes instituições se organizaram nacionalmente por meio do Movimento Centros Educativos Familiares de Formação por Alternância (Ceffas). Na atualidade, os Ceffas se estruturam com cerca de 273 centros localizados em 22 estados federativos.

O movimento da Educação do Campo, já em suas primeiras experiências, teve na pedagogia da alternância uma referência para organizar o trabalho pedagógico, mas na perspectiva de articular a escola com o território. O que significa dizer relacionar a escola com os sujeitos e suas organizações sociais (incluindo a família) em seus diferentes espaços e temporalidades. Essa intencionalidade deu origem aos termos tempo escola ou tempo universidade e tempo comunidade. A formação em alternância, segundo Queiroz (2004, p. 42), se efetiva e se fortalece com o entendimento de que a relação escola-família-sociedade pressupõe uma sinergia, uma integração e uma interpenetração que possibilite romper com a dicotomia teoria e prática, abstrato e concreto, conhecimentos escolares e saberes tradicionais, formação e produção, trabalho intelectual e trabalho manual.

As primeiras experiências aconteceram no âmbito do Programa Nacional de Educação na Reforma Agrária

(Pronera).[1] A formação de educadores para atuar na Educação de Jovens e Adultos demandou uma organização diferenciada. Dessa forma, havia tempos concentrados de formação nas universidades e tempos formativos ao longo da execução dos cursos nos assentamentos. O desenvolvimento dos cursos de Ensino Fundamental, Médio e Superior ofertados pelo Pronera mantiveram esse formato, possibilitando assim a emergência de práticas alternadas para organizar o período letivo. Em 2008, o Ministério da Educação incorpora a alternância como referência para organizar os cursos de Licenciatura em Educação do Campo a serem ofertados no âmbito do Programa de Apoio à Formação Superior e Licenciatura em Educação do Campo (Procampo).

Nesse processo, foram sendo construídos alguns marcos legais relevantes para a formação em alternância.

A perspectiva metodológica da alternância faz parte do espírito da Lei de Diretrizes e Bases da Educação Nacional (Lei 9.394/96) (Brasil, 1996). Essa definição encontra-se já no seu artigo primeiro, ao definir o *lócus* onde ocorrem os processos formativos:

> Art. 1º: A educação abrange os processos formativos que se desenvolvem na vida familiar, na convivência humana, no trabalho, nas instituições de ensino e pesquisa, nos movimentos sociais e organizações da sociedade civil e nas manifestações culturais.

E no artigo 23, quando aborda as possibilidades de organização dos tempos escolares.

> A educação básica poderá organizar-se em séries anuais, períodos semestrais, ciclos, alternância regular de períodos de estudos, grupos não seriados, com base na idade, na competência e em outros critérios, ou por forma diversa de organização, sempre que o interesse do processo de aprendizagem assim o exigir.

O Art. 28 possibilita a oferta de conteúdos curriculares apropriados aos reais interesses e necessidades do modo de organização do trabalho na zona rural, criando assim possibilidades para propor uma organização escolar própria.

> Na oferta de educação básica para a população rural, os sistemas de ensino promoverão as adaptações necessárias à sua adequação às peculiaridades da vida rural e de cada região, especialmente:
> I – Conteúdos curriculares e metodologias apropriadas às reais necessidades e interesses dos alunos da zona rural;
> II – Organização escolar própria, incluindo adequação do calendário escolar às fases do ciclo agrícola e às condições climáticas;
> III – Adequação à natureza do trabalho na zona rural.

As Diretrizes Operacionais para a Educação Básica nas Escolas do Campo, provadas pelo Parecer n. 36, de 2001 e pela Resolução n. 01, de 2002, explicitam de forma ainda mais contundente a alternância como possibilidade de organização escolar.

> Art. 7º, parágrafo 2º: As atividades constantes das propostas pedagógicas das escolas, preservadas as finalidades de cada etapa da Educação Básica e da modalidade de ensino prevista, poderão ser organizadas e desenvolvidas em diferentes espaços pedagógicos, sempre que o exercício do direito à educação escolar e o desenvolvimento da capacidade

dos alunos de aprender e continuar aprendendo assim o exigirem.

O Parecer CEB n. 1/2006, do Conselho Nacional de Educação, reconhece a pedagogia da alternância como forma legítima de organização escolar (Brasil, 2006). Foi aprovado por unanimidade pela Câmara de Educação Básica do Conselho Nacional de Educação e publicado no *Diário Oficial da União*, com a homologação do Ministro da Educação, em 15 de março de 2006. Ainda que esse documento tenha sido direcionado para o funcionamento dos Ceffas, reconhece-se que ele fortalece a formação em alternância.

O decreto n. 7.352, de 4 de novembro de 2010, que reconhece a Educação do Campo como política pública, reafirma a pedagogia da alternância como possibilidade de organização dos processos formativos de educadores e da prática escolar.

Vale registrar que vários estados federativos brasileiros aprovaram Diretrizes Estaduais da Educação do Campo, e nestas normativas encontra-se indicada a formação em alternância como possibilidade de organização dos processos formativos de professores e das Escolas do Campo. Em termos da rede superior de ensino, registra-se que a Universidade Federal de Minas Gerais aprovou em 2018 a formação em alternância como uma das modalidades de oferta de cursos de graduação.

A formação em alternância e sua construção pedagógica

A formação em alternância reconhece que diferentes tempos, espaços e saberes são educativos e, portanto, todos contribuem com a formação dos sujeitos do campo. Essa compreensão provoca mudanças na dinâmica da organização dos processos educativos, da organização do trabalho dos educadores e educadoras, da organização e planejamento curricular e dos processos de produção do conhecimento.

Na organização dos processos educativos, a formação em alternância amplia o território formativo dos sujeitos do campo, por meio da interlocução direta na relação entre o tempo, o espaço e o conhecimento que ocorre entre as distintas experiências formativas em que os sujeitos participam, transcendendo os espaços, os horários/tempos/calendários e saberes específicos escolares, e aproximando-os dos processos de produção de conhecimento que se materializam nas situações presentes no trabalho, nas práticas culturais e na vida dos sujeitos do campo.

Na prática, essas mudanças incidem na estrutura dos processos educativos, que passa a organizar a formação por meio da alternância enquanto unidade espacial/temporal de integralização de dois momentos específicos: "tempo escola/universidade" e "tempo comunidade", que se inter-relacionam, se alternam e se complementam para a articulação dos diferentes tempos/espaços e saberes formativos nos processos educativos, apresentando-se como o diferencial que inova na formação dos sujeitos do campo, quando comparada à organização do ensino convencional: seriada, disciplinar, semestral, em etapas, que terminam por fragmentar e hierarquizar o tempo/espaço/conhecimento nos processos formativos.

O "tempo escola/universidade" é constituído por ações educativas realizadas em espaços institucionais em que os processos educativos são ofertados: na escola ou na universidade. O "tempo comunidade" é constituído por ações educativas realizadas em espaços em que os educandos desenvolvem: o trabalho em interação com os bens da natureza através da agricultura, da pesca e do extrativismo; suas ações coletivas de militância nos movimentos e organizações sociais; e suas práticas culturais de convivência: religiosas, esportivas, de lazer etc., na família, nas comunidades rurais, nos assentamentos e acampamentos. Onde se materializa a existência, a vida concreta dos sujeitos do campo.

Ambos – tempo escola/universidade e tempo comunidade – são tempos/espaços de práxis, ou seja, de articulação entre teoria e prática, de diálogo entre os saberes da tradição do trabalho e da vida e os conhecimentos científicos, entre os saberes culturais e os conhecimentos escolares. São tempos/espaços que provocam alterações na organização dos processos educativos, incluindo a escola, ao oportunizar a interação entre conhecimento e realidade nas comunidades e territórios rurais, ao fortalecer a articulação entre a pesquisa, a intervenção e a militância política na formação dos sujeitos do campo.

Na organização do trabalho dos educadores e educadoras, a formação em alternância oportuniza uma ação coletiva, dialógica, participativa, integrada e interdisciplinar, articulando todos os sujeitos sociais envolvidos e que protagonizam os processos educativos na escola e nos demais processos educativos: educadores, educandos, gestores, pais, mães, sujeitos e lideranças das comunidades, organizações e movimentos sociais e sindicais do campo. Esta forma coletiva de organizar o trabalho dos educadores e educadoras visa o desenvolvimento de práticas formativas assentadas nos princípios fundantes da Pedagogia do Movimento.

A Pedagogia do Movimento vincula-se às referências pedagógicas da Educação do Campo, que se produz a partir da organização, da mobilização e das lutas empreendidas pelos movimentos sociais e sindicais do campo por determinados projetos de desenvolvimento do campo e da sociedade em perspectiva contra-hegemônica, inspirada nas contribuições de Gramsci (1982), que combina as lutas pela terra, pela reforma agrária, pelo direito ao trabalho, à cultura, à soberania alimentar e ao território com os processos formativos dos sujeitos do campo (Caldart, 2004, p. 21-23).

Nas tensões que se evidenciam no trabalho dos educadores e educadoras do campo, a formação em alternância toma como elemento central de construção da contra-hegemonia e da emancipação o reconhecimento da organização social e política e da vida material e simbólica de sujeitos do campo; que se referenciam pela coletividade, pela diversidade e principalmente pela formação humana dos sujeitos do campo, referências essas que precisam ser compreendidas e assumidas pelos educadores e educadoras em seus trabalhos educativos.

O trabalho dos educadores na formação em alternância é referência também por assumir o trabalho como princípio educativo, que tem sua gênese na pedagogia socialista, fundamentada no materialismo histórico dialético, que tem na materialidade da vida o trabalho como essencial na produção das condições reais de existência e de (re) existência do ser social. Marx e Engels (1979) enfatizam que o "trabalho neste contexto é entendido como produtor dos meios de vida tanto nos aspectos materiais quanto culturais – ou seja, de conhecimento, de criação material e simbólica e de formas de sociabilidade".

Ancorando-se no trabalho como princípio educativo a formação em alternância promove a articulação da formação dos sujeitos com o espaço da produção, promovendo a relação entre "trabalho intelectual" e "trabalho manual", pautando com isso a necessidade de uma organização diferenciada do trabalho dos educadores e educadoras na escola do campo como nos demais processos educativos sociais, sob os pilares de uma formação crítica e humana que busca valorizar os saberes e as experiências dos sujeitos que produzem suas condições de existência na terra, no campo, nas águas e nas florestas.

Na organização e planejamento curricular, a formação em alternância estimula os sujeitos – educadores, educandos e demais sujeitos participantes dos processos educativos – a pensar e materializar outras formas de conceber o planejamento e o currículo, visto que são instigados a dar outros sentidos e significados ao processo de formação dos sujeitos do campo, ancorados na dialogicidade entre os sujeitos e seus saberes, experiências, conhecimentos e culturas.

Para que se possa afirmar a dialogicidade, é importante que os processos educativos escolares e sociais construam uma matriz curricular que dê conta da articulação de saberes de diferentes tradições: do trabalho, da ciência e tecnologia e da cultura, fortalecendo a interdisciplinaridade e a transdisciplinaridade no trato com os componentes curriculares, ao afirmar uma perspectiva relacional entre as várias áreas de conhecimento, entre os conhecimentos científicos/escolares e os saberes do trabalho e da produção cultural dos sujeitos do campo; provocando, com tudo isso, mudanças substantivas na forma hegemônica de produzir e socializar os conhecimentos científicos.

No aspecto da dialogicidade e da inter-relação dos sujeitos e seus saberes, a teoria freiriana se apresenta com bastante pertinência como uma referência que coloca em evidência as culturas, os conhecimentos e os saberes como princípios fundantes dos processos educativos, visto que busca ouvir os sujeitos do campo; aprender com suas experiências; afirmar os seus modos de vida; oportunizar o acesso à informação, ciência, tecnologias, sem hierarquizar os conhecimentos, valores e ritmos de aprendizagem.

Nesse sentido, a formação em alternância contribui para fortalecer a interculturalidade na organização do currículo ao afirmar as identidades e modos de vida próprios dos territórios rurais, a heterogeneidade ambiental, produtiva e sociocultural que constitui esses mesmos territórios; as diferenças entre eles existentes; e a conflitualidade que demarca a convivência entre os povos, etnias, grupos, coletivos e classes sociais que neles vivem. Ela estimula os educadores e educadoras a incorporar no currículo dos processos educativos os saberes dos povos que manejam a terra, a água e as florestas, assim como os saberes das Ciências e da Tecnologia, enfrentando a hierarquia, a apartação e desigualdade entre eles.

Nos processos de produção do conhecimento, a formação em alternância incide de várias maneiras, provocando mudanças na forma hegemônica e convencional de produzir e socializar os conhecimentos científicos, assim como legitimando processos de produção e socialização de conhecimentos que se ancoram em matrizes epistemológicas outras, de base não acadêmico-científica.

Nos processos formativos em alternância, as problemáticas do campo são pautadas e investigadas em toda a sua complexidade, como totalidades, nas suas contradições, no seu movimento histórico, diferenciando-se da perspectiva cartesiana, que fragmenta, aparta e hierarquiza as partes. Assume-se, assim, uma perspectiva temática/totalizante/interdisciplinar, fortalecendo a relação entre realidade e conhecimento, entre teoria e prática (práxis), e entre pesquisa e intervenção, promovendo o imprescindível diálogo entre os conteúdos trabalhados no tempo escola/universidade e as tensões e contradições vivenciadas na produção material da vida dos educandos nos territórios do campo, no tempo comunidade.

A formação em alternância assume a pesquisa como princípio metodológico, estimulando todos os sujeitos participantes dos processos educativos a produzir conhecimentos articulando o viés acadêmico com os saberes da experiência do trabalho e da cultura nos territórios rurais. Esse processo proporciona a transgressão da lógica de entender a pesquisa nos processos formativos e sua relação com as comunidades, que deixam de ser entendidas apenas como lócus de experimentação, de aplicação da prática, de testagem de experiências, de investigação da realidade, de levantamento de informações e dados para a construção de inventários e diagnósticos diversos. Elas passam a ser compreendidas como sujeitos coletivos com dinâmicas, necessidades, interesses, desejos e demandas próprias, que interagem com as escolas e demais espaços educativos e com eles assumem a ação formativa dos sujeitos do campo (Hage; Silva; Farias, 2016).

Assim, a pesquisa, na formação em alternância, se efetiva durante todo o processo formativo, reconhecendo que o tempo comunidade e o tempo escola/universidade são indissociáveis no processo de formação dos sujeitos do campo; pois, é na cultura vivida que suas referências se entrecruzam com novos saberes, investigando a realidade local, do ponto de vista diagnóstico e experimental, onde os sujeitos vivem e trabalham, combinando reflexões coletivas que oportunizem a compreensão e a intervenção qualificada nessa mesma realidade.

A formação em alternância objetiva formar todos os envolvidos nos processos educativos em sujeitos pesquisadores, capazes de inquirir suas realidades, buscando compreender, com o suporte do conhecimento científico em diálogo com os saberes tradicionais e demais saberes que circulam e são produzidos nos territórios rurais, a essência dos processos econômicos, sociais, políticos, ambientais e culturais que ocorrem nos seus territórios. Nesse processo, são utilizados muitos instrumentos e metodologias que lhes permitam compreender suas realidades com mais profundidade e construir coletivamente possibilidades e condições de intervenção nessas realidades.

Diferentes experiências de interação entre educação do campo e agroecologia, dada a centralidade das interações trabalho – educação – território, têm trabalhado nessa direção, incorporando e ampliando as possibilidades da formação em alternância. A sistematização da experiência do Instituto de Agroecologia Latino-americano na Amazônia (Iala) (Silva Junior, 2018) mostra como a articulação entre formação em alternância e pesquisa-participante forneceu elementos que permitissem colocar no centro dessa construção pedagógica as demandas técnico-políticas, concepções de mundo, formas de sistematizar o pensamento e critérios de validação dos sujeitos das comunidades camponesas envolvidas no processo. Dessa forma, mesmo sendo cursos de educação superior vinculados à institucionalidade universitária, a organização do processo educativo, do trabalho do/as educadores/as e do planejamento curricular podem convergir, desde uma relação dialógica entre sujeitos das comunidades, educandos e educadores, para o fortalecimento dos processos de produção de conhecimento agroecológico em seus sentidos mais políticos. O relato e a análise dessas experiências estão disponíveis na literatura acadêmica (Sousa *et al.*, 2016; Andrade *et al.*, 2017; Vieira, 2017) e em *sites* dos movimentos sociais e sindicais, com destaque para a página da Escola Latino-americana de Agroecologia (2020).

Frente às potencialidades dessas dinâmicas relacionadas à formação em alternância, o movimento da Educação do Campo a tem incorporado nas práticas de formação humana, escolar e profissional dos sujeitos do campo, visando à transformação dos próprios processos educativos escolares e sociais, bem como de suas intencionalidades políticas. A formação em alternância associa-se, portanto, com as demandas por uma produção de conhecimento agroecológico tanto em sua dimensão de resistência dos camponeses ao processo de expulsão e desterritorialização promovido pelo agro-hidro-mínero-negócio (Molina; Hage, 2016, p. 815) como de produção de territórios e territorialidades emancipatórias, baseadas no trabalho e na transformação da natureza voltados à produção e reprodução da vida.

Referências

ANDRADE, F. M. C. *et al.* Agroecologia, Pedagogia da Alternância e a indissociabilidade entre ensino, pesquisa e extensão na formação de educadores do campo. *In: X congreso* internacional sobre investigación en didáctica de las ciencias, Sevilla, 5-8 set. 2017. Disponível em 100._agroecologia_pedagogia_da_alternancia_e_a_indissociabilidade_entre_ensino.pdf. Acesso em: 23 jul. 2020.

BEGNAMI, J. B. *Uma Geografia da Pedagogia da Alternância no Brasil.* Brasília: Cidade Gráfica e Editora, 2004.

BRASIL. Ministério da Educação. Conselho Nacional de Educação. *Parecer CNE/CEB n. 1/2006 –* Considera como dias letivos o calendário escolar da Pedagogia de Alternância aplicado nos Centros Familiares de Formação por Alternância (Ceffa). Brasília, 2006.

_______. Ministério da Educação. *Decreto n. 7.352 de 4 de novembro de 2010.* Brasília, 2010.

_______. Presidência da República. Casa Civil. Subchefia para Assuntos Jurídicos. *Lei n. 9.394, de 20 de dezembro de 1996.* Estabelece as diretrizes e bases da educação nacional. Disponível em: http://www.planalto.gov.br/ccivil_03/leis/l9394.htm. Acesso em: 29 mar. 2021.

CALDART, R. S. Elementos para construção do Projeto Político e Pedagógico da Educação do Campo. *In*: MOLINA, M. C. & JESUS, S. M.A (org.). *Contribuições para a construção de um Projeto de Educação do Campo.* Brasília, DF: Articulação "Por uma Educação do Campo", 2004.

ELLA – ESCOLA LATINO-AMERICANA DE AGROECOLOGIA, 2020. *Site*. Disponível em: <http://elaa.redelivre.org.br/sobre/>. Acesso: 27 jul. 2020.

GRAMSCI, A. *Os intelectuais e a organização da cultura.* 4. ed. 1982.

IEJC. *Escola em movimento.* São Paulo: Expressão Popular, 2013.

MARX, K; ENGELS, F. *A ideologia alemã.* São Paulo: Ciências Humanas, 1979.

MOLINA, M. C.; & HAGE, S. M. Riscos e potencialidades na expansão dos Cursos de Licenciatura em Educação do Campo. *RBPAE*, v. 32, n. 3, p. 805-828 set./dez. 2016.
QUEIROZ, J. B. de. *Construção das Escolas Famílias Agrícolas no Brasil:* Ensino Médio e educação profissional. Orientação: Prof. Dr. Yves Chaloult Brasília, 2004. Tese (Doutorado em Sociologia). Universidade de Brasília (UnB).
SILVA, M. D. S;. HAGE, S. A. M.; SILVA, H. do S. Educação superior no campo: universidade e movimentos sociais em diálogo na formação de educadoras e educadores. *Revista Brasileira De Educação Do Campo*, n. 5, 2020. Disponível em: https://doi.org/10.20873/uft.rbec.e10512 Acesso em: 29 mar. 2021.
SILVA JUNIOR, A. L. *Educação do campo, agroecologia e questão agrária:* a experiência do curso de residência agrária na construção do Iala Amazônico. Marabá: Iguana, 2018.
SOUSA, R. P. *et al. Educação do Campo na Amazônia:* a experiência histórica das Escolas Famílias do estado do Amapá. Belém: IEB Mil folhas, 2016. Disponível em: https://iieb.org.br/wp-content/uploads/2019/02/SistematizacaoEFAs_web_1.pdf. Acesso: 26 jul. 2020.
TELAU, R. *Ensinar, incentivar, mediar:* dilemas nas formas de sentir, pensar e agir dos educadores dos Ceffas sobre os processos de ensino/aprendizagem. Orientação: Prof. Drª Maria Isabel Antunes-Rocha. Belo Horizonte, 2015. 178 p. Dissertação (Mestrado em Conhecimento e inclusão social Linha de pesquisa: psicologia, psicanálise e educação). Universidade Federal de Minas Gerais.
VIEIRA, L. C. *A pedagogia da alternância do curso de Agroecologia:* um estudo de caso no IFSul. Pelotas: Programa de Pós-Graduação em Mestrado Profissional em Educação e Tecnologia do Instituto Federal Sul-Rio-Grandense, Campus Pelotas, 2017 (Dissertação).

F

Nota

1 Algumas experiências de cursos em alternância no âmbito da reforma agrária ocorreram antes do Pronera. A Fundep, experiência do início da década de 1990, que depois deu origem ao Iterra, ao IEJC, já constituiu seus cursos em alternância, e visitou experiências de escolas-família para inspiração e recriação da lógica desde nossas circunstâncias e objetivos. Há informações e reflexões sobre isso no livro do IEJC: *Escola em movimento*, Expressão Popular, 2013.

H

HOMEOPATIA

Pedro Boff
Marcelo Silva Pedroso
Leyza Paloschi de Oliveira

Homeopatia: ciência e arte de cura por sua própria história

O costume de cuidar com plantas, animais e mesmo com o ser humano tem sido substituído pela técnica do controle, do tratamento e da erradicação de coisas maléficas que se associam aos seres vivos. O *ethos* do cuidado nos educa para um ato comunicativo de convivência, de tolerância e da compreensão dos mais altos fins da existência que cada ser vivo tem a cumprir. Caberia, pois, ao cuidador-ser humano, consciente de sua responsabilidade na preservação da vida na terra, proporcionar meios de cura verdadeira, que não sejam agressivos e sejam tanto quanto possíveis de rápida ação e de efeito permanente. Essas considerações, no processo de cura ao enfermo, têm sido propostas por Christian Friedrich Samuel Hahnemann como orientações primeiras, ao propor a homeopatia como ciência e arte de cura em sua obra-prima *Organon da arte de curar*, de 1810 (Hahnemann, 1996).

Inconformado com os procedimentos agressivos adotados na época (séc. XVIII), como sangria, vomitivos e laxantes, Hahnemann abandonou o exercício da medicina e passou a se dedicar à tradução de livros, aproveitando-se de sua facilidade com línguas. Em uma dessas traduções, conheceu o trabalho do médico escocês Willian Cullen sobre os possíveis mecanismos de cura da malária por *China officinalis* (china). Hahnemann discordou do que lera e resolveu fazer nele próprio testes com a planta. Ele descreveu sintomas semelhantes à malária, como febre intermitente, entre outros. A experiência possivelmente fez o gênio Hahnemann lembrar do aforismo de Hipócrates, segundo o qual a cura pode ocorrer pelos opostos ou pelos semelhantes, mas sempre a partir do todo. Após reunir evidência de que esses sintomas nele provocados seriam propriedades curativas do medicamento em questão, passou então a buscar a verdadeira natureza curativa de substâncias que, ao encontro de um quadro semelhante no enfermo (doente), daria lugar à cura verdadeira, *Similia Similubus Curentur* (o semelhante pelo semelhante se cura). Daí que, desde o início, Hahnemann chamou seu método de ciência da homeopatia, porque suas observações partiram de evidências distintas dos fatos conhecidos na época e foram confirmadas empírica e sistematicamente.

Após seis anos de experimentação e clínica, Hahnemann publica seu primeiro trabalho científico, advindo da hipótese de que o quadro sintomatológico descrito na experimentação em organismos sadios é capaz de aniquilar o semelhante quadro de um enfermo. Portanto, semelhante enfermo terá cura verdadeira com um medicamento o mais semelhante possível, que lhe é revelado na experimentação em organismos sadios. Os axiomas da ciência da homeopatia se completam com medicamento único e doses mínimas e dinamizadas. Além disso, é feito uso de um medicamento por vez, pois só assim pode-se averiguar a eficácia na cura relacionada à identidade original da matéria-prima.

A diluição e dinamização, também, derivam do ímpeto genial de Hahnemann na busca da cura através dos simples recursos naturais disponíveis. Muitas das substâncias utilizadas no sec. XVIII eram efetivas para algumas doenças epidêmicas terríveis, como no caso do uso de mercúrio no tratamento da sífilis. Entretanto, ao mesmo tempo que esse tratamento curava da sífilis, intoxicava o organismo. Hahnemann passou então a diluir os componentes, atenuando seus efeitos tóxicos, mas conservando sua natureza curativa. Depois de certo tempo, passou também a agitar logo após diluir os medicamentos e observou que em muitas situações havia aumento da eficácia do medicamento homeopático na cura do enfermo. O preparo dos medicamentos com sucessivas diluições e agitações (sucussões) eliminaria sua constituição químico-material que poderia provocar agravações indesejáveis, mas surpreendentemente conservavam o poder curativo.

Se o poder curativo do medicamento homeopático passa a ser imaterial, então é de se esperar que sua ação é sobre um ente imaterial. A esse ente imaterial, Hahnemann denomina de força vital ou poder vital. Mas o processo de cura só é possível se a força vital do organismo reage ao medicamento, e isso ele chamou de ação secundária reativa. Assim se estrutura a homeopatia como ciência. Entretanto, a prática homeopática desafia o homeopata a encontrar um medicamento o mais semelhante possível, entre a descrição nos compêndios de matérias médicas, as patogenesias, como a totalidade sintomática do organismo enfermo. Esse exercício de compreender o enfermo como organismo único individualizado e de buscar o semelhante medicamento que possa melhor cobrir o quadro enfermo, priorizando primeiro os sintomas de maior hierarquia, os mais vitais, exige que o homeopata-terapeuta praticante da homeopatia seja um artista de cura. Portanto, a homeopatia como ciência e arte de cura do organismo enfermo, cujo mecanismo de ação do medicamento depende da reatividade do poder vital (natureza imaterial) para operar a cura pelo semelhante, é de racionalidade científica distinta do convencionalismo materialista cartesiano. Em outras palavras, a medicina das doenças, a veterinária das drogas e a agronomia dos agrotóxicos não oferecem receptividade à grandiosidade que é a homeopatia para o ser humano com seu todo interativo ambiente.

Saúde: harmonia pela homeostase e autodeterminação

O conceito superior de saúde é harmonia. Nos sistemas biológicos, podemos entender harmonia como equilíbrio dinâmico, dando condições de emergir a resiliência, que é a propriedade do sistema, no nosso caso a agricultura/agroecossistema, em poder voltar ao equilíbrio dinâmico uma vez cessado o agente de perturbação. A perturbação poderia ser causada por agentes físicos (alterações meteorológicas e humanas) ou agentes biológicos como doenças e pragas, entre outras. Assim, um agroecossistema, cultivo vegetal ou rebanho e seu entorno terão maior resiliência se tolerarem a ocorrência de insetos e parasitas, por exemplo, e, ao mesmo tempo, puderem restabelecer seu equilíbrio vital, sem ajuda da intervenção humana. O redesenho do sistema produtivo é o procedimento mais adequado para efetivar essa estratégia. Neste redesenho, busca-se otimizar o uso dos recursos locais como solo, águas, biodiversidade e o trabalho familiar. A potencialização das interações biológicas nos agroecossistemas é, na maioria das vezes, suficiente para tolerar possíveis problemas fitossanitários, embora em determinadas situações seja necessário e desejável estimular o sistema imunológico vegetal/animal. O papel da homeopatia, nessas circunstâncias, é proporcionar a reorientação da ciclagem de matéria orgânica, do fluxo de energia e de facilitar os serviços ecológicos.

A homeopatia, como ciência e arte de cura, deve integralizar-se nessa perspectiva de soberania intelectual dos povos menos favorecidos e instrumentalizá-los a se libertarem das limitações que lhes impõe o quadro enfermo pela dor, pela dependência e pela competição.

Homeopatia: terapêutica integrativa

A homeopatia tem como pressuposto no processo saúde e doença o restabelecimento da homeostase – propriedade de manter o equilíbrio dinâmico – do organismo pela ação da força vital e sua ação se dá no organismo como um todo. Os sintomas apresentados no indivíduo sadio ao ingerir a homeopatia são capazes de curar aquele que, no adoecimento, apresenta os mesmos sintomas. Deste modo, o semelhante cura o semelhante, e, alicerçado na força vital, embasa a possibilidade de utilizar a homeopatia para os humanos, assim como para os animais e para as plantas.

O que faz adoecer o solo, a água, as plantas e os animais também faz adoecer o homem. A informação veiculada pela homeopatia promove uma resposta que permite o reequilíbrio da parte tratada, assim como tem sintonia com tudo que é semelhante no sistema. Dessa forma, a abordagem para o tratamento é de forma integrativa.

Considerando a característica medicamentosa da homeopatia, é possível, por similitude, atuar nos diferentes níveis de complexidade de seres vivos. A *Arnica montana* (arnica europeia) que é utilizada em traumas físicos em seres humanos e animais, pode ser também utilizada em traumas após poda, enxertia, granizo ou transplante de plantas (Tabela 1). *Nux vomica*, que tem efeito em desintoxicações nos seres humanos e animais, tem sido experimentada na agricultura para transição para sistemas ecológicos, atuando favoravelmente na desintoxicação do organismo agrícola. As observações registradas das modificações que ocorrem no conjunto dos organismos, em determinado agroecossistema, orientam o processo metodológico no tratamento. A observação dos sintomas e a conexão entre as partes do sistema são as bases das informações para a prática terapêutica. É necessário considerar que os elementos vivos são frutos de uma evolução endossimbióti-

H

ca – os *cloroplastos* e as *mitocôndrias* dos organismos *eucariontes* têm origem pela associação entre procariontes, benéfica para ambos – e que a simbiose – associação entre espécies, com benefícios mútuos e interdependência metabólica – faz parte da organização dos seres no sistema terrestre. As informações fluem, a comunicação se dá em diferentes níveis e os seres percorrem seus ciclos vitais. Há maior ou menor expressão da autonomia dos indivíduos nesses contextos, que deve ser levado em consideração para a definição do conjunto de sintomas característicos.

Do ponto de vista evolutivo, após a transição das plantas, da água para o sistema terrestre, a sua fixação se deu num ambiente de trocas contínuas com outras plantas e de maior dependência nas relações com o solo, água, astros, espaço aéreo e outros seres vivos. Desse modo, a expressão dos sintomas de uma doença em planta é predominante nos órgãos vegetativos e reprodutivos, mas com interdependência das ações inteligentes e psíquicas do sistema. Há necessidade de reconhecer os fatores de adoecimento do sistema. Para o uso dessa terapêutica, é necessário buscar reconhecer "os obstáculos à cura" e promover ações para vitalizar o sistema em seu conjunto. A terapêutica homeopática repousa na experiência e, ao ser aplicada, permite desenvolver a arte de individualizar o meio em que se encontra, perceber as relações entre as partes, exercitar escolhas e acompanhar as respostas aos movimentos executados.

A aplicação da homeopatia na agroecologia pode ser exemplificada no manejo de *Acromyrmex* spp., formigas cortadeiras, sem causar colapso (morte do formigueiro) ou recolonização (migração para novas áreas) (Giesel *et al.*, 2012). A pulverização de 10ml de preparados homeopáticos produzidos a partir de trituração ou macerado de nosódio de Acromyrmex spp. 30CH a 0,5m na trilha de forrageamento principal das formigas, a um metro de distância do ninho no início da manhã ou ao entardecer em cinco dias consecutivos pode reduzir eficientemente a atividade e forrageamento das formigas. *Belladonna* 30CH, também, foi efetiva na redução da atividade das formigas. As preparações homeopáticas restabelecem a homeostase no agroecossistema ao atuar no ponto de perturbação, evitando a multiplicação de colônias.

O manejo de pragas e doenças na cultura do tomateiro foi estudado em casa de vegetação e a campo, utilizando-se homeopatia em sistema orgânico (Modolon *et al.*, 2012). Nesse experimento, foram utilizados preparados homeopáticos de *Solanum lycopersicum* (tomate x cultivar Santa Cruz Kada) e *Solanum aculeatissimum* (tomate silvestris), *Arnica montana, Staphysagria, Arsenicum album* e *Sulphur*; Calda Bordalesa a 0,3%, calda cúprica 50 ppm (formulada com vinagre de uva, semente de linho e sulfato de cobre) e *Bacillus thuringiensis.* A maior produção de frutos de tomateiro no campo foi obtida com a *Arnica montana* 12DH. Com a utilização de *Sulphur* 12CH observou-se a redução de danos da broca pequena, igualando-se ao tratamento com *B. thuringiensis.* Com estes tratamentos não foi possível reduzir a incidência de brocas grandes. A incidência de septoriose do tomate, quando o cultivo foi realizado em casa de vegetação, foi completamente suprimida com o preparado de tomateiro 12CH e drasticamente reduzida quando utilizada a potência de 24DH. Estes preparados homeopáticos no manejo da cultura do tomateiro são adequados para preencher o requisito legal de produção orgânica.

Tabela 1 – Ampliação do uso da homeopatia em sistemas agrícolas

Homeopatia: uma prática integrativa		**Procedimento metodológico no tratamento/ cura do enfermo, como exemplo pelo sintoma de queixa principal (1)**		
Medicamento/ remédio	**Característica medicamentosa do recurso**	Humanos	Animais	Plantas
A. Homeopatias	A. Matéria Médica Homeopática/ Patogenesias/ experimentação em organismo sadio (Humano)	1. Sintoma(s) de queixa *principal* de maior importância no momento; 2. *Similimum*: analisa/trata *o organismo* como um todo; 3. *Gênio Epidêmico:* Busca o que há de comum entre organismos doentes; 4. *Miasmatico:* modo de adoecer/possibilidade reativa		
Apis melifica: macerado da abelha inteira (apitoxina)	Atarefado, inconstante, melancólico/choroso; ciúme; inchaços gânglios, edemas, dores agudas/ picantes/ queimantes/pulsantes; sem sede;	(1)Inchaços, prevenção de picadas de insetos, insolação; alergias, inflamações com edemas	(1)Inchaço de úbere, inflamação em geral, retenção de placenta após parto	(1)Sensível ao calor aborto(pré), repelência vespa e mosca
Arnica montana: macerado da planta na floração (arnicina)	Medo de morte repentina; sensação de golpeado/machucado/corpo quebraco; rejeita o toque, sensação dolorosa; autoritário, sabe tudo, orgulhoso; hemorragias; rosto quente e o resto frio	(1)Pancadas, traumas físicos externos, ferimentos por acidente; transtorno físico por parto/ cirurgia, sustos	(1)Ferimentos externos, traumas físicos/ chicote, cirurgias, castração,	(1)Traumas físicos poda, granizo, vento, enxertia, transplante
Belladonna: macerado da planta colhida na floração (atropina)	Hipersensível, irritável/ bom humor; delírios e convulsões; furioso, bate na parede, morde e chora; gordos de cabeça grande; calor, vermelhidão, latejamento	(1)Febre alta, transtornos mentais; escarlatina (crianças)	(1)Febre, mastite com febre	(1)Ferrugens, formigas, manchas avermelhadas por viroses/bacterioses
Nux vomica: maceração da semente seca e ralada (estricnina)	Impaciente, colérico, intolerante/afetuoso; Impressiona-se. Magro, rápido, friolento; Gastrite, boca amarga, dor de cabeça. Ineficiente desejo de evacuar.	(1) Desintoxicação, mau humor, moléstias da vida sedentária.	(1)Desintoxicação	(1) Desintoxicação, transição para ecológico, fitotoxidez, cobre em videira
Sulphur: trituração da "flor de enxofre"	Magro, arqueado, cara de velho; filósofo maltrapilho, concentrado em si mesmo, paranoico; pálido, amarelo, fedorento	(1) Alergia, coceira, doenças no estágio inicial; levantar forças, purgar; prevenção. Homem de negócios.	(1) Alergias, sarnas, pulgas	(1) Acaro, pulgões, oidios (de estufa)
Thuya occidentalis: cedrinho, cipreste (resina)	Desejo de ficar só. Medo de ficar louco. Obeso, baixo e pesado; peludo, friorento; Crescimento exagerado; falsas aparências; ulcerações	(1)Verrugas, tumores; doenças gênito-urinarias e da pele. Blenorragia	(1) verrugas, tumores, mal das vacinas	(1)Verrugoses, cancros, galhas
B. nosódios/ bioterápicos	B-A: Cura pelo igual/mesmo causador da doença ou problema	Insetos, parasitas, doenças, partes de plantas doentes, solos doentes, águas contaminadas...		

Fonte: Os autores

A utilização de homeopatia pode influenciar a produção de repolho em sistema orgânico desde os estágios iniciais do cultivo (Pulido *et al.*, 2014). A utilização de *Sulphur* 6CH em plântulas propiciou o aumento da altura e comprimento de raiz em relação à testemunha. *Silicea terra* 30CH e *Sulphur* 6CH proporcionaram aumento da produção de matéria seca de cabeças de repolho cultivadas no campo. O aumento da massa seca pode ser observado. Também, com *Arnica montana* 6CH e 30CH, e *Silicea terra* 30CH. A utilização de *Sulphur* 6CH foi eficiente em relação ao aumento de matéria seca e na qualidade das plântulas de repolho.

Homeopatia na agropecuária: intervenção a favor de processos produtivos saudáveis

Sistemas agropecuários são por definição modificações dos ecossistemas naturais para atenderem demandas da sociedade humana por alimentos, fibras e bioenergia. Em situações de ocorrência de epidemias de pragas, parasitas e doenças, agricultores recorrem a métodos de controle, muitos dos quais de grave impacto sobre os recursos naturais, solos, águas e biodiversidade. Agrotóxicos, drogas veterinárias e adubos minerais de alta solubilidade são alguns dos produtos utilizados na produção agropecuária que ao mesmo tempo aliviam os cultivos e criações de problemas sanitários, mas apresentam efeitos colaterais desastrosos no meio ambiente. Esses produtos induzem, também, o surgimento de raças de patógenos e de pragas resistentes aos próprios agentes de controle. Ou seja, a avaliação da eficácia de intervenções fitossanitárias e veterinárias deve considerar sua duração ao longo do tempo e que os efeitos colaterais sejam minimizados. A homeostase é favorecida pelas intervenções de efeito continuado, como citados acima, além da própria homeopatia, por abrigar complexas interações tróficas e ecológicas, e trocas cooperativas com o meio biótico/abiótico externo principalmente pela ciclagem de materiais e fluxo energético. Entretanto, quando tais perturbações não são superadas pela propriedade resiliente aí presente, todo o sistema padece e consequentemente os indivíduos que dele fazem parte. Nesse contexto, terapias não residuais devem ser consideradas como única possibilidade de tratamento e cura, uma vez que já foram implementadas as práticas preventivas disponíveis.

A homeopatia traz a possibilidade de que seus pressupostos, uma vez atendendo à ordem natural das coisas (princípios naturais), permitem estender sua aplicação a todos os seres vivos.

Existem algumas abordagens para a aplicação da homeopatia em animais. A principal delas é a anamnese e a repertorização individual do animal buscando o *Simillimum* deste com o objetivo de equilibrá-lo em seu todo, mental e fisicamente. Também podemos fazer anamnese (levantamento de todos os sintomas físicos e mentais) e repertorização (cruzamento da síndrome sintomática com os medicamentos homeopáticos semelhantes) em todo o rebanho, tratando-o como um único indivíduo; desta forma, tratando todos os animais enfermos com o mesmo medicamento semelhante de forma a equilibrá-los igualmente. A este método denominamos de gênio epidêmico, sendo que aqueles animais que não respondem ao tratamento serão individualizados para o conhecimento do seu *Simillimum*. Outra forma que podemos utilizar são os nosódios, preparados homeopáticos elaborados a partir do agente causador da enfermidade de forma a auxiliar na resolução de surtos agudos. Neste último, lançamos mão muitas vezes de preparados homeopáticos (bioterápicos) elaborados a partir de parasitas como carrapatos, moscas, bernes, vermes, dentre outros, assim como também de secreções de locais doentes como leite com mastite clínica, secreções de feridas contaminadas com dificuldade de cicatrização, bem como outras enfermidades semelhantes. Também se pode lançar mão de preparados realizados a partir de substâncias tóxicas que possam estar comprometendo a saúde dos animais, como venenos, metais pesados etc., como forma de facilitar sua eliminação pelo organismo. Uma outra abordagem empregada é a utilização de preparados a partir de órgãos anatômicos normais a fim de curar esses mesmos órgãos no indivíduo enfermo, como os exemplos do músculo cardíaco, medula óssea, rim, fígado, dentre outros. Lembrando que o caminho primordial é sempre o encontro do medicamento *Simillimum* do indivíduo ou do rebanho como forma de equilíbrio de seu todo, e somente após lançar mão dos preparados nosódios como forma auxiliar nos tratamentos das enfermidades nos animais.

A aplicação da homeopatia na produção animal pode ser observada em diversos casos na região sul de Santa Catarina, trabalhados da seguinte maneira: sempre busca-se encontrar o medicamento do "gênio epidêmico", ou *Simillimum* (semelhante) dos rebanhos, através da anamnese e repertorização, de forma a equilibrar os animais e assim curar todas as enfermidades, sejam elas agudas ou crônicas, e em última análise restabelecer a saúde do enfermo-organismo. Para o tratamento pelo gênio epidêmico ou pelo *Simillimum*, poderão ser utilizados um dos mais de dois mil medicamentos já experimentados em organismos sadios e descritos nos compêndios de matéria médica homeopática, cuja escolha segue o método de repertorização pela totalidade sintomática do organismo enfermo.

Além de realizarmos o equilíbrio dos animais com o medicamento semelhante (*Simillimum*), complementamos, muitas vezes, com tratamentos pontuais para casos agudos que não cedam integralmente à cura pela medicação do "gênio epidêmico". Como exemplos, utiliza-se *Apis mellifica* para edemas, principalmente de úbere, e eliminação placentária *Phytolacca decandra* para mastite clínica; *Nux vomica* em processos de intoxicação; *Arnica montana* para traumatismos (descorna, castração, pancadas, cirurgias); *Arsenicum album* para diarreias; *Ignatia amara* para a separação entre vacas e suas crias; *Thuya occidentalis* para o tratamento de verrugas. A utilização de nosódios – bioterápicos preparados a partir do próprio agente da enfermidade ou sinais característicos – é feita de forma emergencial e pontual. Por isso, essas indicações do tipo enfermidade-remédio devem vir sempre precedidas de um tratamento com o medicamento *Simillimum* do rebanho, para alcançar a cura verdadeira.

Tanto para os medicamentos do "gênio epidêmico" quanto para os medicamentos pontuais dos casos agudos, a potência, frequência e dosagem são analisados caso a caso, pois, em se tratando de homeopatia animal, não existem protocolos estabelecidos que norteiem todos os tratamentos, uma vez que o melhor tratamento é pela individualização do enfermo.

H

Referências

GIESEL, A. *et al.* The effect of homeopathic preparations on the activity level of *Acromyrmex* leaf-cutting ants. *Acta Scientiarum Agronomy*, v. 34, n. 4, p. 445-451, oct./dez. 2012.
HAHNEMANN, S. *Organon da arte de curar.* 6 ed. São Paulo: Robe Editora, 1996. 248 p.
MODOLON, T. A. *et al.* Homeopathic and high dilution preparations for pest management to tomato crop under organic production system. *Horticultura Brasileira*, v. 30, p. 51-57, jan./mar. 2012.
PULIDO, E. E. *et al.* Preparados homeopáticos en el crecimiento y en la producción de repollo cultivado en sistema orgânico. *Horticultura Brasileira*, v. 32, n. 3, p. 267-272, jul./set. 2014.

Para saber mais

BOFF, P. (coord.). *Agropecuária saudável:* da prevenção de doenças, pragas e parasitas à terapêutica não residual. Lages: Epagri; Udesc, 2008. 80p.
DIAS, A. F. *Repertório homeopático essencial.* 2. ed. Rio de Janeiro: Cultura Médica, 2004.
ECHEVARNE, A. *Gênio epidêmico na produção animal.* Florianópolis: Anais do XVIII Congresso Brasileiro de Homeopatia, outubro de 2006.
KAVIRAJ, V. D. *Homeopathy for farm and garden:* plant and soil problems and their remedies. 3 ed. Kandern-Alemanha: Narayana Pub., 2012.
LATHOUD, J. A. *Estudos de matéria médica homeopática.* 2 ed. São Paulo: Organon, 2004.

I

IMPÉRIOS ALIMENTARES

Julian Perez-Cassarino
Jairo Antônio Bosa
Grazianne Alessandra Simões-Ramos

O sistema alimentar pode ser definido como o conjunto de atividades que se integram com o objetivo de cumprir a função da alimentação humana. Para tanto, é preciso lançar um olhar complexo sobre estas, compreendendo-as de forma articulada. Para compreender como se dá o processo alimentar, é necessário observar as inter-relações das etapas que se dão desde a produção até a mesa do consumidor (Soler, 2009).

Diferentemente de outras atividades econômicas, os sistemas alimentares dependem diretamente dos ciclos biológicos, o que acarreta uma série de instabilidades e particularidades de acordo com a realidade de cada sociedade, cultura e agroecossistema (Soler, 2009; Delgado, 2010). Essas incertezas levaram a um processo de "coevolução" das sociedades com o ambiente, que resultou em uma enorme diversidade de espécies vegetais e animais domesticada, manejo dos recursos naturais, práticas culinárias e hábitos alimentares que propiciaram identidade aos diversos grupos sociais em função de sua interação com os recursos naturais onde se encontravam inseridos (Porto-Gonçalves, 2006).

Por outro lado, o aumento do poder econômico – e político, em consequência – das grandes corporações agroalimentares busca condicionar o saber e o fazer em torno da produção, processamento e comercialização dos alimentos, em uma lógica definida por Ploeg (2008) como *impérios alimentares*. Compreender essa lógica se torna tarefa fundamental para pensar e construir estratégias de resistência que sejam promotoras de soberania e segurança alimentar e nutricional e que garantam a função do alimento enquanto direito humano.

Apresentamos aqui uma síntese de alguns conceitos-chave para a compreensão desse processo. Inicialmente, o verbete apresenta a concepção de *regimes alimentares*, que nos ajuda a compreender a evolução histórica da atividade alimentar. Em um segundo momento, apresentamos o conceito em si de *impérios alimentares*, como a manifestação contemporânea da ordem alimentar global hegemônica. Por fim, uma breve discussão sobre a relevância da construção de processos de resistência e formas alternativas de organização dos sistemas alimentares, lançando desafios para as organizações populares e para as políticas públicas.

Regimes alimentares: a atividade agroalimentar ao longo da história

Friedmann (2000) e McMichael (2016) estudam os *regimes alimentares* – denominação dada às formas como se organizam e funcionam os sistemas e estruturas de produção, processamento e comércio de alimentos em escala mundial – segundo os interesses e acordos das nações e grupos econômicos hegemônicos. Os *regimes* caracterizam períodos, estratégias e relações de comércio agroalimentar em que países e corporações agroindustriais sintonizam seus interesses à lógica de acumulação capitalista e de poder sobre outros povos e lógicas de organizar a atividade alimentar por meio da estruturação de um sistema alimentar que se impõe sobre essas outras racionalidades.

O primeiro regime alimentar é denominado *imperial* (1870 a 1930), período marcado pela Revolução Industrial (hegemonia da Inglaterra no cenário mundial) e por relações de dominação e lutas por independência das colônias em relação ao colonialismo europeu. Nesse regime, as relações comerciais ocorriam bilateralmente, geralmente dos países colonizadores com as colônias e a riqueza de um capitalismo industrial emergente se conectava com zonas de abastecimento de alimentação barata em expansão pelo mundo. Era regido pelo princípio do livre-comércio.

O segundo regime alimentar, identificado como *intensivo* ou *fordista*, surge após a Segunda Guerra (meados dos anos 1950 aos anos 1970), sob a hegemonia dos Estados Unidos da América (EUA) e no contexto da Guerra Fria. Durante esse regime, os EUA lançam mão da ajuda alimentar para criar alianças, mercados e oportunidades para seu modelo agroindustrial intensivo. Para Maluf (2009), as ajudas alimentares, para além de sua finalidade de doar ou vender alimentos a baixo custo para nações em situação de insegurança alimentar, atendem a um propósito maior de escoar excedentes de produção dos países centrais em um período de forte expansão da produção em escala. Entretanto, essas mesmas "ajudas", muitas vezes, desestruturam sistemas de produção locais e afetam os padrões de consumo e a cultura e hábitos alimentares regionais.

Este regime foi regido pelo princípio de "apoio ao desenvolvimento" e contou com forte regulação do Estado no setor agroalimentar que, dentre outras ações, promoveu fortemente a difusão do modelo da revolução verde na agricultura [VER REVOLUÇÃO VERDE]. A doutrina liberal defendia a redução das regulações, mas a "insegurança alimentar" no contexto da guerra e os conflitos de interesses entre países e entre setores da economia justificaram a intervenção governamental na questão alimentar, criando formas de regulação do Estado ao setor agroalimentar que não encontrava similar em outros setores da economia.

Assim, o regime *intensivo* do pós-guerra foi marcado por políticas e diretrizes globais, mediadas pelas Nações Unidas, para a produção e circulação de alimentos, com forte intervenção dos governos. A indústria, componente central dos investimentos modernizantes, cresceu e ampliou seu alcance sobre os processos agrícolas e, principalmente, sobre o sistema alimentar. Um dos resultados do regime *intensivo* foi, na produção, a especialização em produtos em monocultura e, no consumo, a massificação e homogeneização dos padrões alimentares, com redução da base alimentar. No Brasil, o golpe civil-militar de 1964 representou um campo aberto para a implementação das políticas alinhadas a este regime, cuja política econômica se deu sob grande influência da iniciativa privada e fortemente alinhada aos EUA.

Temos a compreensão de que esses regimes se sucedem ou se reestruturam e se mantêm. Atualmente, há um debate a respeito de estarmos vivendo um novo regime ou uma reestruturação e aprofundamento do regime intensivo. Friedmann e McMichael indicam a vigência do regime alimentar *corporativo* (privado), desde os anos 1980, como o 3° regime alimentar capitalista.

Esse regime é definido pela hegemonia do mercado (e não mais dos Estados-nação) e seu papel em um amplo projeto neoliberal dedicado a assegurar rotas transnacionais de capital e *commodities* (incluindo alimentos), transformando pequenos agricultores em uma força de trabalho global em prol do capital. Também é entendido como bifurcado: por um lado, a intensificação do regime fordista-industrial (centrado na padronização dos alimentos e ampliação do controle por redes supermercadistas) e, por outro, tensionado pela crise socioambiental que impõe demandas por novas relações com a natureza, com os alimentos e com a saúde, muitas dessas agendas assumidas por movimentos sociais camponeses, consumidores e povos tradicionais.

O regime alimentar *corporativo* é parte do "projeto de globalização neoliberal", que "reverteu a ordem do 'projeto de desenvolvimento' anterior, por meio do qual Estados regem mercados". Agora, "Estados servem a mercados" (McMichael, 2016, p. 71-72). Uma tendência em curso é a de que as corporações privadas passem a controlar ainda mais o complexo agroalimentar, desde a produção (mesmo que não atuem diretamente na agricultura) até, principalmente, a transformação e o mercado.

O Brasil, ator relevante na produção mundial de alimentos, tem sido alvo prioritário dos interesses que regem o sistema alimentar global, manifestando de forma clara essas transições entre regimes alimentares. As crises da década de 1980 se refletiram no país, que viveu um momento de desorganização produtiva e desestruturação de políticas, abrindo espaço para o avanço das políticas liberais. A ascensão do governo Collor (1990), por exemplo, marcou esta passagem, com a redução de políticas e órgãos de estado no campo agroalimentar, ampliando a desregulamentação neste mercado (Menezes; Porto; Grisa, s/d).

Porém, como destacam Friedmann e McMichael, o final do século XX também se caracterizou pela emergência de um conjunto relevante de lutas sociais e ambientais. No caso brasileiro, um dos reflexos dessa luta foi a criação do Programa Nacional de Fortalecimento da Agricultura Familiar (Pronaf) em 1995 e a criação do Conselho Nacional de Segurança Alimentar e Nutricional (Consea) em 1993, extinto pelo governo Fernando Henrique Cardoso em 1995 e retomado em 2003 no governo Lula.

Em síntese, a forte presença estatal no regime intensivo *fordista* promoveu a organização do complexo agroalimentar em função da especialização produtiva, da integração com a grande indústria e da homogeneização de hábitos alimentares, condições que se tornaram a base para o avanço da iniciativa privada sobre a regulação e funcionamento da produção, processamento, transporte e comercialização de alimentos em escala global (Wilkinson, 2008). Esse debate ganhou um forte impulso com o que Ploeg (2008) definiu como "impérios alimentares", uma leitura crítica do atual sistema alimentar hegemônico, cujos elementos são apresentados a seguir.

Impérios alimentares: controle corporativo sobre os alimentos

Impérios alimentares são estruturas compostas por esquemas de regulação política e econômica, nas e através das quais o mercado e o Estado estão cada vez mais interconectados, e que impõem à sociedade e à natureza sua lógica de funcionamento (Ploeg, 2008).

Para Ploeg (2008), as diferentes formas de se fazer agricultura (camponesa; empresarial; e capitalista ou corporativa de grande escala) interagem com a sociedade por meio de dois modelos dominantes: 1) *circuitos curtos e descentralizados*: que aproximam a produção do consumo, ou seja, a agricultura e a sociedade em seu entorno; e 2) *império*: formado por grandes empresas de processamento e comercialização de alimentos, operando em escala mundial. É um modelo fortemente centralizado, um modo de ordenamento que tende a tornar-se dominante e personificado por grandes varejistas, mecanismos estatais, grupos do agronegócio, assim como leis, tecnologias, modelos científicos etc., que conformam os impérios alimentares.

Ploeg (2008) afirma que não há delimitações claras e uma única relação entre os tipos de agricultura e os modelos dominantes de interação com a sociedade. Porém, a agricultura empresarial e a capitalista possuem caráter eminentemente capitalista, estando fortemente ligadas ao mercado mundial, via indústrias de processamento e comercialização de alimentos em escala. Em contrapartida, a agricultura camponesa, em geral, baseia-se em circuitos curtos e descentralizados, não submetidos ao controle direto do capital, embora indiretamente o controle do capital exerça grande influência. Apesar de submetida também ao Império, a agricultura camponesa (ver campesinato) representa uma resistência a ele, buscando escapar e ultrapassar as pressões que o império exerce.[1] Segundo o autor, o império estabelece as regras a que todos devem se alinhar e se submeter e, neste sentido, sua relação com a sociedade, em qualquer nível, é coercitiva. Seu esforço está em conquistar e controlar da produção ao consumo de alimentos em escala global.

O conceito-chave para entender o *modus operandi* do império é o de desconexões, tanto no tempo quanto no espaço (Ploeg, 2008). Na produção, a desconexão se observa, por exemplo, no desrespeito às condições dos ecossistemas e dos territórios locais. No consumo, se expressa no distanciamento da população urbana dos processos técnicos, sociais e ambientais que envolvem a cadeia alimentar[2] e na dificuldade em definir o que são alimentos saudáveis.

O império motiva essa desconexão para então estruturar-se a partir dos recursos já disponíveis localmente. "Para implantar essa estrutura, é necessário expropriar ou substituir os modos de estruturação alternativos" da comunidade local (Ploeg, 2008, p. 98). A combinação dos recursos é definida pela lógica do capital, cuja função não é promover o desenvolvimento, mas, sim, acumular mais capital. "O capital é apenas parte do império – e, seguramente, não o seu núcleo" (Ploeg, 2008, p. 98). O núcleo do império é representado pelos conjuntos de normas e parâmetros generalizados que governam todas e quaisquer práticas locais e específicas no campo agroalimentar (Ploeg, 2008, p. 98).

Ou seja, os impérios alimentares sintetizam uma forma de organizar a atividade agroalimentar centrada na concentração de capital nas mais diversas etapas do sistema alimentar, desde a produção de insumos (sementes, adubos, agroquímicos etc.), passando pelo processamento, transporte e comercialização dos alimentos.

Vejamos: o principal setor em expansão do sistema alimentar atual são as grandes redes varejistas (Flexor, 2008; Wilkinson, 2008). Duas lógicas descritas por Ploeg são possíveis de serem observadas em sua ação. A primeira no que se refere à apropriação dos recursos locais. Grandes redes nacionais e globais varejistas dificilmente abrem novas lojas em uma determinada região, mas agem pela fusão e aquisição de redes locais, ou seja, não geram novas riquezas, mas se apropriam dos recursos existentes e os direcionam para seus interesses. A segunda lógica leva essas grandes redes a determinar uma forma de organizar a atividade varejista, que se impõe sobre redes locais e regionais de supermercados (Perez-Cassarino, 2013).

Ploeg (2008) afirma ainda que o império é o resultado de mundos sociotécnicos cada vez mais interligados. Origina-se nas grandes corporações multinacionais e em suas redes diversas (transporte, comunicação etc.) que possuem capacidade de transferir grandes quantias de capital de uma parte do mundo para outra num intervalo pequeno de tempo, mas, também, se origina nos aparelhos estatais e nos acordos supranacionais. Complementarmente, o império opera em modos de organização centralizados, porém de longo alcance, baseados em tecnologia da informação e comunicação, além de modos específicos de produção do conhecimento.

Um breve olhar sobre o sistema alimentar global nos permite evidenciar esse domínio das grandes corporações. Segundo o ETC Group (2013), em 2011, as dez maiores empresas de sementes controlavam 75% do mercado global. Somente a Monsanto (1ª colocada) detinha 26% do mercado à época, sendo que em 2018 ela foi adquirida em sua totalidade pela Bayer, 7ª colocada naquele momento. Já as 11 maiores empresas de agroquímicos controlavam 98% do mercado global, ou seja, quase a totalidade, sendo que Bayer (2ª) e Monsanto (5ª) hoje se fundiram. Segue o mercado de fertilizantes, em que as dez maiores empresas controlavam 41% do mercado e no de medicamentos veterinários, dominavam 81%.

A recente publicação do *Atlas do agronegócio* (Santos; Glass, 2018) mostra essa concentração corporativa em outros setores do sistema alimentar, evidenciando a lógica de organização e funcionamento dos impérios alimentares. Segundo o documento, 50 fabricantes de alimentos controlam 50% do mercado global. O Brasil é um dos países onde essa concentração é mais evidente: "entre 60 e 70% das compras de uma família são produzidas por dez grandes empresas, entre elas Unilever, Nestlé, Procter &

Gamble, Kraft e Coca-Cola" (Santos; Glass, 2018, p. 30). As quatro maiores comercializadoras de grãos (ADM, Bunge, Cargill e Louis Dreyfus Co) dominam 70% do mercado global de *commodities* agrícolas (Oxfam, 2018).

Na ponta do sistema alimentar encontram-se as grandes redes varejistas que, na relação direta com os consumidores, possuem o poder de definir hábitos e práticas de compra do público consumidor, exercendo enorme poder de barganha com as demais corporações à jusante do sistema alimentar. As dez maiores redes supermercadistas controlam 50% do varejo de alimentos em escala global (Oxfam, 2018).

A concentração de riqueza é reforçada pela característica dos impérios alimentares de sugar e exaurir os recursos naturais locais e, quando estes estão desgastados, estes impérios levam a riqueza obtida para outros lugares, deixando a pobreza e a destruição ecológica no lugar anterior: ele "extrai a riqueza produzida localmente para concentrá-la e reutilizá-la de acordo com sua lógica" (Ploeg, 2008, p. 91).

Uma das manifestações mais claras desta ação dos impérios pode ser observada na distribuição de ganhos no decorrer do sistema alimentar. Segundo a Oxfam (2018), no ano de 2015, do preço final pago pelo consumidor por um alimento, 6,5% correspondiam à fatia obtida por pequenos agricultores e trabalhadores rurais, 38% ficaram com as beneficiadoras e fabricantes de alimentos e 48% foram apropriados pelas redes de supermercados.

Os números demonstram a natureza e a dinâmica de organização e funcionamento das redes imperiais, que, segundo Ploeg (2008), obedecem à lógica da: 1) expansão (pelo rompimento de fronteiras e domínio da natureza); 2) hierarquia (pela imposição da superioridade política, cultural, econômica e militar) e 3) ordem (pela reconfiguração do mundo natural e social de acordo com seus interesses).

Nesse sentido, o poder e o controle dos impérios alimentares tendem a se difundir e a ampliar. Porém, ainda são muitas as possibilidades de resistência e enfrentamento a essa lógica, que também possui fissuras e contradições, analisadas a seguir.

A resistência aos impérios e a construção de redes alimentares alternativas

Apesar da hegemonia e pressão política, econômica e social exercida pelos impérios alimentares, estes não possuem o controle total e absoluto sobre o sistema alimentar. Ao contrário, segundo o ETC Group (2017), a "rede camponesa" (camponeses, pescadores artesanais e agricultores urbanos) é responsável por alimentar 70% da população do planeta. Ou seja, a agricultura camponesa e os circuitos regionais e locais ainda possuem uma relevância significativa na produção e consumo de alimentos em escala global. O fato é que essa produção e consumo, em sua maioria, não se encontra articulada e não possui uma ação coletiva que permita dar-lhes visibilidade e força política e econômica, seja pela sua dispersão, seja pela falta de recursos e de políticas que possibilitem essa articulação.

No âmbito do campesinato, as propostas e práticas em torno da agroecologia e da soberania alimentar têm buscado promover essa resistência aos impérios alimentares e, ao mesmo tempo, construir formas alternativas. O que vale ressaltar é que, cada vez mais, essas resistências e alternativas só fazem sentido se pensadas na forma de redesenhos dos sistemas alimentares como um todo, ou seja, que suas práticas configurem modos contra-hegemônicos que abarquem as mais diversas etapas da atividade agroalimentar.

No entanto, Goodman (2017) destaca que muitas dessas redes alimentares alternativas (RAA) têm sustentado sua ação no processo de diferenciação dos produtos que acarreta, invariavelmente, a prática de preços diferenciados como forma de valorização desses formatos de produção e consumo. Isso leva a uma mercantilização do alimento e a uma diferenciação social pelo consumo, facilmente cooptada pelas corporações alimentares, limitando a ação dos atores e a expansão dos desenhos alternativos.

Alguns desafios se apresentam à construção de RAA, como a ampliação da escala das experiências visando a popularização do acesso a alimentos de qualidade (agroecológicos, por exemplo). Porém, é preciso superar a noção e as metodologias para se gerar escala referenciadas nos modelos verticais, característicos das formas produtivas e logísticas das grandes corporações. A busca da escala por meio de processos horizontais e articulados, bem como do fortalecimento dos sistemas locais de abastecimento, ainda é um desafio para os movimentos sociais do campo e da cidade.

Nesse sentido, as formas de comercialização e abastecimento de alimentos assumem papel essencial neste processo. A construção social de mercados emerge como uma estratégia central de reconfiguração dos espaços de consumo, a partir da aproximação e articulação social e política entre agricultores e consumidores. Essa centralidade está apoiada na compreensão dos espaços de consumo como espaços de disputa política e ideológica em torno do conceito de qualidade dos alimentos. Da mesma forma, como espaços de contestação e denúncia do *modus operandi* dos impérios alimentares.

O debate e a busca de políticas públicas que fomentem esta perspectiva cumprem papel fundamental. No Brasil, desde 2003, uma das principais ferramentas para propiciar formas de democratizar o acesso a alimentos saudáveis são as compras públicas; representadas pelo Programa de Aquisição de Alimentos (PAA) e pelo Programa Nacional de Alimentação Escolar (Pnae) (Perez-Cassarino *et al.*, 2016). Ou seja, é preciso resgatar o papel do Estado como ente regulador do mercado alimentar e promotor de modelos alternativos (Goodman, 2017).

Por fim, o alimento, em seus mais diversos âmbitos, tornou-se mais que um bem material, um conceito em disputa. O redesenho dos sistemas alimentares deve levar em conta essa realidade e construir formatos sociais e políticos que superem a concepção mercantilizada do alimento – que tem gerado concentração de riqueza, exclusão social e degradação ambiental – por uma perspectiva do alimento enquanto direito humano e patrimônio dos povos.

Referências

DELGADO, M. El sistema agroalimentario globalizado: imperios alimentarios y degradación social y ecológica. *Revista de Economia Critica*, n. 10, segundo semestre 2010.

ETC GROUP. *El carro delante del caballo*: semillas, suelos y campesinos ¿Quién controla los insumos agrícolas? Cuadernos n. 111. ETC Group, 2013.

______. *¿Quien nos alimentara?* ¿La red campesina alimentaria o la cadena agroindustrial? 3. ed. ETC Group, 2017.
FLEXOR, Georges. A globalização do varejo e seus impactos no Brasil: o caso do Wal-Mart. *In:* COSTA, L. F. C; FLEXOR, G; SANTOS, R. *Mundo rural brasileiro*: ensaios interdisciplinares. Rio de Janeiro: MAUAD X; Seropédica: EDUR, 2008.
FRIEDMANN, H. Uma economia mundial de alimentos sustentável. *In:* BELIK, L.; MALUF, R. S. (org.). *Abastecimento e segurança alimentar:* os limites da liberalização. Campinas: IE/UNICAMP, 2000.
GOODMAN, D. Espaço e lugar nas redes alimentares alternativas: conectando produção e consumo. *In:* GAZOLLA, M.; SCHNEIDER, S. (org.). *Cadeias curtas e redes agroalimentares alternativas:* negócios e mercados da agricultura familiar. Porto Alegre: Editora da UFRGS, 2017.
MALUF, R. S. J. *Segurança alimentar e nutricional.* Petrópolis: Vozes, 2009.
MCMICHAEL, P. *Regimes alimentares e questões agrárias.* Tradução Sonia Midori. 1. ed. São Paulo/Porto Alegre: Editora Unesp/Editora da UFRGS, 2016.
MENEZES, F; PORTO, S.; GRISA, C. *Abastecimento alimentar e compras públicas no Brasil:* um resgate histórico. Série Políticas Sociais e de Alimentação 1. Centro de Excelência contra a Fome, s/d.
OXFAM Internacional. *Hora de mudar:* desigualdade e sofrimento nas cadeias de fornecimento dos supermercados. Oxfam, 2018.
PEREZ-CASSARINO, J. Agroecologia, mercados e sistemas agroalimentares: uma leitura a partir da soberania e segurança alimentar e nutricional. *In:* COSTA-GOMES, C. *et al.*(org.) *Agroecologia:* princípios e reflexões conceituais. Brasília: Embrapa, 2013.
PEREZ-CASSARINO, J. *et al.* Promoção da soberania e segurança alimentar e nutricional (SSAN) por meio do mercado institucional: a experiência brasileira. *In*: BEZERRA, I.; PEREZ-CASSARINO, J. (org.). *Soberania alimentar (Sobal) e segurança alimentar e nutricional (San) na América Latina e Caribe.* Curitiba: Ed. UFPR, 2016.
PLOEG, J. D. van der. *Camponeses e impérios alimentares: lutas por autonomia e sustentabilidade na era da globalização.* Porto Alegre: Ed. da UFRGS, 2008.
PORTO-GONÇALVES, C. W. *A globalização da natureza e a natureza da globalização.* Rio de Janeiro: Civilização Brasileira, 2006.
SANTOS, M; GLASS, V. (org.). *Atlas do agronegócio:* fatos e números sobre as corporações que controlam o que comemos. Rio de Janeiro: Fundação Heinrich Böll, 2018.
SOLER, M. *El contexto socioeconómico de la agricultura ecológica:* la evolución de los sistemas agroalimentarios. Master en Agroecología: un enfoque sustentable de la agricultura Ecológica. Universidad Internacional de Andalucía/Universidad de Córdoba, 2009.
WILKINSON, J. *Mercados, redes e valores:* o novo mundo da agricultura familiar. Porto Alegre: Editora da UFRGS. Programa de Pós-Graduação em Desenvolvimento Rural, 2008.

I

Para saber mais

ALIMENTOS S. A. (Food Inc). Produção de Robert Kenner. Los Angeles: Participant Media & River Road Entertainment, 2008. Disponível em: https://www.youtube.com/watch?v=smk2xq2l3Ig >. Acesso em: 29 mar. 2021.
CARNE E OSSO. Direção: Caio Cavechibni e Carlos Juliano Barros. Produzido por Maurício Hashizume. Roteiro e edição: Caio Cavechini. São Paulo: Repórter Brasil, 2011. Disponível em: https://www.youtube.com/watch?v=887vSqI35i8. Acesso em: 2 fev. 2021.
MUITO ALÉM DO PESO (Way Beyond Weight, 2012) Obesidade, a maior epidemia infantil da história. Ficha Técnica: Direção: Estela Renner. Produção Executiva: Marcos Nisti Direção de Produção: Juliana Borges Fotografia: Renata Ursaia Montagem: Jordana Berg Trilha Sonora: Luiz Macedo (Versão SD). São Paulo: Maria Farinha Filmes e Instituto Alana, 2012. Disponível em: https://www.youtube.com/watch?v=8UGe5GiHCT4&t=34s. Acesso em: 11 out. 2018.
ROTTEN. Produzido por Jonathan Mussman. Netflix, 2018.
SCHUTTER, O. *Agroecologia e o direito humano à alimentação adequada.* Relatório apresentado pelo Relator Especial sobre direito à alimentação. Brasília: CAISAN/MDS, 2012.

Notas

1 Para compreender os modelos de agricultura citados (camponesa, empresarial e capitalista), ver Ploeg (2008), capítulo 1.

2 Para saber mais sobre este processo de desconexão, assistir aos documentários “Muito além do peso” e “Alimentos SA (Food Inc)”, disponíveis no Youtube.

INSTITUTOS DE AGROECOLOGIA LATINO-AMERICANOS (IALAS)

Itelvina Maria Masioli
João Carlos de Campos
Simone Aparecida Rezende

Os Institutos de Agroecologia Latino-Americanos (Ialas) são espaços de formação político-profissional com foco na agroecologia, construídos com o objetivo de formar jovens estudantes provenientes das bases dos movimentos sociais populares camponeses, indígenas e afrodescendentes vinculados à Coordenadora Latino-Americana de Organizações do Campo – Via Campesina (Cloc/Via Campesina)(Castellano, 2010). Neste verbete, abordaremos elementos sobre seu surgimento, objetivos e princípios, seus limites e desafios na atualidade. Inicialmente, é importante destacar que a Cloc/Via Campesina é um movimento internacional que articula povos e organizações sociais do campo.[1] Nasceu no início dos anos 1990 no auge da ofensiva do neoliberalismo no mundo e particularmente na América Latina, onde se intensificava um brutal ataque aos direitos dos povos e aos bens da natureza. Sua construção exigiu muita sabedoria coletiva, determinação política e lutas que ressignificaram o papel dos camponeses e camponesas na luta pela terra, pela reforma agrária, na defesa dos territórios e pela soberania dos povos em todo o mundo (Fernandes, 2012).

No final da década de 1990 e início dos anos 2000, a América Latina encontrava-se num momento histórico de muita agitação política e crescimento das lutas. Constituía-se uma consciência social de que "outro mundo era possível", e que outra sociedade deveria ser construída. O povo organizado buscava soberanamente forjar um projeto de nação, perspectiva esta que se expressou no *slogan* do Fórum Social Mundial (2001). Nesse contexto, houve um ascenso de governos progressistas que se estabeleceram na região, e apesar das contradições e dos limites que estes apresentaram, houve uma alteração da correlação de forças. Essa mudança abriu um novo período na luta de classes, com possibilidades reais de avanço para os trabalhadores e trabalhadoras do campo e da cidade.

Dentre as várias articulações políticas e econômicas entre esses governos, destacamos a Aliança Bolivariana Para os Povos de Nossa América (Alba). Lançada em 2004 pelo governo bolivariano presidido por Hugo Chávez na Venezuela, ao lado do governo de Fidel Castro em Cuba, com o firme propósito da construção da unidade na América Latina e Caribe, frente aos ataques imperialistas dos Estados Unidos da América (EUA). Nesse marco, se concretizaram acordos econômicos, políticos, culturais, energéticos e sociais, além da implementação do Tratado Comercial dos Povos (TCP). Assim, a Alba-TCP tem buscado uma integração baseada no caráter de justiça social. Seus princípios se baseiam em seis conceitos-chave: solidariedade, cooperação, complementaridade, respeito à soberania dos países e povos, justiça social e equidade. Uma oposição ao que propunha a Área de Livre Comércio das Américas (Alca) (Campos, 2014).

Nesse caminho de lutas, resistências e enfrentamento ao capital e ao império, fortalecidos pelo processo de criação da Alba entre os governos progressistas, potencializou-se a construção da Alba Movimentos Sociais. Nela há uma evidente proposta de integração continental anti-imperialista, antineoliberal e antipatriarcal, impulsionada por Movimentos Sociais Populares de todo continente com base social organizada e com capacidade de mobilização (Aliança Bolivariana para os Povos de nossa América TCP, 2012). É nesse bojo que nasce o projeto de construção dos Ialas, sendo que a Escola Latino-Americana de Agroecologia (ELAA), no Assentamento Contestado, localizada no estado do Paraná, sul do Brasil, foi a pioneira dessa rede de Institutos Latino-Americanos de Agroecologia (Escola Latino-Americana de Agroecologia, 2005). Uma segunda iniciativa construída quase que paralelamente foi o Instituto Agroecológico Latino-Americano Paulo Freire, no Estado de Barinas, na Venezuela. O êxito dessas duas experiências despontou a construção de outras delas em diferentes países.

A iniciativa de construção dos Ialas por parte dos Movimentos Sociais Camponeses articulados na Cloc-Via Campesina se concretizou num protocolo de cooperação assinado em 30 de janeiro de 2005 durante um ato político realizado no Assentamento Lagoa do Junco, no Município de Tapes-RS, nos marcos do V Fórum Social Mundial. O acordo foi firmado entre a Via Campesina Internacional, Via Campesina Brasil, Movimento dos Trabalhadores Rurais Sem Terra (MST) e o Governo da República Bolivariana da Venezuela (Via Campesina, 2005).

Esse protocolo teve como objetivo principal desenvolver ações a fim de promover a soberania alimentar dos povos, assegurar as sementes e a biodiversidade como patrimônio dos povos e a serviço da humanidade, tendo a agroecologia como ciência orientadora da reconstrução ecológica da agricultura e a criação de cursos universitários de agroecologia (Martins, 2014). A assinatura desse protocolo e a determinação da Cloc-Via Campesina na criação das escolas/universidades para a formação de jovens do campo abriram muitas portas para estabelecer outras iniciativas de convênios de cooperação com várias universidades públicas, governos nacionais e estaduais, garantindo assim a constituição e a conquista de vários Ialas em diferentes países. A seguir apresentamos a localização, o ano de inauguração e a localização geográfica dos institutos.

Escola Latino-Americana de Agroecologia (ELAA): inaugurada em 2005, no Assentamento Contestado em Lapa, Paraná, Brasil.

Instituto Agroecológico Latino-Americano Paulo Freire (Iala Paulo Freire): iniciou suas atividades em 2005, no município de Alberto Arvelo Torrealba, em Barinas, Venezuela.

Instituto Agroecológico Latino-Americano Guarani (Iala Guarani): os trabalhos de sua construção foram iniciados em 2008, está situado no Departamento Central, no Distrito Nueva Itália, na localidade de Brio Taquara, Paraguai.

Instituto Agroecológico Latino-Americano Amazônico (Iala Amazônico): inaugurado em 2009, no assentamento Palmares 2, no município de Parauapebas, Pará, Brasil.

Instituto Agroecológico Latino-Americano Mesoamerica (Iala Mesoamérica Ixim Ulew): com início de suas atividades em 2017, está localizado na comunidade de Tierra Blanca, município Santo Tomás, departamento de Chontales, Nicarágua.

Instituto Agroecológico Latino-Americano Semeadoras de esperança (Iala Semeadoras de Esperança – só para mulheres): inaugurado em 2013 na localidade de Auquinco, Chépica, Chile.

Instituto Agroecológico Latino-Americano Maria Cano (Iala María Cano): começou sua construção em 2012, foi inaugurado oficialmente em 2017 no município de Viotá Cundinamarca, Colômbia.

Instituto Agroecológico Latino-Americano Haiti (Iala Haiti): em processo de construção no Haiti.

Entre os princípios pedagógicos e organizativos que demarcam a intencionalidade na construção dos Ialas está a busca constante da autonomia e autogestão política, pedagógica, financeira, organizativa e produtiva, dialogando permanentemente com a realidade de cada território. Parte-se da compreensão coletiva que a realidade concreta e suas contradições são a base da produção do conhecimento, ou seja, há uma necessária relação entre os processos educativos, a luta político-econômica e os processos produtivos e culturais, a relação intrínseca entre a formação política, a formação técnica e acadêmica e a vivência permanente com os camponeses e as camponesas e seus territórios (Guhur, 2010; Tardin; Guhur, 2012; Instituto Técnico de Capacitação e Pesquisa da Reforma Agrária – Iterra, 2004; Toná, 2007).

Como estratégia político-pedagógica, adota-se a alternância entre dois tempos e espaços educativos: o tempo escola e o tempo comunidade – esse tema é abordado com maior profundidade no verbete formação em alternância. Ele compreende o tempo escola como as atividades políticas e acadêmicas desenvolvidas no período integral de permanência no espaço escolar e o tempo comunidade como as atividades de estudo, pesquisa e relação com a comunidade no período de permanência dos estudantes em suas comunidades de origem. Assim, a educação se constitui como processo de formação para a ação política e técnica, para o protagonismo da classe trabalhadora, no qual o princípio educativo do trabalho tem que compreender ações de planejamento, estudo e reflexão que visem a multiplicidade de processos de cooperação permanente entre os povos do campo e, em especial, potencializem os processos de agroecologia (Instituto Técnico de Capacitação e Pesquisa da Reforma Agrária – Iterra, 2004; Escola Latino-Americana de Agroecologia, 2005; Freire, 2006).

Para alcançar esses princípios, alguns elementos são necessários: a organização permanente; a criação e o fortalecimento de coletivos pedagógicos; a formação permanente de educadores e educadoras; a combinação entre processos pedagógicos coletivos e individuais; a autonomia, autogestão e gestão democrática nos processos político-pedagógicos, tendo como base a auto-organização dos/das estudantes para o estudo, trabalho e da manutenção permanente da vida em coletividade (Instituto Técnico de Capacitação e Pesquisa da Reforma Agrária

I

– Iterra, 2004; Escola Latino-Americana de Agroecologia, 2005).

Os Institutos de Agroecologia são escolas internacionais de formação técnica e política que buscam formar seres humanos em suas várias dimensões com base em uma perspectiva politécnica, que tem no trabalho, nas relações sociais e na relação da sociedade com a natureza seus pilares formativos fundamentais (Caldart, 2015) [ver Educação Politécnica]. Objetivam a formação de intelectuais orgânicos que contribuam na construção do projeto estratégico de transformação social, formando um espaço unitário de articulação da classe trabalhadora, sendo expressão viva do princípio internacionalista da luta e resistência do povo Latino-Americano (Escola Latino-Americana de Agroecologia, 2009). Visam também fortalecer o intercâmbio de experiências políticas, organizativas, culturais e resgatar os saberes ancestrais agroecológicos, pautados na qualidade no processo educativo, primando pela autonomia política pedagógica na formação de sujeitos que tenham condições técnicas, científicas e metodológicas de discutir e implementar a agroecologia (Castellano, 2010). São escolas da classe trabalhadora em luta, escolas que buscam construir uma prática pedagógica a partir da integração popular latino-americana (Campos, 2014).

Portanto, os Ialas são parte da política de formação e educação da classe trabalhadora, projetados por movimentos sociais populares em parceria com outras instituições. Desenvolvem diferentes cursos em nível de educação básica, tecnológica e universitária, como, por exemplo: Engenharia em agroecologia, na Venezuela e Paraguai; tecnólogo em agroecologia e técnico em agroecologia, no Brasil e Colômbia; ou especialização em agroecologia, no Brasil. Vale ressaltar que os Ialas se formaram a partir da experiência dos Centros de Formação em Agroecologia e demais experiências de educação popular na Educação Básica, nos distintos países, assim como as experiências desenvolvidas nos cursos universitários conquistados no marco do Programa Nacional de Educação na Reforma Agrária (Pronera), no caso do Brasil.

Muitos têm sido os desafios na construção dos Ialas ao longo desses mais de 14 anos. Num cenário de hegemonia do agronegócio como expressão do reordenamento global do capitalismo no campo, o âmbito das políticas públicas para a agricultura na maioria dos países no continente tem fortíssima representação no poder político no Estado, bem como há uma hegemonia dominante no controle sobre a formação de profissionais das ciências agrárias sintonizados com seus interesses e necessidades (Coordenadora LatinoAmericana de Organizaciones del Campo (Cloc)/Via Campesina, 2015). Neste sentido, os Ialas representam uma grande conquista na ruptura da "cerca do latifúndio do conhecimento" em ciências agrárias. Em todos os países onde estão funcionando, foram as primeiras escolas de graduação em agroecologia, pioneiras inclusive para a criação dos cursos formais em agroecologia em parceria com as instituições e universidades públicas, que na maioria dos casos certifica os cursos e também é a via de fornecimento do quadro docente dos cursos. Estes processos impulsionaram o reconhecimento desta formação técnica como profissão legitimada (Escola Latino-Americana de Agroecologia, 2005).

O processo social e pedagógico desenvolvido nessas escolas correspondem à práxis transformadora posta em marcha pelas organizações e movimentos sociais camponeses articulados na Cloc-Via Campesina. Esses princípios e valores que orientam e permeiam a práxis social nos Ialas rompem com o elitismo das instituições acadêmicas e a prática anti-dialógica dos profissionais técnicos, concretizando-se como uma universidade popular que propõe e exercita a prática do diálogo de saberes na convivência social entre técnicos, educadores, professores e professoras, camponeses e camponesas (Guhur, 2010; Tardin; Guhur, 2012; Instituto Técnico de Capacitação e Pesquisa da Reforma Agrária – Iterra, 2004; Toná, 2007).

Em cada país, os Ialas vão se estabelecendo com a identidade própria que os movimentos sociais que acompanham cada instituto imprimem. Identidade essa que se apresenta na cultura vivenciada e recriada; na relação orgânica com as comunidades de origem e no entorno desses institutos; na forma das relações estabelecidas com as instituições parceiras para a construção, a ampliação e o fortalecimento de processos agroecológicos; e na articulação dos conhecimentos científicos e populares na educação político-profissional em agroecologia [ver Educação Popular em Agroecologia].

Os Ialas colaboram diretamente na luta pelo acesso à escolarização, direito negado aos povos do campo, e reafirmam contundentemente a compreensão de agroecologia como uma ciência viva e vinculada a um projeto político da classe trabalhadora.

I

Referências

ALIANÇA BOLIVARIANA PARA OS POVOS DE NOSSA AMÉRICA. ALBA-TCP Tratado de Comércio dos Povos. *Cartilha da Alba*. Articulação Continental dos Movimentos Sociais pela Alba. 2012.

CALDART, R. S. *et al.* *Caminhos para a transformação da escola:* agricultura camponesa, educação politécnica e escolas do campo. São Paulo: Expressão Popular, 2015.

CAMPOS, J. C. *A integração latino-americana nas escolas latino-americanas de agroecologia da Cloc-Via campesina no Brasil e Venezuela*. Francis Mary Guimarães Nogueira. Cascavel/PR, 2014. 111 p. Dissertação (Mestrado em Educação) Programa de Pós-Graduação Stricto Sensu em Educação, Universidade Estadual do Oeste do Paraná.

CASTELLANO, M. E. (coord.). *Documento fundacional*. Instituto Universitário Latinoamericano de Agroecologia "Paulo Freire". Venezuela: Editorial Melvin, maio de 2010.

COORDINADORA LATINOAMERICANA DE ORGANIZACIONES DEL CAMPO (CLOC)/VIA CAMPESINA. *Documentos de trabajo rumbo al VI Congresso Continental de la Coordinadora Latinoamericana de Organizaciones del Campo*. Argentina: Secretaria Operativa CLOC/Via Campesina, abril de 2015. http://www.cloc-viacampesina.net/institucional/quienes-somos; e: https://viacampesina.org/es/tag/brasil/. Acesso em: 2 fev. 2021.

ESCOLA LATINO-AMERICANA DE AGROECOLOGIA (ELAA). *Experiências Camponesas de Agroecologia*. Lapa: nov. 2009.

______. *Tecnólogo em Agroecologia*: Projeto Pedagógico. Lapa: out. 2005, 26 fls. Mimeografado.

FREIRE, P. *Extensão ou comunicação?* 13 ed. Rio de Janeiro: Paz e Terra, 2006.

FERNANDES, A. Via Campesina. *In*: CALDART, R. S. *et al.* (org.). *Dicionário da Educação do Campo*. Rio de Janeiro, São Paulo: Escola Politécnica de Saúde Joaquim Venâncio, Expressão Popular, 2012.

GUHUR, D. M. P. *Contribuições do Diálogo de Saberes à educação profissional em agroecologia no MST:* desafios da Educação do Campo na construção do projeto popular. 267 fls. Dissertação (Mestrado em Educação). Universidade Estadual de Maringá. Maringá, 2010.

INSTITUTO TÉCNICO DE CAPACITAÇÃO E PESQUISA DA REFORMA AGRÁRIA (ITERRA). Método pedagógico. *Cadernos do ITERRA*, Veranópolis, ano IV, n. 9, dez. 2004.

MARTINS, F. J. (org). *Práticas educativas da Via Campesina*. Curitiba: CRV, 2014.

TARDIN, J. M.; GUHUR, D. M. P. (org.). *Diálogo de Saberes no Encontro de Culturas:* Caderno de Ação Pedagógica. Maringá-PR: EMS, 2012.

TONÁ, N. A pesquisa nos Cursos de Agroecologia e nas Escolas e Centros de Formação dos Movimentos Sociais do Campo no Paraná. 7 fls. MST. *II Seminário Nacional O MST e a Pesquisa:* Pesquisa e Educação Científica nas Escolas e Cursos Formais do MST. Escola Nacional Florestan Fernandes, Guararema, 14 a 17 de março de 2007.

_______. *Protocolo de intenciones que hacen entre sí: la Vía Campesina, el gobierno de la República Bolivariana de Venezuela, el gobierno del Estado de Paraná e instituciones de enseñanza del Brasil e de Venezuela.* Tapes/RS, jan. 2005.

Nota

1 A Cloc é uma organização regional da Via Campesina Mundial. Seu território de abrangência é a América Latina e Caribe. Mais informações a respeito da Cloc–Via Campesina, seus objetivos, princípios e história encontram-se disponíveis no *site* https://cloc-viacampesina.net/.

INTERAÇÕES ECOLÓGICAS

Inês Claudete Burg

I

A coevolução é um tipo de evolução da comunidade formada pelos seres vivos através da interação evolutiva positiva entre seus organismos, o que resulta em uma estreita interação ecológica, com pressão seletiva recíproca em que a evolução de uma espécie na relação depende em parte da evolução da outra. Neste processo foram se desenvolvendo vários tipos de interações ecológicas entre organismos, como o mutualismo, a protocooperação e a simbiose (Box 1).

Em contraponto aos benefícios das interações ecológicas, a agricultura convencional tem seu manejo centrado no controle das interações negativas (predação, parasitismo, competição), e para isso lança mão de herbicidas, inseticidas e fertilizantes para corrigir deficiências do solo e resolver problemas que surgem a partir dos desequilíbrios provocados em função do manejo. Já a agroecologia tem como princípio os processos ecológicos dos agroecossistemas, e dessa forma a compreensão desses processos para a transição e manejo agroecológicos se torna imprescindível.

Definição e exemplificação das relações ecológicas

Mutualismo

É uma relação ecológica harmônica entre seres vivos de espécies diferentes, em que ambas são beneficiadas na relação. Mais do que isso, as espécies necessitam uma da outra para sobreviver, ou seja, estabelecem uma relação de dependência. Exemplos:

- O cupim e os protozoários que vivem no seu sistema digestivo. O cupim necessita desses protozoários para fazer a digestão da celulose e o protozoário necessita da celulose consumida pelo cupim como alimento;

- Os líquens formados pelas algas e fungos. Os fungos fornecem às algas proteção, minerais e nitrogênio e recebem das algas matéria orgânica para se alimentar; e
- Fungos micorrízicos que vivem em associação com as raízes, onde formam órgãos que aumentam a capacidade da planta de extração de minerais do solo, especialmente o nitrogênio e o fósforo. Os fungos, por sua vez, são abastecidos com parte dos fotossintatos da planta, em especial os açúcares da planta que lhes servem de alimento.

Protocooperação

Considerada uma relação ecológica harmônica facultativa entre seres vivos de espécies diferentes, em que ambas se beneficiam; porém, ao contrário do que ocorre no mutualismo, ela não é indispensável para a sobrevivência. Exemplos:

- a relação entre abelhas e algumas espécies de vegetais. As abelhas se alimentam do néctar destas plantas, que não ficam prejudicadas; ao contrário, se beneficiam da polinização feita pelas abelhas; e
- algumas espécies de pássaros que comem carrapatos de bois e cavalos.

Simbiose

É uma associação de dois seres vivos, duas plantas ou uma planta e um animal, na qual ambos os organismos recebem benefícios, mesmo que em proporções desiguais. Nestas relações, cada parceiro proporciona algo que o outro não possui. Exemplos:

- o líquen é o resultado da simbiose entre o fungo e a alga; o fungo fornece abrigo e umidade e a alga fornece hidrato de carbono. Eles vivem como se fossem um único ser: e
- as plantas, em sua maioria da família das leguminosas, que podem conseguir uma parte ou a totalidade de sua nutrição nitrogenada diretamente do ar, devido sua associação com bactérias específicas ou rizóbios que formam nódulos nas plantas, onde o nitrogênio do ar é convertido em nitrogênio fixado para a assimilação ou estocagem pela planta.

Biodiversidade funcional

Algumas formas de manejo que adotamos no desenvolvimento de agroecossistemas podem incrementar essas relações ou interações resultando em inúmeros benefícios. Recentemente, tem-se discutido com muita ênfase a necessidade do incremento na biodiversidade funcional relacionada às funções-chave dos organismos nas interações entre os componentes bióticos e abióticos no agroecossistema e à manutenção de um equilíbrio dinâmico. Em sistemas que se mantêm em equilíbrio dinâmico através de complexas inter-relações, prevalece a coexistência, em detrimento da competição.

As interações entre organismos afetam a distribuição e a abundância das espécies; portanto, a diversificação de espécies animais e vegetais nos agroecossistemas promove um efeito positivo nos sentidos temporal e espacial (Gliessman, 2001). Os principais efeitos positivos estimulados são o aumento da população de inimigos naturais em virtude da maior disponibilidade de alimento (néctar e pólen) ou abrigo, que favorece a sobrevivência e o potencial reprodutivo de predadores e parasitoides (inseto que põe ovos no corpo do hospedeiro, matando-o durante o seu desenvolvimento); aumento da diversidade de espécies fitófagas, as quais podem servir de alimento alternativo na ausência de praga-chave; dificuldades de localização do hospedeiro, com efeito negativo sobre a permanência e a reprodução de insetos especialistas, principalmente quando os sistemas de transição são formados por misturas de plantas hospedeiras e não hospedeiras [VER TEIA ALIMENTAR]. Tais efeitos devem-se à confusão proporcionada pelo excesso de estímulos visuais e químicos (Ritzinger *et al.*, 2017).

I

Mutualismo

Na agricultura, a ciclagem mineral, assim como a produção de alimentos, é aprimorada por reações mutualísticas entre microrganismos e plantas. Estes microrganismos podem ser inoculados com a aplicação de biofertilizantes, ou suas populações aumentadas com o aumento de matéria orgânica no solo. De forma geral, a diversidade de microrganismos presentes no solo favorece uma série de interações que resultam em benefícios entre as espécies. Exemplos importantes de mutualismo são os fungos micorrízicos que vivem em associação com as raízes onde formam "órgãos" compostos que aumentam a capacidade da planta de extração de minerais do solo, especialmente o nitrogênio e o fósforo. Os fungos, por sua vez, são abastecidos com parte dos fotossintatos da planta, em especial os açúcares da planta que lhes servem de alimento. Os fungos micorrízicos também ajudam a suprimir certas plantas espontâneas não desejadas, bem como podem melhorar a resistência de raízes colonizadas ao ataque de patógenos do solo, incluindo fungos ou nematoides. Em contrapartida, são considerados os mais importantes agentes biológicos para agregação do solo, o que causa uma melhoria na absorção e retenção da água, penetração de raízes, maior diversidade da biota do solo e maior presença de minhocas (Odum; Barret, 2011).

Simbiose

Da mesma forma, podemos citar a contribuição das bactérias na fixação simbiótica de nitrogênio (N). A importância do N pode ser tão limitante quanto a água para o crescimento e produtividade das plantas. Essas dependem do N da matéria orgânica (MO) do solo ou da adição de adubos nitrogenados (Odum; Barret, 2011). As plantas das famílias das leguminosas podem conseguir uma parte ou a totalidade de sua nutrição nitrogenada diretamente do ar, devido às suas associações com bactérias específicas ou rizóbios que formam nódulos nas plantas onde o nitrogênio do ar é convertido em nitrogênio fixado para a assimilação ou estocagem pela planta. Essa colaboração planta-bactéria pode ser considerada uma nova forma de vida. A complexidade dos tecidos dos nódulos e o alto grau de especialização para regular os gases, enzimas e o transporte vascular, indicam uma longa coevolução entre as duas partes da ação cooperativa. O N fixado pelas associações simbióticas significa uma importante alternativa ao uso de fertilizantes químicos nitrogenados.

Organismos endofíticos

Outra categoria de microrganismos que estabelecem interações ecológicas são os endofíticos, que são encontrados em órgãos e tecidos vegetais como folhas, ramos e raízes e têm a capacidade de colonizar sistematicamente o hospedeiro, alterando a sua condição fisiológica e morfológica, além de atuar sobre as populações de outros microrganismos presentes no interior da planta. Há vários efeitos positivos atribuídos às bactérias endofíticas, como a promoção do crescimento vegetal, fixação de N, controle biológico de pragas e doenças, indução de resistência sistêmica, produção de sideróforos (composto orgânico que atua na captação de ferro por organismos como as bactérias) e produção de antibióticos. A intima relação entre microrganismos endofíticos e seus hospedeiros envolveu processos coevolutivos. Os microrganismos produzem metabólitos secundários como antibióticos, pigmentos, toxinas, indutores de competição ecológica e simbiose, pesticidas, inibidores de enzimas, agentes antitumorais, feromônios e promotores de crescimento de animais e plantas. O conhecimento desses princípios e interações ecológicas é importante para fundamentar algumas práticas no manejo das lavouras e do agroecossistema como um todo.

Elicitores e indução de resistências

Existem também microrganismos que são promotores de crescimento vegetal, como as rizobactérias, que induzem a resistência a doenças em plantas. A resistência de plantas pode ser ativada por estratos de células de microrganismos ou microrganismos vivos, através da utilização de bioprodutos na agricultura, que além de induzir a resistência em plantas promovem o crescimento delas. Dentre as rizobactérias mais estudadas como elicitadoras de indução de resistências tem-se destacado espécies do gênero *Bacillus*, pois elas, além de participar como indutores bióticos, promovem o crescimento de plantas. Os benefícios resultam da produção de hormônios e antibióticos produzidos pela bactéria que, como outras espécies do gênero, coloniza a raiz. A indução de resistência com a utilização de rizobactérias promotoras de crescimento são importantes no manejo de doenças e pragas. As rizobactérias *Bacillus subtilis* e *B. pumilus* podem reduzir a severidade de diversas doenças foliares, como a ferrugem; *Pseudomonas aereofaciens* podem induzir a resistência à antracnose; *P. aeruginosa* podem conferir maior resistência à podridão radicular; e *Bacillus thuringiensis* têm efeitos protetores contra patógenos.

Biofertilizantes

Os biofertilizantes utilizados na agricultura podem ser produzidos em meio aeróbico e anaeróbico, a partir de uma mistura de materiais orgânicos (esterco, frutas, leite), minerais (macro e micronutrientes) e água, que passam por um processo de fermentação, resultando em um líquido rico em nutrientes e microrganismos, cujos teores irão variar de acordo com a forma de preparo e da matéria-prima utilizada. Os biofertilizantes funcionam como promotores de crescimento (equilíbrio nutricional) e como elicitores na indução de resistência sistêmica na planta. Além disso, ajudam na proteção da planta contra o ataque de doenças, por antibiose (Bettiol; Tratch; Galvão; 1998) e contra o ataque de pragas, por ação repelente, fagodeterrente (inibidores de alimentação) ou afetando o seu desenvolvimento e reprodução. Essa estratégia tem sido um dos processos mais empregados no manejo trofobiótico de pragas e doenças e é baseada no equilíbrio nutricional da planta (trofobiose), em que a resistência é gerada pelo melhor equilíbrio energético e metabólico do vegetal (Chaboussou, 1987; Pinheiro; Barreto, 1996) [VER TROFOBIOSE]. Os biofertilizantes possuem compostos bioativos, resultantes da biodigestão de compostos orgânicos de origem animal e vegetal, como células vivas ou latentes de microrganismos (bactérias, leveduras, algas e fungos filamentosos) e também metabólitos e quelatos organominerais e metabólitos como compostos de proteínas, enzimas, antibióticos, vitaminas, toxinas, fenóis, ésteres e ácidos, inclusive de ação fito-hormonal.

Alguns possíveis inóculos de microrganismos são: esterco bovino, cama de aviário, solo proveniente de regiões com densa vegetação preservada ou microrganismos eficientes (EM), entre outros. A adição de microrganismos contribui para a fermentação do biofertilizante e para o aumento da população de microrganismos benéficos no solo. Posteriormente, estes atuarão nos seguintes processos: melhoria na fertilidade do solo com a ciclagem da matéria orgânica; melhor disponibilidade e reposição de nutrientes para as plantas; fixação biológica de nitrogênio; solubilização de fosfato; produção de hormônios vegetais ou fitoestimuladores. Além disso, podem disponibilizar nutrientes inicialmente em formas não assimiláveis para as plantas que atuarão como promotores de crescimento, indutores de resistência a pragas, doenças e estresse abiótico. O conhecimento da diversidade microbiológica presente em biofertilizantes é de grande importância para a compreensão da forma como os microrganismos são afetados pela variação do tempo de maturação do produto, quais fatores ambientais os influenciam e como podem atuar na nutrição vegetal. Em algumas pesquisas já realizadas foram identificados 217 microrganismos ao longo do processo de maturação do biofertilizante. Castro; Santos; Akiba (1992) e Bettiol; Tratch; Galvão (1998) isolaram várias leveduras e bactérias, destacando *Bacillus subitilis*, reconhecido produtor de antibióticos. Importantes grupos microbianos de ação conhecida, como promotores do crescimento vegetal, foram isolados, a exemplo do *Bacillus* spp., *Streptomyces* spp., *Artrobacter* spp., *Alcaligenes* spp., *Trichoderma* spp., entre outros.

A elaboração de inoculantes com microrganismos de eficácia já comprovada tem se constituído uma alternativa viável aos atuais sistemas de produção. Percebem-se resultados positivos do biofertilizante na melhoria das características químicas, físicas e biológicas do solo; controle de pragas e doenças. Segundo Pinheiro; Barreto (1996), os metabólitos resultantes do processo fermentativo, como enzimas, coenzimas, cofatores (metaloporfirinas, citocromos, vitaminas etc.) ativam e catalisam as reações biológicas das plantas superiores. Além do efeito nutricional conhecido, os biofertilizantes apresentam efeitos de ação fungistática e bacteriostática sobre fitopatógenos, aumentando a resistência das plantas ao ataque de pragas e doenças (Bettiol; Morandi, 2009), e na inibição do desenvolvimento e reprodução de alguns insetos e ácaros fitófagos. O autor relata também os efeitos deste biofertilizante sobre o crescimento e a sanidade de hortaliças. Deleito *et al.* (2004) concluíram que o biofertilizante apresentou efeito benéfico ao desenvolvimento de mudas de pimentão e ação bacteriostática sobre *Xhantomonas campestris* pv. *Vesicatoria.*

Microrganismos eficientes (EM)

Os chamados microrganismos eficientes são muito utilizados atualmente e disponíveis em formulações comerciais. São considerados microrganismos regenerativos e produzem via metabolismo secundário hormônios e vitaminas. Além de produzir as substâncias orgânicas úteis às plantas, melhoram as propriedades físicas, químicas e biológicas do solo. O EM é formado pela comunidade de microrganismos encontrados naturalmente em solos férteis e em plantas, que coexistem quando em meio líquido. Quatro grupos de microrganismos compõem o EM:

- leveduras (*Saccharomyces*) que utilizam substâncias liberadas pelas raízes das plantas, sintetizam vitaminas e ativam outros microrganismos eficazes do solo. As substâncias bioativas, tais como hormônios e enzimas produzidas pelas leveduras, provocam atividade celular até nas raízes;
- actinomicetos que controlam fungos e bactérias patogênicas e também aumentam a resistência das plantas;
- bactérias produtoras de ácido lático (*Lactobacillus* e *Pediococcus*), que produzem ácido lático com o qual controlam alguns microrganismos nocivos, como o *Fusarium*;
- bactérias fotossintéticas que utilizam a energia solar em forma de luz e calor. Também utilizam substâncias excretadas pelas raízes das plantas na síntese de vitaminas e nutrientes, aminoácidos, ácidos nucleicos, substâncias bioativas e açúcares, que favorecem o crescimento das plantas. Aumentam as populações de outros microrganismos eficazes, como os fixadores de nitrogênio, os actinomicetos e os fungos micorrízicos.

Os microrganismos retiram seus alimentos da matéria orgânica formada por restos vegetais e animais. Nessa decomposição, há redução do todo em compostos menores, que são liberados no ambiente. Muitos desses compostos são nutrientes, hormônios, vitaminas que alimentam a própria comunidade microbiana, além de animais e plantas. Os microrganismos ainda liberam no ambiente alguns compostos que aumentam a resistência das plantas aos insetos e doenças. A decomposição da matéria orgânica no solo faz proliferar grupos de microrganismos, que estruturam o solo, agregam melhor as partículas minerais, evitam compactação e aumentam a porosidade, a infiltração de água, a água disponível e a profundidade de enraizamento. Como consequência, há redução da erosão e da frequência da necessidade de irrigação. Os microrganismos eficientes podem ser aplicados nos solos, especialmente nos berçários de plantio, pulverizados sobre as plantas, inoculados em sementes, na água, para saneamento ambiental, na compostagem e nos animais, para prevenir doenças.

Adubação orgânica

Os sistemas agroecológicos têm como princípio de manejo o uso da adubação orgânica, que visa ativar e manter a vida dos organismos no solo. Além disso, as substâncias húmicas presentes nos adubos orgânicos têm a capacidade de estimular diretamente o crescimento das plantas, especialmente de suas raízes [VER SOLOS]. O uso da adubação orgânica procura imitar os processos naturais de ciclagem dos nutrientes, direcionando-os para o aproveitamento das culturas. Os restos de culturas, a adubação verde, a aplicação de estercos, a queda de folhas, a morte de animais e microrganismos devolvem para o solo a matéria orgânica da qual são formados. A decomposição desses resíduos no solo libera energia e substâncias nutritivas que podem ser utilizadas novamente pelas plantas e pelos microrganismos, fechando, assim, um ciclo de vida, ou seja, de transformações químicas que conduzem à estabilidade da matéria orgânica e do solo. Além de adicionar nutrientes, a adubação orgânica afeta as propriedades físicas, químicas e biológicas do solo, contribuindo para o desenvolvimento de um ambiente favorável ao desenvolvimento das plantas [VER CICLAGEM DE NUTRIENTES]. Entre os benefícios, há a redução da densidade e melhoria da estrutura do solo; melhoria na aeração e drenagem; proteção do solo contra erosão e aumento da capacidade de fornecimento e retenção de nutrientes.

Substâncias húmicas

A matéria orgânica do solo age sobre o desenvolvimento e o metabolismo das plantas, através da bioatividade de substâncias húmicas (Canellas *et al.*, 2005). Trata-se de um sistema complexo integrado por diversos componentes, cujo dinamismo está ligado à incorporação de resíduos vegetais, animais e microbianos ao solo e à transformação e evolução destes, mediadas pela interação de vários processos ecológicos sucessivos. As substâncias húmicas estão presentes nos solos, nas águas e nos sedimentos. Além de influenciar as características físicas, químicas e microbiológicas desses compartimentos, podem afetar diretamente o metabolismo e o crescimento das plantas. A respeito dos efeitos fisiológicos das substâncias húmicas, grande parte dos trabalhos citados relatam estímulos de promoção do crescimento radicular de diversas plantas. Compreender isso é fundamental para elucidar a adaptação das plantas ao ambiente e para o uso e o manejo racional da matéria orgânica. Além de fornecer nutrientes para as plantas por meio da mineralização (transformação das formas orgânicas em formas minerais assimiláveis por meio da ação das enzimas dos microrganismos), as substâncias húmicas também podem estimular diretamente o desenvolvimento e o metabolismo das plantas por meio de mecanismos ainda não totalmente elucidados.

Caldas fertiprotetoras

As caldas fertiprotetoras são de amplo uso na agricultura, sendo que a do tipo sulfocálcica possui ação fungicida, inseticida e acaricida, sendo utilizada, ainda, como fertilizante foliar, pois fornece cálcio e enxofre ao metabolismo das plantas, que estimulam as reações de fotossíntese e induzem-nas à maior resistência às pragas. A calda bordalesa tem ação preventiva e curativa contra fungos e bactérias, e algumas contêm micronutrientes. O princípio básico dessas caldas é aumentar a resistência das plantas, fortalecer os tecidos foliares, dando proteção contra o ataque de pragas e doenças. Uma das principais razões desse fortalecimento das plantas é o fornecimento de nutrientes essenciais que atuam no processo de proteossíntese, com redução dos radicais livres e açúcares solúveis.

Durante o processo de evolução da agricultura, humanos, plantas, animais, micro e macrorganismos coevoluiram e desenvolveram intricadas interações e interdependências. A conservação da diversidade genética e o incremento da biodiversidade funcional são fundamentais para a manutenção desses processos e para o desenvolvimento de agroecossistemas produtivos e em equilíbrio dinâmico.

Referências

BETTIOL, W.; MORANDI, M. A (ed.) *Biocontrole de doenças de plantas:* Usos e perspectivas. Jaguariúna: Embrapa Meio Ambiente, 2009.

______; TRATCH, R.; GALVÃO, J. A. H. *Controle de doenças de plantas com biofertilizantes*. Jaguariúna: Embrapa-CNPMA. 22p (Embrapa-CNPMA: Circular Técnica, 02). 1998.

CANELLAS, L. P. *et al*. Bioatividade de substâncias húmicas – ação sobre o desenvolvimento e metabolismo das plantas. *In*: CANELLAS, L. P.; SANTOS, G. A. *Humosfera:* tratado preliminar sobre a química das substâncias húmicas. Campos dos Goytacazes: UENF, 2005.

CASTRO, C. M.; SANTOS, A. C. V.; AKIBA, F. *Bacillus subtilis isolado do biofertilizante "Vairo" com ação fungistática e bacteriostática em alguns fitopatógenos*. *In:* Simpósio de Controle Biológico. Anais. Jaguariúna: Embrapa-CNPDA. 1992.

CHABOUSSOU, F. *Plantas doentes pelo uso de agrotóxicos:* a teoria da trofobiose. Porto Alegre: L&PM, 1987.

DELEITO, C. S. R. *et al*. *Biofertilizante agrobio:* uma alternativa no controle da mancha bacteriana em mudas de pimentão (*Capsicum annuum* L.). Ciência Rural, 34(4), 1035-1038. 2004.

GLIESSMAN, S. R. *Agroecologia:* processos ecológicos em agricultura sustentável. Porto Alegre: Ed. Univ. Federal do Rio Grande do Sul, UFRGS, 2001.

ODUM, E. P.; BARRET, W. *Fundamentos de ecologia*. São Paulo: Cencage Learning, 2011.

PINHEIRO, S.; BARRETO, S. B. *Agricultura sustentável, trofobiose e biofertizantes*. Porto Alegre: Junquira Candiru, 1996.

RITZINGER, C. P. *et al*. (ed.) As interações ecológicas e a biodiversidade funcional em sistemas de fruteiras em transição agroecológica. *In*: BUSTAMANTE, P.; BARBIERI, R.; SANTILI, J. *Conservação e uso da agrobiodiversidade:* relatos de experiências locais. Coleção Transição Agroecológica. Embrapa. 2017.

I

J

JUSTIÇA AMBIENTAL

Marcelo Firpo de Souza Porto

Esse texto está organizado em duas partes.[1] Inicialmente, buscamos situar o contexto que deu origem ao conceito de justiça ambiental (JA) nos EUA, estreitamente relacionado à articulação entre os movimentos pelos direitos civis e contra o racismo, e o movimento ambientalista em ascensão. Posteriormente, vários movimentos ambientalistas e sociais em todo o mundo foram incorporando o conceito, inclusive na América Latina e no Brasil.

Na segunda parte do texto, trabalhamos o conceito de justiça ambiental a partir da Ecologia Política, em articulação com outras três dimensões da justiça – social, por saúde e cognitiva. Também buscamos estabelecer uma breve conexão entre justiça ambiental e a agroecologia.

Racismo e justiça ambiental: origens nos EUA e sua expansão no Brasil

A expressão justiça ambiental foi originalmente cunhada nos EUA entre os anos 1970 e 1990. Após avanços importantes, o movimento negro e pelos direitos civis sofreu importantes reveses com o assassinato de líderes como Martin Luther King. Nos anos seguintes, esses movimentos buscaram se reinventar e encontraram uma importante fonte de inspiração no ambientalismo que crescia nos EUA à época, principalmente a partir da publicação, em 1962, do livro *A primavera silenciosa*, de Rachel Carson (Carson, 2010).

A articulação entre ambas as lutas sociais emergentes, contra o racismo e pela ecologia, ganhou fôlego no final nos anos 1970 e início dos anos 1980 quando, pela primeira vez, foi cunhado o termo racismo ambiental. O principal conflito que provocou o uso da expressão foi um caso de contaminação de resíduos tóxicos em uma comunidade afro-americana em Warren County, Carolina do Norte. Ele estabeleceu não apenas uma conexão entre a distribuição desigual da poluição de acordo com a classe social, mas também com a questão racial. Ou seja, as áreas mais poluídas não estavam somente concentradas onde se encontravam os trabalhadores mais pobres e explorados: a poluição tinha cor e raça.

Desde então, o racismo ambiental passou a ser usado e é considerado por muitos ativistas e teóricos o mais adequado. Posteriormente, os conceitos de injustiça e justiça ambiental passaram a ser crescentemente utilizados por incorporar de forma ampla inúmeros movimentos e lutas sociais para além dos trabalhadores e negros, como as mulheres, os indígenas e outros movimentos étnicos. Por exemplo, nos EUA foram criadas várias associações de justiça ambiental de acordo com a origem das populações: chicanos e latinos, africanos, árabes, dentre outras.

Os conceitos de racismo e (in)justiça ambiental não são excludentes: enquanto o último é mais geral, o primeiro reforça a dimensão colonial e racista das desigualdades ambientais contra negros, indígenas e povos do Sul Global. A carta de princípios para a justiça ambiental apresentada nos EUA em 1991 fala da necessidade de serem transformadas as lógicas de colonização e opressão política, econômica e cultural que marcaram os cincos séculos de colonização no continente americano.

Para o sociólogo Robert Bullard (1994), um dos maiores nomes da luta contra o racismo ambiental nos EUA, a justiça ambiental deve ser compreendida como um movimento amplo de enfrentamento da questão ambiental articulada às várias formas de discriminação social: de classe, racial, de gênero e étnica. Bullard também é um dos criadores da noção de *zona de sacrifício*, que designa os locais mais poluídos e sem infraestrutura que expõem as populações vulnerabilizadas por sua condição de classe, raça, etnia e gênero a toda uma sorte de cargas ambientais desigualmente distribuídas que provocam injustamente doenças e mortes evitáveis. Tais locais podem ser lixões, aterros de rejeitos urbanos ou industriais, fábricas perigosas e poluentes, áreas de riscos de inundação ou desabamento ocasionados por chuvas torrenciais ou, ainda, locais poluídos próximos a estradas com trânsito intenso e riscos de acidentes de trânsito.

Com o acirramento da crise ecológica, ao longo da década de 1990 e no século XXI o conceito de justiça ambiental passou a ser incorporado por vários movimentos e lutas sociais do planeta. Como era de se esperar, existem diferenças entre seu uso nos EUA e em continentes como Ásia, África e América Latina, com suas distintas condições históricas, econômicas, ecológicas e culturais.

Por exemplo, nos EUA, os movimentos por justiça ambiental foram fortemente organizados por comunidades locais e grupos étnicos bastante específicos, especialmente populações negras, mas também indígenas e outras. Embora autores como Robert Bullard assumam uma visão crítica quanto à dimensão não apenas racial, mas das classes sociais exploradas pelo capitalismo na distribuição desigual dos problemas ambientais, nos EUA, visões localistas pouco sistêmicas influenciaram reivindicações comunitárias não acompanhadas de uma dimensão humanitária e internacional mais ampla da questão ecológica. Tal visão foi reforçada por noções funcionalistas da sociologia ambiental como os grupos Nimby ("Not In My Backyard", ou "Não no Meu Quintal") para justificar as lutas de grupos sociais que passavam a rejeitar fábricas poluentes ou lixões próximos aos seus locais de moradia, circulação e trabalho, sem considerar a divisão internacional do trabalho e dos riscos decorrentes do capitalismo globalizado. Visões acríticas também estão presentes na economia ambiental e em propostas como a economia verde, as quais reforçam o discurso dominante que considera serem todos igualmente responsáveis pelas causas e consequências dos problemas ambientais (Acselrad; Herculano; Pádua,2004).

Na América Latina e no Brasil, o processo de incorporação dos conceitos de racismo e justiça ambiental possui características próprias. Embora a rápida urbanização ao longo do século XX tenha produzido cidades e metrópoles fortemente desiguais em termos das condições de vida e trabalho, com a expansão de favelas e periferias que se assemelham à noção de *zonas de sacrifício*, os movimentos urbanos que reivindicam moradia, saneamento e cidades mais inclusivas e democráticas não têm incorporado de forma mais ampla, até o momento, conceitos como racismo e justiça ambiental.

No Brasil, um marco importante na incorporação dos conceitos de racismo e justiça ambiental ocorreu em setembro de 2001, quando representantes de movimentos sociais, sindicatos, ONGs, entidades ambientalistas, organizações afrodescendentes, indígenas e pesquisadores universitários do Brasil – com a presença de convidados dos EUA, Chile e Uruguai – se reuniram em um Colóquio Internacional sobre Justiça Ambiental, Trabalho e Cidadania na Universidade Federal Fluminense. O colóquio resultou no lançamento de uma Declaração de Princípios no Fórum Social Mundial, em Porto Alegre, em 2002, e em seguida foi criada a Rede Brasileira de Justiça Ambiental (RBJA).

A declaração da RBJA definiu injustiça ambiental como

> o mecanismo pelo qual sociedades desiguais, do ponto de vista econômico e social, destinam a maior carga dos danos ambientais do desenvolvimento às populações de baixa renda, aos grupos sociais discriminados, aos povos étnicos tradicionais, aos bairros operários, às populações marginalizadas e vulneráveis.

Já o conceito de justiça ambiental é entendido por um conjunto de princípios e práticas que asseguram que nenhum grupo social, seja ele étnico, racial, de classe ou gênero, "suporte uma parcela desproporcional das consequências ambientais negativas de operações econômicas, decisões de políticas e de programas federais, estaduais, locais, assim como da ausência ou omissão de tais políticas" (Rede Brasileira de Justiça Ambiental, 2002).

Desde seu lançamento, a RBJA, com diferentes percursos e percalços, tem articulado múltiplos sujeitos nas lutas em torno de conflitos e injustiças ambientais, sejam eles vinculados a movimentos sociais, ONGs, organizações comunitárias ou grupos acadêmicos. De diversas formas a RBJA vem promovendo intercâmbios e trocas de experiências, reflexões teóricas, análises de contexto e elaboração de estratégias de ação.

Para concluir esse item, uma observação sobre a diferença entre injustiça ambiental e conflito ambiental. As injustiças ocorrem sempre que existe exploração, espoliação, violência e violação de direitos humanos, territoriais e de saúde envolvendo inúmeras populações, comunidades e trabalhadores por parte de projetos, políticas, instituições governamentais e ações de empresas ligadas a setores como agronegócio, mineração, construção de hidrelétricas, especulação imobiliária, dentre outros. Os conflitos ambientais, por sua vez, constituem-se num momento avançado de organização e resistência popular por parte de comunidades, organizações e movimentos sociais que lutam por direitos e dignidade. Um dos grandes desafios dos movimentos por justiça ambiental é articular as diferentes escalas de lutas originalmente locais e comunitárias em níveis mais amplos, sistêmicos, nacionais, regionais e globais.

Justiça ambiental, Ecologia Política e sua relação com as justiças social, sanitária e cognitiva

Um aspecto teórico, prático e político importante para os movimentos e organizações que atuam por justiça ambiental no Brasil e, mais amplamente no Sul Global, é a crítica ao modelo de desenvolvimento capitalista e neoextrativista. O neoextrativismo intensifica a exploração de recursos naturais em tempos de capitalismo financeiro global, com a produção e exportação de *commodities* agrícolas e metálicas para o mercado mundial. Isso decorre do papel de setores como a mineração, o agronegócio, a exploração de petróleo, a construção de hidrelétricas e infraestruturas como rodovias, hidrovias e portos de exportação, além da especulação imobiliária que vem transformando as propriedades rurais e as moradias nas cidades em ativos financeiros do mercado global.

As principais populações atingidas pelo modelo neoextrativista articulado ao capitalismo global são as indígenas, camponesas, quilombolas, pescadoras e outras dos campos, florestas e águas que possuem seus direitos territoriais e modos de vida afetados. Tais populações se organizam em movimentos sociais que, principalmente desde os anos 1980, vêm fortalecendo e incorporando a pauta ecológica em suas lutas por direitos territoriais, seja a reforma agrária, seja a demarcação de terras indígenas e quilombolas.

A inserção na América Latina no mercado global, via a reprimarização da economia e exportação de *commodities* agrícolas e minerais,[2] explica porque a maioria dos casos presentes no *Mapa de conflitos envolvendo injustiça ambiental e saúde no Brasil* ocorre predominantemente em espaços rurais e não nos urbanos.[3]

Teoricamente, o conceito de justiça ambiental vem sendo elaborado principalmente pelo campo da Ecologia Política, em estreita articulação com o conceito de conflitos ambientais, socioecológicos ou distributivos (Porto; Martinez-Alier, 2007), assim como de metabolismo social ou socioecológico (Molina; Toledo, 2011; Foster, 2000).

De especial interesse para a agroecologia e as populações dos campos, florestas e águas, o conceito de metabolismo social ou socioecológico é muito importante para compreendermos a relação entre o capitalismo globalizado, o neoextrativismo e a crise ecológica atual. O metabolismo social é um desenvolvimento teórico-metodológico que integra os processos sociais e econômicos com os processos de organização da natureza a partir dos fluxos de energia e materiais realizados pelo trabalho humano e concretizados pelo modo social de produção em uma dada sociedade. Dessa forma, toda sociedade e comunidade, num dado contexto histórico, socioeconômico, cultural e ecológico, sempre forja ou se submete a certo tipo de metabolismo social [VER METABOLISMO SOCIOECOLÓGICO].

Autores ecomarxistas, como O'Connor (1992) e Altvater (2007), além de Nicholas Georgescu-Roegen,[4] um dos pais da economia ecológica e que influenciou autores da Ecologia Política, têm sido utilizados para analisar a insustentabilidade ambiental da economia capitalista, em especial a partir da crítica ao regime energético e à exploração de recursos naturais não renováveis, assim como pela geração de resíduos pela sociedade industrial e de consumo. O modelo moderno, industrial e capitalista, tem acelerado entropias globais, ou seja, processos de desorganização dos ecossistemas e da própria vida, acentuados pela emergência dos chamados riscos ecológicos globais nas últimas décadas.

Por exemplo, o conceito de *fronteiras planetárias* proposto por Rockström *et al.* (2009) busca operacionalizar a ideia de um 'espaço seguro para a humanidade'. Em esfera global, pelo menos três limiares já teriam sido ultrapassados na atualidade: as *mudanças climáticas*, a perda da integridade da biosfera (destruição de ecossistemas, perda de biodiversidade e extinção de várias espécies) e o fluxo biogeoquímico envolvendo os ciclos do fósforo e nitrogênio, os quais estão fortemente associados à agricultura industrial e sua dependência de fertilizantes químicos [VER CICLAGEM DE NUTRIENTES]

O metabolismo das sociedades capitalistas, nas últimas décadas, vem intensificando a crise ecológica global e a geração dos conflitos ambientais em inúmeros territórios. Os conflitos podem ocorrer nas várias fases que marcam a organização social, a economia e o comércio, como na extração de recursos naturais, na produção industrial, no transporte, no consumo e no descarte de resíduos. Os conflitos relacionados à extração de recursos naturais (água, terra e solo) são típicos dos países do Sul Global exportadores de *commodities*, e os conflitos gerados pelo descarte de resíduos e lixo (poluição) são globais e principalmente urbanos, ainda que problemas como os agrotóxicos afetem e conectem o campo e as cidades.

Para autores como O'Connor, a contradição capital *versus* trabalho, relacionada às condições de trabalho e às lutas por justiça social da classe trabalhadora, vem sendo justaposta por uma segunda importante contradição associada às próprias condições de produção e reprodução da vida. Os principais protagonistas dessa segunda contradição são coletivos contra-hegemônicos organizados inicialmente em torno de agendas locais e comunitárias de resistência e transformação social. São exemplos os povos tradicionais, grupos étnicos e organizações camponesas que lutam contra o racismo ambiental e na defesa de seus modos de vida, culturas, territórios e outras economias que reconheçam os *bens comuns* e sejam mais solidárias, compartilhadas, ambientalmente sustentáveis e socialmente justas. Tais lutas também incluem coletivos ambientalistas e feministas, populações atingidas por certos riscos ambientais e problemas de saúde (como os agrotóxicos, transgênicos e a poluição química em geral), e grupos acadêmicos voltados a essas pautas a partir de metodologias participativas e colaborativas como a pesquisa-ação.

No Brasil e no conjunto do Sul Global, os movimentos por justiça ambiental têm se articulado com os movimentos que lutam pela reforma agrária e agroecológicos, principalmente desde 2011[5] no Encontro Nacional de Diálogos e Convergências – Agroecologia, Saúde e Justiça Ambiental, Soberania Alimentar, Economia Solidária e Feminismo. A Campanha Permanente contra os Agrotóxicos e pela Vida é outro importante exemplo de articulação de conhecimentos e práticas.

A justiça ambiental inevitavelmente se conecta às lutas por justiça social e por saúde, esta última pelo fato de muitas lutas envolverem problemas relacionados à poluição química. Porém, principalmente no Sul Global, as lutas contra o racismo ambiental trazem à tona o que diversos autores chamam de justiça cognitiva (Santos, 2007). Ela se refere ao reconhecimento e validação de modos de vida e saberes não científicos de diferentes populações que lutam por existência, dignidade, saúde e direitos territoriais, como indígenas, camponesas, quilombolas, além das populações que vivem nas periferias urbanas do Sul Global. Por isso, as lutas sociais contra o racismo e pelas justiças ambiental e cognitiva implicam dimensões ontológicas e epistemológicas que articulam as três formas de dominação moderna eurocêntrica: o capitalismo, o colonialismo e o patriarcado. Esse é o significado de descolonizarmos nossas mentes e corações, ou seja, nossas formas de sentir e pensar para produzir outros conhecimentos, culturas e economias como base para a construção de sociedades pós-capitalistas.

J

Referências

ACSELRAD, H.; HERCULANO, S.; PÁDUA, J. A. *Justiça Ambiental e Cidadania*. Rio de Janeiro: Ed. Relume-Dumará, 2004. 312 pp.

ALTVATER, E. Existe um marxismo ecológico? *In*: BORON, A. A.; AMADEO, J.; GONZÁLEZ, S. *A teoria marxista hoje:* Problemas e perspectivas, p. 19, 2007.

BULLARD, R. *Dumping in Dixie:* Race, Class and Environmental Quality. Boulder, CO: Westview Press, 1994.

CARSON, R. *Primavera silenciosa*. São Paulo: Gaia, 1910.

FOSTER, J. B. *A ecologia de Marx:* materialismo e natureza. Rio de Janeiro: Editora Record, 2005.

MOLINA, M; TOLEDO, V. M. *Metabolismos, naturaleza e historia:* hacia una teoría socio-ecológica de las transformaciones. Barcelona: Icaria editorial, 2011.

O'CONNOR, J. *Causas Naturales:* ensayos de marxismo ecológico. México: Siglo XXI, 2001.

PORTO, M. F. *Uma ecologia política dos riscos:* princípios para integrarmos o local e o global na promoção da saúde ambiental e da justiça ambiental. 1. ed. Rio de Janeiro: Editora FIOCRUZ, 2007. v. 1. 248p.

_____; MARTINEZ-ALIER, J. *Ecologia política, economia ecológica e saúde coletiva:* interfaces para a sustentabilidade do desenvolvimento e para a promoção da saúde. Cadernos de Saúde Pública 23(Supp. 4): S503 - S512, 2007.

_____. Movements and the Network of Environmental Justice in Brazil. *Environmental Justice* 5(2): 100-104, 2012.

_____; PACHECO, T.; LEROY, J. P. *Injustiça Ambiental e Saúde no Brasil* – O mapa de conflitos. 1. ed. Rio de Janeiro: Editora Fiocruz, 2013. v. 1. 306p.

REDE BRASILEIRA DE JUSTIÇA AMBIENTAL (RBJA). *Manifesto de Lançamento. 2001.* Disponível em: https://antigo.mma.gov.br/educacao-ambiental/pol%C3%ADtica-nacional-de-educa%C3%A7%-C3%A3o-ambiental/documentos-referenciais/item/8077-manifesto-de-lan%C3%A7amento-da-rede--brasileira-de-justi%C3%A7a-ambiental.html Acesso em: dez 2019.

ROCKSTRÖM, J. *et al. Planetary Boundaries:* Exploring the Safe Operating Space for Humanity. Ecology and Society v.14, n. 2, 32. [*online*]. Disponível em: http://www.ecologyandsociety.org/vol14/iss2/art32/.Acesso em: 29 mar. 2021.

SANTOS, B. S. *Para além do pensamento abissal:* das linhas globais a uma ecologia de saberes. *Novos estudos CEBRAP*; v. 79, p.71-94, 2007.

WALLERSTEIN, I. Mundialização ou era de transição? Uma visão de longo prazo da trajetória do sistema-mundo. *In*: CHESNAIS, F. *et al*. *Uma nova fase do capitalismo?* São Paulo: Xamã, 2003.

Para saber mais

ATLAS INTERNACIONAL DE JUSTIÇA AMBIENTAL (EJAtlas). Disponível em: https://ejatlas.org/. Acesso em: 29 mar. 2021.
BLOG COMBATE AO RACISMO AMBIENTAL: Disponível em: https://racismoambiental.net.br/. Acesso em: 29 mar. 2021.
MAPA DE CONFLITOS ENVOLVENDO INJUSTIÇA AMBIENTAL E SAÚDE NO BRASIL: Disponível em: https://www.conflitoambiental.icict.fiocruz.br/. Acesso em: 29 mar. 2021.
REDE BRASILEIRA DE JUSTIÇA AMBIENTAL: Disponível em: https://redejusticaambiental.wordpress.com/. Acesso em: 29 mar. 2021

Notas

1 Para a construção deste verbete, baseamo-nos principalmente em textos produzidos anteriormente pelo autor (Porto, 2007 e 2012) ou em parceria com acadêmicos e ativistas da justiça ambiental (Porto; Martinez-Alier, 2007; Porto; Pacheco; Leroy, 2013).

2 As *commodities* podem ser definidas como mercadorias, principalmente gêneros agrícolas, minérios e seus processamentos como o ferro, o aço e o alumínio, que são produzidos em larga escala e comercializadas em esfera mundial. O fato de terem seus preços definidos pelo mercado internacional, podendo variar subitamente de um ano para o outro, além de possuírem baixo valor agregado, faz com que os países especializados na produção de *commodities* agrícolas e minerais sejam mais vulneráveis diante de um mercado internacional marcado pelo comércio injusto entre o centro e as periferias. Tais países correspondem, via de regra, ao Sul Global, ou seja, com histórico de colonização, e que fazem parte do que Wallerstein (2003) denomina de regiões periféricas e semiperiféricas do sistema-mundo capitalista moderno.

3 Disponível em: http://mapadeconflitos.ensp.fiocruz.br/

4 Economista heterodoxo e que influenciou a proposta de decrescimento econômico. É autor de obras como *A lei da entropia e o processo econômico* de 1971, e *Energia e mitos econômicos* de 1976.

5 Encontro Nacional de Diálogos e Convergências – Agroecologia, Saúde e Justiça Ambiental, Soberania Alimentar, Economia Solidária e Feminismo, ocorrido em Salvador/BA entre os dias 26 e 29 de setembro de 2011, e que contou com a participação de 300 pessoas vindas de todo o Brasil. Para maiores detalhes ver: http://www.agroecologia.org.br/2013/01/24/carta-politica-do-encontro-nacional-de-dialogos-e-convergencias-2/

L

LA VIA CAMPESINA

Rita Zanotto
Viviana Rojas Flores

O nome *La Via Campesina* (LVC) não tem tradução em outros idiomas.[1] É nome próprio. Como o nome mesmo diz, é La Via, uma via, é um caminho para uma alimentação saudável, para a construção da soberania alimentar com base agroecológica, para um modo de viver saudável. Hoje, La Via Campesina é a voz das camponesas e camponeses do mundo e segue reafirmando a necessidade de existência de movimentos fortes que defendam o campesinato e que promovam a soberania alimentar. Parafraseando Alegria, em Desmarais (2013, p. 1), "O que nos une é um espírito de luta e transformação... Aspiramos um mundo melhor, um mundo mais justo, mais humano – onde existam igualdade e justiça social".

La Via Campesina reúne camponeses e camponesas, pequenas/os agricultoras/es, sem-terras, indígenas, comunidades tradicionais, quilombolas, pescadores, organizações de mulheres e jovens, pastores em todo mundo. Constrói um sentido forte de unidade, de solidariedade na defesa do campesinato e se propõe a ser uma via que promove a soberania dos povos, a soberania alimentar, a justiça social, a dignidade e se opõe radicalmente à proposta do latifúndio e do agronegócio, que destrói a natureza, contamina, envenena e promove a doença no mundo, tendo em vista o lucro através do que chamam de produção de alimentos; ela portanto, luta e defende a reforma agrária popular, integral.

La Via Campesina conta atualmente com 182 organizações membras, de 81 países da África, Ásia, Europa e América, e representa em torno de 200 milhões de camponesas/es. Se trata de um movimento político, autônomo, plural, multicultural, de justiça social, que luta por paridade e igualdade de gênero e que se mantém independente de qualquer partido político, crença religiosa ou afiliação econômica ou de outro tipo. Representa o campesinato que luta pela terra nas mãos de quem a trabalha, e que produz para alimentar o mundo.

La Via Campesina, um movimento de movimentos, surge num contexto econômico, político e social em que o capitalismo, de forma direta e em escala global, passa a minar a capacidade do campesinato de manter o controle de suas terras e de suas sementes. Motivados por esse contexto, em maio de 1993, organizações camponesas do mundo promoveram uma conferência com a participação de 46 camponeses e camponesas do mundo, na Bélgica, e criaram La Via Campesina. Porém, suas raízes vêm de muito antes, vêm de lutas regionais na América Latina, na contracomemoração dos 500 anos de invasão desse continente, na chamada "Campanha 500 anos de Resistência Índia, Negra e Popular", que levou em 1994 à criação da Coordenadora Latino-Americana de Organizações Camponesas (Cloc). Como também na Europa, na articulação da Coordenadora Campesina Europeia (CPE), entre outras.

La Via Campesina é uma articulação mundial de movimentos camponeses que tem entre seus objetivos a construção de relações de solidariedade que reconhecem a diversidade do campesinato no mundo; a construção de um modelo de desenvolvimento da agricultura que garanta a soberania alimentar [VER SOBERANIA ALIMENTAR] como direito dos povos de definir suas próprias políticas agrícolas; a preservação dos bens naturais com a proteção da biodiversidade, a luta pela construção de um movimento com paridade, com igualdade entre os gêneros.

Algumas linhas políticas que dão unidade e fortalecem a luta de La Via Campesina são: o rechaço explícito ao modelo neoliberal de desenvolvimento rural; o rechaço às políticas agrícolas mundiais que não consideram o campesinato; o compromisso para trabalhar em unidade na diversidade para construir força e o campesinato ter voz; a construção de processos locais que promovam a soberania alimentar com políticas que respeitem as culturas diversas e promovam a produção agroecológica [VER AGROECOLOGIA], a preservação das sementes camponesas e a vida no planeta, respeitando a Mãe Terra como um ser vivo.

A organicidade de La Via Campesina

Em sua estrutura estão a Conferência Internacional, realizada a cada 4 anos como um espaço de deliberação política e animação do movimento; a Comissão Coordenadora Internacional, composta por uma mulher e um homem das nove regiões organizativas (com a 10ª em processo de construção na região do meio oriente); uma secretaria operativa internacional e uma estrutura rotativa, definida nas conferências (teve funcionamento em Honduras, Jakarta e Zimbabwe e em 2021 estará na França); os coletivos de trabalho atuam segundo os diversos temas centrais que aprofundam o debate político e propõem, coordenam e articulam ações em âmbito local e internacional. La Via Campesina também constrói alianças e participa de espaços internacionais que dão unidade à classe trabalhadora, com trabalhadores do campo e da cidade, com mulheres, jovens e outros espaços que fortaleçam as lutas, a unidade e a solidariedade.

Para conhecer a Via Campesina, é preciso conhecer as lutas camponesas que lhe dão unidade, que se fazem em todos os continentes por um campesinato forte, que cuida do bem maior que é a Terra e que produz alimentos para o conjunto da sociedade. Os temas políticos defendidos por La Via Campesina são: terra, água e território, soberania alimentar com agroecologia; justiça climática; direitos humanos do campesinato; agricultura camponesa sustentável; biodiversidade e recursos genéticos; migrantes e trabalhadores agrícolas, a construção de relações de gênero paritárias e de igualdade e com participação da juventude, além de trabalhar temas como a comunicação, a formação política e a educação. Não se trata de estabelecer hierarquias entre os temas, mas fazer com que levem à mobilização cada vez maior de forças sociais, que superem os limites do campesinato em unidade com a classe trabalhadora do mundo, para promover as mudanças necessárias.

Para La Via Campesina, a soberania alimentar é um desafio permanente dos povos no mundo, para não depender do mercado capitalista centrado em poucas empresas que querem controlar a produção e a alimentação e sua distribuição. Defender a soberania alimentar, lutar pela terra e pela reforma agrária. Esta visão da soberania alimentar foi lançada por La Via Campesina em 1996 durante o Fórum Mundial sobre Alimentação, promovido pela FAO. Entendendo que soberania alimentar é o direito dos povos a alimentos nutritivos e culturalmente adequados, produzidos de forma sustentável, em âmbito local e com o direito de decidir a própria forma de se alimentar e de produzir. É o direito a produzir de forma sustentável, em pequena escala, em comunidade, respeitando o meio ambiente. A soberania alimentar com agroecologia, com direito à terra para produzir, com gestão da terra, das águas, das sementes, dos animais, da riqueza do solo e subsolo.

A promoção da agroecologia e a defesa das sementes camponesas, ou sementes crioulas são pautas de La Via Campesina porque as sementes garantem sustentação à soberania alimentar. A agroecologia é a chave de resistência a um sistema econômico que coloca o lucro antes da vida, antes do bem viver. La Via Campesina reconhece que as/os pequenas/agricultoras/es, camponesas/es, pescadoras/es, pastoras/es, comunidades tradicionais representam quase a metade da população mundial e são capazes, como sempre foram na história da humanidade, de produzir alimentos para suas comunidades e alimentar o mundo de uma forma sustentável e saudável, em âmbito local, segundo seu clima, segundo sua cultura alimentar.

As sementes são um pilar insubstituível para a produção de alimentos e a base da produção segundo a cultura, a história e a forma de se alimentar dos povos. Por isso a existência da campanha “Sementes, patrimônio dos povos, a serviço da humanidade”.[2] As corporações trabalham as sementes como sendo dos povos, mas não a serviço da humanidade; por isso a privatizam, transformam sua genética, a fazem resistentes a venenos que elas mesmas produzem. E o campesinato defende que as sementes têm que estar a serviço da humanidade e sob a guarda do campesinato.

A promoção dos direitos das camponesas e dos camponeses e a luta contra a criminalização das lutas e das/os lutadoras/es é um dos pilares fundamentais. Há um argumento na criminalização, na discriminação, na expulsão e exploração camponesa, no não reconhecimento de sua terra e seus territórios. As empresas nacionais, transnacionais e os latifundiários continuam impunes, violando os direitos básicos, enquanto as pessoas que lutam pela defesa e pelo direito das

L

comunidades seguem sendo criminalizadas, assassinadas, desaparecidas.

La Via Campesina e organizações aliadas como Fiam, Cetim entre outras, construíram por dez anos uma Declaração dos Direitos Camponeses, que inclui o direito à vida digna, o direito à terra, ao território, às sementes, à informação, justiça e igualdade entre mulheres e homens. Esta declaração dos "Direitos dos Camponeses e Outras Pessoas que Trabalham nas Áreas Rurais" foi adotada durante a 73ª Sessão da Assembleia Geral das Nações Unidas (AGNU 73), em Nova York, no dia 17 de fevereiro de 2018. (Naciones Unidas, 2018)

La Via Campesina trabalha no sentido de construir processos de formação política e técnica de suas organizações, de seus dirigentes e de sua base. Fortalece a formação em agroecologia, a formação de mulheres, a formação da juventude, entendendo que somente a formação promove as pessoas a partícipes de seus processos e de sua liberdade. Promove a comunicação interna e com a sociedade, porque é pela comunicação que passamos a entender as cadeias que nos prendem e como romper essas cadeias.

Lutas comuns

Cada país e cada organização tem sua organicidade e suas formas de lutas. Em âmbito internacional, realiza ações conjuntas nas seguintes datas:

- 8 de março: Dia Internacional da Mulher.
- 17 de abril: Dia Internacional da Luta Camponesa (em memória aos 19 mortos do massacre de Eldorados dos Carajás de 1996).
- 10 de setembro: Dia Internacional de Luta contra a Organização Mundial do Comercio (OMC) e os tratados de livre comercio. Neste dia, LVC faz memória ao Sr. Lee Kyun Hae, um agricultor da Coreia do Sul que se imolou durante ações massivas de protesto contra a OMC em Cancún, México, em 2003. Levava na mão uma faixa que dizia 'A OMC mata os agricultores'.
- 16 de outubro: Dia Internacional de Ação pela Soberania Alimentar e contra as corporações internacionais.
- 25 de novembro: Dia Internacional pelo FIM da violência contra as mulheres.
- 3 de dezembro: Dia Mundial de Ação contra os Agrotóxicos.

Escolas e processos de formação em agroecologia da La Via Campesina

Nos mais de 25 anos de história de La Via Campesina, a formação política e técnica tem sido uma prioridade estratégica do movimento, uma vez que a força das mudanças está no nível de consciência e no grau de organização dos povos. La Via Campesina entende que a formação político-agroecológica constitui um processo contínuo, amplo e sistemático de reflexão sobre a prática, de incorporação do conhecimento socialmente produzido. Um processo de produção e socialização de novos conhecimentos a partir das realidades concretas em que vivemos, respeitando a multiplicidade de conhecimentos e a diversidade social e humana.

Neste sentido, os processos de formação que se desenvolveram como movimento estão intimamente ligados ao nosso projeto político de libertação baseado na agroecologia, que é o coração da soberania alimentar.

Cada instituto da rede de Institutos Latino-Americanos de Agroecologia (Iala), cada escola, curso e intercâmbio busca contribuir para formar e construir uma força social e uma força política: entendemos por força social os povos organizados. E a força política são os povos cada vez mais conscientes e organizados para a ação de transformação.

A importância de discutir e implementar a formação agroecológica dentro de cada movimento e organização reside na possibilidade de compreender o processo histórico, os avanços, limites e desafios que a práxis da luta proporciona. A caracterização e a análise teórica dos movimentos sociais são fundamentais para nos preparar e fortalecer diante da investida que enfrentaremos. Sem um conhecimento profundo da realidade e das teorias, se torna difícil desenvolver lutas pela transformação das estruturas da sociedade.

Ao redor do mundo, as organizações-membro de La Via Campesina têm mais de 70 escolas e/ou processos de formação baseados na educação popular, já que essa última, assim como seu método e concepção, propõe a massificação da agroecologia nos territórios e o fortalecimento da soberania alimentar dos povos.

Para a La Via Campesina, a agroecologia não é possível sem a educação popular, sem a participação de mulheres e jovens. Porque a agroecologia deve estar em toda a cadeia produtiva, como uma prática que torna possível a solidariedade, a autonomia, a reforma agrária popular, o trabalho, a renda e, portanto, a soberania alimentar.

Todos os processos de formação agroecológica estão sendo construídos por organizações membras de La Via Campesina nos cinco continentes. A política de formação agroecológica é o conjunto de ações pedagógicas, organizacionais e de luta que, com diferentes metodologias e conteúdos, visam enriquecer o conhecimento e ampliar a consciência da base, dos militantes e líderes, buscando o crescimento cultural e político dos indivíduos e de toda a organização.

Nossos processos de formação levam em consideração especialmente as questões de soberania dos povos, soberania alimentar, agroecologia e território, compreendendo este último não só do ponto de vista geográfico, mas na defesa integral dos seres humanos e da Mãe Terra, das águas, montanhas, sementes, ar, natureza e biodiversidade em geral.

O que faz a Via Campesina em sua estratégia de formação agroecológica?

1 – Denuncia o modelo de Capital no campo – através de lutas diretas, grilagem de terras, assembleias, fechamento de ruas, feiras, eventos;
2 – anuncia o nosso projeto Campesino de Agricultura e construir conhecimentos;
3 – realiza cursos formais e informais para líderes, militantes e base;
4 – promove intercâmbio de experiências agroecológicas em todas as regiões e biomas;
5 – organiza processos de intercâmbio nas experiências que formam a diversidade internacional;
6 – constrói alianças com várias organizações que promovem a agroecologia.

Globalizemos a luta, globalizemos a esperança!

Referências

NACIONES UNIDAS. Asamblea General. *Declaración de las Naciones Unidas sobre los Derechos de los Campesinos y de Otras Personas que Trabajan en las Zonas Rurales*. Septuagésimo tercer período de sesiones: Tercera Comisión: Tema 74 b) del programa: Promoción y protección de los derechos humanos: cuestiones de derechos humanos, incluidos otros medios de mejorar el goce efectivo de los derechos humanos y las libertades fundamentales. 2018. Disponível em: https://undocs.org/es/A/C.3/73/L.30. Acesso em: 18 maio 2020.

DESMARAIS, A. A. *A Via Campesina*. 1. ed. São Paulo: Cultura Acadêmica/Expressão Popular, 2013 (Vozes do Campo).

Para saber mais

COORDENADORIA LATINO-AMERICANA DE ORGANIZAÇÕES DO CAMPO (Cloc). Disponível em: https://cloc-viacampesina.net/que-es-la-cloc-via-campesina/. Acesso em: 14 fev. 2020.

LA VIA CAMPESINA: Disponível em: https://viacampesina.org/es/. Acesso em: 29 mar. 2021.

SOBERANIA ALIMENTAR: Disponível em: https://nyeleni.org/spip.php?rubrique3 . Acesso em: 29 mar. 2021.

Notas

1 La Via Campesina é um movimento de movimentos camponeses nacionais. No Brasil, por exemplo, fazem parte diversos movimentos camponeses: MST, MPA, MMC, MAB, Conaq, PJR, MPP, MAM. Somente no Brasil, também fazem parte pastorais que têm trabalho com as organizações camponesas e organizações estudantis no sentido de somar esforços para a grande tarefa da organização, formação, articulação e lutas.

2 A história da Campanha tem suas origens no 3° Congresso da Cloc realizado no México em 2001, quando as mulheres da Cloc, em sua 2ª Assembleia, propuseram uma campanha em defesa das sementes nativas e crioulas. Deste modo, La Via Campesina e Amigos de la Tierra com outras organizações aliadas lançaram a campanha mundial "As sementes, patrimônio comum da humanidade" e que posteriormente passou a ser chamada de "Sementes, patrimônio dos povos a serviço da humanidade".

M

MEDICINA TRADICIONAL BRASILEIRA

Laura Barroso Gomes
Jaqueline Evangelista Dias
Lourdes Cardozo Laureano

A medicina tradicional brasileira tem origem indígena e negra e constitui um complexo cultural que remonta desde a colonização do país, recebendo influência de imigrantes europeus, e chega até a atualidade, reunindo saberes e fazeres conectados com ancestralidade, espiritualidade e solidariedade. O ofício tradicional de cura, exercido por quem pratica a medicina tradicional, é considerado uma missão divina, um "dom", "uma herança de sabedoria trazida pela ancestralidade" (Dias; Laureano, 2014).

Identidades sociais dos ofícios tradicionais de cura

A medicina tradicional se expressa como um modo de vida praticado por raizeiras, erveiras, mateiras, benzedeiras, rezadeiras, parteiras e outras tantas identidades sociais que compartilham experiências de cuidar da saúde por meio da biodiversidade e de conhecimentos tradicionais.

A identidade de "raizeira" foi definida como a identidade representativa dos ofícios da medicina tradicional para garantir a legitimidade a quem está reivindicando seus direitos consuetudinários perante o poder público. Assim, uma raizeira tem como principais características ser uma grande protetora da natureza e, para isso, ela precisa conhecer a dinâmica do(s) bioma(s) em que trabalha e contribuir para a conservação; ter conhecimento sobre o poder de cura de cada planta; saber fazer seu uso correto; e ser agente de acessibilidade à medicina tradicional e de solidariedade, uma vez que os remédios caseiros são vendidos a um preço justo ou doados a quem não pode pagar; e, por fim, em toda a vivência deve ter uma preparação espiritual, seja durante a coleta das plantas, seja no preparo dos remédios caseiros, seja no atendimento de saúde.

Essas mulheres comumente se reconhecem com múltiplas identidades, tais como agricultoras raizeiras, quilombolas, benzedeiras etc. Seus conhecimentos são produzidos e reproduzidos em farmácias caseiras e comunitárias, sindicatos, pastorais de saúde etc.

O ofício de raizeira, abarcando suas demais identidades, encontra-se em processo de registro no Instituto do Patrimônio Histórico e Artístico Nacional (Iphan) como patrimônio cultural imaterial.

Relação entre medicina tradicional e agroecologia

As práticas de cura realizadas por essas pessoas, na sua maioria mulheres, são repletas de saberes ancestrais, e são regidas por cuidados preventivos, que envolvem também o cuidado com a alimentação. As/os praticantes destes ofícios utilizam diversos recursos para a prevenção e tratamento de saúde, como benzeções, remédios caseiros, banhos, aplicação de argila, dietas etc.

Geralmente, elas também contribuem na produção de *alimentos* saudáveis [VER ALIMENTO], diversificados e sem *agrotóxicos*, em seus *quintais* produtivos, hortas comunitárias, *sistemas agroflorestais* [VER AGROFLORESTA E SISTEMAS AGROFLORESTAIS] etc. Essa dimensão do trabalho das mulheres explicita uma importante conexão entre medicina tradicional e agroecologia, pois elas garantem a produção de alimentos saudáveis nos arredores de casa e, com isso, garantem a soberania alimentar de suas famílias.

Essas mulheres são também protagonistas nas ações de articulação de redes de cuidadoras/es e na proteção e transmissão desses conhecimentos. São exemplos de articulações de detentoras/es desses ofícios, por autonomia de exercer a medicina tradicional e pela defesa da biodiversidade local e de seus territórios tradicionais: a Articulação Pacari Raizeiras do Cerrado; o Encontro de Saberes da Caatinga; e os Encontros de Raizeiros, Parteiras, Benzedeiras e Pajés da Chapada dos Veadeiros.

O trabalho de produção de alimentos saudáveis e de cuidados realizado pelas mulheres muitas vezes são trabalhos não remunerados no âmbito doméstico ou comunitário, que raramente são contabilizados na gestão financeira das famílias. Dessa mesma forma, os ofícios tradicionais de cura são pouco valorizados socialmente, uma vez que esses saberes tradicionais não são validados cientificamente e não têm como objetivo principal a geração de lucro, ou seja, não segue a lógica capitalista.

Sendo assim, a medicina tradicional é em si uma prática anticapitalista, uma vez que faz parte da reprodução da vida de povos e comunidades tradicionais e garante a existência desses povos e a conservação da sociobiodiversidade. E, ainda, faz parte de um modo de vida e de resistência em que o cuidado da saúde não serve aos interesses de acumulação das grandes indústrias. Garantir a continuidade da medicina tradicional é também enfrentar o avanço dessas indústrias, que muitas vezes acessam os conhecimentos tradicionais milenares e consagrados pelas histórias de povos indígenas e comunidades tradicionais [VER POVOS E COMUNIDADES TRADICIONAIS], sem o consentimento prévio, e desenvolvem produtos que são patenteados, sem devolver aos povos o que lhes é direito.

Conhecimentos tradicionais e agroecologia

Os conhecimentos tradicionais associados ao uso de plantas medicinais são transmitidos por gerações, geralmente através da oralidade. Na *agroecologia*, a transmissão desses conhecimentos também se dá através dos intercâmbios e encontros, em que a troca de saberes contribui para a construção coletiva do conhecimento. A medicina tradicional tem papel central na construção da *agroecologia*, e assim deve ser reconhecida.

Pesquisas populares são de extrema importância para a salvaguarda desses conhecimentos tradicionais. Salvaguarda, segundo a Convenção para a Salvaguarda do Patrimônio Cultural Imaterial da Organização das Nações Unidas para a Educação, a Ciência e a Cultura (Unesco), significa

> Medidas que visam garantir a viabilidade do patrimônio cultural imaterial, tais como a identificação, a documentação, a investigação, a preservação, a proteção, a promoção, a valorização a transmissão – essencialmente por meio da educação formal e não-formal – e revitalização deste patrimônio em seus diversos aspectos. (Unesco, 2003, p. 1)

Esses saberes não podem cair no caminho da mercantilização, assim como essas práticas tradicionais não devem ser reguladas ou submetidas a leis que não respeitam os diferentes modos de vida e que violam o direito à consulta prévia assegurado pela Convenção 169 da Organização Internacional do Trabalho (OIT) (Brasil, 2004). Ou seja, os povos interessados devem ser consultados, por meio de procedimentos adequados, sempre que sejam previstas medidas legislativas ou administrativas suscetíveis de afetá-los diretamente. E ainda, as consultas devem ser livres, prévias e informadas, e realizadas de maneira adequada às circunstâncias, de maneira que um acordo ou consentimento em torno das medidas propostas possa ser alcançado.

Conservação da biodiversidade

A prática da medicina tradicional está associada à conservação da biodiversidade dos biomas brasileiros, uma vez que as praticantes sabem identificar e coletar cada planta de forma sustentável, atentando principalmente para a continuidade de sua reprodução e deixando frutos e sementes para a alimentação de animais silvestres. Sendo assim, as práticas tradicionais de cuidado da saúde devem ser consideradas como ações de conservação da biodiversidade e das *águas*, nos diferentes biomas brasileiros.

Para a continuidade da medicina tradicional, é preciso garantir o livre acesso aos *territórios* nos campos, nas cidades, nas florestas e nas águas onde esses povos e comunidades vivem, e onde encontram as plantas, animais e minerais utilizados nas suas práticas de cura.

Remédios caseiros

Os remédios caseiros são preparações que utilizam plantas medicinais e insumos provenientes da agricultura familiar, como mel, rapadura, cachaça e óleos. As raizeiras preparam inúmeros tipos de remédios caseiros, tais como chás, tinturas, xaropes, garrafadas e pomadas. Os remédios caseiros são preparados a partir de técnicas tradicionais semelhantes às utilizadas para o preparo de alimentos e em locais com as mesmas características de uma cozinha, sendo denominados de "farmácias caseiras" ou "farmácias comunitárias". Esta última é organizada por um grupo, formado principalmente por mulheres, e tem um espaço próprio na comunidade, aberto ao público em geral (Dias; Laureano, 2014)

A produção dos remédios caseiros é uma prática tradicional que sofre ameaças de continuidade. Uma dessas ameaças é o artigo 273 do Código Penal (Brasil, 1940), que considera crime disponibilizar produto terapêutico sem registro no Ministério da Saúde. Essa criminalização coloca em risco a prática das raizeiras, que tem como principais instrumentos de cura os remédios caseiros e demais preparações com plantas medicinais. Essa lei deve ser revista a partir de um esforço coletivo e de amplo diálogo entre governo e *povos e comunidades tradicionais*.

Nesse sentido, é preciso também intensificar o diálogo com a Agência Nacional de Vigilância Sanitária (Anvisa), órgão de regulação e fiscalização que promove a segurança sanitária de produtos para a promoção da saúde, tendo em vista a revisão e a ampliação da Resolução (RDC) 49/2013 (Agência Nacional de Vigilância Sanitária, 2013), que prevê a inclusão produtiva com segurança sanitária, incluindo as práticas tradicionais de cuidado da saúde e a preparação de remédios caseiros, assumindo a diretriz da razoabilidade, na perspectiva de uma abordagem de vigilância prioritariamente orientadora. Faz-se necessário que o Sistema Nacional de Vigilância Sanitária assuma as diretrizes da RDC 49, em toda a sua dimensão cultural, a fim de proteger as diferentes formas de produzir cuidado em saúde e preservar costumes, hábitos e conhecimentos tradicionais, respeitando e valorizando o multiculturalismo dos *povos e comunidades tradicionais* e agricultoras/es familiares.

A eficácia e a segurança dos remédios caseiros são garantidas através das boas práticas construídas pelas raizeiras, seus coletivos e redes solidárias, fundamentadas no conhecimento tradicional e na experiência das raizeiras, a partir dos seus valores culturais e espirituais. As boas práticas vão desde a correta identificação das plantas medicinais, passando pela coleta sustentável das ervas, cascas, sementes, resinas e frutos, higienização dos espaços e das embalagens, a adoção de pesos e medidas na produção dos remédios, ao uso adequado e reciclagem das embalagens dos remédios, a rotulagem e armazenamento adequado de plantas, insumos e remédios prontos. Além disso, as boas práticas das raizeiras têm um significativo diferencial, que passa também por um processo de meditação e concentração antes da produção dos remédios e também pela intenção de cura. Outra importante etapa é a dispensação, ou seja, o atendimento e a indicação do remédio, que é feita de forma personalizada.

A comercialização direta dos remédios caseiros, aliada ao baixo gasto de energia para a sua produção, também caracteriza esses remédios como produtos de cadeias ou circuitos curtos (Dias; Laureano, 2014)

Instrumentos políticos, legislações e políticas públicas

Os instrumentos políticos criados pelos próprios movimentos e redes reafirmam a luta pelos direitos e pela autonomia dos povos. Nesse sentido, os protocolos comunitários, reconhecidos pela Lei n. 13.123/2015 (Brasil, 2015), que trata do acesso ao patrimônio genético e conhecimento tradicional, são importantes instrumentos políticos para visibilizar as práticas tradicionais e incidir em políticas públicas relacionadas à gestão e proteção dos conhecimentos tradicionais. Eles contêm acordos elaborados por *povos e comunidades tradicionais* sobre temas relevantes aos seus modos de vida, objetivando a garantia de seus direitos consuetudinários. Esses direitos são fundamentados na tradição, expressos por valores, princípios, regras, *cosmovisões* [VER COSMOVISÕES] e práticas que são passadas de geração em geração, num movimento vivo e contínuo (Dias; Laureano, 2014).

Destaca-se o Protocolo Comunitário Biocultural das Raizeiras do Cerrado, que trata do direito consuetudinário de praticar a medicina tradicional, e os Protocolos de Consulta Quilombolas de Abacatal/Aurá e o Protocolo de Consulta Munduruku, construídos pelas próprias comunidades quilombolas e pelo povo indígena Munduruku, e que se referem ao direito à consulta prévia, assegurado pela Convenção 169 da Organização Internacional do Trabalho (Brasil, 2004), citada anteriormente.

Outros importantes instrumentos políticos são as farmacopeias tradicionais, elaboradas através de pesquisas populares, que dão visibilidade aos conhecimentos tradicionais associados à biodiversidade e são registros estratégicos para identificação da procedência das plantas medicinais e dos *povos e comunidades tradicionais* que sempre fizeram o seu uso tradicional e sustentável. Por isso, as farmacopeias são importantes instrumentos para elaboração de planos de salvaguarda da medicina tradicional e garantia dos direitos consuetudinários dos *povos e comunidades tradicionais* sobre o acesso à biodiversidade e sobre seus conhecimentos tradicionais (Dias; Laureano, 2014).

Um conjunto de convenções, leis e políticas públicas está relacionado à continuidade da medicina tradicional: a implementação da Convenção da Diversidade Biológica no Brasil, principalmente referente aos artigos 8 "j" e 10 "c", recomenda aos países signatários o respeito, a promoção e a manutenção dos conhecimento, inovações e práticas de *povos indígenas* e comunidades locais, reconhecendo o seu papel fundamental para a conservação da biodiversidade; a Convenção para a Salvaguarda do Patrimônio Cultural Imaterial (Unesco), que assegura o preparo tradicional do remédio caseiro como um "bem cultural imaterial" dos povos e comunidades tradicionais; a Lei n. 13.123, de maio de 2015 (Brasil, 2015), que dispõe sobre o acesso ao patrimônio genético, sobre a proteção e o acesso ao conhecimento tradicional associado e sobre a repartição de benefícios para a conservação e uso sustentável da biodiversidade; a Política Nacional de *Plantas Medicinais e Fitoterápicos*, Decreto n. 5.813, de 22 de junho de 2006 (Brasil, 2006), que preconiza em sua diretriz 10 a promoção e o reconhecimento das práticas populares de uso de plantas medicinais e remédios caseiros; e a Política Nacional de Desenvolvimento Sustentável dos *Povos e Comunidades Tradicionais*, Decreto n. 6.040, de 7 de fevereiro de 2007 (Brasil, 2007), que tem como um dos objetivos específicos (artigo 3°) a garantia aos *povos e comunidades tradicionais* do acesso aos serviços de saúde de qualidade, com ênfase nas concepções e práticas da medicina tradicional [VER PLANTAS MEDICINAIS E FITOTERÁPICOS NA SAÚDE PÚBLICA].

A implementação dessas políticas e legislações se faz necessária, e também a construção de uma política pública específica, construída a partir de uma ampla mobilização, de forma apropriada, que assegure a participação efetiva desses sujeitos de direito de praticar a medicina tradicional e popular, e de exercer seus modos de vida em seus *territórios*.

Salvaguarda da medicina tradicional

A prática da agroecologia possibilita reconhecer, valorizar, pesquisar, sis-

M

tematizar, documentar e transmitir os conhecimentos tradicionais e populares associados ao uso das plantas medicinais e as práticas tradicionais de cuidado da saúde, incluindo a garantia da soberania alimentar e nutricional, com a manutenção de sistemas alimentares tradicionais, e a valorização dos trabalhos protagonizados por mulheres. Portanto, a agroecologia é reconhecida por povos e comunidades tradicionais e agricultores familiares como uma das principais ações de salvaguarda da medicina tradicional praticada por organizações sociais e trabalho em rede, de maneira a enfrentar a mercantilização da saúde e a ameaça dos grandes empreendimentos aos territórios e à permanência das comunidades tradicionais.

Referências

AGÊNCIA NACIONAL DE VIGILÂNCIA SANITÁRIA (Anvisa). *Resolução-RDC n. 49, de 31 de outubro de 2013.* Dispõe sobre a regularização para o exercício de atividade de interesse sanitário do microempreendedor individual, do empreendimento familiar rural e do empreendimento econômico solidário e dá outras providências. Disponível em: http://bvsms.saude.gov.br/bvs/saudelegis/anvisa/2013/rdc0049_31_10_2013.html. Acesso em: 7 abr. 2021.

BRASIL. Presidência da República. Casa Civil. Subchefia para Assuntos Jurídicos. *Decreto-Lei n. 2.848, de 7 de dezembro de 1940.* Código Penal. Disponível em: http://www.planalto.gov.br/ccivil_03/decreto-lei/del2848.htm. Acesso em: 7 abr. 2021.

______. Presidência da República. Casa Civil. Subchefia para Assuntos Jurídicos. *Decreto n. 5.813, de 22 de junho de 2006.* Aprova a Política Nacional de Plantas Medicinais e Fitoterápicos e dá outras providências. Disponível em: http://www.planalto.gov.br/ccivil_03/_ato2004-2006/2006/decreto/d5813.htm. Acesso em: 7 abr. 2021.

______. Presidência da República. Casa Civil. Subchefia para Assuntos Jurídicos. *Decreto n. 6.040, de 7 de fevereiro de 2007.* Institui a Política Nacional de Desenvolvimento Sustentável dos Povos e Comunidades Tradicionais. Disponível em: http://www.planalto.gov.br/ccivil_03/_ato2007-2010/2007/decreto/d6040.htm. Acesso em: 7 abr. 2021.

______. Presidência da República. Secretaria-Geral. Subchefia para Assuntos Jurídicos. *Decreto n. 5.051, de 19 de abril de 2004.* Promulga a Convenção n. 169 da Organização Internacional do Trabalho-OIT sobre Povos Indígenas e Tribais. Disponível em: http://www.planalto.gov.br/ccivil_03/_ato2004-2006/2004/decreto/d5051.htm. Acesso em: 7 abr. 2021.

______. Presidência da República. Secretaria-Geral. Subchefia para Assuntos Jurídicos. *Lei n. 13.123, de 20 de maio de 2015.* Regulamenta o inciso II do § 4° do art. 225 da Constituição Federal, o Artigo 1, a alínea j do Artigo 8, alínea c do Artigo 10, o Artigo 15 e §§ 3° e 4° do Artigo 16 da Convenção sobre Diversidade Biológica, promulgada pelo Decreto n. 2.519, de 16 de março de 1998; dispõe sobre o acesso ao patrimônio genético, sobre a proteção e o acesso ao conhecimento tradicional associado e sobre a repartição de benefícios para conservação e uso sustentável da biodiversidade; revoga a Medida Provisória n. 2.186-16, de 23 de agosto de 2001; e dá outras providências. Disponível em: http://www.planalto.gov.br/ccivil_03/_ato2015-2018/2015/lei/l13123.htm. Acesso em 7 abr. 2021.

______. Presidência da República. Secretaria-Geral. Subchefia para Assuntos Jurídicos. *Lei n. 13.123, de 20 de maio de 2015.* Regulamenta o inciso II do § 1° e o § 4° do art. 225 da Constituição Federal, o Artigo 1, a alínea j. do Artigo 8, a alínea c. do Artigo 10, o Artigo 15 e os §§ 3° e 4° do Artigo 16 da Convenção sobre Diversidade Biológica, promulgada pelo Decreto n. 2.519, de 16 de março de 1998; dispõe sobre o acesso ao patrimônio genético, sobre a proteção e o acesso ao conhecimento tradicional associado e sobre a repartição de benefícios para conservação e uso sustentável da biodiversidade; revoga a Medida Provisória n. 2.186-16, de 23 de agosto de 2001; e dá outras providências. Disponível em: http://www.planalto.gov.br/ccivil_03/_ato2015-2018/2015/lei/l13123.htm. Acesso em: 7 abr. 2021.

DIAS, J. E.; LAUREANO, L. C. *Protocolo Comunitário Biocultural das Raizeiras do Cerrado:* Direito consuetudinário de praticar a medicina tradicional. Turmalina: Articulação Pacari, 2014. Disponível em: https://absch.cbd.int/api/v2013/documents/E5195138-7269-5615-AD9E-E25D19844AFB/attachments/Protocolo_Comunitario-Raizeiras.pdf. Acesso em: 7 abr. 2021.

UNESCO; Texto base. Convenção de 2003 para a Salvaguarda do Patrimônio Cultural Imaterial. Paris. Disponível em: https://ich.unesco.org/doc/src/00009-PT-Brazil-PDF.pdf. Acesso em: 7 abr. 2021.

Para saber mais

BRANDÃO, C. R.; ROCHA. E. *O jardim da vida*. Goiânia: Ed. da UCG, 2004. 304 p.
CARRICONDE, C. *et al*. *Plantas medicinais & Plantas Alimentícias*. Olinda: Centro Nordestino de Medicina Popular: Universidade Federal Rural de Pernambuco, 1995. v. 1.
COMUNE, A. *Recursos da Natureza para a Saúde*: Cartilha de Saúde. Araçuaí: Diocese de Araçuaí, 2008.
WUYXAXIMÃ; KEREPO; PAHYHYP. *Protocolo de Consulta Munduruku*. Disponível em: https://fase.org.br/wp-content/uploads/2016/01/munduruku-final-2.pdf. Acesso em: 7 abr. 2021.
Pesquisa Popular de Plantas Medicinais: Rede de Intercâmbio de Tecnologias Alternativas, Articulação Pacari – Plantas Medicinais do Cerrado. Belo Horizonte: Rede de Intercâmbio, 2004. 100 p.

METODOLOGIAS EMANCIPATÓRIAS

Fabrício Vassalli Zanelli
Willer Araujo Barbosa
Irene Maria Cardoso

O termo "metodologias participativas" é bastante comum e conhecido tanto no âmbito acadêmico quanto na sociedade civil brasileira. No entanto, apropriações recentes desse termo têm sido marcadas por um caráter mercadológico e meramente estético, desvinculado de um projeto popular. Por isso, trabalharemos ao longo do texto com a noção de metodologias emancipatórias para o reconhecimento popular, compreendendo-as como instrumentos promotores do diálogo entre conhecimento científico e popular, que sejam capazes de estimular a participação ativa dos sujeitos envolvidos na transformação de sua realidade. A base referencial das metodologias emancipatórias é a educação popular, sobretudo o pensamento de Paulo Freire. Concebemos tais metodologias enquanto abordagens teórico-práticas capazes de realizar a denúncia e o anúncio do mundo: estimulam a problematização da realidade, o direito à fala, ao planejamento e à definição de projetos e ações pelas camadas populares. Desse modo, enfrentam os procedimentos unilaterais, subalternizantes e uniformizantes que buscam oprimir as classes e camadas populares.

A relação dialética constituída entre ser humano e natureza, mediada pelo trabalho, produziu uma infinidade de saberes pelos agrupamentos humanos no planeta e que sistematicamente são desprezados pelas ciências da classe dominante. A inventividade humana e o desenvolvimento de *instrumentos técnicos* marcam expressivamente a existência humana. No entanto, em que pese sua capacidade de explicação do movimento da realidade, o padrão constituído pela ciência hegemônica hierarquiza a relação entre conhecimento científico e outras matrizes de saberes. Assim, se perde muito do conhecimento e das experiências historicamente acumuladas, sobretudo entre os camponeses, cuja relação de trabalho se dá também pela observação da natureza e suas mais sensíveis alterações. Por isso afirmamos a necessidade de compatibilizar essas dimensões do saber.

O desprezo e o silenciamento sistemático dos saberes advindos das experiências pelas ciências da modernidade foram denominados por Boaventura Santos (2002) como *desperdício de experiências*. Atualmente, reforça-se a necessidade de se retomar os olhares sobre esses saberes desperdiçados. As metodologias emancipatórias podem contribuir para aguçar tais olhares.

No entanto, alguns cuidados devem ser tomados ao utilizar as metodologias emancipatórias. Por um lado, é imprescindível considerar que tais metodologias por si só não resolvem a postura antidialógica de educadores, técnicos, extensionistas e pesquisadores. Caso a mudança do comportamento diante da relação educativa/situação gnosiológica não seja alterada, as metodologias servirão apenas como alegoria. Por outro lado, também é imprescindível considerar que as metodologias emancipatórias têm um potencial pedagógico enorme para contribuir com os projetos populares, pois alteram a forma como o conhecimento é concebido e trabalhado. As metodologias emancipatórias, se bem utilizadas, permitem trabalhar racionalidades, temporalidades, territorialidades, ritmos e motivações que contribuem para compreender a complexa trama na qual estão envolvidos os grupos populares e, com isso, reposicionar as ações educativas.

Portanto, ao mesmo tempo que há o perigo de tomar as metodologias emancipatórias como mera fantasia, é preciso reconhecer que uma transformação profunda da forma de produzir conhecimento não é possível, nem viável, se reservássemos ao povo o lugar do silêncio, da simples escuta e da passividade.

É preciso refletir sobre o silêncio e os processos silenciadores. Freire (1983) alerta para a necessidade de compreender por que muitos camponeses falam pouco, expressam pouco e muitas vezes assumem o discurso da *falta de saber*. Este silêncio foi produzido, sobretudo pelas relações de exploração inerentes ao latifúndio, que são em sua essência antidialógicas, como explica Freire (1983, p. 31),

> o latifúndio, como estrutura vertical e fechada, é, em si mesmo, antidialógico. Sendo uma estrutura fechada que obstaculiza a mobilidade social vertical ascendente, o latifúndio implica uma hierarquia de camadas sociais em que os estratos mais 'baixos' são considerados, em regra geral, como naturalmente inferiores.

Portanto, é preciso não responsabilizar os camponeses pela falta de diálogo e compreender os processos históricos de silenciamento a que foram submetidos, para melhor conseguirmos modificar essa realidade. Esse deve ser um desafio central. Mas afinal, para que servem as metodologias emancipatórias? Essa é uma questão para a qual cabem três considerações.

i) A importância de ler o mundo, tal como escreveu Freire (1989) referindo-se à alfabetização: "a leitura do mundo precede sempre a leitura da palavra, e a leitura desta implica a continuidade da leitura daquele" (Freire, 1989, p. 13). Essa reflexão se direciona a todos os processos educativos emancipatórios, aconteçam eles dentro ou fora do espaço escolar. A leitura de mundo implica a percepção crítica, a interpretação e a 're-escrita' da própria realidade, e por isso carrega um potencial de se tornar instrumento para ações contra-hegemônicas (Freire, 1989). As metodologias emancipatórias devem ser instrumentos para que os sujeitos realizem a leitura de seu mundo e para que, com isso, se redescubram enquanto transformadores dela.

ii) A necessidade de *dizer a palavra*. A divisão social de poder em sociedades desiguais reproduz as diferenças entre quem pode e quem não pode pronunciar as palavras:

> Palavras que ordenam a vontade de poucos sobre o trabalho de muitos são as que criam os nomes de todas as coisas na sociedade onde o poder existe separado do trabalho produtivo, tanto quanto da vida simbólica coletiva. Mundos sociais onde o ofício de pronunciar a palavra necessária distancia-se do consenso; do pensá-la em comum como poesia e pensamento da vida coletiva sem a desigualdade, e da experiência da solidariedade através das diferenças. (Brandão, 2006, p. 2)

Dizer a palavra, portanto, representa substituir o lugar de passividade pelo lugar do pensamento crítico, da capacidade de pronunciar outros mundos. Enquanto denunciamos o latifúndio e os processos de silenciamento, anunciamos que as metodologias emancipatórias carregam o potencial para que todos possam dizer sua palavra.

iii) As finalidades das metodologias emancipatórias dizem respeito ao potencial criativo inerente ao ser humano, ou a sua vocação em *ser mais*, como afirma Freire. A dinâmica de reprodução da sociedade capitalista tem intensificado processos como a alienação e a exploração do trabalho, a separação entre trabalho intelectual e trabalho manual, e a reprodução de processos educativos alienantes. As metodologias emancipatórias devem estimular as pessoas não apenas a lerem seu mundo e dizerem sua palavra, mas sobretudo a descobrir seu potencial de nele intervir com seu conhecimento, suas propostas, suas ações concretas de transformação da realidade. Para alcançar essas finalidades, há três caminhos-premissas.

a) Mergulho na vida e na realidade do povo: educadores populares, independente de qual instituição atuem, não podem negar a tarefa do convívio com o povo, com sua realidade, com sua matriz complexa de (re)produção da vida. Não é possível conceber o trabalho com metodologias populares como um presente ou uma doação ao povo, senão como presença junto a ele. O educador popular e a instituição que está promovendo o trabalho com as metodologias emancipatórias têm o dever de imergir no universo temático do povo, sendo esse universo a síntese de seu modo de vida, de sua cultura, de sua relação com a natureza, das suas formas de trabalho. Tratamos aqui de negar a condição de isolamento do pesquisador/educador/técnico diante do povo e de afirmar a necessidade urgente de mergulhar em sua realidade.

b) Problematização: as metodologias emancipatórias não devem ser algo inerte, apenas para se diagnosticar uma realidade. Em uma compreensão crítica, é preciso ir mais além, e trabalhar para que os sujeitos envolvidos no processo reconheçam seu potencial de transformar a realidade e se assumam como força condutora de novas lutas, novas conquistas, novas transformações. Para chegar a essa tomada de consciência e dar o passo seguinte ao diagnóstico da realidade, a problematização é essencial:

> O que importa fundamentalmente à educação, contudo, como uma autêntica situação gnosiológica, é a problematização do mundo do trabalho, das obras, dos produtos, das ideias, das convicções, das aspirações, dos mitos, da arte, da ciência, enfim, o mundo da cultura e da história, que, resultando das relações homem-mundo, condiciona os próprios homens, seus criadores. (Freire, 1983, p. 57)

Freire sustenta que, ao problematizar o mundo, as pessoas se colocam diante de uma análise crítica da ação de cada uma e da ação dos outros sobre o mundo. As classes populares se percebem enquanto sujeitos de conhecimento, não mais como receptores. Ao passo que isso acontece, adquirem confiança e afirmação de sua capacidade de transformar o mundo:

> E quanto mais se voltam criticamente para suas experiências passadas e presentes em e com o mundo, que veem melhor agora porque o revivem, mais se dão conta que este não é para os homens um beco sem saída, uma condição intransponível que os esmaga. (Freire, 1983, p. 57)

A problematização da realidade também é apontada por Saviani (1999) como um dos elementos indispensáveis a uma pedagogia revolucionária. Ao defender a prática social como ponto de chegada e de partida, esse autor defende a dinâmica de diagnóstico, problematização e busca conjunta por respostas como uma orientação segura tanto no processo de descoberta de novos conhecimentos (método de pesquisa) como para o processo de transmissão-assimilação de conhecimentos (método de ensino).

c) Ir além da lectoescrita: Ao assumir a necessidade de mergulho na realidade concreta do povo, e ao assumir a tarefa da problematização, é imprescindível romper com a exclusividade do uso da leitura e da escrita. Os processos educativos em muitos casos, por mais libertários que pretendam ser, se tornaram reféns desta lógica: ler, copiar e escrever. Reconhecemos a importância da leitura e da escrita nos processos de libertação das camadas populares da sociedade, e estamos convictos de que a leitura e a escrita são habilidades fundamentais a todo ser humano. Todavia, afirmamos que a educação tem potencial para ser muito mais do que isso! Portanto, cabe perguntarmos aqui: quais são os outros sentidos que não estamos explorando em nossos trabalhos com as metodologias emancipatórias? Quais são os recursos que temos utilizados para compreender o universo temático do povo e problematizar sua própria realidade? Como superar a lógica a qual nós fomos submetidos, de que devemos palestrar ou proferir ao povo para que eles adquiram consciência? O que precisamos desaprender e o que precisamos reaprender para alcançarmos outra lógica de produção do conhecimento? Quais os caminhos alternativos que já estão em curso, e como aprendemos com eles?

No desafio de responder a tais questões, temos percebido a necessidade urgente de trilhar outros caminhos. Temos percebido que a arte cumpre um papel fundamental nas outras grafias que podem ser trabalhadas para além da caligrafia: a grafia dos corpos em dança, a grafia dos pincéis nas mãos de pintoras/es, as cartografias elaboradas pelos sujeitos e movimentos sociais nas suas formas de relacionar e de mapear seu próprio território, enfim, naquilo que se desperta no povo ao se descobrir capaz de produzir não apenas trabalho, mas poesia, canto, dança, força social, motivação, empoderamento e humanidade.

Descreveremos a partir de agora algumas das experiências de metodologias emancipatórias com as quais temos trabalhado: círculos de cultura, instalações artístico-pedagógicas, caravanas territoriais agroecológicas, intercâmbios agroecológicos e terreiros culturais.

Círculos de cultura

Os círculos de cultura foram amplamente utilizados por Paulo Freire e, inspirados em seus ensinamentos, utilizamos um formato que pode ser associado a todas as demais metodologias e em qualquer roda de conversa. Os círculos de cultura promovem o processo de ensino e aprendizagem e realizam debates sobre questões centrais do cotidiano. O círculo de cultura horizontaliza os conhecimentos e potencializa a dialogicidade entre os participantes, sejam eles camponeses, estudantes, professores, trabalhadores informais etc. Uma forma de realizar os círculos de cultura é iniciar com uma pergunta. As pessoas, em círculo, respondem a esta pergunta. Cada resposta deve ser apresentada com um objeto/elemento ou com uma palavra que sintetize uma ideia. Se a palavra é utilizada, ela pode ser escrita em um quadro negro ou em uma tarjeta. Todos podem apresentar quantas ideias quiser e o tempo permitir, mas uma ideia por vez (sintetizada na palavra ou elemento). De preferência, as pessoas devem apresentar a ideia em círculo, a partir da primeira e em sequência, até a última apresentar sua ideia. Isto ensina as pessoas a escutar o outro e a esperar sua vez de falar. Após cada um apresentar seu elemento ou a palavra, ou no momento de apresentação do elemento ou palavra, cada um diz o nome e explica porque apresentou aquela palavra ou elemento. Todos as palavras ou elementos devem ser organizados (por todos ou por quem queira) de forma a fazer uma síntese da ideia geral do grupo. Esta síntese representa a resposta coletiva à pergunta formulada. Se elementos/objetos são utilizados, estes podem ser organizados em uma pequena instalação artístico-pedagógica.

Instalações artístico-pedagógicas.

As instalações artístico-pedagógicas têm sido praticadas com êxito pelo movimento agroecológico do Brasil, desde o processo preparatório do III Encontro Nacional de Agroecologia (ENA), realizado em 2014. Os elementos ou objetos de uma instalação são organizados de formas a criar um cenário que propicia um ambiente dialógico e provocador das denúncias e anúncios sobre um tema a ser debatido em coletivo. Essa ambiência se constitui não apenas dos recursos da escrita e da fala, mas busca explorar outros sentidos, como tato, olfato, paladar. Os cenários criados com os elementos/objetos são fundamentais para provocar reflexões, apontar problemas e estimular a busca de soluções, a partir da compreensão que nos territórios encontram-se problemas, mas também as soluções para eles. Nas instalações, tanto os elementos/objetos naturais como rochas, solos, sementes, águas, raízes, folhas, estercos, frutos, como aqueles criados pela humanidade, como artesanatos, instrumentos musicais, pinturas, poemas, alimentos, chás, bandeiras, livros, cartilhas, são importantes e devem ser utilizados. O corpo muitas vezes é provocado durante uma instalação, ora para dançar os cantos e ritmos da cultura popular, ora para se contorcer e atravessar os obstáculos, os espinheiros do caminho.

Após vivenciarem a experiência de sentidos durante a visita a uma instalação, os participantes devem se sentar e conversar (círculo de cultura) sobre suas impressões. Para propiciar que todos falem, cada participante é estimulado a falar a partir de um objeto presente na instalação. Com isso, a circularidade e a horizontalidade são respeitadas, e assim que a roda se encerra, a palavra é aberta novamente até que se consiga compreender as denúncias e os anúncios daquele tema em questão. Com isso, evita-se que as instalações não se transformem em palestras tridimensionais, onde os *slides* são substituídos pelo cenário construído com os objetos.

As instalações artístico-pedagógicas são desenvolvidas por seu potencial dialógico, e por sua capacidade de romper com os processos de "educação bancária" em que os participantes destes espaços são, na maioria das vezes, vistos como meros receptores de conhecimento.[1]

Intercâmbios agroecológicos

Os intercâmbios agroecológicos (Zanelli *et al.*, 2015) são ambientes de interação agroecológica e têm sido o nosso jeito de colocar em prática a metodologia denominada camponês a camponês (Machín Sosa *et al.*, 2012), utilizada em outros países da América Latina para promover a transição agroecológica. Os intercâmbios estão se expandindo em diversas regiões do país pela eficácia do aprendizado de um camponês com o outro e por sua capacidade de ampliar as práticas agroecológicas. Esses são espaços de encontro de agricultores familiares camponeses para trocar experiências, sementes, mudas e, sobretudo, conhecimentos sobre o manejo dos solos, das águas, das plantas e dos animais. Sua metodologia é protagonizada pela organização social dos agricultores, que através de seus sindicatos, cooperativas ou movimentos mobilizam suas bases para um encontro nas terras de uma família.

O início do intercâmbio acontece com uma mística de abertura, normalmente acompanhada de um canto, uma poesia, ou mesmo uma oração; em seguida, todos se apresentam. Este é um primeiro momento de romper com o silenciamento imposto aos camponeses; a família anfitriã, então, conta sua história. Relatam como se conheceram, como foi o casamento, a criação dos filhos, a história da e na propriedade, o manejo da terra, os processos da transição agroecológica etc. Em seguida, todos os participantes saem em uma caminhada pela propriedade, para conhecer o agroecossistema manejado pela família. No retorno da caminhada, os participantes trazem um objeto (solos, sementes, lixo, mudas etc.) sobre o qual gostariam de falar. Forma-se então um círculo de cultura, no qual estes objetos são apresentados e promovem o debate. A problematização dos objetos apresentados, para a promoção do debate, é protagonizado pelos presentes, sejam eles técnicos, acadêmicos e mestres griô agroecológicos presentes.[2] Na problematização aparece uma série de questões e dúvidas que podem ser temas de aprofundamento posteriormente. Após a problematização, realiza-se a troca de sementes e mudas (ofertada por aqueles que participam do intercâmbio), momento crucial para fortalecer a agrobiodiversidade nos territórios camponeses. Este é um momento peculiar para discutir sobre os transgênicos [VER TRANSGÊNICOS] e as leis que ameaçam a autonomia do camponês no uso de suas sementes. Em seguida, realiza-se a mesa da partilha (também ofertada pelos participantes), onde são servidos alimentos agroecológicos locais. Neste momento, em especial, ocorrem as conversas sobre soberania e segurança alimentar, trocam-se receitas e discutem-se sobre a origem, forma e produção daqueles alimentos, e também sobre a produção do lixo, e o não uso de descartáveis na mesa da partilha. O intercâmbio se encerra com uma mística e a definição do tema e da data do próximo encontro. Para o aprofundamento de temas específicos, são organizados intercâmbios temáticos, oficinas, mutirões e visitas a outras experiências em alguns casos fora do município.

Muito além de um conjunto de metodologias, os Intercâmbios Agroecológicos se constituem como grupos de produção e trocas de conhecimento, baseadas na problematização e na ação sustentada na práxis de seus sujeitos. Muitos são os potenciais dessas atividades: as contínuas trocas de sementes, a valorização das histórias e das trajetórias familiares, a conscientização sobre os problemas da agricultura convencional e sobre os benefícios da agroecologia, a ressignificação dada à alimentação camponesa, o ambiente que inspira muitas pesquisas e fortalece a agroecologia enquanto ciência, movimento e prática, a disseminação das práticas agroecológicas e, sobretudo, a constituição de uma rede de conhecimentos, articulando camponeses, técnicos e acadêmicos.

Caravanas culturais e agroecológicas e cartografia social.

As caravanas são viagens de estudos realizadas por vários grupos, que seguem por diferentes rotas de um mesmo território. Nessas rotas, os participantes analisam os aspectos físicos e sociais, dialogam com a população, conhecem sua realidade, visitam experiências que propiciam análises acerca das denúncias e os anúncios envolvidos neste território, "provocando um fazer político-pedagógico comprometido com o fortalecimento da articulação e mobilização dos povos e comunidades em busca de justiça, dos direitos e de novos horizontes de sentido para a vida" (Barcelos *et al.*, 2014, p. 228).

Ao final, as diferentes rotas se encontram. No momento da culminância, cada rota apresenta a experiência vivida para as demais, utilizando instalações artístico-pedagógicas. Cada rota visita a instalação preparada pelas outras rotas. Após as visitas, é feita uma reflexão coletiva, normalmente em plenária, para extrair os anúncios, denúncias, e traçar estratégias de ação coletiva sobre o território em questão.

As caravanas são inspiradas nas excursões pedagógicas de Makarenko (1977), nas caravanas da cidadania, nas romarias e nas caminhadas do povo, e também foram utilizadas como atividades preparatórias do III ENA (Encontro Nacional de Agroecologia, 2014) e IV ENA (Encontro Nacional de Agroecologia,

2018). Elas também vêm sendo realizadas para estudos de problemas complexos, como a tragédia-crime do Rio Doce e de reconhecimento de territórios e saberes quilombolas em Minas Gerais. Nas caravanas, múltiplos olhares se fazem presentes. As caravanas são exercícios muito consistentes da leitura dos territórios. Nelas aprendemos na diversidade, pela forma como o outro "lê" o mundo, a partir das experiências de resistência identificadas, ao ouvir as populações sobre sua relação com seus territórios.

Há um grande potencial a ser explorado na relação entre as caravanas agroecológicas e a cartografia social. Ao evidenciar as territorialidades de populações que normalmente são excluídas e/ou ignoradas nas representações dos lugares, as caravanas agroecológicas também revelam que as disputas por essas representações estão intimamente relacionadas às disputas por território. Dessa forma, produzem contrainformação em defesa da democratização do território e de seus recursos, como faz a cartografia social (Acselrad, 2008). Exemplos dessa disputa são apresentados pelo projeto nova cartografia social da Amazônia.[3]

Terreiros culturais

Os terreiros culturais celebram a vida do campo, o potencial artístico e criativo do povo e criam ânimo novo para sonhar e realizar transformações. Os terreiros culturais apresentam uma forma da universidade se relacionar com a sociedade, que não se define unicamente pela produtividade do campo. Trata-se de reconhecer que por trás dos alimentos produzidos existem pessoas, famílias e comunidades com seus modos próprios de organizar a vida, o trabalho, de produzir cultura e celebrar a vida em coletivo. O nome terreiro vem dos diversos significados a ele atribuído, por exemplo, os terreiros com seus jardins no entorno das casas, os terreiros de café, de umbanda, dentre outros.

Assim, na organização dos terreiros culturais, procuramos vasculhar a memória da comunidade, procurando saber se existiam parteiras na comunidade, terapeutas, benzedeiras, ferreiros, marceneiros, artesãos, folias, congadas, sanfoneiros, e se ainda existem. Quem são as/os moradoras/es mais antigas/os? Qual a história que elas/eles contam sobre a comunidade? Quem são as lideranças da comunidade? Como esse grupo está organizado e quais seus projetos de futuro? O que se comia antigamente? O que se produzia de alimentos e como era o manejo?

A preparação para o terreiro cultural deve ser cuidadosa, afetuosa e comprometida. Muitas vezes, é preciso ter uma relação de trabalho e confiança já construída com a comunidade para chegar a todos esses detalhes. Todas as pessoas são convidadas para o terreiro cultural, que é uma celebração da vida daquela comunidade e valoriza o papel de cada um de seus membros. Por isso, normalmente tem muita cantoria, muita comida agroecológica, muita conversa e a presença das manifestações culturais na abertura, no encerramento e em diversos momentos.

Em meio às apresentações artísticas são estabelecidos espaços de conversa sobre a comunidade. Pelo respeito à tradição dos griôs africanos, normalmente as pessoas mais velhas começam contando a história daquela comunidade; em seguida, são chamadas as benzedeiras, parteiras e terapeutas para falar da saúde na comunidade. Poetas, músicos, cantoras/es são chamadas/os a lembrar as festividades de antigamente e de hoje. As lideranças da comunidade são também chamadas a falar, para demonstrar a importância da organização social para a conquista dos direitos. Quase sempre um dos momentos é dedicado a discutir sobre alimentação, quando se procura trazer a origem dos alimentos, quem produziu, a relação com a tradição da comunidade etc.

Nos terreiros culturais também é possível realizar instalações artístico-pedagógicas e oficinas, para discutir sobre temas específicos importantes para a comunidade, como por exemplo água, plantas medicinais, educação, criação animal e cultura popular. Os terreiros culturais fortalecem os laços comunitários e a relação entre a comunidade/o movimento com outros e demonstram que o campo é um espaço dinâmico e cheio de vida.

Em síntese, apresentamos neste texto algumas conceitualizações, reflexões e experiências concretas com as metodologias emancipatórias. Afirmamos a importância da leitura do mundo, da pronúncia da palavra, da problematização, de romper a exclusividade da lectoescrita. As metodologias emancipatórias podem nos ajudar na tarefa urgente de compreender o ser humano em sua complexidade e a reconhecer que os camponeses são mais do que produtores de alimentos; são portadores de saberes, de criatividade, de sonhos, de esperança e de capacidade de intervir e transformar o mundo.

Referências

ACSELRAD, H. (org). *Cartografias sociais e território*. Rio de Janeiro: UFRJ/IPPUR, 2008.

ASSOCIAÇÃO BRASILEIRA DE AGROECOLOGIA (ABA). *Caderno de Metodologias* – inspirações e experimentações na construção do conhecimento agroecológico, 14 nov. 2017. Disponível em: https://aba-agroecologia.org.br/caderno-de-metodologias/. Acesso em: 7 abr. 2021.

BARCELOS, E. *et al.* A Caravana Territorial da Bacia do Rio Doce: Mineração e territorialidades em tensão. *Terra Livre*, v. 2, n. 43, p. 225-266, 2014.

BRANDÃO, C. R. *O que é educação popular*. São Paulo: Brasiliense, 2006.

CENTRO DE TECNOLOGIAS ALTERNATIVAS DA ZONA DA MATA (CTA). *Intercâmbios agroecológicos* – uma proposta de metodologia (Folder), 10 dez. 2018. Disponível em: https://issuu.com/centrodetecnologiasalternativasdazo/docs/folder_-_agroecologia_2_. Acesso em: 7 abr. 2021.

ENCONTRO NACIONAL DE AGROECOLOGIA, 3., 2014, Juazeiro. *Carta política do III ENA*: cuidar da terra, alimentar a saúde e cultivar o futuro. Juazeiro: [ENA], 2014. 17 p. Disponível em: http://enagroecologia.org.br/files/2014/05/Carta-Pol%C3%ADtica-do-III-ENA.pdf. Acesso em: 23 abr. 2021.

_______. 4., 2018, Belo Horizonte. *Carta política [do] IV ENA*: agroecologia e democracia unindo campo e cidade. Rio de Janeiro: AS-PTA: Articulação Nacional de Agroecologia – ANA, 2018. 47 p. Disponível em: http://enagroecologia.org.br/files/2019/03/carta_politica_web.pdf. Acesso em: 23 abr. 2021.

FREIRE, P. *Extensão ou comunicação?* 8. ed. Rio de Janeiro: Editora Paz e Terra, 1983.

_______. *A importância do ato de ler*: em três artigos que se complementam. São Paulo: Autores Associados/Cortez, 1989.

MACHÍN SOSA, M. B. *et al. Revolução Agroecológica*: O Movimento Camponês a Camponês da ANAP em Cuba. 1ª ed. São Paulo: Outras Expressões, 2010.

MAKARENKO, A. *As bandeiras nas torres*. Lisboa: Livros Horizonte, 1977.

SANTOS, B. de S. Para uma sociologia das ausências e uma sociologia das emergências. *Revista Crítica de Ciências Sociais*, 63, 2002 (p. 237-280).

SAVIANI, D. *Escola e democracia*: polêmicas do nosso tempo. 32ª ed. Campinas: Autores Associados, 1999.

SILVA, C. S. *et al.* Do griô ao vovô: o contador de histórias tradicional africano e suas representações na literatura infantil. *Nau Literária*, v. 9, n. 2. p. 1-13, 2013.

ZANELLI, F. V. *et al.* Intercâmbios agroecológicos: aprendizado coletivo. *Informe Agropecuário*. Agricultura orgânica e agroecologia, Belo Horizonte, v. 36, n. 287, p. 104-113, 2015

M

Notas

1 O projeto Sistematização de Experiências produziu diversos materiais de apoio às instalações artístico-pedagógicas e outras metodologias (Associação Brasileira de Agroecologia [ABA]. Caderno de Metodologias – Inspirações e experimentações na construção do conhecimento agroecológico, 2017).

2 A palavra griô se refere a mestres(as) africanos(as) da tradição oral, guardiões da memória. Com registros desde o século XIV, no império Mali, griôs são considerados narradores da história de uma comunidade ou de um povo, e possuem também outras atribuições, como transmitir saberes às novas gerações, conduzir cerimônias, atuar como genealogista, entre outras (Silva, 2013).

3 Mapas e outras publicações, ver Instituto Nova Cartografia Social.

Metodologias participativas e pesquisa agroecológica

Jorge Enrique Montalván Rabanal
Marília Andrade Fontes

A pesquisa promove a interação do conhecimento técnico-científico ao conhecimento tácito de povos e comunidades camponesas, por meio do resgate, sistematização e revalorização do conhecimento local, com o objetivo de construir, em diálogo, o conhecimento agroecológico [ver Conhecimento Agroecológico] que orienta e anima os processos de transformações econômicas, sociais e políticas (Fontes, 2019). Para tanto, faz uso de metodologias de pesquisa e extensão orientadas pelos princípios da participação, dialogicidade, horizontalidade e comprometimento.

M

Dentre as origens múltiplas das metodologias participativas, podemos destacar, no campo da pesquisa, a pesquisa-ação; a partir da década de 1970, essa modalidade passa a ser utilizada na ação política da prática científica e em trabalhos com agricultura. A pesquisa-ação é um instrumento de ação científica de dimensão pedagógica e política (Brandão; Borges, 2007), que permite agir no campo da prática e investigar a respeito dela (Tripp, 2005). Tem como horizonte a intervenção na realidade pesquisada e permite aprofundar o conhecimento da realidade entre os pesquisadores e os demais sujeitos envolvidos (Thiollent, 2008).

Na perspectiva de tornar-se parte, de incidir na realidade estudada, Giarracca (2008) elucida a pesquisa militante, ou seja, a investigação realizada pelos próprios sujeitos do processo, *ou intelectuais nativos*, como denominado pela autora. Essa modalidade é fruto de um processo que iniciou em vários países da América Latina, a partir de 1994, quando inicia uma nova etapa de resistência e luta contra as políticas neoliberais – nesse contexto, surgem também relações de participação e compromisso dos intelectuais nos movimentos sociais (Giarracca, 2008). A autora defende que a pesquisa (ou investigação científica) deve ter elementos como ativismo político, práticas artísticas e intervenções.

Apresentamos, como exemplo disso, os diagnósticos participativos e a perspectiva de agricultor-experimentador.

Os *diagnósticos participativos* (principalmente de sistemas rurais) começaram a tomar corpo nos anos 1970, no bojo da contestação aos projetos de desenvolvimento rural baseados na "transferência tecnológica", e tornaram-se mais conhecidos na década seguinte (Chambers; Gujit, 1995; Verdejo, 2010). Sua adaptação a diferentes contextos e objetivos deu origem a diversas variações: o Diagnóstico Rural Rápido (DRR) (dentre eles, o mais centrado nos investigadores), o Diagnóstico Rural Participativo (DRP), o Diagnóstico Rápido Participativo de Agroecossistemas (DRPA) e o Diagnóstico Rural Participativo Emancipador (DRPE) são os mais conhecidos. São bastante utilizados por Organizações Não-Governamentais e também por algumas agências governamentais responsáveis por programas de desenvolvimento. Apesar da concepção inicial e do próprio nome, vão além do simples diagnóstico e podem ser igualmente utilizados em áreas urbanas.

Os diagnósticos participativos, portanto, se tornam ferramentas (por exemplo, calendário sazonal, rotina diária, mapeamento, diagrama de Venn) que possibilitam não somente identificar os recursos, os processos organizativos e a forma como os interesses sociais se articulam em âmbito local mas, acima de tudo, proporcionam um processo de leitura coletiva da realidade social, econômica, política e ambiental das comunidades rurais com vistas à identificação das contradições existentes, atuando como dinamizador e animador na superação dos problemas identificados (Coelho, 2005).

O conceito de *agricultores experimentadores* surgiu na América Central, e chegou a ser adotado em programas oficiais da região na década de 1990 (Hocdé; Meneses; Miranda, 2000). Suas origens remontam às práticas desenvolvidas por movimentos camponeses e ONGs, na década de 1970, que dariam origem, mais tarde, ao método campesino a campesino [ver Educação Popular em Agroecologia] (Holt-Giménez, 2008). São agricultores que experimentam empiricamente técnicas, práticas ou processos, propondo ou adaptando inovações e compartilhando conhecimentos. Importante destacar que a experimentação é constitutiva da práxis camponesa desde a origem da agricultura.

Uma evolução desse processo pautado em diagnósticos se alicerçou em uma constante atividade de sistematizações de experiências agroecológicas que se realizam em diversos territórios brasileiros e que, quando colocadas em contato por meio de intercâmbios de experiências, faz brotar um novo ator, guardião de saberes, o agricultor-experimentador. Uma figura que tem se desenhado em contornos de dificuldade, mais precisamente no semiárido brasileiro, onde, através de tecnologias sociais de captação de água da chuva, tem feito surgir experiências de conservação da agrobiodiversidade, manejo alternativo de forragens, estratégias de segurança alimentar e nutricional, quintais produtivos, protagonismo de jovens e valorização do trabalho feminino.

No Brasil, a ONG Assessoria e Serviços em Agricultura Alternativa – AS-PTA foi pioneira em buscar conhecer a experiência campesino a campesino, na América Central, a qual adaptou metodologicamente nos seus programas de agroecologia nos estados do Paraná e Paraíba, sob a denominação de Agricultores Experimentadores, na segunda metade dos anos 1990, socializando-a no interior da Rede Projetos Tecnologia Alternativa – Rede PTA (Petersen; Tardin; Marocchi, 2002). Esse trabalho abriu um vasto campo de necessidades de aprofundamento de pesquisas, atraindo pesquisadores de diferentes instituições públicas, a exemplo da Embrapa – Seropédica (Rio de Janeiro), Instituto Agronômico do Paraná – Iapar, universidades etc.

Paralelamente, esse processo desafiou, por exemplo, a uma qualificação do Diagnóstico Rápido Participativo de Agroecossistemas (DRPA), resultando no "Método de Análise Econômico-Ecológica de Agroecossistemas" (Petersen *et al.*, 2017).

Referências

BRANDÃO, C. R.; BORGES, M. C. A pesquisa participante: um momento da educação popular. *Revista Educação Popular*. v. 6, p. 51-62, jan./dez. 2007.

CHAMBERS, R.; GUIJT, I. DRP: Después de cinco años, en qué estamos ahora? *Revista Bosques, Arboles y Comunidades Rurales*, Quito: FAO, n. 26, p. 4-14, 1995.

COELHO, F. M. G. *A arte das orientações técnicas no campo*: concepções e métodos. Viçosa: UFV, 2005, 139p.

FONTES, M. A. *Nós aqui somos um barco de aprender com o outro:* redes de agroecologia na construção da autonomia camponesa. São Cristóvão: UFS, 2019, 186p.

GIARRACCA, N. *Cuando hasta las piedras se levantan* – Oaxaca, México, 2006. Buenos Aires: Antropofagia, 1. ed., 2008.

HOCDÉ, H; MENESES, D.; MIRANDA, B.. Experimentación de agricultores: ¡Un reto para todos! *LEISA revista de agroecología*, v. 16, n. 2, jun. 2000. Disponível em: http://www.leisa-al.org/web/index.php/volumen-16-numero-2/2367-experimentacion-de-agricultores-un-reto-para-todos. Acesso em: 7 abr. 2021.

HOLT-GIMÉNEZ, E. *Campesino a campesino*: Voces de Latinoamérica Movimiento Campesino para la Agricultura Sustentable. Manágua: Simas, 2008.

PETERSEN, P.; TARDIN, J. M.; MAROCHI, F. M. *Tradição (agri)cultural e inovação tecnológica:* facetas complementares do desenvolvimento agrícola socialmente sustentado na região centro-sul do Paraná. Paraná: AS-PTA, 2002.

PETERSEN, P. *et al. Método de análise econômico-ecológica de agroecossistemas.* Rio de Janeiro: Articulação Nacional de Agroecologia; AS-PTA, 2017.

TRIPP, D. Pesquisa-ação: Uma introdução metodológica. *Revista Educação e Pesquisa*, São Paulo, v. 31, n. 3, p. 443-466, 2005.

THIOLLENT, M. *Metodologia da pesquisa-ação.* 16. ed. São Paulo: Cortez, 2008.

VERDEJO, M. E. *Diagnóstico Rural Participativo:* guia prático. DRP. Brasília/DF: Ministério do Desenvolvimento Agrário, 2010. 62 p. Disponível em: https://edisciplinas.usp.br/pluginfile.php/4616813/mod_resource/intro/pageflip-2583697-3759191-DRP_-_Guia_prtico-2649689.pdf . Acesso em: 7 abr. 2021.

M

MINERAÇÃO

Araê Lombardi
Erivan Camelo da Silva

O presente verbete trata e reflete sobre o significado da *mineração* e suas relações com os territórios e os bens naturais (natureza) a partir da lógica espoliativa da indústria da *mineração* nos seus diversos ciclos de produção, bem como a necessidade de construirmos um projeto de sociedade que enfrente o modelo de *mineração* degradante ainda vigente. Partiremos da compreensão técnica para em seguida discorrermos sobre as contradições da *mineração* nos territórios e na sociedade como um todo.

A palavra *mineração* é definida, na maioria dos dicionários, como ação ou efeito de minerar; trabalho de extração do minério e depuração do minério extraído das minas. E o que é mesmo o minério? Agregado natural de mineral ou rocha que, em determinado estágio da tecnologia, pode ser utilizado para a extração econômica de um ou mais metais (IBGE, 1999).

Os minerais são substâncias encontradas na natureza, resultantes de milhões de anos de dinâmicas naturais. Podem ser classificados em metálicos e não metálicos. Metálicos são os que contêm em sua composição elementos químicos que conferem característica da condução de calor e eletricidade ao mineral, como ferro, cobre, alumínio etc. Os não metálicos são minerais que não têm características metálicas, mesmo que tenham elementos metálicos em sua composição, como argila, fosfato, enxofre, diamante, cloreto de sódio etc. As rochas são formadas por dois ou mais tipos de minerais agrupados. Quando esses (rochas e minerais) passam a ter valor comercial, são denominados minérios.

A palavra *mineração* deriva do latim *mineralis*, "Material inorgânico, sólido, formado espontaneamente na natureza, de composição química definida e estrutura interna regular e que compõe a litosfera" (Caldas, 2012), que significa mineral. O ato de extrair os minerais da terra deu origem ao verbo minar. Portanto, o processo de extração de minerais, fruto do desenvolvimento histórico de tecnologias e do trabalho humano na natureza é o que chamamos de *mineração*. Chamamos de lavra o local onde ocorre a exploração mineral e, nesse sentido, existem muitos métodos de lavrar, a depender da tecnologia disponível, da profundidade do minério, características geológicas e das condições históricas do território.

Segundo o Ministério de Minas e Energia (MME) (Brasil, 1967), comumente o método de lavra é designado como sendo a técnica de extração do material. Conforme o MME, a escolha do método de lavra é uma das decisões mais importantes que são tomadas durante o estudo de viabilidade econômica. Na fase de planejamento, a seleção é baseada em critérios geológico, social, geográfico e ambiental; todavia, as condições de segurança e higiene devem ser garantidas durante toda a vida útil da mina.

A extração mineral faz parte da história da humanidade, e desde o período clássico da acumulação primitiva do capital e, principalmente, a partir da Revolução Industrial, o processo de mineração desponta como fator vital na produção de riquezas (Pinassi; Cruz Neto, 2015, p. 22). Para Sodré (2002), a *mineração* já era uma atividade conhecida e praticada por populações pré-colombianas, como a dos Incas nos Andes, que produziam metais preciosos e eram utilizados em rituais e ornamentações, mas aparentemente não para fins monetários. Com a chegada dos colonizadores na América Latina, deu-se início ao "saqueio de minérios" para fins econômicos, que ao longo dos mais de 300 anos foi um bom negócio europeu.

A *mineração* envolve, além da extração, toda uma estrutura para seu beneficiamento. Há produtos menos industrializados, às vezes apenas moídos e levados para o mercado, e outros mais complexos, com separações químicas, físicas etc. O material extraído necessariamente será transportado até chegar na indústria (estradas, ferrovias, portos e minerodutos) e depois ainda segue a logística de escoamento em forma de produtos. Para tudo isso, cabe ressaltar que necessitará do Estado nacional para suas liberações ambientais, de funcionamento, bem como criar estruturas para as indústrias e logísticas fluírem.

A organização da "indústria mineral" se confunde com a formação do Estado brasileiro, como amparo e braço jurídico e de poder, onde "a *mineração* impõe seu ritmo e formas na formação socioeconômica brasileira, associada ao Estado enquanto responsável pela violência institucional" (Movimento pela Soberania Popular na Mineração, 2017, p. 9). O Código da Mineração de 1967 (Brasil, 1967) diz, em seu primeiro inciso, que compete à União administrar os recursos minerais, a indústria de produção mineral e a distribuição, o comércio e o consumo de produtos minerais. Ou seja, o Estado intermedeia as relações nos territórios desde licenciamentos e autorização de lavra até as contradições e conflitos inerentes à atividade em busca do acúmulo e expansão do lucro privado.

Discorreremos a seguir, de forma resumida, três momentos de grande importância e destaque para a mineração na história econômica nacional, que pela estrutura do presente verbete não serão aprofundados.

O primeiro ocorre na fixação da coroa portuguesa no Brasil e a intensificação das exportações para a Europa. As primeiras "catas" ou garimpos foram feitos no interior de São Paulo (São Vicente e Vale da Ribeira); depois, "os bandeirantes paulistas espalharam-se por Minas Gerais, Goiás e Mato Grosso" (Germani, 2002, p. 6). Segundo Celso Furtado (2005, p. 81) "a base geográfica da economia mineira estava situada em uma vasta região compreendida entre a serra da Mantiqueira, no atual Estado de Minas Gerais, e a região de Cuiabá, no Mato Grosso, passando por Goiás". Essa exploração se baseava na utilização de mão de obra escrava e tecnologia rudimentar; apesar da baixa produtividade, sabemos do grande ganho da coroa nessa fase de exploração de nosso território.

O segundo momento acontece em meados do século XX, na consolidação da revolução industrial em sua mundialização, com a segunda divisão internacional do trabalho. Naquele momento, o mundo estava dividido entre países especializados em fornecer matéria-prima (América Latina e África) e os industrializados (centro).

A criação da Companhia Vale do Rio Doce (CVRD), em 1942, e da Petrobras, em 1953, ocorre no final da Segunda Guerra Mundial e início da Guerra Fria, período em que os países centrais necessitavam se reestruturar e, por isso, disputavam matéria-prima (ferro, petróleo e energia). Portanto, as empresas estatais citadas nascem umbilicalmente ligadas ao capital internacional, que inclusive financiou o nascimento de ambas.

O que coube aos países de "economia periférica", como os da África e América Latina, foi fornecer matéria-prima. No Brasil, foi principalmente o envio de minério de ferro aos países de economia central (Movimento pela Soberania Popular na Mineração, 2017). São descobertas grandes jazidas de ferro em Minas Gerais e, um tempo depois, em Carajás (Pará), além de jazidas de fosfato e matéria-prima para a crescente indústria de fertilizantes para a agricultura (que vivia a chamada Revolução Verde), indústria de cimento e demais agregados para a construção civil em um momento de crescimento desenfreado dos centros urbanos.

O regime civil-militar permitiu ainda mais a entrada do *capital estrangeiro* por meio de concessões no setor da *mineração*. Segundo Coelho (2015), entre o final da década de 1970 e início dos anos de 1980, o país recebeu grandes investimentos do *capital estrangeiro* no valor de US$ 230 bilhões, através de 33 projetos de investimentos, entre os quais o Projeto Grande Carajás, prioridade da CVRD.

No final deste período histórico se dá a concretização e a implantação do neoliberalismo na economia mundial e, com isso as grandes privatizações, como no Brasil foi o caso da CVRD,[1] em 1997.

Nesse processo de consolidação do neoliberalismo é aprovada a chamada Lei Kandir (Brasil, 1996),[2] que estabelece que matérias-primas são isentas de taxação no ato da exportação. Ou seja, se aprofunda o "saque de bens naturais" em função do capital financeiro controlado pelas multinacionais nas bolsas de valores. A Fundação Amazônia Paraense de Amparo aos Estudos e Pesquisas (Fapespa) (2016) divulgou um estudo apontando que, de 1997 a 2016, os estados brasileiros deixaram de arrecadar R$ 466 bilhões por causa da Lei Kandir com a política de isenção do ICMS referente à exportação de produtos primários. Só em 2015, por exemplo, os estados deixaram de arrecadar R$ 47 bilhões, e em 2016 foram R$ 25 bilhões. Não é por acaso que os estados mais prejudicados pela lei Kandir são os que mais sofrem com a grave crise fiscal. Portanto, a Lei Kandir garantiu incentivos e subsídios às exportações de produtos primários e reforçou a divisão internacional do trabalho, um verdadeiro "negócio da China" que atribuiu ao Brasil o papel primário-exportador.

O terceiro momento histórico de importância da mineração foi sua grande intensificação no início do século XXI até os dias atuais, com a financeirização da economia mundial (e natureza), no período que ficou também conhecido como superciclo das *commodities* [VER

FINANCEIRIZAÇÃO DA ECONOMIA]. Alguns autores (Tádzio Coelho e Bruno Milanez, entre outros) definiram esse mesmo período como o "*boom* das *commodities*", no qual a produção mineral no Brasil cresceu 550% entre os anos de 2001 e 2011. Confirma Bittencourt (2013) que, durante essa década, a participação da indústria extrativista mineral no PIB cresceu 156%.

Para o Movimento pela Soberania Popular na Mineração (MAM) (2017), o aumento expressivo da extração de minérios no território brasileiro no período do "*boom*" se deu principalmente por dois motivos: o primeiro, pelo alto consumo mundial de importação de ferro pela China. No ano 2000, se encontrava no patamar de 150 milhões de toneladas das importações globais, e, somente em 2014, o Brasil exportou para China cerca de 152,88 milhões de toneladas de minério de ferro, o que correspondeu a 52% da exportação brasileira de *commodities*. O segundo motivo foi a política de crescimento econômico baseada na reprimarização da economia, que deu ênfase a fortes investimentos em bens primários, mais do que nos beneficiados e industrializados.

No Brasil, a indústria minerária realiza uma "economia de enclave", que não dialoga com as outras matrizes econômicas, tornando os municípios minerados dependentes desta fonte de renda, deixando as regiões mais vulneráveis a crises econômicas provocadas pelo capital financeiro internacional. É isso que Coelho (2016) chama de *minério-dependência*, que se dá quando a estrutura produtiva de um município, região ou país é especializada na extração de minerais. Por conta desta especialização, existe dificuldade de criarem-se alternativas econômicas, como é o caso de Mariana, Brumadinho e tantos outros. As relações entre as empresas e o Estado favorecem a atuação do setor privado por uma série de benefícios e favorecimentos. Dessa forma, a população também se encontra excluída dos processos deliberativos que dizem respeito a estes megaprojetos de mineração.

Cabe ressaltar que vivemos uma crise estrutural do capitalismo global, que levará a diversas medidas, tanto conjunturais quanto estruturais para a retomada de seu processo de acúmulo e crescimento. Sendo assim, "haverá reestruturação de todo os processos econômicos, dos Estados, do setor produtivo e dos territórios com a criação de condições apropriadas para a renovação da acumulação" (Harvey, 2005, p. 45).

É nesse último momento que se acirram os conflitos entre os territórios que resistem ao avanço voraz da mineração, que visa solapar qualquer força social que lhes afronte. É também nesse contexto de luta dos povos amazônicos contra o neoextrativismo, desde a primeira década deste século, que surge o MAM na Amazônia, em 2012, onde está situado a maior mina de ferro do mundo (Serra de Carajás, Parauapebas/PA), partindo da reflexão de que era necessário qualificar o entendimento e a resistência ao modelo de *mineração* existente no Brasil. Origina-se como uma articulação de organizações com o objetivo de acumular força social capaz de enfrentar o modelo mineral dominante. O MAM é um movimento de caráter nacional e internacionalista. Até então, atua diretamente em 12 estados da federação e com articulações em pelo menos mais seis estados. Com as massas espoliadas e organizadas, discute a superação do modelo mineral vigente, travando com base nos territórios em conflito a luta de classes que aos poucos vai se materializando na *soberania popular na mineração*. O MAM se pauta em organizar o povo que está em conflito com a mineração (seja na beira da cava, na ferrovia, no mineroduto, na estrada, perto da barragem de rejeitos, no porto etc.) e debater na sociedade o modelo mineral, primário-exportador em que vivemos no país, contribuindo com a construção do projeto popular para o Brasil.

Os mais de 50 milhões de m^3 de lama após o rompimento criminoso da Barragem do Fundão, de responsabilidade da Samarco/Vale/BHP Billiton, em novembro de 2015, no município de Mariana (Minas Gerais),[3] bem como mais um crime envolvendo o rompimento de uma barragem de rejeitos (13 milhões m^3), de responsabilidade da Vale, em fevereiro de 2019, no córrego do Feijão, município de Brumadinho (Minas Gerais), colocou em xeque a aliança das empresas transnacionais do setor e o Estado, onde a população viveu as consequências do que representa o saqueio de minérios que levou à morte de centenas de trabalhadores/as e moradores/as das áreas próximas e a contaminação dos territórios.

Segundo uma pesquisa feita por Vormitag (2019), do Instituto Saúde e Sustentabilidade (ISS), a lama que desceu no Rio Doce (Minas Gerais) aos poucos foi virando pó e continua, depois de três anos, provocando doenças respiratórias, afecções de pele, doenças infecciosas, doenças oculares, problemas gástricos e intestinais. Todos os problemas citados também têm causado transtornos mentais e comportamentais, principalmente porque, desde que o crime aconteceu, muitos moradores tiveram que deixar de realizar algumas atividades habituais. Ainda segundo o ISS, as principais doenças notificadas como provenientes ou que têm relação com a lama são: bronquite, rinite, sinusite, pneumonia, gripe constante, alergia de pele, dengue, AVC, dermatite, falta de ar, manchas na pele, pressão alta, depressão e dores nas pernas, sintoma comum de intoxicação por minério.

Depois do crime da Vale no Córrego do Feijão, um estudo da Fundação SOS Mata Atlântica (Ribeiro, 2019) revelou que a lama de rejeitos provocou um rastro de destruição ao longo do manancial, elevando o nível de metais pesados na água do Rio Paraopeba, que ficou imprópria para o consumo. Já são 305 km rio abaixo considerado morto, e pelo menos 21 municípios sem abastecimento em decorrência da contaminação.

Ainda segundo a Fundação SOS Mata Atlântica, já se pode afirmar que a contaminação por metais pesados, a perda de oxigênio e, sobretudo, a perda de 112 hectares de floresta nativa de Mata Atlântica na região de cabeceiras do rio na região do Alto e do Médio Paraopeba trouxeram um enorme prejuízo para a biodiversidade, que estava no momento final da piracema, quando os peixes sobem o rio para desova e procriação.

A partir de várias pesquisas e de relatos de militantes que acompanham os crimes das mineradoras nos vales do Rio Doce e do Rio Paraopeba (Minas Gerais), percebe-se que os territórios (pescadores, camponeses, ribeirinhos, indígenas...) que têm uma relação espiritual, simbólica e de coexistência com estes rios também estão sofrendo, porque o lugar de reprodução de suas culturas (vidas) está morto.

Nesses próprios territórios onde as mineradoras se instalam, coexistem camponeses produtores de alimentos, comunidades tradicionais (quilombolas, indígenas, ribeirinhos etc.), áreas de proteção ambiental, comunidades periféricas. São ao mesmo tempo territórios sem regularização, porém com facilidades de instalação de indústrias da *mineração*, do agronegócio e complexos industriais em contradição constante com a reprodução social histórica dessas localidades.

O Brasil extrai dezenas de minerais das mais variadas formas, desde condições artesanais, garimpos (legais e ilegais), até as grandes empresas privadas nacionais e, sobretudo, transnacionais. Todos são processos para garantir a construção e a expansão das cidades, do setor industrial e do agronegócio em sua grande maioria ligados a setores do capital financeiro internacional.

Portanto, se faz cada vez mais necessário compreender a fundo o funcionamento de todo processo da mineração (produção, circulação e produção de bens de consumo), desde suas raízes históricas até os dias atuais, onde vivenciamos "tragédias programadas", bem como construir forças sociais para apontar as saídas para superação do modelo de *mineração* que mutila e mata pessoas e ecossistemas por inteiro, a exemplo de Mariana e Brumadinho, no qual os efeitos da indústria da *mineração* foram sentidos para além dos lacônicos bordões *superávit primário* ou equilíbrio da balança comercial.

É mais que urgente e necessário pensar e construir um Brasil que supere a indústria da *mineração* e se constitua como nação soberana capaz de respeitar o povo e os bens comuns que geram a vida nos territórios.

Referências

BITTENCOURT, C. *Os dilemas do Código da Mineração*. Rio de Janeiro: Ibase, 2013.

BRASIL. Câmara dos Deputados. *Decreto-Lei n. 227, de 28 de fevereiro de 1967*. Dá nova redação ao Decreto-Lei n. 1.985 (Código de Minas) de 29 de janeiro de 1940. Disponível em: https://www2.camara.leg.br/legin/fed/declei/1960-1969/decreto-lei-227-28-fevereiro-1967-376017-publicacaooriginal-1-pe.html. Acesso em: 7 abr. 2021.

_______. Presidência da República. Casa Civil. Subchefia para Assuntos Jurídicos. *Lei Complementar n. 87, de 13 de setembro de 1996*. Dispõe sobre o imposto dos Estados e do Distrito Federal sobre operações relativas à circulação de mercadorias e sobre prestações de serviços de transporte interestadual e intermunicipal e de comunicação, e dá outras providências. (LEI KANDIR). Disponível em: http://www.planalto.gov.br/ccivil_03/leis/lcp/lcp87.htm. Acesso e,m: 7 abr. 2021.

CALDAS, A. *Novíssimo Dicionário Caldas*. Dicionário Contemporâneo da Língua Portuguesa. Rio de Janeiro: Lexikon, 2012. 1.072 p.

COELHO, T. P. *Noventa por cento de ferro nas calçadas:* mineração e (sub)desenvolvimentos em municípios minerados pela Vale. Tese (doutorado em Ciência Sociais). Universidade do Estado do Rio de Janeiro, 2016.

_______. *Projeto Grande Carajás:* trinta anos de desenvolvimento frustrado. Marabá, PA: Editorial iGuana, 2015.

FUNDAÇÃO AMAZÔNIA DE AMPARO A ESTUDOS E PESQUISAS (Fapespa). *Nota Técnica:* Estimativas das perdas de arrecadação dos estados com as desonerações das exportações da Lei Kandir (1997-2015). Belém, PA – 2016. Disponível em: < http://www.fapespa.pa.gov.br/upload/Arquivo/anexo/1128.pdf?id=1474449950> Acesso em: 12 abr. 2019.

FURTADO, C. *Formação econômica do brasil*. 32a ed. São Paulo: Companhia Editora Nacional, 2005.

GERMANI, D. J. *A mineração no Brasil*. Centro de Gestão e Estudos Estratégicos. Relatório Final. Rio de janeiro, 2002. Disponível em: <https://www.finep.gov.br/images/a-finep/fontes-de-orcamento/fundos-setoriais/ct-mineral/a-mineracao-no-brasil.pdf>. Acesso: 25 jan. 2019.

HARVEY, D. *A produção capitalista do espaço*. São Paulo: Annablume, 2005.
IBGE. *Glossário Geológico*. Rio de Janeiro, 1999.
MOVIMENTO PELA SOBERANIA POPULAR NA MINERAÇÃO (MAM). *Assembleias Populares da mineração:* um debate urgente e necessário. Marabá – PA, 2017.
PINASSI, M. O.; CRUZ NETO, R. G. A mineração e a lógica da produção destrutiva na Amazônia. *In*: TROCATE, C.; ZANON, M. J.; VIEIRA, J. *Elementos constitutivos do MAM:* Movimento pela Soberania Popular na Mineração. Marabá: Editorial iGuana, 2015.
RIBEIRO, L. Lama de barragem matou o Rio Paraopeba, conclui estudo da SOS Mata Atlântica. *Estado de Mingas Gerais*, 28/2/2019. Disponível em: https://www.em.com.br/app/noticia/gerais/2019/02/28/interna_gerais,1034405/lama-matou-o-rio-paraopeba-conclui-estudo-da-sos-mata-atlantica.shtml. Acesso em: 7 abr. 2021.
RIO DE JANEIRO (Estado). Corregedoria Geral de Justiça. Aviso n. 309, de 28 de junho de 2005. [Dispõe sobre a suspensão do expediente na 6. Vara de Órfãos e Sucessões da Comarca da Capital nos dias 01, 08, 15, 22 e 29 de julho de 2005]. *Diário Oficial do Estado do Rio de Janeiro*: parte 3: seção 2: Poder Judiciário, Rio de Janeiro, ano 31 n. 19, p. 71, 30 jun. 2005.
SODRÉ, Nelson Werneck. "A Expansão Aurífera"; "O Ouro Muda o Mundo". *In*: *Formação histórica do Brasil*. Rio de Janeiro: Graphia, 2002.
VORMITTAG, E. M. P. A. A. A saúde: à luz da tragédia de Mariana. *Diálogos Socioambientais na Macrometrópole Paulista*, v. 2, n. 2, p. 23-26, abr. 2019. Disponível em: https://issuu.com/caropscampos/docs/caderno_n2_18_abr. Acesso em: 7 abr. 2021.

Para saber mais

GALEANO, E. *As veias abertas da América Latina*. São Paulo: Editora Paz e Terra, 1981.
GOMIDE, C. S. *et al.* (org.). *Dicionário crítico da mineração*. 1. ed. Marabá: iGuana, 2018.
MARX, K. *O capital*: crítica da Economia Política. Livro 1 (v. 1): O Processo de Produção do Capital. São Paulo: Boitempo, 2017.
ZONTA, M.; TROCATE, C. (org). *Projeto Grande Carajás:* trinta anos de desenvolvimento frustrado. 1. ed. Marabá: Editorial Iguana, 2015. 1 v. (A questão mineral no Brasil).
_______ (org.). *Antes fosse mais leve a carga:* reflexões sobre o desastre da Samarco/Vale /BHP Billiton. 1. ed. Marabá: Editorial Iguana, 2016. 2 v. (A questão mineral no Brasil).

Documentários

SERTÃO DOS INHAMUNS: MINERAÇÃO E DESTRUIÇÃO. Movimento pela Soberania Popular da Mineração (MAM). 2017.Duração: 17 min. Vídeo. Disponível em: https://www.youtube.com/watch?v=hNUZ2-5ZKxI. Acesso em: 7 abr. 2021.
NARRATIVAS DE FERRO: EXPERIMENTO 1 Grupo Estudo de Cena / Movimento pela Soberania Popular da Mineração (MAM). Conceição do Mato Dentro, Minas Gerais.
2018. Duração: 31 min. Vídeo. Disponível em: https://www.youtube.com/watch?v=NPuG_ScIL-U. Acesso em: 7 abr. 2021.

M

Notas

1 Nos últimos anos antes de ser privatizada, a CVRD teve lucros líquidos em milhões de dólares bastante significativos, o que destoa por completo do discurso de privatização. A CVRD foi privatizada em maio de 1997 por R$ 3,338 bilhões, quando somente suas reservas minerais eram calculadas em mais de R$ 100 bilhões no mesmo período. A justificativa do Estado era que a privatização da empresa aconteceria para diminuir a dívida pública, que, ao contrário, pulou de 32,84% do PIB (1997) para 48,50% (1999) (Coelho, p. 38, 2015).

2 Criada em 1996 pelo deputado Antônio Kandir. A mineração é um dos setores econômicos que menos paga impostos no mundo, pela sonegação, evasão e subsídios. No caso do Brasil, a Lei Kandir desonerou qualquer imposto sobre a circulação de mercadorias (ICMS) (Movimento pela Soberania Popular na Mineração, 2017).

3 A lama percorreu mais de 700 km até foz do Rio Doce, no litoral do Espírito Santo, matando 19 pessoas e impactando mais de 2 milhões de pessoas.

MOVIMENTO AGROECOLÓGICO

Adriano da Costa Valadão
Silvana dos Santos Moreira

Movimento agroecológico é o processo de organização de diversos sujeitos do campo e da cidade que propõe estratégias baseadas na *agroecologia* [ver Agroecologia] em contraposição à lógica industrial de produção. Essas estratégias não se limitam a questões de produção e incluem a comercialização, a cultura, as formas organizativas e a saúde, bem como a denúncia dos problemas que o modelo da agricultura convencional proporciona.

O movimento agroecológico pode ser compreendido a partir do conceito de movimento social apontado por Gohn (2007). A autora considera a realidade latino-americana e identifica as questões de classe como centrais, mas também aponta elementos culturais enfatizados pelas correntes dos chamados novos movimentos sociais.[1]

Um movimento social se caracteriza por possuir uma identidade, ter opositor e articular-se ou fundamentar-se em um projeto de vida e de sociedade. Historicamente, os movimentos sociais têm contribuído para organizar e conscientizar a sociedade; apresentam conjuntos de demandas via práticas de pressão/mobilização; têm certa continuidade e permanência.

A noção de movimento agroecológico foi proposta inicialmente por Brandenburg (2002) enquanto uma hipótese para os avanços na organização dos agricultores ecologistas. O autor destaca três fases importantes na constituição deste movimento. A primeira é marcada pela reconstrução de "novas relações com a natureza e sociedade" (Brandenburg, 2002, p. 23) por diversas categorias sociais. Na segunda fase, o reconhecimento social é alcançado a partir de uma conjuntura favorável a movimentos ecológicos, e que contribuem para a "reafirmação de uma identidade coletiva na qual se multiplicam formas de organização, preocupação com técnicas de plantio e articulação para apoio político e se articula regionalmente e nacionalmente em forma de redes" (Brandenburg, 2002, p. 23). Na terceira, ocorre o que o autor define como o fomento à institucionalização, com vistas à reorganização de estruturas de beneficiamento e comercialização (Brandenburg, 2002).

Wezel *et al.* (2009) apontam que a definição de movimento agroecológico não é clara, dada a ampla variedade de formatos e práticas assumidas por seus componentes, tanto na esfera local quanto na regional e até global. Os autores sugerem que estes podem apresentar elementos mais políticos, em busca de desenvolvimento rural, como no Brasil, ou vir de grupos de agricultores que buscam responder aos desafios ecológicos em sistemas com considerável grau de especialização, com a realização de parcerias, como nos Estados Unidos. Em geral, estes movimentos têm em comum a orientação para a ação, buscando demonstrar que a agricultora ecológica é possível. Para tanto, desenvolvem práticas e formas organizativas que buscam acessar mercados locais, compartilhar saberes, sementes e práticas e também construir pautas coletivas a partir de suas demandas de pesquisa, assistência técnica e políticas públicas.

Com base em Schmitt (2009), pode-se apontar que a literatura e o discurso da *agroecologia* operam com três grandes noções. Primeiro, a de ciência ou campo científico interdisciplinar que aplica os conhecimentos da ecologia nas ciências agrárias com apoio de diversos campos das ciências sociais e outras áreas do conhecimento, em um diálogo com o conhecimento tradicional camponês. A segunda noção de *agroecologia* está ligada a um conjunto de práticas e técnicas agrícolas menos agressivas ao meio ambiente. Destaca-se a valorização dos recursos internos ao agroecossistema, como, por exemplo, a ciclagem de nutrientes e a adubação verde, assim como a não utilização de *agrotóxicos*, adubos industrializados e sementes transgênicas. Por fim, a terceira noção de *agroecologia* é a de um modo de vida ou ação coletiva, noção que remete à articulação do movimento agroecológico.

Na América Latina, especialmente no Brasil, a gênese da *agroecologia* se deu através da ação de movimentos sociais e especialmente de ONGs que trabalhavam com agricultores camponeses com o intuito de oferecer uma alternativa ao modelo da agricultura convencional, hoje chamado de *agronegócio* [VER AGRONEGÓCIO]. Por isso, o surgimento do movimento agroecológico se destaca na América Latina, pois, como apontam Wezel *et al.* (2009), na Europa ou Estados Unidos a gênese da *agroecologia* se dá enquanto disciplina científica devido ao trabalho de pesquisadores e pequenos grupos com pouca articulação entre si.

Os precursores do movimento agroecológico no Brasil defenderam como proposta a agricultura alternativa, que surge ao final da década de 1970 como um conjunto de sujeitos que se articulam inicialmente em torno da crítica ao modelo da *Revolução Verde* [VER REVOLUÇÃO VERDE] e na defesa de uma agricultura de base familiar.

Na década de 1980, várias organizações não governamentais iniciam seus trabalhos com as comunidades camponesas para discutir uma agricultura alternativa; neste momento, destaca-se o trabalho da Rede PTA-Fase. Estes grupos promoveram quatro Encontros Brasileiros de Agricultura Alternativa (EBBAs), nos anos de 1981, 1984, 1987 e 1989. Nos dois primeiros encontros nacionais, privilegiou-se a problemática da degradação ambiental pelas tecnologias da agricultura industrial; no terceiro e no quarto encontro, ganharam relevância as questões sociais da produção, com maior importância para a questão política. As críticas a esse período apontam que havia um privilégio da discussão de questões técnicas, levantadas principalmente por profissionais das ciências agrárias, estudantes e agricultores neorrurais (pessoas que retornavam ao campo com o objetivo de desenvolver a produção de alimentos saudáveis). Via de regra, esse movimento era visto como apenas um movimento de contracultura e sem base científica (Luzzi, 2007).

Nos anos 1990, a *agroecologia* é proposta como uma nova disciplina científica, ou mesmo uma nova ciência (Altieri, 2001), recebendo um suporte técnico-científico. A partir da ECO-92, programas de pós-graduação inserem a sustentabilidade a partir da *agroecologia* em suas demandas de pesquisas, inaugurando por exemplo o doutorado em Meio Ambiente e Desenvolvimento da Universidade Federal do Paraná (UFPR).

Ao mesmo tempo, há uma rearticulação da antiga Rede PTA/Fase, que passa a executar diretamente projetos de agricultura alternativa, se transformando na AS-PTA. Junto a outras organizações que atuam em um contexto regional, inicia trabalhos massivos com os camponeses, através de dias de campo, produção de materiais gráficos, cursos de formação e *sistematização de experiências* visando ampliar a adoção da agricultura de base ecológica. Entre as ações de grande relevância destas entidades estão o resgate, a seleção e a multiplicação de sementes crioulas, o apoio para a constituição de associações e cooperativas e a busca de parcerias para o desenvolvimento de pesquisas em *agroecologia* (Luzzi, 2007).

No sul do país, em 1998, as organizações camponesas que desenvolvem a *agroecologia* criaram a Rede Ecovida de agroecologia que, aliada a outras redes e entidades, contribuiu para a consolidação da certificação participativa garantida pela Lei 10.831/2003, regulamentada pelo Decreto 6.313/2007 (Brasil, 2007). A partir do final da década de 1990, ampliam-se as reivindicações por *políticas públicas para agroecologia* na denúncia do *agronegócio*, assim como na proposição de ações que colaboram para a *transição agroecológica*.

A partir do ano 2000, os movimentos camponeses vão se somando ao movimento agroecológico. Destaca-se o Movimento dos Trabalhadores Rurais Sem Terra (MST), que inicia uma ampla reflexão sobre a necessidade de avançar na prática da agricultura ecológica, a partir do seu IV Congresso Nacional, realizado no ano 2000, na cidade de Brasília. Como exemplo dos desdobramentos do IV Congresso, é possível citar a constituição de escolas de formação em *agroecologia* e o protagonismo do MST na organização da Jornada de Agroecologia a partir de 2002, no estado do Paraná. Na mesma época, o Movimento dos Pequenos Agricultores (MPA) elabora o Plano Camponês. Este documento coloca a *agroecologia* como orientadora do processo produtivo. Estes e outros movimentos sociais camponeses se articulam nacionalmente e internacionalmente através da *La Via Campesina*, incorporando temáticas que fortalecem a discussão da *agroecologia* nos movimentos sociais da América Latina.

Em 2004, é criada a *Articulação Nacional de Agroecologia* (ANA) [VER ARTICULAÇÃO NACIONAL DE AGROECOLOGIA], que aglutina em âmbito nacional o movimento agroecológico no Brasil e busca atuar como o seu espaço de operacionalização. A ANA congrega atualmente 23 redes estaduais e regionais e 15 movimentos sociais de abrangência nacional. A ANA atua, ainda, em estreita parceira com a Associação Brasileira de Agroecologia (ABA), responsável por discutir questões mais técnicas e de cunho científico. A ANA organiza a cada dois anos os Encontro Brasileiros de Agroecologia, buscando congregar representantes dos diversos segmentos que trabalham com o tema.

Scherer-Warren (2006) aponta que uma característica dos movimentos sociais na atualidade é a articulação em redes. O movimento agroecológico assume essa forma, se estabelecendo como uma rede composta de movimentos sociais, instituições, pesquisadores, estudantes em diferentes formatos de organizações, na qual cada participante busca manter sua autonomia, apresentar e lutar por suas demandas específicas, formando um espaço de diálogo, de busca de convergências, de pontos de contato e consensos.

Atualmente, a articulação do movimento agroecológico expressa-se principalmente: na atuação dos diversos atores; na realização dos Encontros Nacionais de Agroecologia (ENA); na intensa participação dos movimentos sociais em Eventos Científicos da Agroecologia, especialmente nos Congressos Brasileiros de Agroecologia; em campanhas como "As sementes são patrimônio da humanidade!" e a "Campanha contra os Agrotóxicos"; nas Jornadas de Agroecologia; nas redes de certificação participativa; nas feiras locais, regionais e nacionais; redes de produtores e consumidores; nos grupos de agroecologia; no trabalho de ONGs; e na luta pela implantação e acesso a políticas Públicas de apoio à Agroecologia.

Na América Latina, destaca-se a experiência de Cuba em direção ao processo de *transição agroecológica*. Com o fim da União Soviética, o país passou por um período especial, tendo o desafio de aumentar a produção de alimentos sem insumos industriais e petróleo. Foi neste contexto que se formou o Movimento Agroecológico de Campesino a Campesino (MACaC). Este movimento tem juntado a produção coletiva de conhecimentos com um método inovador para a adoção da *transição agroecológica* massiva, em âmbito nacional, protagonizado pela Associação Nacional dos Pequenos Agricultores (Anap). Machín (2017) afirma que após 20 anos de ações do MACaC, Cuba tem 130 mil famílias de agricultores em *transição agroecológica*.

Ainda na América Latina, o movimento agroecológico de América Latina e Caribe (Maela) busca avançar na articulação entre os diversos atores de países da região na divulgação e sensibilização em relação à *agroecologia*, atuando com o apoio da Sociedade Científica Latino-Americana de Agroecologia (Socla).

Assim, o movimento agroecológico apresenta grande diversidade, desde a dimensão local até a dimensão nacional e internacional. A distribuição fluída dificulta o seu dimensionamento. No entanto, a partir dos contextos regionais, o movimento agroecológico tem se colocado como um movimento de resistência ao agronegócio, e se organiza através de uma capilaridade de redes e movimentos. Apresenta como pontos convergentes a luta por um outro modelo de agricultura como contraponto à agricultura industrial. Nos espaços coletivos de encontros, ganham relevância questões como o feminismo e a agroecologia, a cultura e a necessidade de resistência diante da atual onda política conservadora que tem aumentado os conflitos pelos bens coletivos.

Referências

ALTIERI, M. *Agroecologia:* a dinâmica produtiva da agricultura sustentável. Porto Alegre: UFRGS, 2001.

BRANDENBURG, A. Movimento agroecológico: trajetória, contradições e perspectivas. *Desenvolvimento e Meio Ambiente*, Curitiba, n. 6, p. 11-18, jul./dez. 2002.

BRASIL. Presidência da República. Casa Civil. Subchefia para Assuntos Jurídicos. *Decreto n. 6.323, de 27 de dezembro de 2007*. Regulamenta a Lei n. 10.831, de 23 de dezembro de 2003, que dispõe sobre a agricultura orgânica e dá outras providências. Disponível em: http://www.planalto.gov.br/ccivil_03/_ato2007-2010/2007/decreto/d6323.htm. Acesso em: 7 abr. 2021.

GOHN, M. G. *Teoria dos movimentos sociais:* paradigmas clássicos e contemporâneos. São Paulo: Loyola, 2007.
LUZZI, N. *O debate agroecológico no Brasil:* uma construção a partir de diferentes atores sociais. 194 f. Tese (Doutorado em Ciências Sociais, em Desenvolvimento, Agricultura e Sociedade) Instituto de Ciências Humanas e Sociais da Universidade Federal Rural do Rio de Janeiro, Rio de Janeiro, 2007.
MACHÍN, B. El Movimiento Agroecológico de Campesino a Campesino en sus 20 años de implementación en Cuba: realidades, realizaciones y retos. *Agroecología,* v. 12, n. 1, p. 99-105, 2017. Disponível em: http://revistas.um.es/agroecologia/article/view/330411. Acesso: 20 set. 2018.
SCHERER-WARREN, I. Das mobilizações às redes de movimentos sociais. *Sociedade e Estado,* v. 21, n. 1, p. 109-130, jan./abr. 2006. Disponível em: http://www.scielo.br/pdf/se/v21n1/v21n1a07.pdf. Acesso: 20 set. 2018.
SCHMITT, C. J. Transição agroecológica e desenvolvimento rural: um olhar a partir da experiência brasileira. *In:* SAUER, S.; BALESTRO, M. V. *Agroecologia e os desafios da transição agroecológica.* São Paulo: Expressão Popular, 2009.
WEZEL, A. *et al.* Agroecology as a science, a movement and a practice. A review. *Agronomy for Sustainable Development,* v. 29, n. 4, p. 504-515, 2009. Disponível em: https://webcache.googleusercontent.com/search?q=cache:wDTZsATGD4kJ:https://hal.archives-ouvertes.fr/hal-00886499/document+&cd=1&hl=pt-PT&ct=clnk&gl=br Acesso: 20 set. 2018.

Para saber mais

AS-PTA – Agricultura Familiar e Agroecologia: Disponível em: https://aspta.org.br/. Acesso em: 7 abr. 2021.
ANA – Articulação Nacional de Agroecologia: Disponível em: https://agroecologia.org.br/. Acesso em: 7 abr. 2021.
Jornada de Agroecologia – Disponível em: https://jornadadeagroecologia.org.br/. Acesso em: 7 abr. 2021.
Rede Ecovida de Agroecologia – Disponível em: http://ecovida.org.br/. Disponível em: 7 abr. 2021.
O QUE É AGROECOLOGIA? Produzido por Rafael Forsetto e Kiane Assis. Curta metragem vencedor do concurso global de vídeos da juventude sobre Mudanças Climáticas TVEBioMovies 2019. Promovido pela Organização das Nações Unidas (ONU). Disponível em: https://youtu.be/5svhDXrauLk. Acesso em: 7 abr. 2021.

Nota

1 "Novos movimentos sociais" foi a expressão utilizada para indicar os movimentos sociais que surgiram a partir do início da década de 1970 e que tinham pautas que iam além da tradicional luta sindical com viés de classe. Exemplos mais comuns são os movimentos ambientalistas, feministas, culturais, pacifistas, antiglobalização, de consumidores e muitos outros (Gohn, 2007).

MUDANÇAS CLIMÁTICAS

ANDREI CORNETTA

O fenômeno das mudanças climáticas ganhou projeção nas últimas décadas do século XX como um dos principais temas de debate da ciência contemporânea. Seja em função dos prejuízos econômicos que tal fenômeno pode impulsionar, seja pelas diversas transformações que já se observam na superfície terrestre, as mudanças no clima têm levantado inúmeras controvérsias a respeito de suas causas, de seus efeitos e de como lidar politicamente com o fenômeno.

O Painel Intergovernamental sobre Mudanças Climáticas (IPCC, na sigla em inglês), órgão ligado à Organização Mundial de Meteorologia (OMM) e que responde pelas publicações de maior projeção sobre o tema, tem afirmado que a temperatura média da atmosfera cresceu de maneira alarmante ao longo do século XX. A hipótese é a de que as atividades humanas, em função da intensificação das emissões na atmosfera de gases de efeito estufa (GEE), "tenham causado cerca de 1,0 °C de aquecimento global acima dos níveis pré-industriais, com uma variação provável de 0,8 °C a 1,2 °C" (Intergovernmental Panel on Climate Change, 2019, p. 7).

Este aumento na temperatura estaria sendo provocado pela concentração dos GEE na atmosfera (dentre os mais relevantes: dióxido de carbono [CO_2], metano [CH_4], óxido nitroso [N_2O], hexafluoreto de enxofre [SF_6], clorofluorcarbonetos [CFCs], hidrofluorcarbonetos [HFCs] e perfluorcarbonetos [PFCs], além do vapor d'água), afetando diretamente o balanço energético proporcionado pelo efeito estufa, fenômeno que equilibra a troca energética entre superfície e atmosfera, proporcionando uma temperatura média global próxima à superfície de 15° C, garantindo, assim, a vida na Terra como nós a conhecemos.

Dentre os desdobramentos que o aquecimento do clima pode impulsionar estão o comprometimento da agricultura, os danos às infraestruturas e os decorrentes efeitos sobre a economia por eventos extremos de chuvas ou secas, a elevação no nível dos oceanos afetando as faixas litorâneas, além de consequências à vida animal, como o deslocamento e a extinção de espécies. Conforme os relatórios do IPCC vêm apontando, para que estes efeitos não sejam mais drásticos, é preciso reduzir de 50% a 85% das emissões de GEE até a metade deste século (Intergovernmental Panel on Climate Change, 2013).

Diante do cenário alarmante, uma série de políticas e medidas econômicas foram tomadas no âmbito dos fóruns multilaterais das Nações Unidas (ONU), assim como nas políticas públicas voltadas às mudanças do clima dentro dos territórios nacionais. A partir daí, surgem uma série de arranjos jurídico-econômicos que ganharam destaque em programas governamentais, além da criação de uma "economia de baixa emissão de carbono". Argumenta-se que esta última é parte das soluções para os efeitos das emissões de GEE em relação ao aumento da temperatura. Em linhas gerais, trata-se de um modelo de economia baseado na substituição de fontes energéticas fósseis e que se desdobra em inúmeros rearranjos produtivos e do uso do solo.

A Terceira Conferência das Partes (COP-3), realizada em 1997, que deu origem ao chamado Protocolo de Kyoto, é emblemática nesse sentido, pois foi este acordo que proporcionou a base para a formulação das políticas públicas voltadas ao tema, sobretudo por estabelecer um acordo vinculante entre os países signatários em relação a metas de emissões de GEE.[1] Neste acordo, os países do Norte – mais especificamente, aqueles que fazem parte da Organização para a Cooperação e o Desenvolvimento Econômico (OCDE) e os países industrializados que compunham parte do antigo bloco soviético – se comprometeram a reduzir suas emissões em 5,2%, com base no ano de 1990, entre o período de 2008 e 2012.

Com o propósito de atingir a meta estabelecida, o Protocolo prevê a criação de dispositivos econômicos, dentre os quais o chamado "Mecanismos de Desenvolvimento Limpo" (MDL),[2] o único a considerar a participação dos demais países. Estes são mecanismos que possibilitam que os países industrializados há mais tempo, e que possuem metas de redução, possam compensar suas emissões por meio dos mercados especializados na comercialização de créditos compensatórios de carbono equivalentes,[3] gerados por atividades desta natureza nos países do Sul.

Em linhas gerais, estas atividades definem-se como um parâmetro para simular[4] um cenário de emissões que poderiam ser atribuídas a determinada atividade econômica, caso não existisse um mecanismo de redução ou compensação acoplado a ela. A partir do momento em que se atesta a redução de emissões, mediante a utilização dos procedimentos obrigatórios (fundamentalmente a linha de base), a atividade será considerada "adicional", e poderá gerar e negociar créditos compensatórios de GEE no chamado "mercado de carbono" [VER CAPITALISMO VERDE].

Para que a implantação de um sistema como esse seja efetivado por um país ou empresa, é necessário que haja capacidades tecnológicas, sobretudo aquelas voltadas à substituição de matrizes energéticas de origem fóssil. Não por acaso, China, Índia e Brasil detiveram mais de 80% dos projetos de MDL em funcionamento no mundo, durante o primeiro período do Protocolo de Kyoto (2008-2012) (Brasil, 2016). Frente a este indicativo, pode-se dizer que o mercado de compensação de gases efeito estufa, pela sua própria característica funcional, se restringe a um comércio entre países industrializados; tanto os do Norte como os do Sul.

Esta perspectiva geopolítica das mudanças climáticas foi reafirmada na COP-21, realizada em Paris, no ano de 2015, que ficou marcada não apenas por ter estabelecido um tratado vinculante, a exemplo do que foi o Protocolo de Kyoto, mas pelos países terem apresentado suas metas de redução de emissões até 2030. Se, por um lado, a divisão/condição Norte-Sul se apresenta limitada ao se tratar das mudanças climáticas, afinal todos podem sofrer consequências, por outro, as relações desiguais de poder entre os países centrais e periféricos permanecem.[5]

Diferentes visões sobre o clima: controvérsias entre mitigação e adaptação

As dinâmicas do clima envolvem, necessariamente, alterações na realidade biofísica, marítima, terrestre, assim como nas dimensões econômicas, sociais e políticas. Entretanto, a atenção que é dada atualmente às mudanças climáticas deve-se, em grande medida, à perspectiva que se construiu no campo da meteorologia física e que ecoou para o mundo a partir da OMM e de seu braço, o IPCC.

Todavia, para além desta visão – que ocupa o centro do debate científico –, existem outros entendimentos sobre os fenômenos atmosféricos e que são pouco considerados pelos formuladores de políticas. Nesse universo, que não se restringe ao saber tido como "científico", encontram-se as visões que os diferentes grupos sociais oferecem sobre o clima, embora em outras escalas de compreensão do fenômeno.

Exemplar neste sentido são as expectativas que os Ticuna têm em relação aos fenômenos climáticos e que estão registradas na iconografia de narrativas gráficas vistas em indumentárias de panos, máscaras, ou "rodas" rituais,[6] coletadas pelo etnólogo Curt Nimuendaju nos anos 1940 (Faulhaber, 2004). A ritualização do clima é um aspecto do modo de vida de povos indígenas e de populações rurais que criam estratégias de adaptação frente às adversidades atmosféricas, como garantia para suprir as deficiências alimentar ou hídrica, ou mesmo a fome sazonal (Wilbert, 1996).

Os inúmeros efeitos apontados como consequências do "aquecimento global" já são sentidos há tempos por essas populações no nível de suas relações imediatas, não necessariamente pela elevação da temperatura terrestre, mas pelos mais diversos processos que incluem as complexas relações entre as sociedades e o seu meio.[7]

No campo da meteorologia, as controvérsias sobre mudanças climáticas se desenham de maneira polarizada. De um lado, estão os chamados "aquecimentistas", ligados à perspectiva do IPCC; de outro, os chamados "céticos", cujas investigações têm mostrado uma visão distinta a respeito das causas e efeitos das mudanças do clima. Estes cientistas consideram como fatores de maior influência na variabilidade climática – mais do que as emissões antrópicas de GEE – fenômenos como a oscilação energética do Sol, o aumento do albedo planetário (a refletividade difusa ou o coeficiente de reflexão de uma superfície) devido à intensidade de vulcanismos por longos períodos, as variações dos parâmetros orbitais da Terra, entre outros eventos de origem não humana. Diferentemente da posição do IPCC, para estes cientistas a temperatura da Terra estaria se dirigindo para um resfriamento.

Observa-se que o argumento deste entendimento vem sendo utilizado, em muitos casos, para legitimar o atual modelo de desenvolvimento baseado em energias fósseis – sobretudo pelo interesse da indústria petroleira –, uma vez que essas teses desvinculam as mudanças do clima da influência humana.

Em contrapartida, os relatórios de avaliação do IPCC reafirmam a tese das mudanças climáticas de origem antrópica, ao mesmo tempo que os GEE ganham centralidade nas políticas voltadas ao tema. Em síntese, as políticas para mudanças climáticas privilegiam práticas compensatória de emissões na atmosfera, em detrimento de estratégias de adaptação territorial.

Ainda sobre as soluções que se buscam frente às mudanças climáticas, surgem as chamadas "geoengenharias", enquanto intervenções em grande escala no sistema climático da Terra, cujos objetivos passam pela redução, ou mesmo a reversão, dos efeitos do aquecimento do planeta. Entre as principais propostas dos que defendem a geoengenharia está aquilo que se entende por "gerenciamento da radiação solar". Este seria executado por meio do lançamento de espelhos de grandes proporções na órbita da Terra, com o intuito de refletir a radiação do Sol, ou pelo lançamento de partículas reflexivas de enxofre na estratosfera, o que supostamente ajudaria a filtrar a energia solar.

No entanto, o possível uso dessas tecnologias tem despertado inúmeras controvérsias entre os cientistas, que levantam uma série de questionamentos sobre a efetividade desses equipamentos, assim como suas possíveis consequências irreversíveis para o planeta em termos de balanço energético e de seus efeitos sobre os ecossistemas. Além dessas incertezas, os especialistas chamam a atenção para o fato de que tais propostas podem afastar a atenção das ações de redução das emissões de gases de efeito estufa, assim como das necessárias medidas de adaptação territorial.[8]

É importante lembrar que, embora as mudanças climáticas possam parecer algo recente, um fenômeno impulsionado pela sociedade moderna, as ações de adaptação frente às mudanças do clima não são algo novo para a humanidade. Ao contrário, é parte constitutiva dos territórios, uma vez que a espécie humana convive com as mudanças do clima desde antes do Holoceno, período após os últimos 40 mil anos na escala geológica terrestre.[9] Nessa perspectiva, os riscos relacionados às mudanças climáticas não se restringem aos efeitos alarmantes que já ocorrem na superfície terrestre, mas à sua própria relação indissociável com a política e seus desdobramentos na realidade social.

M

Mudanças climáticas, saúde e a questão alimentar

Desde as primeiras décadas do século XX, uma leva de médicos geógrafos sanitaristas – dentre os mais conhecidos está o pernambucano Josué de Castro – inauguraram um novo campo na ciência no Brasil, em que se buscava chamar a atenção para questões sociais e políticas relacionadas a um entendimento espacial das doenças, e suas relações com a fome [VER FOME] e o clima. Esses trabalhos procuraram desmistificar ideias relacionadas ao determinismo climático, como o "mal dos trópicos", a indolência do homem das zonas mais quentes, "doenças tropicais" ou o subdesenvolvimento dos trópicos em função das médias térmicas.

Temas relacionados à fome e doenças também são abordados pelos relatórios do IPCC, embora enquanto fenômenos relacionados aos níveis de emissões de GEE e o decorrente aquecimento do planeta. O aumento da subnutrição e das consequências negativas da diarreia, o aumento da amplitude e do potencial de transmissão de malária, dengue e leishmaniose e a alteração da distribuição espacial de alguns vetores de doenças infecciosas (fenômenos que também possuem implicações políticas e sociais em seu desenvolvimento) são alguns dos principais temas discutidos nos estudos compilados pelo IPCC (Intergovernmental Panel on Climate Change, [2007]; [2014]; [2019]).

No que se refere à questão alimentar, os cenários são múltiplos e preocupam de maneira igual os cientistas, sobretudo pela nova geografia do uso do solo que se desenha com a elevação da temperatura. Em contrapartida, a agricultura capitalista, que ocupa grandes extensões de terras com monoculturas, e que amplia paulatinamente as áreas desmatadas, tem figurado no debate sobre mudanças do clima não apenas pelas alterações geográficas dos diferentes cultivos e de suas altas taxas de emissões de GEE, mas também no que se refere à economia de baixo carbono.

Verifica-se, dentre as diversas atividades que envolvem o agronegócio [VER AGRONEGÓCIO], uma maior inserção nas questões sobre o clima dos setores voltados ao mercado de energia, especialmente o sucroenergético e de papel e celulose. Ressaltam-se as vantagens competitivas pela capacidade de produção de "energia renovável" a partir do aproveitamento das sobras de seus processos produtivos (biomassas, basicamente), por meio do uso de sistemas de cogeração de energia.[10]

A crescente demanda por fontes não fósseis de energia tem levantado algumas preocupações em relação a transformações no espaço rural, sobretudo pela expansão das chamadas "monoculturas energéticas". Nesse sentido, questionam-se, também, como políticas para mudanças climáticas – focadas em grande medida nas consequências das emissões de GEE – podem reiterar um modelo produtivo que privilegia a expansão das monoculturas em prejuízo de uma produção maior de variedades de alimentos.

Mudanças climáticas, florestas e disputas territoriais

Um dos principais aspectos sobre a importância das florestas no contexto das mudanças climáticas está relacionado a sua função no regime climático. No caso da floresta amazônica, ela pode ser entendida como um regulador do clima das demais regiões do Brasil, uma vez que ela absorve a umidade evaporada do Atlântico que é carregada pelos ventos alísios e que, por sua vez, irá precipitar sobre a floresta. A ação da evapotranspiração das árvores, sob a intensa temperatura da zona equatorial, irá devolver à atmosfera a água da chuva na forma de vapor. Assim, a umidade que recarrega o ar continuamente segue sendo transportada a oeste e voltará para a floresta como chuva em um ciclo contínuo. Seguindo esse curso, essas massas de ar recarregadas de umidade encontrarão a barreira da Cordilheira dos Andes, que receberá essa umidade em forma de chuva em sua porção leste, formando as cabeceiras de parte dos rios da bacia amazônica. Porém, outra parcela importante dessa massa de ar, também conhecida como "rios voadores", justamente por carregarem quantidade de água maior ou superior à vazão do rio Amazonas (200 mil m^3/s), dirigem-se ao sul devido ao barramento da cadeia de montanhas dos Andes. Assim, os chamados rios voadores seguirão seu curso em direção ao sul, transportando chuva e umidade para as regiões Centro-Oeste, Sudeste e Sul do Brasil, além de países vizinhos como Argentina, Paraguai e Uruguai (Fearnside, 2015).

Ainda sobre as mudanças climáticas e as florestas, fala-se da importância das florestas na absorção e no armazenamento do carbono, com a função de produzir biomassa e consequentemente estocar, ou fixar, carbono nas folhas, caules, raízes e principalmente no tecido lenhoso das árvores.

Embora as discussões sobre o uso das florestas como mecanismo de compensação de GEE tenha espaço desde as primeiras conferências das partes, foi somente durante a COP-7 – realizada em 2001, quando foram aprovados os "Acordos de Marrakesh" – que sua função se definiu, ao menos temporariamente. Durante as negociações da referida COP, momento em que se regulamentaram as atividades relacionadas ao MDL, a conservação de florestas foi excluída dos mecanismos válidos do período de vigência do Protocolo de Kyoto. Entre as justificativas estão as dificuldades para se aferir o carbono estocado em florestas. Além disso, argumentou-se que a atividade poderia afetar a soberania e o direito ao desenvolvimento dos países

M

detentores de florestas que viessem a aderir ao regime.

Os projetos florestais de carbono ganharam força a partir da regulamentação dos chamados "REDD+" (Redução das Emissões por Desmatamento e Degradação Florestal) durante a COP-19, realizada em Varsóvia, em 2013. Sobre esses projetos, é preciso considerar sua característica singular enquanto atividade econômica e seus consequentes desdobramentos territoriais.

Basicamente, o REDD+ possui a peculiaridade de seu valor residir no fato de que não se pode consumi-lo produtivamente, tendo a função específica em produzir biomassa e consequentemente fixar carbono no tecido lenhoso das árvores. A partir do aferimento do carbono estocado e o cumprimento de uma série de exigências técnico-burocráticas – procedimento semelhante à validação dos MDL –, os participantes do projeto podem requerer créditos de carbono e negociá-los nos mercados especializados.

A visão utilitarista que se criou sobre a floresta, no contexto das mudanças climáticas, gerou novos valores de uso e de troca sobre processos ecológicos. Em nome da resolução das contradições entre o modelo de expansão do capitalismo em regiões como a Amazônia, criam-se novas formas de apropriação de bens comuns [VER BENS COMUNS].

Nota-se que nesse cenário as disputas tornam-se díspares e reafirma-se a relação desigual Norte-Sul. No âmbito internacional, empresas e países adquirem o direito de poluir e incorporam tal ação dentro de suas estratégias competitivas; nos territórios [VER TERRITÓRIOS], florestas são ressignificadas, reduzidas enquanto sumidouros de carbono, ao mesmo tempo que se alteram o metabolismo socioecológico entre florestas e aqueles grupos que a constituíram historicamente e que seguem conservando sua diversidade e seus diferentes significados.

M

Referências

BRASIL. Ministério da Ciência, Tecnologia, Inovações e Comunicações (MCTIC). *Status dos Projetos de MDL* – 2016. Brasília, DF: MCTIC, [20 dez. 2016]. Disponível em: https://bit.ly/3eEBqPx Acesso em: 15 jul. 2020.

FAULHABER, P. "As estrelas eram terrenas": antropologia do clima, da iconografia e das constelações Ticuna. *Rev. Antropo.*, São Paulo, v. 47, n. 2, dez. 2004.

FEARNSIDE, P. Rios voadores e a água de São Paulo. (2015). DOI: 10.13140/RG.2.1.2430.1601

INTERGOVERNMENTAL PANEL ON CLIMATE CHANGE (IPCC). *Climate Change 2007* – The Physical Science Basis Summary for Policymakers. Paris: 10th Session of Working Group I of the IPCC, February, [2007]. Disponível em: https://bit.ly/2hbOZtC. Acesso em: 30 nov. 2018.

______. *Working Group I contribution to the IPCC 5th Assessment.* Report Climate Change 2013: The Physical Science Basis. Cambridge, United Kingdom and New York, NY, USA: Cambridge University Press, [2013]. Disponível em: https://bit.ly/2AqcEl6. Acesso em: 02 jan. 2019.

______. *Climate Change 2014:* Impacts, Adaptation, and Vulnerability. Part A: Global and Sectoral Aspects. Cambridge, UK; New York, USA: Cambridge University Press, [2014]. Disponível em: https://bit.ly/2lUEQWd. Acesso: 30 nov. 2018.

______. *Sumário para formuladores de políticas 2018.* Aquecimento Global de 1,5° C. Brasília-DF: MCTIC, [2019]. Disponível em: https://www.ipcc.ch/site/assets/uploads/2019/07/SPM-Portuguese-version.pdf. Acesso em: 10 jul. 2020.

INSTITUTO SOCIOAMBIENTAL (ISA). *Povos Indígenas no Brasil.* 2018. Disponível em: https://bit.ly/2CLsGYk. Acesso em: 2 jan. 2019.

SCARBOROUGH, V. *et al.* Water and sustainable land use at the ancient tropical city ok Tikal, Guatemala. *PNAS*, n. 31, v. 109, jul. 2012. Disponível em: https://bit.ly/2Au4ND8. Acesso em: 30 nov. 2018.

WILBERT, J. *Mindful of famine.* Religious climatology of the Warao indians, Cambridge: Harvard University, 1996.

Para saber mais

DAVIS, M. *Holocaustos coloniais*. Clima, fome e imperialismo na formação do Terceiro Mundo. São Paulo: Record, 2002.
MORALES, E. *Cambio climático*: Salvemos al planeta del capitalismo. 28 nov. 2008. La Paz: Ministerio de Medio Ambiente y Agua (MMAyA). Disponível em: https://bit.ly/39bJOFg. Acesso: 15 jul. 2020.
RODRIGUES FILHO, S. Entrevista com Carlos Nobre: "É essencial dar às questões de adaptação a mesma ênfase dada à mitigação". *Sustentabilidade em Debate* – Brasília, v. 5, n. 1, p. 196-202, jan./abr. 2014.
MARUYAMA, S. *Aquecimento global?* São Paulo: Oficina de textos, 2009.
TADDEI, R. *Meteorologistas e profetas da chuva*. Conhecimentos, práticas e políticas da atmosfera. São Paulo: Terceiro nome, 2017.

Notas

1 Acordos vinculantes são aqueles que resultam em diretrizes prescritas a serem cumpridas pelas partes que ratificam determinado tratado internacional, a exemplo do Protocolo de Kyoto, que estipula metas de redução de GEE obrigatórias.

2 Tais projetos, em geral, estão acoplados a outras atividades produtivas e podem estabelecer diferentes formas de compensação de GEE, por meio inovações ou reordenamentos produtivos que vão desde a eficiência energética até o aproveitamento de metano de aterros sanitários para a geração de energia elétrica. Basicamente, inovações de substituição de fontes fósseis de energia.

3 Da maneira como o MDL foi concebido, fica definida uma equivalência que permite expressar as emissões de qualquer outro GEE em termos de toneladas de dióxido de carbono equivalente. Essa equivalência é denominada "Potencial de Aquecimento Global" em horizonte de 100 anos.

4 Para uma leitura mais aprofundada sobre a contabilidade do carbono, ver: Moreno, C.; Speich, D.; Fuhr, L. *A métrica do carbono*: abstrações globais e epistemicídio ecológico. Rio de Janeiro: Fundação Heinrich Böll, 2016.

5 Uma análise mais detalhada sobre os aspectos geopolíticos do clima pode ser encontrada em: Cornetta, A. *A financeirização do clima*: uma abordagem geográfica do mercado de carbono e suas escalas de operação. São Paulo: Annablume/Fapesp, 2012.

6 Os Ticuna habitam a região do alto Solimões (Amazona), na fronteira com Peru e Colômbia, e são o mais numeroso povo indígena do Brasil, com uma população de 53.544 (Instituto Socioambiental, 2018).

7 São inúmeros os episódios que evidenciam os processos pelos quais distintos grupos sociais criaram estratégias de adaptação frente às mudanças climáticas, estabelecendo, assim, traços importantes na formação de seus territórios. Os grupos que habitavam a cidade de Tikal, por exemplo, na Península de Yucatán, Guatemala, criaram estratégias de adaptação para superar a escassez hídrica durante 1.500 anos, até o colapso da civilização Maia, por volta de 900 d.C. Estudos arqueológicos mostram que Tikal tinha um complexo sistema de coleta e armazenamento de água da América pré-colombiana, capaz de armazenar água suficiente para abastecer sua população (Scarborough *et al.*, 2018).

8 Para uma leitura mais completa sobre este tema ver: Rahman, A. A. *et al.* Developing countries must lead on solar geoengineering research. *Nature*. v. 556. abr. 2018.

9 Sobre este tema ver: Loiola, S. A. *Variabilidade paleoclimática e a evolução de sistemas complexos adaptativos nos humanos modernos*. 2014. Tese (Doutorado em Geografia). Instituto de Estudos Socioambientais, Universidade Federal de Goiás, Goiânia, 2014.

10 Esta discussão encontra-se aprofundada em: Cornetta, A. Entre o clima e a terra o atual regime político das mudanças climáticas globais e a agroindústria de papel e celulose no Brasil. *In*: Ramos, G. C. D.; Cornetta, A.; Diaz, B. F. *Cambio climático global, transformación agraria y soberanía alimentaria en América Latina*. Buenos Aires: Clacso, 2014.

M

N

NOVAS BIOTECNOLOGIAS

SILVIA RIBEIRO

Dentre as técnicas de engenharia genética, além das usadas para obter os cultivos transgênicos que já são comercialmente produzidos, como o milho Bt ou a soja resistente a agrotóxicos [VER TRANSGÊNICO; AGROTÓXICOS], outras formas de manipulação genética de cultivos têm sido desenvolvidas. São técnicas diferentes, mas todas com o objetivo de alterar, de forma artificial, o genoma de vegetais, animais e outros seres vivos contra os processos naturais e, por isso, implicam muitas incertezas e impactos na saúde, no meio ambiente, nas culturas e na economia. Algumas são tecnologias agressivas contra a vida, como a tecnologia *Terminator*, que produz sementes suicidas com o objetivo de impedir que os agricultores continuem a semear suas próprias sementes, ou a de "impulsores genéticos", que poderia inclusive exterminar uma espécie inteira. Em todos os casos, predomina o desenvolvimento tecnológico guiado pelo interesse de lucro das indústrias transnacionais.

Edição genômica

Embora em alguns países, como no Brasil, existam grandes extensões de plantações transgênicas, as pesquisas de opinião realizadas em todas as partes do mundo evidenciam que a maioria das pessoas prefere não comer transgênicos. E, se os consumidores têm a opção, evitam esses produtos. Além disso, há também uma resistência cada vez maior aos agrotóxicos e ao aumento de seu uso acarretado pela produção dos transgênicos.

Para evitar essa resistência por parte da população, a indústria biotecnológica e seus cientistas estão buscando desvincular as novas formas de engenharia genética dos organismos transgênicos que estão no mercado, dando outros nomes a essas novas aplicações tecnológicas, chamando-as, por exemplo, de "edição genética" ou "edição genômica". Com isso, querem dar a ideia de que se trata somente de uma mudança mínima, como trocar uma palavra em um texto e que, por isso, não seria necessário realizar avaliações de risco ou submeter esses novos produtos a regulações de biossegurança, pelas quais passam os demais organismos transgênicos. Este é um conceito errôneo, uma vez que todos os organismos obtidos por meio dessas novas técnicas são também organismos geneticamente modificados.

Quando se trata de aplicações na agricultura, a indústria trata de "novas tecnologias de melhoramento", sem mencionar que é engenharia genética. No Brasil, a Comissão Técnica Nacional de Biossegurança (CNTBio) as classifica como Técnicas Inovadoras de Melhoramento de Precisão (Timp).

Nesse conceito, entre outras, estão incluídas técnicas como: agroinfiltração, mutagênese local dirigida, mutagênese direcionada por oligonucletídeos, metilação de ADN e alteração ou silenciamento de genes por interferência com RNA (técnicas de RNAi). Também estão nessa categoria outras técnicas que atuam com enzimas construídas sinteticamente, como CRISPR-Cas9 (nucleases de sequências palindrômicas repetidas), Talen (nucleases tipo ativadores de transcrição) ou ZFN (nucleases com dedos-de-zinco).

Outra denominação usada para essas novas biotecnologias é "biologia sintética", que inclui as nomeadas anteriormente como "edição genômica", Timp etc. Além disso, no conceito de biologia sintética existem formas de alterar o metabolismo de microrganismos para que estes produzam e excretem substâncias que imitem e pretendam substituir substâncias naturais.

Embora cada uma destas tecnologias represente problemas e impactos específicos, são todas alterações artificiais dos genomas. Embora tenham sido realizados milhares de mapas genômicos de muitas espécies, incluindo seres humanos, vegetais, animais e microrganismos, ainda há enormes lacunas de conhecimento sobre as funções e as interações dos genes entre si, nos organismos e destes com o meio ambiente.

Portanto, embora estas novas biotecnologias sejam apresentadas como sendo "técnicas de precisão", as incertezas sobre seus efeitos secundários são enormes e certamente poderiam ser ainda piores que as dos transgênicos que já existem. Usando um exemplo do que chamam de edição genômica, como se os cromossomos fossem um texto que pudesse ser editado, podemos dizer que a ciência atualmente compreende as letras e as muitas palavras que o compõem, mas não tudo o que o texto quer dizer. Eliminar partes do "texto" pode alterar essencialmente o seu sentido.

A seguir são apresentados alguns dos exemplos mais emblemáticos dessas biotecnologias.

Terminator/Gurt

Trata-se de uma tecnologia transgênica para a produção de sementes suicidas: se plantam, dão fruto, mas a segunda geração se torna estéril, para obrigar os camponeses a comprar novamente sementes a cada ciclo de plantio. Foi desenvolvida e patenteada, em 1998, pela empresa Delta & Pine Land (posteriormente comprada pela Monsanto), com o Departamento de Agricultura dos Estados Unidos. Todas as transnacionais que atualmente controlam as sementes transgênicas registraram patentes tipo Terminator. A suíça Syngenta é a empresa que registrou o maior número delas.

Os desenvolvedores da tecnologia a chamaram originalmente "Sistema de Proteção da Tecnologia", porque foi desenhada para impedir que os agricultores e camponeses usassem as sementes sem pagar por elas, ou sem pagar pelo direito de uso das patentes. As grandes empresas de sementes querem esta tecnologia porque lhes permite exercer um monopólio ainda mais forte que as patentes.

Os cientistas a chamam Gurt – *Genetic Use Restriction Technology* [Tecnologia Genética de Restrição de Uso]. Ela se baseia em uma reação em cadeia ativada por um indutor externo à planta, por exemplo, uma substância química. Na patente original de *Terminator*, este indutor é o antibiótico tetraciclina. Se não se aplica, a planta germina; se se aplica, já não pode germinar.

Desde que a organização internacional Grupo ETC/Rafi denunciou a tecnologia Gurt em 1998, uma ampla campanha internacional foi formada reunindo organizações camponesas, ambientalistas, consumidores, entre outras. No ano 2000, a Convenção da ONU sobre diversidade biológica estabeleceu uma moratória sobre sua experimentação e comercialização em todo o mundo, que continua vigorando e não pode ser violada por nenhum país, devido à forte reação social dos movimentos populares e organizações para garantir que se mantenha. Em 2006, quando a CDB se reuniu em sua 8ª Conferência Global, em Curitiba (estado do Paraná, Brasil), apresentou-se um projeto de legalização do uso do Terminator. A campanha internacional "Terminar Terminator", e, em especial, da Via Campesina, barrou esta proposta com uma contínua mobilização dentro e fora do local da Conferência. A moratória se manteve.

No Brasil, a Lei de Biossegurança n. 11.105/2005 (Brasil, 2005) proíbe o uso de Terminator, em concordância com a moratória global estabelecida em 2000, no âmbito da Convenção sobre Diversidade Biológica da ONU. Desde 2005, várias iniciativas legislativas buscaram reverter essa proibição e autorizar seu uso, em violação da moratória internacional. Até agora, esses projetos de lei têm sido barrados pelos protestos e mobilização de uma ampla coalização de movimentos camponeses, populares e ambientalistas. Essa ampla resistência à tecnologia Terminator não ocorre apenas no Brasil. Está presente em todo o mundo, por ser uma tecnologia que pretende impedir que os camponeses e agricultores possam guardar e reutilizar as sementes.

CRISPR

De todas as novas ferramentas da engenharia genética, a CRISPR – criada em 2012, e especialmente sua variante CRISPR-Cas9 (lê-se crísper-cás-nove) – é a que se expandiu mais rapidamente, devido ao seu amplo espectro de aplicações possíveis, por ser barata e aparentemente mais eficaz. É uma espécie de "GPS genético com tesouras": é capaz de identificar um local específico no cromossomo e cortar as duas fitas das hélices do DNA, obtendo a desativação ou desabilitação da função do gene sob intervenção, ou pegar um novo material genético, nesse caso produzindo um transgênico. Estudos científicos comprovam que essa técnica pode ocasionar efeitos não desejados, que alteram várias funções dos genes, como, por exemplo, desarmar sistemas de defesa do organismo sob intervenção, com possibilidade de causar câncer.

O sistema CRISPR (do inglês *Clustered Regularly Interspaced Short Palindromic Repeats*, ou seja, repetições palindrômicas curtas agrupadas e regularmente interespaçadas) é uma construção genética que ocorre naturalmente em bactérias para reconhecer e defender-se do ataque de vírus. A tecnologia CRISPR constrói sinteticamente um sistema de reconhecimento das sequências genéticas sobre as quais se pretende intervir, similar a

N

esse sistema de defesa bacteriano. A esta construção se agrega uma enzima que corta o ADN no lugar que foi reconhecido por meio do CRISPR. Estes sistemas são chamados "Cas" (do inglês CRISPR *associated system* – sistema associado ao CRISPR). Há várias versões, porém o mais utilizado é Cas9, portanto a técnica mais difundida é conhecida como CRISPR-Cas9. A maioria das modificações experimentais utilizadas na agricultura, animais e humanos tem sido produzida com este sistema, também chamado de CRISPR-Cpf1 a partir de 2017.

Diversas modificações genéticas em vegetais estão sendo experimentadas com CRISPR, incluindo milho, trigo, soja, batata, canola, arroz e várias frutas e hortaliças. Nos Estados Unidos, já está sendo comercializado um cogumelo comestível e a maçã Artic, ambos manipulados por meio de CRISPR para que não adquira cor marrom quando cortados. Também há experimentos com animais reprodutores, insetos, camundongos, vermes e micróbios. Há muitos experimentos em células para uso em seres humanos. Em novembro de 2018, o cientista chinês He Jiankui alegou ter manipulado embriões humanos que desenvolveram bebês gêmeos modificados geneticamente, fato que não foi comprovado, e que recebeu fortes críticas da comunidade científica internacional.

N

Vários estudos publicados em revistas científicas mostram que o uso dos sistemas CRISPR provoca efeitos não desejados e perigosos. Por exemplo, um estudo do prestigioso Instituto Karolinska da Suécia, em 2018, mostrou que o uso desta técnica em humanos aumenta notavelmente o risco de desenvolvimento de câncer. Outro estudo, de 2018, da equipe de Allan Brasley, do Instituto Wellcome Sanger do Reino Unido, mostrou que CRISPR-Cas9 provoca a eliminação ou reordenamento de longas sequências de DNA, distantes do lugar onde se supunha que atuaria diretamente. Igualmente, estudos anteriores, mostraram um alto risco de "efeitos fora do alvo" (off-target), o que quer dizer que a técnica CRISPR pode cortar ou desarticular o ADN em outros locais fora do alvo escolhido, com potenciais efeitos nocivos.

Embora os estudos se refiram sobretudo ao uso de CRISPR-Cas9 em medicina, o problema se manifesta também na manipulação de cultivos: efeitos similares podem ser produzidos em plantas, o que leva a impactos imprevisíveis nos cultivos e também no seu consumo, porque a ativação/desativação de genes e a eliminação ou o rearranjo de sequências pode causar alergias e outras formas de toxidade.

Todas as empresas que trabalham atualmente com CRISPR afirmam que essa técnica é "mais precisa" que as utilizadas até para a criação dos transgênicos anteriores, isto é, aceitam agora que os transgênicos hoje cultivados já tinham muitos problemas inerentes a seu processo de construção. Mas, como mostram estudos recentes, nem o CRISPR oferece essa precisão, embora corte o DNA em um determinado lugar, mas pode ao mesmo tempo afetar e alterar seriamente outras áreas do DNA fora aquelas a que se dirige intencionalmente.

Duas equipes de pesquisadores disputam ter sido os primeiros a inventar a forma de sintetizar e usar CRISPR em 2012. Este fato desencadeou uma guerra sobre quem seria dono da patente de invenção da tecnologia, entre pesquisadores da Universidade de Harvard e o Instituto Tecnológico de Massachusetts (MIT). Depois de anos de disputa, em setembro de 2018, o Tribunal Federal de Apelações dos Estados Unidos concedeu ao Instituto Broad a patente sobre o uso de CRISPR em plantas, animais e humanos. Tanto o Instituto como a Universidade da Califórnia têm feito contratos de licença de tecnologia e atualmente há mais de mil famílias de patentes de CRISPR em trâmite para diferentes usos de CRISPR na indústria biotecnológica, farmacêutica e agrícola. Tanto Monsanto-Bayer como DuPont-Dow e outras transnacionais agrícolas têm licenças para o uso de variantes de CRISPR.

Condutores ou impulsores genéticos: o exterminador

Os condutores ou impulsores genéticos (*gene drives*, em inglês) são uma forma de engenharia genética para driblar as leis de herança e para que todos os descendentes de uma espécie – sejam insetos, vegetais ou animais – herdem forçosamente uma característica transgênica.

As espécies que se reproduzem sexualmente – vegetais, animais, seres humanos – herdam a metade dos genes de cada progenitor, alguns dominantes, outros recessivos, que nas próximas gerações tendem a desaparecer. Com impulsores genéticos – que se constroem usando a técnica da biologia sintética CRISPR-Cas9 –, os genes inseridos carregam a instrução de eliminar o gene correspondente do outro progenitor não modificado, transmitindo-se 100% à descendência. Repetem o ato em cada cruzamento (procriação) e, assim, em algumas gerações estarão em toda a população. Seus inventores o chamam de "reação mutagênica em cadeia".

É a primeira vez que se projetam transgênicos para disseminá-los agressivamente no ambiente. Se a modificação é para produzir apenas machos, em algumas gerações poderiam eliminar toda uma população da espécie manipulada e, com o tempo, extinguir a espécie inteira, com impactos imprevisíveis no ecossistema.

Os promotores desta tecnologia apresentam-na como uma maneira de eliminar espécies daninhas, pragas, transmissores de doenças como mosquitos que transmitem malária ou dengue. Há muitos problemas com essa visão mecanicista da natureza e das doenças. Por exemplo: quem define o que é daninho ou praga? Para a agricultura industrial, tudo o que está vivo em um campo, menos o cultivo que se quer desenvolver, é daninho. Quais as consequências da eliminação de uma espécie inteira de um ecossistema, que tem coevoluído com ela, inclusive levando, em reação, a outros desequilíbrios? O que acontece com outros organismos que se alimentam dessa espécie? Em casos em que os insetos transmissores de doenças foram eliminados, está abundantemente comprovado que se as causas e o ambiente de ocorrência de uma dada doença persistem, outros vetores de transmissão poderão surgir; inclusive, ser ainda piores.

Os cultivos transgênicos já contaminam e são um problema, mas eles devem ser plantados a cada novo ciclo e as plantas não transgênicas conservam suas defesas naturais. Com impulsores genéticos, as plantas modificadas que cruzarem forçarão as outras a se tornarem transgênicas. Por esse modo de ação, a tecnologia é considerada como uma potencial arma biológica, e já está incluída na agenda de discussão da Convenção de Armas Biológicas e Tóxicas.

Os principais financiadores dessa tecnologia são o Exército dos Estados Unidos e a Fundação Bill e Melinda Gates. Para evitar o debate sobre seus usos militares e

N

agrícolas, a tecnologia é apresentada como uma necessidade para exterminar mosquitos transmissores da malária na África.

De acordo com o relatório "Exterminadores no campo", da organização internacional Grupo ETC (Grupo ETC, 2018), os principais usos dessa tecnologia seriam destinados à agricultura e pecuária industriais para favorecer o lucro de grandes empresas de agronegócio. As duas patentes-chave sobre a tecnologia de impulsores genéticos (dos inventores Kevin Esvelt e Ethan Bier, separadamente) fazem referência a mais de 500 usos possíveis na agricultura, incluindo seu emprego com 232 agrotóxicos (186 marcas de herbicidas e 46 pesticidas) e como modificar ou extinguir 310 tipos de insetos considerados pragas agrícolas, além de nematoides, ácaros, lagartas e outros.

No Brasil, a CTNBio emitiu a resolução normativa n. 16/2018 que estabelece a aprovação de procedimento simplificado para os produtos derivados de técnicas de edição genética, incluindo os impulsores genéticos, para considerar sua liberação com menos exigências de avaliação de riscos que os demais organismos transgênicos.

Em novembro de 2018, a Convenção da ONU sobre Diversidade Biológica decidiu sobre a exigência de os governos considerarem essa tecnologia apenas se cumprirem previamente uma série de condições que incluem análises adequadas de risco (os marcos atuais de biossegurança não são suficientes para avaliar essas novas biotecnologias). Também estabeleceu a obrigação de consultar e obter o consentimento prévio, livre e informado das comunidades indígenas e locais que possam ser afetadas por essa tecnologia. Como os organismos com impulsores genéticos, uma vez liberados, poderiam ser disseminados em grandes extensões, esta condição poderia atuar como uma moratória de fato.

Existe uma ampla campanha – encampada por camponeses, ambientalistas, organizações de direitos humanos, entre outros – que visa a proibição global dessa tecnologia.

Biologia sintética

A maioria das técnicas de edição genômica e outras citadas anteriormente são parte do que se considera biologia sintética.

São consideradas biologia sintética as formas de engenharia genética realizadas com a ajuda de computadores e sintetizadores de ADN dos ácidos nucleicos (citosina, guanina, timina, adenina, conhecidos como bases ou "letras" do DNA: C, G, T, A), para construir formas de vida e sistemas biológicos que não existem na natureza. O termo também se refere ao redesenho do metabolismo de microrganismos (bactérias, fungos e leveduras) para que produzam substâncias que não são obtidas de forma natural.

Alguns cientistas – como Craig Venter, dos Estados Unidos – buscam criar micróbios inteiros totalmente artificiais para usar como fábricas moleculares. Mas a maioria do que se está produzindo são micróbios modificados geneticamente que são colocados em tanques de fermentação, alimentados com açúcares para produzir determinadas substâncias químicas, princípios ativos farmacêuticos, fragrâncias, aromatizantes, plásticos, corantes, adesivos, têxteis, entre outros.

No início dessa indústria, a maior parte dos investimentos era para produzir biocombustíveis com micróbios transgênicos em tanques alimentados com açúcar de cana ou de milho. Entre os maiores investidores em biologia sintética estão as maiores companhias petroleiras do mundo, as maiores indústrias químicas, de agronegócio e farmacêuticas.

Não obstante, a intenção de produzir combustíveis encontrou dificuldades técnicas e de insumos de biomassa para a produção em grande escala, por isso a indústria retomou a produção de cosméticos, fragrâncias e aromatizantes, produtos de pouco volume e alto valor.

Atualmente, há mais de 300 produtos em progresso no mundo, dos quais algumas dezenas já se encontram nos mercados. A Synbiowach (2021) possui uma base de dados dos produtos de biologia sintética em desenvolvimento e em venda.

A empresa estadunidense Amyris abriu uma sucursal no Brasil para produzir biocombustíveis com biologia sintética, mas abandonou essa empresa depois de poucos anos, porque não se mostrou lucrativa. Em 2018, Amyris Brasil firmou um contrato com a Camil, produtora de açúcar da marca União, para produzir um adoçante derivado de biologia sintética, baseado em um dos princípios ativos da planta estevia, de origem guarani. A estevia é uma das plantas mais doces do mundo, mas não produz glicemia, ou seja, açúcar no sangue.

Entre as substâncias que estão sendo produzidas com biologia sintética, destacam-se: baunilha, açafrão, estevia, sândalo, óleo de rosas, vetiver, manteiga de cacau e de karité, óleo de coco, entre outras. Todas são espécies produzidas por camponesas, camponeses e indígenas, porque requerem muita mão de obra. Portanto, a indústria da biologia sintética está desenvolvendo produtos, em forma industrial e sintética, que competem com a produção natural de milhões de camponesas e camponeses.

As indústrias apresentam os produtos como "naturais" porque são obtidos por fermentação, mas na realidade são substâncias excretadas por micróbios transgênicos em tanques, alimentados com açúcar. Não existem estudos sobre os efeitos que essas substâncias podem causar na saúde, mas já estão em todos os mercados. No Brasil, várias marcas de alimentos, fragrâncias e cosméticos usam esses derivados de biologia sintética.

A Convenção sobre Diversidade Biológica aborda o tema da biologia sintética desde 2010 e, atualmente, está discutindo sobre como deveriam ser avaliados os impactos no meio ambiente e biodiversidade dos organismos, componentes e produtos da biologia sintética, além dos impactos socioeconômicos causados pelo deslocamento da produção camponesa e tradicional. Contudo, devido ao *lobby* das indústrias, essas discussões são lentas e ainda não foram estabelecidos marcos para a avaliação, regulação nem a rotulagem destes produtos que já estão nos mercados.

Regulação das novas biotecnologias

Junto da utilização da CRISPR e de várias outras novas biotecnologias, a indústria biotecnológica agrícola tem atuado agressivamente, em todo o mundo, para que esses novos produtos não sejam considerados transgênicos. Para tanto, buscam se esquivar das regulações de biossegurança e fazer o público crer que não se trata de organismos geneticamente modificados. Argumentam que, com o uso destas novas tecnologias, o produto final pode ou não conter novo material genético de outras espécies e, portanto, não seriam "trans-gênicos". Este argumento é infundado, porque em todos os casos se alteram artificialmente o genoma das espécies e isso acarreta grandes incertezas, porque não se conhecem todas as funções e interações dos genes. Os exemplos dos efeitos do uso da CRISPR fora do alvo correspondem aos sérios riscos que acarretam.

Os Estados Unidos aprovaram a canola, um tipo de maçã e um de cogumelos para comercialização mundial sem passar pela regulação da biossegurança. Na Argentina e no Brasil, existem resoluções normativas – não leis – que permitem uma atenção frouxa, ou inclusive que produtos derivados das novas biotecnologias possam não ser considerados organismos modificados geneticamente e não necessitem passar pelos trâmites da aprovação de biossegurança.

Ao contrário, o Tribunal de Justiça da União Europeia decidiu, em 2018 – depois de um julgamento iniciado por uma petição legal da Via Campesina, Amigos da Terra e outras organizações da França –, que os produtos das novas biotecnologias (que incluem mutagêneses e CRISPR) são organismos geneticamente modificados, quer dizer, transgênicos, e que devem passar por análises de riscos das leis de biossegurança e sua apreciação deve basear-se no princípio de precaução. Isso foi uma vitória das organizações camponesas, ambientalistas e de consumidores diante da insistência da indústria biotecnológica de que as novas biotecnologias não necessitam passar por avaliação de biossegurança.

A Convenção sobre Diversidade Biológica, por abrigar o Protocolo de Cartagena sobre Biossegurança, deve continuar a abordar esses temas, afirmando o princípio de precaução, e avançar nas medidas mais rigorosas para garantir que tecnologias de alto risco, como *Terminator* e impulsores genéticos, não sejam liberadas.

Contudo, nenhuma dessas biotecnologias é necessária para alimentar a população, nem no Brasil nem no mundo. Atualmente, mais de 70% da humanidade se alimenta por meio das redes de camponeses, de pescadores artesanais e de hortas urbanas que não usam nenhuma dessas tecnologias. Ao contrário, essas tecnologias, as empresas que as controlam e os agrotóxicos que agregam são uma ameaça à saúde, ao ambiente e à soberania alimentar.

Referências

BRASIL. Presidência da República. Casa Civil. Subchefia para Assuntos Jurídicos. *Lei n. 11.105, de 24 de março de 2005*. Regulamenta os incisos II, IV e V do § 1° do art. 225 da Constituição Federal, estabelece normas de segurança e mecanismos de fiscalização de atividades que envolvam organismos geneticamente modificados – OGM e seus derivados, cria o Conselho Nacional de Biossegurança – CNBS, reestrutura a Comissão Técnica Nacional de Biossegurança – CTNBio, dispõe sobre a Política Nacional de Biossegurança – PNB, revoga a Lei n. 8.974, de 5 de janeiro de 1995, e a Medida Provisória n. 2.191-9, de 23 de agosto de 2001, e os arts. 5°, 6°, 7°, 8°, 9°, 10 e 16 da Lei n. 10.814, de 15 de dezembro de 2003, e dá outras providências. 2005. Disponível em: http://www.planalto.gov.br/ccivil_03/_ato2004-2006/2005/lei/l11105.htm. Acesso em: 8 abr. 2020.

Grupo ETC. *Exterminadores en el campo*. Impulsores genéticos: cómo favorecen la agricultura industrial y amenazan a la soberanía alimentaria. 2018.

SYNBIOWACH. *Guia do comprador de biologia sintética* (2021) Disponível em: https://www.synbiowatch.org/2018/09/synthetic-biology-shoppers-guide-updated-and-in-stores-now/. Acesso em: 8 abr. 2021.

Para saber mais

BIODIVERSIDAD. En defensa de la biodiversidad, cultura y sustento de los pueblos, 2/1/2004. Disponível em: https://www.biodiversidadla.org/Principal/Creditos/Quienes-somos. Acesso em: 8 abr. 2021.

GUAZZELLI, M. J.; PEREZ, J. (org.) Centro Ecológico. Biologia Sintética. Fabricando novas formas de vida. *Novas teconologias*, n. 2, Brasil, 2009. Disponível em: http://www.centroecologico.org.br/novastecnologias/novastecnologias_2.pdf. Acesso em: 8 abr. 2021.
GRUPO ETC. *Biología sintética, biodiversidad y agricultores.* Estudios de caso sobre el impacto de la biología sintética en las economías campesinas y la biodiversidad, México, 2017. Disponível em: http://www.etcgroup.org/sites/www.etcgroup.org/files/files/syn_bio_case_studies_-spanish_dec_2016.pdf. Acesso em: 8 abr. 2021.
RED TECLA. *Ciencias para la Muerte:* de la tecnología Terminator a los impulsores genéticos. Red de Evaluación de Tecnologías en América Latina, 2018. www.redtecla.org
_______. *Del Ka'a He'e a la Estevia:* La transformación de un bien común en mercancía. Impactos de la biología sintética en comunidades campesinas e indígenas. Red de Evaluación de Tecnologías en America Latina, 2018. Disponível em: www.redtecla.org. Acesso em: 8 abr. 2021.

NUTRIÇÃO VEGETAL

Manoel Baltasar Baptista da Costa

Os referenciais teórico-conceitual e técnico-científico adotados pelas ciências agrárias têm se mostrado insuficientes na identificação e solução dos problemas agrícolas contemporâneos de grande dimensão e complexidade. Daí a necessidade de se adotar um referencial analítico sistêmico na leitura da realidade agrícola, buscando-se entender, analisar e orientar os agroecossistemas em suas dimensões produtiva, ecológica, social, econômica e energética, contemplando em tais análises os ciclos minerais, as transformações de energia, os processos biológicos e as relações socioeconômicas (Altieri & Nicholls, 2000).

É relevante entender e analisar o funcionamento de uma unidade produtiva agrícola enquanto um sistema, que tem suas escalas, componentes, interações, entradas e saídas [ver Agroecossistemas]. Além das relações internas do sistema, do complexo agrosilvipastoril, ocorrem as relações infrassistema, no que diz respeito ao manejo dos recursos edáficos e hídricos, e as relações suprassistema, relativas ao clima, às políticas agrícolas, sociais e econômicas, ao mercado, à infraestrutura de comunicação e transporte, dentre outros aspectos. A caracterização, a análise e a orientação produtiva abrangem as explorações vegetais, animais e florestais, sua organização e interações, a ciclagem dos nutrientes no complexo solo-planta e os esquemas de manejo e conservação dos recursos naturais que as suportam.

Os agroecossistemas nos trópicos e nas regiões temperadas

O planeta terra possui realidades ecológicas bastante distintas, que determinam os processos bióticos e os biomas que nelas ocorrem. Em função das condicionantes térmicas, hídricas e de radiação solar, os ciclos biogeoquímicos nos trópicos possuem dinâmicas fundamentalmente distintas dos ciclos existentes nas regiões temperadas.

Nos trópicos há uma maior disponibilidade de energia térmica e radiante, associada a uma maior disponibilidade hídrica e maior intensidade da pluviosidade no decorrer do ano, daí os ciclos biogeoquímicos serem mais intensos, promovendo um maior intemperismo, caracterizado como o conjunto de processos mecânicos, químicos e biológicos que ocasionam a desintegração e a decomposição das rochas e a formação dos solos. Tais regiões têm um potencial de produzir até seis vezes mais biomassa por unidade de área do que as regiões temperadas e frias, e ocorre aí uma elevada lixiviação de nutrientes, carreados pelos excedentes hídricos das chuvas intensas e torrenciais, que causam elevado impacto em solos sem cobertura vegetal.

Nas regiões temperadas e frias, se constata uma diversidade biótica bem mais reduzida que a dos trópicos nos reinos animal e vegetal, e a maior concentração dos nutrientes do complexo solo-planta se encontra no solo e não na biomassa. Já nas regiões tropicais, a maior concentração dos nutrientes contidos no complexo solo-planta está na biomassa e não no solo, que na maioria dos casos são ácidos e distróficos, com baixa concentração de bases (cálcio, magnésio e potássio).

N

Se nas regiões temperadas cabem ser adotadas estratégias, técnicas e práticas que contribuam para uma maior velocidade dos ciclos biogeoquímicos, nos trópicos são demandadas ações e orientações diametralmente opostas, que favorecem a redução da velocidade da ciclagem natural, com a finalidade de melhor conservar os nutrientes e o potencial produtivo dos solos agrícolas [VER CICLAGEM DE NUTRIENTES].

Nos trópicos, o revolvimento intensivo do solo (com arações e gradagens) o expõe às chuvas torrenciais, que promovem sua degradação física e biológica, adensamento e compactação. O revolvimento intensivo do solo também acelera a decomposição da matéria orgânica, lixiviando os nutrientes para camadas mais profundas do solo.

Produção e decomposição de biomassa para a ciclagem de nutrientes

A queimada, por exemplo, que por um lado poupa trabalho, por outro promove a precipitação apenas parcial dos nutrientes contidos na biomassa no solo, pois grande parte deles é expelida para a atmosfera no processo da combustão (Tabela 1). O uso do fogo é compreensível em realidades em que haja oferta abundante de terras, vegetação exuberante e baixa densidade demográfica, como no caso de terra indígenas, onde é possível se utilizar o solo até a perda de seu potencial produtivo, que é recuperado através do pousio de médio a longo prazo (mais de 10 anos). Mesmo assim, trata se de prática impactante sobre o meio ambiente e a atmosfera, pois o fogo das queimadas produz Gases Efeito Estufa (GEE) em quantidades elevadas.

Tabela 1 – Perda de nutrientes da biomassa pela queimada

ELEMENTO	PERDAS
Cálcio – Ca	52 %
Magnésio – Mg	42 %
Nitrogênio – N	95 %
Fósforo – P	51 %
Potássio – K	44 %
Enxofre – S	59 %

Fonte: Pivello, V. R.

A mobilização mínima do solo com implementos escarificadores e não revolvedores contribui para a melhoria de suas características físicas, químicas e biológicas. A produção de biomassa e seu uso como cobertura do solo pelo maior espaço de tempo possível evita a exposição do solo ao sol e às chuvas (Costa *et al.*, 199 ; Miyasaka, 1994). Deve-se otimizar a produção e a reciclagem de toda a biomassa da propriedade (Hodges, 1983), incorporando-a ao solo *in natura*, deixando-a como cobertura ou umificando-a por métodos biológicos, aeróbios ou anaeróbios (por exemplo: compostagem, minhocultura ou biodigestão).

Na produção de biomassa para o manejo do solo, deve-se atentar para as plantas conhecidas como adubos verdes, que fixam do ar o nitrogênio demandado pelos cultivos. Deve-se optar pelas espécies mais adequadas a cada tipo de clima, solo e época do ano (primavera/verão e outono/inverno). Plantas com elevada capacidade de penetração de raízes pivotantes promovem a recuperação de solos compactados (Cintra; Mielniczuk, 1983). Dentre as espécies que podem ser utilizadas com tal finalidade incluem-se a colza (*Brassica napus*), tremoço branco (*Lupinus albus* L), mamona (*Ricinus comunis* L), guandu (*Cajanus cajan*) e mucuna preta (*Stizolobium aterrimum*).

Os adubos verdes são também muito eficientes no controle de algumas doenças radiculares, destacando-se entre os materiais de inverno a aveia (*Avena spp.*), a serradela (*Ornithopus sativus* Brot.), a ervilhaca (*Vicia sp.*), o tremoço (*Lupinus spp.*), o linho (*Linum usitatissimum*) e a colza. A aveia preta (*Avena strigosa*) tem se mostrado eficiente no controle do mal do pé (helmintosporiose) no trigo. As crotalárias (*Crotalaria spp.*), as mucunas (*Mucuna spp.*) e o guandu (*Cajanus cajan*) são as leguminosas de verão que apresentam os melhores efeitos no controle populacional de diversos nematoides.

Quanto às consorciações com cultivos perenes, os citrus podem ser consorciados com soja perene (*Glycine wightii*), crotalárias, cudzu (*Pueraria* phaseoloides, caupi (*Vigna sinensis*) e mucunas; videiras com ervilhaca (*Vicia spp.*), ervilha-forrageira (*Pisum sp.*), chícharo (*Lathyrus sativus*), *Indigofera sp.* e amendoim rasteiro (*Arachis prostrata*); macieiras e pessegueiros com *Trifolium spp.*, serradela (Ornithopus sativus), *Avena spp.*, *Vicia spp.*, *Mucuna spp.*, *Dolichos lablab*, e *Crotalaria spp.*; café com *Mucuna deeringiana* e *pruriens*, *Leucaena leucocephala* e *Crotalaria spp.*; seringueira com *Pueraria mucunoides*; goiabeiras, caquizeiros e abacateiros com *Indigofera sp.* e *Mucuna spp.*

A adubação verde é indicada também em áreas degradadas ou que sejam originalmente muito pobres. Nestes casos deve-se proceder à correção inicial da acidez e a algum aporte de fósforo ao solo, com fórmulas de baixa ou média solubilidade, bem como à inoculação inicial das sementes com inoculantes específicos, e, no caso das leguminosas, peletizá-las também com molibdênio.

A biomassa assim produzida pode ser incorporada ao solo, deixada em cobertura e/ou utilizada no arraçoamento animal. Dentre algumas espécies que se prestam a tal modalidade incluem-se *Mucuna aterrima*, *Leucaena leucocephala*, feijão de porco (*Canavaglia ensiformis*) e guandu (*Cajanus cajan*). Em muitas situações, a própria vegetação espontânea se presta como adubo verde, a depender

N

de sua composição, vigor vegetativo e produção de biomassa.

Nos trópicos, são desaconselháveis os sistemas produtivos simplificados, as monoculturas e as técnicas de revolvimento intensivo do solo, que sofre acelerado processo de degradação de suas características físicas, químicas e biológicas quando descoberto e exposto à incidência direta do sol e das chuvas [VER SOLOS].

A principal preocupação para se alcançar a sanidade vegetal na agricultura diz respeito à nutrição adequada e balanceada dos vegetais. No ser humano a deficiência de iodo produz o bócio, a de ferro, a anemia, a de cálcio, problemas ósseos; o mesmo ocorre com os vegetais e animais. Nesse sentido, devem-se aportar os nutrientes demandados pelos vegetais em doses e fórmulas adequadas, através de produtos naturais, fermentados e/ou quelatizados.

Na esfera nutricional é relevante se atentar para a função de cada elemento químico nos vegetais, tanto os macronutrientes quantos os micronutrientes, o que está expresso nos quadros seguintes (Quadros 1 e 2), o primeiro tratando dos macronutrientes e o segundo, dos micronutrientes.

Quadro 1 – Funções dos macronutrientes

Macronutrientes	Função
Nitrogênio (N)	Elemento promotor de crescimento das plantas, participa da formação de aminoácidos e, por consequência, das proteínas, além de atuar na produção da clorofila.
Fósforo (P)	Atua no desenvolvimento das raízes, sementes e frutos, e auxilia no armazenamento de energia pela planta.
Potássio (K)	Auxilia na formação de açúcares e proteínas, controla a entrada e saída de água nos vegetais, e sua presença é essencial para que ocorra absorção de outros elementos minerais.
Cálcio (Ca)	Atua na formação celular e promove a absorção de água, em processo que promove um aumento da elasticidade e permeabilidade da parede da célula.
Magnésio (Mg)	O magnésio atua na produção de clorofila pela planta, e por consequência nos processos fotossintéticos.
Enxofre (S)	Auxilia na formação de proteínas dos grãos, e na simbiose entre as plantas e as bactérias fixadoras de nitrogênio.

N

Quadro 2 – Funções dos micronutrientes

Micronutrientes	Função
Boro (B)	Auxilia na formação do pólen e no desenvolvimento do embrião, além de aumentar a resistência física das plantas.
Molibdênio (Mo)	Auxilia no desenvolvimento das raízes e, assim como o Enxofre, é importante nos processos de fixação de nitrogênio pelas bactérias das raízes das plantas.
Zinco (Zn)	Participa da produção de hormônios vegetais de crescimento, como as auxinas, influenciando no desenvolvimento das estruturas jovens dos vegetais, como os brotos.
Ferro (Fe)	Influencia na formação da clorofila e, por consequência, age na fotossíntese do vegetal, elemento também responsável pelo aproveitamento de outros nutrientes pela planta.
Manganês (Mn)	Auxilia na formação de vitaminas, acelera a germinação de sementes, participa no desenvolvimento das raízes dos vegetais, além de conferir melhora no sabor e odor de frutos.
Cobre (Cu)	Confere resistência às plantas quanto às variações climáticas, pragas e doenças, além de atuar na formação de proteínas.
Cloro (Cl)	Fundamental para o aproveitamento dos macronutrientes pelas plantas.
Cobalto (Co)	Auxilia nos processos de fotossíntese e de fixação de nitrogênio nas plantas leguminosas.

Muitos dos problemas sanitários vegetais são resultantes da carência e/ou do desequilíbrio nutricional, e as plantas geralmente apresentam sintomas visíveis quando carentes em determinado elemento químico, com reflexos na sua sanidade e eficiência produtiva. O quadro seguinte expressa os problemas causados nas plantas pela deficiência em minerais, o que pode resultar em problemas no desenvolvimento de órgãos de vegetais como as folhas, troncos e raízes, e na incidência das pragas e doenças vegetais.

Quadro 3 – Sintomas de deficiência de nutrientes

Carência	Sintomas gerais
Nitrogênio	Plantas raquíticas, redução do crescimento foliar e amarelecimento uniforme destas; geralmente os sintomas aparecem primeiramente nas folhas mais velhas
Potássio	Variáveis colorações nas folhas, que podem apresentar manchas amarelas, esbranquiçadas ou pardas, e baixo desenvolvimento radicular. A deficiência desse nutriente também pode ocasionar o secamento das margens das folhas, bem como o enfraquecimento dos caules.
Fósforo	Diminuição do crescimento da planta, folhas arroxeadas e escuras, raquitismo, atraso na maturação de frutos, e grãos cochos.
Cálcio	Manchas amareladas nas margens das folhas e entre as nervuras, fraqueza das raízes, rachadura dos frutos, deformação de brotos e das folhas jovens.
Magnésio	O ápice e a margem das folhas podem adquirir coloração púrpura avermelhada, as folhas podem apresentar aspecto quebradiço e se encurvarem para cima, ocorre também diminuição da fotossíntese e, por consequência, diminuição do crescimento vegetal.
Enxofre	Redução do crescimento e florescimento das plantas, clorose iniciada nas folhas mais jovens e enrolamento na margem delas. Além disso, ocorre a diminuição do espaço entre os internódios.
Boro	Folhas jovens deformadas, morte da gema apical, caule rachado, escurecimento no interior das hortaliças e desenvolvimento da vassoura de bruxa nas plantas frutíferas.
Cobre	Necrose nas pontas dos folíolos das folhas jovens e dificuldade do caule em se manter ereto.
Zinco	Os sintomas ocorrem inicialmente nas folhas mais jovens, que irão apresentar tamanho menor do que o comum, e muitas vezes poderão ficar retorcidas. Também ocorre redução do crescimento vegetal e interferência nos processos de frutificação.
Manganês	Clorose interneval nos folíolos, enrolamento e queda das folhas, e aparecimento de pontos necróticos nelas.
Ferro	Coloração verde-pálida nas folhas novas, redução do crescimento das plantas e inibição do desenvolvimento dos primórdios foliares.

A superação das deficiências nutricionais dos vegetais não se resume à intensificação das adubações químicas com produtos industrializados de alta concentração e solubilidade. Deve-se identificar tais deficiências e aportar os nutrientes carentes no complexo solo – planta, via fontes com baixa concentração e solubilidade, caso das rochas e minerais moídos, termofosfatos, escórias, adubos organominerais, biofertilizantes aeróbios e anaeróbios, resíduos urbanos e industriais não agressivos ao meio ambiente e ao ser humano.

Na recuperação de áreas degradadas e de baixa fertilidade, aconselha-se a calagem quando necessária, nunca em quantidade superior a duas toneladas de calcário por hectare, uma adubação fosfatada básica com produtos de baixa solubilidade e a introdução da adubação verde, preferencialmente consorciando-se gramíneas e leguminosas (Costa *et al.*, 1991).

Sob a ótica física, a matéria orgânica contribui para uma melhor aeração e permeabilidade do solo, para a maior retenção da água e dos nutrientes, no desenvolvimento das raízes e resistência à erosão, afora minimizar a variação da temperatura do solo resultante da intensidade da radiação solar. Em âmbito biológico e bioquímico, a matéria orgânica se constitui em fonte de energia aos organismos do solo, incrementando sua população e diversificação, e contribui para a melhoria da relação saprófitos/parasitos, induzindo uma maior resistência das plantas aos organismos que afetam seu sistema radicular [VER TEIA ALIMENTAR].

A matéria orgânica disponibiliza nutrientes e energia para os microrganismos do solo, promove sua estruturação e aeração, melhora a CTC (Capacidade de Troca de Cátions) e a retenção da água no solo (Kiehl, 1985).

Sob a ótica química, afora constituir-se em fonte de nutrientes (principalmente N, P e S), a matéria orgânica aumenta a CTC do solo e seu poder tampão, promove a complexação de íons tóxicos aos vegetais (Fe e Al principalmente), e uma maior retenção no solo do Ca, Amônia, K e Mg (Costa *et al.*, 1991).

Nos sistemas agroecológicos, se aportam os nutrientes carentes, se ativando a biologia do solo e suprindo as deficiências minerais dos vegetais, o que induz a plantas mais sadias e produtivas e a uma produção de alimentos com maior valor biológico e nutricional.

Não é indicado o uso de fertilizantes de elevada concentração e solubilidade, pois nesta forma são rapidamente lixiviados, volatizados ou imobilizados no solo, afora contaminar os aquíferos subterrâneos. O uso dos agrotóxicos também é condenável, face à crescente resistência das pragas, doenças e invasoras a eles, e aos desequilíbrios biológicos resultantes de seu uso. Afora os impactos sobre a saúde humana, seja dos agricultores, seja dos consumidores urbanos de alimentos produzidos com agrotóxicos [VER AGROTÓXICOS].

Os problemas fitossanitários são, em larga medida, resultantes de desequilíbrios nutricionais dos vegetais com a adubação convencional, baseada em uns poucos elementos, aportados através de produtos com alta concentração de nutrientes e solubilidade (Chaboussou, 1995) [VER TROFOBIOSE].

A superação das deficiências nutricionais dos vegetais é buscada através do aporte dos nutrientes carentes nos agroecossistemas, via fontes com baixa concentração e solubilidade de nutrientes (Primavesi, 1990). Os adubos minerais convencionais têm um potencial efeito negativo sobre os microrganismos do solo, e geralmente promovem um incremento dos problemas fitossanitários, destaque para o excesso de nitrogênio e desequilíbrios nutricionais (Chaboussou, 1995); além da acelerada lixiviação no nitrogênio e do potássio, e a imobilização do fósforo, que está presente no solo, mas as plantas não conseguem absorvê-lo.

Na adubação fosfatada, são indicados a farinha de ossos, os termofosfatos e os fosfatos de rocha *in natura* e semissolubilizados. É tolerado o uso do superfosfato simples em casos de deficiência acentuada, apenas como aporte inicial. O uso de escórias também é aceito, desde que comprovadamente isentas de metais pesados e/ou elementos tóxicos aos vegetais. Não é indicado o uso de adubos fosfatados com elevada concentração e solubilidade de nutrientes, casos do mono-amônio-fosfato (MAP), e do di-amônio-fosfato (DAP).

Como fontes de nitrogênio, devem ser utilizados resíduos animais, preferencialmente fermentados; torta de mamona; e biofertilizantes na adubação foliar. Os adubos verdes são recomendados principalmente nas espécies leguminosas, que devem ser rotacionadas e/ou consorciadas com os vegetais explorados/cultivados para o aporte de N fixado biologicamente. Não é indicado o uso de adubos nitrogenados concentrados – ureia, sulfato de amônia, nitrato de amônia e demais formulações convencionais com elevada concentração de N.

No caso do potássio, estimula-se o uso das cinzas vegetais e de sulfato de potássio, em substituição à forma clorada, o cloreto de potássio. Mesmo assim, pelas poucas alternativas disponíveis no mercado, é tolerado por alguns segmentos da agricultura orgânica o uso do cloreto de potássio, enquanto outros a restringem ao sulfato de potássio.

Orientação central na consecução da sanidade vegetal e da eficiência produtiva contempla os microelementos, cujas fontes devem passar por um processo de fermentação e quelatização das moléculas químicas, produto esse que é diluído em água (3 a 5%), e aspergido nas plantas nas fases de crescimento, pré-floração e crescimento do produto (fruto, folha ou raiz), e que aportado aos vegetais promove uma nutrição ampla, que resulta em bom desenvolvimento vegetal, com sanidade e eficiência produtiva.

O processo de fermentação dos microelementos é aeróbio, e se adota também a utilização de produto fermentado anaerobicamente, composto por esterco fresco de bovino e água, visando a nutrição e a proteção dos cultivos da incidência de muitas pragas e doenças. Ricos em aminoácidos, tais produtos são muito eficientes na prática, no tocante a uma nutrição vegetal ampla, e a uma maior sanidade vegetal.

N

Referências

ALTIERI, M.; NICHOLLS, C. *Agroecologia*: teoría y práctica para una agricultura sustentable. México: PEM UMA y Red de formación ambiental para América Latina y el Caribe, 2000. 250p.

CINTRA, F.L.D; MIELNICZUK, J. Potencial de algumas espécies vegetais para a recuperação de solos com propriedades físicas degradadas. *R. Bras. Ci. Solo*, n. 7, p. 197-201, 1983.

COSTA, M. B. B. *et al*. *Adubação verde no sul do Brasil*. Rio de Janeiro: AS-PTA, 1991. 346 p.

CHABOUSSOU, F. *Plantas doentes pelo uso de agrotóxicos*: a teoria da trofobiose. Trad. Maria José Guazzelli. 2. ed. Porto Alegre: L&PM, 1995. 256 p.

HODGES, R. D. Quem precisa, afinal, de fertilizante inorgânico? *Revista Brasileira de Tecnologia*, Brasília, v.14, n. 4, p. 24-34, 1983.

KIEHL, E J. *Fertilizantes orgânicos*. Piracicaba: Editora Agronômica Ceres, 1985. 492 p.

MIYASAKA, S. (coord.). *Programa de agricultura sustentável*. São Paulo: Secretaria da Agricultura e Abastecimento do Estado de São Paulo, 1994. 36 p.

PRIMAVESI, A. *Manejo ecológico do solo*: a agricultura em regiões tropicais. São Paulo: Nobel. São Paulo, 1990. 549p.

Para saber mais

COSTA, M. B. B. *Agroecologia: uma alternativa viável às áreas reformadas e à produção familiar*. Reforma Agrária, Campinas: Associação Brasileira de Reforma Agrária. n. 1, v. 23, p. 53-69, Campinas, 1993.

P

PEDAGOGIA DO CAPITAL

Virgínia Fontes

A pedagogia visceral do capital

A pedagogia do capital envolve um conjunto de características pedagógicas da dominação capitalista. Nesse verbete, apresentaremos seus elementos mais gerais, enfatizando em seguida a dimensão formativa que o capital vem imprimindo à educação através de entidades empresariais sem fins lucrativos que não integram a rede escolar pública, mas visam controlá-la e drenar seus recursos. Antes de entrar em algumas dessas características, é preciso lembrar que a própria forma de vida social sob o capital envolve uma educação prévia e difusa, derivada dos contraditórios lugares sociais nos quais todos os seres humanos se inserem, ainda que involuntariamente, desde a mais tenra infância, e que permeia a formação do ser social durante toda a sua existência. Há uma naturalização da violência primordial que atravessa o processo histórico de implantação e de expansão do capitalismo. Diferentemente de outras sociedades de classes, a violência no capitalismo nem sempre é direta e imediatamente visível no processo de trabalho, pois repousa sobre a necessidade que impele os seres sociais à venda de sua força de trabalho.

O capitalismo, portanto, se constitui de forma contraditória: produz e reproduz incessantemente seres sociais ditos "livres", porém submetidos a uma condição social na qual a necessidade os impele a vender sua força de trabalho. A primeira contradição já é evidente: sabemos que a liberdade somente se exerce em sua plenitude quando as necessidades fundamentais estão satisfeitas. Essa massa de seres sociais definida pela necessidade (mas formalmente livre de laços de dependência pessoal, como no modo de produção feudal) é contraposta aos detentores da riqueza social altamente concentrada. Produz-se, portanto, seres sociais desprovidos (expropriados) dos meios singulares, coletivos e/ou sociais para assegurar sua própria subsistência. A riqueza concentrada se multiplica e se valoriza pela extração de mais-valor de trabalhadores (Marx, 1996)[1] o que pode ocorrer de inúmeras maneiras, com ou sem contrato de trabalho, com ou sem direitos. Os ideólogos do capital querem apresentar essa sociedade como expressão da liberdade, mas ocultam que ela repousa sobre seu oposto – a necessidade. De forma igualmente contraditória, instaura-se o conflito entre a igualdade entrevista pela universalização das condições de existência e a concentração de riquezas, da luta entre reivindicações em defesa da plena socialização da existência e a defesa ferrenha da manutenção da ordem capitalista.

A violência é produzida no cotidiano, discreta e insidiosa, visando assegurar a conservação da sociabilidade que assegura o predomínio do capital: a propriedade do capital como valor fundamental. A pedagogia do capital começa por justificar essa violência primordial e assume apresentações e formatos variados para impedir que as massas que produzem a riqueza assumam o comando dessa produção. O capitalismo, forma social expansiva e contraditória, resulta no aprofundamento dos seus pressupostos sociais (expropriação,[2] extração de mais-valor, apropriação da riqueza sob forma concentrada)[3] e na permanente reiteração de sua pedagogia visceral.

A elucubração em prol do capital assume um viés cientificista e naturalizante, que oculta as imensas transformações históricas que deram origem à própria sociedade capitalista e pretende justificar as desigualdades. Em seus primórdios, enfrentou alegações da sociedade feudal, marcadas pela teologia e pela suposição de que os lugares sociais (ricos, pobres, nobreza ou campesinato) eram definidos pela vontade divina. Transformações nas próprias religiões levaram muitas delas a reelaborarem teologias e práticas endossando o capitalismo (Weber, 1967), evidente também na Doutrina Social da Igreja Católica e na teologia neopentecostal da prosperidade (Mariano, 1996).

Como o trabalho vivo aumenta ainda mais a riqueza das classes dominantes e aprofunda a desigualdade, a própria prática cotidiana do trabalho reproduz e aprofunda os seus fundamentos. Tal contradição é vivida e sentida pelos trabalhadores e, por essa razão, desde seus primórdios, diferentes camadas de argumentos filosóficos, sociológicos, políticos e econômicos se superpõem e se repetem, procurando "educar" dominantes e dominados através da *naturalização* dessa forma social, postura criticada por Marx e Engels (2007) e analisada por Lukács (2013). Tais argumentos, desde Hobbes, Locke, Adam Smith, David Ricardo, dentre outros, repousam sobre as seguintes suposições: 1) as desigualdades sociais derivam da própria natureza humana; 2) a natureza humana é estática e não se modifica com os processos históricos; 3) as características da propriedade capitalista derivam da natureza humana (Fontana, 1998). Tais argumentos configuram uma espécie de *pedagogia visceral* do capital.

Pedagogia do capital e conflito social

O próprio capitalismo, como toda forma de vida social, é também histórico e ao se reproduzir de maneira ampliada, aumenta seu alcance territorial e social e multiplica o grau e a escala de suas contradições. Precisa responder a variadas e renovadas finalidades pedagógicas, das quais destacamos duas: a preparação adequada da força de trabalho para as necessidades específicas de expansão do capital; e a contenção das formas de lutas sociais e de classes que se expandem em seu bojo. Essas finalidades recebem conteúdos diferentes em cada momento histórico.

Anos a fio, as diversas imposições do capital e as intensas lutas sociais resultaram em sistemas e processos educativos diferenciados e contraditórios, algumas vezes organizados em estruturas duais (uma formação elitista e outra popular), outras vezes ocorrendo significativa distância entre o universo escolar e o âmbito produtivo (Manacorda, 2007). A tendência principal é a separação entre a educação culta e erudita – para aqueles que deverão ser os dirigentes da sociedade – e uma educação prática e aligeirada, voltada para a execução das tarefas – decididas e impostas para aqueles que deverão ocupar lugares subordinados na sociedade. As transformações nos processos produtivos, sobretudo a partir da Revolução Industrial, trouxeram exigências de novas formações para trabalhadores: alfabetização, aprendizado técnico, especializações, inclusive de nível superior. As lutas operárias e populares reivindicam o direito e o acesso universais à educação e à cultura que – sem desqualificar a importância dos conhecimentos técnicos e das práticas do mundo do trabalho – seja acompanhada do acesso à cultura e aos níveis mais elevados das ciências (Saviani, 2003). A contradição presente nos ambientes escolares e educativos, envolvidos pela pedagogia visceral do capital, gera e renova conflitos intensos.

Antonio Gramsci, pensador marxista, analisou o adensamento das lutas sociais nos países onde o capitalismo se expandia, como na Itália das primeiras décadas do século XX. Enraizadas no chão social do processo produtivo e das divisões de classe, as lutas sociais se desdobram em inúmeras formas associativas que expressam e consolidam relações de forças, às quais correspondem momentos distintos da consciência. Partem da experiência imediata das contradições estruturais de classe, quase naturalizadas, e passam por diferentes níveis de organização: econômico-corporativo, no qual prima a defesa específica de interesses setoriais (econômicos ou sociais); e o nível estatal, quando se constroem solidariedades entre todos os membros do grupo ou classe social, e emergem as reivindicações de participação no Estado, mas sem questioná-lo em seus fundamentos. As relações de força ganham densidade no momento organizativo seguinte, ético-político, no qual as ideologias anteriores se transformam em "partido" e irradiam-se por toda a sociedade, construindo uma unidade intelectual e moral, para além daquela econômica e política (Gramsci, 2000, p. 40-46). Aqui reside a grande política, que abre as grandes opções para a vida social, contraposta à pequena política, que apenas pretende pequenos ajustes no quadro já existente (Gramsci, 2000, p. 21-22).

Como se observa, Gramsci procura compreender o Estado capitalista a partir das lutas sociais e de classes. Sem descaracterizar o fundamento central das divisões de classe, o autor define o Estado capitalista "ocidental" como a unidade entre sociedade civil e sociedade política. Enquanto a sociedade política aparenta ser restrita ao âmbito institucionalizado e oficial do Estado, a sociedade civil é o âmbito no qual se expandem formas associativas – tais como os partidos, sindicatos, clubes, imprensa, escolas, Rotary e Lyons Club – que não resultam de imposição legal, nem constituem o cerne do processo produtivo, embora nele tenham suas raízes. São entidades associativas que promovem um certo tipo de convivência (sociabilidade) e defendem posições e valores específicos, características de certos grupos sociais.

Gramsci destaca que a distinção entre sociedade civil e política é apenas metodológica, pois a expansão das lutas

P

sociais resulta em uma certa incorporação de alguns de seus traços pelo Estado, assim ampliado em várias direções: a atuação de aparelhos privados de hegemonia (APHs) (isto é, voltados para a conservação da dinâmica do capital) na sociedade civil permite alcançar amplas dimensões da vida social, indo além da ossatura material do Estado restrito. Em contrapartida, quando as proposições desses APHs se tornam políticas públicas, convertem-se em obrigatórias para todos, consolidando a posição de tais setores de classe.

Tais entidades associativas tornam-se defensoras (ou críticas) das posturas do Estado para além das circunscrições estatais tradicionais. Convertem-se em trincheiras móveis de defesa do Estado para além de seus limites institucionais. No sentido inverso, tais entidades integram o Estado, tanto através de apoio à eleição de seus quadros e de seus intelectuais orgânicos (ou de partidos próximos) quanto pela sua incorporação através de nomeações de especialistas. Seus projetos convertem-se em *políticas*, destinadas a todos, indo muito além dos limites de cada associação. Como é de se supor, os aparelhos de hegemonia empresariais requentam a pedagogia visceral do capital, readequada ou reconfigurada segundo as diferentes necessidades das classes dominantes.

Vale ressaltar ainda que, desde meados do século XX, multiplicaram-se organismos internacionais cuja função é formular propostas para o aumento da lucratividade do capital imperialista, tais como o Grupo Banco Mundial (Pereira, 2010; Pereira; Pronko, 2015), o Fundo Monetário Internacional, a Organização Mundial do Comércio, dentre muitos outros. Desenvolvem e sistematizam a pedagogia visceral do capital, procurando disseminá-la em todos os âmbitos da vida social, formulando políticas em prol do capital para a educação escolar.

Nesse texto, ao tratar a pedagogia do capital, a consideramos em seus aspectos amplos, ou seja, como um conjunto de práticas sociais que envolvem processos aberta ou discretamente educativos nas sociedades contemporâneas – família, linguagem, convivência social, escolas, universidades, trabalho, bairro, jornais, associações, religiões, internet, aplicativos de celular etc. Trataremos em especial da pedagogia contemporânea do capital, organizativa através de algumas formas associativas, indutoras de uma determinada sociabilidade, de comportamentos, modos de ser e de pensar que, originadas e elaboradas por setores empresariais, são disseminadas também no âmbito escolar.

Dominação burguesa atual na educação pública no Brasil

A estreita relação entre sociedade civil empresarial e o Estado brasileiro foi pioneiramente investigada pelos trabalhos fundadores de René Armand Dreifuss (1986; 1987; 1989) e os de Sonia Regina de Mendonça (1997; 1998; 2010), que demonstraram os processos históricos de instauração de órgãos estatais, e/ou de sua reconfiguração, elaborados e direcionados por aparelhos privados de hegemonia empresariais. As associações do setor empresarial tiveram acolhida no Estado [VER ESTADO], que incorporou as reivindicações de seus aparelhos de hegemonia. O mesmo não aconteceu com as organizações populares, criminalizadas e perseguidas, do que resultou em uma ampliação seletiva e autoritária do Estado brasileiro.

As lutas populares pela educação pública universal no Brasil atravessaram o século XX, como na campanha em defesa da educação pública e gratuita, nas décadas de 1950-1960, luta na qual se engajou Florestan Fernandes. A ditadura empresarial-militar (1964-1988) não apenas reprimiu as formas de organização popular como deslocou pesadamente os recursos públicos para o apoio à iniciativa privada em todos os níveis de ensino. Apesar da violência ditatorial, as lutas populares foram intensas nas décadas de 1970 e 1980, culminando em uma transição democrática tutelada, mas assegurada uma constituinte que asseverava ser a educação um dever do Estado. Expressando o poder empresarial, a Constituição de 1988 admitiu a coexistência de instituições públicas e privadas e a destinação de recursos públicos para ambas.

No contexto da constituinte, emerge na década de 1980 a Campanha Nacional pela Escola Pública Gratuita e, em 1987, organizou-se o Fórum Nacional em Defesa da Escola Pública. Para Leher (2018), o fórum atuou como espaço aglutinador das lutas educacionais até o início dos anos 2000, respaldado por uma agenda heterogênea, mesclando proposições liberais e socialista. Iniciativas governamentais, entretanto, contribuíram para esvaziar o fórum, abrindo terreno para proposições empresariais.

Tais lutas prosseguiram com intensidade no século XXI, como demonstra o trabalho intelectual, elaborativo e prático, realizado pelo Movimento dos Trabalhadores Rurais sem Terra referenciado na "Pedagogia do Movimento" (Kolling *et al.*, 2012), assim como as lutas pela universidade pública, gratuita e de qualidade; as lutas do magistério da Educação Básica, as lutas dos estudantes com a ocupação das escolas contra a reforma do Ensino Médio, em 2015-2016. Mais recentemente, em 2019, vimos a pauta educacional levar um número expressivo de pessoas às ruas, em manifestações de caráter nacional, contra os cortes do orçamento público para a educação, em particular no Ensino Superior. Essas exemplificações evidenciam a permanência, não sem dificuldades e limitações, das lutas em defesa da educação pública. Tais movimentos se defrontam com o Estado, uma vez que "na condição de educador, o Estado capitalista desenvolveu e desenvolve uma pedagogia da hegemonia, com ações concretas na aparelhagem estatal e na sociedade civil" (Neves, 2005, p. 27).

Diversos estudos e pesquisas assinalaram a aproximação entre aparelhos privados de hegemonia *empresariais* (apesar de se apresentarem como entidades sem fins lucrativos) e as políticas educacionais do Estado brasileiro, sobretudo a partir da década de 1990. Uma pedagogia da hegemonia no Brasil se direcionava a educar o consenso das grandes maiorias, agindo dentro e fora das escolas públicas, num ambiente formalmente democrático, em uma década na qual a expropriação de direitos se tornava prática recorrente. No século XXI constata-se que as classes e setores dominantes enfrentam as lutas sociais de forma mais complexa, associando o uso direto da violência a intenso processo de convencimento.

A contrarreforma do Estado realizada no governo Fernando Henrique Cardoso e levada a efeito por Bresser-Pereira em 1995 (Behring, 2018) integrou na ossatura institucional as reivindicações dos setores empresariais, consolidando a prática das parcerias público-privadas e ampliando a possibilidade do uso de verbas públicas para entidades privadas

P

e/ou sem fins lucrativos. Uma enorme variedade de aparelhos privados de hegemonia empresariais passava a orbitar em torno da educação pública, com iniciativas como a adoção de escolas, parcerias diversas, acompanhamento curricular, avaliação, formulação de políticas, elaboração de material instrucional e de tecnologias, introdução de gestão empresarial no setor público. Algumas dessas entidades chegaram a definir a seleção e a contratação de trabalhadores sem direitos ('voluntários') e de secretários ou secretárias municipais ou estaduais de educação.

Algumas das entidades mais conhecidas no âmbito escolar nos dias atuais são: Fundação Lemann, Instituto Ayrton Senna, Instituto Unibanco, Fundação Itaú Social, Instituto Península, Fundação Roberto Marinho, Movimento Brasil Competitivo, Fundação Vale (Araújo, 2018), Associação Brasileira do Agronegócio (Abag), Instituto Natura, Instituto Inspirare, Instituto Gerdau, Fundação Bradesco, Instituto Akatu, (Leher, 2018; Fontes, 2017) além de inúmeros outros, dentre os quais o já tradicional Sistema S (formação de mão de obra dirigida pelo patronato), que na atualidade agrega Senai, Sesi, Senac, Sesc, Sebrae, Senar, Sest, Senat e Sescoop.

P

Embora haja mais estudos sobre os âmbitos urbanos, esses aparelhos de hegemonia empresariais atuam ativamente nos espaços rurais. Entidades como a Associação Brasileira do Agronegócio (Abag) (Dipieri, 2018; Aquino, 2018; Lamosa, 2016) e o Serviço Nacional de Aprendizagem Rural-Senar (Ribeiro, 2018) promovem junto a escolas públicas uma suposta "educação ambiental" [VER EDUCAÇÃO AMBIENTAL] desprovida de análises críticas sobre os fundamentos da crise sociometabólica gerada pela monocultura, pelo envenenamento do ar, do solo, das águas e pelo uso massivo de agrotóxicos.

Outros aparelhos de hegemonia, também sem fins lucrativos, seriam implementados visando a agregar e potencializar a atuação dos anteriores, como o Grupo de Institutos e Fundações Empresariais (Gife, criado informalmente em 1989 e formalizado em 1995, com mais de 100 entidades e empresas associadas), o Movimento Todos pela Educação (em atividade desde inícios do século XXI, formalizado em 2005), e mais recentemente o Movimento pela Base Nacional Comum, de 2013. Lastreados em empresas ou outras entidades empresariais similares, desenvolveram intensa atividade na elaboração, formulação, acompanhamento e avaliação de políticas públicas educacionais.

A ação dessa malha de aparelhos empresariais de hegemonia guarda forte correlação com as práticas levadas a efeito internacionalmente. Mas a vinculação mais estreita as aproxima dos Estados Unidos e dos "reformadores empresariais da educação", voltados para a privatização da educação através de práticas mercantis (*vouchers*) e para o controle da educação pública através de testes padronizados, sanções e modificações na formação de professores. Lá, como aqui, com fartos recursos e forte apoio midiático, são criadas dificuldades como argumento para vender soluções empresariais. A educação pública é apresentada como um caos: com pessoal despreparado, é considerada cara por não implementar procedimentos empresariais de gestão, entre outras argumentações. Um "neotecnicismo se estrutura em torno a três grandes categorias: *responsabilização, meritocracia e privatização*" (Freitas, 2012, p. 383, itálicos do original).

Este hiperativismo empresarial gera um curto-circuito nos procedimentos democráticos da escola pública (Fontes, 2017), deslocando o debate sobre razões estruturais das desigualdades sociais para paliativos tecnocráticos e gerenciais, que tendem a definir a escola pública como "escola para pobres", quando as reivindicações populares são de uma educação de cunho universal. No Brasil, sob a aparência do "apoio" democrático à educação, as classes dominantes procuram redirecionar as iniciativas populares, homogeneizar as práticas educativas sob o manto da eficiência e de testes padronizados segundo parâmetros empresariais (e não democráticos), tentam apagar as diferenças programáticas entre os partidos políticos erigindo-se em "partido informal" da educação pública, guiado pelo empresariado. No mesmo compasso em que apoiam as sucessivas expropriações de direitos dos trabalhadores (trabalhistas, sindicais, previdenciárias etc.), evidenciam seu impulso em direção à captura dos fundos públicos: longe de lutarem contra o dramático subfinanciamento das políticas universais brasileiras, educativas e de saúde, propugnam "choques de gestão", enquanto apoiam a compra pública de materiais privados. A pedagogia visceral do capital é requentada sob o formato do empreendedorismo, e a proposta empresarial para a educação procura adequar enormes massas da população ao trabalho sem direitos, sem contratos, sem jornadas delimitadas.

Novas inquietações

Esse novo formato da pedagogia do capital envolve tanto a intensificação de aparelhos hegemônicos para o convencimento de setores populares quanto para a formação de quadros e lideranças empresariais. No entanto, ele jamais reduziu as doses de coerção e de repressão vigentes na sociedade brasileira, de origem estatal ou paraestatal (milícias e outras formas de violência direta).

A partir de 2015, tornou-se evidente o recrudescimento, no interior dessa malha de aparelhos de hegemonia empresariais, de entidades com perfil reacionário e até mesmo protofascista, algumas delas fazendo a defesa direta da violência contra os subalternos. Associam-se a entidades religiosas (neopentescostais e setores católicos) em recusa aberta à educação pública conduzida de maneira democrática, com forte viés anticultura, como o movimento Escola Sem Partido, o Estudantes pela Liberdade (afiliado ao *Students for Liberty*, dos EUA), o Instituto von Mises, dentre outros (Colombo; Lamosa, 2018). Na atualidade, o meio empresarial requenta a pedagogia visceral do capital através do convencimento e da truculência. Somente o conjunto das lutas sociais e populares poderá definir novos marcos para a educação, efetivamente democrática, enfrentando toda e qualquer pedagogia do capital.

P

Referências

AQUINO, M. O projeto agronegócio na escola: dominação e pedagogia. *In*: STAUFFER, A. *et al.* (org.). *Hegemonia burguesa na educação pública.* Rio de Janeiro, EPSJV-Fiocruz, 2018, p. 35-63.

ARAÚJO, G. C. Federalismo cooperativo e educação no brasil: 30 anos de omissões e ambivalências. *Educ. Soc.*, Campinas, v. 39, n. 145, p.908-927 out.-dez., 2018.

BEHRING, E. R. *O Brasil em contrarreforma.* 2. ed. São Paulo: Cortez, 2018.

BOSCHETTI, I. (org). *Expropriação e direitos no capitalismo.* São Paulo: Cortez, 2018.

KOLLING, E. *et al.* MST e a educação. *In*: CALDART, R. S. *et al. Dicionário da Educação do Campo.* Rio de Janeiro/São Paulo: EPSJV-Fiocruz/Expressão Popular, 2012.
COLOMBO, L. R.; LAMOSA, R. de A. C. A ofensiva ultraconservadora: uma análise da formação e atuação da frente de direita na educação brasileira. *História & Luta de classes.* Editor Gilberto Calil: Gráfica escala, Marechal Cândido Rondon. Paraná. n. 77, 2018.
DIPIERI, A. A. de L. A Abag como partido da classe dominante e a formação para o consenso. *In*: STAUFFER, A. *et al.* (org.). *Hegemonia burguesa na educação pública.* Rio de Janeiro: EPSJV-Fiocruz, 2018.
DREIFUSS, R. A. *1964*: a conquista do Estado. 5. ed. Petrópolis: Vozes, 1987.
———. *A Internacional capitalista.* Rio de Janeiro: Ed. Espaço e Tempo, 1986.
———. *O jogo da direita.* Petrópolis: Vozes, 1989.
FONTANA, J. *História* – análise do passado e projeto social. 2. ed. São Paulo: EDUSC, 1998.
FONTES, V. Hegemonismos e política – que democracia? *In*: MATTOS, M. B. (org.). *Estado e formas de dominação no Brasil contemporâneo.* Rio de Janeiro: Ed. Consequência, 2017.
FREITAS, L. C. de. Os reformadores empresariais da educação: da desmoralização do magistério à destruição do sistema público de educação. *Educ. Soc.*, Campinas, v. 33, n. 119, p. 379-404, abr.-jun. 2012.
GRAMSCI, A. *Cadernos do cárcere.* Rio de Janeiro: Civilização Brasileira. Volume 3, 2000.
LEHER, R. *Universidade e heteronomia cultural no capitalismo dependente*: um estudo a partir de Florestan Fernandes. Rio de Janeiro: Consequência, 2018.
LUKÁCS, G. *Para uma ontologia do ser social.* Vol. II. São Paulo: Boitempo, 2013.
LAMOSA, R. de A. C. *Educação e agronegócio*: a nova ofensiva do capital nas escolas públicas. Curitiba: Appris, 2016.
MANACORDA, M. A. *Marx e a pedagogia moderna.* Campinas, São Paulo: Alínea, 2007.
MARIANO, R. *Os neopentecostais e a teologia da prosperidade.* Novos Estudos. São Paulo: Cebrap. n. 44, 1996.
MARX, K. *O capital.* São Paulo: Nova Cultural, 1996. Livro 1, t. 2 (Coleção Os Pensadores).
MARX, K.; ENGELS, F. *A ideologia alemã.* São Paulo: Boitempo, 2007.
MENDONÇA, S. R. *Agronomia e poder no Brasil.* Niterói: Vício de leitura, 1998.
———. *O patronato rural no Brasil recente (1964-1993).* Rio de Janeiro: Ed. UFRJ, 2010.
———. *O ruralismo brasileiro.* São Paulo: Hucitec, 1997.
NEVES, L. (org.) *A nova pedagogia da hegemonia.* São Paulo, Xamã: 2005.
PEREIRA, J. M. M. *O Banco Mundial como ator político, intelectual e financeiro.* Rio de Janeiro: Civilização Brasileira, 2010.
PEREIRA, J. M. M.; PRONKO, M. (org.). *A demolição de direitos.* Rio de Janeiro: EPSJV/Fiocruz, 2015.
RIBEIRO, D. S. Educação do Campo e a pedagogia do agronegócio. *In*: STAUFFER, A. *et al.* (org.). *Hegemonia burguesa na educação pública.* Rio de Janeiro: EPSJV-Fiocruz, 2018.
SAVIANI, D. O choque teórico da politecnia. *In*: *Trabalho, Educação e Saúde.* Rio de Janeiro, EPSJV--Fiocruz, v. 1, n. 1, p. 131-152, 2003.
WEBER, M. *A ética protestante e o espírito do capitalismo.* São Paulo: Pioneira, 1967.

Notas

1 Mais-valor – o trabalhador não vende ao capitalista o trabalho que realiza, mas sua capacidade de trabalhar (força de trabalho). Ele é capaz de trabalhar mais tempo do que aquele necessário para repor socialmente o valor de sua força de trabalho. A diferença entre o valor de troca (bens necessários à vida do trabalhador correspondentes ao salário) e o valor de uso do trabalhador (trabalhar, isto é, produzir bens com valor) representa a base do lucro do capital (Marx, 1996).

2 Expropriação: a expulsão dos camponeses foi o procedimento histórico da formação de trabalhadores "livres", isto é, sem dispor de meios para assegurar a existência e obrigados a vender sua força de trabalho. Cf. Marx (1996). As expropriações se aprofundaram ao longo dos séculos XX e XXI, incidindo sobre inúmeras relações sociais e atividades; Fontes, V. "A transformação dos meios de existência em capital" e Lupatini, M. "Notas sobre a expropriação na 'odisseia' do capital". Ambos *In*: Boschetti (2018).

3 Apropriação: toda produção é uma relação sociometabólica entre os seres sociais e a natureza, que varia segundo as formas da divisão social do trabalho. Transformar os bens naturais em propriedade privada é um processo histórico, que avançou brutalmente com a expansão do capital e o saque realizado nos diversos continentes, que prossegue até os dias atuais.

PEDAGOGIA DO TRABALHO

Caroline Bahniuk
Sandra Luciana Dalmagro

As origens da pedagogia do trabalho são muito antigas e se localizam na necessidade das sociedades humanas de formar as novas gerações para o trabalho em cada momento histórico, ou, se quiser, educar para produção de sua existência material. Formar para o trabalho, transmitindo às novas gerações o acúmulo das anteriores é uma questão posta em cada sociedade; as formas de resolver é que são as mais diversas. Só bem mais recentemente é que a aprendizagem para o trabalho passa pela educação escolar, ainda que não exclusivamente.

No embate entre Platão e os sofistas subjaz o dilema da formação para o mundo das ideias ou para o mundo do trabalho. A sociedade grega, fundada sob a escravidão, não vê no trabalho, e particularmente no trabalho manual, nenhum valor moral; livre é o homem que não necessita prover sua existência imediata porque a tem assegurada pelo trabalho do escravo e que por isso pode se dedicar ao culto do corpo, da filosofia e da arte. Conforme Chauí (1999), a palavra escola vem do grego *scholé* e significa ócio: vão à escola aqueles que não precisam trabalhar. Já os sofistas são aqueles que propõem ligar a educação às necessidades produtivas, ao caráter útil e prático, por oposição ao mundo platônico das ideias.

Ligar a educação ao trabalho e identificar o caráter educativo do trabalho, seja na educação sistemática ou não, constituem as primeiras formulações de uma Pedagogia do Trabalho. Rossi (1981),[1] ao procurar as raízes da educação socialista, identifica desde os utópicos a busca por equacionar a educação acadêmica com o trabalho na terra, por exemplo em Thomas Morus, que em sua Ilha da Utopia propõe combinar o trabalho do cérebro com o das mãos. Já Owen, Saint-Simon e Fourier articulam o processo educacional com o trabalho industrial. Outros pensadores da modernidade como Montaigne, Rabelais e Rousseau opõem-se à educação dogmática, baseada na memorização e de caráter livresco e contemplativo, lançando as bases do ensino ativo, do conhecimento do mundo natural e da educação pelo trabalho. Estes autores foram sensíveis às profundas mudanças sociais. Polêmicas relevantes na história da educação – como as dicotomias entre educação geral e específica/técnica, formação para as artes ou para a ciência, aprendizagem baseada na memória ou na atividade – são ainda extremamente atuais e encontram-se presentes nos debates afins com a pedagogia do trabalho.

Com o advento do capitalismo, o trabalho ganha não apenas centralidade, mas também um novo *status*. A Revolução Industrial coloca "pela primeira vez o trabalho produtivo no centro da vida social, tanto no sentido econômico, como no sentido cultural – moral e teórico" (Castro, 1988, p. 2). Ao contrário das sociedades anteriores, nas quais o trabalho tem a função de sobrevivência material, na sociedade burguesa o trabalho passa a ser a razão principal da existência, o centro da vida social. Emergem dessas relações uma ideologia do trabalho, amplamente difundida, para a qual o trabalho é visto como o que dignifica e enobrece o homem, desconsiderando as condições em que se realiza, ocultando a degradação e a exploração do trabalho sob o capital.

A profunda mudança social desencadeada pelo modo de produção capitalista coloca o problema de qual instrução virá a atender as necessidades da grande indústria e seu constante aperfeiçoamento. Segundo Manacorda (2010),[2] o trabalho será o tema dominante na pedagogia moderna. Expressão disso é o lugar ocupado pelo trabalho nas formulações de um dos maiores expoentes da pedagogia burguesa, Jonh Dewey. A dinâmica do trabalho na sociedade capitalista se revela ainda na educação contemporânea por meio das formulações como "aprender a aprender", pedagogia das competências, aprender a empreender, dentre outras, as quais contribuem para a adaptação do trabalhador nessa sociabilidade ao realizar uma formação unilateral voltada a atender a produção de valor. Essas pedagogias burguesas naturalizam a exploração do trabalho e educam para aceitar as demandas produtivas e flexíveis do capitalismo contemporâneo, se adequar a elas e conviver pacificamente com o desemprego, a precarização e a perda dos direitos sociais e trabalhistas.

Em seu oposto, mas como a outra face do mesmo tempo histórico, o trabalho também é tema dominante nas formulações educacionais da pedagogia socialista, porém nesta a pedagogia do trabalho adquire conotação distinta. Podemos dizer que há uma perspectiva burguesa e uma perspectiva socialista quanto à pedagogia do trabalho, nas quais a dimensão formativa do trabalho assume interesses distintos.

Pedagogia socialista e pedagogia do trabalho

A pedagogia socialista refere-se ao conjunto de esforços "de associação e de teorização de práticas educativas protagonizadas pelos trabalhadores ao redor do mundo, e conduzidas (na teoria e na prática), desde seus objetivos de classe, para a construção de novas relações sociais de caráter socialista" (Freitas, 2015, p. 7). Ela se contrapõe à pedagogia do capital [ver Pedagogia do Capital], ou seja, ao processo de internalização das relações sociais sob o modo de produção capitalista, distinguindo-se desta pelos sujeitos que a produzem – os trabalhadores; por suas finalidades formativas e sociais, as quais visam contribuir para formação humana de lutadores e construtores de uma sociedade emancipada; e pelos métodos que integram teoria e prática na formação omnilateral. Na direção do desenvolvimento humano pleno, a pedagogia do trabalho precisa se desenvolver em um ambiente educativo rico em arte, cultura, filosofia, educação do corpo, das emoções, das relações, as quais são equacionadas com a educação científica, intelectual e politécnica. A perspectiva socialista se distingue ainda por estabelecer uma relação intrínseca com o trabalho – considerado central para essa pedagogia.

O marxismo é base teórica da pedagogia socialista, para quem a essência humana é a autoconstrução do ser social, por meio do trabalho – intercâmbio entre

P

homem e natureza, o qual é o alicerce, o determinante, sem o qual a vida humana não existiria (Manacorda, 2010). Para Marx (2006), o trabalho possui uma dupla e contraditória face, ao comportar as dimensões de positividade e negatividade. Como positividade ou atividade vital, o trabalho diferencia os seres humanos dos animais, humaniza-os. Ao transformar a natureza, o ser humano produz sua existência, transformando a si e à sociedade.

Porém, o trabalho [VER TRABALHO] assume diferentes formas históricas. Nas relações sociais capitalistas, o trabalho, em sua negatividade, gera desumanização. O trabalhador se aliena do processo, do produto de sua classe e de si próprio, sob o trabalho explorado. Produz riqueza, mas embrutece, degrada-se e desenvolve-se unilateralmente, uma vez que a formação da força de trabalho se direciona para atender as demandas da produção do valor (Marx, 2006).

Nas elaborações de Marx e Engels sobre educação, os elementos sínteses de sua proposta são o trabalho, o estudo e a educação física. Eles realizam a crítica do trabalho, da educação e da escola sob o capitalismo, mas dialeticamente compreendem que a articulação trabalho-estudo contém a base da formação omnilateral, o germe da educação do futuro (Marx, 2018). O trabalho é o elo entre teoria e prática, capaz de unir o estudo e a produção e romper a separação entre trabalho intelectual e manual. Como no capitalismo o trabalho se torna o seu oposto, e considerando que esta inversão ocorre na base material e não apenas na consciência, trata-se de revolucionar a base material que origina as formas invertidas de consciência. Por isso, o trabalho, como necessidade histórica, precisa ser articulado ao estudo ou à formação intelectual e corporal que desta forma constituem "o germe" da formação omnilateral (Manacorda, 2010).

A partir das formulações marxianas, alguns autores elaboram o conceito de trabalho como princípio educativo. Antonio Gramsci foi um dos pioneiros dessa elaboração. Parte integrante de sua proposição de Escola Unitária é alicerçada na unidade entre instrução e trabalho com a intenção de formar pessoas que tenham ao mesmo tempo capacidade de produzir e também de ser dirigentes (Frigotto; Ciavatta, 2012).

Porém, o trabalho enquanto princípio educativo sob as relações sociais capitalistas é um tema polêmico no interior do campo marxista no Brasil (Tumolo, 2005; Frigotto, 2009; Saviani, 2011). Esse é um debate complexo, pois no materialismo histórico-dialético o trabalho possui simultaneamente a dimensão de positividade e negatividade, com a prevalência dessa última no capitalismo. Questiona-se: como o trabalho explorado e alienado, que afinal é a forma do trabalho no capitalismo, poderia ser educativo? Enquanto perdurar a sociedade burguesa, o trabalho pode se constituir como plataforma da educação emancipatória? De nossa parte, compreendemos que a pedagogia socialista compartilha da crítica ao trabalho no capitalismo, mas, de modo consequente, não pode ignorar o trabalho como o fundamento da vida social, e, portanto, a base da educação, no capitalismo ou para além dele. Ou seja, como superação dialética, em uma perspectiva socialista, tem-se em vista formar para o trabalho considerando os processos que mesmo no interior do capitalismo se opõem à lógica burguesa. O trabalho, nesta perspectiva, é determinante das relações e da educação dos homens, e necessariamente precisa incluir a luta social, a auto-organização ou a autodireção, a coletividade, a arte, a filosofia, a ciência, enfim, o conjunto da vida social cujo fundamento é o trabalho, mas que com relação a ele exercem relativa autonomia.

Compreendemos ainda que a pedagogia do trabalho, sob a ótica socialista, precisa se afastar de um mero "aprender pela prática", ou do "aprender a fazer, fazendo". Antes, ela pressupõe o domínio teórico e prático do processo de trabalho, portanto o domínio intelectual dos processos de produção em seus diferentes ramos e setores e o estudo das relações de produção aí imbricadas. Mas esse domínio teórico não se realiza sem o trabalho cotidiano, concreto, útil, necessário, que igualmente precisa ser realizado e aprendido e que se modifica a depender da forma social. A unidade teoria e prática é o ponto central na perspectiva socialista, estando aí pressuposto o fim das classes sociais, a partir da qual se ergue a educação omnilateral, isto é, multilateral.

A pedagogia socialista soviética, vinda à tona com o processo revolucionário russo em 1917, foi uma das experiências pioneiras na direção de realizar um processo educativo sintonizado com a sociedade socialista em construção, o qual tinha por centralidade o trabalho, em articulação com as categorias atualidade e auto-organização dos estudantes.[3] Nessa experiência, a educação e também a escola tinham por objetivo elevar cultural, intelectual e politicamente os trabalhadores na direção de formar construtores e lutadores da nova sociedade.

Em se tratando da educação escolar, o termo Escola Única do Trabalho foi o nome dado ao sistema que se constitui na primeira década da revolução soviética (1917-1931). "Única" porque não mais dual, como no capitalismo; porque se trata da mesma escola para todos. As classes sociais devem ser extintas assim como a dualidade escolar que lhe corresponde. "Do trabalho" porque é sintonizada com os interesses dos trabalhadores, os quais devem ser produtores e gestores da riqueza (Freitas, 2012). Mas também "do trabalho" porque este é tido como a base do conhecimento, da cultura e da sociabilidade, e, portanto, base da educação.

Na deliberação sobre a Escola Única do Trabalho, a questão é posta da seguinte maneira:

> na base da vida escolar deve estar o trabalho produtivo, não como um meio de pagar as despesas de manutenção das crianças, e não só como método de ensino, mas especialmente como trabalho produtivo socialmente necessário. Ele deve ser fortemente organizado em ligação com o ensino, lançando a luz do conhecimento a toda a vida circundante. Gradualmente tornando-se cada vez mais complexo, devendo ir além do entorno imediato da vida da criança, o trabalho produtivo deve familiarizar a criança com uma ampla variedade de formas de produção, até as mais complexas. (Cverdlov; Podrovsky; Avanesov, 2017, p. 278)

Pistrak (2018), um dos principais autores na sistematização da experiência soviética com Shulgin e Krupskaya, ao investigar as concepções acerca da relação escola e trabalho, aponta três perspectivas, as quais critica. A primeira delas toma o trabalho como uma questão metodológica, isto é, o trabalho ajuda a ilustrar o ensino, ele ocupa uma função complementar e auxiliar na escola. Uma segunda concepção toma um determinado trabalho manual e em função deste organiza o programa de ensino, subordinando este último ao primeiro. Por fim, uma terceira concepção entende que qualquer trabalho é educativo, e é preciso desenvolver o amor pelo trabalho. Para o autor, nessas perspectivas, a relação entre o trabalho e a ciência é marginal. Na concepção educativa e escolar de Pistrak, o trabalho não pode ser tomado abstratamente, ou como uma disciplina isolada. O mais relevante são as relações entre o trabalho e a realidade atual, o trabalho das crianças e adolescentes como parte do trabalho social. Não se trata, portanto, de estudar qualquer tipo de trabalho humano, qualquer tipo de dispêndio de energias musculares e nervosas, "mas a atividade racional socialmente necessária que determina as relações sociais das pessoas" (Pistrak, 2018, p. 69). Para o autor, a questão do trabalho na escola está em relação com os objetivos gerais da escola e desta com os objetivos mais gerais da sociedade. Neste sentido, "a questão não está nem na própria ciência e nem no próprio trabalho [...], mas a sua ligação às finalidades mais gerais da vida" (Pistrak, 2018, p. 154).

O trabalho socialmente necessário contribui para responder a esse desafio. Para Shulgin (2013, p. 89), formulador do referido conceito, "aquele tipo de trabalho que produz algum resultado que é plenamente real, inteiramente concreto, por um lado, por outro, é o tipo de trabalho que tem valor pedagógico". O trabalho socialmente necessário é, portanto, aquele que necessita ser realizado socialmente e que está na dependência das forças produtivas em cada momento histórico. Na escola, o TSN precisa estar em sintonia com a força e o desenvolvimento dos estudantes e em articulação com os objetivos de ensino e o conjunto das atividades escolares. Pistrak e Shulgin, buscando se afastar da ideologia do trabalho, não fazem apologia ao dispêndio da força humana de trabalho; por repetidas vezes são entusiastas do desenvolvimento produtivo e cultural que possibilite ao ser humano emancipar-se do trabalho. Isso pode ser verificado, dentre outros, na seguinte passagem: "O ideal não é que todos façam autosserviço, mas que todos sejam libertados deles, que a máquina esteja em toda parte, a serviço do homem" (Shulgin, 2013, p. 41).

Na atualidade, podemos dizer que a Pedagogia do Movimento desenvolvida nos espaços educativos do Movimento dos Trabalhadores Rurais Sem Terra (MST) contém ou alimenta em seu interior uma pedagogia do trabalho. A Pedagogia do Movimento possui um duplo sentido: é a síntese da compreensão do trabalho de educação do MST, e também se refere à pedagogia produzida por ele próprio, ou seja, diz respeito ao processo formativo do Sem Terra, o caráter formativo do Movimento (Kolling; Vargas; Caldart, 2012). Ela tem como fontes centrais de sua formulação, desde a origem: as experiências educativas socialistas, a Pedagogia do Oprimido da tradição da Educação Popular de Paulo Freire e o próprio jeito de ser do MST (Caldart, 2015).[4] O MST em sua pedagogia recupera alguns dos fundamentos dessas formulações e as reconstrói na intenção de direcionar os processos educativos no movimento.

P

Para Dalmagro (2010), a educação do MST tem em vista a formação para o trabalho, particularmente o do campo, tendo como horizonte a edificação de uma base produtiva alternativa ao mercado capitalista. Para a autora, o trabalho transpassa a educação no MST, desde as formulações iniciais até as mais recentes; porém, o lugar deste comporta variações em dados períodos históricos. O MST articula a formação para/pelo trabalho às lutas sociais e à organização coletiva.

Nos últimos anos, a agroecologia vem sendo incorporada nas formulações pedagógicas do MST, como podemos verificar pelas últimas produções organizadas pelo Setor de Educação (Caldart, 2017; Ribeiro *et al.*, 2017). Essa conexão entre educação e agroecologia está sintonizada com o atual programa político do MST, aprovado no último Congresso Nacional, em 2014, e sintetizado pela expressão "Lutar! Construir Reforma Agrária Popular!". Nesse programa, defende-se a matriz tecnológica agroecológica como modo de produzir e distribuir a riqueza na agricultura, como forma de enfrentar a dominação do campo sob o capitalismo financeiro, o agronegócio (Movimento dos Trabalhadores Rurais Sem Terra, 2014).

P

A educação e as escolas têm sido reconhecidas como espaços que podem, a depender da intencionalidade educativa e o vínculo com o trabalho social, contribuir para o fortalecimento da agroecologia [ver Agroecologia]. Nessa relação, a produção de alimentos tem aparecido com força na ligação entre escola e agroecologia. Em conexão com a produção da vida no entorno da escola, os estudantes são colocados a compreender os processos de produção e consumo de alimentos, ao longo da história e principalmente na atualidade, problematizam as formas hegemônicas e suas consequências para a natureza, a saúde humana, entre outros (Caldart, 2017).

Neste verbete, buscamos recuperar a gênese da pedagogia do trabalho e sua presença tanto nas pedagogias burguesas quanto na pedagogia socialista. Destacamos que esta última toma o trabalho como centralidade, e em perspectiva histórica, o que significa considerar a alienação do trabalho e do trabalhador sob as relações sociais capitalistas, incluindo seus limites de desenvolvimento nessa forma social, mas também que o socialismo tem como horizonte a redução do tempo de trabalho necessário para prover as condições básicas da existência e, portanto, a criação e ampliação do tempo livre, do tempo de fruição e formação plena. Na perspectiva socialista, o trabalho emancipado é base da formação multilateral, ou seja, rearticula teoria e prática e se desenvolve com forte ancoragem filosófica, científica, artística, cooperativa e ética. Colocamos em destaque também algumas experiências pedagógicas de perspectiva socialista, que buscam não sem contradições contrapor-se à hegemonia do capital e à formação unilateral que lhe corresponde.

Destacamos o grande potencial da agroecologia em mediar essa relação entre educação e trabalho, em particular, compreender os diversos aspectos dos processos produtivos, conhecendo os fundamentos científicos e tecnológicos embutidos nesses processos. Por sua característica interdisciplinar, a agroecologia requer conhecer os aspectos naturais, sociais, econômicos e culturais envolvidos. Na educação escolar, a agroecologia se conecta com o conjunto das disciplinas escolares, com o entorno da escola, com as atividades de trabalho e de auto-organização existentes, relacionando os saberes populares e o conhecimento científicos, exigindo processos de pesquisa da realidade, entre outros.

A educação na perspectiva socialista busca desenvolver o ser humano omnilateralmente, porém só se realiza de fato com a constituição dos trabalhadores em livre associação, com a superação do capitalismo. Em particular, nesse momento histórico de crise social profunda, de intensa regressão dos direitos sociais, criminalização dos movimentos sociais e de destruição da natureza, afirmar essas experiências é condição para continuar (re)existindo.

Referências

CALDART, R. S. Pedagogia do Movimento e Complexos de Estudos. *In*: SAPELLI, M.; FREITAS, L. C.; CALDART, R. S. (org.). *Caminhos para a transformação da escola 3*: organização do trabalho pedagógico das escolas do campo. São Paulo: Expressão Popular, 2015.

______. Trabalho, agroecologia e educação politécnica nas escolas do campo. *In*: CALDART, R. S. (org.). *Caminhos para a transformação da escola 4*: trabalho, agroecologia e estudo nas escolas do campo. São Paulo: Expressão Popular, 2017.

CASTRO, R. P. *A questão do trabalho*. Texto apresentado ao Programa de Pós-Graduação em Educação da UFSCar. São Carlos: mimeo, 1988.

CVERDLOV, Y; PODROVSKY M.; AVANESOV, V. Deliberação do Comitê Executivo Central de toda a Rússia. *In*: KRUPSKAYA, N. K. (org.). *A construção da Pedagogia Socialista*. São Paulo: Expressão Popular, 2017.

CHAUÍ, M. Introdução. *In*: LAFARGUE, P. *O direito à preguiça*. São Paulo: Hucitec; Unesp, 1999.

DALMAGRO, S. *A escola no contexto de luta do MST*. Tese. (Doutorado em Educação. Programa de Pós-Graduação em Educação), Universidade Federal de Santa Catarina, Florianópolis, 2010.

FREITAS, L. C. Apresentação. *In*: PISTRAK, M. *Ensaios sobre a escola politécnica*. São Paulo: Expressão Popular, 2015.

______. Escola Única do Trabalho. *In*: CALDART, R. S. *et al.* (orgs). *Dicionário da Educação do Campo*. Rio de Janeiro/São Paulo: Escola Politécnica de Saúde Joaquim Venâncio/ Expressão Popular, 2012.

FRIGOTTO, G. A polissemia da categoria trabalho e a batalha das ideias nas sociedades de classe. *Revista Brasileira de Educação*, Campinas, v. 14, n. 40, p. 168-194, 2009.

FRIGOTTO, G.; CIAVATTA, M. Trabalho como princípio educativo. *In*: CALDART, R. S. *et al.* (org.). *Dicionário da Educação do Campo*. São Paulo/Rio de Janeiro: Escola Politécnica de Saúde Joaquim Venâncio/Expressão Popular, 2012.

KOLLING, E.; VARGAS, C.; CALDART, R. S. MST e a educação. *In*: CALDART, R. S. *et al.* (org.). *Dicionário da Educação do Campo*. São Paulo/Rio de Janeiro: Escola Politécnica de Saúde Joaquim Venâncio/Expressão Popular, 2012.

MANACORDA, M. A. *Marx e a Pedagogia Moderna*. 2. ed. Campinas: Editora Alínea, 2010.

______. *História da Educação: da antiguidade a nossos dias*. São Paulo: Cortez, 2018.

MARX, K. *O capital*: crítica da economia política. L. 1, v. II – 25 ed. Rio de Janeiro: Brasiliense, 2006.

______. *Instruções aos Delegados para o Conselho Geral Provisório*. Disponível em: https://www.marxists.org/portugues/marx/1866/08/instrucoes.htm. Acesso: 13 dez. 2018.

MOVIMENTO DOS TRABALHADORES RURAIS SEM TERRA. *Programa Agrário do MST*: lutar, construir Reforma Agrária Popular. São Paulo, 2014.

PISTRAK, M. *Fundamentos da Escola do Trabalho*. São Paulo: Expressão Popular, 2018.

RIBEIRO, D. *et al. Agroecologia na educação básica*: questões propositivas de conteúdo e metodologia. São Paulo: Expressão Popular, 2017.

ROSSI, W. G. *Pedagogia do trabalho*: caminhos da educação socialista. V. 1 e 2. São Paulo: Moraes, 1981.

SAVIANI, D. História, trabalho e educação: comentário sobre as controvérsias internas ao campo marxista. *Germinal: Marxismo e Educação em Debate*. Londrina, v. 3, n. 2, p. 4-14, dez. 2011.

SHULGIN, V. N. *Rumo ao Politecnismo*. São Paulo: Expressão Popular, 2013.

TUMOLO, P. O trabalho na forma social do capital e o trabalho como princípio educativo: uma articulação possível? *Educação & Sociedade*, Campinas, v. 26, n. 90, p. 239-265, 2005.

Para saber mais

ENGUITA, M. *Trabalho, escola e ideologia:* Marx e a crítica da educação. Porto Alegre: Artes Médicas Sul, 1993.
FREITAS, L. C. A luta por uma pedagogia do meio: revisitando o conceito. *In*: PISTAK, M. (org). *A Escola Comuna*. São Paulo: Expressão Popular, 2009.
FRIGOTTO, G. A dupla face do trabalho: criação e destruição da vida. *In*: FRIGOTTO, G.; CIAVATTA, M. (org.). *A experiência do trabalho e a educação básica*. Rio de Janeiro: DP&A, 2002. p. 11-27.
FRIGOTTO, G.; CIAVATTA, M.; CALDART, R. *História, natureza, trabalho e educação*. São Paulo: Expressão Popular, 2020.
PISTRAK, M. *A escola comuna*. São Paulo: Expressão Popular, 2009.

Notas

1 Wagner Gonçalves Rossi tem duas importantes obras na área Trabalho e Educação. São elas: *Capitalismo e Educação: contribuição ao estudo crítico da economia da educação capitalista* (1978) e *Pedagogia do Trabalho: Raízes/Caminhos da Educação Socialista* (1981). Ambas as obras foram publicadas pela Editora Moraes, sendo a última em dois volumes, nos quais o autor realiza uma investigação sobre a pedagogia do trabalho desde os socialistas utópicos aos socialistas contemporâneos; em certo sentido, recuperamos o fio condutor desses dois volumes no verbete. Apesar de seus estudos promissores, o autor torna-se deputado estadual em São Paulo ainda no início dos anos 1980, não retornando mais à produção acadêmica.

2 Mario Alighiero Manacorda (1914-2013) foi um educador italiano reconhecido internacionalmente e cujas ideias e obras são difundidas no Brasil. Formado em letras, desenvolveu seus estudos no campo da pedagogia e da história da educação. Adotando o marxismo como base teórico-prática, sempre esteve ativo junto à luta dos trabalhadores. Algumas de suas obras principais e cuja leitura recomenda-se são: *História da Educação: da antiguidade a nossos dias* (Manacorda, 2018); *O princípio educativo em Gramsci e Marx e a pedagogia moderna* (Manacorda, 2010). Essa última obra em particular é uma das principais sínteses da Educação em Marx e Engels e de leitura fundamental a quem partilha de uma concepção educacional marxista.

3 Registra-se aqui a importância do professor e pesquisador Luiz Carlos de Freitas (Unicamp) na socialização da Pedagogia Socialista Soviética no Brasil. Por meio de sua maior aproximação com o MST a partir de 2000, o professor vem traduzindo diversos materiais até então desconhecidos. Em particular, realizou as seguintes publicações em parceria com a Editora Expressão Popular: Pistrak, M. *A escola comuna* (2009); Shulgin, V. *Rumo ao politecnismo* (2013); Pistrak, M. *Ensaios sobre a escola e o politecnismo* (2015), Krupskaya, N. K. *A construção da Pedagogia Socialista* (2017). Anteriormente só tínhamos acesso ao livro de Pistrak, P. *Fundamentos da escola do trabalho*, publicado pela primeira vez no Brasil em 1981.

4 Segundo Rossi (1981), as formulações de Paulo Freire contribuem de forma substantiva para pensar a Pedagogia do Trabalho: sua pedagogia se constrói tendo por base o modo de vida das classes populares e dos trabalhadores tendo por objetivo formar uma consciência crítica voltada à ação transformadora.

P

PERMACULTURA

Leandro Feijó Fagundes
Fernando Campos Costa

O ser humano vem dia a dia deixando suas digitais no planeta, modificando o território e consolidando uma paisagem artificializada e cada vez mais dependente de recursos energéticos. Na busca de um uso mais sustentável dos recursos do planeta terra, nasce a necessidade de consolidar, pela práxis, uma cultura permanente que almeje a transformação do território, respeitando a diversidade cultural sem abrir mão do protagonismo dos povos.

Os australianos, Bill Mollison[1] e David Holmgren[2] criaram, nos anos 1970, a palavra permacultura em contraposição ao modelo da agricultura convencional, propondo uma "cultura permanente". Esses autores buscaram, a partir das culturas ancestrais sobreviventes e nos conhecimentos da ciência moderna, desenvolver um método de construção de uma permanente agricultura, tendo como princípios básicos o cuidado com as pessoas, com o planeta e a distribuição dos excedentes. Levaram em consideração fatores sociais, econômicos e ambientais, a fim de construir uma leitura multidimensional do meio voltada para a organização de sistemas agrícolas

A permacultura surge em um ambiente de contracultura, buscando reorganizar a vida com valores de uma minoria disposta a mudanças profundas, frente ao uso abundante do petróleo e energia, consumismo industrial, obsolescência programada, agronegócio e mineração. "A permacultura foi uma das alternativas ambientais que surgiram a partir da primeira grande onda da moderna conscientização ambiental, após o relatório do Clube de Roma de 1972 e as crises do petróleo de 1973 e 1975" (Holmgren, 2002).

Através dos Cursos de Design em Permacultura (PDC) e palestras proporcionadas pelos centros de referências, as ideias da permacultura foram difundidas e praticadas em várias partes do mundo. No Brasil, Bill Mollison proferiu uma palestra no ano de 1983, no Sítio Pé na Terra, na localidade de Lomba Grande, município de Novo Hamburgo/RS. Contudo, somente em 1997, através do iraniano Ali Sharif,[3] um dos principais praticantes e difusor da permacultura no país, consolidaram-se centros de vivência e referência do método em diversos biomas brasileiros.

Permacultura, em síntese, é a execução de práticas agrícolas presentes no cotidiano diário de povos e comunidades tradicionais com soluções modernas. O conceito objetiva estabelecer um desenho planejado, para promover uma maior sustentabilidade dos ecossistemas locais e prega, acima de tudo, uma práxis diária a fim de colocar mulheres e homens como agentes transformadores de suas realidades [VER TECNOLOGIAS SOCIAIS].

Ética e princípios da permacultura

A permacultura nos coloca uma ética que impõe uma ação imediata; por menor e mais local que seja, ela se demonstra fundamental para uma nova organização. Também mantém uma "ética da vida", a qual reconhece o valor intrínseco de tudo o que vive, não importando se possui valor comercial (valor de troca), desde que esteja integrada na natureza desempenhando funções (valor de uso).

Para Mollison e Holmgren, a ética abrange três áreas: a primeira preconiza o "cuidado com o planeta Terra", ou seja, cuidado com todas as coisas vivas e não vivas: solos, espécies e suas variedades, atmosfera, floresta, micro-habitat, animais e água; a segunda inclui o "cuidado com as pessoas", de forma que nossas necessidades básicas de alimento, abrigo, educação, trabalho satisfatório e contato humano saudável sejam supridos; e a terceira envolve a "partilha do excedente" de tempo, dinheiro e energia para alcançar os objetivos de cuidado com a terra e as pessoas. Isto significa que, após ter suprido as necessidades básicas e projetado os sistemas da melhor forma possível, o dever do/a permacultor/a é expandir as influências e energias para auxiliar outras pessoas no alcance desses objetivos (Mollison; Slay 1998).

Um projeto construído dentro da ética da permacultura está alicerçado em leis e princípios que podem ser adotados independentemente do clima, escala ou condições culturais. Entretanto, as técnicas podem ser alteradas conforme o ecossistema e a cultura. Se o olhar estiver nos princípios, veremos a multidisciplinariedade que traz a permacultura, sempre gerando uma evolução dos seus próprios ensinamentos e jamais entrando em estagnação.

Segundo Mollison e Slay (1998), esses princípios podem ser pontuados da seguinte forma:

- localização relativa: cada elemento (estradas, horta, pomar etc.) é posicionado em relação a outro, de forma que se auxiliem mutuamente;
- cada elemento executa muitas funções;
- cada função importante é apoiada por muitos elementos;
- planejamento eficiente do uso de energias para a casa e os assentamentos (zonas e setores);
- preponderância do uso de recursos biológicos sobre o uso de combustíveis fósseis;
- reciclagem local de energia (ambas: as humanas e os combustíveis);
- utilização e aceleração da sucessão natural de plantas, visando o estabelecimento de áreas favoráveis;
- policultura e diversidade de espécies benéficas, objetivando um sistema produtivo e interativo;
- utilização de bordas e padrões naturais para um melhor efeito;
- utilização e aceleração da sucessão natural de plantas, visando o estabelecimento de áreas favoráveis.

O desenho permacultural

Projetar envolve planejamento, implantação e manutenção consciente de ecossistemas produtivos que tenham a diversidade, a estabilidade e a resistência dos ecossistemas naturais. O desenho permacultural é resultado da integração das pessoas com a paisagem, com a finalidade de prover alimentação, energia e habitação, entre outras necessidades materiais e não materiais, de forma a sustentar os habitats humanos. "Diversidade reduz a vulnerabilidade de uma variedade de ameaças e tira vantagens únicas da natureza e do meio ambiente no qual ele reside" (Holmgren, 2002).

O planejamento envolve buscar o maior número possível de informações da área onde será implantado o projeto permacultural. A compreensão dos ciclos e sucessões que ocorre na natureza serve como guia e inspiração ao/à permacultor/a. "Podemos ter um impacto positivo na mudança, sendo inevitável ao observar cuidadosamente, e depois intervir no momento certo" (Holmgren, 2002).

O projeto desenvolvido está relacionado ao sistema estrutural, conceitual e estratégico do ambiente a ser transformado. Este planejamento leva em consideração a estética, inspirada na natureza, que nos transmite as formas e referências que resultarão em projetos

P

eficientes. O ambiente nos fornece informações preciosas que necessitam ser lidas. Uma delas são os padrões naturais, que expressam formas e fluxos – tal como o mundo natural se organiza –, dando ritmo à vida, num movimento dialético de constante ordem e desordem, sempre procurando estabilidade.

As formas geométricas encontradas nos ecossistemas vão para além das linhas retas. A natureza é formada por linhas sinuosas, como a borda de um rio com a floresta, interface entre dois ambientes altamente concentradores de energia, nutrientes, matéria orgânica, recursos genéticos, entre outros. Se bem observados, são locais produtores de alimento, que beneficiam outras formas de vida, inclusive a humana. Observar o efeito das bordas nos ecossistemas possibilita construir paisagens que se assemelhem com estas estruturas naturais, permitindo aproveitar os fluxos de energias, assim potencializando os agroecossistemas a serem projetados. "A interface entre as coisas é o local onde os eventos mais interessantes acontecem. Estes são muitas vezes os elementos mais valiosos, diversos e produtivos no sistema" (Holmgren, 2002).

As formas circulares e espiraladas são encontradas em diferentes lugares na natureza. Se cortarmos uma árvore, encontramos uma figura repleta de anéis, que representa as estações de crescimento desse vegetal. Esse padrão pode ser usado na construção de uma horta em forma de mandala (círculos), que será irrigada com aspersores sem desperdício de água, ou uma sala de aula no formato de abóboda,[4] para melhor aproveitamento do espaço, proporcionando eficiente circulação do ar.

Os vegetais crescem na forma espiralada, assim como os caramujos têm esse formato no seu corpo protetor; ainda o encontramos no desenho projetado pela onda do mar, nas nossas orelhas e em tantos outros lugares. Essa forma, também pode ser utilizada para construir banheiros sem porta, espirais de ervas, realizar a distribuição de um pomar no morro ou mesmo moradias. São exemplos de ambientes que, se bem pensados e projetados, favorecem os fluxos de energia (sol, água, vento, matéria orgânica).

Todo habitat humano necessita de caminhos, vias de acesso, por onde circulam pessoas, animais, veículos motorizados ou não. Na natureza, a água percorre caminhos que formam pequenos dutos d'água, de onde se originam os igarapés, riachos, sangas, arroios e rios de vários tamanhos. Há um fluxo, ou seja, em cada estágio há uma velocidade empregada pelo elemento água, e essa velocidade é condicionada pela topografia do terreno, que de acordo com a declividade forma as curvas do leito dos rios.

Ao observar as bacias hidrográficas, identifica-se um padrão, um comportamento das bacias, onde a vida é distribuída, formando suas cadeias alimentares e de sucessão. Nesse momento, encontra-se o padrão dendrítico, também observado na parte aérea e no sistema radicular das árvores, nos cristais, na corrente sanguínea e descargas elétricas típicas dos trovões. O padrão dendrítico está ligado ao fluxo, perfeito para pensar as vias de acesso do território.

A natureza é uma fonte infinita de ensinamentos, e a observação é a base para acessá-los. Entretanto, o nível de percepção humana vem se alterando com o modo de produção imposto atualmente. O ser humano vem perdendo o senso de orientação e a noção do que os conecta com a teia da vida. Nesse sentido, pensar em unidades de conservação, partindo da lógica de locais de observação, faz sentido para visualizar os ciclos da natureza sem a interferência humana, assim oportunizando uma leitura adequada dos ecossistemas, a fim de se projetar e arquitetar a funcionalidade e a sustentabilidade dos agroecossistemas.

No planejamento do desenho, é importante entender a história do local, seja ela oral, seja escrita, perpassando por aspectos sociais, ciclos econômicos, catástrofes naturais tais como enchentes, incêndios e outros. As pessoas com mais idade são ótimas informantes. As relações sociais atuais têm que ser estudadas, problematizadas, para se compreender as lógicas que estão dadas, a fim de se construir métodos de diálogo para se avançar em uma proposta que contribua para a emancipação dos sujeitos envolvidos.

Outra questão importante são os componentes físicos, nos quais devemos buscar informações como temperatura, umidade, índice pluviométrico, velocidade dos ventos, tipo de solo, topografia e outras, que muitas vezes estão armazenadas em estações meteorológicas, universidades e outros locais de pesquisa e ensino. Entretanto, se essas informações não estiverem disponíveis, podemos desenvolver formas para coletá-las: ter uma biruta, um termômetro e um pluviômetro são instrumentos simples e de fácil acesso. Até mesmo nosso corpo pode servir como instrumento para aferir determinadas condições climáticas (quente, frio, úmido, seco, vento forte ou fraco, se choveu muito ou pouco), desde que se construa uma metodologia para isto.

Para se implantar o projeto permacultural, deve-se seguir os passos propostos pelo método, que parte da aplicação do planejamento de *setores* para identificar os fenômenos naturais e as suas consequências; realizar uma análise detalhada dos *elementos* ou componentes que o/a permacultor/a desejar introduzir na área; e distribuí-los no terreno entre as cinco *zonas* pré-estabelecidas pelo projetista.

O método da permacultura

Os habitats humanos, sejam eles urbanos ou rurais, são projetados para suprir suas necessidades básicas de moradia, alimentação e energia, mantendo a riqueza cultural e a sabedoria dos povos e das comunidades, garantindo que as gerações futuras tenham como se satisfazer das mesmas necessidades: "Colocando as coisas certas no lugar certo, as relações se desenvolvem entre eles e apoiam umas às outras" (Holmgren, 2002).

A identificação dos *setores* é usada na permacultura para posicionar todas as energias que passam pelo ambiente, mas que as pessoas (ou os seres humanos) não controlam ou que escapam ao controle, tais como o sol, o vento, a chuva, o fogo, a poeira, o barulho, o fluxo das águas (incluindo enchentes) etc. Para isso, podemos organizar um diagrama de setores baseado na área a ser estudada. Este diagrama é desenhado em forma de cunha, a partir do centro da atividade, como a casa do camponês (ver Figura 12, adiante, p. 794).

O método da permacultura procura realizar uma análise cuidadosa dos elementos ou componentes que desejamos ter no espaço. Todos esses aspectos são fruto das observações, e ao introduzir um elemento ou componente, deve-se obter o maior conhecimento possível dele, suas necessidades, o que ele produz e quais suas características intrínsecas – aquilo que é próprio de cada elemento.

Se partirmos da casa de um camponês que deseja criar galinhas, bovinos, suínos, peixes e plantar árvores frutíferas, hortaliças e culturas anuais, ele vai necessitar de infraestrutura para produção de energia (elétrica, matéria orgânica...), armazenamento de água, abrigo para animais e máquinas, entre outros. Para tanto, deve-se fazer uma análise detalhada de cada um destes elementos, com o propósito de se realizar as conexões entre eles.

Pode-se citar como exemplo desse estudo detalhado o elemento minhocário, que necessita de insumos como esterco, terra, água, minhocas, estrutura de suporte, sombra, dentre outros, bem como seu manejo adequado. Como produto, têm-se húmus e minhoca, fonte de proteína para outros animais, além de outros produtos que desconhecemos no momento da execução do projeto, mas que podem ser aprendidos ao longo do tempo. Já as características intrínsecas desse elemento recaem sobre o tipo de minhoca, a estrutura, a alta produtividade, dentre outras.

A análise de cada elemento que se deseja implementar tem a função de aprofundar o conhecimento do que este produz e necessita, buscando aproximá-los de modo a se estabelecer conexões entre eles.

A distribuição dos elementos na área deve obedecer a topografia do terreno, bem como outras variáveis. Vejamos algumas "perguntas-chave" para a busca de respostas em prol das *conexões*:

- Quais produtos desse componente atendem às necessidades de outros componentes?
- Que necessidades desse componente são supridas por outro componente?
- Em que esse componente é incompatível com outro componente?

O desenho permacultural tem que ser funcional. Nesse sentido, toda função deve ter pelo menos dois elementos (componentes) no sistema, e cada elemento deve ter pelo menos duas funções no sistema (ver Figura 13, adiante, p. 794).

Para favorecer a manutenção do sistema, os elementos devem ser alocados de modo a se autorregular o máximo possível, visando minimizar o trabalho humano. Para melhor distribuir os elementos e posicioná-los de acordo com os setores, o método da permacultura realiza o planejamento por zonas, que trata do posicionamento dos elementos de acordo com a quantidade ou a frequência em que os utilizamos ou necessitamos visitá-los. Por exemplo, áreas que precisam ser visitadas todos os dias (estufa, galinheiro, horta) são localizadas mais próximas, enquanto locais visitados com menos frequência (pomares, pastagens, arvoredos) são posicionados em lugares mais distantes.

Para posicionar elementos por zonas, sempre é bom começar por um centro de atividades. Geralmente – em se tratando de camponeses – começa-se pela casa, já que é o local que as pessoas permanecem por mais tempo. Dentro de um desenho permacultural, geralmente dividimos a área em cinco zonas de atividades, indo da zona zero à zona quatro. A zona cinco seria um espaço de controle da biodiversidade local, não sofrendo interferência dos seres humanos, como um local de observação, com o propósito de se extrair lições da natureza, a fim de se aprender a interferir nas outras zonas com mais coerência.

Para se definir o zoneamento, o método leva em consideração o número necessário de vezes para se visitar o elemento ou componente. De maneira geral, podemos dizer que zonas são formas abstratas, ou seja, é uma forma conveniente de lidar com as distâncias. Podemos ressaltar que, na prática, as bordas de cada zona se misturam umas com as outras; a topografia e o acesso podem obrigar, em alguns casos, que a área menos utilizada fique próxima da casa. Por exemplo: se uma encosta íngreme, composta por uma floresta, estiver atrás da casa.

O método serve para construirmos habitats humanos, dentro de uma racionalidade, procurando maior resiliência dos ambientes em prol do maior número de conexões entre os componentes (elementos) projetados pelos seres humanos no ambiente [ver Tecnologia Social]. Um projeto permacultural pode ser desenvolvido por qualquer pessoa, independente da escala e do local, seja urbano, seja rural, basta se colocar em ação. "Sistemas pequenos e lentos são mais fáceis de manter do que os grandes, fazendo uma melhor utilização dos recursos locais que produzem resultados mais sustentáveis" (Holmgren, 2002).

A permacultura é um dos principais subsídios éticos e metodológicos para um conceito que recentemente tem se configurado nos movimentos populares e universidades, principalmente em assentamentos de reforma agrária: a "construção agroecológica" do espaço. Sua conceituação abrange a permacultura e inclui aspectos econômicos e sociais da agroecologia, tais como a economia solidária, a autogestão, a democracia e o poder popular, no manejo desalienado de técnicas da bioconstrução como afirmação da natureza e negação dos processos capitalistas exploratórios do meio ambiente e dos seres humanos.

Referências

HOLMGREN, D. *Permaculture:* Principles and Pathways beyond Sustainability, 2002.
MOLLISON, B.; SLAY, R. M. *Introdução à Permacultura*. Tradução de André Luís Jaeger Soares. Brasília: MA/SDR/PNFC, 1998. 204p.

Para saber mais

Para mais informações sobre a permacultura, consultar ou visitar os Centros de Permacultura espalhados pelo Brasil. Entre estes, citamos: IPA – Manaus/MA; Ecocentro IPEC – Pirenópolis/GO; IPEP – Bagé/RS; IPAB – Florianópolis/SC; GOIPB – Salvador/BA; IPEMA – Ubatuba/SP; IPERS – Porto Alegre/RS; IPETERRAS – Irecê/BA; IPOEMA – Brasília/DF; OPA – Salvador/BA; IPC – Fortaleza/CE; entre outros locais que desenvolvem a proposta da Permacultura.

MORROW, R. *Permacultura passo a passo*. Tradução de André Luís Jaeger Soares. Publicação coordenada pelo Ecocentro IPEC, 2000. 155p.
LEGAN, L. *A escola sustentável* – Eco-alfabetizando pelo ambiente. São Paulo: Impressão oficial, 2004, 171p.

P

Notas

1 *Bruce Charles Mollison*, conhecido por *Bill Mollison*, naturalista, pesquisador, cientista e professor, é considerado o pai, com David Holmgren, da permacultura. Nasceu na Tasmânia, Austrália, no ano de 1928, e faleceu em 2016, aos 88 anos.

2 *David Holmgren*, ecologista, escritor e co-criador do conceito permacultura. Em conjunto com Bill Mollison, que foi seu co-orientador no curso de Design, surgiu o embrião do que mais tarde seria o livro *Permaculture One*, publicado pela primeira vez na Austrália em 1978, pela Transworld Publishers Pty Ltd. Outra obra escrita por David no ano de 2002 é o livro *Permaculture: priciples & pathways beyond sustainability*, no qual aprofunda os princípios dos sistemas sustentáveis com base nas vivências e prática da Permacultura. Nasceu em 1955 e atualmente vive na Austrália.

3 *Ahmad Ali Sharif*, formado em História na Inglaterra. Em 1984 foi aluno de Bill Mollison em um curso de permacultura nos Estados Unidos; a partir daí dedicou-se às ideias da permacultura, sendo

responsável pela formação de diversos institutos na América Latina, fundador e coordenador da PAL (Permacultura América Latina) e pela formação da Rede Brasileira de Permacultura. Nasceu em 1953 e faleceu em agosto de 2017.

4 Abóbada é um tipo de cobertura curva, em forma de arco, usada em construções de todo tipo, grandes ou pequenas. Pode ser feita de alvenaria de tijolos, pedra, até mesmo de lajes pré-fabricadas ou ainda de madeira e sapé. Como possui maior altura que um telhado ou laje comum, permite a circulação interna do ar com maior facilidade. Outro aspecto é seu custo, menor do que um telhado com planos retos, seja ele de madeira e telhas de barro cozido ou laje, pois sinergicamente sua forma estrutural é a mais econômica, dado que os materiais com seu peso se apoiam uns sobre os outros, conferindo à construção o desenho curvo, até encontrar o chão, podendo ser tão fina quanto uma casca de ovo. Sua beleza é conferida pela ancestralidade estética, pois está presente em povos de todo o planeta, além de nos remeter ao útero materno, e sua proteção.

PLANTAS MEDICINAIS E FITOTERÁPICOS NA SAÚDE PÚBLICA

MARIA CONSOLACIÓN UDRY

Este texto apresenta conceitos adotados para plantas medicinais e fitoterápicos, medicina popular e conhecimento tradicional. Abordaremos, ainda, de forma sintética, o histórico do uso de plantas medicinais e fitoterápicos na saúde pública, destacando os avanços com a criação da "Política Nacional de Plantas Medicinais e Fitoterápicos (PNPM)" (Brasil, 2006a) e da "Política Nacional de Práticas Integrativas e Complementares (Pnipic)" (Brasil, 2006b). Tais políticas têm como objetivo a universalização do acesso às plantas medicinais e fitoterápicos e práticas integrativas no âmbito do Sistema Único de Saúde (SUS) (Brasil, 2009). Vale lembrar que essas políticas resultaram de um processo de participação democrática envolvendo múltiplos coletivos e estão asseguradas com a Constituição de 1988.

É desnecessário mencionar que o uso de plantas medicinais é tão antigo quanto a história do homem. A evolução da medicina, em particular no Ocidente, nos permite compreender o papel do conhecimento tradicional ao longo do desenvolvimento científico e tecnológico da medicina que vigora até os dias atuais. Hipócrates e Galeno estabeleceram o início das duas grandes correntes médicas filosóficas. Hipócrates (460-377 a. C.) se baseava no poder da cura através da própria natureza, utilizando plantas medicinais, águas minerais, nos mesmos princípios da homeopatia. A corrente de Galeno (131-200 a. C.) combatia as doenças por meio de substâncias que se opunham aos sintomas das doenças, constituindo as bases da atual corrente tecnicista alopática, construindo com isso a medicina do racionalismo científico. Com a chegada do século XIX, na medicina racionalista, os recursos terapêuticos eram predominantemente plantas para a obtenção dos extratos vegetais. Esse fato pode ser ilustrado com a *Farmacopeia*

P

Geral para o Reino e domínios de Portugal em 1824, de acordo com Pita (2014), em que constavam mais de 400 espécies vegetais. As plantas medicinais e seus extratos constituíam a maior parte dos medicamentos que provinham do uso tradicional, e pouco se diferenciavam dos remédios utilizados na medicina popular.

A grande cisão na medicina, no uso terapêutico de plantas medicinais e fitoterápicos, ocorreu com a chegada da chamada "revolução industrial" e a evolução da química no século XIX. Nesse período desenvolveu-se a indústria, que passou a utilizar os princípios ativos das próprias plantas e, posteriormente, a reproduzir, sinteticamente, a substância ativa isolada. A evolução da indústria farmacêutica resultou na produção industrial em grande escala dos medicamentos, propiciando a constituição de oligopólios fármaco-químicos no âmbito internacional. Em 1996, o Brasil entrou para o Acordo OMC e reconheceu as patentes de medicamentos e alimentos, induzindo à perda gradativa da indústria nacional e à formação de monopólios e oligopólios internacionais. A legislação sanitária, atualmente sob comando da Agência Nacional de Vigilância Sanitária (Anvisa), ao estabelecer normas equivalentes aos mercados centrais, acabou apoiando a exclusão não apenas das indústrias nacionais de medicamentos fitoterápicos mas também quase todas as indústrias farmacêuticas nacionais. A mesma agência, ainda, proibiu o uso de plantas medicinais e fitoterápicos tradicionais no SUS, exceto uma lista restrita de plantas predominantemente exóticas. Essa política colocou o país em dependência quase total de insumos e produtos farmacêuticos fornecidos e controlados por oligopólios internacionais. Assegurar os recursos terapêuticos com base nos conhecimentos e práticas tradicionais para promoção da saúde é a principal razão pela qual aumenta a importância de ampliar o uso da medicina tradicional e popular no Brasil – país de grande cultura e rica biodiversidade.

O que nos preocupa na evolução da ciência e da industrialização é o fato de os nossos países ricos em biodiversidade, ou por vontade própria ou por pressão, terem liberado o uso de tudo que é recurso natural em nossos territórios, para ser usado livremente pelos países centrais. Ao mesmo tempo, o mundo central, de posse do conhecimento científico, patenteia os seus produtos, bloqueia o acesso ao conhecimento, monopoliza o mercado e, ainda, continua utilizando livremente os nossos recursos naturais, inclusive as plantas medicinais. Ou seja, segundo dados do Instituto Nacional de Propriedade Industrial (Inpi), 94,2% das patentes concedidas sobre fármacos desenvolvidas a partir de 278 plantas nativas brasileiras pertenciam a empresas e instituições de pesquisa estrangeiras. Apenas 5,6% eram detidas por empresas e universidades brasileiras (Moreira *et al.*, 2006), sendo que mais de 90% das patentes sobre produtos incluindo fármacos pertence aos EUA, Japão e países europeus. Brasil, México, Colômbia, Indonésia, Índia e outros (os países que abrigam a maior riqueza de biodiversidade do planeta) se tornaram dependentes das tecnologias, em especial dos produtos farmacêuticos dos países centrais. A Convenção da Diversidade Biológica (CDB) assinada durante a Eco-92 tentou estabelecer novas regras de negociação internacional, incluindo o reconhecimento do recurso genético como patrimônio nacional e dos povos e comunidades detentores do conhecimento tradicional no uso da biodiversidade. No entanto, vários países não homologaram esta convenção pelos seus parlamentos, incluindo os EUA, impedindo, portanto, grandes avanços dos direitos das comunidades desses países.

No Brasil, está em vigor a Lei n. 13.123/2015 (Brasil, 2015), que estabelece as condições de acesso aos recursos genéticos e aos conhecimentos tradicionais associados, e atualmente é o instrumento que tenta dar credibilidade à CDB. Tal lei estabelece um cadastro para as atividades de pesquisa e assegura a repartição de benefícios no caso de exploração econômica. É importante destacar que essa lei adota a definição legal de "comunidade tradicional" no Brasil, prevista no Decreto n. 6.040/2007 (Brasil, 2007), que instituiu a Política Nacional de Desenvolvimento Sustentável de Povos e Comunidades Tradicionais (Brasil, 2007). A Convenção 169 da Organização Internacional do Trabalho (OIT) assegura aos povos indígenas e comunidades tradicionais o direito de consulta prévia sobre medidas que os afetem diretamente.

Em síntese, o Decreto n. 6.040/2007 (Brasil, 2007), que define e reconhece Povos e Comunidades tradicionais e seus conhecimentos, a Lei n. 13 123/2015 (Brasil, 2015), que implementa a CDB, o Protocolo de Nagoya e a Convenção 169 da (OIT) são os principais instrumentos institucionais que asseguram os direitos e deveres, bem como o acesso e o uso de plantas medicinais pelas comunidades e povos indígenas, e a distribuição de benefícios do uso do conhecimento tradicional para fins de exploração econômica (Santilli, 2015).

Os principais conceitos adotados neste texto

1. A planta medicinal compreende espécie vegetal cultivada ou não, utilizada com propósitos terapêuticos (World Health Organization, 2002).

2. O medicamento fitoterápico é todo medicamento farmacêutico tecnicamente obtido e elaborado, empregando-se exclusivamente matérias-primas ativas vegetais, com finalidade profilática, curativa ou para fins de diagnóstico, com benefício para o usuário, e é apresentado como produto acabado, embalado e rotulado. Caracteriza-se pelo conhecimento da eficácia e dos riscos de seu uso, assim como pela reprodutibilidade e constância da sua qualidade. Na sua preparação, podem ser utilizados adjuvantes farmacêuticos permitidos pela legislação vigente, mas não substâncias ativas de outras origens. Não é considerado produto fitoterápico qualquer substância ativa, ainda que de origem vegetal, isolada, ou mesmo suas misturas. Esta definição consta da Resolução n. 17, de 24 de fevereiro de 2000, da Agência Nacional de Vigilância Sanitária (2000).

3. A medicina popular é entendida como uma prática cultural realizada em diferentes circunstâncias e espaços (em casa, nos espaços religiosos de cura) e por várias pessoas (pais, tios, avós) ou por profissionais populares de cura (benzedeiras, médiuns, raizeiros, ervateiros, parteiras, curandeiros, feiticeiros). Nessa perspectiva, é uma prática de cura barata que oferece respostas concretas aos problemas de doenças do dia a dia; pressupõe ajuda e solidariedade, aproxima e fortalece as relações sociais entre as pessoas. A medicina popular preservou um espaço no qual os cientistas e pessoas do povo, ao produzirem um diálogo com a natureza, extraíram dela os seus benefícios, que são constantemente transformados e modificados (Lameira; Pinto, 2008). As pesquisas demonstram que a medicina popular sobrevive no interior mesmo das

grandes cidades ou na periferia delas, pois ela é parte inseparável da identidade cultural, um processo histórico vivo e atual. Ela veicula uma determinada visão de mundo, de doença, de organismo e de saúde (Oliveira, 1985).

4. Remédios caseiros são preparações que utilizam plantas medicinais e/ou substâncias derivadas de animais e insumos como cachaça, vinho entre outras. A sua denominação faz referência à tradição, por terem sido desenvolvidos originalmente em casa. Posteriormente se organizaram para a produção em grupos comunitários para a preparação de remédios caseiros, a exemplo da farmacinha comunitária organizada pela Articulação Pacari, consolidada no documento *Farmacopeia Popular do Cerrado* (Farmacopeia, 2009).

5. A medicina tradicional compreende diversas práticas, enfoques, conhecimentos e crenças sanitárias que incluem plantas, animais e/ou medicamentos baseados em minerais, terapias espirituais, técnicas manuais e exercícios, aplicados individualmente ou em combinação para manter o bem-estar, além de tratar, diagnosticar e prevenir as enfermidades (World Health Organization, 2002).

6. O conhecimento tradicional é entendido como o conhecimento local e exclusivo de determinada cultura, e é a base para a tomada de decisões, em âmbito local, na agricultura, saúde, alimentação, educação, gestão dos recursos naturais e em várias outras atividades nas comunidades rurais. O que caracteriza o conhecimento tradicional é a especificidade de uma cultura ou sociedade, e está enraizado nos relacionamentos, nos rituais, nas práticas comunitárias e nas instituições. É um grande indicador do grau da evolução cultural do homem com seu ambiente, cuja interação produz conhecimento por meio de processos contínuos e dinâmicos (Udry; Eidit, 2015).

7. O Sistema Único de Saúde (SUS) representa o processo de gestão *descentralizada* para implantar a Política de Saúde no Brasil, com as garantias asseguradas pela Constituição de 1988. Saúde é o estado de completo bem-estar físico, mental e social, e não simplesmente a ausência de doença ou enfermidade. É um direito humano fundamental, e a consecução do mais alto nível possível de saúde é a mais importante meta social mundial, cuja realização requer a ação de muitos outros setores sociais e econômicos, além do setor de saúde. A Carta de Ottawa para promoção de saúde, de 1986, reconhece a paz, a educação, a habitação, o poder aquisitivo, o ecossistema estável, a conservação dos recursos naturais, a justiça social e a equidade como pré-requisitos fundamentais para alcançar patamares de saúde aceitáveis. A Constituição Brasileira de 1988 adotou os conceitos de Alma Ata e da Carta de Otawa, no capítulo da saúde (Brasil, 1988).

Relação entre a política da Organização Mundial de Saúde (OMS) e a política nacional de plantas medicinais e fitoterápicos

Uma somatória de fatores tem favorecido a ampliação do uso de plantas medicinais, fitoterápicos e seus usos tradicionais nas últimas décadas. Em primeiro lugar, os efeitos negativos do uso intensivo e continuado de medicamentos químicos sintéticos na saúde humana. A crise ambiental e a influência das filosofias orientais (medicina ayurvédica e a medicina tradicional chinesa) contribuíram para o ressurgimento da medicina natural.

Além disso, a Organização Mundial de Saúde (OMS) constatou que o Estado de Bem-Estar não atendia igualmente a todas as nações; pois as nações periféricas não conseguiam suprir as condições de saúde de suas populações (Goulart, 1996). A medicina tradicional e a popular supriam cada vez mais a necessidades de cuidados com a saúde da população pobre e/ou excluída do sistema formal de saúde. Esse fato levou a OMS a aprovar um Programa de Medicina Tradicional e Cuidados com a Saúde (Word Health Organization, 2002), que estabeleceu que a "OMS colaborará com os estados membros na revisão das políticas nacionais, legislação e decisões relativas à natureza e extensão de uso de medicina tradicional nos seus sistemas de saúde". Nesse caso, o principal objetivo deveria ser o reconhecimento da medicina tradicional como parte integrante do sistema nacional de saúde, a cooperação entre a medicina tradicional e a alopática, a promoção e o uso racional dos produtos, a promoção da pesquisa e o desenvolvimento de medidas reguladoras e a introdução de um sistema seguro da qualidade. Os critérios para a seleção dos fitoterápicos essenciais deveriam ser principalmente segurança, eficácia, necessidade de saúde e disponibilidade para o abastecimento.

O Brasil, como país signatário das Nações Unidas e atendendo às recomendações da OMS, por meio do Ministério da Saúde, criou a Política Nacional de Plantas Medicinais e Fitoterápicos (Brasil, 2006a) e a Política Nacional de Práticas Complementares e Integrativas (Brasil, 2006b). As bases para a criação dessas políticas tiveram início em 1982, com o Programa de Pesquisa de Plantas Medicinais (PPPM) no âmbito da Central de Medicamentos (Ceme), que fora criada em 1971 (Brasil, 1971) para a construção de uma autonomia em relação aos insumos farmacêuticos e assistência primária à saúde. A Ceme coordenou em âmbito nacional, durante 20 anos, pesquisas com plantas medicinais a partir de extensivos levantamentos do uso tradicional de plantas em todo o país e conseguiu, ao longo deste período, criar capacitação científica e estabelecer infraestrutura científica tecnológica para o desenvolvimento da pesquisa de produtos fitoterápicos (Brasil, 2006c). Até sua extinção, em 1997, 74 espécies tinham sido selecionadas para serem incluídas no SUS. Essas pesquisas foram interrompidas um ano após a assinatura e reconhecimento pelo Brasil do Tratado da Organização Mundial do Comércio (OMC). O país, a partir de 1996, passou a reconhecer as patentes sobre medicamentos e alimentos.

Entre os avanços do PPPM, destacamos o programa Farmácias Vivas, criado sob a coordenação do farmacêutico e professor J. Matos, da Universidade Federal do Ceará (UFC). O *Guia de seleção e emprego de plantas usadas em fitoterapia no Nordeste do Brasil* indicava a metodologia utilizada para seleção de plantas, as técnicas de preparação e as formas de utilização em obediência aos preceitos da fitoterapia científica. A metodologia abrange três áreas: agrícola (cultivo e manejo sustentável das plantas medicinas); farmacêutica (elaboração dos fitoterápicos, dosagem e critérios para avaliação de qualidade, toxidade e eficácia); e médica (aceitação pela classe médica do conhecimento tradicional para cura depois de validado cientificamente). Plantas medicinais: guia de seleção e emprego de plantas usadas em fitoterapia no Nordeste do Brasil, apresenta a metodologia desenvolvida

P

e monografias das 74 plantas cientificamente validadas como medicinais disponíveis no Nordeste (Matos, 1989). O programa Farmácias Vivas, ao qualificar cientificamente o uso de plantas medicinais, se constitui como um dos modelos metodológicos de referência no uso de plantas medicinais tradicionais validadas por pesquisa, para uso no SUS. O resultado da construção do programa de base municipal e da difusão dessa metodologia do programa Farmácias Vivas espalhou-se por todo o país (Matos, 1994), viabilizando a construção de uma autonomia em relação aos insumos farmacêuticos e assistência primária à saúde. Desde a década de 1990, inúmeros projetos de plantas medicinais e fitoterápicos foram implantados em âmbito municipal no SUS com o movimento dos profissionais de saúde pela Fitoterapia no SUS. No entanto, os programas sofriam descontinuidade política, com as mudanças ideológicas dos gestores municipais. Importantes programas – como o de Curitiba, Vitória, Brasília, e somando, ainda, mais de 60 experiências bem-sucedidas em programas municipais de plantas medicinais e fitoterápicos – sofreram descontinuidade.

Assim, a base institucional foi criada através do Decreto n. 5.813 de 22 de junho de 2006 (Brasil, 2006a), que aprova a Política Nacional de Plantas Medicinais e Fitoterápicos; e da Portaria Interministerial n. 2.960, de 9 de dezembro de 2008 (Brasil, 2008), que aprova o Programa Nacional de Plantas Medicinais e Fitoterápicos e cria o Comitê Nacional de Plantas Medicinais e Fitoterápicos. O Programa se propõe a atingir o objetivo da Política de "garantir à população brasileira o acesso seguro e o uso racional de plantas medicinais e fitoterápicos, promovendo o uso sustentável da biodiversidade, o desenvolvimento da cadeia produtiva e da indústria nacional" através de: 1) aperfeiçoar o marco regulatório sanitário e ambiental em todas as etapas da cadeia produtiva, de plantas medicinais e fitoterápicos, a partir de modelos e experiências científicas e tecnológicas existentes no Brasil e em outros países; 2) promover a adoção das boas práticas de manejo, cultivo (de preferência orgânico), manipulação e produção de plantas medicinais e fitoterápicos; 3) desenvolver instrumentos de fomento à pesquisa e de tecnologias e inovações, nas diversas fases da cadeia produtiva; 4) aperfeiçoar a formação técnico-científica dos recursos humanos que atuam no setor de plantas medicinais e fitoterápicos; e 5) inserir plantas medicinais, fitoterápicos e serviços relacionados à fitoterapia no Sistema Único de Saúde (SUS), com segurança, eficácia e qualidade.

As bases institucionais em direção ao acesso universal de atendimento básico a saúde na assistência farmacêutica com plantas medicinais e fitoterápicos estão estabelecidas e asseguradas a partir da "Política Nacional de Práticas Complementares e Integrativas" e da "Política Nacional de Plantas Medicinais e Fitoterápicos". Com essas ações em prática, é possível avançar no SUS. No entanto, é necessário que os movimentos sociais, os profissionais de saúde pública e os pesquisadores assumam cada vez mais seus papéis para assegurar tanto a continuidade das práticas da medicina popular quanto a implantação definitiva das políticas que visam assegurar a autonomia do país na assistência básica de saúde, em que as plantas medicinais e os fitoterápicos têm um papel central.

Referências

AGÊNCIA NACIONAL DE VIGILÂNCIA SANITÁRIA. Resolução - RDC n.º 17, de 24 de fevereiro de 2000. Dispõe sobre o registro de medicamentos fitoterápicos. 2000. Diário Oficial da União 25/02/2000.

BRASIL. Presidência da República. Casa Civil. Subchefia para Assuntos Jurídicos. *Constituição da República Federativa do Brasil de 1988*. Disponível em: http://www.planalto.gov.br/ccivil_03/constituicao/constituicaocompilado.htm. Acesso em: 8 abr. 2021.

_______. *Decreto n. 68.806, de 25 de junho de 1971*. Institui a Central de Medicamentos (CEME). 1971. Disponível em: http://www.planalto.gov.br/ccivil_03/decreto/1970-1979/d68806.htm. Acesso em: 8 abr. 2021.

_______. *Lei n. 13.123 de 20 de maio de 2015*. Regulamenta o inciso II do § 1º e o § 4º do art. 225 da Constituição Federal, o Artigo 1, a alínea *j* do Artigo 8, a alínea c do Artigo 10, o Artigo 15 e os §§ 3º e 4º do Artigo 16 da Convenção sobre Diversidade Biológica, promulgada pelo Decreto n. 2.519, de 16 de março de 1998; dispõe sobre o acesso ao patrimônio genético, sobre a proteção e o acesso ao conhecimento tradicional associado e sobre a repartição de benefícios para conservação e uso sustentável da biodiversidade; revoga a Medida Provisória n. 2.186-16, de 23 de agosto de 2001; e dá outras providências. 2015. Disponível em: http://www.planalto.gov.br/ccivil_03/_ato2015-2018/2015/lei/l13123.htm. Acesso em: 8 abr. 2021.

_______. *Decreto n. 6.040 de 7 de fevereiro de 2007*. Institui a Política Nacional de Desenvolvimento Sustentável dos Povos e Comunidades Tradicionais. 2007. Disponível em: http://www.planalto.gov.br/ccivil_03/_ato2007-2010/2007/decreto/d6040.htm. Acesso em: 8 abr. 2021.

_______. *Decreto n. 5.813 de 22 de junho de 2006*. Aprova a Política Nacional de Plantas Medicinais e Fitoterápicos. 2006a. Disponível em: http://www.planalto.gov.br/ccivil_03/_ato2004-2006/2006/decreto/d5813.htm. Acesso em: 8 abr. 2021.

_______. Ministério da Saúde. Conselho Nacional de Secretarias Municipais de Saúde. *O SUS de A a Z*: garantindo saúde nos municípios 3. ed. – Brasília: Editora do Ministério da Saúde, 2009. 480 p. (Série F. Comunicação e Educação em Saúde). Disponível em: https://bvsms.saude.gov.br/bvs/publicacoes/sus_az_garantindo_saude_municipios_3ed_p1.pdf. Acesso em: 8 abr. 2021.

_______. Secretaria de Atenção à Saúde. Departamento de Atenção Básica. *Política Nacional de Práticas Integrativas e Complementares no SUS-PNPIC-SUS*. Brasília: Ministério da Saúde, 2006b. Disponível em: http://bvsms.saude.gov.br/bvs/publicacoes/pnpic.pdf. Acesso em: 8 abr. 2021.

_______. Secretaria de Ciência, Tecnologia e Insumos Estratégicos. Departamento de Assistência Farmacêutica. *A fitoterapia no SUS e o Programa de Planta Medicinais da Central de Medicamentos*. Brasília: Ministério da Saúde, 2006c. 148p. (Série B, Textos Básicos de Saúde). Disponível em https://bvsms.saude.gov.br/bvs/publicacoes/fitoterapia_no_sus.pdf. Acesso em: 8 abr. 2021.

_______. Ministério da Saúde. Gabinete do Ministro. *Portaria Interministerial n. 2.960, de 9 de dezembro de 2008*. Aprova o Programa Nacional de Plantas Medicinais e Fitoterápicos e cria o Comitê Nacional de Plantas Medicinais e Fitoterápicos. 2008 Disponível em: ttps://bvsms.saude.gov.br/bvs/saudelegis/gm/2008/pri2960_09_12_2008.html. Acesso em: 8 abr. 2021.

FARMACOPEIA POPULAR DO CERRADO. Coordenação: Jaqueline Evangelista Dias e Lourdes Cardozo Laureano. Realização: Articulação Pacari/Associação Pacari. 2009.

GOULART, F. A. A. *Municipalização:* veredas caminhos do movimento municipalista de saúde no Brasil. Rio de Janeiro: Abrasco/Conasems, 1996.

LAMEIRA, O. A.; PINTO, J. E. B. P. História e importância das plantas medicinais. *In*: LAMEIRA, O. A.; PINTO, J. E. B. P. (ed.). *Plantas medicinais:* do cultivo, manipulação e uso à recomendação popular. Belém: Embrapa Amazônia Oriental. 2008. p. 19-26.

MATOS, F. A. A. A. *Farmácias vivas:* guia de seleção e emprego de plantas medicinais do Nordeste do Brasil. Fortaleza: Ioce, 1989. v.1 e 2.

_______. *Farmácias vivas:* sistema de utilização de plantas medicinais projetado para pequenas comunidades. 2 ed. Fortaleza: EUFC, 1994.

MOREIRA, A. C.; *et al.* Pharmaceutical patents on plant derived materials in Brazil: Policy, law and statistics. *World Patent Information*, v. 28, p. 34-42, 2006.

OLIVEIRA, E. R. *O que é Medicina Popular*. São Paulo: Abril Cultural/Brasiliense, 1985 (Coleção Primeiros Passos: 31)

PITA, J. R. (Coord.). *Pharmacopeia geral para o reino e domínios de Portugal, publicada por ordem da rainha fidelíssima D. Maria I*. Editora Imprensa da Universidade de Coimbra, 1 ed., 251 p. 2014. Disponível em: http://www.uc.pt/imprensa_uc/catalogo/outros/Pharmacopeia.

P

SANTILLI, J. Biodiversidade, agrobiodiversidade e conhecimentos tradicionais associados. O novo regime jurídico de proteção. *In*: UDRY, C.; EIDT, J. S. (ed.). *Conhecimento tradicional*: conceitos e marco legal. Brasília, DF: Embrapa, 2015, 344p.
UDRY, C.; EIDT, J. S. (ed.) *Conhecimento tradicional:* conceitos e marco legal. Brasília, DF: Embrapa, 2015, 344p.
WORLD HEALTH ORGANIZATION (WHO). *WHO Traditional Medicine Strategy 2002-2005*. Geneve: WHO, 2002. 65p. Disponível em: https://apps.who.int/iris/handle/10665/67163. Acesso em: 8 abr. 2021.

Para saber mais

EMBRAPA AMAZÔNIA ORIENTAL; FUNDAÇÃO LUIZ DÉCOURT; CENTRO MIRITI. *Relatório de atividades do projeto transferência de tecnologia para cultivo, conservação, uso e manipulação de plantas medicinais por comunidades rural e ribeirinha de Cametá, PA*. Fevereiro/2006. 8p.
GOULART, F. A. de A. *Política de saúde contemporânea no Brasil* – o SUS. Artigo 1999.
UDRY, M. C. F. V. *Saúde e Uso da Biodiversidade:* caminhos para a incorporação do conhecimento tradicional na política de saúde pública. Brasília, 2001. 286 p. Tese. (Doutorado em Política Pública e Gestão Ambiental), Centro de desenvolvimento Sustentável, 2001. Universidade de Brasília.
WORLD HEALTH ORGANIZATION (WHO). *Pautas para la evaluacion de medicamentos herbários*. Programa de Medicina Tradicional, Genebra: Organización Mundial de La Salud, 1991.

POLÍTICA AGRÁRIA

LEONILDE DE MEDEIROS

Políticas agrárias são medidas governamentais que incidem sobre as condições de acesso ao uso, posse e propriedade da terra. Estão intimamente relacionadas a outras políticas, tais como as de incentivo à produção, preservação dos recursos naturais ou de garantias de direitos sociais e políticos aos que vivem no campo.

No capitalismo, a terra torna-se equivalente de mercadoria, uma mercadoria singular que não pode ser produzida pelo trabalho. Trata-se da apropriação privada de um bem comum [VER BEM COMUM], geradora de uma forma de renda fundiária chamada por Marx de absoluta, derivada da propriedade, em contraste com as formas de renda diferencial, relacionada à qualidade do solo, proximidade do mercado etc. (Marx, 1974). Assim, quando falamos em políticas agrárias, remetemos a disputas entre grupos/classes sociais pela apropriação/capitalização da renda fundiária, que nada mais é que mais-valia social acumulada [VER RENDA DA TERRA].

Neste verbete, sintetizamos as principais formas assumidas pelas políticas agrárias no Brasil, a partir do momento em que a questão agrária se constitui como problema público, trazido à tona por diferentes grupos sociais e tratado mediante intervenção do Estado, visando regular o acesso à propriedade fundiária. Isso se deu em especial em contextos de crítica social à concentração de terras, constitutiva da nossa sociedade.

As políticas agrárias assumiram diferentes formas, em diferentes momentos históricos: programas de colonização; assentamento de trabalhadores sem-terra; estímulo ao acesso de trabalhadores à terra via mecanismos de mercado; regularização fundiária; reconhecimento de direitos territoriais a povos e comunidades tradicionais [ver Povos e Comunidades Tradicionais], envolvendo inclusive demarcação de terras indígenas; preservação ambiental, entre outras. A estas ações que facilitam acesso aos que demandam acesso à terra ou permanência em terras tradicionalmente ocupadas, se sobrepõem ou se articulam outras, que induzem à concentração fundiária. É o caso da concessão de terras públicas para pessoas físicas ou grupos empresariais, incentivos fiscais ou creditícios para empresas que elaborem projetos de aproveitamento de terras, criação de perímetros irrigados etc. Essas formas se combinam, competem entre si ou se sucedem. Suas variações derivam das relações de força entre classes e grupos sociais e apontam para diferentes regimes de propriedade (privada, com controle de pessoas físicas ou jurídicas; da União, algumas vezes com outorga mediante concessão de uso; da União, mas com exclusão de uso, como é o caso das unidades de conservação etc.) e diversas formas de uso.

Momentos fundantes

Tomamos como momento fundante das políticas agrárias no Brasil os primeiros anos da segunda metade do século XIX, quando três iniciativas se entrelaçaram: proibição da importação de negros escravizados; iniciativas do governo imperial para atrair imigrantes europeus com o objetivo de substituir o trabalho escravo nas lavouras do café, então em plena expansão; e a Lei de Terras de 1850 (Brasil, 1850), que regulamentou o direito de propriedade, previsto na Constituição de 1822, tornando a terra equivalente de mercadoria (Martins, 2010). Essa lei deixou marcas profundas na história brasileira, se tornando instrumento de concentração fundiária na medida em que criou barreiras para que tanto os imigrantes recém-chegados quanto ex-escravizados e trabalhadores livres e pobres pudessem acessar a propriedade da terra por outro meio que não a compra. Como regra geral, restou-lhes o apossamento. Paralelamente, em algumas regiões do país foram instalados núcleos de colonização nos quais migrantes estrangeiros acessavam terra mediante compra de lotes com apoio do Estado imperial (Martins, 1973; Santos, 1978).

Mesmo com a lei exigindo o registro de propriedade, a apropriação, pelos grandes proprietários, de terras devolutas e/ou públicas, visando ampliar seus domínios, foi bastante comum. Pelo mecanismo conhecido como "grilagem", registravam uma parcela, mas apossavam-se de áreas vizinhas muito maiores, ou simplesmente se apropriavam das terras consideradas como devolutas. Em ambos os casos as populações que nelas viviam eram expulsas, em geral brancos pobres, caboclos, negros ou indígenas.

Equacionaram-se assim os mecanismos básicos da política agrária que marcaram nossa história: ausência de limites para a concentração fundiária, mas, em situações especiais, facilitação de acesso à terra a lavradores pobres em áreas consideradas estratégicas para a política governamental, quer por questões geopolíticas, quer por necessidade de abastecimento alimentar, como foi o caso dos projetos de colonização levados a efeito na proximidade de alguns centros urbanos, tanto no Império quanto no período getulista.

Nesse quadro de favorecimento da grande propriedade, caíram no vazio político, na segunda metade do século XIX, as demandas por distribuição de terras aos escravos libertos. Nas primeiras décadas do século XX, voltou ao debate político o tema da necessidade de modificação da estrutura fundiária, desta vez estimulado por um grupo de jovens militares, os "tenentes", que a viam como caminho para romper com o controle que os grandes proprietários exerciam sobre a política nacional, mediante dominação social e política sobre as populações interioranas e, consequentemente, sobre seu voto (Camargo, 1981).

Com a chegada de Getúlio Vargas ao poder em 1930, foram tomadas medidas para ocupar áreas de fronteira com projetos de colonização, voltados para trabalhadores nacionais, sem-terra ou com pouca terra: a marcha para o Oeste (Lenharo, 1985; Santos, 1993). Essa iniciativa, embora limitada e sem efeitos sobre a concentração da terra e o poder das oligarquias agrárias, atraiu lavradores de diversos pontos do país, que, sem conseguir acesso a um lote oficial, foram se estabelecendo como posseiros nas cercanias das colônias agrícolas criadas pelo governo. Não por acaso, anos depois, tornaram-se focos de conflito, em razão do avanço da grilagem sobre essas terras. O mesmo se deu com os núcleos de colonização criados no entorno da cidade do Rio de Janeiro, visando formar um cinturão verde para abastecer a capital federal. Neste caso, a política agrária tentava resolver a carência e os preços altos dos alimentos, problemas para as cidades em crescimento por efeito da incipiente industrialização.

Reforma agrária como alternativa

No pós-guerra, iniciou-se um amplo debate sobre a necessidade de desenvolver e modernizar a economia e a sociedade brasileira, colocando em xeque o papel do "latifúndio", grande propriedade considerada atrasada e caracterizada por relações de exploração e opressão. Paralelamente, as lutas por terra, recorrentes na história brasileira e protagonizadas por posseiros e por segmentos que viviam no interior das propriedades pagando uma taxa ("foro", "arrendo", "meia", conforme o local), iniciaram um processo de articulação, trazendo para a pauta política nacional o tema da reforma agrária. Explicitou-se a polarização entre as forças que apoiavam medidas, mesmo que parciais, de reforma agrária (que aparecia no debate público em diferentes versões) e os representantes dos grandes proprietários, que se opunham a qualquer mudança na estrutura fundiária e advogavam apoio do Estado para a modernização das unidades produtivas como solução para as tensões sociais no campo e para as recorrentes crises de abastecimento.

As disputas que se travaram envolviam possibilidades políticas de diferente amplitude: reformar a Constituição de 1946 (Brasil, 1946), permitindo a desapropriação com pagamento das terras em título da dívida pública?[1] Fazer uma reforma agrária na marra, com base em uma ampla mobilização camponesa? Modernizar as grandes propriedades, buscando transformar o "latifúndio" em empresa de forma a provocar a modernização tecnológica e também das relações sociais, em especial as que diziam respeito às questões de trabalho? Regular relações tensas, como o arrendamento e parceria?

No plano local, os embates se intensificavam, com resistências de posseiros; emergência de conflitos envolvendo arrendatários e foreiros; ocupações de terra (mais frequentes após a realização do Congresso Camponês de Belo Horizonte, em novembro de 1961). O acirramento das lutas no campo levou a que alguns governos estaduais buscassem saídas pontuais para os conflitos emergentes. Foi o que aconteceu em São Paulo, Rio Grande do Sul, Rio de Janeiro, Pernambuco, Goiás, onde, sob o nome de "projetos de colonização" ou de "revisão agrária", áreas foram desapropriadas em benefício de posseiros ou de trabalhadores sem-terra.

No plano federal, foi criada, em outubro de 1962 (Brasil, 1962) a Superintendência de Política Agrária (Supra), com a finalidade de elaborar instrumentos legais e institucionais para tratar do tema. Sob a sua iniciativa foram desapropriadas algumas áreas de conflito e nelas assentadas famílias de trabalhadores. Em 13 de março de 1964, um decreto da Supra determinou a desapropriação de uma faixa de 10 quilômetros às margens das rodovias federais (Brasil, 1964a). Mesmo excluindo áreas inferiores a 500 hectares, bem como imóveis maiores do que esse limite, desde que adequadamente aproveitados, o decreto foi lido como uma ameaça ao direito de propriedade pelos representantes de entidades empresariais tanto rurais como urbanas. A articulação política dessas entidades com setores militares se intensificou, culminando na derrubada do governo João Goulart (Camargo, 1981; Medeiros, 1989).

A política agrária do regime empresarial-militar: apoio à grande propriedade e projetos de colonização na fronteira

Paralelamente à brutal repressão tanto sobre lideranças e organizações camponesas quanto sobre trabalhadores que viviam nos locais de conflito, já em novembro de 1964 houve duas mudanças importantes que deram as balizas legais da política agrária brasileira dali em diante.

Em 9 de novembro de 1964, foi aprovada a Emenda Constitucional 10 (Brasil, 1964b), que dava à União poderes para desapropriar imóveis rurais localizados em "zonas prioritárias de reforma agrária", a serem fixadas pelo Poder Executivo, a partir de um cadastro rural a ser implementado. O pagamento seria feito mediante "prévia e justa" indenização em títulos da dívida pública, com cláusula de correção monetária e resgatáveis em 20 anos, em parcelas anuais. As benfeitorias seriam pagas em dinheiro. A mesma emenda estabelecia que as unidades da federação assegurariam aos posseiros de terras devolutas que nelas tivessem morada habitual, preferência para aquisição de até cem hectares. Determinava ainda que, sem prévia autorização do Senado Federal, não se faria qualquer alienação ou concessão de terras públicas, com área superior a três mil hectares, salvo quando se tratasse de execução de planos de colonização aprovados pelo governo federal.

Logo em seguida, foi aprovado o Estatuto da Terra (ET), Lei n. 4.504, de 30 de novembro de1964 (Brasil, 1964c), sinalizando para desapropriações pontuais em áreas de conflito, mas também para um novo modelo de agricultura, alinhado com a visão desenvolvimentista dos militares e das forças civis que lhes deram apoio. Eram enumeradas como áreas prioritárias para desapropriação aquelas com predomínio de minifúndios e latifúndios; as já beneficiadas por obras públicas ou prestes a serem; aquelas cujos donos se recusassem a adotar normas de conservação dos recursos naturais; as destinadas a empreendimentos de colonização; e as com elevada incidência de arrendatários, parceiros e posseiros. Além disso, traduziu para termos legais algumas categorias que haviam adquirido sentido político nos anos anteriores, categorizando os imóveis rurais como minifúndios (propriedades com área inferior a um módulo); latifúndios por exploração (entre um e 600 módulos, inadequadamente explorados em relação às possibilidades físicas, econômicas e sociais regionais); latifúndios por extensão (área superior a 600 módulos, independentemente da produção nela desenvolvida) e empresas (imóveis entre um e 600 módulos, com nível de aproveitamento do solo compatível com padrões regionais).

A meta era a progressiva transformação do latifúndio tanto por dimensão como por exploração em empresas. Para tanto, havia previsão de apoio estatal à modernização mediante assistência técnica; distribuição de sementes e mudas; estímulo à mecanização; garantia de preços mínimos; assistência financeira e creditícia à produção e comercialização; estímulo ao cooperativismo e à agroindústria; eletrificação rural; melhoria de infraestrutura. Estabelecia-se ainda a tributação progressiva da propriedade, de forma a criar constrangimentos aos imóveis não produtivos (Medeiros, 2002).

Uma importante inovação foi a introdução do conceito de função social da propriedade, cumprida quando o imóvel fosse explorado de modo a favorecer o bem-estar dos proprietários e dos trabalhadores; mantivesse níveis satisfatórios de produtividade; conservasse os recursos naturais; observasse as disposições legais que regulavam as relações trabalhistas (Medeiros, 2002).[2] Foram ainda regulamentados os contratos de arrendamento e parceria, que haviam se tornado importante focos de tensão antes do golpe e eram baseados em costumes locais.

O ET (Brasil, 1964) também previa projetos de colonização a serem levados a efeito pelo poder público em áreas inexploradas, ou próximas a grandes centros de consumo e a eixos rodoviários, ou ainda as situadas nas fronteiras econômicas do país. Um segmento de agricultores foi escolhido para receber terra em projetos de colonização: conforme o Decreto n. 59.428, de 27 de outubro de 1966 (Brasil, 1966), aquele com capacidade empresarial para gerir o lote (Santos, 1993).

A Supra foi extinta e duas instituições foram criadas para gerir a política agrária: o Instituto Brasileiro de Reforma Agrária (Ibra), subordinado à Presidência da República, Decreto n. 55.889 de 31 de março de 1965 (Brasil, 1965a) e o Instituto Nacional de Desenvolvimento Agrário (Inda), subordinado ao Ministério da Agricultura foi criado com o Decreto 55.890 de 31 de março de 1965 (Brasil, 1965b).

Nos anos que se seguiram à aprovação do ET, poucas foram as desapropriações, mas o tema fundiário permaneceu como preocupação na agenda do governo. Demonstração disso foi o Decreto-Lei n. 582, de 15 de maio de 1969 (Brasil, 1969b), que determinou a intensificação da reforma agrária e insistiu na prioridade às áreas de "manifesta tensão social", indicando que os conflitos continuavam a existir. Por ele, foi instituído ainda um grupo executivo da reforma agrária, regulamentado pelo Decreto n. 64.852, de 21 de julho de 1969 (Brasil, 1969a).[3]

A modernização tecnológica se acelerou, com apoio do Estado, deslanchando a Revolução Verde. Com ela, ocorreu um processo intenso de expropriação, tanto nas áreas de fronteira, para onde foram atraídos grandes capitais do setor financeiro e industrial, quanto nas de ocupação antiga, nas quais se reduziram as possibilidades de trabalhadores viverem como "moradores", "foreiros" ou "colonos" no interior das fazendas (Silva, 1981). Onde era grande o número de pequenos agricultores, como o sul do Brasil, a modernização levou à capitalização de alguns, mas provocou o endividamento e a perda da terra para muitos outros.

A primeira metade dos anos 1970 foi um marco em termos de ações institucionais e legais, convergindo na direção da modernização, concentração fundiária e de renda. Os Planos Nacionais de Desenvolvimento (I, lançado em final de 1971, e II, três anos depois) assumiram claramente uma política de incentivo à ocupação da Amazônia Legal, pelos grandes capitais, com incentivos fiscais para utilização da terra, em especial em projetos agropecuários [ver Bioma Amazônico]. Ao mesmo tempo, estimulou-se a ocupação dos Cerrados, por meio do Programa de Desenvolvimento dos Cerrados (Polocentro), criado em 1975, e do Programa de Cooperação Nipo-Brasileira para o Desenvolvimento dos Cerrados (Prodecer), iniciado em 1976 e destinado ao estímulo à produção de grãos (soja/milho) na região [ver Bioma Cerrado]. Para o sucesso dessas iniciativas, foi fundamental o papel da Empresa Brasileira de Pesquisa Agropecuária (Embrapa), criada pela Lei n. 5.851, de 7 de dezembro de 1972. (Brasil, 1972), e instituída em 1973. Por meio dela foram feitas pesquisa de solos, variedades de grãos que permitiram que o cerrado em poucos anos fosse ocupado por plantios de soja e milho.

Outras importantes iniciativas foram tomadas: o Plano de Integração Nacional, que previu a construção da rodovia transamazônica; o Programa de Redistribuição de Terras e de Estímulo à Agroindústria do Norte e Nordeste (Proterra); a extinção do Ibra e do Inda e a criação do Instituto Nacional de Colonização e Reforma Agrária (Incra); a transformação das terras devolutas na faixa de 100 quilômetros de ambos os lados dos eixos das rodovias federais na Amazônia Legal em áreas de segurança nacional (Decreto-lei 1.164, de 01 de abril de 1971). Caberia ao Conselho de Segurança Nacional a responsabilidade pela implantação nelas de projetos de colonização.

A perspectiva de desapropriação esvaiu-se, foram estimuladas as migrações do Sul para a Amazônia e a política agrária passou a se ancorar na colonização, quer por meio de projetos estatais, quer pela iniciativa privada, privilegiando, em especial, agricultores já com experiência do novo modelo de agricultura. Algumas dessas iniciativas deram inclusive origem a municípios como, por exemplo, Sinop, Confresa, Canarana e Lucas do Rio Verde, em Mato Grosso; Altamira e Itaituba, no Pará; Ouro Preto do Oeste e Ji-Paraná, em Rondônia.

Em decorrência desse conjunto de políticas, ao longo da década de 1970, os conflitos fundiários se intensificaram, em especial na região Norte, onde posseiros e povos indígenas eram violentamente deslocados de suas terras. Para responder à conflitualidade emergente, já sob o último governo militar e num contexto de intensificação das lutas por redemocratização, foram criados, em 1980, o Grupo Executivo das Terras do Araguaia e Tocantins (Getat) e o Grupo Executivo das Terras do Baixo Amazonas (Gebam), que militarizaram a questão fundiária na região (Martins, 1984). Também foram instituídos o usucapião especial (Lei 6.969, de 10 de dezembro de 1981), atribuindo o domínio legal para aqueles que ocupassem área contínua, até 25 hectares, por cinco anos ininterruptos, sem oposição, e a houvessem tornado produtiva; o Programa Nacional de Política Fundiária e os Projetos de Assentamento Rápido, alocando trabalhadores em terras da região Norte sem qualquer infraestrutura.

Nessa mesma época, reiniciaram-se as ocupações de terra, em especial no sul do país, levando o governo a criar, pelo decreto 87.457, de 16 de agosto de 1982, o Ministério Extraordinário para Assuntos Fundiários (Meaf), que passou a abrigar o Incra e a gerir a política fundiária do país, mas insistindo na colonização: aos acampados de Encruzilhada Natalino (RS), por exemplo, foram oferecidos lotes em projeto de colonização em Lucas do Rio Verde (MT).

A retomada da política de reforma agrária a partir da redemocratização: impasses

No final dos anos 1970 e início da década de 1980, as pressões derivadas das ocupações de terra no sul do país, a emergência do MST, as demandas da Contag, as lutas dos seringueiros no Acre e dos posseiros na Amazônia Legal colocaram a reforma agrária na ordem do dia. Com o fim do regime militar e a instalação da Nova República, em 1985, foi anunciado o I Plano Nacional de Reforma Agrária e um ministério específico para o tema: o Ministério da Reforma e Desenvolvimento Agrário (Mirad). Em que pesem essas mudanças e as metas ambiciosas do I PNRA, o governo Sarney, enfrentando forte oposição das entidades de representação dos proprietários de terra, assentou pouco mais de 80 mil famílias.

Durante o processo constituinte (1987/1988), a reforma agrária foi intensamente discutida e gerou impasses. Ao final, a nova Constituição trouxe o tema para a parte referente à ordem econômica e social, bem como incorporou a definição de função social da propriedade. No entanto, a forte pressão dos empresários rurais sobre os constituintes levou a que a nova Carta também garantisse que terras produtivas não poderiam ser desapropriadas, introduzindo uma contradição no próprio texto constitucional e consagrando a tendência que vinha desde os anos 1950 de articular reforma agrária com produtividade.

P

Em termos de política agrária, a Constituição também reconheceu o direito dos povos indígenas aos territórios por eles tradicionalmente ocupados, bem como, nas suas disposições transitórias, garantiu os direitos dos quilombolas às suas terras. Inovações legais anteriores, como a instituição de reservas extrativistas para uso dos seringueiros e de reservas de conservação de uso sustentável, levaram a que importantes porções de terra fossem retiradas do mercado, impossibilitando sua transformação em equivalente de mercadoria.

No que se refere especificamente à reforma agrária, as ocupações passaram novamente a se intensificar, a partir de meados dos anos 1990, levando ao assentamento de pouco mais de 1 milhão de famílias entre 1985 e 2016, sendo os momentos de maior incidência o segundo governo de Fernando Henrique Cardoso e o primeiro de Luiz Inácio Lula da Silva. O Mirad, extinto no governo Collor, foi substituído no segundo governo FHC pelo Ministério do Desenvolvimento Agrário, que chamou para si, além da política de reforma agrária, a política territorial e a de apoio a agricultores familiares. Lado a lado, embora em proporção bem menor, houve ensaios no sentido de estimular a implantação da política de reforma agrária por meio de mecanismos de mercado, estimulada pelo Banco Mundial e baseada em crédito estatal para a compra de lotes.

A ideia de constituição de áreas reformadas, já presente no I PNRA e retomada no II PNRA, lançado no final de 2003, no primeiro ano do governo Lula, não se consolidou, pois era contraditória com as determinações legais de desapropriações caso a caso em áreas onde havia conflito, marca forte da própria tradição da política agrária brasileira. No entanto, as próprias ocupações se tornaram uma linguagem específica para tornar pública a demanda, criar o conflito e forçar o Estado a atuar (Sigaud, 2000). Uma vez desapropriada uma área, as ocupações se multiplicavam nas proximidades e algumas regiões abrigaram grande quantidade de assentamentos, constituindo-se algo próximo à concepção de áreas reformadas. A Zona da Mata pernambucana é um bom exemplo.

Feita a desapropriação, assentadas as famílias, do ponto de vista legal, há um prazo para a emancipação: é o momento em que os assentados são considerados capazes de caminhar sozinhos e podem começar a pagar por seu lote e receber o título de propriedade. Isso se daria no período posterior à implementação das políticas de infraestrutura produtiva e social ligadas à reforma agrária, momento em que as famílias passariam a ser incorporadas à categoria geral de "agricultores familiares". Isso nem sempre ocorreu, levando uma parcela importante dos assentamentos, formados por famílias descapitalizadas, por vezes tendo passado anos em acampamentos [VER ACAMPAMENTOS E ASSENTAMENTOS], a situações de grande precariedade. Até 2016 foram relativamente poucas as emancipações, tanto pela condição dos assentamentos quanto pela própria demanda dos movimentos sociais pela concessão de uso e não plena titulação.

A partir do governo Temer, as titulações foram estimuladas e se aceleraram, independentemente da implementação das políticas de consolidação dos assentamentos. Ou seja, passou a haver um paulatino retorno das terras ao mercado. Em algumas regiões, a tendência a arrendar lotes para grandes proprietários, em especial em áreas produtoras de soja ou de cana, também contribuiu para esse movimento de mercantilização da terra.

Não obstante a demanda por terra seja forte nas regiões Sul, Sudeste e Nordeste, a maior parte dos assentamentos foi realizada no Norte, constituindo-se fundamentalmente na regularização de terras de posseiros.[4] Nesse processo, teve papel central o Programa Terra Legal (Lei n. 11.952, de 25 de junho de 2009) (Brasil, 2009), que transferiu para o MDA a competência para a regularização fundiária na Amazônia Legal pelo prazo de cinco anos, prorrogáveis por igual período, e que visava a regularização das áreas de até 15 módulos fiscais (máximo de 1.500 hectares) com ocupação mansa e pacífica anterior a dezembro de 2004, dando, portanto, estabilidade aos que nela viviam e garantindo acesso a políticas públicas para desenvolvimento dos assentamentos. No entanto, a flexibilização para cima dos limites da regularização por lei acabou possibilitando regularização de terras griladas.[5]

Nos anos recentes, o crescimento das lutas por terra teve como um de seus resultados um reposicionamento político do agronegócio, implementando campanhas de valorização da agricultura modernizada, buscando mostrá-la como sendo não só responsável pelas exportações, fundamentais para a economia, como também produtora para o mercado interno. Paralelamente, os assentamentos são desqualificados e colocados como a única alternativa de desenvolvimento para o país.

Ao longo dos últimos 30 anos, a articulação política desse segmento com os diferentes governos implicou a imposição de limites para as desapropriações, na busca por aprovação de leis que garantam a criminalização dos movimentos sociais e das ocupações de terra, dificultando o principal motor das desapropriações. Afinal, ter terras disponíveis para sua expansão é condição para seu fortalecimento.

Apesar de realizar políticas importantes de apoio à agricultura familiar, desde o segundo governo Lula, a política de assentamentos perdeu seu ritmo ascendente. No período recente, que se sucede ao golpe parlamentar que depôs a presidenta Dilma Rousseff, o quadro tornou-se mais complexo e as portas para políticas fundiárias baseadas na redistribuição de terras ou no reconhecimento de territórios tradicionalmente ocupados se fecharam. Extinção do MDA, aceleração das titulações em assentamentos, ameaças ao reconhecimento de novos territórios indígenas, discussões sobre a possibilidade de permissão de arrendamento de terras em territórios já reconhecidos, medidas concretas de criminalização das ações dos movimentos sociais, estes são alguns dos exemplos que mostram um cenário de agravamento das disputas fundiárias, tendo como consequência o aumento da violência no campo.

Mais do que nunca, as possibilidades de mercantilização da terra (e também do subsolo e das águas) tornam-se o centro de uma disputa política intensa. A centralidade do agronegócio e o poder político que adquiriu atualiza a questão fundiária e mostra que ela continua sendo um ponto nodal para pensar o destino não só das populações rurais, mas do país.

Referências

BRASIL. Câmara dos Deputados. Legislação. Decreto n. 53.700, de 13 de março de 1964. Declara de interesse social para fins de desapropriação as áreas rurais que ladeiam os eixos rodoviários federais, os leitos das ferrovias nacionais, e as terras beneficiadas ou recuperadas por investimentos exclusivos da união em obras de irrigação, drenagem e açudagem, atualmente inexploradas ou exploradas contrariamente à função social da propriedade, e dá outras providências. *Diário Oficial da União,* Poder Legislativo, Brasília, DF, 18 mar. 1964. Seção 1. p. 2.604. 1964a Disponível em: https://www2.camara.leg.br/legin/fed/decret/1960-1969/decreto-53700-13-marco-1964-393661-publicacaooriginal-1-pe.html. Acesso em: 9 abr. 2021.

_______. Câmara dos Deputados. Legislação. Decreto n. 55.889, de 31 de março de 1965. Aprova o Regulamento Geral do Instituto Brasileiro de Reforma Agrária (Ibra). *Diário Oficial da União,* Poder Legislativo, Brasília, DF, 8 abr. 1965. Seção 1. p. 3.554. 1965a. Disponível em: https://www2.camara.leg.br/legin/fed/decret/1960-1969/decreto-55889-31-marco-1965-396177-publicacaooriginal-1-pe.html. Acesso em: 9 abr. 2021.

_______. Câmara dos Deputados. Legislação. Decreto n. 55.890, de 31 de março de 1965. Aprova o Regulamento Geral do Instituto Nacional de Desenvolvimento Agrário (Inda). *Diário Oficial da União,* Poder Legislativo, Brasília, DF, 8 abr. 1965. Seção 1. p. 3.562. 1965b. Disponível em: https://www2.camara.leg.br/legin/fed/decret/1960-1969/decreto-55890-31-marco-1965-396182-publicacaooriginal-1-pe.html. Acesso em: 9 abr. 2021.

_______. Câmara dos Deputados. Legislação. Decreto n. 64.852, de 21 de julho de 1969. Regulamenta o Decreto-lei n. 582, de 15 de maio de 1969, na parte referente ao grupo Executivo de Reforma Agrária (GERA) e dá outras providências. *Diário Oficial da União,* Poder Legislativo, Brasília, DF, 21 jul. 1969. Seção 1. p. 6.153. 1969a Disponível em: https://www2.camara.leg.br/legin/fed/decret/1960-1969/decreto-64852-21-julho-1969-406249-publicacaooriginal-1-pe.html. Acesso em: 9 abr. 2021.

_______. Presidência da República. Casa Civil. Subchefia para Assuntos Jurídicos. *Lei n. 601, de 18 de setembro de 1850.* Dispõe sobre as terras devolutas do Império. 1850. Disponível em: http://www.planalto.gov.br/ccivil_03/leis/l0601-1850.htm. Acesso em: 9 abr. 2021.

_______. Presidência da República. Casa civil. Subchefia para Assuntos Jurídicos. *Constituição dos Estados Unidos do Brasil (de 18 de setembro de 1946).* A mesa da Assembleia Constituinte promulga a Constituição dos Estados Unidos do Brasil e o Ato das Disposições Constitucionais Transitórias, nos termos dos seus arts. 218 e 36, respectivamente, e manda a todas as autoridades, às quais couber o conhecimento e a execução desses atos, que os executem e façam executar e observar fiel e inteiramente como neles se contêm. 1946. Disponível em: http://www.planalto.gov.br/ccivil_03/constituicao/constituicao46.htm. Acesso em: 9 abr. 2021.

_______. Presidência da República. Casa Civil. Subchefia para Assuntos Jurídicos. *Lei Delegada n. 11, de 11 de outubro de 1962.* Cria a Superintendência de Política Agrária (Supra) e dá outras providências. 1962. Disponível em: http://www.planalto.gov.br/ccivil_03/leis/ldl/ldl11.htm. Acesso em: 9 abr. 2021.

_______. Presidência da República. Casa Civil. Subchefia para Assuntos Jurídicos. *Emenda Constitucional n. 10, de 9 de novembro de 1964.* Altera os artigos 5º, 15, 29, 141, 147 e 156 da Constituição Federal. 1964b. Disponível em: http://www.planalto.gov.br/ccivil_03/constituicao/emendas/emc_anterior1988/emc10-64.htm. Acesso em: 9 abr. 2021.

_______. Presidência da República. Casa Civil. Subchefia para Assuntos Jurídicos. *Lei n. 4.504, de 30 de novembro de 1964.* Dispõe sobre o Estatuto da Terra e dá outras providências. Disponível em: http://www.planalto.gov.br/ccivil_03/leis/l4504.htm. 1964c. Acesso em: 9 abr. 2021.

_______. Presidência da República. Casa Civil. Subchefia para Assuntos Jurídicos. *Decreto n. 58.428, de 27 de outubro de 1966.* Regulamenta os Capítulos I e II do Título II, o Capítulo II do Título III, e os arts. 81 - 82 - 83 - 91 - 109 - 111 - 114 - 115 e 126 da Lei n. 4.504, de 30 de novembro de 1964, o art. 22 do Decreto-lei n. 22.239, de 19 de dezembro de 1932, e os arts. 9 - 10 - 11 - 12 - 22 e 23 da Lei n. 4.947, de 6 de abril de 1966. Disponível em: http://www.planalto.gov.br/ccivil_03/decreto/antigos/d59428.htm. Acesso em 9 abr. 2021.

_______. Presidência da República. Subchefia para Assuntos Jurídicos. *Decreto-Lei n. 582, de 15 de maio de 1969.* Estabelece medidas para acelerar a Reforma Agrária, dispõe sôbre a organização e funcionamento do Instituto Brasileiro de Reforma Agrária (Ibra) e dá outras providências. 1969b. Disponível em: http://www.planalto.gov.br/ccivil_03/decreto-lei/1965-1988/Del0582.htm. Acesso em: 9 abr. 2021.

_______. Presidência da República. Subchefia para Assuntos Jurídicos. *Lei n. 4.214, de 2 de março de 1963.* Dispõe sôbre o "Estatuto do Trabalhador Rural". 1963. Disponível em: http://www.planalto.gov.br/ccivil_03/leis/1950-1969/l4214.htm. Acesso em: 9 abr. 2021.

P

_______. Presidência da República. Subchefia para Assuntos Jurídicos. *Lei n. 5.851, de 7 de dezembro de 1972*. Autoriza o Poder Executivo a instituir empresa pública, sob a denominação de Empresa Brasileira de Pesquisa Agropecuária (Embrapa) e dá outras providências. 1972. Disponível em: http://www.planalto.gov.br/ccivil_03/leis/1970-1979/l5851.htm. Acesso em: 9 abr. 2021.

_______. Presidência da República. Subchefia para Assuntos Jurídicos. *Lei n. 11.952, de 25 de junho de 2009*. Dispõe sobre a regularização fundiária das ocupações incidentes em terras situadas em áreas da União, no âmbito da Amazônia Legal; altera as Lei n. 8.666, de 21 de junho de 1993, e Lei n. 6.015, de 31 de dezembro de 1973; e dá outras providências. Dispõe sobre regularização fundiária das ocupações incidentes em terras situadas em áreas da União ou do Instituto Nacional de Colonização e Reforma Agrária (Incra), altera a Lei n. 8.666, de 21 de junho de 1993, e a Lei n. 6.015, de 31 de dezembro de 1973, e dá outras providências. (Redação dada pela Medida Provisória n. 910, de 2019). 2009. Disponível em: http://www.planalto.gov.br/ccivil_03/_Ato2007-2010/2009/Lei/L11952.htm. Acesso em: 9 abr. 2021.

_______. Presidência da República. Casa Civil. Subchefia para Assuntos Jurídicos. *Lei n. 8.629, de 25 de fevereiro de 1993*. Dispõe sobre a regulamentação dos dispositivos constitucionais relativos à reforma agrária, previstos no Capítulo III, Título VII, da Constituição Federal. 1993. Disponível em: http://www.planalto.gov.br/ccivil_03/LEIS/L8629.htm. Acesso em: 9 abr. 2021.

CAMARGO, A. A. A questão agrária: crise de poder e reformas de base (1930-1964). *In*: FAUSTO, B. (org.) *História geral da civilização brasileira*. Tomo III. O Brasil republicano. Sociedade e Política (1930-1964). São Paulo: Difel, 1981.

LENHARO, A. *Colonização e trabalho no Brasil*: Amazônia, Nordeste e Centro Oeste. Campinas: Ed. Unicamp, 1985.

MARTINS, J. de S. *A imigração e a crise do Brasil agrário*. São Paulo: Pioneira, 1973.

_______. *O cativeiro da terra*. 9 ed. revista e aumentada. São Paulo: Contexto, 2010.

_______. *A militarização da questão agrária no Brasil*. São Paulo: Hucitec, 1984.

MARX, K. *O capital*. Introdução à Crítica da Economia Política, v. III. Rio de Janeiro: Civilização Brasileira, 1974.

MEDEIROS, L. S. de. *História dos movimentos sociais no campo*. Rio de Janeiro: Fase, 1989.

MEDEIROS, L. S. de. *Movimentos sociais, disputas políticas e reforma agrária de mercado no Brasil*. Seropédica: Editora da UFRRJ / Unrisd, 2002.

NÚCLEO DE ESTUDOS, PESQUISAS E PROJETOS DE REFORMA AGRÁRIA (Nera). *Boletim Data Luta*, 2017-2020. Disponível em: http://www2.fct.unesp.br/nera/index.php. Acesso em: 9 abr. 2021.

SIGAUD, L. M. A forma acampamento: notas a partir da versão pernambucana. *Novos Estudos CEBRAP*, São Paulo, v. 58, 2000.

SILVA, J. G. da. *A modernização dolorosa: estrutura agrária, fronteira agrícola e trabalhadores rurais no Brasil*. Rio de Janeiro: Zahar, 1981.

SANTOS, J. V. Os colonos do vinho. São Paulo: Hucitec, 1978.

_______. *Matuchos:* exclusão e luta. Do Sul para a Amazônia. Petrópolis: Vozes, 1993.

Para saber mais

DELGADO, G. C. *Capital financeiro e agricultura*. Campinas: Editora Ícone / Unicamp, 1985.

DELGADO, N. G. O papel do rural no desenvolvimento nacional: da modernização conservadora dos anos 1970 ao Governo Lula. *In:* DELGADO, N. G. (org). *Brasil rural em debate*. Brasília: Condraf/MDA, 2010.

Notas

[1] A Constituição de 1946 previa a desapropriação por interesse social, mas com indenização prévia e em dinheiro, inviabilizando uma política ampla de redistribuição de terras.

[2] Os direitos dos trabalhadores rurais foram reconhecidos em 1963, por meio do Estatuto do Trabalhador Rural, Lei n. 4.214, de 2 de março de 1963 (Brasil, 1963). Também foi regulamentado o direito aos trabalhadores rurais de se organizarem sindicalmente.

[3] Nessas iniciativas, pesou o estímulo da FAO, que visitara o Brasil.

[4] Para os dados sobre famílias assentadas, ver Núcleo de Estudos, Pesquisas e Projetos de Reforma Agrária, Nera, *Boletim Data Luta*, 2017-2020.

[5] Nas primeiras discussões do projeto, o limite para regularização era bem menor. Nas disputas políticas em torno dos limites, acabou-se usando o parâmetro 15 módulos, o que corresponde ao limite do que a Lei n. 8.629, de 25 de fevereiro de 1993 (Brasil, 1993), que regulamentou a Constituição de 1988, define como teto da média propriedade.

POLÍTICA AGRÍCOLA

GUILHERME COSTA DELGADO
SÍLVIO ISOPPO PORTO

O caráter destacadamente histórico-geográfico das políticas agrícolas nacionais não lhes retira alguns traços de generalidade, que permitem identificar características comuns e específicas. Estas, de certa forma, nos remetem à pretensão da conceituação teórica, a que os casos nacionais de alguma maneira demarcariam para efeito da regulação política.

O campo agrícola da política guarda especificidade de uma área de estudos no âmbito das políticas públicas em razão de duas questões factuais:

a) A utilização do espaço da natureza como meio de produção para a agricultura, meio de produção não produzido pelo trabalho humano, para cuja posse e uso se requer legitimação ou legalização de parte do Estado (na modernidade), condição que confere ao seu portador o usufruto da renda fundiária.
b) Os processos de produção e de circulação dos bens produzidos no espaço rural, muito fortemente associados à provisão anual de alimentos, diferem qualitativamente dos processos produtivos industrial e de serviços pelo fato da descontinuidade do período de produção e circulação agrícola, que lhes impõem lentidão e defasagem nos tempos de rotação do capital. Isto, por sua vez, irá requerer ações políticas específicas às necessidades do abastecimento dos bens da cesta básica, seja no mercado interno, seja à exportação.

As propostas e respostas das políticas agrícolas nacionais a essa problemática específica do espaço rural variam em grande medida, a exemplo mais recente da política agrícola comum, precursora da União Europeia desde os anos 1950; ou da política agrícola estadunidense, apoiada desde os primórdios (anos 1930) por um sistema de subsídios, ancorado em vários regimes de *support-price*, que vêm sendo praticados há três quartos de século.

Mas é sobre política agrícola brasileira que o verbete tem pretensão de dizer algo mais, além dessas considerações iniciais ora enunciadas.

Conceituando a política agrícola

A política agrícola é o conjunto de políticas públicas que articula os instrumentos de crédito, seguro agrícola, assistência técnica e extensão rural e comercialização, os quais buscam fomentar as atividades produtivas visando promover o desenvolvimento rural. Além disso, o abastecimento alimentar, nesse caso incluindo a população urbana, está associado à política agrícola (em especial no que tange aos instrumentos de fomento e comercialização). Em contrapartida, também incidem sobre o rural os direitos de propriedade, de posse e uso da terra, a

P

legislação ambiental, entre outros instrumentos que são mediados pelo Estado, por vezes pela presença da regulação pública, como também pela sua omissão.

Do ponto de vista normativo em vigência, o Art. 187 da Constituição Federal (CF) (Brasil, 1988) prevê que a política agrícola será planejada e executada na forma da lei, com a participação efetiva do setor de produção, envolvendo produtores e trabalhadores rurais, bem como dos setores da comercialização, do armazenamento e de transportes, levando em conta, especialmente: 1) os instrumentos creditícios e fiscais; 2) os preços compatíveis com os custos de produção e a garantia de comercialização; 3) o incentivo à pesquisa e à tecnologia; 4) assistência técnica e extensão rural; 5) o seguro agrícola; 6) o cooperativismo; 7) eletrificação rural e irrigação; e 8) habitação para o trabalhador rural. Esse artigo considera que as atividades agroindustriais, agropecuárias, pesqueiras e florestais [VER AGROINDÚSTRIA E BENEFICIAMENTO] deverão ser levadas em consideração nesse processo de planejamento, devendo ainda compatibilizar as ações da política agrícola com as da reforma agrária (Brasil, 1988).

Nesse campo, a institucionalidade mais antiga, Decreto Imperial n. 1.067, de 28 de junho de 1860 (Brasil, 1860) é a do Ministério da Agricultura, Pecuária e Abastecimento (Mapa), sendo o Plano Agrícola e Pecuário (PAP), ou Plano de Safra, o instrumento de planejamento agrícola mais estável ao longo do tempo, tendo sido estabelecido e implementado de forma contínua (com lançamento anual) desde 1967. O papel do Plano Safra poderá ser mais ou menos regulador, dependendo da concepção ideológica de cada governo, podendo assim induzir ou não o comportamento da safra do próximo ano-agrícola. Da mesma forma que os meios e parâmetros delineados no PAP, em boa medida, dependerão da política macroeconômica adotada pelo governo.

Cabe salientar que esses arranjos institucionais, para serem implementados, passam necessariamente pelo estabelecimento de consensos entre as forças político-partidárias que ocupam o governo e as suas interconexões com grupos econômicos (principalmente) e sociais. Isso, em boa medida, explica porque a agenda ambiental foi a última a ser incorporada ao contexto institucional (início dos anos 1980), e porque, ainda assim, até hoje persistem constantes ataques e questionamentos sobre a sua relevância, estando no governo que se iniciou em 2019 totalmente subordinada aos interesses do agronegócio.

Breve histórico da política agrícola no Brasil

As primeiras ações em política agrícola no Brasil (1906-1964)

Os diferentes contornos institucionais da política agrícola implementada no país, desde o Império até o período recente, embora dirigidos ao rural, por vezes tiveram seus objetivos alargados, incluindo aqueles voltados ao abastecimento alimentar da população urbana. Embora de baixa efetividade até os anos 1970, algumas políticas ou ações dessa natureza visavam atender tanto o polo da produção quanto o do consumo; neste caso, em especial, em razão dos altos preços dos alimentos e restrições de oferta.

Possivelmente, uma das primeiras ações públicas de vulto dirigidas a amparar a produção interna por meio de instrumento público para a manutenção dos preços foi o Convênio de Taubaté, uma iniciativa dos governos provinciais de São Paulo, Minas Gerais e Rio de Janeiro (Delgado, 1977; Menezes; Porto; Grisa, 2016). Essa iniciativa veio a ser federalizada nos anos 1930. Nesse mesmo período foi criada a Carteira de Crédito Agrícola e Industrial do Banco do Brasil (Creai) (1935), único banco autorizado a operar o crédito rural à época.

Os temas relativos ao fomento à produção, à comercialização de produtos básicos e à exportação, à pesquisa e ao crédito rural foram possivelmente os temas mais presentes na agenda de desenvolvimento rural a partir da segunda metade do século XX. Esse período histórico marca também o início da implementação da Revolução Verde [ver Revolução Verde] no sul do Brasil, por meio do plano do governo (de Getúlio Vargas) de incrementar a produção de trigo a partir do incentivo à lavoura de soja, com o objetivo de ampliar a renda da terra aos triticultores.

O período posterior à Segunda Guerra até o início dos anos 1960 do século passado é demarcado, no plano econômico, pelo relançamento da política de valorização dos preços externos do café, parcialmente planejada pelo Brasil; e em grande parte beneficiário do *boom* de consumo do pós-guerra. O foco da política econômica geral na "substituição de importações" e na industrialização implica a combinação de duas políticas simultâneas que as viabilizam: a valorização dos preços externos do café e a sobrevalorização cambial (dólar semicongelado em cruzeiros), o que dificulta a penetração dos demais produtos clássicos do nosso comércio exterior, porque não gozam da mesma valorização. Essa política foi concebida dentro de uma estratégia mais geral de transferência de recursos para os setores industriais emergentes, beneficiários de importações de bens de capital em regime cambial ultrafavorecido.

Segundo Delgado (2014), há compensações internas importantes para um rol de produtos e regiões abrangidas por políticas específicas além do café (que era coordenado pelo Instituto Brasileiro do Café – IBC), tais como o trigo, o açúcar e álcool e o cacau, com o planejamento de respectivas políticas agrícolas pelas agências especializadas: o Instituto do Açúcar e do Álcool (IAA); o Serviço de Expansão do Trigo (SET) e a Comissão Executiva do Plano da Lavoura Cacaueira (Ceplac), da Superintendência da Valorização Econômica da Amazônia (SVEA). O restante da política agrícola – não abrangida por essas políticas específicas, que contemplava preços, crédito e formação de estoques – ficou incluída no âmbito da política conduzida pela Comissão de Financiamento da Produção (CFP), que à época tinha pouca relevância do ponto de vista do fomento econômico.

O final desse ciclo econômico de valorização cafeeira e políticas específicas regionais se caracteriza pela superprodução estrutural do café em 1961, e pelas crises de abastecimento alimentar do período inicial dos anos 1960, crises que se adensam com o lançamento de uma questão agrária, não assimilada pela base parlamentar do governo de então, precipitando o golpe civil-militar de 1964.

Avançando na institucionalidade na linha da modernização técnica pós-1964

A criação do Sistema Nacional de Crédito Rural (Banco do Brasil, 2004), Lei n. 4.829, de 5 de novembro de 1965 (Brasil, 1965), foi um marco para constituir a política agrícola brasileira. Para isso, foi necessário dar outros passos normativos, tais como: a regulamentação do Sistema

Nacional de Crédito Rural, Decreto n. 58.380 de 10 de maio de 1966 (Brasil, 1966); a criação dos títulos de crédito rural (Decreto-Lei n. 167, de 14 de fevereiro de 1967); e tornar obrigatório o direcionamento de 10% dos depósitos à vista para o crédito rural do Conselho Monetário Nacional (CMN). Além disso, foi instituída a Política de Preços Mínimos (PGPM) (Decreto-Lei n. 79/1966), que estabeleceu, além da Aquisição do Governo Federal (AGF), os instrumentos de Empréstimo do Governo Federal (EGF), com opção de venda (COV) ou sem opção de venda (SOV). Antes de 1965, o crédito rural era executado somente pelo Banco do Brasil, por meio de sua Carteira de Crédito Agrícola e Industrial (CREAI) (1935). Esse novo regramento estabeleceu as condições para o lançamento do Plano Agrícola e Pecuário (PAP), ou Plano de Safra.

Na primeira metade da década de 1970, a partir do lançamento do I Plano Nacional de Desenvolvimento (1972-1974), foi criado o Sistema Nacional de Centrais de Abastecimento (Sinac) (1972); a Empresa Brasileira de Pesquisa Agropecuária (Embrapa) (1973); a Empresa Brasileira de Assistência Técnica e Extensão Rural (Embrater) (1974); e o fortalecimento da CFP. O governo pretendia ampliar a disponibilidade interna de alimentos – visando reduzir os preços aos consumidores e diminuir o descontentamento social – e, ao mesmo tempo, diversificar a pauta das exportações agrícolas brasileira, ainda muito centrada no café. Essa estratégia representava a "modernização conservadora" da agricultura brasileira, que buscava incrementar a produtividade por meio da adoção de "novos pacotes tecnológicos" disseminados pela Revolução Verde – apoiados na pesquisa agrícola, no crédito rural, na assistência técnica e extensão rural – e a adoção do uso de insumos (fertilizantes sintéticos, agrotóxicos e sementes comerciais). Essa nova institucionalidade contribuiu para ampliar a oferta de instrumentos disponíveis à política agrícola e a capacidade de planejamento do Estado brasileiro.

A partir da década de 1980, sobretudo, o Estado brasileiro passou a adotar políticas mais liberais, por um lado deixando o mercado comandar o que ocorre nos sistemas agroalimentares e, por outro, contribuindo para o avanço das *commodities*, em especial a soja, milho, cana e carnes, em detrimento da manutenção de sistemas de produção mais diversificados e destinados ao mercado interno. O governo federal reduziu a oferta de recursos oriundos do Tesouro Nacional para financiar o setor agropecuário, em paralelo criou a Poupança Rural, como forma de diversificar as fontes de financiamento para as operações de crédito rural por meio dos bancos públicos. Cabe destacar que essa iniciativa, ao mesmo tempo que amplia a participação dos recursos privados nas operações de crédito agrícola, delega aos bancos a decisão sobre a alocação dos recursos do crédito (custeio e investimento). Esse formato tende a gerar concentração dos recursos em culturas com maior liquidez no mercado; atender produtores com maior capacidade de pagamento; e concentrar nas regiões de maior expressão das *commodities* agrícolas.

A redemocratização e os contornos da política agrícola na Constituição Federal

A partir da redemocratização do país, se instituiu um processo constituinte para debater, elaborar e promulgar uma nova Constituição para o Brasil (Brasil, 1988). Esse processo permitiu a mobilização e incidência política de diversos setores vinculados aos temas socioambientais. Isto produziu um texto relativamente avançado, compreendendo, em sentido amplo, tanto aquelas relações produtivas e comerciais quanto as relações fundiárias que se dão no espaço rural, como pertinentes ao domínio da política agrícola. Assim, o capítulo que trata explicitamente de política agrícola na Constituição Federal (CF) denomina-se *Da política agrícola, Fundiária e da Reforma Agrária* (Art. 184 a 191). Desse modo, se restringíssemos o espaço rural à atividade agrícola ou agropecuária, estaríamos restringindo também a política agrícola a formulações produtivistas e comerciais ligadas a este setor de atividade.

O referido capítulo da CF disciplina tanto as ações de fomento produtivo, comercial e de energia sobre o espaço rural (Art. 187), como conceitua também e disciplina as relações agrárias do direito de propriedade e as formas de intervenção para promoção da reforma agrária. É nesse contexto, do enfoque agrário da política agrícola, que irá aparecer um conceito central relativo a outra dimensão do espaço rural – a função social e ambiental da propriedade da terra (Art. 186), que comparece aqui como conceituação daquilo que é fonte de legitimidade do direito de propriedade fundiária no meio rural, segundo o Art. 5, item XXIII, da mesma CF.

Por seu turno, conquanto o conceito normativo de política agrícola abranja também a "utilização adequada dos recursos naturais disponíveis e a preservação do meio ambiente" como critério demarcatório do direito de propriedade, as relações do Estado com o meio ambiente irão aparecer em outro domínio, o da ordem social e o da política específica para o meio ambiente (Art. 225). As ações previstas na CF (Brasil, 1988) para a política agrícola não são temas novos, a novidade foi o estabelecimento das interconexões entre a produção, a questão fundiária e a ambiental. Em contrapartida, essas áreas historicamente são polos de tensão entre diferentes setores, com representação social e política muito heterogêneas e interesses muitas vezes antagônicos.

A neoliberalização da política agrícola

Nos anos 1990, houve a ampliação das fontes de crédito, tais como os recursos oriundos do Fundo de Amparo ao Trabalhador (FAT), dos Fundos Constitucionais dirigidos às regiões Centro-Oeste, Nordeste e Norte e novas linhas de crédito do Banco Nacional de Desenvolvimento Econômico e Social (BNDES). Na segunda metade dessa década, houve a implementação de renegociação de dívidas, sobretudo aos médios e grandes produtores e cooperativas rurais, fruto da pressão e articulação da Bancada Ruralista do Congresso Nacional com o governo FHC. Ainda, fruto da mobilização das organizações sociais vinculadas à agricultura familiar, com a Resolução n. 2.191 foi criada uma linha de crédito diferenciada para essa categoria social – o Programa de Fortalecimento da Agricultura Familiar (Pronaf) (Banco Central do Brasil, 1995).

Nessa mesma década, foram criados também novos instrumentos de comercialização – Prêmio de Escoamento da Produção (PEP) e o Contrato de Opção de Venda (COV). À semelhança de mecanismos de mercado, essas modalidades são ofertadas pela Companhia Nacional de Abastecimento (Conab) por meio de leilões via as bolsas de mercadorias. Estes instrumentos tendem a esvaziar a formação de estoques públicos e o uso de instrumentos clássicos da PGPM. A exemplo da Aquisição do Governo Federal (AGF), o PEP sobretudo assegura o pagamento de subvenção agrícola aos produtores que adquirirem esses contratos, quando os preços de mercado estiverem abaixo dos preços mínimos. Embora os recursos públicos para a política agrícola tenham voltado a crescer a partir do início dos anos 2000, em especial de 2003, em boa medida foram direcionados para equalizar as taxas de juros dos empréstimos agrícolas. Por fim, a arquitetura dos Planos Agrícolas e Pecuários (PAP) tende a se estruturar da seguinte forma: 1) crédito rural (custeio e investimento); 2) zoneamento agrícola para orientar a aplicação do crédito; 3) seguro rural; 4) previsão de ações de apoio à comercialização; 5) podendo ainda envolver programas especiais de fomento setorial.

As inovações institucionais

Ao final dos anos 1990, após a criação do Pronaf, foi instituído o Ministério do Desenvolvimento Agrário (1999). Embora com uma base social ampla e numerosa, esse Ministério surge com uma estrutura e um orçamento muito abaixo das necessidades de atendimento dessa base social, que naquele momento estava muito dirigida à agricultura familiar (AF) e aos assentados da reforma agrária, por meio do Instituto Nacional de Colonização e Reforma Agrária (Incra).

Em 2003, com o começo do governo de Luiz Inácio Lula da Silva, houve uma transformação do MDA. Embora tenha seguido com uma estrutura administrativa e operacional muito enxuta, foi capaz de se inserir nas disputas políticas do governo federal e dar visibilidade a essa categoria social da AF. Com apoio do Consea, a partir da agenda do Fome Zero, a agricultura familiar e camponesa, em geral, e o MDA, em particular, passaram a ter mais visibilidade. O Consea propôs a criação do Plano de Safra para a agricultura familiar e o público da reforma agrária, promovendo a revisão do Pronaf e do seguro agrícola, reinstituindo uma política de Assistência Técnica e Extensão Rural (Ater) e outra de comercialização específica para esse público. Essa proposta permitiu lançar o Plano de Safra em junho desse primeiro ano de governo, delineando as diretrizes para a safra 2003-2004. A proposta de uma política de comercialização deu origem ao Programa de Aquisição de Alimentos (PAA) e o início do crescimento do orçamento do crédito dirigido a esse público [ver Compras Públicas de Alimentos].

O Pronaf apresentou uma série de iniciativas, com a pretensão de diversificar o público atendido por esse Programa, sobretudo em relação às mulheres (Pronaf Mulher), à juventude rural (Pronaf Jovem), em apoio aos sistemas agroflorestais (Pronaf Floresta), reformulação do Pronaf B dirigido à Região Semiárida do Brasil, o Pronaf Agroecologia, entre outros. Infelizmente, em que pese todas essas iniciativas, a efetividade dessas linhas diferenciadas não avançou, possivelmente pela lógica instituída pelo sistema financeiro e a falta de ousadia para construir um outro referencial de crédito desbancarizado, em especial para as operações especiais de crédito. Essas operações englobariam todo esse público acima, que não conseguiu ser incluído pelo crédito rural, mais os Povos e Comunidades Tradicionais (PCTs). A exemplo do PAA, do Programa Nacional de Alimentação Escolar (Pnae) e do Ecoforte,[1] uma das iniciativas mais abrangentes de apoio e fortalecimento às redes territoriais de agroecologia.

P

A política agrícola aprovada em 1991 – como previsto na Constituição Federal de 1988 – é a base legal para a formulação dos principais instrumentos de crédito. Em contrapartida, essa elaboração está mediada pelo Ministério da Fazenda (MF) e em alguma medida pelo Ministério de Planejamento, Orçamento e Gestão (MPOG), Banco Central, Bancos Públicos, em especial o Banco do Brasil, por meio do Conselho Monetário Nacional (CMN) e do Congresso Nacional. Dessa forma, fica bastante evidente que as decisões políticas sobre a política agrícola, entendidas de forma ampla, tal qual descritas na CF, passarão em boa medida pelo crivo de todas essas instâncias governamentais e parlamentares. Esse arranjo institucional tende a chancelar um Plano Agrícola e Pecuário (PAP) com sérios limites em direção a políticas inovadoras, a exemplo da agroecologia, ficando refém das ações tradicionais de fomento dirigidas às *commodities* agrícolas e à pecuária.

Ameaças e retrocessos pós-golpe

A conjuntura atual aponta para grandes retrocessos, seja em relação à institucionalidade no âmbito do governo federal, tais como o fim do MDA (e junção ao Mapa), redução do orçamento para Ater, PAA, política territorial, ações para as mulheres, agroecologia, P1+2 e P1MC. Devemos reconhecer que para parte considerável do público vinculado à AF, aos assentamentos de reforma agrária, aos povos indígenas, às comunidades quilombolas e demais PCTs, essas políticas não haviam se estabelecido ou chegaram de forma parcial. Ao mesmo tempo, entre 2003 e 2014 foi possível experimentar novas dinâmicas de construção de políticas públicas, com todas as suas controvérsias estabelecidas no âmbito do governo, que apostava na convivência de dois modelos agrícolas e agrários: o da agricultura familiar e camponesa e o do agronegócio. O seguimento desse processo poderia viabilizar a construção de novos caminhos, sobretudo aqueles legitimados por processos de lutas sociais e da construção de consensos pautados pelo interesse público, pela preservação dos bens comuns e promoção da biodiversidade [VER BENS COMUNS], assegurando a essas categorias sociais o direito de acesso às suas terras e territórios, além da realização da reforma agrária.

Referências

BANCO CENTRAL DO BRASIL (BACEN). Resolução n. 2.191, de 24 de agosto de 1995. Crédito Rural – Institui o Programa Nacional de Fortalecimento da Agricultura Familiar (PRONAF). Disponível em: https://www.bcb.gov.br/pre/normativos/res/1995/pdf/res_2191_v3_L.pdf. Acesso em 9 abr. 2021.

BANCO DO BRASIL. Evolução histórica do crédito rural. *Revista de Política Agrícola*, Brasília, v. 13, n. 4, p. 10-17, out./nov./dez. 2004.

BRASIL. Câmara dos Deputados. Decreto n. 58.380, de 10 de maio de 1966. Aprova o Regulamento da Lei que Institucionaliza o Crédito Rural. *Diário Oficial da União*, Poder Legislativo, Brasília, DF, 17 maio 1966. Seção 1. p. 5.239. Disponível em: https://www2.camara.leg.br/legin/fed/decret/1960-1969/decreto-58380-10-maio-1966-399041-norma-pe.html. Acesso em: 9 abr. de 2021.

______. Ministério da Agricultura, Pecuária e Abastecimento (Mapa). *Decreto n. 1.067, de 28 de julho de 1860*. Crêa huma nova Secretaria de Estado com a denominação de Secretaria de Estado dos Negócios da Agricultura, Commercio e Obras Publicas. Disponível em: https://www2.camara.leg.br/legin/fed/decret/1824-1899/decreto-1067-28-julho-1860-546420-publicacaooriginal-60429-pl.html. Acesso em: 9 abr. 2021.

______. Presidência da República. Casa Civil. Subchefia para Assuntos Jurídicos. [Constituição (1988)]. *Constituição da República Federativa do Brasil* de 5 outubro de 1988. Disponível em: http://www.planalto.gov.br/ccivil_03/constituicao/constituicao.htm Acesso: 15 jul. 2020.

______. Presidência da República. Casa Civil. Subchefia para Assuntos Jurídicos. *Lei n. 4.829, de 5 de novembro de 1965*. Institucionaliza o crédito rural. Disponível em: http://www.planalto.gov.br/ccivil_03/LEIS/L4829.htm. Acesso em: 9 abr. 2021.

DELGADO, G. C. Agricultura: Ciclos econômicos e crises desde a Segunda Guerra Mundial ao Século XXI! *In*: SENRA, N. C. (Org) *Censo entra em campo* – O IBGE e a história dos Recenseamentos Agropecuários. Rio de Janeiro: IBGE, 2014, p. 357-381.

______. *Uma metodologia para determinação de preços mínimos*. Fortaleza/CE, 1977. Dissertação (Mestrado em Economia). Faculdade de Economia (FEAAC), Administração, Atuária e Contabilidade (CAEN) Programa de Pós-Graduação em Economia, Universidade Federal do Ceará.

MENEZES, F; PORTO, S. I.; GRISA, C. Abastecimento alimentar e compras públicas no Brasil: um resgate histórico. *Série Políticas Sociais e de Alimentação (Caderno 1) do Centro de Excelência Contra a Fome (WFP)*, Brasília, 2016. Disponível em: https://www.mds.gov.br/webarquivos/publicacao/seguranca_alimentar/PAA_Institucional_Estudo1_Historico_lowres.pdf. Acesso 05 jan. 2019.

Para saber mais

DELGADO, G. C.; *Capital financeiro e agricultura no Brasil*: 1965/1985. São Paulo: Ícone/Unicamp, 1985

______ (org.). *Do "capital financeiro na agricultura" à economia do agronegócio*: mudanças cíclicas em meio século (1965-2012). Porto Alegre: Editora da UFRGS, 2012.

GRISA, C.; SCHNEIDER, S. (org.) *Políticas públicas de desenvolvimento rural no Brasil*. Porto Alegre: Editora UFRGS, 2015.

PORTO, S. I. População só terá acesso a alimentos de péssima qualidade durante pandemia. [Entrevista concedida a] Lu Sudré. *Brasil De Fato*, São Paulo, 27 abr. 2020. Disponível em: https://www.brasildefato.com.br/2020/04/27/populacao-so-tera-acesso-a-alimentos-de-pessima-qualidade-durante-pandemia. Acesso em: 16 jul. 2020

PORTO, S. I. *Programa de Aquisição de Alimentos (PAA)*. Política Pública de Fortalecimento da Agricultura Familiar e da agroecologia no Brasil. Sevilla, Espanha, 2014. Dissertação (Mestrado em Agroecologia). Instituto de Sociología y Estudios Campesinos (ISEC), Universidad Internacional de Andalucía, Universidad de Córdoba, Universidad Pablo de Olavide de Sevilla. Sevilla (Espanha), 2014.

Nota

1 O Programa Ecoforte integra o Plano Nacional de Agroecologia e Produção Orgânica (Planapo) e visa o fortalecimento e a ampliação das redes territoriais de agroecologia e produção orgânica. Os recursos do Ecoforte são oriundos da Fundação Banco do Brasil (FBB), do Fundo Amazônia e do Fundo Social do Banco Nacional de Desenvolvimento Econômico e Social (BNDES).

P

POLÍTICA AMBIENTAL

NAIARA ANDREOLI BITTENCOURT

Política ambiental é o conjunto de atos e instituições voltados à regulação da biodiversidade, solo e bens naturais em dado território, incluindo legislações, normativas, políticas públicas, direcionamento de recursos públicos e incentivos. É a ordenação ambiental e territorial com base no entendimento de conservação, proteção ou desenvolvimento vigente em determinado momento histórico.

Assim, a política ambiental pode ser direcionada a partir de diversos vieses, a depender da concepção que se tem da biodiversidade: integrada ou apartada do ser humano, se voltada ao extrativismo e ao esgotamento de recursos, se de concepção desenvolvimentista ou socioambiental. Mas, sobretudo, está conectada ao interesse das classes e povos que conformam e conflitam nesses territórios, disputando os uso dos bens comuns e dos recursos naturais.

Para compreender parte dessa historicidade e o atual cenário da política ambiental brasileira, perpassar-se-á brevemente pela trajetória da regulação ambiental no Brasil, a mudança paradigmática socioambientalista com a Constituição Federal de 5 de outubro de 1988 (Brasil, 1988) e a ECO-1992; alguns instrumentos jurídicos centrais da política ambiental e as relações da política (socio)ambiental com a agroecologia ou modos sustentáveis e tradicionais de produção da agrobiodiversidade.

Trajetória da política ambiental no Brasil

No período colonial, as ordenações sobre terras, territórios e biodiversidade acompanharam a importação do direito português com vistas a cancelar a exploração extrativa de recursos naturais no território colonizado, autorizando a exportação e transferência de recursos naturais, nas bases da acumulação originária ou primitiva, ou, como David Harvey (2018) denomina, acumulação por espoliação.

As ordenações manuelinas (1521-1603) dispunham sobre a conformação territorial, estabelecendo vedação de caça para alguns animais e multas para corte de determinadas árvores conforme seu valor econômico e propriedade. As ordenações, no entanto, autorizavam a punição seletiva conforme a posição social (Wainer, 1993, p. 195). As ordenações filipinas (1603-1824) já trazem a concepção de realização de obras públicas e plantio de árvores em terrenos baldios, proibição da pesca em determinados locais, além da responsabilidade subjetiva, quando deve ser caracterizada a culpa ou dolo, daquele que causou o dano. Em geral, as ordenações portuguesas visavam mais proteger os bens considerados de patrimônio da metrópole portuguesa e garantir a salvaguarda econômica da colônia. Tanto que, em 1605, o *Regimento sobre o Pau-brasil* exigia autorização portuguesa para o corte da árvore brasileira, o que se repete na legislação florestal da Coroa de 1773 em 1797 (Wainer, 1993, p. 199). Já a Carta Régia de 1800 obrigou a conservação de espécies determinadas pela Coroa portuguesa em faixa de dez léguas da costa.

A vinda da família real ao Brasil trouxe a concepção de estética colonial, com a mescla de espécies exóticas e nativas, além da criação do Jardim Botânico no Rio de Janeiro, inaugurando a perspectiva de zonas protegidas. Em 1821 também se edita a Lei de Sesmarias, a fim de garantir a conservação da sexta parte da propriedade com bosques e florestas "*para que para que nunca faltem as lenhas e madeiras necessárias*", sendo quase uma embrionária "Reserva Legal". Após a independência, ressaltam-se as vozes de José Bonifácio de Andrade e Silva e Joaquim Nabuco, visionários aos alertas de desertificação ambiental e na defesa de recursos naturais como patrimônio nacional (Milaré, 2005, p. 118).

Na República, o Código Civil é promulgado com a Lei n. 3.071 em 1 de janeiro de 1916 (Brasil, 1916) e não trata efusivamente da temática ambiental. Sua conformação é atinente ao direito de propriedade e de vizinhança. Mesmo assim, é na formação do Estado nacional republicano que se conforma a noção de valorização do bem público atrelado a um modelo de desenvolvimento. Na República Velha, imperava a dimensão liberal de Estado, com extrema liberdade aos proprietários e pouca regulação sobre a exploração ambiental e territorial.

Com o Estado Novo, iniciaram-se as regulações sobre a distribuição territorial e de recursos em uma sociedade que se urbanizava e industrializava com mais intensidade, especialmente no lapso do período entre guerras, o que possibilitou a ascensão de uma indústria de base no Brasil, com inclinação das políticas de incentivo de Getúlio Vargas. Assim, em 1934, instituiu-se com o Decreto n. 23.793 de 23 de janeiro o Código Florestal (Brasil, 1934b) e com o Decreto n. 24.643 o Código das Águas (Brasil, 1934a), como medidas de regulação e controle aos avassalantes desmatamentos no interior do país e das crises ambientais e de abastecimento nas cidades. Também a inclinação econômica é candente, já que a lenha e o carvão vegetal eram "as principais fontes de energia do processo de industrialização do Brasil até meados dos anos 1960", sendo "produzidas e exploradas de forma imprevidente e irracional, originando crises de abastecimento e instabilidade" (Hansen, 2018, p. 164). O Parque Nacional de Itatiaia também foi o primeiro criado em âmbito nacional, seguido nas décadas seguintes por outros, como as áreas federais ambientalmente protegidas e com regime jurídico diferenciado. Esses parques nacionais foram inspirados no modelo estadunidense para que os recursos naturais fossem preservados sem a interferência humana, excluindo a participação das populações que historicamente viviam nos territórios (Santilli, 2005, p. 26).

O segundo Código Florestal, Lei n. 4.771, é datado de 15 de setembro de 1965 (Brasil, 1965), já no período ditatorial militar no país, forjado na tentativa de "modernizar" a legislação para se adaptar ao avanço da monocultura e mecanização agrícola em larga escala, especialmente nas culturas de café e cana-de-açúcar. Também na ditadura que se erguem o Estatuto da Terra, Decreto 4.504 de 30 de novembro de 1964 (Brasil, 1964), a Lei de Zoneamento Industrial nas Áreas Críticas de Poluição, Lei Federal 6.803, de 2 de julho de 1980, (Brasil, 1980) e a Lei de Política Nacional do Meio Ambiente, Lei Federal n. 6.938 de 31 de agosto de 1981(Brasil, 1981), e outros instrumentos normativos de regulação ambiental e territorial. As leis na formalidade se chocam com a política real de expansão de burguesias nacionais associadas com o capital transnacional.

É nesse período que se expande e se consolida a Revolução Verde [VER REVOLUÇÃO VERDE] no país, com altos investimentos em tecnologias agrícolas associadas e dependentes de conglomerados de empresas estrangeiras. Ao mesmo tempo, os Planos Nacionais de Desenvolvimento na década de 1970 foram responsáveis pelo aumento gradativo no desmatamento da Amazônia, além de uma política de integracionismo forçado ou extermínio de povos indígenas. Nesse período também inúmeras grandes obras foram construídas "sem qualquer consulta pública prévia ou avaliação ambiental", além da expansão de usinas nucleares e um complexo de indústrias poluentes em Cubatão (Santilli, 2005, p. 27-28).

A Conferência das Nações Unidas sobre o Meio Ambiente de 1972 em Estocolmo alterou a política ambiental brasileira e mudou significativamente os instrumentos normativos [VER AGROECOLOGIA NO CONTEXTO DAS NAÇÕES UNIDAS]. A Declaração sobre o Meio Ambiente (Declaração de Estocolmo) é o primeiro grande marco na tutela jurídica ambiental (Lanfredi, 2002, p. 71), abrindo as portas para a Política Nacional do Meio Ambiente (PNMA) (Lei Federal 6.938/1981), em vigor até hoje. A partir da PNMA, se tornaram obrigatórios o licenciamento e a avaliação de impactos ambientais com potencial poluidor.

A visão, portanto, que imperava nesse período era dicotômica: criava espaços verdes a partir da perspectiva conservacionista, objetivando excluir as populações tradicionais, povos indígenas e camponeses que viviam de forma integrada à biodiversidade – uma natureza sem gentes –, ao mesmo tempo que autorizava a extração de recursos e expansão territorial agrícola e de extração mineral. Segundo Juliana Santilli, as leis nesse período tinham caráter fortemente repressor e restritivo, vedando atividades danosas, mas com pouca política de promoção positiva ambiental. Verifica-se uma "orientação conservacionista, voltada para a proteção de ecossistemas e espécies, mas sem uma dimensão social claramente incorporada" (Santilli, 2005, p. 29).

A redemocratização no Brasil, a Constituição de 1988 e as bases internacionais

A redemocratização no Brasil a partir de 1985, a Assembleia Constituinte de 1987 e a Constituição Federal de 1988 (Brasil, 1988) trazem um novo momento político-jurídico no Brasil. As movimentações socioambientalistas, a partir da interlocução de movimentos sociais populares e ambientalistas na incidência política constituinte, ganham corpo após a realização da Conferência das Nações Unidas sobre Meio Ambiente e Desenvolvimento no Rio de Janeiro em 1992, a ECO-1992.

As forças sociais engendram a ecologia no texto constitucional e alavancam benefícios substantivos, como o "direito ao meio ambiente ecologicamente equilibrado como bem comum do povo e essencial à sadia qualidade de vida, impondo-se ao poder público e à coletividade o dever de defendê-lo e preservá-lo para as presentes e futuras gerações" (artigo 225 da CF) (Brasil, 1988); o dever de não degradar, limitando o direito de exploração dos recursos naturais e da terra; a função social e ambiental da propriedade; a proteção ambiental como direito fundamental; a obrigação da administração pública de proteção ao meio ambiente; e a ampliação da participação pública e do controle social (Benjamin, 2008, p. 69-75).

A Constituição Federal de 1988 demonstra o rompimento formal do paradigma conservacionista ambiental para o paradigma socioambiental, reconhecendo os povos indígenas como sujeitos coletivos com direito a suas terras, às comunidades quilombolas detentoras de direitos territoriais tradicionais (no texto: remanescentes de quilombos), às manifestações culturais populares e os direitos fundamentais "da pessoa humana".[1]

Nessa toada, a ECO-1992 que ocorreu no Brasil resultou na Declaração do Rio sobre Meio Ambiente e Desenvolvimento, na Convenção da Diversidade Biológica (CDB), na Agenda 21 e na Convenção-Quadro das Nações Unidas sobre a mudança do clima, que consolidaram o princípio do desenvolvimento sustentável, do princípio da precaução, do poluidor-pagador; da participação social e direito à informação e a vinculação do poder público na proteção e defesa ambiental (Lanfredi, 2002, p. 72). A Convenção da Diversidade Biológica (CDB) se ergue sobre os pilares da conservação da diversidade biológica, sobre o desenvolvimento sustentável e sobre a repartição justa e equitativa dos benefícios provenientes da utilização dos recursos genéticos. A biodiversidade é entendida, portanto, como englobante de genes, espécies e ecossistemas (Ferreira, 2008, p. 235). Durante a ECO-92, a Cúpula da Terra, evento paralelo empunhado pelos movimentos sociais, começou a elaborar a Carta da Terra, lançada somente em 2000 no Palácio da Paz em Haia. Um dos princípios da Carta da Terra é "erradicar a pobreza como um imperativo ético, social e ambiental".

Após a ECO-92, outros momentos foram marcantes na edificação de metas e políticas ambientais no marco global. O Protocolo de Kyoto foi resultado da Convenção do Clima em 1997, com o objetivo de redução global da emissão de carbono. A 8ª Conferência das Partes da Convenção sobre Diversidade Biológica (COP-8) ocorreu no Brasil, na cidade de Curitiba, em 2006, e movimentou diversos setores sociais, em especial a Via Campesina, que denunciava a liberação desenfreada de transgênicos e as violações do Protocolo de Cartagena sobre biossegurança.

Em 2012, ocorreu a Rio+20 (Conferência das Nações Unidas sobre Desenvolvimento Sustentável). Simultaneamente, a Cúpula dos Povos, a partir dos movimentos sociais, denunciava a economia verde. Já a Agenda 2030 para o desenvolvimento sustentável, em 2015, estabelece 17 objetivos de desenvolvimento sustentável e 169 metas para o estímulo econômico, ambiental e social a ser empreendido pelos chefes de Estado e de governo reunidos na sede das Nações Unidas.

Instrumentos jurídicos da política ambiental

A política ambiental brasileira pode ter fonte em diversos instrumentos jurídicos. Abordaremos em especial a Política Nacional do Meio Ambiente (PNMA), Lei Federal n. 6.938, de 31 de agosto de 1981 (Brasil, 1981) e a Constituição Federal de 1988 (Brasil, 1988).

A PNMA tem como princípios basilares a ação governamental na manutenção do equilíbrio ecológico; a racionalização do uso do solo, do subsolo, da água e do ar; o planejamento e fiscalização do uso dos recursos ambientais; a proteção dos ecossistemas, com a preservação de áreas representativas; o controle e o zoneamento das atividades potencial ou efetivamente poluidoras; incentivos ao estudo e à pesquisa de tecnologias orientadas para o uso racional e a proteção dos recursos ambientais; o acompanhamento do estado da qualidade ambiental; a recuperação de áreas degradadas; a proteção de áreas ameaçadas de degradação; a educação ambiental a todos os níveis de ensino, inclusive a educação da comunidade.[2]

A lei de Política Nacional de Meio Ambiente (Brasil, 1981) também cria

P

o Sistema Nacional do Meio Ambiente (Sisnama), caracterizado pelo "grande arcabouço institucional da gestão ambiental no Brasil", com um conjunto de instituições e órgãos das esferas da união, dos estados, do Distrito Federal, dos territórios e dos municípios do poder público (Milaré, 2005, p. 393). O Sisnama deve funcionar como um feixe da união com capilaridades até os municípios e tem o poder de gerar um fluxo de informações entre os órgãos que se dividem em funções de polícia, gestão e promoção ambiental. Um importante espaço de controle social também é garantido pela PNMA: o Conselho Nacional do Meio Ambiente (Conama), com papel consultivo e deliberativo. Alguns instrumentos de efetivação da tutela ambiental também foram previstos, dentre eles o licenciamento ambiental, o zoneamento, a avaliação de impactos, incentivos e políticas públicas e "espaços territoriais especialmente protegidos pelo poder público federal, estadual e municipal, tais como áreas de proteção ambiental, de relevante interesse ecológico e reservas extrativistas".

No entanto, a política ambiental da Lei 6.938/1981 (Brasil, 1981) foi constitucionalizada, ampliando deveres do poder público, que também foram regulamentados por outras leis federais. Dentre os deveres estão: a) a *proteção dos processos ecológicos, o manejo das espécies e seus ecossistemas,* de forma a identificar a ecologia como a integração sistemática relacional entre seres e meio; b) *a proteção da diversidade e do patrimônio genético,* incluindo a fiscalização de entidades e que manipulam e pesquisam o material genético do e no Brasil;[3] c) *os espaços territoriais e especialmente protegidos*, com regime especial, como as Unidades de Conservação, com a instituição do Sistema Nacional de Conservação e Natureza (SNUC)[4] divididos em dois grandes grupos: Unidades de Proteção Integral[5] e Unidades de Uso Sustentável;[6] d) *o estudo prévio de impacto ambiental* antes da realização de qualquer obra ou atividade potencialmente causadora de dano ambiental, cujos critérios devem seguir resoluções do Conama; e) a *gestão de riscos*, com avaliação de controle da produção, comercialização e uso de técnicas, métodos ou substâncias que possam causar riscos à vida e ao meio ambiente, com medidas preventivas e precatórias, além de legislações ou regulamentos específicos, como é o caso da Lei de Agrotóxicos (Lei Federal n. 7.802 de 11 de julho de 1989. (Brasil, 1989); f) a *educação ambiental* e conscientização para o exercício da cidadania ambiental, que atualmente é regulada pela Política Nacional de Educação Ambiental, Lei Federal 9.795, de 27 de abril de 1999 (Brasil, 1999); g) *a proteção da fauna e da flora* (Ferreira, 2008, p. 233-263).

Isto é, de um regime que considerava a fauna silvestre como "propriedade do Estado", a Constituição consagrou a natureza como bem comum do povo [ver Bem Comum], sem possibilidade de apropriação em razão da natureza difusa (Ferreira, 2008, p. 264).

No entanto, o regime jurídico, em sua gênese capitalista, também apresenta o condão de regular e garantir a circulação de mercadorias, bens e serviços. A política ambiental que se ergue, mesmo constitucionalizada, é apresentada como objeto à serviço humano. Nas palavras de Carlos Marés,

> os sujeitos é que têm direito, quer dizer, poder de tratar a natureza como lhe convier, para a satisfação de suas necessidades reais ou imaginadas. As coisas são a natureza, que ganham re-

> levância quando se tornam objeto do desejo, da necessidade ou do interesse humano. (Souza Filho, 2015, p. 98).

Na década neoliberal de 1990, o Brasil consolidou mecanismos de privatização ambiental e de inclusão no mercado de valores, como os "ativos ambientais". Apesar da década com expressivas legislações ambientais, gerou a possibilidade de tratar a política ambiental dentro do mercado financeiro e não do Estado como garantidor do "bem comum do povo". Neste período, "grupos sociais, povos e etnias que mantinham relação profunda com a natureza foram desterritorizalizados pelo avanço de uma agricultura sem agricultores" (Porto-Gonçalves, 2012, p. 129).

Já na primeira década de 2000, em meados dela, o neodesenvolvimentismo imperou como o desenvolvimento possível periférico, ainda que dentro dos marcos neoliberais. A frente ampla de coalizão levou ao choque permanente de interesses o governo de setores populares e da burguesia interna brasileira, especialmente de alguns setores do agronegócio. As contradições se expressam também na política ambiental e agrária em prol do agronegócio, cuja principal expressão é a reformulação do Código Florestal, Lei 12.651, de 26 de maio de 2012 (Brasil, 2012), ampliando e consolidando áreas desmatadas pelo grande setor agropecuário. Nesse período se aprovou a Lei de Biossegurança, Lei n. 11.105, de 24 de março de 2005 (Brasil, 2005) e o consequente ingresso de Organismos Geneticamente Modificados no Brasil e o marco regulatório da Biodiversidade, Lei 13.123, de 20 de maio de 2015 (Brasil, 2015), entendido pelos movimentos sociais e comunidades tradicionais como Lei da Biopirataria, por facilitar o acesso e dificultar a repartição de benefícios oriundos do patrimônio genético e do conhecimento tradicional associado a ele. Contudo, também se evidencia o aprimoramento de políticas públicas importantes para os agricultores familiares, camponeses e comunidades tradicionais.

O avanço do conservadorismo e o realinhamento das burguesias internas com o capital transnacional culminaram no golpe institucional de 2016 e na eleição de Jair Bolsonaro, representando a política autoritária, neoliberal e privatista que remodela a política ambiental. As ações do governo indicam o aprofundamento das desigualdades sociais e a não participação social no debate das políticas públicas, o que, com a manutenção do extrativismo e a reprimarização da economia, apenas reforça as bases coloniais do Estado brasileiro. Exemplos são a Medida Provisória (MP) n. 870, de 1 de janeiro de 2019 (Brasil, 2019b) e o Decreto n. 9.672, de 2 de janeiro de 2019 (Brasil, 2019a). Vivemos hoje na crise ambiental mais severa das últimas décadas, em que a política ambiental é afastada como bem essencial de guarida do Estado para se tornar unicamente fonte inesgotável de riqueza para apropriação privada e lucrativa.

Política ambiental, sociobiodiversidade e agroecologia

A terra e a natureza, com advento normativo moderno, deixaram de receber o direito de uso para ser mercadoria pura, servindo tanto de garantia ao capital financeiro como renda ao proprietário. Nesse sentido, a política ambiental se dicotomiza, estabelecendo áreas verdes apartadas do ser humano que são vendidas como cotas ambientais no mercado financeiro, ao mesmo tempo que a sucção predatória e a privatização da biodiversidade são permitidas com a expansão de fronteiras agrícolas e os monocultivos em larga escala.

Para romper com essa lógica, o socioambientalismo se ergue

> no pressuposto de que as políticas públicas ambientais só teriam eficácia social e sustentabilidade política se incluíssem comunidades locais e promovessem uma repartição justa e equitativa dos benefícios derivados da exploração dos recursos naturais. (Santilli, 2005, p. 35)

É aí que se buscam programa e políticas agrárias e de desenvolvimento rural que agreguem a produção orgânica e agroecológica, práticas agroextrativistas e agroflorestais com autonomia dos camponeses, povos indígenas e comunidades tradicionais. É a "aliança forte com a natureza e um ideal coletivista ensinado pelas populações tradicionais" (Souza Filho, 2015, p. 103) que permitiria um real desenvolvimento local, regional e nacional para a real política ambiental que congregue a biodiversidade em suas diversas formas.

Todavia, "a inclusão das externalidades (natureza) esbarra nos limites do capital e da própria lei" (Souza Filho, 2015, p. 101). A regulação do mercado também exige um Estado fortalecido e comunidades e povos respeitados em sua diversidade e relação com a natureza, ao contrário do que prega o neoliberalismo, o privatismo ambiental e a financeirização da natureza. Os "vieses" da política ambiental se constroem na práxis e na correlação de forças. Cabe a nós, povos brasileiros, empunharmos nossas bandeiras e ocuparmos a arena, fincando o socioambientalismo e a agroecologia como ciência, prática, movimento e política.

Referências

BENJAMIN, A. H. Constitucionalização do ambiente e ecologização da Constituição Brasileira. *In*: CANOTILHO, J. J. G. & LEITE, J. R. M. (org.). *Direito constitucional ambiental brasileiro*. São Paulo: Saraiva, 2008.

BRASIL. Câmara dos Deputados. *Lei n. 3.081, de 1 de janeiro de 1916*. Código Civil dos Estados Unidos do Brasil. *Diário Oficial da União*, Poder Legislativo, Brasília, DF, 5 jan. 1916. Seção 1. p. 133. 1916. Disponível em: https://www2.camara.leg.br/legin/fed/lei/1910-1919/lei-3071-1-janeiro-1916-397989-publicacaooriginal-1-pl.html. Acesso em: 9 abr. 2021.

______. Câmara dos Deputados. *Decreto n. 24.643, de 10 de julho de 1934*. Decreta o Código de Águas. *Diário Oficial da União*, Poder Legislativo, Brasília, DF, 20 jul. 1934. Seção 1. p. 14.738. 1934a. Disponível em: https://www2.camara.leg.br/legin/fed/decret/1930-1939/decreto-24643-10-julho-1934-498122-publicacaooriginal-1-pe.html. Acesso em: 9 abr. 2021.

______. Presidência da República. Casa Civil. Subchefia para Assuntos Jurídicos. *Constituição da República Federativa do Brasil*, de 5 de outubro de 1988. Disponível em: http://www.planalto.gov.br/ccivil_03/constituicao/constituicao.htm. Acesso em 9 abr. 2021.

______. Presidência da República. Casa Civil. Subchefia para Assuntos Jurídicos. *Decreto n. 9.672, de 2 de janeiro de 2019*. Aprova a Estrutura Regimental e o Quadro Demonstrativo dos Cargos em Comissão e das Funções de Confiança do Ministério do Meio Ambiente, remaneja cargos em comissão e funções de confiança e substitui cargos em comissão do Grupo-Direção e Assessoramento Superiores - DAS por Funções Comissionadas do Poder Executivo - FCPE. 2019a. Disponível em: http://www.planalto.gov.br/ccivil_03/_ato2019-2022/2019/decreto/D9672.htm. Acesso em: 10 abr. 2021.

______. Presidência da República. Casa Civil. Subchefia para Assuntos Jurídicos. *Decreto n. 23.973 de 23 de janeiro de 1934*. Aprova o código florestal que com este baixa. 1934b. Disponível em: http://www.planalto.gov.br/ccivil_03/decreto/1930-1949/d23793.htm. Acesso em: 9 abr. 2021.

______. Presidência da República. Casa Civil. Subchefia para Assuntos Jurídicos. *Lei n. 4.771, de 15 de setembro de 1965*. Institui o novo Código Florestal. 1965. Disponível em: http://www.planalto.gov.br/ccivil_03/leis/l4771.htm. Acesso em: 9 abr. 2021.

_______. Presidência da República. Casa Civil. Subchefia de Assuntos Jurídicos. *Lei n. 4.504, de 30 de novembro de 1964*. Dispõe sobre o Estatuto da Terra, e dá outras providências. 1964. Disponível em: http://www.planalto.gov.br/ccivil_03/leis/l4504.htm. Acesso em: 9 abr. 2021.

_______. Presidência da República. Casa Civil. Subchefia de Assuntos Jurídicos. *Lei n. 6.803, de 2 de julho de 1980*. Dispõe sobre as diretrizes básicas para o zoneamento industrial nas áreas críticas de poluição, e dá outras providências. 1980. Disponível em: http://www.planalto.gov.br/ccivil_03/leis/l6803.htm. Acesso em: 9 abr. 2021.

_______. Presidência da República. Casa Civil. Subchefia de Assuntos Jurídicos. *Lei n. 6.938, de 31 de agosto de 1981*. Dispõe sobre a Política Nacional do Meio Ambiente, seus fins e mecanismos de formulação e aplicação, e dá outras providências. 1981. Disponível em: http://www.planalto.gov.br/ccivil_03/leis/l6938.htm. Acesso em: 9 abr. 2021.

_______. Presidência da República. Casa Civil. Subchefia de Assuntos Jurídicos. *Lei n.11.105, de 24 de março de 2005*. Regulamenta os incisos II, IV e V do § 1º do art. 225 da Constituição Federal, estabelece normas de segurança e mecanismos de fiscalização de atividades que envolvam organismos geneticamente modificados – OGM e seus derivados, cria o Conselho Nacional de Biossegurança – CNBS, reestrutura a Comissão Técnica Nacional de Biossegurança – CTNBio, dispõe sobre a Política Nacional de Biossegurança – PNB, revoga a Lei n. 8.974, de 5 de janeiro de 1995, e a Medida Provisória n. 2.191-9, de 23 de agosto de 2001, e os arts. 5º, 6º, 7º, 8º, 9º, 10 e 16 da Lei n. 10.814, de 15 de dezembro de 2003, e dá outras providências. 2005. Disponível em: http://www.planalto.gov.br/ccivil_03/_ato2004-2006/2005/lei/l11105.htm. Acesso em: 10 abr. 2021.

_______. Presidência da República. Casa Civil. Subchefia de Assuntos Jurídicos. *Lei n. 9.985, de 18 de julho de 2000*. Regulamenta o art. 225, § 1º, incisos I, II, III e VII da Constituição Federal, institui o Sistema Nacional de Unidades de Conservação da Natureza e dá outras providências. 2000. Disponível em: http://www.planalto.gov.br/ccivil_03/leis/l9985.htm. Acesso em: 10 de abr. 2021.

_______. Presidência da República Casa Civil. Subchefia de Assuntos Jurídicos. *Lei n. 7.802, de 11 de julho de 1989*. Dispõe sobre a pesquisa, a experimentação, a produção, a embalagem e rotulagem, o transporte, o armazenamento, a comercialização, a propaganda comercial, a utilização, a importação, a exportação, o destino final dos resíduos e embalagens, o registro, a classificação, o controle, a inspeção e a fiscalização de agrotóxicos, seus componentes e afins, e dá outras providências. 1989. Disponível em: http://www.planalto.gov.br/ccivil_03/leis/l7802.htm. Acesso em: 10 abr. 2021.

_______. Presidência da República Casa Civil. Subchefia de Assuntos Jurídicos. *Lei n. 9.795, de 27 de abril de 1999*. Dispõe sobre a educação ambiental, institui a Política Nacional de Educação Ambiental e dá outras providências. 1999. Disponível em: http://www.planalto.gov.br/ccivil_03/leis/l9795.htm. Acesso em: 10 abr. 2021.

_______. Presidência da República Casa Civil. Subchefia de Assuntos Jurídicos. *Lei n. 12.651, de 25 de maio de 2012*. Dispõe sobre a proteção da vegetação nativa; altera as Leis n. s 6.938, de 31 de agosto de 1981, 9.393, de 19 de dezembro de 1996, e 11.428, de 22 de dezembro de 2006; revoga as Leis n.s 4.771, de 15 de setembro de 1965, e 7.754, de 14 de abril de 1989, e a Medida Provisória n. 2.166-67, de 24 de agosto de 2001; e dá outras providências. 2012. Disponível em: http://www.planalto.gov.br/ccivil_03/_ato2011-2014/2012/lei/l12651.htm. Acesso em: 10 abr. 2021.

_______. Presidência da República Casa Civil. Subchefia de Assuntos Jurídicos. *Lei n. 13.123, de 20 de maio de 2015*. Regulamenta o inciso II do § 1º e o § 4º do art. 225 da Constituição Federal, o Artigo 1, a alínea *j* do Artigo 8, a alínea *c* do Artigo 10, o Artigo 15 e os §§ 3º e 4º do Artigo 16 da Convenção sobre Diversidade Biológica, promulgada pelo Decreto n. 2.519, de 16 de março de 1998; dispõe sobre o acesso ao patrimônio genético, sobre a proteção e o acesso ao conhecimento tradicional associado e sobre a repartição de benefícios para conservação e uso sustentável da biodiversidade; revoga a Medida Provisória n. 2.186-16, de 23 de agosto de 2001; e dá outras providências. 2015. Disponível em: http://www.planalto.gov.br/ccivil_03/_ato2015-2018/2015/lei/l13123.htm. Acesso em: 10 abr. 2021.

_______. Presidência da República. Casa Civil. Subchefia para Assuntos Jurídicos. Medida Provisória (MP) n. 870, de 1 de janeiro de 2019. Estabelece a organização básica dos órgãos da Presidência da República e dos Ministérios. 2019b. Disponível em: http://www.planalto.gov.br/ccivil_03/_ato2019-2022/2019/Mpv/mpv870.htm. Acesso em: 10 abr. 2021.

FERREIRA, H. S. Política ambiental constitucional. *In*: CANOTILHO, J. J. G.; LEITE, J. R. M. (org.). *Direito constitucional ambiental brasileiro*. São Paulo: Saraiva, 2008.

HANSEN, T. F. *Codificar e conservar*: ciência e pensamento jurídico na formação do Código Florestal Brasileiro de 1934. Curitiba/PR, 2018. Tese (Doutorado em Ciências Jurídicas). Universidade Federal do Paraná, Programa de Pós-Graduação em Direito.

HARVEY, D. A *loucura da razão econômica*: Marx e o capital no século XXI. São Paulo: Boitempo, 2018.

LANFREDI, G. F. *Política ambiental*: busca de efetividade de seus instrumentos. São Paulo: Revista dos Tribunais, 2002.

P

MILARÉ, E. *Direito do ambiente:* doutrina, prática, jurisprudência, glossário. 4. ed. rev., atual. e ampl. São Paulo: Revista dos Tribunais, 2005.

PORTO-GONÇALVES, C. W. Ambiente (Medioambiente). *In*: CALDART, R. S. *et al.* Educação do Campo. *Dicionário de Educação do Campo.* Rio de Janeiro/São Paulo: Escola Politécnica de Saúde Joaquim Venâncio/Expressão Popular, 2012.

SANTILLI, J. *Socioambientalismo e novos direitos*: proteção jurídica à diversidade biológica e cultural. Peirópolis (SP): Instituto Internacional de Educação do Brasil, 2005.

SOUZA FILHO, C. F. M. De como a natureza foi expulsa da modernidade. *Revista Crítica do Direito*, v. 66, n. 5, ago./dez. 2015.

WAINER, A. H. Legislação Ambiental Brasileira: evolução histórica do direito ambiental. *Revista Inf. Legisl.* Brasília: a 30, n. 118, abril/junho, 1993.

Notas

1 Entendidos aqui como os direitos humanos econômicos, sociais, ambientais e culturais em seu conjunto e integralidade.

2 Íntegra do artigo 2º, incisos I a X da PNMA. (Brasil, 1981)

3 A Lei de Biossegurança n. 11.105 de 24 de março de 2005 regula de forma ambígua e contraditória a liberação de Organismos Geneticamente Modificado (Brasil, 2005).

4 Lei Federal 9.985, de 18 de julho de 2000 (Brasil, 2000).

5 Estação Ecológica; Reserva Biológica; Parques Nacionais; Monumentos Nacionais; Refúgios de Vida Silvestre.

6 Área de Proteção Ambiental; Área de Relevante Interesse Ecológico, Floresta Nacional, Reserva Extrativista, Reserva de Fauna, Reserva de Desenvolvimento Sustentável e Reserva Particular do Patrimônio Natural.

POLÍTICA SOCIAL

GUILHERME COSTA DELGADO

O conceito de política social[1] é relativamente novo para significar o conteúdo de "política de ação" (*policy*) no espaço social que vamos aqui tratar. Esta conexão preambular entre "política" e "social" apresenta acepções diferentes em outros contextos históricos, teóricos e políticos distintos do Estado de Bem-Estar, que por sua vez é um conceito amplo o suficiente para albergar distintas tipologias. Daí que, para não cairmos em uma polissemia infinita de fenômenos político-sociais indeterminados, vamos nos situar no âmbito da relação Estado, sociedade e política social, do século XX ao presente, mirando o Estado de Bem-Estar mas sem ignorar os exemplos históricos e ideológicos contemporâneos que o negam. Vamos, por aproximações sucessivas, fazer a contextualização conceitual, que, como se verá, se ancora em determinado campo doutrinário.

Uma primeira aproximação consiste em situar a política social como espécie de um gênero maior, o das políticas públicas, integrantes da esfera pública, no sentido universal, da totalidade da sociedade, mais além do espaço privado e também do espaço estatal.

Uma segunda aproximação, de caráter teórico-epistêmico, ressalta uma aparente ambiguidade presente no âmbito do estudo. Por um lado, existe a pretensão teórica da política social em se afirmar como *disciplina científica,* "[...] de par com outras disciplinas como a Sociologia, a Ciência Política, a Economia e o Serviço Social, embora transite por todas elas, dado seu caráter inter e multidisciplinar" (Potyara, 2008). Em contrapartida, outra concepção de política social é considerá-la como *campo de estudo* dessas disciplinas científicas ou de outras, para as quais figure como fonte de fatos e informações às abordagens da disciplina científica a que pertença cada pesquisador. Neste texto, estamos assumindo a primeira opção, sem ignorar que muitas vezes o conceito é utilizado na linha do campo de estudo.

Uma terceira dimensão conceitual tem relação não apenas com a política social, mas com toda a política pública, na acepção de *policy* (política de ação), à qual estão implicadas duas dimensões de fazer política. A primeira consistindo no processo de formação e concertação dos consensos políticos com respeito às ações públicas a serem exercidas. A segunda dimensão tem a ver com a gestão dessas ações de política social, no sentido da administração dos múltiplos serviços situados na esfera da política social. Essas duas dimensões são autônomas, mas não independentes, porquanto se reportam ao mesmo campo doutrinário daquilo que se poderia denominar de "espaço social" de prestação de serviços sociais acordados na esfera pública. Mas aqui já é possível prenunciar que a própria política social lida com o conflito tácito ou explicito, para definir em cada momento histórico o seu próprio espaço e a sua própria finalidade.

O espaço social da política social nas muitas variantes do Estado de Bem-Estar fundamenta-se no reconhecimento de que os seres humanos conviventes em sociedade são portadores de direitos inerentes à condição humana. Estes direitos sociais têm em vista o atendimento de determinadas necessidades, sintetizadas no amplo conceito de proteção social, sem o que a vida humana correria sério risco de degradação, perecimento e ou perda de dignidade essencial. Este fundamento ético baseia-se em princípios filosóficos, teológicos e políticos de um amplo espectro de correntes de pensamento – liberais clássicos, sociais-democratas e socialistas do século XIX e XX.

Em contrapartida, há uma corrente de Economia Política contemporânea, a do neoliberalismo, cujos protagonistas doutrinários – Ludwig von Misses, F.A. von Hayek e Milton Friedman – negam explicitamente os direitos sociais enquanto direitos humanos, remetendo ao mercado autossuficiente a arbitragem sobre os serviços sociais a serem providos e consumidos pelos indivíduos dotados de renda e riqueza, habilitados por tais atributos a atender desejos de consumo. Necessidades humanas básicas e direitos sociais correspondentes, a serem atendidos por serviços sociais construídos na esfera pública, não comparecem nessa visão ideológica, para quem política social tem conotação muito mais restrita às ações de alívio à extrema pobreza, mas sem qualquer relação com direito social ou direito humano, positivamente construído.[2]

Do exposto infere-se que há direitos sociais,[3] na categoria genérica de direitos humanos, que precisam de definição positiva (legal) para serem exercidos, e que a política social fundamentada nesses direitos e nos serviços sociais correspondentes estará sempre em disputa, seja no campo estritamente político, seja no campo da gestão de governo, quando o ideário neoliberal a assume.

Por sua vez, a Constituição Federal do Brasil (Brasil, 1988) define, em seu artigo 6º, introdutoriamente, quais seriam os direitos sociais a serem amparados pelo Estado nos termos mais detalhados corroborados em mais de 30 artigos da sua "Ordem Social" – (Art. 193 a 231). O Art. 6º assim os elenca: "[...] educação, saúde, alimentação, trabalho, previdência social, proteção à maternidade e infância, assistência aos desamparados nos termos desta Constituição", e estes são o cerne da política social. Isso pressupõe, com todas as suas consequências, que o nosso ordenamento constitucional faz a ligação entre política social e esfera pública, direitos sociais e direitos humanos.

Do exposto, depreende-se existir um conflito ideológico quase que abissal no âmbito do que convencionalmente se denomina "política social" com foco nos direitos sociais. Contraditoriamente a essa linha, a negativa do fundamento no direito humano privaria o acesso das pessoas à política social nas situações de evidente necessidade configurada. Trata-se da tese neoliberal, que prevê o acesso a serviços mercantis tão somente por aqueles indivíduos portadores de renda e riqueza e, por essa via, habilitados a comprar serviços no mercado em todos aqueles âmbitos dos serviços sociais – saúde, educação, previdência social etc. Essa tese choca-se por completo com o conceito de política social ligado ao Estado de Bem-Estar, que ora estamos tratando.

Trata-se de duas concepções doutrinárias opostas, que fundamentam aquilo que formalmente se poderia chamar de política social, sendo que a última é tão centrada no mercado autossuficiente que guarda precária relação com a política pública e o espaço social como aqui incorporados ao conceito de política social. Mas as concepções doutrinárias nunca se encontram em estado puro na história concreta, tanto na "práxis" dos serviços sociais oferecidos quanto nas definições de prioridade do agir político dos governos. Daí o hibridismo e a ambiguidade das políticas sociais efetivamente praticadas em cada país e no Brasil em particular.

As políticas sociais brasileiras institucionalizadas a partir de 1988 na Constituição Federal (Brasil, 1988), principalmente nos artigos da "Ordem Social", contêm mecanismos específicos de participação popular, a exemplo dos Conselhos de Saúde, Assistência Social e Previdência Social, disciplinados no conceito da Seguridade Social (Art. 194 – item VII), assim também no campo da Educação; podendo ser acessados a maior parte deles também nos níveis municipal e estadual.

Mais além da participação em conselhos institucionalizados, as pressões políticas – tendo em vista formular demandas e estabelecer consensos no âmbito das políticas social – operam-se em vários outros âmbitos políticos do Estado e da sociedade; mas o referencial normativo principal está contido no Direito Social da ordem constitucional; daí porque há tanta demanda do campo conservador na atualidade para derrubada desse ordenamento.

Referências

BRASIL. Presidência da República. Subchefia para Assuntos Jurídicos. Constituição da República Federativa do Brasil, de 5 de outubro de 1988. Disponível em: http://www.planalto.gov.br/ccivil_03/constituicao/constituicao.htm. Acesso em: 10 abr. 2021.

POTYARA, A. P. P. *Política social,* temas e questões. São Paulo: Cortez Editora, 2008.

Para saber mais

SUNG, J. M. *Idolatria do dinheiro e direitos humanos* – uma crítica teológica do novo mito do capitalismo. São Paulo: Ed. Paulus, 2018.

Notas

1 Principal fonte deste texto: Potyara, A. P. P. *Política social, temas e questões.* São Paulo: Cortez Editora, 2008.

2 Para uma discussão ampla dos fundamentos econômicos neoliberais contrários aos direitos sociais e consequente política social sobre estas bases, ver em especial o teólogo e economista Jung Mo Sung, no livro *Idolatria do dinheiro e direitos humanos* – uma crítica teológica do novo mito do capitalismo (São Paulo: Ed. Paulus, 2018, em especial o capítulo II, "A revolução da estrutura mítica do capitalismo").

3 A teoria do Estado do Bem-Estar entende que a categoria direitos sociais, no contexto mais amplo dos direitos humanos, se caracteriza a partir da linha de construção da "liberdade positiva", que implica na dotação de meios materiais pelo Estado à consecução desses direitos. Neste sentido, esses direitos se distinguem da categoria dos direitos civis e políticos, conceituados na linha da "liberdade negativa" ou da ausência da coerção, compulsão e intervenção do Estado.

POLÍTICAS PÚBLICAS EM AGROECOLOGIA[1]

Iracema Ferreira de Moura

P

O objetivo deste verbete é apresentar e exemplificar como o enfoque agroecológico entrou na agenda de políticas públicas setoriais, foi delineando ações, diretrizes e programas que foram integrados e articulados na elaboração da Política Nacional de Agroecologia e Produção Orgânica (Pnapo) e do Plano Nacional de Agroecologia e Produção Orgânica (Planapo), em 2012, constituídos na relação Estado e sociedade civil.

A Revolução Verde [ver Revolução Verde] intensificou o uso dos recursos naturais na produção agrícola, elevando-o a um patamar industrial de exploração, com consequente acentuação do processo de degradação ecológica, cultural e de exploração social (Guzmán Casado; Molina; Sevilla-Guzmán, 2000). Apesar do relativo sucesso nos quesitos produção e produtividade, esse modelo reproduziu as desigualdades distributivas na propriedade e na renda, gerou êxodo rural, desemprego nos campos e nas cidades, marginalização urbana, exclusão social e econômica e desarticulação regional dos processos de desenvolvimento econômico (Schneider; Ercher, 2011). Há uma tendência para o esvaziamento do campo e a expansão da monocultura concentrada em poucas espécies, como soja, milho e cana-de-açúcar (Sauer; Leite, 2012). Nesse contexto, a agroecologia vem se apresentando como uma importante estratégia para a implementação de programas de desenvolvimento rural em bases "realmente sustentáveis' (Moreira; Carmo, 2004).

Agroecologia nas políticas públicas

Com a abertura democrática na década de 1980 e a Constituição Federal de 1988 (Brasil, 1988), as instâncias de participação são visibilizadas e ampliadas, possibilitando também o início de um processo de contestação à modernização da agricultura.

A implementação da Pnapo e do Planapo fez parte de uma construção histórica, que vem da atuação do movimento agroecológico desde a década de 1980, com várias iniciativas nas áreas de ensino, pesquisa, extensão, comercialização e certificação, protagonizadas por esses movimentos sociais, ONGs e comunidades locais. Uma das ações precursoras do apoio do Estado para a transição agroecológica foi o subprograma Projetos Demonstrativos (PDA) do Projeto Piloto. As ações do PDA foram *locus* importante para redes de atuação com a agroecologia, como é o caso da Articulação Nacional de Agroecologia (ANA) [VER ARTICULAÇÃO NACIONAL DE AGROECOLOGIA], para apresentar suas ideias e demandas relativas a políticas públicas de apoio à agroecologia

Essas iniciativas somaram, impulsionaram e pressionaram as ações institucionais e as que seguiram nos anos posteriores. Assim, dentro de um de seus pilares de atuação dos movimentos, articulados na ANA, criaram-se as condições para disputar uma agenda política, cabendo ao Estado brasileiro assumir seu papel no apoio e fortalecimento de uma agricultura de base agroecológica.

A centralidade do tema da segurança alimentar e nutricional esteve presente a partir de 2003, com a criação do Fome Zero no governo Lula, agregando outras questões como a preocupação com a nutrição, o combate à fome e à miséria, a cultura alimentar, a alimentação saudável, reinstalando e reestruturando o Conselho de Segurança Alimentar (Consea).[2] Cria-se a Política Nacional de Segurança Alimentar e Nutricional (PNSAN), que tem como uma das diretrizes a "promoção do abastecimento e da estruturação de sistemas descentralizados, de base agroecológica e sustentáveis de produção, extração, processamento e distribuição de alimentos".[3] A institucionalidade criada por meio da PNSAN vai se aliar a uma discussão sobre a base produtiva e dar vida a programas como o Programa de Aquisição de Alimentos (PAA), o Programa Nacional de Alimentação Escolar (Pnae) e a Política de Garantia de Preços Mínimos para Produtos da Sociobiodiversidade (PGPM-Bio) [VER COMPRA PÚBLICA DE ALIMENTOS].

Segundo Schmitt (2013), essas ações contribuem para a construção da agroecologia em alguns aspectos em comum, tais como: possibilitam o fortalecimento das práticas extrativistas e da reprodução social de quem vive delas, promovendo a sustentabilidade; os produtos do extrativismo e os adquiridos pelo PAA e Pnae apresentam enraizamento cultural nos territórios; contribuem para resgatar e valorizar alimentos locais, conhecimentos tradicionais, práticas culturais e alimentares; ambos os programas têm o acréscimo de 30% nos preços de referência para os alimentos produzidos de modo agroecológico ou orgânico; ambos os programas enfatizam o fornecimento de alimentos saudáveis às populações em situação de insegurança alimentar e nutricional, especialmente o Pnae.

O fortalecimento de uma arena política ligada à Segurança Alimentar e Nutricional (SAN), como o Consea, e o papel que este exerceu na articulação de diversos movimentos e sujeitos sociais identificados com os princípios da agroecologia e de políticas voltadas ao desenvolvimento rural e agricultura familiar, permitiu que o enfoque agroecológico tornasse realidade nas políticas públicas. Espaços como o Consea, assim como o Conselho Nacional de Desenvolvimento Rural Sustentável (Condraf), tornaram-se arenas importantes para influenciar na formulação e implementação de novos instrumentos e programas de políticas públicas, bem como articular as inciativas em execução voltadas à transição agroecológica.

As Conferências Nacionais de Segurança Alimentar e Nutricional e as de desenvolvimento rural sustentável e solidário, outra promoção no contexto dos governos do presidente Luiz Inácio Lula da Silva (2003-2010) e Dilma Rousseff (2011-2016), também passaram a pautar a agroecologia. Dessa forma, várias ações de políticas públicas nacionais passaram a incorporar, ao menos em parte, proposições elaboradas por organizações promotoras da agroecologia.

No primeiro ano do governo Lula, por exemplo, a legislação brasileira reconheceu o papel do controle social na verificação e na garantia da qualidade, oficializando os sistemas participativos de garantia e do controle social na venda direta pelos agricultores familiares.[4] Oficializou as diferentes práticas de avaliação da conformidade existentes no país e viabilizou o acesso aos programas de compra governamental para grupos de agricultores que fizeram a opção por sistemas participativos de garantia (Karam *et al.*, 2006). Os grupos e as organizações do movimento orgânico e agroecológico brasileiros dedicados ao fortalecimento de relações mais próximas entre produtores e consumidores fortaleceram e defenderam os processos participativos de garantia como os que já vinham sendo praticados pela Rede Ecovida de Agroecologia, no Sul do Brasil (Karam *et al.*, 2006).

Nesse período, algumas importantes instâncias de participação foram criadas, envolvendo diversas organizações do campo agroecológico e orgânico, a saber: a) Comitê de Agroecologia do Condraf; b) Comissão Interministerial criada com o intuito de promover, construir, aperfeiçoar e desenvolver políticas públicas para a inclusão e incentivo à abordagem da agroecologia e sistemas de produção orgânica nos diferentes níveis e modalidades de educação; c) Fórum Permanente de Agroecologia e projetos componentes dos projetos em rede Tecnologias para Agricultura Orgânica e de Transição Agroecológica da Embrapa; d) Câmaras Temáticas de Agricultura Orgânica, Comissão Nacional de Produção Orgânica (CNPOrg) e Comissões da Produção Orgânica nas unidades da Federação (CPorg).

Políticas de ensino, pesquisa e extensão e agroecologia

Algumas experiências no campo das chamadas agriculturas alternativas foram o embrião para a constituição de processos de ensino-aprendizagem.

Especialmente nas Ciências Agrárias, foram os estudantes, organizados nos centros acadêmicos e em articulação com a Federação dos Estudantes de Agronomia do Brasil (Feab) e educadores, os primeiros a levantar o debate e conduzir várias iniciativas sobre a inserção da Agroecologia na educação formal desde os anos 1980. Sobretudo após o ano 2000, surgiram nas instituições de ensino formal cursos constituídos a partir da crítica ao enfoque tecnicista que se aproximam da agroecologia (Aguiar, 2010). Esses egressos das universidades encontraram um lugar para atuação profissional quando surgiu, em 1997, o Projeto Lumiar.[5] O projeto era executado de forma bastante diferenciada nos estados, mas em geral favoreceu o desenvolvimento de experiências e ampliou o debate agroecológico nos assentamentos (Dias, 2004).

Foram criados no Brasil, a partir de 2003, mais de 100 cursos de agroecologia ou com enfoque em agroecologia. O Brasil conta com diversos cursos de tecnólogo e bacharel em agroecologia, cursos de especialização, mestrado e linhas de programas de doutorado dentro do campo de conhecimento da agroecologia (Balla; Massukado; Pimentel, 2014; Caporal; Petersen, 2012). O Programa Nacional de Educação para Reforma Agrária (Pronera) do Instituto Nacional de Colonização e Reforma Agrária (Incra) contribuiu para a aproximação da Educação do Campo com os pressupostos da agroecologia (Aguiar, 2010).

Em relação à pesquisa, uma ação importante a partir de 2004 foi a abertura de editais de pesquisa lançados pelo Conselho Nacional de Desenvolvimento Científico e Tecnológico (CNPq), em interface com a extensão rural, com o objetivo de apoiar projetos voltados à realização de estudos e pesquisas em agroecologia, tais como a implantação e consolidação de núcleos de agroecologia (Padula *et al.*, 2013). Em 2006, a Embrapa consolidou seu marco referencial em agroecologia, abrindo a possibilidade de elaboração e aprovação de projetos e programas de agroecologia naquela instituição.

A assistência técnica e a extensão rural (Ater) foi outra área que incorporou o enfoque agroecológico quando algumas organizações da sociedade civil assumiram um protagonismo na execução de políticas públicas. Criou-se um canal de interlocução com os governos locais, estaduais e com o Ministério do Desenvolvimento Agrário (Dias, 2004).[6] No governo federal, em 2003, o Departamento de Assistência Técnica e Extensão Rural (Dater) foi transferido do Mapa para o MDA.[7] Nesse contexto, essa retomada da contribuição do governo com o lançamento da Política Nacional de Assistência Técnica e Extensão Rural (Pnater), em 2004, mostrou-se intimamente vinculada à institucionalização da política de desenvolvimento rural e de fortalecimento da agricultura familiar em resposta à demanda de movimentos sociais. Porém, com descompassos temporais que aconteceram entre o lançamento da Pnater e o regramento da forma de operação por meio da Lei n. 12.188, de Assistência Técnica e Extensão Rural (Ater), de 11 de janeiro 2010 (Brasil, 2010b), (Diesel; Dias; Neumann, 2015). Segundo Caporal e Petersen (2012), é na Pnater que a palavra agroecologia aparece pela primeira vez em uma política pública nacional como orientação para a ação dos extensionistas rurais brasileiros.

Financiamento e a agroecologia

Até o início da década de 1990, não havia nenhum tipo de política pública específica, com abrangência nacional, voltada para o financiamento dos agricultores familiares no Brasil. Ainda no ano de 1994, o tema da reconversão e da reestruturação produtiva dos agricultores familiares passou a integrar mais fortemente a agenda governamental.[8] No decorrer dos anos em que foi implementado, o Programa Nacional da Agricultura Familiar (Pronaf) sofreu uma série de mudanças e foram criadas novas modalidades, resultando na aprovação da Lei da Agricultura Familiar, Lei n. 11.326, de 24 de julho de 2006 (Brasil, 2006), que institucionalizou a categoria agricultor familiar.[9] Posteriormente, foram criadas modalidades de créditos conhecidas como Pronaf Agroecologia e Pronaf Semiárido, e regras que possibilitariam às modalidades já existentes financiar projetos com enfoque agroecológico. Não obstante as inovações, essas linhas de crédito não tiveram uma boa execução. Primeiramente, os agentes financeiros não priorizaram os projetos de transição agroecológica. Além disso, os fatores, tais como a natural complexidade dos projetos concebidos pelo enfoque agroecológico, os prazos de carência e pagamentos e o montante que se propunha a investir contribuíram para dificultar o acesso a essas modalidades (Weid, 2010).

P

Política nacional de agroecologia e produção orgânica

A atuação convergente do movimento agroecológico e orgânico [VER MOVIMENTO AGROECOLÓGICO; AGRICULTURA ORGÂNICA], com destaque para as organizações das mulheres trabalhadoras rurais e camponesas, aliada a um momento político favorável, foi fator fundamental para a elaboração da Pnapo e do Planapo,[10] instituídos pelo Decreto n. 7.794, de 20 de agosto de 2012, com o objetivo de integrar e articular políticas indutoras da transição agroecológica e da produção orgânica e de base agroecológica no Brasil. A elaboração da Pnapo aconteceu em um contexto político-histórico de um governo federal que cria mecanismos de diálogo com a sociedade e que se abre para pautas antes não acolhidas.

Os instrumentos dessa política apontados no decreto foram, em primeiro lugar, o Planapo, seguido do crédito rural e de outros mecanismos de financiamento, tais como o seguro agrícola, a renda, os preços agrícolas e extrativistas, incluídos mecanismos de regulação e compensação de preços nas aquisições ou subvenções; compras governamentais; medidas fiscais e tributárias; pesquisa e inovação científica e tecnológica; assistência técnica e extensão rural; formação profissional e educação; mecanismos de controle; e sistemas de monitoramento e avaliação.

A Pnapo foi resultado de um processo emergente, de baixo para cima. Foram as experiências e ideias historicamente construídas na base que deram solidez às diretrizes, instrumentos, objetivos, metas e iniciativas da política e do plano. Uma característica da agroecologia é permitir estabelecer conexões com outras agendas, fazendo com que, aos poucos, vários segmentos da sociedade fossem adotando essa agenda e pautando-a nas políticas públicas por várias vertentes, seja pela agenda ambiental, seja pela agenda tecnológica, da saúde pública, da educação, da pesquisa.

Apesar das limitações e lacunas, a Pnapo e o Planapo têm o grande mérito de serem a afirmação da agroecologia enquanto política pública, se estabelecendo como um marco e uma conquista política.

O conjunto de políticas e normativas instituídas após 2003 foram avanços importantes na formulação de um aparato legal para a garantia do DHAA e o fortalecimento da agricultura familiar e camponesa, mesmo persistindo desafios históricos para a plena realização desses direitos no Brasil, tais como: a concentração da terra; as desigualdades (de renda, étnica, racial e de gênero); a insegurança alimentar e nutricional dos povos indígenas e comunidades tradicionais; além de novos desafios, tais como a epidemia de obesidade e o fato de o Brasil ter se tornado o maior mercado de agrotóxicos do mundo.

Referências

AGUIAR, M. V. A. Educação em Agroecologia. Que formação para sustentabilidade? *Agriculturas*, v. 7, n. 4, dez. 2010.

BALLA, J. V. Q.; MASSUKADO, L. M.; PIMENTEL, V. C. Panorama dos cursos de agroecologia no Brasil. *Revista Brasileira de Agroecologia*. v. 9, n. 2, p. 3-14, 2014.

BRASIL. Presidência da República. Casa Civil. Subchefia para Assuntos Jurídicos. *Constituição da República Federativa do Brasil de 5 de outubro de 1988*. Disponível em: http://www.planalto.gov.br/ccivil_03/constituicao/constituicao.htm. Acesso em: 10 abr. 2021.

______. Presidência da República. Casa Civil. Subchefia para Assuntos Jurídicos. *Decreto n. 3.338, de 14 de janeiro de 2000*. Aprova a Estrutura Regimental e o Quadro Demonstrativo dos Cargos em Comissão e Funções Gratificadas do Ministério do Desenvolvimento Agrário, e dá outras providências. 2000. Disponível em: http://www.planalto.gov.br/ccivil_03/decreto/d3338.htm. Acesso em: 10 abr. 2021.

______. Presidência da República. Casa Civil. Subchefia para Assuntos Jurídicos. *Decreto n. 4.723, de 6 de junho de 2003*. Aprova a Estrutura Regimental e o Quadro Demonstrativo dos Cargos em Comissão e das Funções Gratificadas do Ministério do Desenvolvimento Agrário, e dá outras providências. 2003a. Disponível em: http://www.planalto.gov.br/ccivil_03/decreto/2003/d4723.htm. Acesso em: 10 abr. 2021.

______. Presidência da República. Casa Civil. Subchefia para Assuntos Jurídicos. *Decreto n. 4.739, de 13 de junho de 2003*. Transfere a competência que menciona, referida na Lei n. 10.683, de 28 de maio de 2003, que dispõe sobre a organização da Presidência da República e dos Ministérios, e dá outras providências. 2003b. Disponível em: http://www.planalto.gov.br/ccivil_03/decreto/2003/D4739.htm. Acesso: 10 abr. 2021.

______. Presidência da República. Casa Civil. Subchefia para Assuntos Jurídicos. *Decreto 6.323, de 27 de dezembro de 2007*. Regulamenta a Lei n. 10.831, de 23 de dezembro de 2003, que dispõe sobre a agricultura orgânica, e dá outras providências. 2007. Disponível em: http://www.planalto.gov.br/ccivil_03/_ato2007-2010/2007/decreto/d6323.htm. Acesso em: 10 abr. 2021.

______. Presidência da República. Casa Civil. Subchefia para Assuntos Jurídicos. *Decreto n. 7.272, de 25 de agosto de 2010*. Regulamenta a Lei no 11.346, de 15 de setembro de 2006, que cria o Sistema Nacional de Segurança Alimentar e Nutricional - SISAN com vistas a assegurar o direito humano à alimentação adequada, institui a Política Nacional de Segurança Alimentar e Nutricional - PNSAN, estabelece os parâmetros para a elaboração do Plano Nacional de Segurança Alimentar e Nutricional, e dá outras providências. 2010a. Disponível em: http://www.planalto.gov.br/ccivil_03/_Ato2007-2010/2010/Decreto/D7272.htm. Acesso em: 10 abr. 2021.

______. Presidência da República. Casa Civil. Subchefia para Assuntos Jurídicos. *Lei n. 10.831, de 23 de dezembro de 2003*. Dispõe sobre a agricultura orgânica e dá outras providências. 2003c. Disponível em: http://www.planalto.gov.br/ccivil_03/leis/2003/l10.831.htm Acesso em: 10 abr.2021.

______. Presidência da República. Casa Civil Subchefia para Assuntos Jurídicos. *Lei n. 11.326, de 24 de julho de 2006*. Estabelece as diretrizes para a formulação da Política Nacional da Agricultura Familiar e Empreendimentos Familiares Rurais. Disponível em: http://www.planalto.gov.br/ccivil_03/_ato2004-2006/2006/lei/l11326.htm. Acesso em: 10 abr. 2021.

______. Presidência da República. Casa Civil. Subchefia para Assuntos Jurídicos. *Lei n. 12.058, de 13 de outubro de 2009*. Dispõe sobre a prestação de apoio financeiro pela União aos entes federados que recebem recursos do Fundo de Participação dos Municípios – FPM, no exercício de 2009, com o objetivo de superar dificuldades financeiras emergenciais; altera as Leis n. 11.786, de 25 de setembro de 2008, 9.503, de 23 de setembro de 1997, 11.882, de 23 de dezembro de 2008, 10.836, de 9 de janeiro de 2004, 11.314, de 3 de julho de 2006, 11.941, de 27 de maio de 2009, 10.925, de 23 de julho de 2004, 9.636, de 15 de maio de 1998, 8.036, de 11 de maio de 1990, 8.212, de 24 de julho de 1991, 10.893, de 13 de julho de 2004, 9.454, de 7 de abril de

P

1997, 11.945, de 4 de junho de 2009, 11.775, de 17 de setembro de 2008, 11.326, de 24 de julho de 2006, 8.427, de 27 de maio de 1992, 8.171, de 17 de janeiro de 1991, 5.917, de 10 de setembro de 1973, 11.977, de 7 de julho de 2009, 11.196, de 21 de novembro de 2005, 9.703, de 17 de novembro de 1998, 10.865, de 30 de abril de 2004, 9.984, de 17 de julho de 2000, e 11.772, de 17 de setembro de 2008, a Medida Provisória n 2.197-43, de 24 de agosto de 2001, e o Decreto-Lei n. 1.455, de 7 de abril de 1976; revoga a Lei n 5.969, de 11 de dezembro de 1973, e o art. 13 da Lei n. 11.322, de 13 de julho de 2006; e dá outras providências. 2009. Disponível em: http://www.planalto.gov.br/ccivil_03/_ato2007-2010/2009/lei/l12058.htm. Acesso em: 10 abr. 2021.

_______. Presidência da República. Casa Civil. Subchefia para Assuntos Jurídicos. *Lei n. 12.188, de 11 de janeiro de 2010*. Institui a Política Nacional de Assistência Técnica e Extensão Rural para a Agricultura Familiar e Reforma Agrária - PNATER e o Programa Nacional de Assistência Técnica e Extensão Rural na Agricultura Familiar e na Reforma Agrária - PRONATER, altera a Lei n. 8.666, de 21 de junho de 1993, e dá outras providências. 2010b. Disponível em: http://www.planalto.gov.br/ccivil_03/_ato2007-2010/2010/lei/l12188.htm. Acesso em: 10 abr. 2021.

_______. Presidência da República. Casa Civil. Subchefia para Assuntos Jurídicos. *Lei n. 12.512, de 14 de outubro de 2011*. Conversão da Medida Provisória nº 535, de 2011. Institui o Programa de Apoio à Conservação Ambiental e o Programa de Fomento às Atividades Produtivas Rurais; altera as Leis nºs 10.696, de 2 de julho de 2003, 10.836, de 9 de janeiro de 2004, e 11.326, de 24 de julho de 2006. Brasília, 2011. Disponível em: http://www.planalto.gov.br/ccivil_03/_ato2011-2014/2011/lei/l12512.htm. Acesso em: 10 abr. 2021.

_______. Presidência da República. Casa Civil. Subchefia para Assuntos Jurídicos. *Medida Provisória n. 726, de 12 de maio de 2016*. Altera e revoga dispositivos da Lei n. 10.683, de 28 de maio de 2003, que dispõe sobre a organização da Presidência da República e dos Ministérios. 2016. Disponível em: http://www.planalto.gov.br/ccivil_03/_ato2015-2018/2016/mpv/mpv726.htm. Acesso em: 10 abr. 2021.

CAPORAL, F. R; PETERSEN, P. Agroecologia e políticas públicas na América Latina: o caso do Brasil. *Revista Agroecologia*, n. 6, p. 63-74, 2012.

DIAS, M. M. Extensão rural para agricultores assentados: uma análise das boas intenções propostas pelo "serviço de ATES". *Cadernos de Ciência & Tecnologia*, Brasília, v. 21, n. 3, p. 499-543, set/dez. 2004.

DIESEL, V; DIAS, M. M.; NEUMANN, P. S. *PNATER (2004-2014)*: da concepção à materialização. *In*: GRISA, C.; SCHNEIDER, S. (org.). *Políticas públicas de desenvolvimento rural no Brasil*. Porto Alegre: Editora da UFRGS, 2015. p. 107-128.

FERREIRA, B; ALVES, F.; CARVALHO FILHO, J. J. Constituição Vinte Anos: Caminhos e descaminhos da Reforma Agrária – embates (permanentes), avanços (poucos) e derrotas (muitas). *Políticas Sociais*: Acompanhamento e análise. Vinte anos da Constituição. Brasília: IPEA; v. 2. p. 156-223, 2008.

GUZMÁN CASADO, G.; MOLINA, M. G.; SEVILLA-GUZMÁN, E. *Introducción a la agroecología como desarrollo rural sostenible*. Madrid/Barcelona/México. Ediciones Mundi-Prensa, 2000.

KARAM, K. *et al*. Institucionalização da agricultura orgânica no Brasil. *Agriculturas*: Das práticas às políticas públicas. v. 3, n. 1, p. 25-27, 2006.

MOREIRA, R. M.; CARMO, J. D. S. do. Agroecologia na construção do desenvolvimento rural sustentável. *Agricultura*, v. 51, n. 2, p. 37-56, 2004.

PADULA, J. *et al*. Os caminhos da agroecologia no Brasil. *In*: GOMES, J. C. C; de ASSIS, W. S. (org.) *Agroecologia: princípios e reflexões conceituais*. Coleção Transição Agroecológica, v. I, Brasília: Embrapa, 2013.

SAMBUICHI, R. H. R. *et al*. *A política nacional de agroecologia e produção orgânica no Brasil*: uma trajetória de luta pelo desenvolvimento rural sustentável. Brasília: Ipea, 2017.

SAUER, S.; LEITE, S. P. Expansão agrícola, preços e apropriação de terra por estrangeiros no Brasil. *Revista de Economia e Sociologia Rural*, Piracicaba: v. 50, n. 3, p. 503-524, jul./set. 2012.

SCHIMITT, C. Agroecologia, mercados e políticas públicas: uma análise a partir dos instrumentos de ação governamental. *In*: NIERDELE, P. A.; ALMEIDA, L.; VEZZANI, F. M. (org.). *Agroecologia*: práticas, mercados e políticas para uma nova agricultura. *Kairós*, Curitiba, p. 215-266, 2013.

SCHNEIDER, S.; ERCHER, F. A contribuição de Karl Polanyi para a sociologia do desenvolvimento rural. Sociologias, Porto Alegre, v. 13, n. 27, p. 180-219, maio/ago, 2011.

WEID, J. M. von der. Agricultura Familiar: sustentando o insustentável. *Agriculturas*: Financiamento da transição agroecológica. AS-PTA. v. 7, n. 2, p. 4-7, 2010.

Notas

[1] Este verbete é uma adaptação do capítulo "Antecedentes e aspectos fundantes da agroecologia e da produção orgânica na agenda das políticas públicas no Brasil", de minha autoria, publicado no livro SAMBUICHI, R. H. R. *et al*. *A política nacional de agroecologia e produção orgânica no Brasil*: uma trajetória de luta pelo desenvolvimento rural sustentável. Brasília: Ipea, 2017.

P

2 Criado no governo Itamar Franco, o Consea foi suspenso durante o primeiro governo FHC e foi recriado no primeiro governo Lula.

3 Decreto n. 7.272, de 25 de agosto de 2010 (Brasil, 2010a).

4 Lei n. 10.831, de 23 de dezembro de 2003 (Brasil, 2003c), define e estabelece condições obrigatórias para a produção e a comercialização de produtos da agricultura orgânica. A Lei, assim como sua regulamentação por meio do Decreto n. 6.323, de 27 de dezembro de 2007 (Brasil, 2007), foi aprovada contando com a participação de representantes do setor, membros de organizações públicas e privadas. A Lei e o Decreto criaram os mecanismos de controle para a garantia da qualidade orgânica. Pelo Decreto, foi criado o selo único oficial do Sistema Brasileiro de Avaliação da Conformidade Orgânica (SISOrg) e o sistema participativo de garantia, não considerado nas normativas anteriores.

5 O Projeto Lumiar foi uma iniciativa emergencial do Instituto Nacional de Colonização e Reforma Agrária (Incra) de descentralizar os serviços de prestação de assistência técnica aos assentados da reforma agrária que funcionou até o ano 2000.

6 O Ministério do Desenvolvimento Agrário (MDA) foi criado em 2000 e regulamentado pelo Decreto n. 3.338 de 14 de janeiro de 2000 (Brasil, 2000), depois revogado pelo Decreto n. 4.723, de 6 de junho de 2003 (Brasil, 2003a), que manteve o nome do ministério e definiu suas competências. O MDA foi extinto pela Medida Provisória n. 726, de 12 de maio de 2016 (Brasil, 2016) e foi criada a Secretaria Especial da Agricultura Familiar e do Desenvolvimento Agrário, também extinta em 2019. Parte de suas atribuições foram incorporadas ao Mapa.

7 Por meio do Decreto n. 4.739 de 13 de junho de 2003 (Brasil, 2003b).

8 Respondendo às pressões dos movimentos sociais, o governo Itamar Franco (1992-1994) lançou o Programa de Valorização da Pequena Produção Rural (Provap), que serviu como ponto de partida para a criação, em 1995, e implementação, em 1996, no primeiro mandato do presidente Fernando Henrique Cardoso (1995-1998), do Pronaf (Ferreira; Alves; Filho, 2008).

9 Posteriormente, a Lei n. 11.326 de 24 de julho de 2006 (Brasil, 2006) foi alterada pela Lei n. 12.058, de 13 de outubro de 2009 (Brasil, 2009) e pela Lei n. 12.512, de 14 de outubro de 2011 (Brasil, 2011).

10 Em atendimento ao Decreto, o processo de construção do Planapo foi liderado e coordenado, no âmbito da Câmara Interministerial de Agroecologia e Produção Orgânica (Ciapo), pelo Ministério do Desenvolvimento Agrário (MDA) em estreito diálogo com a Comissão Nacional de Agroecologia e Produção Orgânica (Cnapo), com a Secretaria-Executiva da SG/PR sob a responsabilidade da SG/PR. Tanto a Ciapo quanto a Cnapo foram instâncias criadas pelo Decreto 7.794/2012.

POVOS E COMUNIDADES TRADICIONAIS

Monica Nogueira

O termo "povos e comunidades tradicionais"[1] designa genericamente vários grupos que se distinguem culturalmente do restante da sociedade brasileira por seus modos de vida e relações particulares com o meio ambiente e as terras que tradicionalmente ocupam (por posse ou propriedade). A categoria se estabeleceu nas últimas décadas no Brasil como uma categoria abrangente, referindo também povos indígenas e quilombolas. Este verbete, no entanto, focaliza uma parcela dos povos e comunidades tradicionais cujo reconhecimento e afirmação de direitos é mais recente. São, em grande parte, agricultores, criadores e extrativistas, cujos modos de vida guardam forte interface com o campo teórico e prático da agroecologia [VER AGROECOLOGIA]. Geraizeiros, quebradeiras de coco, vazanteiros, catadoras de sempre-vivas, retireiros, pescadores artesanais, seringueiros, castanheiros, ribeirinhos, fechos de pasto, caiçaras, pomeranos, faxinalenses são alguns dos povos e comunidades tradicionais que se encontram em diferentes regiões do país, de norte a sul, do litoral às terras interiores do Brasil, grande parte em áreas rurais, mas que se fazem presentes também em áreas urbanas.[2]

O desenvolvimento desses modos de vida particulares resulta de complexos processos históricos, marcados por entrecruzamentos culturais, nem sempre pacíficos, entre povos indígenas, negros, colonizadores portugueses e imigrantes europeus que aportaram no país em diferentes momentos. Parte desses processos estiveram associados a distintas ondas de ocupação das terras brasileiras ao longo dos séculos – frentes colonizadoras como a portuguesa a partir do século XVI, mas também aquelas impulsionadas em períodos mais recentes, como o ciclo da borracha na Amazônia a partir do século XIX; migrações compulsórias, como a sofrida por mulheres e homens, do continente africano para o Brasil no período da escravidão, ou a de refugiados da Primeira e da Segunda Guerra Mundial; dispersão por terras livres impulsionada pelo declínio de ciclos econômicos, como os ciclos do ouro em Minas Gerais e Mato Grosso, apenas para citar alguns exemplos.

Portanto, povos e comunidades tradicionais gestaram-se também a partir de processos de territorialização, enquanto formas de organização e reorganização social sobre um determinado espaço. Tais processos implicaram adaptações ao meio ambiente – seja esse o litoral ou as beiras de rios, os campos ou as florestas –, moldando, em certa medida, modos de produção (com saberes e fazeres próprios), relações sociais e concepções de mundo (ou cosmovisões) [VER COSMOVISÕES]. Por essa razão, a emergência recente da categoria povos e comunidades tradicionais está fortemente associada à noção de sociobiodiversidade e à afirmação das estreitas relações entre diversidade cultural e biológica, em alguns casos manifestas inclusive em termos de cocriação – ou seja, de incremento da diversidade cultural em decorrência de interações com o meio ambiente, tanto quanto de aumento da biodiversidade pelo manejo humano.

As relações que povos e comunidades tradicionais estabeleceram com as terras que tradicionalmente ocupam e seus recursos naturais fazem, portanto, com que esses espaços se tornem territórios material e simbolicamente apropriados pela experiência histórica e coletiva. Um povo ou comunidade tradicional comumente expressa um forte sentimento de pertencimento ao seu território, nutrido pela memória do processo de ocupação desse lugar, incluindo eventos e pessoas de um passado comum, pelo apego às paisagens em que seus membros nasceram e se criaram ao longo de gerações e pela familiaridade adquirida com esse mesmo lugar e cada um dos elementos que o constituem e são manejados por eles.

As estratégias produtivas, por sua vez, baseiam-se no conhecimento acumulado por gerações sobre os ecossistemas que configuram esses territórios tradicionais. Foi a partir desse aprendizado, estabelecido com base em processos de observação e experimentação de

P

longa duração, que povos e comunidades tradicionais desenvolveram formas de manejo que se revelam mais sustentáveis, em razão do grau de adaptação das atividades produtivas aos ciclos e dinâmicas ecológicas locais. Os agroecossistemas [VER AGROECOSSISTEMAS] que resultam desse esforço combinam usos diversos (coleta, cultivo, criações) a medidas de conservação da biodiversidade e mesmo de enriquecimento dos ecossistemas manejados. Afinal, a longa, estreita e sensível relação que mulheres e homens estabelecem com o meio ambiente, nesses contextos, favorece um sentido de interdependência que os predispõem a zelar pelas florestas, campos e águas, como condição para a continuidade da própria vida, presente e futura.

Além do manejo dos ecossistemas, é comum que haja entre povos e comunidades tradicionais estratégias de gestão territorial que expressam fundamentos da organização social desses grupos. A principal dessas estratégias reside na combinação de áreas de uso e domínio particulares por parte de cada família (como os lugares de moradia e cultivo de roça) a outras de uso e domínio comuns entre famílias e comunidades (como as áreas de coleta, pesca ou de *solta* do gado). Tal estratégia de gestão se estabelece por acordos costumeiros quanto às formas de acesso e uso dessas áreas, partilhados por meio da rede de parentesco, compadrio e vizinhança sobre a qual povos e comunidades tradicionais se organizam.

A família, nuclear ou extensa, tem grande importância no contexto de povos e comunidades tradicionais, constituindo-se na base não só para a realização de atividades produtivas que garantem a sua reprodução material, mas também de atividades sociais e culturais para a reprodução simbólica desses grupos. Assim, as relações de parentesco e compadrio, na medida em que constituem a estrutura social pela qual se realiza o compartilhamento de experiências passadas e presentes, canalizam a memória coletiva, os conhecimentos, usos e costumes, que consubstanciam os acervos culturais próprios a cada um dos povos e comunidades tradicionais.

Celebrações, festividades, mutirões de trabalho, entre outras práticas, reafirmam a reciprocidade entre pessoas, grupos locais e comunidades, humanos e não humanos, como um princípio fundamental da sociabilidade de povos e comunidades tradicionais. Trata-se, afinal, de um princípio consonante com cosmovisões que enfatizam as relações de interdependência, inclusive entre cultura e natureza, o visível e o invisível, justificando esforços de manejo da vida em sentido amplo, de modo a integrar dimensões sociais, econômicas, ambientais, místicas e religiosas.

A autoidentificação de um povo ou comunidade tradicional é um fenômeno largamente dependente das interações com a sociedade em geral ou com outras comunidades em relação às quais aquele se sente distinto. Em contrapartida, decorre também dessas interações o reconhecimento social da diferença cultural de um povo ou comunidade tradicional pelos outros (nos âmbitos local ou regional), comumente assinalada por alcunhas, a exemplo de morroquianos, catingueiros, pantaneiros, açaizeiros. Não raramente, as alcunhas fazem referência a práticas laborais, percebidas como uma ordem de especialização produtiva a determinadas espécies (caso das quebradeiras de coco babaçu ou das catadoras de sempre-vivas), ou como uma vinculação de origem e identidade com paisagens ou ambientes específicos, como geraizeiros e ou ribeirinhos, apenas para citar alguns exemplos.

A qualidade de tradicional atribuída a esses povos e comunidades se refere à profundidade histórica das narrativas e práticas partilhadas entre seus membros, como códigos que distinguem culturalmente cada um desses grupos. Dito de outro modo, a tradição não se refere a traços essenciais a serem preservados inalterados, como testemunhos do passado. Como sujeitos históricos que são, povos e comunidades tradicionais reelaboram e atualizam permanentemente suas práticas e narrativas culturais, apresentando grande dinamismo e capacidade de inovação, mas o fazem afirmando o direito à diferença, alicerçada sobre a memória comum, e o direito à autonomia relativa para a construção do seu devir.

Sujeitos de direitos

Um conjunto de marcos legais, nacionais e internacionais tem gerado efeito combinado para a afirmação do direito à diferença de povos e comunidades tradicionais no Brasil. Não obstante o longo histórico do assimilacionismo no país – como ideologia e prática do Estado –, a Constituição Federal de 1988 (Brasil, 1988) reconhece a diversidade cultural brasileira nos artigos 215 e 216, determinando a proteção dos bens materiais e imateriais que sejam "portadores da referência à identidade, à ação, à memória *dos diferentes grupos formadores da sociedade brasileira*". Esses dispositivos constitucionais são resultado de intensa mobilização política em torno do processo Constituinte e representam um avanço contra a perspectiva de que as diferenças étnicas e culturais devam ser superadas em favor da afirmação de uma identidade nacional baseada no mito da fusão cultural.

A promulgação e incorporação ao ordenamento jurídico brasileiro da Convenção 169 da Organização Internacional do Trabalho (OIT), por meio do Decreto n. 5.051 de 19 de abril de 2004 (Brasil, 2004), reforçou os termos da Constituição Federal de 1988 (Brasil, 1988). A Convenção 169 determina que os Estados Nacionais signatários promovam a plena realização dos direitos sociais, econômicos e culturais de povos tribais (conforme os termos originais da Convenção), respeitando suas identidades sociais e culturais; reconhecendo as terras que tradicionalmente ocupam; garantindo serviços de saúde e educação interculturais, de acordo com as especificidades e projetos de futuro desses povos.

Destacam-se ainda três novos princípios aportados pela Convenção 169: a autoidentificação, ou consciência de identidade, como critério subjetivo fundamental para o reconhecimento desses povos; o direito à participação na formulação, implementação e avaliação de planos e programas de desenvolvimento; e o direito à consulta, sempre que sejam previstas medidas legislativas ou administrativas que possam afetá-los diretamente.

O critério da autoidentificação estabelecido pela Convenção 169 fundamentou o Decreto n. 6.040 de 7 de fevereiro de 2007 (Brasil, 2007), que instituiu a Política Nacional de Desenvolvimento Sustentável dos Povos e Comunidades Tradicionais, definindo-os como:

> [...] grupos culturalmente diferenciados e *que se reconhecem como tais*, que possuem formas próprias de

> organização social, que ocupam e usam territórios e recursos naturais como condição para sua reprodução cultural, social, religiosa, ancestral e econômica, utilizando conhecimentos, inovações e práticas gerados e transmitidos pela tradição (Art. 3°, § 1o). (Brasil, 2007)

A partir do decreto, a noção de "povos e comunidades tradicionais" – que vinha sendo gestada na articulação entre pesquisadores, lideranças de movimentos sociais, organizações da sociedade civil e alguns setores de governo – é alçada à condição de categoria político-jurídica para a afirmação de direitos específicos desses grupos em território brasileiro. O Decreto n. 6.040/2007 (Brasil, 2007) também deu consequência às proposições constitucionais expressas nos artigos 215 e 216 e, de forma paulatina, desde a sua assinatura, ensejou a consideração das especificidades de povos e comunidades tradicionais em diversas políticas públicas.

Não obstante essas conquistas, um conjunto articulado de setores econômicos tem organizado uma ampla ofensiva contra os direitos de povos e comunidades tradicionais, visando sobretudo expropriar-lhes os territórios (terras e recursos naturais). Dispositivos diversos têm sido mobilizados nessa ofensiva, em forte articulação com os poderes legislativo, judiciário e executivo, além da mídia empresarial, para questionar a legitimidade dos direitos territoriais de povos e comunidade tradicionais. No momento em que este verbete é redigido, a Confederação Nacional de Agricultura e Pecuária do Brasil (CNA) e a Frente Parlamentar da Agropecuária (FPA) pleiteiam a revogação do Decreto n. 6.040/2007, sob a alegação de tratar-se de ato inconstitucional, que ameaça a ordem, a segurança e a propriedade privada. Como um decreto constitui-se em ato administrativo cuja emissão é de competência do chefe do Poder Executivo, a ameaça de retrocesso é real.

Povos em luta por seus territórios

Grande parte dos povos e comunidades tradicionais no Brasil hoje se veem envolvidos em conflitos socioambientais e territoriais. Embora esses grupos tenham contribuído ativamente para a conservação da biodiversidade, Unidades de Conservação (especialmente as de proteção integral) têm sido sobrepostas aos seus territórios, restringindo-lhes o acesso à terra e aos recursos naturais necessários à continuidade de seus modos de vida.

As diferentes frentes do *agronegócio* [VER AGRONEGÓCIO] (monocultivos de soja, cana-de-açúcar, dendê, eucalipto e pecuária), as grandes obras de infraestrutura associadas (barragens, ferrovias, rodovias, hidrovias, portos), além do extrativismo de larga escala (madeireiras, mineradoras) e de empreendimentos imobiliários associados ao turismo de elite são, contudo, as iniciativas que mais pressionam as terras tradicionalmente ocupadas. Além da degradação ambiental, que ameaça seus modos de vida, a violência contra povos e comunidades tradicionais é crescente em decorrência do avanço dessas frentes de desenvolvimento.

Muitos povos e comunidades tradicionais têm reagido na defesa de seus territórios e das florestas, campos e águas. Os fortes vínculos com o meio ambiente e o território que os caracterizam manifestam-se então em condutas de territorialidade, ou seja, predispondo esses povos e comunidades tradicionais a defenderem e lutarem pelos seus territórios, resistindo às mais violentas ofensivas contra eles. Os conflitos por terras e pelo acesso a recursos florestais, minerais e hídricos nos territórios de povos e comunidades tradicionais têm resultado em invasões, despejos e remoções forçadas, na poluição letal do meio ambiente (especialmente das águas) e na criminalização e morte de lideranças. Para resistir a esses ataques, alguns povos e comunidades tradicionais têm se organizado em movimentos sociais e redes regionais, como o pioneiro Movimento Seringueiro na Amazônia, o Movimento Interestadual das Quebradeiras de Coco Babaçu (MIQCB) nos estados do Maranhão, Pará, Piauí e Tocantins, o Movimento Geraizeiro e a Articulação Rosalino Gomes, no Norte de Minas Gerais, a Rede Puxirão, na região Sul, somente para citar alguns desses coletivos.

Por meio dessas iniciativas de articulação política, além das ações diretas em âmbito local, povos e comunidades tradicionais têm afirmado suas identidades coletivas e modos de vida particulares como antagônicos ao modelo de desenvolvimento capitalista. Cumprem assim um importante papel: o de realizarem a crítica social dos fundamentos e disfunções desse modelo, que se baseia na concentração de riquezas, na promoção e aprofundamento das desigualdades sociais e na superexploração dos recursos naturais e consequente degradação ambiental.

Mais recentemente, essa crítica social tem encontrado caminho também na produção de conhecimento próprio, face aos desafios contemporâneos – dito de outro modo, em processos de produção de conhecimento protagonizados por povos e comunidades tradicionais ou por alguns de seus membros individualmente, referidos às disputas em curso e devotados à construção de alternativas para os desafios presentes. Participam do conjunto dessas iniciativas a cartografia social, enquanto método coletivo e autônomo de representação cartográfica dos territórios; a elaboração e/ou sistematização de protocolos comunitários diversos e de processos de autodemarcação territorial; além da produção intelectual por membros de povos e comunidades tradicionais que ingressaram nas universidades e vêm experimentando aproximações entre os sistemas de conhecimento tradicionais e a ciência.

A crítica social ao desenvolvimento capitalista, operada por povos e comunidades tradicionais, é atravessada por suas teorias sobre a interdependência entre os elementos da vida (em todas as suas dimensões) e a afirmação da ética da reciprocidade, como seu correspondente prático. O tradicional então adquire novo sentido: o de oferecer o vislumbre sobre outros modos de vida possíveis, contra a imposição de uma via única de desenvolvimento, ampliando assim os horizontes presentes e futuros para a humanidade.

Referências

BRASIL. Presidência da República. Casa Civil. Subchefia para Assuntos Jurídicos. *Constituição Federativa do Brasil de 5 de outubro de 1988*. Disponível em: http://www.planalto.gov.br/ccivil_03/constituicao/constituicao.htm. Acesso em: 12 abr. 2021.

______. Presidência da República. Casa Civil. Subchefia para Assuntos Jurídicos. *Decreto n.5.051, de 19 de abril de 2004*. Promulga a Convenção n. 169 da Organização Internacional do Trabalho (OIT) sobre Povos Indígenas e Tribais. 2004. Disponível em: http://www.planalto.gov.br/ccivil_03/_ato2004-2006/2004/decreto/d5051.htm. Acesso em: 12 abr. 2021.

______. Presidência da República. Casa Civil. Subchefia para Assuntos Jurídicos. *Decreto n. 6.040, de 7 de fevereiro de 2007*. Institui a Política Nacional de Desenvolvimento Sustentável dos Povos e Comunidades Tradicionais. 2007. Disponível em: http://www.planalto.gov.br/ccivil_03/_ato2007-2010/2007/decreto/d6040.htm. Acesso em: 12 abr. 2021.

Para saber mais

Textos

ALMEIDA, A. W. E. de. *Terras de quilombo, terras indígenas, "babaçuais livres", "castanhais do povo", faxinais e fundos de pasto*: terras tradicionalmente ocupadas. Manaus: PGSCA, UFAM, 2008.
LITTLE, P. E. Territórios sociais e povos tradicionais no Brasil: Por uma territorialidade antropológica. *Série Antropológica*. Instituto de Ciências Sociais da Universidade de Brasília. Brasília, 2002.

Site

Projeto Nova Cartografia Social da Amazônia (PNCSA): reúne a autocartografia de diversos povos e comunidades tradicionais, além de publicações sobre o tema: Disponível em: http://novacartografiasocial.com.br/. Acesso em: 12 abr. 2021.

Vídeos

BABAÇU, FLORESTA DE VIDA. Direção: Neto Borges Amazônia. Produção: Instituto Sociedade, População e Natureza (ISPN). 2016. 26 min. 26 seg. Disponível em: https://www.youtube.com/watch?v=w7MCqdwR8w4. Acesso em: 12 abr. 2021.
CACUNDA DI LIBRINA. Direção: Luciano Dayrell. Produção: Produção: Helen Santa Rosa; Carlos Alberto Dayrell. Realização: Centro de Agricultura Alternativa do Norte de Minas Gerais (CAA/NM). 2008. 28 min. 29 seg. Disponível em: https://www.youtube.com/watch?v=y64AtpevK-k&t=46s Acesso em: 12 abr. 2021. Acesso em: 12 abr. 2021.

Nota

1 O exercício de definir o que são povos e comunidades tradicionais é sempre um desafio, tendo em vista a diversidade entre esses grupos. A categoria em si é um constructo social – ao mesmo tempo técnico e político – para designar uma grande variedade de configurações socioculturais, em um esforço classificatório para o reconhecimento dessa diversidade face ao conjunto da sociedade brasileira e a afirmação dos direitos à diferença e ao território por parte dos sujeitos que designa. Como todo esforço dessa natureza, incorre em generalizações sobre uma realidade tão complexa quanto dinâmica. Para um aprofundamento sobre o tema, são recomendáveis leituras complementares. A caracterização que consta deste verbete também não evidenciou aspectos particulares de povos ciganos e comunidades de terreiro.

PRÁTICAS E SABERES EM EDUCAÇÃO E SAÚDE DA POPULAÇÃO DO CAMPO

Etel Matielo
Mercedes Queiroz Zuliani

A história e memória do povo brasileiro se formam com a contribuição de populações campesinas, sejam de nossa parte europeia, africana ou indígena. Não sem conflitos, a base agrária no Brasil [ver Política Agrária] nos deixa um legado de organização do trabalho e produção e reprodução da vida, com aprimoramento de práticas e domínio de conhecimentos característicos do que existe de resistência em nossa saúde e cuidado. A constituição e fortalecimento das práticas e saberes em educação e saúde da população do campo contrapõem-se ao modelo hegemônico de saúde no Brasil.

No campo da saúde, o modelo hegemônico, conhecido como modelo biomédico ou medicina científica ocidental, fundamenta-se no paradigma newtoniano-cartesiano, e se alicerça no estudo das patologias e na hipervalorização das tecnologias médicas para o combate das doenças (Andrade; Costa, 2010). Este modelo proporcionou as bases para a medicina se desenvolver e indicar procedimentos de diagnóstico de uma série de enfermidades, além da intervenção nelas.

Para Feo Isturiz (2003), o capitalismo contemporâneo globalizado afetou significativamente o modo de pensar e fazer a saúde, em que as necessidades de saúde das populações, dos homens e mulheres e de seus territórios, são tratadas como mercados consumidores de insumos e serviços, pouco considerando as iniquidades sociais e/ou as determinações sociais do processo saúde-doença.

No entanto, Luz e Barros (2012) reconhecem a existência de um paralelismo de culturas em saúde desde o Brasil colônia. De acordo com esses autores, a cultura proveniente da trajetória institucional da saúde no século XX difere muito dos saberes e práticas difundidos na população urbana e rural, em especial no que tange às concepções de adoecimento e cura. Enquanto os saberes e as práticas das instituições médicas voltam-se para o confronto com as doenças, os saberes e práticas disseminados na sociedade brasileira voltam-se para a saúde como vitalidade, isto é, o corpo como campo de energia. Para essas culturas, a doença é considerada como um processo muito mais complexo de mudança do estado de saúde do que a medicina científica ocidental (Andrade; Costa, 2010; Luz; Barros, 2012).

Assim, ainda estão em disputa e convivem contraditoriamente as diversas práticas e concepções de saúde-doença-cuidado, desde as mágico-religiosas (benzeções, simpatias etc.), as de cunho racionalista (relação causa-efeito, centralidade no corpo etc.) e ainda a biologicista (após avanço da tecnologia e descoberta dos micro-organismos, centrada na doença), bem como a social (com foco nas relações de trabalho e ambientais) (Batistella, 2007). Desta forma, além de conviverem, estas concepções também possuem relações históricas com o modo de produção e organização das sociedades no mundo. Vale ressaltar que no período do capitalismo mercantil, muitas práticas de cuidado em saúde foram "levadas" para os vários rincões do planeta, principalmente quando eram práticas tradicionais e realizadas pelos próprios sujeitos, que migravam ou imigravam. Exemplo disso é um vasto conhecimento e uso de plantas medicinais e formas de cuidado que o povo de origem africana trouxe ao Brasil.

Contudo, ao longo do século XX, os sujeitos do campo foram invisibilizados quanto à construção de políticas públicas de saúde. As poucas iniciativas existentes seguiram os modelos campanhistas ou se estruturaram a partir de uma lógica urbana de acesso, não integrando sujeitos e práticas culturalmente preservadas que expressavam os modos próprios de produzir saúde dessas populações (Carneiro *et al.*, 2012). Contudo, vão de encontro a isso a resistência dos cuidados populares, territorializados, identitários e, em geral, tradicionalmente sob o domínio das mulheres, que exercem muitas vezes o papel de personagem principal no cuidado e encaminhamento dos problemas de saúde familiares e comunitários (Oliveira; Moraes, 2010) [ver Medicina Tradicional Brasileira]. São também em maior número as mulheres parteiras e os conhecimentos referentes à saúde das mulheres, entendimento dos ciclos, saberes que permitem o controle sobre os corpos, os cuidados na contracepção e também as formas de parto e cuidados.

Aqui há uma contradição quando analisamos a totalidade da sociedade: as mulheres assumem o trabalho não pago de cuidados (seja o trabalho doméstico, seja o cuidado a doentes) no modo de produção capitalista ao mesmo tempo que são detentoras de um conhecimento tradicional e importante em função do qual, em diversos momentos da história, foram (e ainda são) perseguidas. Na saúde, as mulheres parteiras e conhecedoras de muitas formas de cuidado também foram perseguidas. Federici (2017) associa essa realidade às necessidades da acumulação primitiva, do controle dos corpos e sujeitos pelo Estado, processo que se dá de formas diversas na Europa e/ou nas colônias.

Vale ressaltar que as diferentes práticas de cuidados vivenciadas nos territórios do campo, da floresta e das águas também são indissociáveis da história dos povos camponeses, na qual sua materialização se relaciona com as concepções de saúde-doença. Nesse sentido, pode-se analisar que a resistência das práticas de cuidado que utilizam o saber popular, as práticas tradicionais e o conhecimento herdado e repassado coabitam, muitas das vezes, de forma externa e paralela, ao sistema de saúde vigente.

Entre as práticas e recursos terapêuticos utilizados pela população camponesa, destacam-se as plantas medicinais e a fitoterapia como recursos difundidos no cotidiano dessa população, que se expressa, principalmente, nos quintais. Além das plantas, destacam-se o uso de crenças, religiosidade, alimentação saudável e práticas de prevenção à saúde, para citar os recursos mais utilizados. Para essa população, a alimentação saudável envolve não apenas a diversificação dos alimentos e a adoção de hábitos alimentares tidos como mais saudáveis, mas, principalmente, o consumo de alimentos orgânicos e agroecológicos (Rückert; Cunha; Modena, 2018). Outros recursos naturais como água, argila e flores também são utilizados terapeuticamente.[1]

No Brasil, a mobilização dos movimentos sociais populares em torno da luta por saúde aliou o debate da importância da construção de políticas públicas de saúde com essa reflexão sobre o cuidado enquanto ação política, revitalizando práticas populares e ancestrais de cuidado e de saúde e lutando por sua inserção no Sistema Único de Saúde (SUS) [ver Plantas Medicinais e Fitoterápicos na Saúde Pública]. Tal mobilização, iniciada com o Movimento de Reforma Sanitária, continua sendo necessária, e consolida-se com a participação destes movimentos nos espaços de controle social e gestão participativa, como as comissões de práticas integrativas presentes nos vonselhos de daúde e os vomitês de práticas integrativas instituídos por alguns estados e municípios. Estas prá-

P

ticas – denominadas pela Organização Mundial da Saúde (OMS) de medicinas complementares e tradicionais e pelo Ministério da Saúde de práticas integrativas e complementares de saúde – sempre estiveram presentes na constituição dos sistemas de saúde, seja de forma complementar, seja como o principal pilar da prestação de serviços de saúde. Nos países pobres e em desenvolvimento elas representam, muitas vezes, a principal forma de cuidado em saúde, a partir de uma dificuldade de acesso à estrutura de serviços públicos de saúde, especialmente em áreas mais dispersas (Organización Mundial de la Salud, 2013).

Por isso, reconhecer que essas populações do campo, da floresta e das águas possuem conhecimentos, saberes e práticas é afirmar que estes são construídos nos territórios, espaços primordiais para a produção e reprodução da vida dessas populações, assim como suas relações de trabalho e sociais construídas em integração com a natureza. Este saber ancestral preserva e fortalece a vida dos seres humanos, dos animais e do ambiente como um todo, em uma perspectiva ético-ambiental. Justamente por essa defesa e fortaleza, seus territórios e vidas estão sendo disputados pelas empresas, bancos etc. na atualidade, em várias partes do mundo. Assim, as práticas e os saberes populares são resistências político-organizativas também, na defesa dos territórios, da não mercantilização da saúde, dos bens da natureza e da vida.

No Brasil, no bojo da luta pela redemocratização e por direitos sociais, se organizaram movimentos próprios da saúde, como o Movimento Popular de Saúde e a Pastoral da Saúde, além de movimentos sociais gerais que tinham entre suas pautas o direito à saúde. Estes movimentos aliavam o desenvolvimento de práticas populares e tradicionais de saúde com a luta e a mobilização em torno da conquista do direito à saúde. As organizações de bairro e comunitárias em defesa da saúde, como a da zona leste de São Paulo na década de 1970/1980, é que tornaram as reivindicações populares significativas na construção do sistema público e estatal de saúde. Parte do que se construiu do nosso Sistema Único de Saúde (SUS) e do direito à saúde da Constituição Federal (CF) 1988 (Brasil, 1988) deve-se a essas experiências de luta e organização popular (Matielo, 2009).

Vale ressaltar que o aprendizado desses saberes envolve a socialização familiar e intergeracional, a consulta a livros, revistas e programas de televisão, o aprendizado nos cursos e com os movimentos sociais, passando, inclusive, pela vivência como paciente dos serviços de saúde. Destaca-se, ainda, o aprendizado desses saberes no cotidiano de cuidados, junto às famílias ou comunidades, um processo de experimentação e observação que gera a produção contínua desses saberes (Rückert; Cunha; Modena, 2018).

São vários os elementos que nos fazem refletir sobre as práticas e saberes de saúde das populações do campo, da floresta e das águas, e uma das principais é que estão ligadas, ao longo da história, ao seu território e ao modo de produção e reprodução da existência. Por isso, várias das práticas de cuidado têm sua relação direta com a terra, a água, a floresta e o que a estes territórios estão relacionadas, bem como a alimentação. Além disso, a base para o cuidado enquanto ação transformadora e política, que considera os sujeitos como seres autônomos e partícipes desse processo, é o conhecimento, o saber que gera poder. Este conhecimento, muitas vezes tradicional, geracional e empírico, é o poder sobre a natureza e sobre os corpos, gerando assim uma autonomia em relação às práticas e serviços ofertados pela indústria e consumo das doenças no capitalismo. Quem cuida é um/uma mediador/a que trabalha coletivamente, aprende e ensina, objetiva gerar saúde, alegria e sobrevivência.

Em contrapartida, quando se perdem essas relações sociais, com o avanço do agrohidronegócio e consequente expulsão dessas comunidades, também se perdem muitas formas de cuidado existentes e resistentes. Assim como se perdem o saber e o fazer em saúde quando as políticas verticalizadas impõem as normas e os pré-conceitos nas suas ações, quando estabelecem, por exemplo, que somente profissionais de saúde formados nas universidades é que "curam", e que entre eles mesmo existe uma hierarquia, e ainda, quando não dá certo, a responsabilidade é do indivíduo por não seguir à risca as "orientações" indicadas.

Entretanto, é também nos territórios que se encontram as experiências coletivas que promovem saúde, como as formas de produção agroecológicas e de consumo de alimentos saudáveis, inclusive nas merendas escolares cujas escolas acessam o Programa de Aquisição de Alimentos (PAA). Lá também estão os diferentes coletivos organizados nesse campo da produção e comercialização, que têm a saúde como um compromisso ético-político, como, por exemplo, as Boleiras de Normandia, em Caruaru, Pernambuco (Santos, 2016), as mulheres da cadeia produtiva do mel do Ceará, ou as Sementes da Paixão na Paraíba (Londres, 2014). A saúde também é promovida no planejamento e nas construções de casas ou espaços coletivos que utilizam técnicas da permacultura [VER PERMACULTURA] (Jacintho, 2007), em diálogo com a realidade e as necessidades vivenciadas. O saneamento ecológico [VER SANEAMENTO ECOLÓGICO], a produção e a habitação saudáveis, as formas de irrigação e os cuidados com a água, o uso de tecnologias sociais são formas de promoção da saúde ambiental do campo (Pessoa, 2010), bem como a produção de compostos para melhorar produtividade do solo e o aproveitamento de todos os insumos orgânicos. Ainda é possível salientar os saberes e práticas que muitas comunidades possuem na extração de compostos e óleos vegetais que são utilizados na alimentação e nos cuidados da saúde de seres humanos, animais e plantas. Sendo assim, as práticas e os saberes populares e tradicionais estão integrados à totalidade da vida nos territórios, nas relações humanas e com a natureza e também como forma de resistência ao avanço do capital em todas essas dimensões.

Pode-se verificar essa disputa no campo das práticas da saúde a partir da experiência de vários movimentos sociais que, no 1º Encontro Nacional das Populações do Campo, da Floresta e das Águas, manifestaram seu compromisso em "enfrentar a medicalização da vida e garantir nossos conhecimentos tradicionais, as ervas, as curas espirituais, os fitoterápicos e outras práticas", bem como "construir e fortalecer as práticas populares de cuidado em saúde, envolvendo todos os sujeitos em seus próprios cuidados e construindo autonomia". Esses movimentos e outros – dentre os quais, coletivos de educação popular em saúde, pastorais, movimento estudantil – constroem "espaços" de cuidado em feiras, congressos, encontros onde há diálogos de diferentes saberes e práticas tradicionais e populares de saúde, articulação para a construção de políticas públicas e a defesa do SUS (Manifesto da Saúde das Populações do Campo, da Floresta e das Águas, 2015).

Nos chamados "Espaços Saúde", "Tendas de Educação Popular Paulo Freire"[2] ou "Che Guevara", nos "espaços de cuidado" itinerantes, que funcionam durante atividades, congressos, feiras e outros, existe uma experimentação do que a classe trabalhadora conseguiu acumular. Materializam-se o planejamento e a construção coletiva de uma programação, que alia a prática com momentos de formação, a articulação com diversos sujeitos e coletivos e suas práticas, as relações com dispositivos e serviços da saúde pública e instituições formadoras. Florescem desses espaços experiências de formação em saúde, conduzidas de forma mais crítica e participativa, como as residências multiprofissionais em saúde do campo, especializações técnicas, cursos de extensão, estágios de vivências e outros.

Outras estratégias importantes de construção coletiva das práticas e saberes em saúde são as feiras estaduais e nacionais da Reforma Agrária (Maciel, 2018), encontros, jornadas e feiras de agroecologia e as feiras locais de comercialização. Nesses espaços, potencializam-se aspectos importantes, como o cuidado dos trabalhadores das feiras, a troca de conhecimentos e experiências entre os feirantes e entre estes e a população, e a comercialização justa dos alimentos e produtos elaborados a partir dos saberes camponeses. Em sua maioria, estes espaços aliam a comercialização com a formação, a cultura e as práticas populares de cuidado em saúde, e buscam integrar conceitos importantes como saúde, economia solidária e agroecologia [VER AGROECOLOGIA].

Nesta perspectiva, as ações de sujeitos coletivos no cuidado integral à saúde prescindem da organização, da atuação de diversos sujeitos com práticas e saberes diferenciados, do planejamento coletivo, da afirmação de princípios orientadores destas práticas coletivas e de articulação com as comunidades e os serviços públicos para garantir a estrutura necessária e os possíveis encaminhamentos aos serviços públicos de referência, demonstrando uma capacidade complexa de auto-organização e autonomia.

O trabalho em saúde, na perspectiva dos movimentos sociais, é construído a partir de relações solidárias, relações horizontais entre iguais, onde o sujeito é um companheiro de sonhos e luta, e não apenas um paciente que necessita ser atendido. Este trabalho, que se pauta no cuidado, é realizado de forma a superar as hierarquias construídas com base no saber mais ou dominar técnicas; é descentralizado, centrado na educação e na promoção de saúde e prevê organização e luta como parte da construção da conquista da saúde.

Estas experiências são portadoras de uma dimensão educativa à medida que orientadas por uma concepção integral de ser humano e articuladas aos processos políticos de promoção da saúde nos territórios. Em especial, os grupos de mulheres constituem-se como educativos à medida que propiciam "a participação ativa, a capacidade de ouvir, de fazer, de construir juntos, de enfrentar conflitos e contradições" (Pulga, 2013, p. 585).

Embora ainda em número pequeno, tais experiências se multiplicam a cada dia, em âmbito nacional mas também nos locais, nos territórios, e conseguem criar novos diálogos entre movimentos sociais e populares, comunidades, profissionais de saúde, gestores do SUS, professoras/es de universidades, pesquisadoras/es. São experiências que fazem sentido quando inseridas num projeto popular de transformação da sociedade, quando assumem seu compromisso com o cuidado e a conquista da saúde da classe trabalhadora. Que consideram saúde como um direito a ser conquistado e construído, e não como uma mercadoria do sistema capitalista. A participação dos vários sujeitos se dá por identificação de uma luta comum e, mesmo com divergências programáticas ou táticas, segue a mesma estratégia no campo da saúde coletiva: saúde só existe com democracia, justiça social e construção permanente de um novo modo de produção e reprodução da vida.

Referências

ANDRADE, J.; COSTA, L. Medicina Complementar no SUS: práticas integrativas sob a luz da Antropologia Médica. *Saúde Sociedade*, São Paulo, v. 19, n. 3, p. 497-508, set. 2010.

BATISTELLA, C. Saúde, doença e cuidado: complexidade teórica e necessidade histórica. *In*: FONSECA, A. F. (org.) *O território e o processo saúde-doença*. Rio de Janeiro: EPSJV/Fiocruz, 2007. p. 25-50.

BRASIL. Presidência da República. Casa Civil. Subchefia para Assuntos Jurídicos. *Constituição da República Federativa do Brasil, 5 de outubro de 1988*. Disponível em: http://www.planalto.gov.br/ccivil_03/constituicao/constituicao.htm. Acesso em: 12 abr. 2021.

________. Ministério da Saúde. Secretaria de Gestão Estratégica e Participativa. Departamento de Apoio à Gestão Participativa. *II Caderno de Educação Popular em Saúde*. 1. ed. 1. reimp. Brasília/DF, Ministério da Saúde, 2014. 227 p. il.

CARNEIRO, F. *et al*. Saúde no Campo. *In*: CALDART, R. S. *et al*. *Dicionário da Educação do Campo*. Rio de Janeiro/São Paulo: Escola Politécnica de Saúde Joaquim Venâncio/Expressão Popular, 2012, p. 696-699.

FEDERICI, S. *Calibã e a bruxa*: mulheres, corpo e acumulação primitiva. São Paulo: Elefante, 2017.

FEO ISTURIZ, O. Reflexiones sobre la globalización y su impacto sobre la salud de los trabajadores y el ambiente. *Ciência e Saúde Coletiva*, [*online*], v. 8, n. 4, p. 887-896, 2003.

JACINTHO, C. R. dos S. *A agroecologia, a permacultura e o paradigma ecológico na extensão rural*: uma experiência no assentamento colônia I – Padre Bernardo – Goiás. Brasília/DF, 2007. 178p. Dissertação (Mestrado em Desenvolvimento Sustentável). Universidade de Brasília.

LONDRES, F. *As sementes da paixão e as políticas de distribuição de sementes na Paraíba*. Rio de Janeiro: AS-PTA, 2014. 83 p.

LUZ, M. ; BARROS, N. Racionalidades Médicas e Práticas Integrativas em Saúde: Uma análise sócio-histórica e suas relações com a cultura atual. *In*: CAMPOS, Gastão Wagner *et al*. *Tratado de Saúde Coletiva*. 2. ed. rev. aum. São Paulo: Hucitec, 2012. p. 317-340.

MACIEL, C. Feira Nacional da Reforma Agrária prossegue até amanhã em São Paulo. *Agência Brasil*, 5 mai. 2018. Disponível em http://agenciabrasil.ebc.com.br/geral/noticia/2018-05/feira-nacional-da-reforma-agraria-prossegue-ate-amanha-em-sao-paulo. Acesso em: 12 abr. 2021.

MANIFESTO de Saúde das Populações do Campo, da Floresta e das Águas, 2015. Disponível em: https://issuu.com/comunicacaompa/docs/manifesto_de_sa__de_das_popula____e. Acesso: em 1 de abr. 2019.

MATIELO, E. *Dialogando sobre educação em saúde e ética a partir da experiência do curso técnico em saúde comunitária do movimento dos trabalhadores rurais sem-terra* Florianópolis, SC, 2009. 138 p. Dissertação (Mestrado). Universidade Federal de Santa Catarina.

OLIVEIRA, M; MORAES, J. Práticas Populares de Saúde e a Saúde da Mulher. *Rev. APS*, Juiz de Fora, v. 13, n. 4, p. 412-420, out./dez. 2010.

ORGANIZACIÓN MUNDIAL DE LA SALUD (OMS). Estrategia de la OMS sobre medicina tradicional 2014-2023. Hong Kong/ China: Organización Mundial de la Salud, 2013. Disponível em https://apps.

P

who.int/iris/bitstream/handle/10665/95008/9789243506098_spa.pdf;jsessionid=82831219A7704634E-1398C5EFC81ADBC?sequence=1. Acesso: em 2 abr. 2019.
PESSOA, A. Saneamento Ecológico, produção e habitação saudáveis. *In:* Instituto Técnico de Estudos Agrários e Cooperativismo (ITAC), *Revista Saúde do campo:* por uma saúde que se planta. Ano I, n. 1, nov. 2010.
PULGA, V. L. Contribuições do Movimento de Mulheres Camponesas para a formação em saúde. *Trab. Educ. Saúde,* Rio de Janeiro, v. 11, n. 3, p. 573-590, set./dez. 2013.
RÜCKERT, B.; CUNHA, D. M.; MODENA, C. M. Saberes e práticas de cuidado em saúde da população do campo: revisão integrativa da literatura. *Interface*, (Botucatu) [online]., vol. 22, n. 66, pp. 903-914, abr. 2018.
SANTOS, F. M. dos. *Acessibilidade aos serviços de saúde pela população do campo:* a experiência do assentamento Normandia. Rio de Janeiro, 2016. 109 f. Dissertação (Mestrado em Saúde Pública). Escola Nacional de Saúde Pública Sergio Arouca, Fundação Oswaldo Cruz.

Para Saber Mais

Filme

DO CORPO DA TERRA. Direção: Júlia Mariano. Assentamentos em Piraí, Barra do Piraí, Campo de Goytacazes, Nova Iguaçu /RJ. Realização: Fiocruz; Setor Saúde do MST. 2017. 24 min. Filme curta-metragem. Disponível em: http://festivaltaguatinga.com.br/festivalTagua/12/assista/vote/filme/622?-fbclid=IwAR2CrqDzIECPK9cfsCvZ9RrgZkbw4_AYx3OXozPR4KSyF_yqAX4uWEjJrJ8. Acesso em: 12 abr. 2021.

ESCOLA POLITÉCNICA DE SAÚDE JOAQUIM VENÂNCIO (EPSJV); FUNDAÇÃO OSWALDO CRUZ (Fiocruz). [Cooperação: Núcleo Tramas, Universidade Federal do Ceará, Movimento dos Trabalhadores Rurais Sem Terra, Universidade Federal Fronteira Sul – Campus Laranjeiras do Sul, Centro de Desenvolviumento Sustentável e Capacitação em Agroecologia] *Curso Técnico em Meio Ambiente - Tramas e Tessituras*. 5 volumes. Rio de Janeiro: Ministério da Saúde/ Fiocruz/ EPSJV, 2017. Disponível em: http://www.epsjv.fiocruz.br/series/livros/732. Acesso em: 5 abr. 2021.

Notas

1 Os saberes e cuidados tradicionais e populares de saúde, associados aos diferentes povos do campo, floresta e águas, estão descritos de forma mais aprofundada no verbete Medicina Tradicional.

2 Para maiores informações sobre as Tendas de Educação Popular em Saúde sugere-se consultar o *II Caderno de Educação Popular em Saúde* (Brasil, 2014).

P

PRODUÇÃO, AMBIENTE E SAÚDE

Raquel Maria Rigotto
Ada Cristina Pontes Aguiar

Produção, ambiente e saúde são categorias teóricas importantes, entre outros, para os campos de conhecimento em saúde do trabalhador e em saúde e ambiente, estabelecidos com base na teoria da *determinação social da saúde*. Mais que a abordagem isolada de cada uma destas categorias, vamos analisar as relações entre elas. Elas nos convidam a observar e refletir sobre as diferentes formas de relação das sociedades humanas com a natureza; sobre o quê, como e a que custo produzimos/consumimos; sobre os sentidos e as condições do *trabalho* humano [VER TRABALHO]; instigando-nos a compreender a saúde-doença como expressão destas relações no corpo das pessoas em seus grupos sociais.

> O processo saúde-doença é determinado pelo modo como o Homem se apropria da natureza em um dado momento, apropriação esta que se realiza por meio do processo de trabalho, baseado em determinado grau de desenvolvimento das forças produtivas e relações sociais de produção. (Laurell, 1982, p. 23)

Tambellini e Câmara (1998) também defendem que a questão da saúde aponta para o plano das relações entre produção e ambiente: a lógica da sociedade penetra na natureza, através dos processos produtivos, e a "desnaturaliza", distribuindo possibilidades diferenciadas de exposição dos indivíduos e seus coletivos a agentes, cargas e riscos que podem conduzir a processos mórbidos.

A *produção* – termo originado do latim *producere*, que significa "fazer aparecer" – refere-se à ação humana direcionada a criar, originar, fabricar bens para a satisfação das suas necessidades. Envolve, portanto, o trabalho humano e também a natureza, fonte primeva dos recursos a serem transformados nos processos produtivos/de trabalho.

A história das sociedades humanas demonstra um amplo e diverso leque de formas de organizar a produção, com repercussões distintas sobre o ambiente e sobre a saúde humana. Na América Latina, por exemplo, os povos originários atendem às suas necessidades a partir dos bens naturais – a caça e a coleta nas florestas, a pesca nos rios e lagos, a agricultura, o artesanato. De forma geral, tais bens são considerados comuns a todos da coletividade, e são acessados por sistemas organizados a partir de normas consuetudinárias. Tais práticas são sustentadas por um conjunto de saberes construídos ao longo do tempo, na relação com o ecossistema que os abriga. Via de regra, integra essas culturas tradicionais a dimensão do sagrado, que orienta a relação com a natureza. O que chamamos trabalho na cultura ocidental é, para esses povos, atividade integrada ao modo de vida e voltada essencialmente para o suprimento das necessidades cotidianas. Estudos demonstram que esse modo de produção, frequentemente nomeado como "primitivo", tem contribuído enormemente para a conservação dos biomas e para a ampliação de sua biodiversidade (Diegues, 2000; Toledo, 2001; Santilli, 2002).

Este é o modo de produção dos 5 milhões de indígenas que, de acordo com as estimativas, habitavam o Brasil quando os portugueses aqui aportaram – seu violento encontro com a modernidade. Como analisam Santos e Meneses (2010), para dar sustentação simbólica a este empreendimento da colonização, foi forjada na cultura ocidental moderna do século XVII a máxima "para além do Equador não há pecados": sobre selvagens sub-humanos, cuja alma é um receptáculo vazio, está justificada a apropriação e pilhagem dos recursos naturais, o trabalho forçado e a destruição das culturas em benefício da cristianização (Santos; Meneses, 2010, p. 37).

Com o intenso e violento genocídio perpetrado pelos colonizadores, e em alguma medida continuado em vários momentos de nossa história, hoje os indígenas somam cerca de 900 mil pessoas no país, distribuídas em 255 povos, falantes

P

de mais de 150 línguas (Gasparini *et al.*, 2013). Ressalte-se que a cultura colonial moderna tende a circunscrever este modo de produção da vida apenas a um passado remoto que pode ser visitado em museus, a título de ilustração. Entretanto, esses povos existem há milhares de anos e resistem há pelo menos 519 anos, defendendo os territórios essenciais à sua forma de vida, assim como seu direito a uma cultura própria, a qual certamente tem muito a ensinar à sociedade moderna à beira do colapso socioambiental [VER ANTROPOCENO].

A necessidade de os colonizadores disporem de mão de obra para a exploração das minas de ouro ou para o cultivo da cana e trabalho nos engenhos que produziam açúcar para a Europa levou-os ao sequestro de povos originários na África e seu tráfico para o Brasil. Este modo de produção escravista, em que os senhores se apropriavam das terras e eram também proprietários das pessoas negras, é assim caracterizado por Caio Prado Júnior:

> Se vamos à essência da nossa formação, veremos que na realidade nos constituímos para fornecer açúcar, tabaco, alguns outros gêneros; mais tarde, ouro e diamante; depois algodão, e em seguida café, para o comércio europeu. Nada mais que isso. É com tal objetivo, objetivo exterior, voltado para fora do país e sem atenção a considerações que não fossem o interesse daquele comércio, que se organizarão a sociedade e a economia brasileiras. Tudo se disporá naquele sentido: a estrutura social, bem como as atividades do país. Virá o branco para especular, realizar um negócio; inverterá seus cabedais e recrutará a mão de obra de que precisa: indígenas ou negros importados. (Prado Jr., 2004, p. 23)

P

Do trabalho escravo provinha mais de 70% da energia mecânica utilizada até o século XIX (Miranda, 2012), revelando a intensidade da exploração da força de trabalho negra, cuja "vida útil" estava em torno de 12 anos – produzindo riquezas que eram exportadas e acumuladas pela Europa (Porto-Gonçalves, 2005). Nas estimativas de Mello (1983), os escravos homens com 15 anos teriam uma expectativa de vida entre 29,85 e 32,30 anos. O trabalho era marcado pela sujeição, violência e acidentes, como bem expressa a escritora moçambicana Paulina Chiziane (2003, p. 54):

> Em Angola há um pedaço de terra adubado de sangue. Por baixo de cada sombra reside o corpo de um preto anônimo, confirmam os mais velhos. Nos últimos anos nasceram novas roças cujas plantas são cruzes toscas pintadas de branco em terra fertilizada de carne humana. A fome, a doença e a tortura eram os viveiros dessas plantas. As febres estranhas que nem o feiticeiro angolano conseguia curar, até aos brancos dizimavam. As cobras, por seu lado, defendiam-se dos invasores com ataques infalíveis.
>
> O sol ultrapassara o meio-dia. Na açucareira, os condenados e contratados cantavam a música do coração, acompanhando o rodopiar do engenho de açúcar e o colono, satisfeito, balançava a mente sobre o ouro que estava a ser transformado pelas mãos negras. Escutava com delícia essa música que o vento espalhava, fazendo dançar os braços do canavial. A canção é a alma do negro. Quando sofre, canta, quando ri, canta, quando trabalha, canta. Até parece que a canção desperta no fundo do ser a força secular de todos os antepassados.

> As vozes cantam, o canavial balança, a máquina gira. De repente ouve-se um grito e o trabalho para. Um homem deixou o braço ser arrastado pelas roldanas, puxando-o para a máquina, e... crás! A cabeça esmigalhou-se como um coco.
> – Parem! – gritou o colono. – Dois de vocês encarregam-se do homem. Outros limpam a máquina, rápido, tempo é dinheiro!

Do ponto de vista do ambiente, esse modo de produção deu início à destruição da Mata Atlântica – hoje reduzida a 7% dos seus 1.300.000 km^2 do século XVI – para dar lugar aos monocultivos de café, cana e cacau; à pecuária extensiva e à mineração. Estas, por seu turno, desviavam o curso dos rios, removiam grandes volumes de seu leito e contaminavam suas águas.

De acordo com Jessé de Souza (2017), esta cultura escravagista é a semente de toda a sociabilidade brasileira, criando "uma singularidade excludente e perversa", assentada no racismo, "que é a separação ontológica entre seres humanos de primeira classe e seres humanos de segunda classe", legitimando "a suposta superioridade inata de uns e a suposta inferioridade inata de outros". Tal sociabilidade persiste viva em nossa cultura até os dias atuais, concretizada, por exemplo, nos mais de 52 mil trabalhadores libertados em condições análogas ao trabalho escravo entre 1995 e 2016, identificados especialmente na zona rural – pecuária, produção de carvão e os cultivos de cana-de-açúcar, soja e algodão, mas também em centros urbanos, onde migrantes latino-americanos são explorados na indústria de confecção e na construção civil (Souza, 2017, p. 201).

Entre os séculos XVI e XVIII, surgem progressivamente concentrações humanas de maior porte, configurando um mundo urbano com suas fábricas.

> [...] onde a produção passa a ser dirigida em função da acumulação de riqueza. Sustentado na propriedade privada dos meios de produção, o capitalismo se estrutura tendo na exploração da força de trabalho sua engrenagem fundamental. O deslocamento dos trabalhadores do campo e a destruição do trabalho artesanal, para impulsionar as fábricas, dinamizam o sistema que, a partir do século XIX, acentua dois fenômenos fundamentais para sua dinâmica de funcionamento: a simplificação do trabalho – promovendo a desqualificação do trabalhador expropriado dos meios de produção – e a consolidação da grande indústria. (Miranda, 2012, p. 19)

Sob o modo de produção capitalista, o trabalho é convertido em emprego e em meio de subsistência, torna-se estranhado; a força de trabalho converte-se, como tudo, em uma mercadoria, cuja finalidade vem a ser a produção de mercadorias (Antunes, 2000). Às resistências da classe trabalhadora ao longo da história, os agentes econômicos reagem, na segunda metade do século XX, através da reestruturação produtiva, de forma a aumentar o controle sobre a produtividade do trabalho e ampliar a extração de mais-valia. Incorporam tecnologias da eletrônica e da automação aos processos produtivos, além de novas formas de organizar o trabalho; promovem a flexibilização e a focalização da produção, a financeirização da economia, a reorganização de seu sistema ideológico e político de dominação – o neoliberalismo, por meio da privatização do Estado.

No que diz respeito à saúde dos trabalhadores sob o capitalismo, desde a Revolução Industrial, jornadas de trabalho muito extensas, condições de trabalho insalubres e perigosas, moradias e saneamento precários incidem negativamente sobre o perfil de saúde da classe trabalhadora, na forma de acidentes e doenças relacionadas ao trabalho, instigando o movimento operário, assim como o pensamento da medicina social e da saúde coletiva.

No Brasil atual, ao lado de processos produtivos com estas mesmas características, verifica-se a intensificação do trabalho, a expansão do trabalho no setor de serviços e o aumento das formas de controle sobre os trabalhadores, com significativos impactos também sobre a saúde mental, além das Lesões por Esforços Repetitivos/Doenças Osteomusculares Relacionadas ao Trabalho (LER/Dort). O desemprego estrutural produz um crescente contingente de "trabalhadores supérfluos" que, com a precarização da vida, apresentam intenso sofrimento psíquico e vulnerabilidade às doenças. De acordo com a Organização Mundial da Saúde, 12,6 milhões de pessoas perderam a vida em 2012 por viver ou trabalhar em ambientes pouco saudáveis, quase um quarto do total mundial de mortes (World Health Organization, 2016).

A divisão internacional do trabalho, nesse contexto de mundialização da economia, tem prescrito aos países da América Latina a participação no mercado através da produção de *commodities* agrícolas (soja, cana, milho, frutas, carnes) e minerais (ferro-aço) – o chamado neoextrativismo. Os Estados nacionais têm subordinado seus modelos de desenvolvimento aos interesses das grandes corporações econômicas, encarregando-se não só de prover a infraestrutura fundiária, hídrica, energética e viária demandada por estes empreendimentos, mas também a desregulamentação de direitos trabalhistas, ambientais, sanitários, entre outros.

A expansão das fronteiras do agronegócio e da mineração sobre os territórios de vida de povos e comunidades tradicionais está na base de ampla gama de conflitos e *injustiças ambientais*, mediados pela expropriação da terra/território, pela degradação e contaminação ambiental; pela ameaça aos modos de vida, às formas tradicionais de produção, à soberania alimentar e às culturas.

A civilização do capital ampliou e difundiu ainda desigualdades de classe, de raça/etnia, de gênero e de geração, como mostram dados do Relatório do Desenvolvimento Humano 2014, elaborado pelo Programa das Nações Unidas para o Desenvolvimento (Pnud):

- As 85 pessoas mais ricas do mundo têm a mesma riqueza que os 3,5 mil milhões mais pobres. Entre 1990 e 2010, a desigualdade de rendimentos nos países em desenvolvimento aumentou 11%. Os povos indígenas, que correspondem a cerca de 5% da população mundial, representam cerca de 15% dos pobres do mundo, um terço dos quais em situação de pobreza rural extrema.
- 748 milhões de cidadãos e cidadãs do mundo não têm acesso à água potável, e 1,8 bilhão consomem água contaminada com agentes biológicos.
- Há no mundo 830 milhões de pessoas classificadas como tra-

balhadores pobres que vivem com menos de 2 dólares por dia. Mais de 200 milhões de pessoas, incluindo 74 milhões de jovens, estão desempregadas enquanto 21 milhões de pessoas são vítimas de trabalho forçado. A Organização Internacional do Trabalho (OIT) estima que quase metade dos trabalhadores – mais de 1,5 bilhão – trabalha em regime de emprego precário ou informal.

- Embora as mulheres realizem 52% de todo o trabalho no mundo, elas têm menos probabilidade de ser pagas por seu trabalho do que os homens, sendo que três em cada quatro horas de trabalho não remunerado são realizadas por mulheres. Nos casos em que as mulheres são remuneradas, elas auferem, em média, em âmbito mundial, 24% menos do que os homens e ocupam menos de um quarto das posições de chefia nas empresas em todo o mundo.
- Mais de 1,5 bilhões de pessoas vivem em países afetados por conflitos – aproximadamente, um quinto da população mundial. A instabilidade política recente tem tido custos humanos muito avultados – no final de 2012 cerca de 45 milhões de pessoas foram forçadas a deslocar-se por motivo de conflitos ou perseguição, o número mais elevado em dezoito anos, mais de 15 milhões das quais refugiadas. (Programa das Nações Unidas para o Desenvolvimento, 2014, p. 98)

Se, durante milênios, as ações transformadoras da natureza decorrentes de processos produtivos tiveram consequências localizadas ou com pouca capacidade de propagação, no último século a escala de intervenção dos agentes econômicos sobre o ambiente ampliou-se em dimensões nunca experimentadas pelas sociedades humanas (Miranda, 2012). O sistema metabólico do capital colocou em risco a estabilidade do ecossistema global, ao ultrapassar limites do sistema Terra. Três indicadores relevantes já foram ultrapassados, como a concentração atmosférica de CO_2 (que não deveria ter ultrapassado 350 partes por milhão e beira os 400 ppm na média anual), o ciclo do nitrogênio (cuja remoção da atmosfera não deveria ter ultrapassado 35 milhões de toneladas e já chega a 121 milhões) e a taxa de extinção de espécies, que é pelo menos dez vezes maior do que a suportada pelo ecossistema global e de 100 a 1.000 vezes maior do que a do período pré-industrial (Costa, 2014, p. 4).

A cultura ocidental moderna tem promovido um distanciamento cada vez mais profundo entre os seres humanos e a natureza. Enquanto os povos originários construíram representações simbólicas que compreendiam a indissociabilidade entre eles e o ambiente circundante, o sistema do capital enxerga o ambiente apenas como uma fonte inesgotável de recursos naturais e lucros, o que tem perpetuado a destruição do planeta e o aprofundamento das injustiças e desigualdades em um sistema colonizador, opressor e aniquilador das diversidades. A própria substituição reducionista do termo "natureza" por "meio ambiente", ou até mesmo "ambiente", evoca uma visão empobrecida da verdadeira riqueza que a natureza representava e ainda representa para muitos povos:

> Em primeiro lugar, o termo ambiente, ou meio ambiente, esconde uma perversidade das sociedades modernas para com a natureza e seus seres tão vivos quanto os humanos. Na realidade, trata-se da natureza, seja ela produzida por seu próprio movimento, seja modificada por uma forte intervenção humana. Mas é de natureza que se trata. E tratar de natureza quer dizer tratar dos seres humanos que dela fazem parte. O termo 'ambiente', natural ou artificial, é uma tentativa de manter o ser humano fora dele. É estranho. Um ambiente humano sem gente? (Marés, 2019)

Diante dos desafios impostos pela complexidade do momento atual da humanidade, a ciência moderna não tem dado conta de responder às principais questões a serem superadas para a garantia da continuidade de uma vida humana com dignidade no planeta. Funtowicz e Ravetz (1997) defendem que a mesma ciência que gerou e amplificou muitos dos problemas modernos não pode ser um instrumento para superá-los. Assim, além de uma reflexão aprofundada sobre o caráter e o papel da ciência nas sociedades modernas, é necessário repensar também o lugar central, e muitas vezes autoritário, que ela ocupa nas tomadas de decisão que interferem diretamente nas inter-relações produção/ambiente/saúde. Durante os últimos séculos, o conhecimento considerado legítimo foi concentrado nos espaços formais da ciência (universidades, instituições de pesquisa etc.), muitas vezes desconsiderando-se os saberes ancestrais acumulados milenarmente por diversos povos. Por isso, rediscutir o lugar da ciência na atualidade exige também que sejam construídas pontes entre os conhecimentos científicos e os saberes de povos e comunidades, o que Boaventura de Sousa Santos e Maria Paula Meneses (2010) denominam de *Ecologia de Saberes*.

O acirramento das crises emergentes nas últimas décadas – política, econômica, social, ambiental, moral e ética – tem trazido graves repercussões no campo da saúde. A Saúde Coletiva, campo de conhecimentos e práticas forjado na América Latina a partir da década de 1970, tem buscado construir análises sobre os processos de adoecimento desencadeados por um sistema perpetuador de desigualdades. As aproximações entre as áreas de "Saúde do(a) Trabalhador(a)" e "Saúde e Ambiente", principalmente a partir dos anos 2000, tem sido muito fecunda para o desvelamento das relações entre o modelo produtivo e de trabalho em curso e o processo saúde-doença das populações. Assim, não é suficiente apenas a disseminação da concepção holística de saúde formulada pela OMS em 1946, pois os desafios atuais no campo da saúde exigem que as suas dimensões sejam analisadas sob as lentes de diferentes referenciais e conhecimentos plurais.

Matriz de Corvalán

No esforço de compreender essas relações, a Organização Mundial da Saúde/ Organización Panamericana de la Salud (Opas) (2000) desenvolveu, em 1996, um "marco causa-efeito para a saúde e o ambiente", expresso na Matriz FPSEEA. Ela pode contribuir na análise de problemas de saúde, ao reconhecer os elos de determinação entre *forças motrizes*, situadas num plano mais macro da formação social, com a geração de *pressões* que alteram o *estado* do ambiente, criando as condições para a *exposição* humana a fatores de risco e para a instalação de *agravos* à saúde (ver Figura 14, adiante, p. 795).

A matriz relaciona:

1) *Forças-motrizes*: as responsáveis pela criação das condições nas quais se podem desenvolver ou evitar distintas ameaças ambientais para a saúde como os processos produtivos do desenvolvimento e as tecnologias. Elas exercem...
2) *Pressões* sobre a Natureza, como são a urbanização; a superexploração, a contaminação e a desigualdade na distribuição da água. Essas pressões podem produzir mudanças no...
3) *Estado do ambiente*, alterando a qualidade do ar nos centros urbanos, contaminando o ar das moradias; expondo a radiações ionizantes; gerando resíduos domésticos; contaminando ou promovendo acesso desigual à água, ou facilitando a veiculação de doenças transmitidas por vetores relacionados com a água; contaminando biológica ou quimicamente os alimentos; degradando o solo; trazendo problemas relacionados à habitação – escassez, confinamento, qualidade dos materiais; acidentes e lesões; trazendo exposições a riscos nos locais de trabalho; e, finalmente, gerando mudanças ambientais de impacto global, como as mudanças climáticas e o movimento dos resíduos perigosos; além do problema das exposições combinadas procedentes de distintas fontes. Para que este estado alterado do ambiente exerça algum efeito sobre a saúde humana, entre outros fatores, tem que haver a...
4) *Exposição*, enquanto interação entre o ser humano e o perigo ambiental, através de rotas de contaminação que chegam ao corpo através da respiração, da ingestão ou do contato com a pele. Desta exposição vão resultar...
5) *Efeitos sobre a saúde*, que variarão de intensidade, magnitude e tipo de acordo com a natureza do perigo, o nível de exposição e o número de afetados. Eles atuam junto aos fatores genéticos, à nutrição, aos riscos ligados ao estilo de vida e outros fatores para provocar a doença. São eles: as infecções respiratórias agudas, as doenças diarreicas, as que podem ser prevenidas por vacinação, as doenças tropicais transmitidas por vetores e as doenças emergentes, os acidentes e intoxicações – ocupacionais ou não; as alterações de saúde mental relacionadas a fatores físicos, químicos e psicossociais; as doenças cardiovasculares; o câncer – de origem ocupacional, por agentes infecciosos, por contaminantes do ar, da água ou dos alimentos, as radiações ionizantes e não-ionizantes, os fumos de tabaco; as doenças respiratórias crônicas, alergias, problemas de saúde da reprodução.

Cada um destes pontos da cadeia deve desencadear *ações* destinadas a controlar e prevenir os efeitos nocivos para a saúde, ações estas que podem influir, por sua vez, nos distintos pontos da cadeia, sendo que as mais efetivas são aquelas que modificam as forças motrizes.

Apesar de a Matriz de Corvalán representar uma tentativa de ampliar a compreensão a respeito dos planos macro e microestruturais do processo saúde-doença que envolvem a dimensão ambiental, ela ainda assim está alicerçada em uma sistematização linear desses planos. Quando se adentra em um terreno de problemas dotados de uma maior complexidade, como nos processos de vulnerabilização de povos e comunidades tradicionais, muitos deles desencadeados por contextos de conflitos e injustiças ambientais, torna-se fundamental reunir aportes de outros campos, tanto de origem acadêmica como de sujeitos e movimentos diretamente implicados nesses contextos. Para superar o paradigma biomédico, que muitas vezes ainda apresenta-se como hegemônico nas ações de Saúde Pública, Porto, Rocha e Finamore (2014) propõem o *Enfoque socioambiental crítico e transformador (ESACT)*, o qual reúne aportes da *Teoria da determinação social do processo saúde-doença, da geografia da saúde, do estruturalismo-construtivista* e dos *estudos descoloniais/epistemologias do sul*, campos do conhecimento que precisam estar em diálogo horizontal com os direitos humanos, sociais e territoriais que emergem das questões de saúde e ambiente.

A partir desse referencial proposto pelo ESACT, Rigotto *et al.* (2018) constroem uma matriz de análise dos problemas de saúde relacionados aos conflitos ambientais por meio do entrecruzamento dos conceitos *desterritorialização, vulnerabilização* e *processo saúde-doença*,[1] que deverão ser analisados de acordo com cada fase dos grandes empreendimentos: 1) período que antecede a chegada das empresas; 2) fase de implantação; 3) fase de funcionamento; 4) período em que o empreendimento abandona o território. A formulação dessa matriz foi oriunda de uma reflexão a partir das pesquisas realizadas em territórios em conflitos ambientais, observando-se a repetição de determinados padrões de ameaças à saúde e adoecimento das populações:

> [...] a saúde é dimensão muito sensível na vida das pessoas, ocupando lugar prioritário em suas preocupações, e, muitas vezes, é a partir do conhecimento e da experiência do adoecimento pessoal e coletivo que os sujeitos locais vão tecendo pontes e elaborando reações ao novo contexto de risco a partir de seus saberes. Do ponto de vista da Saúde Coletiva, desvelar esse quadro ajuda a explicitar a distribuição desigual dos ônus e bônus do 'desenvolvimento' e a desconstruir esse discurso, ao tempo que facilita sua denúncia na arena social, bem como a incidência sobre as políticas públicas responsáveis pela proteção de direitos, além de possibilitar a adequada atenção à saúde em cada caso, a partir do diagnóstico dos agravos. Assim, dialeticamente, esse despertar sobre os problemas de saúde nos conflitos ambientais tem se revelado como potente na construção de resistência e fortalecido os coletivos nas denúncias e lutas por seus direitos. (Rigotto *et al.*, 2018, p. 165)

A partir do diagrama (ver Figura 15, adiante, p. 795), proposto por Santos e Rigotto (2010), é possível vislumbrar a posição central da categoria "processos produtivos" também no plano dos territórios, como uma engrenagem impulsionada por meio das técnicas produzidas pelo arsenal da ciência moderna e pela exploração, muitas vezes devastadora, dos bens naturais. Ainda como parte desse ciclo, esses mesmos processos produtivos impulsionam externalidades relacionadas à contaminação ambiental; processos simbólicos e culturais; processos urbanos/de urbanização; processos de distribuição e comercialização, e, por fim, processos de consumo. Inseridas intrinsecamente na engrenagem dos processos produtivos, encontram-se as dimensões relacionadas ao processo saúde-doença dos trabalhadores, que perpassam os fluxos internos e externos dos ambientes de trabalho. Assim, para que o campo da Saúde Coletiva compreenda profundamente os desafios complexos da contemporaneidade das interfaces "Saúde do Trabalhador" e "Saúde e Ambiente", com o intuito de superar as forças motrizes desse modelo produtivo hegemônico adoecedor, faz-se necessário apontar alternativas de articulação entre a produção, o ambiente e a saúde que sejam compatíveis com o cuidado com a Vida de todos os seres, inclusive os humanos, em patamares que propiciem dignidade a todos.

Referências

ANTUNES, R. *Os sentidos do trabalho* – ensaio sobre a afirmação e a negação do trabalho. São Paulo: Boitempo, 2000.

CHIZIANE, P. *Balada de amor ao vento.* Maputo: Editorial Caminho, 2003. 152p.

COSTA, A. *Sobre crise ecológica, violência e capitalismo no século XXI. Os mil nomes de Gaia* – do Antropoceno à Idade da Terra. Rio de Janeiro. Disponível em: <www.osmilnomesdegaia.eco.br>. Acesso em: set. de 2014.

DIEGUES, A. C. (org). *Os saberes tradicionais e a biodiversidade no Brasil.* São Paulo: MMA/COBIO/NUPAUB/USP, 2000. 211 p.

FUNTOWICZ, S.; RAVETZ, J.: Ciência pós-normal e comunidades ampliadas de pares face aos desafios ambientais. *História, Ciências, Saúde*, Manguinhos, v. 4, n. 2, p. 219-230, jul./out. 1997.

GASPARINI, R. *et al.* [Povos indígenas] *Quem são?* Instituto Socioambiental, fev. 2013. Disponível em: https://pib.socioambiental.org/pt/Quem_s%C3%A3o. Acesso em 12 abr. 2021.

LAURELL, A. C. La Salud-Enfermidad como Proceso Social. *Revista Latinoamericana de Salud,* n. 2, p. 7-25, abr. 1982.

MARÉS, C. De mulheres, plantas e bichos, com amor. *Revista Pub-Diálogos interdisciplinares*, maio. 2019. Disponível em: https://www.revista-pub.org/post/de-mulheres-plantas-e-bichos-com-amor. Acesso em: 23 mai. 2019.

MELLO, Z. M. C. Os escravos nos inventários paulistanos na segunda metade do século XIX. *Ensaios Econômicos*. São Paulo, IPE-USP, 1983.

MIRANDA, A. C. *Reflexões acerca da situação e dos problemas referentes à crise socioambiental e seus reflexos à saúde humana:* uma contribuição a partir do materialismo histórico e dialético. Rio de Janeiro, 2012. Tese (Doutorado). Escola Nacional de Saúde Pública Sérgio Arouca.

ORGANIZACIÓN PANAMERICANA DE LA SALUD (OPAS). *La salud y el ambiente en el desarrollo sostenible.* Washington, D.C.: OPAS, 2000.

PROGRAMA DAS NAÇÕES UNIDAS PARA O DESENVOLVIMENTO (PNUD). *Relatório do Desenvolvimento Humano 2014. Sustentar o progresso humano: reduzir as vulnerabilidades e reforçar a resiliência.* New York: PNUD, 2014.

PORTO-GONÇALVES, C. W. Apresentação da edição em português. *In*: LANDER, E. (org). *A colonialidade do saber:* eurocentrismo e ciências sociais. Perspectivas latinoamericanas. Colección Sur Sur. Ciudad Autónoma de Buenos Aires, Argentina: CLACSO, set. 2005. p. 3-5.

PORTO, M. F. S.; ROCHA, D. F.; FINAMORE, R. Saúde coletiva, território e conflitos ambientais: bases para um enfoque socioambiental crítico. *Ciênc. Saúde Coletiva*, Rio de Janeiro, v. 19, n. 10, p. 4071-4080, out. 2014.

PRADO JR., C. *História econômica do Brasil.* 46. reimp. São Paulo. Brasiliense, 2004.

P

RIGOTTO, R. M. *et al.* Desvelando as tramas entre saúde, trabalho e ambiente nos conflitos ambientais: aportes epistemológicos, teóricos e metodológicos. *In*: RIGOTTO, R. M. *et al.* (org.) *Tramas para a justiça ambiental:* diálogo de saberes e práxis emancipatórias. Fortaleza: UFC, 2018. p. 163-214.
SANTILLI, J. *A biodiversidade e as comunidades tradicionais.* [*online*], 2002. Disponível em: http://arquivos.ambiente.sp.gov.br/cea/2011/12/JulianaS.3.pdf.
SANTOS, B. S. ; MENESES, M. P. (org). *Epistemologias do Sul.* São Paulo: Cortez, 2010.
SANTOS, A. L.; RIGOTTO, R. M. Território e territorialização: incorporando as relações produção, trabalho, ambiente e saúde na atenção básica à saúde. *Trab. educ. saúde* [*online*], Rio de Janeiro, v. 8, n. 3, nov. 2010.
SOUZA, J. *A elite do atraso:* da escravidão à Lava Jato. Rio de Janeiro: Leya, 2017.
TAMBELLINI, A. M. T.; CÂMARA, V. A temática saúde e ambiente no processo de desenvolvimento do campo da saúde coletiva: aspectos históricos, conceituais e metodológicos. *Revista Ciência e Saúde Coletiva,* v. 3, n. 2, p. 47-60, 1998.
TOLEDO, V. M. Povos/comunidades tradicionais e a biodiversidade. *In*: LEVIN, S. *et al.*, (ed.) *Encyclopedia of Biodiversity.* Academic Press, 2001.
WORLD HEALTH ORGANIZATION (WHO). *Preventing disease through healthy environments:* a global assessment of the burden of disease from environmental risks. 2016. Disponível em: http://www.who.int/quantifying_ehimpacts/publications/preventingdisease.pdf. Acesso em: 18 mar. 2016.

Nota

1 O conceito de vulnerabilização é proposto como forma de politizar a ideia mais comum no campo da Saúde Coletiva sobre vulnerabilidades. A crítica a essa ideia parte da compreensão de que as injustiças e assimetrias inerentes ao modelo hegemônico são impostas de forma muito violenta sobre alguns grupos sociais – segmentados por classe, raça/etnia, gênero e geração, e de que a proteção que o Estado oferece a eles é desigual. Assim, nos contextos de povos e comunidades em conflitos ambientais, podem ser identificados *processos de vulnerabilização*, em que ações de empreendedores e do Estado ativamente ampliam as vulnerabilidades desses grupos às consequências negativas das intervenções.

Q

QUESTÃO AGRÁRIA

João Pedro Stedile

A expressão questão agrária tem diversas utilizações na literatura política brasileira. E diversos significados suscitados pela amplitude das duas palavras conjugadas.

O vocábulo "questão" pode designar problema, tema ou mesmo pergunta. O vocábulo "agrário" tem sua origem na palavra latina *agru*, sinônimo de terra. Portanto, todas as palavras portuguesas que possuem o prefixo *agro* se referem a atividades relacionadas com a terra, o solo. O termo *agricultura* [ver Agricultura], por exemplo, está relacionado com todas as atividades de cultivar a terra, como lavouras, hortas ou árvores etc., e até mesmo a pecuária é uma atividade dentro da agricultura; já *agricultor* diz respeito à arte, ao conhecimento de cultivar a terra e, portanto, se trata de uma profissão daquele que sabe cultivar a terra. Não é uma classe social e nem está relacionada com a propriedade da terra, é uma profissão, daquele que tem conhecimento e pratica o cultivo do agro.

É frequente encontrar-se na literatura o uso dessa expressão como uma forma de dizer que, em determinada região ou país, há um problema na agricultura, ou um conflito. Então, se há uma situação conflituosa, haveria uma questão agrária pendente.

Em outros autores, há também a utilização apenas como referência a uma situação do desenvolvimento das forças produtivas na agricultura. Se há muitos problemas, concentração da terra, latifúndios, e isso impede o desenvolvimento das forças produtivas no campo, então haveria uma questão agrária. E, ao contrário, se em determinada região ou país não há mais conflitos e o capital se desenvolve normalmente na sua lógica de acumulação, então naquela região analisada não haveria uma questão agrária.

A origem histórica da utilização da expressão "questão agrária" vem dos primeiros estudiosos que, a partir do século XVIII e até o século XX, analisaram o desenvolvimento do modo de produção capitalista, ficando conhecidos como "pensadores clássicos". Ao investigarem o comportamento do capital na organização da produção agrícola e em relação à propriedade da terra, esses pensadores concluíram que, à medida que o modo de produção capitalista se desenvolvia, com sua lógica e suas leis, a propriedade da terra foi se concentrando nas mãos de um menor número de proprietários capitalistas. Ou seja, o advento do capitalismo como modo de produção predominante, combinado com o regime político republicano, que havia introduzido o direito à propriedade privada de bens e de mercadorias, trouxe como consequência o fato de a terra, antes vista como um bem da natureza sob controle monopólico das oligarquias ou nobreza (no período do feudalismo), tornar-se agora uma mercadoria especial, sujeita à propriedade privada.

Em seus estudos sobre o desenvolvimento do capitalismo na agricultura, Karl Marx (1988) ao tratar da teoria da renda da terra, chamou esta última de "mercadoria especial", pois, com base nos conceitos da Economia Política, não era possível classificá-la como uma mercadoria: a terra não é fruto do trabalho humano, é um bem da natureza. A terra, o sol, a água, os ventos (que também são fatores para a produção dos bens na agricultura) não têm valor em si, pois não foram produzidos por tempo de trabalho humano. No entanto, ao se introduzir nesse bem da natureza o direito à sua propriedade privada, surgiu a cerca, a delimitação de tamanhos etc., e a terra passou a ser regida pelas mesmas regras do capitalismo. Assim, cada vez que o capitalista agrícola ganha mais dinheiro, tem mais lucros e acumula capital, ele vai comprando mais terras de outros proprietários privados. Ou seja, o mesmo movimento de acumulação de capital que ocorre na indústria e no comércio, nos meios de produção em geral, passa a ocorrer também na propriedade da terra, pela tendência lógica do capitalismo a ir produzindo concentração da propriedade da terra.

Historicamente, a propriedade privada da terra foi se consolidando a partir das revoluções burguesas, do estabelecimento das regras republicanas e da organização do Estado burguês. Nesse regime, todos os cidadãos passaram a ter direito à propriedade de terras, desde que tivessem dinheiro-capital para comprá-las do seu ocupante, ou, se fossem terras públicas, do Estado.

À medida que o capitalismo evoluiu da fase mercantil para o capitalismo industrial, como decorrência do processo de acumulação de capital, houve também uma crescente concentração da propriedade da terra. Ao analisarem o comportamento do capitalismo que levava à contínua concentração da propriedade da terra, alguns pesquisadores da época defenderam a tese de que *a concentração da propriedade da terra se transformara em uma contradição e, portanto, num problema agrário para o desenvolvimento do capitalismo industrial.* Segundo essa tese, o capitalismo industrial precisava, para o seu crescimento, que se desenvolvesse um mercado interno de consumidores dos bens da indústria. Ao concentrar a propriedade da terra e manter os camponeses sem terra – e, portanto, despossuídos de renda –, esse modelo freava o desenvolvimento do mercado interno e das forças produtivas.

A essa situação, que ocorreu em alguns dos países da Europa ocidental que primeiro ingressaram na etapa industrial, é que os pensadores clássicos atribuíram a condição de existência de um problema agrário. Assim sendo, num primeiro momento, a expressão "*problema agrário das sociedades capitalistas*" nasceu como sinônimo da elevada concentração da propriedade da terra, que impedia o desenvolvimento do mercado interno. Daí também o uso da expressão da existência de uma questão agrária, não resolvida.

Aqui no Brasil, essa abordagem de que o problema agrário se resumia na ocorrência ou não de concentração da propriedade como fator inibidor do capitalismo foi influenciada pela divulgação do livro A *questão agrária*, de Karl Kautsky (1968). O estudo de Kautsky é bem específico: ele analisa, à luz das leis da Economia Política, o comportamento do capitalismo na agricultura da Alemanha, do final do século XIX até o início do século XX. E nosso colonialismo intelectual e acadêmico nos levou a crer que a questão agrária se resumiria às teses defendidas por Kautsky para a sociedade alemã de determinado período histórico.

O conceito de questão agrária

O significado do conceito de "questão agrária", como originalmente interpretado pelos pensadores clássicos, evoluiu nas últimas décadas, com o debate mais aprofundado sobre o tema, com a contribuição de intelectuais orgânicos vinculados aos movimentos camponeses, e ainda pelo surgimento de novos desafios relacionados com a nova etapa do capitalismo na agricultura, agora dominado por grandes corporações transnacionais e pelo capital financeiro globalizado, que controlam o mercado mundial das mercadorias agrícolas.

O entendimento atual é que "a questão agrária" é uma área do conhecimento científico que procura estudar, pesquisar, conhecer, de forma genérica ou em territórios específicos, como cada sociedade organiza, ao longo de sua história, o *uso*, a *posse* e a *propriedade* da terra. Essas três condições possuem características diferentes, ainda que complementares.

Ao se fazer o estudo da forma de organização socioeconômica do meio rural de qualquer país ou região dentro dele, se está estudando a questão agrária daquele país.

Cada sociedade tem uma forma específica de usar a natureza e de organizar a produção dos bens agrícolas. E o seu *uso* vai determinar que produtos são cultivados, para atender a que necessidades sociais e que destino se dá a eles.

A *posse* da terra refere-se a quais pessoas e categorias sociais moram naquele território, como vivem nele e, portanto, quem tem o seu domínio, sua posse.

E a *propriedade* é uma condição jurídica, estabelecida a partir do capitalismo, que garante o direito de uma pessoa, empresa ou instituição que possua dinheiro-capital comprar e ter a propriedade privada de determinada área da natureza, podendo cercá-la e ter absoluto controle sobre ela, impedindo que outros a ela tenham acesso. Essa condição jurídica, estabelecida por leis da ordem institucional de cada país, é que transforma a terra em uma mera mercadoria que se pode comprar e vender, e da qual se pode ser proprietário absoluto. Os proprietários dessa natureza podem usar inclusive a força do Estado para garantir seu direito e impedir que outros a tenham, ou em muitas regiões o próprio proprietário exerce ilegalmente essa repressão social, com uso de milícias e força militar privada.

Ao se estudar a questão agrária de determinada sociedade, em determinado período histórico, analisa-se como aquela sociedade organiza a posse de seu território, a produção dos bens agrícolas para atender suas necessidades e a propriedade da terra.

E, para cada aspecto estudado de cada sociedade em cada período histórico, serão encontrados diferentes "problemas agrários", surgidos como resultado das contradições criadas pelas formas de organização presentes naquela sociedade. Por exemplo, pode-se estudar a questão agrária no Brasil durante o período colonial, no qual as características principais são o trabalho escravo, o monopólio da propriedade da terra pela Coroa e a posse entregue em concessão de uso apenas a alguns grandes latifundiários capitalistas de origem europeia. Da mesma forma, pode-se estudar a questão agrária no final do século XX, caracterizada pelas influências do capitalismo globalizado, pelas empresas agrícolas transnacionalizadas e pelo capital financeiro.

Estudos clássicos sobre o desenvolvimento do capitalismo na agricultura

Na literatura clássica sobre o tema, existem diversos estudos realizados acerca da questão agrária dos países, relacionados com o período histórico em que o capitalismo industrial passou a dominar e organizar a agricultura. Os pensadores que interpretaram a questão agrária desses países construíram diferentes teses sobre a natureza do desenvolvimento do capitalismo na agricultura.

Karl Marx (1988), no capítulo 24 do livro I d'O *capital*, estudou o desenvolvimento do capitalismo na agricultura na Inglaterra durante a transição do capitalismo mercantil para o industrial (final do século XVI até meados do século XIX). E as formas específicas descritas pelo autor para aquela forma de capitalismo receberam a denominação de "via inglesa" do desenvolvimento do capital na agricultura.

Karl Kautsky (1968), como mencionado, fez o mesmo estudo em relação à Alemanha, abordando o final do século XIX e o início do século XX, e as características descritas por ele receberam a denominação de "via prussiana", uma referência ao antigo Império Prussiano, que imprimia características semelhantes a toda aquela região da Europa Central, que hoje está ocupada pela Alemanha, Áustria, Polônia e Ucrânia.

Vladimir Ulianov, Lenin, fez um estudo do mesmo período tratado no trabalho de Kautsky sobre as características do capitalismo na agricultura da Rússia, denominando-as de "via *junker*",[1] em uma referência à forma como o latifundiário local havia se transformado em fazendeiro capitalista.

Lenin também realizou estudos semelhantes acerca do desenvolvimento do capitalismo na agricultura nos Estados Unidos, no período que abrange do final do século XIX até o início do século XX. As características específicas desse processo receberam a denominação de "via *farmer*" ou "via americana", em referência ao predomínio da organização da produção em unidades familiares-capitalistas, decorrente da colonização democrática, pela qual todas as famílias de agricultores tiveram o direito de acesso à mesma quantidade de terra, distribuída pelo Estado, a partir de uma lei de Abraham Lincoln de 1862. (National Archives, 1862).

Há também diversos estudos clássicos que analisam o comportamento da questão agrária imposto pelo capitalismo nas colônias. Em todas as colônias do hemisfério sul houve basicamente duas formas de organização da questão agrária: a *plantation*, que associava grandes extensões de terra, produção para exportação e trabalho escravo; e as *haciendas*, implantadas sobretudo pelo capitalismo espanhol em suas colônias, e que combinavam trabalho servil, produção para a exportação e produção para o mercado interno.

Finalmente, encontramos na literatura a análise da questão agrária em países com condições edafoclimáticas[2] mais difíceis para a produção agrícola anual. É o caso de países montanhosos ou com invernos rigorosos, como a Suíça, ou das regiões de solo árido. Esses estudos foram realizados por Giovanni Arrighi na década de 1960, e o desenvolvimento do capitalismo na agricultura nessas áreas recebeu a denominação de "via suíça" ou "via migrante".[3]

A questão agrária no Brasil

A questão agrária no Brasil, interpretada como a análise das condições de uso, posse e propriedade da terra na nossa sociedade, já foi objeto de muitos estudos sobre os diferentes períodos da história, e existe ampla literatura sobre o tema. Embora sempre haja interpretações específicas e/ou divergentes sobre um mesmo período, a maioria dos pesquisadores considera ter predominado, no período colonial, a *plantation* como forma de organização capitalista na agricultura brasileira do período. A *plantation* foi a forma específica de organizar a produção na colônia Brasil, para atender a lógica e as necessidades do capitalismo mercantil, dominado pela Europa. A exploração do trabalho escravo e a exportação de toda produção para a Europa, onde se realizava a acumulação principal do capital, foi sua marca.

Esse modo de produzir entrou em crise; tivemos o fim do trabalho escravo, porém se introduziu a propriedade privada das terras pela lei 601 de 1850 (Brasil, 1850). Houve então uma transição de 1850 a 1930, até que se impôs a nova etapa do capitalismo industrial, a partir da década de 1930 e durante todo o século XX.

Substituiu-se o trabalho escravo pela migração camponesa europeia e, em menor grau, asiática. A agricultura brasileira passou a ser dominada pelos interesses do capital industrial, gerou-se um mercado interno de bens agrícolas, e se introduziu a agroindústria e os insumos industriais na agricultura (como fertilizantes, pesticidas, máquinas e implementos), intensificando-se os investimentos capitalistas. Esse período foi resumido, na tese de José Graziano da Silva (1982), como "modernização dolorosa", porque desenvolveu as forças produtivas do capital na produção agrícola, porém excluiu milhões de trabalhadores rurais, que foram expulsos para a cidade ou tiveram de migrar para as fronteiras agrícolas, em busca de novas terras.

Sobre a natureza da questão agrária nas últimas duas décadas (1990-2010), há dois enfoques básicos. O primeiro, defendido por pesquisadores que se somam à visão burguesa da agricultura, argumenta que existe um intenso desenvolvimento do capitalismo na agricultura brasileira, que aumentou enormemente a produção e a produtividade da terra. Para essa concepção, a concentração da propriedade e seu uso já não representam um problema agrário no Brasil, pois as forças capitalistas resolveram os problemas do aumento da produção agrícola a seu modo, e a agricultura se desenvolve muito bem, do ponto de vista capitalista. Ou seja, a agricultura é uma atividade lucrativa, com aumento permanente da produção e da produtividade agrícolas.

O outro enfoque, de pensadores marxistas, críticos, analisa que a forma como a sociedade brasileira organiza o uso, a posse e a propriedade dos bens da natureza ocasiona ainda graves problemas agrários e de natureza econômica, social, política e ambiental. Esses problemas aparecem no elevado índice de concentração da propriedade da terra, apenas 1% dos proprietários controla 46% de todas as terras; no elevado índice de concentração da produção agrícola, em que apenas 8% dos estabelecimentos produzem mais de 80% das *commodities* agrícolas exportadas [VER AGRONEGÓCIO]; na distorção do uso de nosso patrimônio agrícola, pois 80% de todas as terras são utilizadas apenas para produzir soja, milho e cana-de-açúcar, e na pecuária extensiva; na dependência econômica externa a que a agricultura brasileira está submetida, por causa do controle do mercado, dos insumos e dos preços pelas empresas agrícolas transnacionais; e na subordinação ao capital financeiro, pois a produção agrícola depende cada vez mais das inversões deste, que adianta recursos, cobra juros e divide a renda gerada na agricultura.

Do ponto de vista social, esses problemas são evidenciados na extrema desigualdade social que essa estrutura econômica gera no meio rural brasileiro, onde existem 7 milhões de pessoas que ainda vivem na pobreza absoluta e 14 milhões de adultos analfabetos.

Há, também, um enorme passivo ambiental resultante da forma predadora da exploração capitalista na agricultura brasileira, que degrada o solo e contamina rios e lençóis freáticos, além de desmatar sem nenhum controle, desrespeitando inclusive as leis ambientais do Código Florestal (Brasil, 2012). O Instituto Brasileiro do Meio Ambiente e dos Recursos Naturais Renováveis (Ibama) aplicou multas por crimes ambientais a grandes fazendeiros brasileiros, no valor total aproximado de 8 bilhões de reais, segundo o noticiário da imprensa ao longo de 2011, que, no entanto, não foram pagas.

A tecnologia utilizada pelo modo capitalista de produzir na agricultura brasileira está baseada no uso intensivo da mecanização e dos venenos agrícolas. E essas duas formas, além de expulsarem a mão de obra e a população do campo, representam uma agressão permanente ao meio ambiente, trazendo como consequência desequilíbrios ambientais que afetam toda a população, mesmo a que mora na cidade.

Esses são exemplos de como há, ainda na atualidade, segundo essa corrente de pesquisadores, um grave problema agrário na sociedade brasileira. No entanto, o estudo da questão agrária brasileira na atualidade exige um grau de aprofundamento e de estudos regionais ainda mais detalhados, para compreendermos sua natureza. Felizmente há uma motivação maior nos tempos atuais e percebe-se o desenvolvimento de muitas pesquisas e a publicação de literatura cada vez mais abrangente sobre o tema.

Referências

BRASIL. Presidência da República. Casa Civil. Subchefia para Assuntos Jurídicos. *Lei n. 601, de 18 de setembro de 1850*. Dispõe sobre as terras devolutas no Império. Disponível em: http://www.planalto.gov.br/ccivil_03/leis/l0601-1850.htm. Acesso em: 30 mar. 2021.

______. Presidência da República. Casa Civil. Subchefia para Assuntos Jurídicos. *Lei n. 12.651, de 25 de maio de 2012*. Dispõe sobre a proteção da vegetação nativa; altera as Leis n. 6.938, de 31 de agosto de 1981, 9.393, de 19 de dezembro de 1996, e 11.428, de 22 de dezembro de 2006; revoga as Leis n. 4.771, de 15 de setembro de 1965, e 7.754, de 14 de abril de 1989, e a Medida Provisória n. 2.166-67,

de 24 de agosto de 2001; e dá outras providências. 2012. Disponível em: http://www.planalto.gov.br/ccivil_03/_Ato2011-2014/2012/Lei/L12651.htm#art83. Acesso em: 30 mar. 2021.
KAUTSKY, K. *A questão agrária.* Rio de Janeiro: Laemmert, 1968.
MARX, K. *O capital.* São Paulo: Nova Cultural, 1988. (Os economistas).
NATIONAL ARCHIVES (EUA). *The Homestead Act of 1862.* Disponível em: https://www.archives.gov/education/lessons/homestead-act. Acesso em: 30 mar. 2021.
SILVA, J. G. da. *A modernização dolorosa*: estrutura agrária, fronteira agrícola e trabalhadores rurais no Brasil. Rio de Janeiro: Zahar, 1982.

Para saber mais

LINHARES, M.; SILVA, F. C. T. *Terra prometida*: uma história da questão agrária no Brasil. São Paulo: Expressão Popular, 2021.
MARTINS, J. de S. *Os camponeses e a política no Brasil.* Petrópolis: Vozes, 1986.
MORISSAWA, M. *A história da luta pela terra no Brasil e o MST.* São Paulo: Expressão Popular, 2001.
STEDILE, J. P. *A questão agrária no Brasil.* São Paulo: Expressão Popular, 2005. 8 v.
_______. *Bibliografia básica sobre a questão agrária no Brasil.* Fortaleza: Edições Nudoc/UFC–Museu do Ceará/Secretaria da Cultura do Estado do Ceará, 2005.
_______. *Questão agrária no Brasil.* 11. ed. rev. São Paulo: Atual–Saraiva, 2011

Notas

1 O termo *junker* era usado no meio rural russo da época como sinônimo de fazendeiro rico; é provável que tenha sido adotado por causa da proximidade da Rússia com a Alemanha.

2 Condições características de cada região, relacionadas com a fertilidade natural do solo, a quantidade de água e sol, e as condições de clima para agricultura.

3 Para cada via de desenvolvimento capitalista na agricultura aqui resumidos, há farta literatura já disponível em português.

R

REFORMA AGRÁRIA POPULAR

Adalberto Martins
Débora Nunes
Geraldo Gasparin

Como parte dos processos de reflexão, dos debates coletivos e por ocasião da realização de seu VI Congresso Nacional (em 2014), o Movimento dos Trabalhadores Rurais Sem Terra (MST) atualizou o seu "Programa Agrário". É basicamente sobre esse documento que se formula a nova estratégia do MST: a Reforma Agrária Popular. Essa estratégia representa o enfrentamento com o modelo do capital, o agronegócio, e busca criar as condições e acumular forças para as mudanças estruturais de toda a sociedade.

Assim, propomos a compreensão dessa temática sob três aspectos: o contexto histórico, as implicações na luta pela terra e os desafios para os assentamentos.[1]

Contexto histórico

Faz-se necessário, preliminarmente, contextualizar o atual estágio de desenvolvimento das forças produtivas no campo que, controladas pelo grande capital, hegemonizam há duas décadas um projeto de agricultura – o agronegócio. Com esse modelo, a burguesia, o Estado e os governos assumem a posição de que não é mais necessária uma reforma agrária para o desenvolvimento da agricultura brasileira.

No atual contexto, o capitalismo mundial, agora controlado pelo capital financeiro e pelas grandes empresas privadas transnacionais, passa também a controlar a forma de produção das mercadorias agrícolas. O capital financeiro e as grandes empresas não só controlam a produção, mas também os preços e o volume das mercadorias padronizadas (*commodities*), a circulação, os insumos, portanto dominam os mercados e ficam com a maior margem da renda agrícola e dos lucros. Com a crise do próprio capitalismo, estamos assistindo, a partir de 2008, uma ofensiva de capitais estrangeiros que migram para o hemisfério sul, investindo sobretudo na agricultura, na apropriação privada da natureza, seja terra, água, minérios (ferro, bauxita, ouro, cobre etc.) ou usinas de etanol, e no controle da produção, sobretudo de soja, milho, laranja, cacau, aves, suínos, carne bovina, entre outras.

No caso brasileiro, as mudanças econômicas que permitiram a aproximação da empresa rural capitalista em relação às empresas transnacionais que controlam diferentes pontos da cadeia produtiva (o mercado internacional de grãos; a fabricação de tratores e colheitadeiras, entre outras máquinas agrícolas; e a produção dos insumos agrícolas, especialmente venenos, sementes transgênicas e adubos químicos solúveis) remontam ao ano de 1999. O governo Fernando Henrique Cardoso, iniciando seu segundo mandato, desvalorizou a moeda (real) em função da crise econômica, forçando o aumento de exportações para gerar superávit na balança comercial, necessário para dar segurança aos especuladores internacionais, atraindo-os para aplicações financeiras de curto prazo (Delgado, 2012; Filgueiras, 2000).

Essa política econômica fez com que se constituísse uma nova força política no campo: a empresa rural capitalista, associada aos interesses das empresas transnacionais. Esta nova configuração passou a "blindar" o latifúndio improdutivo, para que nestas áreas se avançasse nos cultivos e criações destinados ao mercado externo. Neste contexto, a Reforma Agrária foi bloqueada, impedindo que a população sem-terra tivesse acesso aos latifúndios, que passaram a ser áreas de futuros investimentos deste setor.

Os sucessivos governos de FHC, Lula e Dilma não romperam com o capital financeiro e sua lógica parasitária, ficando reféns dos superávits da balança comercial como forma de ampliar as reservas cambiais (dólar no Banco Central), sinal de segurança ao capital especulativo. Por isso, as políticas agrícolas, ao longo deste período, sempre foram de favorecimento à grande fazenda e ao setor agroexportador, conformando assim o que se denominou de agronegócio [ver Agronegócio].

Portanto, o agronegócio é expressão de uma nova aliança de classe no campo, com enorme força política, econômica e ideológica, transformando-se no principal inimigo das populações que vivem no campo e exigindo do MST uma nova estratégia expressa na palavra de ordem reforma agrária popular.

O projeto do agronegócio evidentemente trouxe mudanças estruturais na propriedade da terra, no emprego e na composição das classes sociais.

No tocante às mudanças estruturais na propriedade da terra, houve um processo acelerado de concentração. Os grandes proprietários (acima de 1.000 ha) passaram de 68.585 imóveis (em 2003), para 95.030 em 2014, e a área controlada passou de 195,7 para 428,6 milhões de hectares (Delgado, 2016). Os grandes e médios proprietários que representam o agronegócio controlam 85% das terras e praticamente toda a produção de grãos para exportação. Além disso, estima-se que as empresas estrangeiras controlem mais de 30 milhões de hectares no Brasil (Stedile, 2013), revelando o grau de desnacionalização da propriedade da terra em nosso país.

Houve um aumento significativo da produtividade agrícola, por hectare e por trabalhador, em todos os ramos de produção, combinado com o aumento de escala dos monocultivos, bem como com o uso intensivo de agrotóxicos e máquinas agrícolas, o que revela que nossa agricultura é químico-dependente de insumos e venenos importados.

Para continuar com a sanha de acumulação de riqueza através da produção agrícola, esse capital procura se expandir incorporando novas áreas ao agronegócio, sobretudo na região centro-oeste, no bioma Cerrado [VER BIOMA CERRADO], no sul da Amazônia e no chamado Matopiba (sul do Maranhão e do Piauí, norte de Tocantins e oeste da Bahia).

Já os trabalhadores assalariados do agronegócio totalizam 2,2 milhões (na década de 1980, eram de 6 a 10 milhões, segundo o IBGE). Além disso, entre 2006 e 2017 houve uma redução de 1,5 milhões de pessoas ocupadas no campo (IBGE, 2018). A conclusão é óbvia: o agronegócio não gera emprego, e por isso é uma atividade rentável apenas para os grandes capitalistas. Na condição social de camponeses, as estatísticas apontam o número de 4,8 milhões de agricultores familiares. Destes, apenas 1 milhão possuem renda que garanta sua reprodução social. Os demais, 3,8 milhões de camponeses pobres, estão inviabilizados por esse modelo (Stedile, 2013), produzem basicamente para a subsistência e vendem um volume pequeno de produção. Entre eles está a base social que lutaria pela terra e pela reforma agrária. Eles estão à margem deste projeto de agricultura do agronegócio, excluídos de políticas públicas e incluídos em parte nas políticas sociais do bolsa família.

Frente a esse modelo, não há mais espaço para uma reforma agrária do tipo clássica, aquela que objetiva a democratização da propriedade da terra, garantindo a reprodução dos camponeses com sua integração ao mercado interno e geração de renda. Ela não cabe no atual projeto de agricultura que está se estruturando em nosso país. Assim, a luta pela reforma agrária se transformou em uma luta contra o modelo do capital para a agricultura brasileira.

Esses novos posicionamentos do MST e dos movimentos sociais como um todo, dentre os quais defender um novo projeto de reforma agrária que seja *popular*, isto é, construir alianças entre todos os movimentos camponeses, com a classe trabalhadora urbana e com outros setores sociais comprometidos com mudanças estruturais, de caráter popular, é uma mudança que não interessa apenas aos camponeses, mas ao conjunto dos trabalhadores. Evidentemente que não se trata de mudança de nome apenas. A mudança é de conteúdo.

Implicações na luta pela terra

Como indicado anteriormente, são expressivas as mudanças na composição da classe dominante no campo: já não são mais apenas os latifundiários (grandes proprietários rurais); a eles se aliaram os capitalistas financeiros-rentistas e os capitalistas monopolistas (grandes empresários transnacionais), além dos grandes meios de comunicação – com os quais buscam disputar o apoio da sociedade. Alterou-se, portanto, a correlação de forças no campo, impedindo que a reforma agrária avance. Ela está bloqueada por essa aliança de classes, que permite concentrar terras e políticas públicas.

A luta pela terra, portanto, não se dá mais apenas no campo ou nos espaços governamentais/institucionais, no âmbito do aparelho do Estado brasileiro, mas exige uma efetiva participação da sociedade e uma diversificação dos espaços.

Isso implica conjugar a luta direta pela garantia da existência dos assentamentos de reforma agrária à resistência à mercantilização da natureza e ao

R

acelerado processo de espoliação no território brasileiro por empresas estrangeiras, portanto, trazendo também o debate da soberania nacional (por exemplo, na extração de minérios, na tentativa de controle das reservas aquíferas); passando por ações que forcem o Estado Brasileiro ao cumprimento do seu papel e pelo fortalecimento das articulações com os diversos segmentos que fazem a luta pela terra (trabalhadores sem-terra, ribeirinhos, quilombolas, indígenas...), de maneira a assegurar o acesso à terra, como garantia do direito ao trabalho e meio de vida, às milhões de famílias que ainda não a possuem ou àquelas que têm cotidianamente seus territórios ameaçados. Assim, resistir e enfrentar o agronegócio passa por confrontar o capital que tornou a terra uma mera mercadoria a seu serviço, visando apenas o lucro.

Para enfrentar a lógica predatória e privatista de apropriação e expropriação, o MST propõe: o estabelecimento do limite da propriedade rural; a garantia do acesso à terra a todas as famílias que quiserem nela morar e trabalhar; a desapropriação de todas as propriedades rurais de empresas ou pessoas que não tenham na agricultura a sua principal atividade e das grandes propriedades que não cumprem a função social; expropriar, sem nenhuma indenização, terras onde exista trabalho escravo; e demarcar como coletivas todas as terras indígenas, de quilombolas, faxinais, manguezais, pastos e serras, de acordo com a tradição de cada região. Além da arrecadação de todas as terras públicas que estejam em posse de grileiros (Movimento dos Trabalhadores Rurais Sem Terra, 2013).

Essas medidas colocam em debate o atual modelo de propriedade e de exploração da terra, atribuindo centralidade à função social da terra, que deve ser preservada e que precisa estar a serviço da produção de alimentos saudáveis para toda a sociedade, tendo garantido o seu acesso a quem nela quer viver e trabalhar.

Contudo, para que essas medidas se efetivem, é necessário que o Estado brasileiro cumpra o seu papel, seja no cumprimento constitucional da observância do quesito função social, seja no rompimento da lógica subserviente aos interesses do capital, que tem sua expressão na eficaz atuação da bancada ruralista no Congresso Federal, acompanhada pelos poderes Executivo e Judiciário.

Verifica-se a ausência efetiva do Estado na viabilização da reforma agrária, pela paralisação na arrecadação ou desapropriação de terras para o assentamento de novas famílias, ou ainda não garantindo condições para o desenvolvimento dos assentamentos no que se refere à infraestrutura, ao crédito, ao acesso a políticas públicas etc.

Em contrapartida, verifica-se sua presença forte no reordenamento jurídico e institucional que foi levando a luta política da Reforma Agrária para a burocracia estatal, um campo eminentemente da burguesia. O ápice desse processo foi a lei 13.465/17 (antiga MP759), que regulariza a grilagem de terras na maior parte do território brasileiro e abre caminho para a privatização dos assentamentos.

Observa-se também o aprofundamento dos processos de criminalização e deslegitimação da luta pela terra.

Dessa forma, embora a luta política por terra e reforma agrária precise continuar sendo enfrentada no campo institucional, ela agora exige dos movimentos sociais e do MST que seja respaldada para além da garantia constitucional. É necessário trazer perante a sociedade a justeza desta luta diante das enormes desigualdades sociais, o que demanda o fortalecimento das articulações com os diversos segmentos que fazem esta luta e com a sociedade de modo geral – com os quilombolas, povos indígenas, pescadores, posseiros, pequenos agricultores e tantos outros, para a luta direta, enfrentando o crescente processo de concentração de terras e as expropriações dos povos de seus territórios.

A luta pela terra passa a ter uma centralidade política na cidade, pois mesmo que sua materialização se dê no campo, a condição de sua conquista e legitimação passa necessariamente pela cidade, quando a sociedade compreende o seu papel na resolução de problemas estruturais que afetam campo e cidade.

O MST, em sua práxis, compreendeu que a produção de alimentos saudáveis tem uma enorme força política, tanto para negar o agronegócio como para afirmar a possibilidade de organização de uma agricultura voltada aos interesses da população brasileira, desenvolvendo plenamente a função social da terra.

Desafios para os assentamentos

Ao indicar que a terra deverá cumprir a sua função social, o MST coloca na centralidade da luta política a função que os camponeses deverão cumprir, neste novo período da história brasileira. Assim, produzir alimentos de base agroecológica e recompor os bens naturais nos assentamentos passam a ser as principais tarefas políticas das famílias assentadas.

Entretanto, não basta mais a decisão política de produzir alimentos de base agroecológica; requer-se criar as condições efetivas para sua implantação nos assentamentos. E é preciso reconhecer que a organização dos assentamentos passa pelo desenvolvimento econômico-produtivo das famílias, implicando a constituição de instrumentos econômicos, expressos nas cooperativas. Aqueles Estados e regiões nos quais as lideranças compreenderam essa necessidade avançaram na organização das famílias assentadas, qualificando a ação do movimento.

Onde a organização dos assentamentos está baseada na produção de alimentos saudáveis, vemos florescer o desenvolvimento cooperado, democrático (com participação das mulheres e jovens), popular, de base ecológica, redesenhando os agroecossistemas, trazendo ao MST uma nova qualidade ético-política. As famílias, no seu cotidiano produtivo, ao optarem por desenvolver uma agricultura de alimentos de base ecológica, vislumbram a contradição política expressa no modelo do agronegócio, tornando-se conscientes das suas implicações sociais, econômicas e ambientais.

Ao se decidirem pelo caminho da agroecologia, afirmam uma trajetória que as remete ao plano do gênero humano. Essas escolhas, permeando sua reprodução social, ao longo do tempo, afirmam possibilidades de produções reais, concretas, que as vinculam a um projeto societário distinto do atual; e promovem condições para o desenvolvimento de uma nova ética (Lessa, 2012; Lukács, 2012).

A estratégia da Reforma Agrária Popular leva o MST, no plano dos assentamentos, a plasmar, a materializar formas concretas de reprodução social que nos vinculam ao futuro da humanidade, nos aproximando do gênero humano.

Essas experiências, também, já indicam a possibilidade da construção de uma base técnico-científica distinta da matriz produtivista do capital. Sem abrir mão daquilo que a humanidade já avançou do ponto de vista de aliviar a penosidade do trabalho, a produção agroecológica introduz novos elementos técnico-científicos, assim como reincorpora práticas anteriores que foram abandonadas pela ciência do capital.

Sem querer regressar a formas anteriores de sociabilidade, em uma visão idílica ou bucólica do campo, as experiências práticas do MST permitem abrir uma avaliação sobre o desenvolvimento das capacidades humanas e, disso, debater sobre o desenvolvimento das forças produtivas.

Outro aspecto a ser compreendido refere-se ao fato de que, ao se conquistar o assentamento, surgem novas relações sociais de produção. Se antes havia o trabalho assalariado (em muitos casos similar ao trabalho escravo), e um único proprietário, concentrando a terra, agora, com a luta e a conquista do assentamento, surge o trabalho familiar e a democratização da terra. Estas novas relações sociais se revelaram, ao longo desses 30 anos de política de assentamento dos sucessivos governos, insuficientes para garantir o governo das famílias sobre as terras conquistadas. O governo das famílias sobre o assentamento (a gestão do território) é sucessivamente disputado por diferentes forças sociais, sejam elas forças econômicas, forças políticas locais/regionais, sejam elas forças ideológicas. E com o avanço do agronegócio no campo brasileiro, essas forças também chegaram nos assentamentos, na forma de arrendamento de áreas e na forma de reprodução do seu modelo técnico-produtivo. Isto enfraqueceu a força organizada do MST.

No entanto, as experiências vêm indicando que os assentamentos se tornam realmente uma força política, na medida em que assumem ações produtivas voltadas para a produção de alimentos saudáveis, e com base nessas produções viabilizam renda suficiente para a reprodução social das famílias.

Disso fica claro que, nesse contexto de enfrentamento ao agronegócio e afirmação da Reforma Agrária Popular, as famílias assentadas e seus instrumentos econômicos deverão aprofundar e problematizar essas duas dimensões: o trabalho familiar e a democratização das relações sociais inauguradas com o assentamento.

No tocante ao *trabalho familiar*, cabe problematizar três aspectos:

a) *retomar a cooperação agrícola:* em primeiro lugar, a lógica tradicional imposta pelo Incra está superada, seja no processo individualizante (CPF-Cadastro-Lote-Crédito), seja na forma de corte dos assentamentos (famoso "quadrado burro"), seja na forma de conceber o assentamento apenas como unidade de produção agropecuária. É preciso resgatar as experiências coletivas que as famílias seguem desenvolvendo, em especial as formas complexas de cooperação, como os grupos e/ou cooperativas plenamente coletivas. Deve-se também estimular as diferentes formas simples de entreajuda que emergiram com o desenvolvimento do mercado institucional [ver Compras Públicas de Alimentos].

R

b) *mudar a matriz produtiva:* afirmar a produção de alimentos para o mercado interno como atividade central das famílias é o que indica a estratégia da reforma agrária popular. Mas essa produção deverá gerar renda. Logo, é preciso repensar a matriz produtiva, levando em conta a combinação de quatro fontes de renda: viabilizar atividades que garantam Renda Mensal (hortaliças, leite etc.); garantir a produção do autossustento (diversificar a produção, sobretudo no entorno das moradias), viabilizando a soberania alimentar das famílias; estabelecer atividades que garantam uma renda sazonal (safra), destinada aos pequenos investimentos realizado pelas famílias, como por exemplo a produção de grãos e de frutas; planejar uma "poupança viva", como a produção de gado de corte e/ou árvores.
c) *mudar a matriz tecnológica:* a agroecologia [VER AGROECOLOGIA] é central nesse processo, mas isso requer uma decisão política de realizar, desenvolver e estimulá-la, rompendo com o modelo do agronegócio. Evidentemente que a implantação da agroecologia terá na transição o seu método. Essa ruptura (decisão política) deverá estar amparada em instrumentos econômicos (cooperativas, assistência técnica etc.) que darão suporte à sua implementação, tendo presente a necessidade de ampliar massivamente a produção de alimentos de base agroecológica.

No tocante à *democratização das relações*, é preciso radicalizar a participação das mulheres e da juventude, compreendendo que o restabelecimento do governo das famílias no território (assentamento) pressupõe a plena participação de todos que ali vivem. Isso significa partilhar o poder local, ampliando assim a força política da organização local.

Ainda nesse intuito, deve-se também problematizar a vida comunitária, estabelecer uma nova estética desta vida, influindo nos valores ali compartilhados, celebrados, no embelezamento das áreas e no acesso a outros espaços culturais, como bibliotecas e centros culturais, praticamente inexistentes nos assentamentos. Bem como potencializar a escola como instrumento de difundir a cultura popular e a cultura política dos trabalhadores e camponeses.

Por fim, o MST, ao indicar em sua estratégia a reforma agrária popular, abre caminho para que, nos assentamentos, a produção de alimentos de base agroecológica permita a soberania alimentar, bem como impulsione uma aliança de classes mais consistente com os demais trabalhadores brasileiros, remetendo-nos ao fortalecimento de um projeto societário que supere revolucionariamente o capitalismo, criando condições para a efetiva emancipação humana [VER EMANCIPAÇÃO HUMANA].

R

Referências

DELGADO, G. C. *Do capital financeiro na agricultura à economia do Agronegócio:* mudanças cíclicas em meio século [1965-2012]. Porto Alegre: Editora da UFRGS, 2012.

______. *Questão agrária hoje.* 2016. 15 p. Palestra no XI CSBSP.

FILGUEIRAS, L. *História do plano real.* São Paulo: Boitempo, 2000.

IBGE. Instituto Brasileiro de Geografia e Estatística. *Censo Agropecuário 2017*: resultados preliminares. Rio de Janeiro, 2018.
LESSA, S. *Mundo dos homens*: trabalho e ser social. São Paulo: Instituto Lukács, 2012.
LUKÁCS, G. *Por uma ontologia do ser social*. São Paulo: Boitempo, 2012.
MOVIMENTO DOS TRABALHADORES RURAIS SEM TERRA. *Programa Agrário*. São Paulo: 2013.
STEDILE, J. P. *A questão agrária no Brasil*: o debate na década de 2000. São Paulo: Expressão Popular, 2013.

Para saber mais

MARTINS, A. F. G. O contexto da reforma agrária bloqueada. *In*: PALUDO, C. (org.). *Campo e cidade em busca de caminhos comuns*. I SIFEDOC. Pelotas: Editora da UFPEL, 2014. p. 91-103.
_______. Elementos para compreender a história da agricultura e a organização do trabalho agrícola. *Caderno de Formação n. 40*. São Paulo: MST, 2016.
ROMERO, D. *Marx e a técnica* – um estudo dos manuscritos de 1861-1863. São Paulo: Expressão Popular, 2005.

Nota

1 Para uma abordagem mais geral da Reforma Agrária, consultar Caldart, R. *et al. Dicionário da Educação do Campo*. Rio de Janeiro/São Paulo: Escola Politécnica de Saúde Joaquim Venâncio/ Expressão Popular, 2012. 788 p.

RENDA DA TERRA

João Pedro Stedile

A expressão *renda da terra* aparece na literatura da Economia Política e também no senso comum das pessoas de diferentes formas. A mais comum é considerar a renda da terra como sinônimo do valor do arrendamento de uma terra, que seu proprietário realiza a outro produtor, chamado de arrendatário. E o proprietário cobra então um valor, por hectare ou por produção ao que vai utilizar a terra, como condição pelo único fato dele ser o proprietário legal daquela parcela da natureza.

Renda da terra também aparece como um conceito específico dentro da Economia Política, para explicar a diferença entre o lucro médio na agricultura e o valor que se incorpora aos preços a título de renda da propriedade da terra.

Há também a utilização do termo como sinônimo de renda fundiária, que aparece na literatura.

Como conceito geral da Economia Política, a renda da terra é na verdade a expressão utilizada por Karl Marx, como denominação a sua teoria geral que procura explicar como funciona a lógica do capital na organização da produção agrícola no modo de produção capitalista.

Como veem, a renda da terra tem diversas interpretações.

Evolução histórica

Karl Marx foi o principal estudioso que, no século XIX, procurou desvendar com detalhes como funcionava a lógica do desenvolvimento do capital na organização da produção de todos os bens na sociedade. Em seu método de trabalho, ele aproveitou as pesquisas e reflexões que haviam sido feitas tanto por pensadores que lhe antecederam quanto por alguns de seus contemporâneos, pode-se mencionar, entre outros, François Quesnay, Adam Smith, Stuart Mill, Thomas Robert Malthus e David Ricardo. Marx se baseou nos estudos que eles haviam realizado e no funcionamento real do capitalismo industrial para elaborar as teorias que explicam a lógica do capital na organização da produção, e que estão reunidas nas teorias da mercadoria, do valor, da mais-valia, da acumulação e da reprodução ampliada do capital.

Entre 1844 e 1883, período em que produziu suas principais teorias, Marx estudou o funcionamento do capitalismo por meio de pesquisas empíricas na agricultura inglesa e nas fábricas, no auge do desenvolvimento do capitalismo industrial.[1]

No entanto, ao estudar a forma como o capital se desenvolvia e organizava a produção na agricultura, Marx concluiu que havia particularidades e especificidades relacionadas à natureza, ao ciclo da produção agrícola, ao limite físico da unidade de produção e à dispersão dos produtores capitalistas. Assim, a teoria que explicava o funcionamento do capital dentro de uma fábrica não era suficiente para explicar a realidade do capital na produção agrícola. Ele percebeu, portanto, que havia muitas diferenças entre a atuação do capital na indústria e no comércio em comparação com o que acontecia na realidade da agricultura.

Na indústria e no comércio se formava uma taxa média de lucro por ramo de atividade. Os capitalistas concorriam entre si, dentro do mesmo ramo, para conseguir maior produtividade do trabalho e taxas de lucro mais altas. Assim, os capitalistas que obtivessem taxas menores de lucro, abaixo da média, teriam menor capacidade de acumulação e de crescimento, e tenderiam a ir à falência ou correriam o risco de suas empresas serem compradas por outros capitalistas. Esse processo gerava uma concentração permanente do capital em um mesmo ramo de produção.

Já na agricultura, Marx percebeu que a taxa média de lucro não se dava por produto agrícola, mas era determinada pela utilização de todas as terras na produção de todos os produtos agrícolas colocados no mercado. A essas características específicas da forma de funcionamento do capital na agricultura Marx chamou de teoria geral da renda da terra.

Contudo, como já ressaltamos, Karl Marx usou como método de trabalho os estudos preliminares de outros autores, seus antecessores, sobre as especificidades do capital na agricultura. Ele partiu das concepções elaboradas sobretudo por Adam Smith, Johann Rodbertus, David Ricardo e Thomas Robert Malthus, que trataram do tema usando também a denominação de renda da terra. Marx se apropriou dessa designação e a utilizou como referência à teoria do desenvolvimento do capital na agricultura.

Feita esta contextualização teórico-histórica, vamos aos conceitos fundamentais construídos por Marx.

A taxa média de lucro na agricultura

Na agricultura capitalista, existem em cada país, em geral, milhares de produtores capitalistas, donos dos meios de produção, que aplicam seu capital na organização da produção de mercadorias agrícolas. Essas mercadorias podem ser alimentos para seres humanos ou animais, matérias-primas para a indústria, como por exemplo do vestuário, têxtil e de calçados, mercadorias para a construção civil ou para a obtenção de energia, como carvão e lenha. Mais recentemente surgiram novas mercadorias de origem agrícola, que são os chamados agrocombustíveis (etanol, óleo diesel vegetal, álcool etc.) – no vocabulário da imprensa em geral, também são conhecidos pela expressão biocombustíveis.

Também na etapa atual do capitalismo, globalizado e dominado pelo capital financeiro e pelas grandes corporações transnacionais, muitas mercadorias agrícolas foram padronizadas nas suas características para poderem ser comercializadas em todo mercado mundial com as mesmas características, essas mercadorias foram chamadas de *commodities* agrícolas. E sua expressão é universalizada em inglês.

Os produtores capitalistas e os agricultores em geral precisam da terra, que é um bem da natureza fundamental para a produção dessas mercadorias. Assim como necessitam de outros bens da natureza como a água, o sol e os ventos.

Marx defende a tese de que na agricultura se forma uma taxa média de lucro entre todos os produtores capitalistas, independentemente do tipo de produto e do tamanho da área de terra utilizada. Essa taxa média de lucro será determinada por todos os produtores, seja aqueles que obtêm elevadas taxas com produtos mais lucrativos, seja aqueles que atuam nas piores terras, distantes do mercado e com produtos menos rentáveis. Todos eles terão garantida uma taxa média de lucro.

Essa assertiva se comprova na prática, pois, caso um capitalista, por exemplo, que atua em terras menos férteis, mais distantes do mercado, não tivesse lucro, ele abandonaria a produção daquele produto e migraria somente para aqueles que gerassem lucro. E, ao longo do tempo, teríamos a produção de apenas poucos produtos na agricultura, independentemente das necessidades da sobrevivência humana e animal. Portanto, mesmo nas piores terras, e nas piores condições de produção, o fazendeiro capitalista tem 'direito' a ter lucro, determinado por essa lógica de funcionamento do capitalismo.

E como a taxa média de lucro é formada pela média de todos os produtores de todos os ramos de produção, cada vez que um produto agrícola aumenta muito a sua taxa de lucro particular, imediatamente influencia para que a taxa média suba, fazendo, portanto, que aumente a taxa de lucro de todos os demais produtores agrícolas.

Portanto, quando um produto agrícola sobe de preço no mercado, por qualquer motivo, ele aumenta a taxa de lucro daquele produtor, e influi no aumento da taxa média dos demais, influenciando para que haja aumento de preço médio em todos os produtos agrícolas daquela região ou país. E os produtos que estão globalizados na sua produção ou comércio, sofrem também influência desse aumento.

A renda da terra

Há um determinante na produção capitalista de bens agrícolas, que é a existência da terra, do espaço físico necessário. Afinal, só é possível produzir mercadorias agrícolas sobre a terra. Mesmo quando se aplicam técnicas específicas de produção em estufas ou de hidroponia, que usa alto componente de água e fertilizantes líquidos, essas instalações necessitam de um espaço e clima determinado. E a terra é um bem da natureza, limitado no espaço.

Não é isso o que acontece na indústria. A instalação de uma ou de várias fábricas não é determinada pelo fator terra ou pela limitação de espaço. Como a produção industrial se concentra em pequenos espaços, é possível instalar um número indefinido de novas fábricas, em muitos lugares, sem estar limitado pela inexistência de terra. Nesse caso, o espaço físico não é limitante. E, teoricamente, a expansão de novas fábricas para produzir a mesma mercadoria não estaria limitada pela necessidade de mais terrenos para sua instalação, pois o espaço físico ocupado por uma fábrica é reduzido e tanto o planeta quanto o território de um país permitiriam sua expansão quase infinita.

Com o desenvolvimento do modo de produção capitalista e partir das revoluções políticas realizadas pela burguesia industrial, que passou a organizar o seu Estado, para atender suas necessidades políticas e legais, introduziu-se na sociedade o direito à propriedade privada da terra. Ou seja, como parte da lógica do capitalismo, os Estados republicanos, sob a hegemonia da classe burguesa, garantiram o direito da propriedade privada sobre um bem da natureza, como uma espécie de segurança dada pelo Estado aos capitalistas que investissem seu capital na agricultura. E a terra, apesar de não ser fruto do trabalho humano e, portanto, não ter valor, passou a ter preço – determinado por essa condição de propriedade privada, para quem tivesse capital para investir nela.

Assim, os capitalistas, que tinham capital para comprar meios de produção (insumos, fertilizantes, máquinas) e contratar trabalhadores livres-vendedores de sua força de trabalho, agora passaram a ter o direito de também ter a propriedade e comprar frações de terra. Sendo um bem da natureza.

Do regime jurídico-político do direito à propriedade privada de um espaço da natureza é que surgiu, então, o "monopólio" da propriedade da terra por parte daqueles que tivessem maior dinheiro-capital para se apropriar dela. Pois se a terra é limitada em seu tamanho, território, pela natureza, seria muito difícil que todos os cidadãos de uma mesma sociedade tivessem iguais condições de dinheiro/capital e que houvesse terras de exploração agrícola para todos.

A teoria da renda da terra procura então explicar como os capitalistas, ao investirem seus capitais na compra e manutenção da propriedade da terra, depois cobram de toda a sociedade uma espécie de taxa de retorno desse capital, embutindo nos preços agrícolas, uma renda extra, acima do lucro médio, pelo simples fato de serem proprietários privados daquela terra. Então, poderíamos dizer que a renda da terra é um valor acima do lucro médio que todos os produtores capitalistas auferem e que é inserido no valor das mercadorias agrícolas vendidas, mas que se destina apenas aos que são proprietários da terra. Essa renda da terra é resultante apenas do fato de existir a propriedade privada da terra.

Por isso, Marx chamou a esse tipo de renda auferida pelos proprietários capitalistas da terra de renda da terra absoluta – porque se refere a um "direito" privado, adquirido de forma absoluta, que ninguém contesta em função do regime político existente no capitalismo – o qual determina a propriedade privada dos meios de produção e, no caso, também de um bem da natureza.

Mas atenção: nem todos os capitalistas da agricultura auferem a renda da terra absoluta, apenas aqueles que são proprietários da terra. Alguns capitalistas não proprietários inclusive pagam a renda da terra. Se um fazendeiro capitalista organiza a produção de mercadorias agrícolas, mas não possui a propriedade da terra, certamente ele precisará arrendá-la. E, portanto, conseguirá obter uma taxa média de lucro, porém terá de pagar, ou seja, transferir uma parcela de seu lucro ao proprietário da terra, que não investe na produção, mas cobra um "pedágio" pelo uso da sua propriedade.

E como seria determinado o valor dessa renda da terra absoluta? As reflexões de Marx nos dizem que o valor da renda da terra absoluta, é construído socialmente em cada país. E que cada proprietário sempre embute esse valor absoluto nos preços. Porém, por esse caminho é mais difícil identificar qual é a taxa da renda da terra absoluta embutida. Em muitas metodologias do cálculo do preço de um produto agrícola, os calculadores colocam simplesmente, custo da terra. Mas ela não tem um custo. Então Marx nos diz que a pista mais didática e mais próxima do valor real da renda da terra absoluta em uma região ou para determinado produto deve ser buscada no valor médio do arrendamento cobrado por esses capitalistas-latifundiários quando arrendam a terra para os camponeses ou para outros capitalistas. Assim, pode-se simplificar que o valor da renda da terra absoluta equivale ao valor cobrado pelo arrendamento médio na região.

R

A renda da terra diferencial

Ao seguir suas pesquisas, Marx descobriu que as condições específicas de produção são diferentes de um fazendeiro-capitalista para outro por diversas razões, como a localização na natureza e suas condições edafoclimáticas, relacionadas com chuvas, ventos etc., as condições de fertilidade natural das terras, a proximidade ou não do mercado etc. Essa enorme diferenciação que existe no universo da produção agrícola, no entanto, não se dá na indústria, onde, em um mesmo ramo, as condições de produção são bastante similares. Por exemplo, entre as fábricas de calçados, o sistema de produção é basicamente o mesmo, com a mesma tecnologia, as mesmas máquinas, as mesmas condições, variando apenas a escala de produção, em cada país, e hoje praticamente em todo mundo é semelhante.

Na agricultura, no entanto, Marx detectou que alguns capitalistas do campo obtinham um lucro extraordinário, acima da taxa média de lucro obtida por todos os demais fazendeiros-capitalistas. A essa taxa de lucro extraordinário, que apenas alguns fazendeiros capitalistas obtêm, Marx chamou renda da terra diferencial.

Marx tentou explicar as razões para que apenas alguns fazendeiros obtivessem essa taxa de lucro extraordinário. E a primeira explicação encontrada foi que alguns produtores capitalistas possuem terras mais férteis, que precisam de menos adição de adubos, e, portanto, têm menor custo e obtêm maior produtividade física das plantas ou animais. Há ainda situações em que as fazendas, mesmo não tendo essas condições naturais de fertilidade, possuem uma característica geográfica particular: estão mais próximas do mercado consumidor, das cidades ou do porto de exportação, o que gera menor custo de transporte, oportunidades de melhores preços nas entressafras etc. Ao lucro extraordinário recebido pelos fazendeiros capitalistas essas condições particulares, Marx chamou renda da terra diferencial I. Ou seja, é uma condição diferente, dos demais, da média, que lhe permite ter um lucro a mais.

No estudo da realidade da agricultura, revelou que havia também alguns fazendeiros que obtinham um lucro extraordinário, acima dos demais, por outra razão: porque conseguiam administrar seu capital constante aplicado em máquinas e benfeitorias de uma forma mais produtiva do que a maioria dos outros fazendeiros. Ou seja, comparando dois ou mais fazendeiros que tivessem as mesmas condições de fertilidade das terras, igual proximidade do mercado e produzissem um mesmo produto agrícola, alguns deles organizavam o processo produtivo, com trabalhadores e máquinas mais apropriados, que levou a uma produtividade do trabalho maior do que a de seus vizinhos fazendeiros. Por exemplo, dois fazendeiros possuem mil hectares de terra cada um, produzem soja e têm a mesma produtividade física: 45 sacas de soja por hectare. Porém um deles, em vez de ter dez tratores pequenos e, portanto, dez tratoristas, investiu em cinco tratores maiores, que conseguem cultivar os mesmos mil hectares, com apenas cinco tratoristas. Com isso, esse fazendeiro terá uma produtividade do trabalho, de seus empregados, maior do que o fazendeiro vizinho. A esse segundo tipo de renda diferencial Marx chamou renda da terra diferencial II.

Assim conclui-se pela teoria geral da renda da terra, que o capitalismo na agricultura ao produzir mercadorias agrícolas, possui uma lógica distinta da indústria, e ocorrem além do lucro médio, a existência de uma *renda da terra absoluta*, que todos os proprietários recebem por serem apenas proprietários privados e a terra ser um bem finito. E há alguns capitalistas que ainda auferem uma renda diferente, a mais que da renda absoluta de corrente das diferentes condições de produção. A renda diferencial I e a renda diferencial II.

O preço da terra

A terra é um bem da natureza e, portanto, não é fruto do trabalho humano. Pela teoria geral do valor, os bens, as mercadorias só têm valor no mundo capitalista quando são fruto do trabalho. E seu valor se mede pela soma do tempo de trabalho necessário em média, para produzi-lo, seja no tempo pregresso, incluído no valor das matérias-primas, sementes e ferramentas necessárias, seja no trabalho imediato da produção daquele bem. Com base nessa teoria, a terra não é fruto de trabalho, logo, ela não tem valor. E não haveria fórmula matemática que conseguisse calcular qual seria o valor real de um hectare de terra.

Como então explicar que a terra não tem valor, mas tem um preço? A explicação dos pensadores clássicos anteriormente citados é que a propriedade privada da terra a transformou em uma mercadoria especial, que pode ser comprada por qualquer pessoa que pague por ela. Na verdade, quando se compra uma terra, não se compra o valor trabalho que haveria dentro dela, mas sim um direito de exploração. Por isso, ela se transformou em uma mercadoria especial, uma mercadoria-fetiche, porque o que as pessoas compram é um direito privado de explorar aquele espaço da natureza para ele obter lucro.

E como se determina o preço dessa mercadoria especial, que em geral é fixado por hectare, na moeda de cada país? Segundo os pensadores clássicos, o preço da terra é na verdade a renda absoluta acumulada. Ou, em outras palavras, uma antecipação do lucro que um capitalista faz ao ex-proprietário da terra, transferindo a ele certo valor em dinheiro, na expectativa de poder obter de volta esse capital, ao longo do tempo.

Em muitas regiões agrícolas do Brasil e de todo o mundo, o preço médio da terra é fixado em dinheiro ou pelo equivalente do volume de mercadorias que se pode obter naquela terra, o que, no fundo, representa também a possibilidade de obtenção do lucro médio, com aquela determinada produção. Assim, por exemplo, em áreas de soja, fixa-se o preço do hectare de terra pelo preço de mercado de 30 sacas de soja. No exemplo concreto, como a produtividade seria de 45 sacas por hectare, o capitalista comprador está antecipando ao vendedor parte da renda absoluta que ele obteria se ele mesmo fosse utilizar a terra.

Por outra parte, quando um fazendeiro ou camponês organiza a produção agrícola em uma determinada área, ele aplica dias de trabalho sobre a terra nua, na forma de preparo para agricultura (por exemplo, desmatamento ou sistematização da área em curvas de níveis), construção de benfeitorias, bens, cercas etc. Esses dias de trabalho que se incorporam à propriedade também são contabilizados no preço médio da terra. Assim, duas áreas iguais, localizadas na mesma região, voltadas para o mesmo produto, podem ter preços diferentes pelo fato de uma delas ter também um valor agregado por mais trabalho realizado nela.

Como a teoria nos explica, se o preço médio das terras é determinado pela expectativa e possibilidades reais de lucro a ser obtido dela, na vida real das sociedades capitalistas, cada vez que sobe a taxa de lucro na agricultura, sobem também os preços da terra. E cada vez que cai a taxa média de lucro da agricultura, caem também os preços da terra, confirmando assim o que ocorre na realidade, de acordo com a constatação teórica que vem desde o século XIX.

A especulação com os preços da terra

À medida que o capitalismo foi se desenvolvendo e hegemonizando as condições de produção na agricultura, os capitalistas perceberam que a terra era uma mercadoria especial e finita, pois o tamanho das terras é determinado pela natureza. Não se pode aumentar seu tamanho, portanto seu acesso estaria limitado a alguns proprietários. Com essa perspectiva, muitos capitalistas que não estavam vinculados ao setor agrícola, nem tinham interesse em produzir mercadorias agrícolas, passaram a investir seu capital-dinheiro na compra do "direito" de ter terra, como uma forma de reserva de valor para seu capital-dinheiro. Por ser um direito, essa terra seria, ao mesmo tempo, facilmente negociável, quando os preços da terra oscilassem para acima do que ele havia pagado. Formou-se então um mercado de disputa das terras pelos capitalistas que possuem dinheiro e não necessariamente têm interesse em produzir na agricultura. Eles aplicam o dinheiro comprando o direito de determinadas áreas de terra; e quando a taxa de lucro sobe e, portanto, os preços das terras também, eles as revendem para obter maiores margens de lucro nessa operação comercial-especulativa.

Há uma segunda forma de prática de especulação sobre o preço das terras. Ela ocorre nas regiões de fronteira agrícola, onde as terras ainda não estão incorporadas à propriedade privada dos capitalistas. Em alguns países ou em algumas regiões dentro dos países – como, aqui no Brasil, é o caso da região amazônica –, há ainda muitas terras que não possuem proprietários. Elas talvez sejam utilizadas de forma comunitária, por populações locais e nativas, ou podem ser consideradas terras públicas, de domínio do Estado. Nessas regiões, muitos capitalistas especuladores se apoderam das terras, tomando posse de forma ilegal ou comprando-as, a preços simbólicos, das comunidades locais. Depois essas terras são cercadas e registradas como propriedade privada. Após o registro, seus compradores promovem o desmatamento e a melhoria do acesso a estradas, preparam as terras para o cultivo e revendem a outros capitalistas por preços mais valorizados, obtendo assim altas taxas de lucro.

A concentração da propriedade da terra

Por essa teoria geral da renda da terra e pelo processo de acumulação de capital, que todos os capitalistas no campo obtêm o lucro médio, mais a renda absoluta e alguns a renda diferencial, se estabelece uma lógica de que esses capitalistas tendem então a aplicar seu capital acumulado na compra de mais terras, e assim terem mais extensões e escala, para num segundo momento, obter mais renda. Esse processo leva a que quanto mais se desenvolve o capitalismo na agricultura, maior será a concentração da propriedade de forma natural, como parte de sua lógica. Nos períodos de crise capitalista, em que a taxa de lucro cai ou desaparece e, portanto, os preços das terras também caem, ao contrário do que se esperava uma concentração maior da propriedade da terra, na realidade, há uma estabilidade e pode até haver desconcentração da propriedade, com os fazendeiros vendendo parte de suas terras.

A centralização do capital na propriedade da terra

O outro movimento que ocorre na agricultura como resultado da lógica natural do movimento do capitalismo, é que, à medida que o capitalismo em geral se desenvolve e a economia se transforma cada vez mais oligopolizada, controlada por poucas empresas, esse capital também age sobre a agricultura.

Assim, percebe-se em todo mundo, e cada momento mais forte, que as grandes empresas, mesmo do setor financeiro, industrial, e comercial, passam também a investir na propriedade de terras. Esse movimento de que a propriedade das terras, deixam de ser exclusividade dos capitalistas agrícolas, é que se chama de centralização do capital na agricultura.

E como o capitalismo está na fase de hegemonia do capital financeiro e das corporações transnacionais que atuam em todo mundo, há como consequência também, um processo de desnacionalização da propriedade da terra, em que esses capitais, mesmo de origem estrangeira, passam a se apropriar de amplas extensões de terra, para atender seus interesses, seja especulativo, seja de prevenção para o futuro, ou na expectativa de exploração dos recursos minerais e de água existentes nessas terras.

Nota-se nas últimas duas décadas um processo crescente de concentração, centralização e desnacionalização da propriedade da terra a serviço das grandes corporações, em todo mundo, mas em especial na África e na América Latina.

Referências

MARX, K. *O capital.* Rio de Janeiro: Civilização Brasileira, 1974. l. 3, v. 4.

_______. *O capital.* São Paulo: Nova cultural, 1988. (Os economistas, 5 vols.).

Para saber mais

KAUTSKY, K. *A questão agrária.* Rio de Janeiro: Laemmert, 1968. Cap. 5: O caráter capitalista da agricultura moderna.

MARX, K. *Teorías sobre la plusvalía.* Buenos Aires: Grijalbo, 1975. T. 3.

ROSENBERG, D. *Comentarios a El capital.* México, D. F.: Universidad Autónoma de México, 1977. (Apostilas de la Unam).

UMBELINO, A. de O. *Modo capitalista de produção e agricultura.* São Paulo: Ática, 1990.

Nota

1 O conjunto das teorias de Marx sobre o funcionamento do capitalismo está reunido na obra clássica *O capital:* crítica da Economia Política. Os elementos sobre a teoria da renda da terra estão reunidos no livro III dessa obra (Marx, 1974). Durante o século XX, outros pesquisadores contemporâneos recuperaram escritos e anotações de Marx que revelam seu método de trabalho, suas pesquisas e os comentários que fazia aos autores que o antecederam. As reflexões anotadas nos cadernos manuscritos de Marx foram editadas, como os *Grundrisse.*

REVOLUÇÃO VERDE

Ceres Hadich
Gilmar Andrade

O novo ciclo imposto pelo sistema capitalista no campo pós-Segunda Guerra Mundial integrou o capital em escala global, através das multinacionais e transnacionais. Tal transformação, profunda e radical no campo, somente foi possível com a implantação da *Revolução Verde.*

O termo foi utilizado pela primeira vez por William Gaud, chefe da Agência dos Estados Unidos para o Desenvolvimento Internacional (Usaid), em 1968. Na ocasião, Gaud se referiu ao processo de desenvolvimento de novas variedades de trigo e milho, conduzido por Norman Borlaug (1914-2009), como "*a Revolução Verde, feita à base de tecnologia e não do sofrimento do povo*". Este pensamento reflete uma das bases filosóficas e teóricas defendidas por seus idealizadores e, porque não dizer, seus financiadores, que, entre outros argumentos, justificavam a disseminação massiva de novas técnicas e tecnologias na agricultura como forma de superação da fome no mundo, uma tentativa de disfarçar os reais interesses.

A Revolução Verde foi um processo lento, não só de mudança técnica, mas sobretudo econômica e também cultural que impulsionou transformações na agricultura, associadas a um pacote tecnológico (fertilizantes, sementes, agrotóxicos e máquinas, (fármacos, rações, instalações, matrizes e reprodutores animais), que induziu a especialização produtiva (monocultivos e confinamentos e criação extensiva de animais) em grandes extensões de terra, com objetivo de exportação de matéria-prima. A agricultura foi subordinada à indústria e assumiu sua lógica na produção agropecuária, constituindo o que se denomina complexo agroindustrial. O processo da Revolução Verde só foi possível com o aporte de recurso público, consistindo numa aliança entre as elites industriais e agrárias, para realizar intencionalmente uma modernização conservadora, para desenvolvimento das relações capitalistas no campo, sem alterar as estruturas de poder e propriedade.

Revolução Verde: antecedentes e processo histórico

Entre os séculos XVI e XVIII a burguesia europeia concentrou uma grande quantidade de riqueza (ouro, prata, dinheiro), a partir do saque e roubo da América, do tráfico de escravos africanos, da conquista e saqueio das Índias Orientais e da apropriação privada das terras dos camponeses através dos cercamentos (Marx, 2013). Esse processo de enriquecimento e concentração de capital ficou conhecido como *acumulação primitiva do capital*, o que possibilitou à burguesia nascente concentrar a propriedade dos meios de produção ao mesmo tempo em que produzia (por meios violentos) a existência de trabalhadores assalariados e criava o mercado interno, dando origem assim ao próprio capitalismo.

A liberação de força de trabalho do campo para as grandes manufaturas foi possível à medida que a agricultura passava igualmente por mudanças nas técnicas de produção, que incluíam a rotação de culturas, a drenagem e a integração das atividades agrícolas e de pecuária, que, permitiam a intensificação dos cultivos e o aumento da produtividade, num processo às vezes denominado de "Primeira Revolução Agrícola dos tempos modernos" (Mazoyer; Roudart, 2010, p. 353).

A partir do século XVIII, a invenção das máquinas-ferramentas (como a máquina de fiar e o tear mecânico) e da máquina a vapor deu início à Revolução Industrial, com a passagem da manufatura à maquinofatura que caracteriza o capitalismo industrial, o capital reorganizando todo o processo de produção e a subsequente mudança na sociabilidade e nas instituições (revoluções burguesas). Essas mudanças também teriam consequências na agricultura.

A separação entre o campo e a cidade, com concentração crescente da população nas cidades, colocava um desafio para a agricultura capitalista: aumentar a produtividade agrícola, para atender a demanda crescente de alimentos nas cidades, mas evitando a exaustão dos solos que já no séc. XIX se manifestava em muitas partes da Europa e EUA, em decorrência do abandono do pousio e da intensificação dos cultivos (Mazoyer; Roudart, 2010).

Nesse período, muitos avanços científicos e tecnológicos foram determinantes no processo de industrialização da agricultura. Na Química, houve a síntese da ureia, em 1828, por Friedrich Wöhler (antes, os compostos orgânicos só podiam ser produzidos por seres vivos, animais e vegetais); a elaboração da "Lei do mínimo",[1] por Carl Sprenger, em 1820; as descobertas de Liebig em 1840, sobre a natureza mineral da nutrição das plantas (cuja teoria é considerada a verdadeira iniciadora da ciência do solo). Na Biologia, as descobertas de Mendel, no período de 1856-1865, sobre os processos que asseguram que cada ser vivo receba e transmita características através da reprodução (hereditariedade), dando início à genética. Nas fontes de energia, a descoberta do petróleo, por Edwin Drake em 1859. Na Mecânica, a invenção do motor de combustão interna, por Nicolaus Otto, 1876 e a invenção do automóvel por Karl Benz, 1885.

Para fins didáticos, é possível considerar que o surgimento, implementação e desenvolvimento da Revolução Verde passou por três fases.

A *primeira* está compreendida entre os anos de 1840 e 1930. Nesse período, o desenvolvimento de novos meios de transporte, ferrovias e navegação a vapor amplia e intensifica o comércio, aumentando os lucros dos países capitalistas. Dentre as mercadorias integradas à nova dinâmica do capital, além da produção agropecuária, que circula mais rapidamente, soma-se a incorporação da adubação natural que vinha de outras regiões substituindo o uso de fertilizantes naturais (húmus e esterco) na Europa. O guano ou esterco de aves e morcegos além do nitrato de sódio (popularmente conhecido como salitre) proveniente das minas do Peru, Chile, Bolívia, Argentina e ilhas do Pacífico constituíam a base da adubação agrícola em países como Inglaterra, França, Prússia, Holanda e Estados Unidos na segunda metade do século XIX.

Outras inovações como equipamentos para tração animal (arados charrua metálicos, sementeiras, ceifadeiras, colheitadeiras etc.), permitiram dobrar a produção e produtividade do trabalho ao ponto de causar, em 1890, a primeira crise de superprodução agrícola (Mazoyer; Roudart, 2010), e liberar força de trabalho para a segunda Revolução Industrial (a partir de 1850). Foi também nesse primeiro momento da Revolução Verde que se desenvolveu a indústria de fertilizantes sintéticos (potássio, nitrogênio e fósforo) e a técnica de hibridização do milho (1914). Os adubos químicos foram rapidamente disseminados nos países em que o capitalismo se encontrava avançado, não apenas pelos resultados no aumento da produção, mas também porque se adequavam aos interesses da indústria química.

A *segunda fase* compreende o período de 1930 a 1980 e ficou marcada pelo avanço no uso intensivo de substâncias químicas – fertilizantes e agrotóxicos, na substituição da tração animal pela tração motorizada e pelo melhoramento genético de plantas (Foster, 2010). Os primeiros herbicidas surgiram por volta de 1930, e em 1939, o entomologista Paul Müller descobriu as propriedades inseticidas do DDT (que já tinha sido sintetizado em 1874 pelo químico alemão O. Zeidler), inaugurando o uso dos organoclorados, biocidas com imenso potencial de contaminação e risco para a saúde humana e o meio ambiente.

Durante a Segunda Guerra Mundial (1939-1945), o mundo vivenciou um amplo desenvolvimento tecnológico nas indústrias bélica, química e farmacêutica. Com o final do conflito armado, houve uma demanda em realocar todo o conhecimento e mercado, potencialmente bloqueado (Machado; Machado Filho, 2014). Assim, a indústria bélica reorientou a produção de aviões, veículos de guerra e implementos para a mecanização da agricultura, assim como a indústria química e farmacêutica, reorientou sua produção para a agricultura, especialmente sementes, fertilizantes e venenos. Outro exemplo bastante claro da relação íntima entre o desenvolvimento da agricultura moderna e indústria bélica foi o desenvolvimento e a aplicação de herbicidas desfolhantes (como o agente laranja – Tordon), utilizados na Guerra dos EUA contra o Vietnã (1959-1975).

A grande propriedade capitalista se especializou. Abandonaram-se os sistemas de policultivos para se dedicar quase que exclusivamente à monocultura. As regiões em que a agricultura capitalista se encontrava mais avançada foram desenvolvendo atividades especializadas e complementares (regiões de produção de cereais, regiões de criação de gado leiteiro, de corte, regiões de frutíferas etc.). Estabeleceu-se a divisão social do trabalho, entre os que realizam a tarefa material da produção, daquelas que se dedicam às tarefas de formação, informação agrícola e produção intelectual e ideológica. Consolidou-se a separação entre campo e cidade.

A *terceira fase* da Revolução Verde, a partir de 1980, vincula-se ao período de introdução de novas tecnologias (comunicação, robótica, informática, biotecnologia etc.), o que possibilitou a redução do tempo de trabalho na produção e simultaneamente as novas tecnologias aumentaram a produtividade. O avanço das multinacionais tornou-se mais intenso com a série de reformas e medidas neoliberais, com os programas de privatização, atraindo assim o capital externo e especulativo para os países em desenvolvimento, direcionado a investir no campo. O mecanismo utilizado é a aquisição e fusão de empresas já estabelecidas, formando os oligopólios e/ou monopólios, tendo sempre à frente os grupos de empresas transnacionais, controladas e/ou dirigidas pelo capital financeiro internacional (Bunde, 2012).

A partir da década de 1990, há uma intensificação do uso da genética, com a utilização da biotecnologia e o desenvolvimento dos organismos geneticamente modificados [ver Transgênicos], conjugados ao processo de financeirização da agricultura [ver Financeirização da Economia]. Nessa fase, destacam-se frentes importantes, como: biotecnologia, nanotecnologia, informática na agricultura, a intensificação da agricultura de precisão, a inserção das *commodities* na Bolsa de Valores, oligopolização do processo de produção e distribuição dos alimentos, biologia sintética e novos transgênicos [ver Novas Biotecnologias].

O avanço do capitalismo no campo brasileiro

O desenvolvimento do conjunto de técnicas da Revolução Verde se iniciou nos Estados Unidos e países desenvolvidos da Europa, e nas décadas seguintes, com o apoio de programas de extensão e formação foram sendo implantados em outros países. A grande promessa desse conjunto de transformações se baseava na capacidade de aumentar rapidamente e em grande escala a capacidade de produção de alimentos no mundo, e por consequência, resolver o problema da fome principalmente nos países periféricos, que passavam por um amplo crescimento demográfico e por lutas, tanto nacionalistas e de descolonização, como de construção do socialismo, especialmente nos continentes asiático, africano e americano. Entretanto, apesar do aumento da produtividade em determinadas culturas (soja, milho e trigo), o que se observou foi o aumento da concentração fundiária e renda, a contaminação por agrotóxicos e a redução da biodiversidade.

No contexto da Guerra Fria, os EUA, com objetivo de ampliar sua influência, lançam uma política para a agricultura em diversos países, tendo por bases a assistência técnica e o crédito rural. A finalidade era modernizar a produção agrícola que, em síntese, seria a adoção de uma política de dependência: fertilizantes químicos, venenos (agrotóxicos), mecanização e monoculturas, em detrimento da biodiversidade e da autonomia dos agricultores.

A Fundação Rockefeller, estadunidense, passou a financiar a pesquisa e a exportação de tecnologias. A primeira experiência se deu no México em 1944, com a produção de cultivares de trigo adaptados a climas tropicais e subtropicais (Brown, 1970); em seguida, nas Filipinas, com a colaboração também da Fundação Ford, no desenvolvimento de cultivares de arroz, mais resistentes, produtivos. As pesquisas de cultivares visavam aumentar a produtividade desenvolvendo variedades que respondessem mais rapidamente aos insumos químicos.

De toda forma, a Revolução Verde, ainda que tenha sido inicialmente impulsionada por financiamentos e interesses privados de instituições estadunidenses, encontrou apoio estatal contundente para estabelecer-se de maneira efetiva nos países periféricos do capitalismo, como foi, por exemplo, o caso do Brasil.

Na década de 1940, a Fundação Rockefeller, por meio da Associação Internacional Americana para o Desenvolvimento Econômico e Social (AIA), passa a estabelecer parcerias para assistência técnica no Brasil, inicialmente com governos estaduais e posteriormente com o governo federal. Os EUA assinam um convênio com o governo brasileiro na área da agropecuária e estabelecem um Escritório Técnico de Agricultura (ETA), com sede no Rio de Janeiro. As primeiras ações do ETA têm como foco criar convênios com os estados da região Sul do país. Na década seguinte são inauguradas as associações de crédito e assistência rural em diversos estados (Fonseca, 1985).

O sistema de empresas estaduais para aplicação de créditos e assistência técnica ganha impulso no governo de Juscelino Kubitschek de Oliveira (1956 a 1961), e a promessa de modernizar o país ("fazendo 50 anos em 5"), recuperando anos de atraso tecnológico em apenas um mandato. O governo, a partir do Plano de Metas (energia, transporte, alimentação, indústria de base e educação), indicava a necessidade de eliminar os "pontos de estrangulamento" da economia brasileira. Na metaindústria incluía a produção de tratores e a mecanização da agricultura. Entretanto, o maior avanço da Revolução Verde se daria durante a ditadura civil-militar.

Os governos militares tomaram quatro medidas que foram fundamentais para implantar a Revolução Verde no Brasil. A primeira, com Delfim Neto à frente do Ministério da Fazenda (1967), foi a implantação do Sistema Nacional de Crédito Rural (SNCR) como principal estrutura de fomento à produção agropecuária. A segunda foi a criação da Empresa Brasileira de Pesquisa Agropecuária (Embrapa), fundada em 1973. A Embrapa passou a desenvolver pesquisas voltadas para a adaptação de variedades (milho, soja, arroz, trigo) às condições climáticas e de solos do país. A terceira foi articular as agências estaduais de Assistência Técnica e Extensão Rural (Ater) no sistema Embrater (Empresa Brasileira de Ater), em 1974, com isso foi possível uniformizar as práticas que estavam sendo difundidas pelos extensionistas. E a quarta foi a educação, identificada como "a estratégia" sobre a qual a modernização da agricultura haveria de "repousar fortemente", com vistas a [...] elevar-lhe os padrões culturais pela via de extensionismo e transmitir-lhe uma tecnologia nova pela demonstração" (Brasil, 1967, p. 108).

As políticas educacionais durante o regime militar visavam preparar mão de obra que assegurasse o projeto desenvolvimentista e autoritário em curso. Sob a égide do economicismo e pragmatismo, adotou-se a ideologia do capital humano, a profissionalização compulsória do ensino médio e a formação técnico-profissional (Frigotto, 2007), além da despolitização, segundo as conveniências da ideologia da Segurança Nacional (Kuenzer; Machado, 1986). Na educação não formal, surgiram os Clubes Agrícolas, vinculados ao Ministério da Agricultura, que realizavam capacitação e treinamento com a juventude, incentivando a tecnicização da produção. Outra agremiação que surgiu para preparar a mão de obra e difundir as técnicas e tecnologias da Revolução Verde foram os Clubes 4-S (Saber, Sentir, Saúde, Servir), criados no Brasil como uma cópia do modelo estadunidense dos Clubes 4-H (*Head, Heart, Hands, Health*; Cabeça, Coração, Mãos, Saúde), dentro da mesma finalidade extensionista e difusionista do "pacote tecnológico" (Gomes, 2013).

Os sucessivos governos militares estabeleceram como funções da agricultura liberar mão de obra para a indústria; gerar oferta adequada de alimentos; suprir matérias-primas para indústria; elevar as exportações agrícolas; transferir renda real para o setor urbano (Delgado, 2009). O projeto de modernização não ocorreu de forma homogênea em todo o Brasil. Houve uma concentração dos investimentos nas regiões Sul e Sudeste que levou a quase extinção da Floresta Atlântica, posteriormente ampliados para parte do Centro-Oeste. O avanço da fronteira agrícola significou o desmatamento do Cerrado [VER BIOMA CERRADO] e de parte significativa da Floresta Amazônica [VER BIOMA AMAZÔNICO]; o desenvolvimento e adaptação de culturas como a soja às novas condições edafoclimáticas e ao uso intensivo de insumos.

A Revolução Verde no Brasil foi tecnicamente modernizante (técnicas, mecanização, insumos e créditos) e socialmente conservadora (manutenção da estrutura fundiária), porque baseada numa aliança entre as elites industrial e agrária, resultando na derrota do movimento pela reforma agrária. A aplicação do pacote tecnológico aos monocultivos em grandes extensões de terra tinha por objetivo central a exportação de matéria-prima.

De outro lado, é importante considerar que sua implementação contou com um processo violento de expulsão de camponeses de suas terras e modos de produção, imposição de culturas, reordenamento agrícola e fundiário, orientado pela política de colonização e modernização agrícola do Estado brasileiro. Inúmeras foram as iniciativas de resistência, que de maneira espontânea e invisibilizada, porém não inexistente, levaram à construção da agroecologia [ver Agroecologia], e das bases do movimento agroecológico no Brasil [ver Movimento Agroecológico].

Em nível mundial há que considerar a atuação, para além dos estados nacionais, das agências multilaterais, como a Organização das Nações Unidas, a partir da atuação de suas estruturas, como o Fundo das Nações Unidas para Alimentação e Agricultura (FAO) e o Banco Internacional para Reconstrução e Desenvolvimento (BIRD). Tais estruturas passaram a aportar, aos países parceiros, financiamento de programas de assistência técnica e desenvolvimento da produção, nos moldes da Revolução Verde.

Os impactos da Revolução Verde

É necessário considerar a Revolução Verde como processo histórico, não somente como um conjunto de técnicas e tecnologias implantadas massivamente na agricultura a partir da segunda metade do século XX, mas sim, como parte da estratégia de desenvolvimento do capitalismo no campo. Por isso, ela traz em si consequências e contradições características deste modo de produção como um todo.

Nesse sentido, a Revolução Verde pode ser compreendida como a Revolução Industrial da Agricultura, com a consolidação, após a Segunda Guerra Mundial, de uma convergência entre os avanços dos agroquímicos e a acelerada estruturação de um setor industrial. Os investimentos públicos (crédito, pesquisa, escolas técnicas e universidades, assistência técnica, infraestrutura viária, ferroviária e portuária) criaram as condições necessárias para desenvolver e disseminar a Revolução Verde.

O processo de transformação capitalista da agricultura brasileira impulsionou o processo de urbanização da população, em ritmo superior a países capitalistas mais avançados. A população urbana, na segunda metade do século XX, passou de 19 milhões para 138 milhões, um acréscimo, a cada ano, de 2,3 milhões de habitantes, em média. Na década de 1950, a população rural correspondia a 63,8% e nos anos 2000 a menos de 20% da população brasileira (IBGE, 2010). Estima-se que somente entre 1960 e final dos anos 1980, período de maior avanço da Revolução Verde, saíram do campo em direção às cidades quase 43 milhões de pessoas (Brito; Carvalho, 2006).

Em relação às consequências de décadas de implantação dessa lógica de estruturação da produção agropecuária e fundiária no mundo, podemos destacar, de maneira geral, os seguintes aspectos comuns:

1. aumento da concentração fundiária e empobrecimento dos pequenos agricultores. De acordo com a Organização das Nações Unidas (ONU) (2019), no mundo existe em torno de 1,3 bilhões de pessoas extremamente pobres e 80% delas estão em áreas rurais;

R

2. êxodo rural massivo, alterando profundamente as características socioculturais do meio rural;
3. esgotamento do solo (em seus atributos físicos, químicos e biológicos), avanço da erosão, desmatamentos, alterações no clima com a redução da biodiversidade, aumento da poluição, emissão dos gases que provocam o efeito estufa e consome 70% dos recursos hídricos utilizado na agricultura (ETC Group, 2013);
4. apropriação, por parte das multinacionais, das terras, recursos naturais, biodiversidade e sementes;
5. sofisticação da indústria do agrotóxico e da genética, que passa a ser o centro do pacote tecnológico, de modo que, o controle das sementes torna-se fundamental. "As sementes são patrimônio dos povos a serviço da humanidade", diz a Via Campesina. Mas nesta lógica, a semente [VER SEMENTE] passa a ser propriedade privada;
6. a aplicação massiva do itinerário da Revolução verde levou a uma padronização da organização da vida no campo e na cidade, ou seja, do que se produz e do que come, com impactos negativos sobre segurança e soberania alimentar [VER SEGURANÇA E SOBERANIA ALIMENTAR] e sobre a saúde humana.

No Brasil, a crise do modelo de industrialização dependente consolidou, na década de 1990, as transformações na agricultura, com a entrada massiva do modelo neoliberal na economia brasileira, hegemonizada pelo capital financeiro e internacional.

A nova dinâmica de territorialização do capital no campo se materializa a partir de uma integração de capitais, que vai construindo cadeias produtivas que abrangem as esferas da produção e circulação dos produtos agropecuários. Isso significa, o domínio do mercado de insumos (sementes, agrotóxicos, fertilizantes e outros), das técnicas e tecnologias de produção (desde máquinas e implementos agrícolas, até pesquisas científicas em áreas como genética e biotecnologia, entre outras), dos sistemas de financiamento, das indústrias de beneficiamento, dos sistemas de transporte e das redes de comercialização (Campos; Campos, 2007).

Apesar dos avanços técnicos e tecnológicos promovidos nas últimas décadas, pelo desenvolvimento das forças produtivas na indústria e no campo, a Revolução Verde não cumpriu a promessa inicial de acabar com a fome no mundo, ao contrário, gerou a concentração e centralização da riqueza, apropriação dos recursos naturais pelas multinacionais, e como consequência a fome atinge perto de 1 bilhão de pessoas no mundo (Ziegler, 2013). Atualmente o avanço capitalista no campo, expresso no agronegócio [VER AGRONEGÓCIO], envolve toda a cadeia produtiva, possibilitando a produção em grande escala, articulada com as indústrias processadoras; as produtoras de fertilizantes, de sementes, agrotóxicos; empresas de comercialização e demais serviços e a indústria cultural. No campo, como é próprio da sua lógica estrutural, o capitalismo segue a mesma dinâmica de centralização e concentração do capital.

Referências

BRASIL. Ministério do Planejamento e Coordenação Geral. *Programa Estratégico de Desenvolvimento.* Brasília: 1967. Disponível em: https://bibliotecadigital.seplan.planejamento.gov.br/handle/123456789/1070. Acesso em: 31 mar. 2021.

BRITO, F.; CARVALHO, J. A. Somos um país de jovens? *In*: ALBUQUERQUE, E. S. (org.) *Que país é esse?* Rio de Janeiro: Globo, 2006.

BROWN, L. R. *Semillas de cambio:* la revolución verde y sus progresos para la década setenta. Montevideo: Hemisferio Sur, 1970.

BUNDE, A. Os agrocombustíveis e a formação de oligopólios e monopólios: concentração/centralização do capital. *VII Colóquio Internacional Marx e Engels.* Campinas: Unicamp, 2012. Disponível em: https://www.ifch.unicamp.br/formulario_cemarx/selecao/2012/trabalhos/6542_Bunde_Altacir.pdf. Acesso em: 31 mar. 2021.

CAMPOS, C. S. S.; CAMPOS, R. S. Soberania Alimentar como alternativa ao agronegócio no Brasil. *Scripta Nova. Revista eletrônica de Geografia y Ciencias Sociales.* [Nueva serie de Geo Crítica. Cuadernos Críticos de Geografía Humana]. Barcelona: Universidade de Barcelona, 1 agosto de 2007, vol. XI, n. 254 (68). Disponível em: http://www.ub.es/geocrit/sn/sn-24568.htm.

DELGADO, G. A questão agrária no Brasil. *In*: JACCOUD, L. (org.) *Questão Social e Políticas Sociais no Brasil contemporâneo.* Brasília, 2009. IPEA. Disponível em: https://www.ipea.gov.br/portal/index.php?option=com_content&view=article&id=5599. Acesso em 31 mar. 2021.

ETC GROUP. ¿La cadena industrial de producción de alimentos o las redes campesinas de subsistencia? 2013. Disponível em: http://www.etcgroup.org/es/content/qui%C3%A9n-nos-alimentar%C3%A1. Acesso em: 31 mar. 2019.

FONSECA, M. T. L. *A extensão rural no Brasil.* Um projeto educativo para o capital. São Paulo: Loyola, 1985.

FOSTER, J. B. *A ecologia de Marx:* materialismo e natureza. Tradução de Maria Tereza Machado. Rio de Janeiro: Civilização Brasileira, 2010.

FRIGOTTO, G. A relação da educação profissional e tecnológica com a universalização da Educação básica. *Educação & Sociedade*, Campinas, v. 28, n. 100 - Especial, p. 1.129-1.152, out. 2007. Disponível em: https://www.scielo.br/scielo.php?script=sci_arttext&pid=S0101-73302007000300023&lng=pt&nrm=iso&tlng=pt . Acesso em: 31 de mar. de 2021.

GOMES, L. R. O jovem dos Clubes 4-S como elemento difusor da modernização das práticas agrícolas em Minas Gerais nas décadas de 1950 e 1960. *Sociedade Brasileira de História da Educação*, 2013.

IBGE. Instituto Brasileiro de Geografia e Estatística. *Atlas do censo demográfico 2010.* Disponível em: http://mapasinterativos.ibge.gov.br/atlas_ge/brasil1por1.html. Acesso em 31 mar. 2019.

KUENZER, A. Z.; MACHADO, L. R. S. A pedagogia tecnicista. *In*: MELO, G. (org.). *Escola Nova:* tecnicismo na educação compensatória. São Paulo: Loyola, 1986.

MACHADO, L. C. P.; MACHADO FILHO, L. P. C. *A dialética da agroecologia.* São Paulo: Expressão Popular, 2014.

MARX, K. *O capital:* crítica da economia política: livro I: o processo de produção do capital. São Paulo: Boitempo, 2013.

MAZOYER, M.; ROUDART, L. *História das agriculturas no mundo:* do neolítico à crise contemporânea. São Paulo/Brasília: Editora Unesp, Nead, 2010.

ORGANIZAÇÃO DAS NAÇÕES UNIDAS (ONU). *Redução da pobreza rural no século 21.* abr. 2019. Disponível em: https://brasil.un.org/pt-br/82909-reducao-da-pobreza-rural-e-essencial-para-atingir-objetivos-globais-diz-publicacao Acesso em: 20 ago. 2019.

ZIEGLER, J. *Destruição em massa:* geopolítica da fome. São Paulo: Cortez, 2013.

Nota

[1] O crescimento das plantas seria limitado pelo elemento presente no solo abaixo da mínima quantidade dequada. Com esse entendimento, a produção aumentaria com a adição de fertilizantes.

R

RUPTURA DO METABOLISMO SOCIOECOLÓGICO

LUIZ HENRIQUE GOMES DE MOURA

A produção da existência humana é um processo histórico de coevolução com a natureza. Fruto do processo de evolução natural, os seres humanos desenvolveram a capacidade de mobilizar as forças naturais e aprender com essa relação. Ao longo de milênios, os antepassados do *homo sapiens* foram evoluindo na medida em que esse aprendizado foi acumulado. Ao mesmo tempo, a natureza ao seu redor também foi alterada, se transformando em uma nova natureza, síntese dessa interação.

Ao longo do desenvolvimento dos modos de produção, essa coevolução produziu um metabolismo socioecológico que alterou toda a dinâmica planetária. À medida que os grupos humanos foram avançando territorialmente, foram transformando a natureza e sendo transformados, conformando territórios com características específicas em suas dimensões sociais, econômicas e ecológicas, embora com estruturas similares que demarcam esses modos de produção.

É no capitalismo que esse metabolismo começa a ser rompido. A escala global desse modo de produção gradualmente rompe essa dinâmica territorial dos modos de produção anteriores. Em especial, a partir de sua fase industrial, o capitalismo produz as bases da questão ambiental contemporânea. Assumindo que hoje ainda vivemos a expansão do mesmo sistema capitalista, em fases mais avançadas, podemos concluir que, nas "oficinas de produção capitalista" do século XVIII e, principalmente, século XIX, já havia gérmens desta questão.

É por essa razão que entendermos ser fundamental a retomada das análises críticas produzidas nesse período para que possamos desenvolver uma teoria recente sobre a questão ambiental. Nesse sentido, as leituras empreendidas por Karl Marx, por Friederich Engels e por Rosa Luxemburgo são tomadas como base para nossa formulação histórica da relação ser humano-natureza.

As bases históricas da ruptura metabólica

Analisando o desenvolvimento do capital industrial, Marx observou também o desenvolvimento das forças produtivas na agricultura e seus impactos na relação ser humano-natureza. Sendo a agricultura a base material dos modos de produção anteriores, como o feudalismo, a sua reestruturação sob a lógica capitalista teria impacto determinante na formação social e econômica, mas também territorial e ambiental do novo modo de produção que estava emergindo. Como afirma Marx (2011)

> A história da propriedade fundiária que mostrasse a transformação progressiva do senhor feudal em rentista fundiário, do arrendatário vitalício por herança, semitributário e frequentemente privado de liberdade no moderno fazendeiro, e dos servos da gleba e do camponês sujeito a

R

> prestação de serviços no assalariado rural, *seria de fato a história da forma do capital moderno*. (p. 194-195)

Partiremos da estratificação histórica realizada por Mazoyer e Roudart (2010), os quais utilizam o conceito de sistemas agrários para analisar a agricultura. Segundo Mazoyer (1987), um sistema agrário é um modo de exploração do meio historicamente constituído, um sistema técnico adaptado às condições bioclimáticas de um espaço determinado, que responde às condições e às necessidades sociais do momento.

Na formação das sociedades tribais, no modo de produção conhecido como comunismo primitivo, a formação da agricultura esteve baseada no *sistema de cultivo de derrubada-queimada*. A base da fertilidade desses sistemas agrários estava na derrubada e queima de formações florestais ou savânicas, e sua conversão em campos de produção. A gradual e ampla degradação dos nutrientes oriundos desse manejo obrigavam os grupos humanos a se deslocarem por um espaço abrangente.

O acúmulo de excedentes e a organização político-econômica daí derivada engendrou as primeiras sociedades de classes, as quais tiveram como base produtiva um sistema agrário mais complexo, definido como sistemas hidráulicos. Segundo os autores, tanto o império Egípcio como o Incaico são expoentes máximos desses *sistemas hidráulicos*. O manejo agrícola conformou territórios baseados na irrigação em larga escala de terrenos planificados, e demandava grande força de trabalho.

O desenvolvimento das forças produtivas e as transformações das relações sociais que resultaram no Império Romano estavam em íntima relação com o surgimento e consolidação do *sistema agrário com pousio e cultivo com tração leve*. Este sistema agrário era baseado na integração entre a produção vegetal e animal, com a última fornecendo adubação para a primeira, além do aperfeiçoamento e expansão das práticas de irrigação, o que permitiu a produção de substanciais quantidades de cereais. Devido ao baixo desenvolvimento dos meios de produção, o emprego de força de trabalho era intenso, e só era possível graças ao sistema escravista vigente.

As condições históricas do feudalismo, com dispersão das estruturas político-econômicas e o fim do sistema escravista, substituído pela servidão, possibilitou um novo manejo agrícola. Por volta do século X, duas invenções tecnológicas foram a base do novo sistema agrário, caracterizado como *sistema de pousio e cultivo com tração pesada*: o sistema de arreamento dos animais e o arado-charrua ou de aiveca. O primeiro possibilitou explorar a máxima potência dos animais de tração, ampliando a capacidade de carga, as distâncias e a intensidade de trabalho de ferramentas de revolvimento do solo; o segundo, derivado do primeiro, permitiu uma grande economia de tempo no preparado do solo e a ampliação dos campos lavráveis.

Tais tecnologias, amplificadas por uma siderurgia mais elaborada e pelo uso de forças naturais, como a hidráulica, incidiu profundamente na estrutura e calendário agrícola e levou ao desenvolvimento de um sistema de transição, sem pousio. O elemento central desse novo sistema agrário estava na produção de pastagens "artificiais", ou seja, de gramíneas, como o azevém, e de leguminosas forrageiras, como o trevo. Com essas culturas, a produção animal cresceu consideravelmente, o que aumentou não apenas a tração e a produção de proteína animal, como também o esterco, que por sua vez, ao ser aplicado às culturas de cereais, permitiu grande aumento da produtividade. Nos termos de Mazoyer e Roudart (2010), "[esse novo sistema agrário] deu um passo à frente no sentido de uma integração cada vez mais estreita do cultivo com a criação" (p. 359).

Ao mesmo tempo, um intenso e beligerante intercâmbio ocorria entre Europa, Oriente Médio, África e Ásia. O fluxo de conhecimento, material genético agropecuário e tecnologias produziu zonas de grandes avanços produtivos.

Esse desenvolvimento das forças produtivas logo colidiu como as estruturas fundiárias e jurídicas existentes até então. Deve-se aqui recordar que as práticas anteriores demandavam certo grau de coletivização das áreas produtivas, principalmente no que tange às criações animais, que pastavam nos campos pós-colheita, adubando-os para as próximas colheitas. Ou seja, o sistema de propriedade das terras configurava-se como um sistema híbrido, com aspecto privado nas culturas agrícolas e coletivo nas criações animais.

À medida que os alqueives foram utilizados para produção de novas culturas, impôs-se a necessidade de gradual privatização destes, sob o risco de ter essas culturas consumidas pelos animais. Assim, os proprietários fundiários e alguns camponeses mais estruturados, que implementaram tais inovações culturais, tendiam a cercar suas unidades, conflitando com os camponeses de médio e pequeno porte que necessitavam das áreas coletivas para suas criações. Tais questões se arrastaram por cerca de um século, conformando legislações nacionais, especialmente na França, que por fim praticamente inviabilizaram o "livre pastejo" e garantiram a integral privatização das terras (Mazoyer; Roudart, 2010).

Na Inglaterra, o cercamento das terras iniciou-se por volta de século e meio antes, devido ao investimento na produção de ovelha para fins têxteis, o que inviabilizou parte considerável das unidades camponesas. Esses investimentos vieram primeiro na pecuária devido a seu caráter extensivo e de baixa necessidade de inversão de capital, por conseguinte, de diminuição da renda fundiária a ser paga aos proprietários de terra (Marx, 1974). Juntamente com as leis de "garantia do preço mínimo" dos cereais – as *Corn Laws* – que restringiam ou impediam a importação deste gênero com objetivo de proteger os preços da produção, essas medidas mantiveram o poder dos proprietários de terra ingleses.

Ambos os processos – conjuntamente com os demais, na Prússia e na Itália – praticamente inviabilizaram as pequenas propriedades camponesas familiares, beneficiando ora um campesinato estruturado (França), ora os aristocratas agrários (Inglaterra, Prússia), processo que ao longo dos séculos XVIII e XIX expulsou milhões de camponeses para as cidades industriais (Kautsky, 1968; Oliveira, 2007; Porto-Gonçalves, 2006).[1] No capítulo XLVII do livro III d'O *capital*, Karl Marx (1974) enumera as diversas questões, que atacaram brutalmente o campesinato:

> Extermínio da indústria camponesa doméstica [...], em virtude do desenvolvimento da grande indústria; empobrecimento progressivo

R

> e esgotamento do solo submetido a esse tipo de agricultura; usurpação pelos grandes proprietários de terras da propriedade comum que por toda parte constitui o segundo complemento da economia parcelaria, sem o qual não lhe é possível a criação de gado; concorrência da agricultura em grande escala da empresa capitalista ou das plantações colônias. Adicionem-se a essas causas os melhoramentos introduzidos na agricultura que contribuem para baixar os preços dos produtos agrícolas ou exigem desembolsos maiores e condições materiais de produção mais avultadas. (p. 924-925).

Residem nesse processo as bases da questão agrária contemporânea. A classe camponesa não se ocupava apenas da produção direta da agropecuária. As comunidades camponesas eram quase herméticas, produzindo praticamente tudo o que necessitavam, desde vestuários às ferramentas. As famílias camponesas eram, pois, definitivamente artesãs. No momento em que essa família vê seu calendário de produção sobrecarregado e que as relações de troca de mercadorias capitalistas amadurecem, o pagamento dos arrendamentos, das parcerias e mesmo a aquisição de meios de produção não se dá mais com os produtos de sua produção, mas sim com dinheiro. Para adquirir o dinheiro, é necessário ir ao mercado e vender sua produção, que tanto no que diz respeito ao vestuário quanto às ferramentas, já não encontra viabilidade frente aos produtos manufaturados. Nesse momento, estrutura-se o camponês atual: um agricultor puro, produtor de gêneros alimentícios específicos, incorporado ao sistema capitalista em seus diferentes estágios de produção e circulação de mercadorias (Kautsky, 1968; Oliveira, 2007).

Ao mesmo tempo, a Revolução Industrial inglesa de meados do século XIX, que inicialmente promoveu grande produção de bens de consumo, também passou a produzir bens de produção, inclusive para a agricultura. Uma série de equipamentos ligados à tração animal pesada e, posteriormente, a sistemas a vapor, intensificou o *sistema agrário sem pousio*, dando início a uma nova etapa na agricultura. A modernização dos meios de transportes, com navios a vapor e ferrovias, igualmente proporcionou mudanças estruturais, criando, pela primeira vez, um consistente intercâmbio global de fertilizantes (nitrogênio oriundo das minas do Chile e Peru, Potássio da Alemanha) e circulação de matérias-primas agropecuárias.

Essa alteração para os *sistemas agrários mecanizados* proporcionou, assim, um grau elevado de especialização da agricultura (Kautsky, 1968; Mazoyer; Roudart, 2010), rompendo os sistemas integrados de fertilização e produção agrícola existentes até então. A determinação do mercado urbano passará a comandar a produção agropecuária, selecionando as espécies mais adequadas ao interesse do capitalismo naquele período.

À essa base agrária da ruptura metabólica, devemos somar a escala global do modo de produção capitalista. A expansão europeia do início do capitalismo subordinou impérios e povos da África, Ásia e América a um intenso processo de expropriação de conhecimento e riquezas produzidos por milênios de metabolismos socioecológicos específicos. Como um gigantesco dreno, o capitalismo europeu sugou para seu desenvolvimento as forças históricas de cada canto do planeta, a partir de processos extremamente violentos

> O outro aspecto da acumulação do capital é o que se verifica entre o capital e as formas de produção não capitalistas. Seu palco é o cenário mundial. Como métodos das políticas coloniais reinam o sistema de empréstimos internacionais, a política das esferas de influência e as guerras. Aí a violência aberta, a fraude, a repressão e o saque aparecem sem disfarces, dificultando a descoberta, sobre esse emaranhado de atos de violência e provas de força, do desenho das leis severas do processo econômico. (Luxemburgo, 1985)

Economia Política da questão ambiental contemporânea

A esse processo, que se conclui com a Revolução Verde [ver Revolução Verde], tanto Graziano da Silva (1981) quanto Verges (2011) definem como a subsunção da agricultura à indústria. Ambos resgatam a transição da subsunção formal para a real do trabalho à indústria. Em termos gerais, a subsunção é um conceito aplicado ao processo de incorporação do trabalho humano às indústrias capitalistas. Em sua primeira etapa – dita formal –, a subsunção diz respeito à manufatura, ou seja, à incorporação de artesãos e trabalhadores que controlavam o processo produtivo de acordo com suas habilidades, em um processo em que o capitalista fornecia o capital inicial – derivado em salário, matéria-prima e algumas ferramentas – aos trabalhadores aglutinados em uma determinada fábrica.

Com a Revolução Industrial, o trabalhador é completamente subordinado à maquinaria, passando o processo de produção (ritmo, intensidade e movimentos) a ser comandado pelas máquinas, não pelos trabalhadores. A essa etapa definiu-se como subsunção real do trabalho à indústria e esse é o segredo da Revolução Industrial. Como nos aponta Graziano da Silva (1981), é a máquina-ferramenta que transforma a indústria, ao liberar o processo de produção das especificidades humanas. A máquina a vapor, portanto, é secundária, e tem sua importância na geração de uma autonomia da fonte de energia que abastecia as máquinas-ferramentas.

É esse salto qualitativo do capitalismo que consolida, por fim, a ruptura entre campo e cidade, ao qual nos deteremos a seguir. Ao destravar a dependência das forças naturais (hidráulica e eólica), a máquina a vapor – mãe das cidades – concentra ainda mais o capitalismo agora industrial nas cidades, atraindo para elas os milhões de camponeses que se transformarão em trabalhadores. Ao mesmo tempo, intensifica a industrialização do campo, reorganizado agora sob os auspícios da indústria. Como nos aponta Marx (2013),

> O modo de produção capitalista completa a ruptura dos laços primitivos que, no começo, uniam a agricultura e a manufatura. Mas, ao mesmo tempo, cria as condições materiais para uma síntese nova, superior, para a união da agricultura e da indústria, na base das estruturas que desenvolveram em mútua oposição. Com preponderância cada vez maior da população urbana que se amonta nos grandes centros, a produção capitalista, de um lado, concentra a força motriz histórica da sociedade, e, de outro, perturba o *intercâmbio material* entre o homem e a terra, isto é, a volta à terra dos elementos do solo consumidos pelo

R

ser humano sob a forma de alimentos e vestuários, violando assim a eterna condição natural da fertilidade permanente do solo. Com isso destrói a saúde física do trabalhador urbano e a vida mental do trabalhador no campo. Mas, ao destruir as condições naturais que mantêm aquele intercâmbio, cria a *necessidade de restaurá-lo sistematicamente, como lei reguladora da produção em forma adequada ao desenvolvimento integral do homem*. [...] Na agricultura moderna, como na indústria urbana, o aumento da força produtiva e a maior mobilização do trabalho obtêm-se com a devastação e a ruína física da força de trabalho. E todo o progresso da agricultura capitalista significa progresso na arte de despojar não só o trabalhador, mas também o solo. [...] A produção capitalista, portanto, só desenvolve a técnica e a combinação do processo social de produção, exaurindo as fontes originais de toda a riqueza: a terra e o trabalhador (p. 369, grifo nosso)

Embora nessa versão da tradução em português (de Reginaldo Sant'Anna) apareça o termo *intercâmbio material*, Foster (2005) defende que o termo correto é metabolismo, oriundo do conceito alemão *Stoffwechsel* (p. 221). Esse é o mesmo entendimento de Pedro Scarón, tradutor da respeitada versão espanhola d'O *Capital*, publicada pela editora Siglo XXI.

Tal conceito não nasceu apenas da observação de Marx do processo fabril da Inglaterra. Já em seus escritos juvenis, de caráter mais filosófico, ele apontava a centralidade da relação ser humano-natureza. É nessa época que ele esboça os primeiros ensaios acerca da temática, como em suas primeiras elaborações sobre a alienação nos *Manuscritos Econômico-Filosóficos*. Com forte caráter antropológico, ele incorpora quatro dimensões do fenômeno *alienação*: i) ser humano alienado da natureza; ii) ser humano alienado de si mesmo; iii) ser humano alienado de sua dimensão "genérica", ou seja, como membro de sua espécie; iv) alienado dos outros seres humanos (Marx, 2010; Mészáros, 2006).

A natureza encontra relação tão central nesta primeira elaboração que Marx atribui à primeira e à terceira dimensões da alienação a ruptura de uma relação intrínseca ser humano-natureza. Conforme o próprio Marx (2010),

> A vida genérica tanto no homem quanto no animal consiste, fisicamente, em primeiro lugar, nisto: que o homem (tal qual o animal) vive da natureza inorgânica, e quanto mais universal o homem é do que o animal, tanto mais universal é o domínio da natureza inorgânica da qual ele vive. [...] Praticamente, a universalidade do homem aparece precisamente na universalidade que faz da natureza inteira o seu corpo inorgânico, tanto na medida que ela é um meio de vida imediato, quanto na medida em que ela é o objeto/matéria e o instrumento de sua atividade vital. A natureza é o corpo inorgânico do homem, a saber, a natureza enquanto ela mesma não é o corpo humano. O homem vive da natureza significa: a natureza é o seu corpo, com o qual ele tem de ficar num processo contínuo para não morrer. *Que a vida física e mental do homem está interconectada com a natureza não tem outro sentido senão que a natureza está interconectada consigo mesma, pois o homem é uma parte da natureza.* (p. 84, destaque nosso)

R

Esse é um exercício fantástico de materialismo, reconhecendo as capacidades extraordinárias do ser humano, mas a inutilidade destas se não houver uma interconexão com a natureza. E mais, a universalidade do ser humano não reside na designação metafísica de uma predestinação, em sua específica capacidade de abstração ou na simples realização de transformações da natureza, tal como um joão-de-barro edifica preciosos casebres. A universalidade é aqui compreendida como todo o potencial criativo do ser humano, engendrado no processo práxico de transformação da natureza.

Portanto, a natureza, evidentemente, é a fonte dos meios de subsistência humana, mas não se restringe a isso – o que nos separa definitivamente dos demais animais. O ser humano faz, segundo Marx (2010), "da sua atividade vital [aquelas necessárias para sua subsistência] mesma um objeto da sua vontade e da sua consciência" (p. 84). Ou seja, a busca pela existência, nos seres humanos, construiu a sua própria essência como ser genérico, uma vez que "sabe produzir segundo a medida de qualquer espécie, e sabe considerar, por toda a parte, a medida inerente ao objeto; o homem também forma, por isso, segundo as leis da beleza" (p. 85).

Logo, o ser humano é mais um ser da natureza, mas é o único que consegue transformar essa própria natureza de forma crítica – é a coexistência ser humano-natureza. O ser humano não é nem humano, nem natural apenas, mas ambas as coisas ao mesmo tempo (Mészáros, 2006).

Já em estágio mais avançado, o "velho Marx" amplia sua compreensão, elaborando o conceito de metabolismo – e o resultado promovido pelo desenvolvimento do capitalismo, a ruptura metabólica (Foster, 2005). Imerso no trabalho de produção do capítulo I d'O *capital*, Marx tomou conhecimento dos trabalhos sobre agricultura e química, e escreveu a Engels que "a nova química agrícola da Alemanha [...] é mais importante para este assunto [da renda fundiária] que todos os economistas juntos" (Foster, 2005).

Articulando o conceito de trabalho com o de metabolismo, o autor cria uma interdependência crucial entre ambos

> El trabajo es, en primer lugar, un proceso entre el hombre y la naturaleza, un proceso en que el hombre media, regula y controla su metabolismo con la naturaleza. El hombre se enfrenta a la materia natural misma como un poder natural. Pone en movimiento las fuerzas naturales que pertenecen a su corporeidad, brazos y piernas, cabeza y manos, a fin de apoderarse de los materiales de la naturaleza bajo una forma útil para su propia vida. Al operar por medio de ese movimiento sobre la naturaleza exterior a él y transformarla, transforma a la vez su propia naturaleza. Desarrolla las potencias que dormitaban en ella y sujeta a su señorio el juego de fuerzas de la misma. (Marx, 1975, p. 216)

Desse modo, amplificando os elementos expostos nos *Manuscritos*, a formulação em O *capital* coloca o trabalho como mediador, regulador e controlador do metabolismo socioecológico, entre ser humano e natureza. Não há nada aqui de subjugação da natureza, de dominação opressiva das forças naturais, mas sim a sua compreensão e, a partir disso, a sua utilização como complemento da vida humana. Mais uma vez fica claro o pro-

R

cesso dialético do trabalho: modifica-se a natureza exterior ao mesmo tempo em que essa modificação engendra mudanças na natureza interior. Assim, metabolismo, neste caso, é a concreta interação dialética entre a natureza e a sociedade através do trabalho humano. (Barreira, 1991; Foster, 2005).

Para Marx, a sociedade que outrora vivia em modos de produção que possuíam certo grau de integração do "natural" com o "humano", com o capitalismo rompeu esse metabolismo socioecológico, criando uma dicotomia entre campo e cidade, por um lado, e, de forma mais ampla, entre sociedade e ambiente (Marx, 2011; Engels, 1844). Esse entendimento em nada reside numa espécie de reacionarismo, de retorno ao passado ou, antidialeticamente, de defesa de classes anteriores frente às novas classes do modo de produção capitalista. Ao contrário, Marx (1974) expõe os limites da pequena e da grande propriedade:

> A pequena propriedade supõe que a imensa maioria da população é rural e que predomina o trabalho isolado e não o social. Implica, portanto, que não existam as condições materiais e espirituais da riqueza e do desenvolvimento da reprodução e, em consequência, tampouco as condições de uma agricultura racional. Por outro lado, a grande propriedade fundiária reduz a população agrícola a um mínimo em decréscimo contínuo, opondo-lhe uma população industrial que aumenta sem cessar, concentrada em grandes cidades. *Produz assim as condições que provocam ruptura insanável na coesão do metabolismo social estabelecido pelas leis naturais da vida.* Em consequência, dissipam-se os recursos da terra, e o comércio leva esse desperdício muito além das fronteiras do próprio país. (Liebig *apud* Marx, 1974, p. 931, grifo nosso)

Entretanto, as consequências das duas formas sociais são distintas do ponto de vista socioecológico:

> A pequena propriedade fundiária gera uma classe até certo ponto à margem da sociedade e que combina toda a crueza das formas sociais primitivas com todos os sofrimentos e todas as misérias dos países civilizados. A grande propriedade fundiária deteriora a força de trabalho *no último refúgio onde se abriga sua energia natural e onde ela se acumula como fundo de reserva para renovar a força vital das nações: o próprio campo.* A grande indústria e a grande agricultura industrialmente empreendida atuam em conjunto. Se na origem se distinguem porque a primeira devasta e arruína mais a força de trabalho, a força natural do homem, e a segunda, mais diretamente, a força natural do solo, mais tarde, em seu desenvolvimento dão-se as mãos: o sistema industrial no campo passar a debilitar também os trabalhadores, e a indústria e o comércio, a proporcionar à agricultura os meios de esgotar a terra. (Marx, 1974, p. 931, grifo nosso).

Como vimos anteriormente, o processo de subordinação da agricultura à indústria, seja na propriedade capitalista, seja na camponesa, fraturou a troca material entre a produção agropecuária (produção vegetal e produção animal) e dessa com as comunidades, ou seja, no metabolismo socioecológico existente nos modos de produção anteriores. Não é por acaso que Liebig (Foster, 2005), e Howard (2007) especularam sobre a destinação dos esgotos e lixo para

R

a agricultura novamente, apontando para um futuro colapso da agricultura pela diminuição da matéria orgânica nos campos.[2]

No final do século XIX, essa ruptura da relação ser humano-natureza, seguida de uma reconstrução sob novas bases, como apontado anteriormente pelo próprio Marx, se materializou. A intensificação da industrialização na cidade veio acompanhada de uma piora drástica na já precária qualidade de vida urbana (Diegues, 2008; Howard, 2007), recriando uma relação dos seres humanos com uma natureza *urbana* baseada no ar e água poluídos e na moradia aglomerada e miserável. A ruptura metabólica e a subsunção real do trabalho à indústria geraram, geração após geração, um profundo processo de alienação do ser humano para com a natureza.[3]

Essa situação objetiva obviamente derivou em impactos subjetivos. Aquela capacidade criativa do trabalho livre, que atende não apenas às necessidades físicas, mas também espirituais dos humanos, estava ferida de morte. Construiu-se uma crítica crescente da cidade, e uma busca pela "natureza selvagem", aquela natureza da qual o ser humano fora apartado, que agora possibilitava contemplação e isolamento espiritual (Diegues, 2008).

Essa desconstrução do metabolismo e sua reconstrução como estranhamento entre ser humano e natureza vão desenvolver consequências dramáticas e estão nas bases da questão ambiental contemporânea. O avanço da contradição entre valor de uso e valor de troca, aprofundando o fetiche da mercadoria, dá nova escala à obsolescência programada e a produção de resíduos sólidos, pois se faz necessária uma crescente quantidade de embalagens e propagandas (Foster, 2012). A transformação do alimento em mercadoria permite que a produção agropecuária esconda seu alto grau de envenenamento da saúde e depredação ambiental.

A fase de hegemonia do capital financeiro intensifica essa ruptura metabólica. A busca pela "pedra filosofal" do capitalismo, a capacidade de produzir dinheiro a partir do dinheiro, produz uma capacidade inigualável de destruição. Quando o capital financeiro desenvolve aparentemente a fórmula D – D', na realidade ele não está eliminando a fórmula D – M – D', mas sim está colocando a Mercadoria em um nível tão subordinado à "produção de mais dinheiro" que as próprias bases materiais de produção dessa mercadoria passam a não importar. Avança assim a acumulação por espoliação (Harvey, 2004) e a capacidade destrutiva do capital (Mészáros, 1989).

A reconstrução do metabolismo socioecológico não passa, portanto, por formas anexas a esse capitalismo de hegemonia financeira. As tentativas de "disciplina-lo" tem demonstrado completa incapacidade. É somente a partir de novas dinâmicas socioecológicas, organizadas pelos povos, que poderemos superar dialeticamente a ruptura metabólica. Aí encontra-se a centralidade da agroecologia, da soberania alimentar, da reforma agrária e da defesa dos territórios camponeses, em sua imensa diversidade de expressões sociais. É por esses eixos que se reestabelecerá a relação das massas trabalhadoras com o campo e a possibilidade de uma perspectiva popular sobre a questão ambiental.

Referências

BARREIRA, C. M. A. De como o geógrafo lê a natureza em *O capital*. *Boletim Goiano de Geografia*, v. 11, n. 1, p. 24-32, 1991.
DIEGUES, A. C. *O mito moderno da natureza intocada*. São Paulo: Hucitec, 2008.
ENGELS, F. Outlines of a critique of political economy. *Deutsch-Französische* Jahrbücher, 1844. Disponível em: https://www.marxists.org/archive/marx/works/1844/df-jahrbucher/outlines.htm. Acesso: 31 mar. 2021.
FOSTER, J. B. *A ecologia de Marx:* materialismo e natureza. Rio de Janeiro: Editora Civilização Brasileira, 2005.
_______. A ecologia da economia política marxista. *Lutas Sociais*, São Paulo, n. 28, p. 87-104, 1sem., 2012.
HARVEY, D. *O novo imperialismo*. São Paulo: Edições Loyola, 2004.
HOWARD, S. A. *Um testamento agrícola*. São Paulo: Expressão Popular, 2007.
KAUTSKY, K. *A questão agrária*. Rio de Janeiro: Laemmert, 1968.
LUXEMBURGO, R. *A acumulação de capital:* contribuição ao estudo econômico do imperialismo. São Paulo: Nova Cultural, 1985.
MARX, K. *El capital:* crítica de la economía política. Libro Primero – el proceso de producción de capital. Ciudad del Mexico: Siglo XXI, 1975.
_______. *Grundrisse:* manuscritos econômicos de 1857-1858 – esboço da crítica da economia política. São Paulo: Boitempo; Rio de Janeiro: Ed. UFRJ, 2011.
_______. *Manuscritos econômico-filosóficos*. São Paulo: Boitempo, 2010.
_______. *O capital:* crítica da economia política. Livro 1. Rio de Janeiro: Civilização Brasileira, 2013.
_______. *O capital:* crítica da economia política – livro III. v. 6. Rio de Janeiro: Civilização Brasileira, 1974.
MAZOYER, M. Relatório de síntese. *In: Colóquio Dinâmica dos Sistemas Agrários*. Paris: INRA, 1987.
_______; ROUDART, L. *História das agriculturas do mundo: do neolítico à crise contemporânea*. São Paulo: UNESP/NEAD, 2010.
MÉSZÁROS, I. *A teoria da alienação em Marx*. São Paulo: Boitempo, 2006.
_______. *Produção Destrutiva e Estado Capitalista*. São Paulo: Editora Ensaio, 1989.
OLIVEIRA, A. *Modo de produção capitalista, agricultura e reforma agrária*. São Paulo: Labur Edições, 2007.
PORTO-GONÇALVES, C. W. *A Globalização da Natureza e a Natureza da Globalização*. Rio de Janeiro: Civilização Brasileira, 2006.
SILVA, G. J. *Progresso técnico e relações de trabalho na agricultura paulista*. Orientador: Campinas, 1980. Tese (Doutoramento em Economia). Departamento de
Economia e Planejamento Econômico, Unicamp. Disponível em: http://webcache.googleusercontent.com/search?q=cache:EAjq4k0YINoJ:repositorio.unicamp.br/jspui/handle/REPOSIP/285758+&cd=1&hl=pt-PT&ct=clnk&gl=br. Acesso em: 31 mar. 2021.
VERGES, A.B. *Campesindios:* aproximaciones a los campesinos de un continente colonizado. Quito: Ediciones La Tierra, 2011.

Para saber mais

GOTTMANN, J. A evolução do conceito de território. *Boletim campineiro de geografia*, Campinas/SP, v. 2, n. 3, p. 523-545, 2012 [1975].
OLIVEIRA, A. U. A mundialização da agricultura brasileira. In: *Colóquio internacional de geocrítica*, 3; 2012, Bogotá. Actas... Barcelona: Geocrítica, 2012. v.1., p. 1-15.

Notas

1 Casos como o analisado no emblemático artigo que trouxera Marx para a Economia Política, em que tratou sobre o cerceamento de lenhadores tradicionais utilizarem os seculares *silvos* (Debates sobre a lei punitiva do roubo de lenha – 1842), fizeram parte deste momento de transição, onde a propriedade privada destruiu territórios e comunidades tradicionais inteiras (Porto-Gonçalves, 2006).

2 O que de fato ocorreu, levando a guerra entre Peru, Bolívia e Chile. Essa guerra teve como razão a disputa por regiões fronteiriças continentais entre os países, e pela propriedade de diversas ilhas no Pacífico. Essas áreas eram ricas em salitre e guano (esterco de pássaro acumulado por milhares de anos), bens naturais que passaram a sustentar a fertilidade dos solos ingleses, de tal magnitude que o guano chegou a ser o segundo item de exportação peruana na segunda metade do século XIX (Foster, 2005).

3 Ficou para a história momentos com o "grande fedor", verão atípico de 1858 que, por suas altas temperaturas, intensificou o cheiro pútrido do rio e bloqueou as atividades da Câmara dos Lordes por quase uma semana (Foster, 2005).

S

SANEAMENTO ECOLÓGICO

ALEXANDRE PESSOA
KARLA EMMANUELLA HORA

Este verbete apresenta o conceito de saneamento ecológico analisando sua proposição a partir das experiências de produção e reprodução social das populações do campo, da floresta e das águas. A concepção de saneamento parte da noção ligada ao ato de sanear, segue pelo delineamento da ideia de saneamento básico e ancora-se no conceito de saneamento ambiental com objetivo de promoção da saúde para, então, se chegar à multidimensionalidade, multiescalaridade e multiculturalidade do saneamento ecológico e sua relação com a agroecologia.

A perspectiva agroecológica, entendida também como uma alternativa de resistência e enfrentamento ao processo de dominação e alienação do modo de produção capitalista, abriu um novo caminho para se pensar, tanto o saneamento básico quanto o ambiental, a partir de processos de emancipação, autonomia e cooperação locais.

Dessa forma, o conceito de saneamento ecológico propõe uma atualização teórico-conceitual, com desdobramentos nas metodologias de intervenção dos atores sociais e públicos envolvidos na apropriação do próprio sentido da tecnologia e, fundamentalmente, na democratização dos processos educacionais, tecnológicos, organizacionais, políticos e das relações de poder nos territórios. Ele toma para si a perspectiva crítica e a necessidade de superação das limitações dos projetos de saneamento, seja em termos de seus componentes, seja na forma de implantação nos territórios, muitas vezes marcada por ações tecnicistas, elitistas e fragmentadas.

Saneamento básico e saneamento ambiental

O termo saneamento define-se etimologicamente como a ação de sanear (Saneamento, 2003), ou seja, de tornar saudável. Traz, subjacente a essa definição, sua relação com a saúde, compreendida como seu principal objetivo.

Em fins da década de 1950, o termo saneamento 'básico' foi cunhado no Brasil para estabelecer o padrão mínimo daquilo que seria fundamental para a vida humana, frente aos reduzidos recursos governamentais destinados à infraestrutura sanitária. Referia-se, basicamente, às intervenções de água potável e esgoto sanitário (Costa, 1994). Nas décadas de 1970 e 1980, essa expressão se consolidou com a implantação do Plano Nacional de Saneamento (Planasa) (Brasil, 1978), que atuava prioritariamente no sistema de abastecimento de água, também executando ações de esgotamento sanitário e, em menor escala de drenagem, nos centros urbanos (Costa, 1994; Rezende; Heller, 2002).

Entretanto, apenas no fim da década de 2000, se chegou a uma regulamentação do saneamento básico, por meio da Lei n. 11.445 (Brasil, 2007), que estabeleceu a Política Federal de Saneamento Básico, apresentando diretrizes nacionais para o setor. Por ela, o saneamento básico foi definido como o

> conjunto de serviços, infraestrutura e instalações operacionais de abastecimento de: água potável, esgotamento sanitário, limpeza urbana e manejo de resíduos sólidos, drenagem e manejo das águas pluviais urbanas. (Brasil, 2007)

Se de um lado, o marco normativo do saneamento básico apresentou-se como uma vitória para o setor; por outro, a luta por políticas públicas de saneamento na perspectiva da *determinação social da saúde*, enquanto direito de todos e dever do Estado, foi ancorada na Constituição Federal (Brasil, 1988) e na Lei n. 10.257, reconhecida como Estatuto das Cidades (Brasil, 2001), que, no seu artigo 2º, indica a garantia ao direito às cidades saudáveis e ao saneamento ambiental. O saneamento ambiental

> envolve o conjunto de ações técnicas, socioeconômicas e *culturais* [inserido pelos autores] fundamentalmente como de saúde pública, tendo como objetivo alcançar níveis crescentes de salubridade ambiental, compreendendo o abastecimento de água em quantidade e dentro dos padrões de potabilidade vigentes, o manejo do esgoto sanitário, de águas pluviais, de resíduos sólidos e emissões atmosféricas, o controle ambiental de vetores e reservatórios e doenças, a promoção sanitária e o controle ambiental do uso e ocupação do solo, e prevenção do controle do excesso de ruídos, tendo como finalidade promover e melhorar as condições de vida urbana e rural. (Brasil, 2005, p. 17)

A Portaria n. 2.311 (Brasil, 2014), do Ministério da Saúde, instituiu a Política Nacional de Saúde Integral das Populações do Campo, da Floresta e das Águas, sendo que o inciso IV do artigo 3º explana a importância das articulações intersetoriais para promover a saúde, envolvendo ações de saneamento e meio ambiente, especialmente para a redução de riscos sobre a saúde humana e gerando qualidade de vida para essas populações.

Fundamentos para o conceito de saneamento ecológico

O termo saneamento ecológico começa a ser usado por alguns autores em fins do século XX. Esrey *et al.* (2001, p. 11) define-o como aquele que

> oferece uma alternativa ao saneamento convencional, e tenta resolver alguns dos problemas mais prementes da sociedade: doenças infecciosas, degradação ambiental e poluição, e a necessidade de recuperar e reciclar nutrientes para o crescimento das plantas.

S

Trata-se de uma visão que permite incorporar o manejo integrado de vetores (animais que transmitem doenças), o manejo agrícola e do solo, a irrigação sustentável, o uso racional da água (redução no desperdício, aproveitamento de água de chuva e reuso de esgotos), a educação em saúde e os cuidados com o saneamento domiciliar.

Essa definição considera a relação solo-planta-clima e os processos de decomposição de matéria orgânica e ciclagem de nutrientes promovidos por microrganismos como instrumentos de melhoria sistêmica e sanitária local. Ao considerar soluções técnicas, se aproxima da *permacultura* [VER PERMACULTURA].

O conceito de ecológico, atribuído à definição de saneamento que ora se apresenta neste verbete, fundamenta-se na Ecologia Política. Nos anos 1970, com o agravamento da crise ambiental, emergiram diferentes conotações para o paradigma ecológico. Cunhado por Haeckel em 1878 (Machado, 1984), o termo foi, inicialmente, compreendido como o "*estudo das inter-relações entre os seres vivos e suas funções dentro de ambientes diversos*" (Lima, 1984, p. 19). Seus desdobramentos e a perspectiva analítica das interações entre o homem e natureza, de forma interdisciplinar e sob inspiração sistêmica, fundamentaram pesquisas na área da Ecologia Humana (Machado, 1984). Buscava-se entender como a sociedade impactava a natureza. No entanto, será na Ecologia Política que tais análises vão incorporar uma visão crítica ao capitalismo de modo a revelar os mecanismos estruturais responsáveis pela produção de desigualdades sociais, tais como a pobreza e a fome, buscando compreender os impactos inter-relacionados nos seus múltiplos aspectos econômicos, sociais e ambientais (Lipietz, 2002).

Construindo o conceito de saneamento ecológico

A definição de Saneamento Ecológico parte do paradigma da Ecologia Política e da *justiça ambiental* (Silva, 2018) para indicar a necessidade de uma *práxis* emancipatória no território como um elemento de identidade, de produção de saberes, de trocas de materiais, energia, tecnologias e comunicação. Essa *práxis* aponta para a autonomia, para a construção coletiva dos processos locais e não se limita a ser um replicador de técnicas, destinado à manutenção das condições de dependência e exploração sobre um determinado território, nem um gerador de desigualdades e injustiça socioambientais [VER TECNOLOGIAS SOCIAIS].

Enquanto conceito positivo, multidimensional e multicultural, o saneamento ecológico assume o discurso da promoção da saúde (Souza, 2007; Czeresnia; Freitas, 2009) que envolve uma rede de questões, para além do foco em determinadas doenças.

O saneamento ecológico e o manejo dos agroecossistemas devem ser adequados às condições locais, com insumos geralmente produzidos a partir de matérias-primas do território, onde se utilizam de *tecnologias sociais,* que contribuem para a preservação e recuperação dos mananciais e dos *solos.*

Experiências de *tecnologias sociais* de saneamento ecológico têm se expandido em um processo intenso de inovações sociotécnicas, exemplificadas pelas tecnologias sociais de manejo de esgotos, tais como: os tanques de evapotranspiração, banheiro seco, zonas de raízes, círculo de bananeiras, biodigestores etc. Para o manejo das águas, existem diversas cisternas de aproveitamento de águas de chuva, filtros domiciliares de água, barragem subterrânea, sistema de barraginha, tanques de pedra, microirrigação, utilização de semente de moringa e de energia solar para tratamento de água etc. Em termos de manejo de resíduos sólidos e de manejo agrícola, tem-se a compostagem de lodo de esgoto doméstico e de estercos, a vermicompostagem, os *biofertilizantes*, os *quintais produtivos*, os sistemas agroflorestais (SAF), as mandalas, as casas de sementes crioulas, dentre outros. Todas essas propostas se ancoram no território e são potencializadas pelas práticas coletivas agroecológicas e pela troca de saberes.

As *tecnologias sociais* em saneamento ecológico se abrem para outros aspectos, seja de produção alimentar, seja de convivência no território, com respeito e ajuda mútua, dialogando diretamente com a promoção da saúde e com a *soberania alimentar*. Trata-se de *práxis* que se apoia na produção coletiva e na troca de experiências por meio de intercâmbios entre comunidades. Muitas dessas experiências se relacionam com a promoção da autonomia das mulheres, a valorização dos seus saberes e o reconhecimento do seu papel no desenvolvimento dos territórios. Ademais, estas propostas se apresentam promissoras para que a juventude se eduque sobre a perspectiva de uma educação libertadora com justiça ambiental.

As populações do campo, da floresta e das águas, em defesa de seus direitos e territórios, têm exercido múltiplas possibilidades de gestão socioterritorial em diferentes escalas: local, territorial, municipal, estadual e nacional. Outras escalas, a exemplo dos biomas, procuram estabelecer maior organização em redes, ampliando o debate sobre as vocações regionais e visando à construção de políticas públicas, a exemplo da Articulação no Semiárido Brasileiro (ASA) [ver Articulação do Semiárido], da Campanha Nacional em Defesa do Cerrado e das articulações no âmbito dos Povos e Populações Extrativistas da Amazônia (Fenner, 2018).

> As linhas de luta pelas águas definem-se pela ASA como: águas de beber e higiene pessoal; águas de produção vegetal e animal; águas comunitárias para banho, lavagem de roupas etc.; águas de emergência, enquanto fontes alternativas no prolongamento das estiagens; e águas do meio ambiente, visando à proteção dos mananciais. (Gnadlinger, 2011) [ver convivência com o semiárido]

No mesmo sentido em que os processos de educação territorializada (*educação do campo, educação contextualizada, educação popular, educação politécnica*), como *práxis*, atuam na construção do saneamento ecológico (Dias *et al.*, 2014), articulam-se conhecimentos populares e acadêmicos. A metodologia dos 'Caminhos das Águas', desenvolvida em processos formativos de educação em saúde ambiental para as populações do campo (Búrigo, 2017; Barcelos, 2017), é um exemplo. Por meio do mapeamento das trajetórias das águas, desde suas fontes até as diversas formas de consumo humano, parte do princípio de que a água educa em sua multiescalaridade, multidimensionalidade e multiculturalidade.

É possível, assim, junto aos territórios, avaliar os manejos das águas (em termos de qualidade e quantidade), seus fatores de risco, bem como propor melhorias sanitárias domiciliares e comunitárias. O mesmo se aplica para as águas residuárias (esgoto doméstico, efluentes industriais, águas contaminadas por agrotóxicos etc.), cujos caminhos e destinos finais precisam ser adequados para o manejo do ciclo das águas como um todo. Essa metodologia pode ser aplicada utilizando-se de rodas de conversa, mapa falante, intercâmbios, dentre outros (Búrigo, 2017; Barcelos, 2017).

Saneamento Ecológico – uma síntese

Em síntese, o saneamento ecológico pode ser conceituado como: a mediação do ser humano com o ambiente, por meio do manejo das águas, dos resíduos e efluentes, com base na *agroecologia,* visando à saúde ambiental, à soberania alimentar e nutricional, à organização comunitária e à valorização da sociobiodiversidade.

As categorias e relações estabelecidas pelo saneamento em diferentes perspectivas podem ser vistas no *Quadro 1.*

O saneamento ecológico deve ser compreendido a partir da ampliação dos conceitos de saneamento básico e ambiental, apresentando-se como uma estratégia de luta e de emancipação dos povos do campo, das florestas e das águas. Ele abrange componentes teóricos, técnicos e metodológicos construídos a partir das experiências de vida, mediadas pelo trabalho como princípio educativo (Frigotto; Ciavatta, 2012). Ele é sistêmico e incorpora as ações e narrativas das comunidades em interação com seus territórios.

A aprovação, publicação e implantação do Programa Nacional de Saneamento Rural (Brasil, 2019), que apresenta o saneamento básico como direito humano, promotor da saúde, para a erradicação da extrema pobreza e o desenvolvimento rural solidário e sustentável é uma mudança de paradigma que dialoga com o saneamento ecológico, sendo imprescindível e improrrogável sua efetividade para que o Estado atenda a uma dívida histórica para com as populações do campo, da floresta e das águas.

Referências

BARCELOS, E. A. S. *et al* (org.). *Curso técnico em meio ambiente (CTMA):* territórios. Rio de Janeiro: EPSJV, 2017. v. 4. (Coleção tramas e tessituras, 4). Disponível em: http://www.epsjv.fiocruz.br/sites/default/files/ctma_4_novo.pdf. Acesso: 1 dez. 2018.

BRASIL. Ministério da Saúde. Fundação Nacional de Saúde. *Programa Nacional de Saneamento Rural (PNSR).* Brasília: Funasa, 2019. Disponível em: http://www.funasa.gov.br/documents/20182/38564/MNL_PNSR_2019.pdf. Acesso em: 31 mar. 2021.

_______. Ministério da Saúde. Gabinete do Ministro. *Portaria n. 2.311,* de 23 de *outubro de 2014.* Altera a Portaria nº 2.866/GM/MS, de 2 de dezembro de 2011, que institui, no âmbito do Sistema Único de Saúde (SUS), a Política Nacional de Saúde Integral das Populações do Campo e da Floresta (PNSIPCF). 2014. Disponível em: http://bvsms.saude.gov.br/bvs/saudelegis/gm/2014/prt2311_23_10_2014.html. Acesso em: 30 set 2018.

_______. Ministério das Cidades. Organização Pan-Americana da Saúde. *Política e plano municipal de saneamento ambiental:* experiências e recomendações. SDE/ASM/ICP-CWS-017/2/1/101003. Brasília: OPAS, 2005. 89 p. Disponível em: http://bvsms.saude.gov.br/bvs/publicacoes/politica_plano_municipal_saneamento.pdf Acesso em: 30 set. 2018.

_______. Presidência da República. Casa Civil. Subchefia para Assuntos Jurídicos. *Constituição da República Federativa do Brasil de 1988.* Disponível em: http://www.planalto.gov.br/ccivil_03/constituicao/constituicao.htm. Acesso em: 31 mar. 2021

S

______. Presidência da República. Casa Civil. Subchefia para Assuntos Jurídicos. *Lei n. 10.257*, de 10 de julho de 2001. Estabelece as diretrizes gerais da política urbana e dá outras providências. 2001. Disponível em: http://www.planalto.gov.br/ccivil_03/leis/LEIS_2001/L10257.htm. Acesso em: 30 set. 2018.

______. Presidência da República. Casa Civil. Subchefia para Assuntos Jurídicos. *Lei n. 11.445*, de 5 de janeiro de 2007. Estabelece as diretrizes nacionais para o saneamento básico, cria o Comitê Interministerial de Saneamento Básico. 2007. Disponível em: http://www.planalto.gov.br/CCivil_03/_Ato2007-2010/2007/Lei/L11445.htm. Acesso em: 30 set. 2018.

______. Presidência da República. Subchefia para Assuntos Jurídicos. *Decreto n. 82.587, de novembro de 1978*. Regulamenta a Lei n. 6.528, de 11 de maio de 1978, que dispõe sobre as tarifas dos serviços públicos de saneamento e dá outras providências. Disponível em: http://www.planalto.gov.br/ccivil_03/decreto/D82587.htm. Acesso em: 31 mar. 2021.

BÚRIGO, A. C. *et al* (org.). *Curso técnico em meio ambiente (CTMA)*: metodologias. Rio de Janeiro: EPSJV, 2017. v. 3. (Coleção tramas e tessituras, 3). Disponível em: http://www.epsjv.fiocruz.br/sites/default/files/f3_-_miolo.pdf. Acesso em: 2 dez. 2018.

COSTA, A. M. *Análise histórica do saneamento no Brasil*. Dissertação (Mestrado em Saúde Pública). Rio de Janeiro, 1994. Escola Nacional de Saúde Pública Sergio Arouca. (ENSP/Fiocruz).

CZERESNIA, D. & FREITAS, C. M. (org.). *Promoção da saúde*: conceitos, reflexões, tendências. 2. ed. revista e ampliada. Rio de Janeiro: Fiocruz. 2009. 229p.

DIAS, A. P. *Tecnologias sociais em saneamento e educação para o enfrentamento das parasitoses intestinais no Assentamento 25 de Maio, Ceará*. Tese (Doutorado em Medicina Tropical). Rio de Janeiro, 2017. Fundação Oswaldo Cruz, Instituto Oswaldo Cruz.

______ *et al*. Educação territorializada como estratégia para a melhoria da qualidade da água de cisterna e da saúde ambiental. In. 9º *Simpósio Brasileiro de Captação e Manejo de Água de Chuva*. Universidade Estadual de Feira de Santana. Feira de Santana, BA,12 a 15 agosto 2014.

ESREY, S. A. *et al*. Closing the Loop Ecological sanitation for food security. Publications on Water Resources n. 18. Mexico: SIDA, 2001.

FENNER, A. L. D. *et al*. *Saúde dos povos e populações do campo, da floresta e das águas*: a Fiocruz e sua atuação estratégica na temática de saúde e ambiente relacionada aos povos e populações do campo, da floresta e das águas. Rio de Janeiro: Fiocruz, 2018. 113 p. (Série Fiocruz Documentos Institucionais. Coleção saúde, ambiente e sustentabilidade, v. 7). Disponível em: https://www.arca.fiocruz.br/bitstream/icict/43275/2/07_saude_povos.pdf. Acesso em: 20 jun. 2021.

FRIGOTTO, G.; CIAVATTA, M. Trabalho como princípio educativo. *In*: CALDART, R. S. *et al*. *Dicionário da Educação do Campo*. Rio de Janeiro/São Paulo: Escola Politécnica de Saúde Joaquim Venâncio/Expressão Popular, 2012, p. 748-755.

GNADLINGER, J. *A busca da água no sertão*: Convivendo com o semiárido. 5. ed. Juazeiro, BA: IRPAA. 2011, 84p.

LIMA, M. J. A. *Ecologia Humana*: realidade e pesquisa. Petrópolis-RJ: Vozes, 1984.

LIPIETZ, A. A Ecologia Política, solução para a crise da instância política? *In* ALIMONDA, H. *Ecología política*. Naturaleza, sociedad y utopia. Buenos Aires: CLACSO, marzo de 2002, p.15-26.

MACHADO, P. A. *Ecologia Humana*. São Paulo: Cortez; Brasília: Conselho Nacional de Desenvolvimento Científico e Tecnológico; São Paulo: Autores Associados, 1984.

REZENDE, S. C.; HELLER, L. *O saneamento no Brasil*: Políticas e interfaces. 2. ed. Belo Horizonte: UFMG, 2002. 310p.

SANEAMENTO. *In*: HOUAISS, A.; SALLES VILLAR, M. *Dicionário Houaiss de sinônimo e antônimos da língua portuguesa*. Instituto Antônio Houaiss. Rio de Janeiro: Objetiva, 2003.

SILVA, P. N. *et al*. *Saneamento e saúde*: saneamento: entre os direitos humanos, a justiça ambiental e a promoção da saúde. Rio de Janeiro: Fiocruz, 2018. 74 p. (Série Fiocruz Documentos Institucionais. Coleção saúde, ambiente e sustentabilidade, v. 6). Disponível em: file:///C:/Users/ADM02/Downloads/06_saneamento.pdf. Acesso em: 20 jun. 2021.

SOUZA, C. M. N. Relação saneamento-saúde-ambiente: os discursos preventivistas e da promoção da saúde. *Saúde Soc.* [*online*]. 2007; v. 16, n. 3, p. 125-137. Disponível em: https://www.scielo.br/scielo.php?pid=S0104-12902007000300012&script=sci_abstract&tlng=pt . Acesso em: 31 mar. 2021.

Quadro 1 – Categorias e relações nas perspectivas do saneamento básico vigente e do saneamento ecológico emergente

Categorias e relações	Saneamento básico	Saneamento ecológico
Conceito de saúde	Sentido negativo, de ausência de doenças	Sentido positivo e multidimensional, potencializando ações técnicas, socioambientais e culturais
Alcance das intervenções	Preventiva de doenças	Preventiva de doenças e promotoras de saúde
Abordagens	Direcionadoras e persuasivas	Facilitadoras, participativas e problematizadoras
Ações	Ações específicas para a população enquanto beneficiária passiva	Conjunto de ações para a população, sujeito de direitos ativos, nos territórios
Intersetorialidade	Ações disciplinares e setoriais	Ações interdisciplinares e intersetoriais
Incumbências	Envolvem patologias específicas	Envolve uma rede de questões de saúde ambiental e humana
Execução dos projetos	Conduzida por técnicos especializados, sem participação comunitária	Conduzida por técnicos em diálogo com a comunidade
Operação e manutenção	Feitas pelos técnicos	Feitas pelos técnicos ou pelos moradores com a devida orientação e apoio técnico
Formação	Treinamentos curtos e rápidos	Processos de formação e de educação em saúde
Alvo	População de alto risco	Toda a população do território
Mobilização	Prioriza a informação individualizada	Prioriza a formação coletiva e a mobilização social educadora
Conhecimento	De fora, estranho à comunidade	Construído a partir do território
Custos/benefícios	Gera custos de implantação e de manutenção	Além dos custos, pode gerar renda (aproveitamento e reuso de água, manejo de resíduos 3R)
Paradigma tecnológico	Instrumental e mecanicista. Realiza intervenção fora de contexto.	Substantiva e holística. Realiza a intervenção no contexto da habitação, da comunidade e de suas relações socioambientais
Objetivo pedagógico	Propõe mudança de comportamento	Propõe transformações socioambientais de caráter emancipatório e construção de autonomias coletivas
Relação com os sistemas de produção e geração de renda	Estanque e fragmentado. Relaciona-se em um ciclo fechado com o próprio sistema de saneamento	Abre processos de integração entre práticas produtivas (saneamento e agroecologia); reuso da água; fortalecimento de práticas coletivas de manejo de resíduos e produção artesanato (reciclagem, reuso e reutilização de resíduos) etc.
Relação com os sujeitos sociais	Não considera a diversidade sociocultural e territorial	Reconhece as especificidades culturais (múltiplas identidades), incorpora as dimensões de gênero, raça e geração de forma interseccional.
Relação com o território	É instrumental e atemporal, baseada na solução técnica	É parte e expressão dos arranjos comunitários e se fortalece em redes sociais

Fonte: Os autores. Adaptado de Dias (2017).

SAÚDE DAS POPULAÇÕES DO CAMPO, DA FLORESTA E DAS ÁGUAS

Alexandre Pessoa Dias
Fernando Ferreira Carneiro

O conceito de populações do campo, da floresta e das águas (PCFA) é uma elaboração popular que expressa a luta desses povos contra diversas violações de direitos, dentre os quais o da saúde e suas determinações sociais. Suas potencialidades e desafios são apresentados neste verbete, a partir de um contexto de luta por políticas públicas, por seus territórios, pelo reconhecimento de seus modos de vida e pela necessidade da articulação política contra a mercantilização da vida.

Como dissemos em verbete anterior (Carneiro; Búrigo; Dias, 2012), o processo saúde-doença expressa historicamente a luta coletiva e individual por conquistas sociais de um determinado território (Pinheiro *et al.*, 2009). Isso pode ser determinado pelo modo como o homem se apropria da natureza em um dado momento, por meio do processo de trabalho relacionado ao desenvolvimento das forças produtivas e das relações sociais de produção (Laurell, 1983). PCFA é um conceito contemporâneo dos movimentos sociais populares brasileiros e integra a luta contra a invisibilidade dessas populações dentro da institucionalidade da saúde pública. Essa terminologia destaca que as práticas culturais, o modo de vida e de cuidados populares precisam ser reconhecidos e considerados pelo Sistema Único de Saúde (SUS).

Esse conceito, já adotado a partir de muitos debates nos relatórios e documentos das 14ª e 15ª Conferências Nacionais de Saúde, nasceu no Grupo da Terra (Brasil, 2005), formado em 2003, por meio de intensa mobilização e organização, resultando como um espaço de interlocução com o Governo Federal cujo trabalho resultou na publicação da Política Nacional de Saúde Integral das Populações do Campo e da Floresta (PNSIPCF); (Brasil, 2011). Posteriormente, o termo águas foi incorporado em 2014, com a atualização para a Política Nacional de Saúde Integral das Populações do Campo e da Floresta e das Águas (PNSIPCFA); (Brasil, 2014).

O debate que se deu no grupo da Terra durante o processo de formulação da PNSIPCFA envolveu inicialmente a agregação do termo "floresta" somando-se ao do "campo", visto que os povos indígenas e as populações extrativistas da Amazônia não se reconheciam nessa categoria, pois para eles o campo estaria ligado à produção agropecuária. Eles vivem da floresta, e para sua existência, é preciso que ela esteja de pé e não seja derrubada para a expansão da produção. Alguns anos depois, no processo de aprovação da PNSIPCFA, o Movimento de Pescadoras e Pescadores também não se reconheceu nas categorias "campo" e "floresta", afinal vivem das águas, sejam continentais ou da orla marítima, e se identificam como população das águas (Pessoa; Almeida; Carneiro, 2018).

Rural ou Ruralidade?

A PNSIPCFA, em contraponto à categoria geral de população rural, revela que as políticas de saúde devem considerar a pluralidade, a singularidade, a diversidade e a heterogeneidade dessas populações e a riqueza da cartografia social (Acselrad, 2012) de um país continental como o Brasil. Compreendem os camponeses, agricultores familiares, trabalhadores rurais assalariados e temporários, que residam ou não no campo, trabalhadores rurais assentados e acampados, comunidades de quilombos, populações que habitam ou usam reservas extrativistas, populações ribeirinhas, caiçaras, populações atingidas por barragens, entre outras comunidades tradicionais (Pessoa; Almeida; Carneiro, 2018). Os indígenas também fazem parte dessa população, mas como eles conquistaram um sistema e uma política de saúde específicos, em função de suas necessidades, não ficaram explicitamente expressos nessa política.

O Brasil adota, para determinação de áreas rurais e urbanas, a divisão estabelecida em critérios legais ou político-administrativos, na qual os perímetros urbanos (e os rurais, por exclusão) são delimitados por decisão legislativa dos municípios, o que é influenciável por questões tributárias tendendo a superestimar sua população urbana (Pessoa; Almeida; Carneiro, 2018). Tanto é assim que, após a revisão da classificação e caracterização dos espaços rurais e urbanos do Brasil, realizada pelo IBGE em 2017, verificou-se que 60,4% dos municípios brasileiros foram considerados predominantemente rurais, sendo 54,6% rurais adjacentes e 5,8% rurais remotos (IBGE, 2017). Estudos demográficos realizados para elaboração do Programa Nacional de Saneamento Rural (PNSR) apontaram a necessidade de recategorização dos setores censitários, com ampliação da classificação da população rural no Brasil. Com esta nova proposta, a população rural do Brasil, que de acordo com o Censo de 2010 era de 29,54 milhões de habitantes (15,6%) (IBGE, 2010), passaria a ser de 39,73 milhões (21,0%) que moravam em áreas tipicamente rurais do Brasil (Fundação Nacional de Saúde, 2018).

Países e organizações europeias utilizam outros critérios na definição de áreas rurais e urbanas: tamanho da população, densidade demográfica, oferta de serviços, participação da agricultura, divisão administrativa, uso do solo, aglomeração habitacional e até a distância percorrida aos centros de serviços mais próximos. Apesar da diversidade, não há país que possa prescindir dessa análise para elaborar diagnósticos socioeconômicos, bem como para desenvolver e estabelecer políticas públicas adequadas às especificidades das PCFA (Pessoa; Almeida; Carneiro, 2018).

O conceito de ruralidade é necessário para que as políticas públicas no país possam ser promotoras de saúde. A ruralidade, para além da antiga e estigmatizada visão do rural, enquanto espaço do atraso e da pobreza, tem sido designada para o estudo de fenômenos sociais que influenciam na construção de uma identidade nos territórios da PCFA. Nesse contexto, precisa ser discutido à luz de antecedentes históricos, em perspectiva ampla, capaz de conjugar e confrontar as distintas dimensões da realidade, modos de vida, as relações ambientais e processos socioeconômicos e culturais, as relações de interdependência com os centros urbanos bem como evidenciar as contradições que estabelecem padrões de ocupação distintos e geradores de desigualdades.

Reafirmamos a ruralidade como uma categoria pertinente para a compreensão das rupturas e continuidades espaciais e da diversidade social presentes na sociedade brasileira. A ruralidade como valor da sociedade, entendendo-o como uma forma específica de vida social, caracterizada pela predominância da natureza e das relações de interconhecimento implicam no reconhecimento das formas de produção e trabalho, de natureza comunitária e/ou familiar, responsáveis pela vitalidade social dos espaços rurais (Miranda; Silva, 2013).

Saúde e modelo de desenvolvimento

Os estudos e posicionamentos políticos de Josué de Castro (2003), sobre a questão da fome no mundo resultou no reconhecimento de seu trabalho nos cenários brasileiro e internacional. Revelou as origens socioeconômicas e políticas da fome, denunciando que a apropriação injusta e insustentável do meio ambiente estava nas raízes do subdesenvolvimento, e por sua vez da fome e miséria humana. Defendia a reforma agrária e afirmava que a agricultura familiar era a melhor forma de fixar o homem no campo e possibilitar sua alimentação. Fazia a crítica já em 1946, da orientação da política agrícola no Brasil por ter sido inicialmente direcionada pelos colonizadores europeus e depois pelo capital estrangeiro. Essa política enfatizou a produção para a exportação, em vez de priorizar a agricultura camponesa, capaz de garantir a soberania alimentar do povo brasileiro (Carneiro; Búrigo; Dias, 2012).

O parasitologista Samuel Pessoa, já na década de 1940, na perspectiva do que denominamos hoje de *Determinação Social da Saúde* [VER DETERMINAÇÃO SOCIAL DA SAÚDE], afirmava à época que a questão fundiária no modo de produção capitalista, marcada pela concentração de terras e pela exploração era determinante para a compreensão das endemias rurais. Segundo ele, a resistência de latifundiários para a instalação de unidades de saúde em áreas sob seu domínio, sob a alegação de que poderia desqualificar sua propriedade, trazia na verdade uma estratégia de ocultamento das doenças dos trabalhadores rurais causadas pelas péssimas condições de vida e de trabalho no campo (Bonfim; Costa Filho, 1978).

O avanço no tempo e no espaço do processo de modernização agrícola no Brasil, caracterizado por concentração de terras, expansão de monocultivos, uso intensivo de equipamentos e modelo produtivo químico-dependente de agrotóxicos e fertilizantes sintéticos (Gurgel *et al.*, 2018), vem induzindo processos de desterritorialização do campesinato, de insegurança alimentar e de impactos à saúde ambiental e humana (Pessoa, 2010). Os diversos estudos sobre as condições de saúde da PCFA evidenciam um perfil mais precário quando comparados aos da população urbana. No campo, ainda existem importantes limitações de acesso e qualidade nos serviços de saúde, bem como uma situação deficiente de saneamento ambiental. Essas populações sofrem com as doenças negligenciadas (Souza, 2010) acrescidas às doenças do desenvolvimento (Rigotto; Augusto, 2007).

O termo científico "negligenciado" afirma a crítica referente à pouca atenção ou mesmo descaso com que determinadas doenças causadas por agentes infecciosos e parasitários que acometem populações empobrecidas não recebem historicamente os recursos necessários para sua pesquisa e não tem o interesse das indústrias farmacêuticas. Segundo Morel (2006), a persistência das doenças negligenciadas se dá por três tipos de falhas: da ciência, com conhecimentos insuficientes; do mercado com medicamentos ou vacinas inexistentes ou a um custo proibitivo; e de saúde pública, havendo medicamentos baratos ou mesmo gratuitos, mas que não são utilizados devido ao planejamento deficiente.

Anterior ao tratamento de doenças, outras falhas nas políticas públicas de saúde do campo são identificadas como o acesso insuficiente às unidades e serviços de saúde, às informações e à escassez de processos educativos pouco comprometidos com a formação de sujeitos críticos que possam atuar sobre as suas condições de saúde e sobre a discussão de seus determinantes sociais (Assis, 2016), promovendo iniquidades em saúde, que são desigualdades entre grupos populacionais que, além de sistemáticas e relevantes, são também evitáveis, injustas e desnecessárias.

Dentre as doenças negligenciadas no Brasil destacam-se a doença de chagas, sífilis congênita, hanseníase, filariose, malária, tétano neonatal, oncocercose, esquistossomose, helmintíases, tracoma dentre outras.

As doenças do desenvolvimento, tendo como força motriz o mercado e a sua divisão internacional do trabalho, também são produzidas no campo por grandes empreendimentos, com destaque para as commodities agrícolas e metálicas que geram diversos impactos à saúde ambiental e humana, comprometendo em grande escala as riquezas naturais e a biodiversidade do país, seja pela sua exploração e esgotamento, seja pelos processos de poluição hídrica, atmosférica, edáfica (dos solos), dos seres vivos, enfim dos ecossistemas. Os conflitos gerados nesses territórios, em muitos casos, resultam em doenças psicossociais, aumento da violência, exploração sexual, doenças sexualmente transmissíveis etc.

A promoção da saúde nos territórios dessas populações implica no enfrentamento do atual modelo de desenvolvimento, dos efeitos da globalização (Santos, 2011), da sociedade do consumo geradora de doenças (Lefevre; Lefevre, 2004) e dos impactos socioambientais gerados pelos grandes empreendimentos (Toledo *et al.*, 2018).

A sociedade de consumo e a mercantilização da vida resultam na ampliação da privatização das riquezas naturais (a exemplo das águas) e da vida, na concentração das terras, na dissociação entre o ser humano e a natureza, bem como no desequilíbrio ecológico. O movimento histórico do capital altera as condições da vida social, exacerba contradições e promove novas tragédias ambientais ao procurar expandir-se ilógica e absurdamente (Fontes, 2010).

Por uma saúde das populações do campo, da floresta e das águas

A longa experiência dos diversos movimentos sociais das PCFA em defesa do direito à saúde permitiu ampliar o leque de alianças e de ações multiescalares, seja na elaboração das políticas públicas seja em ações em seus territórios, ampliando desta forma a sua capacidade de atuação política e organizativa.

As PCFA, ao defender os seus territórios, seus modos de vida, sua cultura, suas técnicas e produção reafirmam o controle de seus recursos diretos de existência. Desde as décadas de 1970 e 1980, organizações não governamentais (ONGs) e centros de formação em agri-

S

cultura alternativa vêm desenvolvendo e apoiando experiências de produção saudável alternativas ao modelo de agricultura da Revolução Verde em nosso país.

Como exemplos de políticas públicas que tiveram a atuação dos movimentos sociais populares das PCFA, além da PNSIPCFA, foram elaborados os Planos Nacionais de Reforma Agrária e a instituição do Plano Safra da Agricultura Familiar em 2003; o Programa de Aquisição de Alimentos em 2003 e a inclusão de produtos orgânicos no Programa Nacional de Alimentação Escolar; a Lei da Agricultura Familiar em 2006; a institucionalização da Política Nacional de Assistência Técnica e Extensão Rural e o Programa Nacional de Assistência Técnica e Extensão Rural na Agricultura Familiar e Reforma Agrária em 2010; a Política Nacional de Desenvolvimento Sustentável dos Povos e Comunidades Tradicionais em 2007; a Política Nacional de Agroecologia e Produção Orgânica de 2012, a Política Nacional de Educação Popular em Saúde de 2013, as Políticas de Promoção da Equidade em Saúde (Brasil, 2013) e o Programa Nacional de Saneamento Rural, em fase de elaboração (Fundação Nacional de Saúde, 2018).

A PNSIPCFA é um exemplo paradigmático de política pública que não foi priorizada pelo Estado brasileiro e foi lento em sua criação, deixando de saldar uma dívida histórica para com essa população. Quando é finalmente aprovada em 2011 continuou sendo desconhecida para a maioria dos municípios. Posteriormente, com o golpe de natureza política, jurídica e midiática de 2016 e a posse do governo Bolsonaro em 2019 essa política é desmontada no âmbito do Ministério da Saúde por meio de ações como a extinção da área técnica responsável e o realocamento de técnicos para outros setores. As iniciativas bem-sucedidas de alguns municípios e ações de formação de nível médio, especialização e de residência representam ainda esforços emblemáticos que estão ameaçados de continuar em função desse contexto político. Como alguns exemplos dessas ações que podem ter sua sustentabilidade ameaçada estão as unidades básicas de saúde fluviais, os Centros de Referência em Saúde do Trabalhador Rural (Cerest Rural) e um repasse financeiro maior por parte do Ministério da Saúde para as equipes de saúde da família que atuam em áreas rurais.

A *agroecologia* [VER AGROECOLOGIA] foi incorporada à agenda de inúmeros movimentos sociais, a exemplo daqueles que fazem parte da Via Campesina, entre eles o Movimento dos Trabalhadores Rurais Sem Terra (MST). Também deve-se destacar o papel de vários sindicatos de trabalhadores rurais e de organizações como a Articulação Nacional de Agroecologia (ANA) e a Associação Brasileira de Agroecologia (ABA), que reúne técnicos, professores, pesquisadores, estudantes e agricultores. Nos processos formativos em agroecologia, os agricultores e as agricultoras são considerados educadores e protagonistas.

Entre essas experiências são relacionadas com as *práticas e saberes em saúde da população do campo* [VER PRÁTICAS E SABERES EM SAÚDE DA POPULAÇÃO DO CAMPO] por meio da valorização dos cuidadores populares em saúde e do trabalho de raizeiros, parteiras e benzedeiras; dos conhecimentos passados de geração em geração; de remédios caseiros preparados com ervas medicinais; e daqueles que cuidam da saúde das famílias e das comunidades e que conhecem os efeitos positivos da alimentação saudável. Não se trata de negar a importância do acesso aos serviços públicos de saúde, mas de se afirmar a necessidade de diálogo entre as diferentes racionalidades de cuidados em saúde.

Na ampliação do que já tinha sido observado no *Dicionário da Educação do Campo*, reafirmamos que:

> O encontro crescente entre profissionais e pesquisadores de saúde – entre eles os trabalhadores da Estratégia da Saúde da Família – com o movimento agroecológico, os educadores e cuidadores populares e os trabalhadores rurais organizados indica que a construção de um projeto de saúde do campo está em curso. Esse projeto está representado não só pelo aumento do número de pesquisas sobre a saúde das PCFA, seja de denúncia dos impactos do modelo de produção agrícola dominante, seja das alternativas em construção, mas também de cursos protagonizados de forma autônoma pelos trabalhadores rurais organizados, em conjunto com trabalhadores e instituições públicas de saúde. (Carneiro; Búrigo; Dias, 2012, p. 695)

A agroecologia, as *tecnologias sociais* em saneamento [ver Tecnologias Sociais] (Silva, 2018), a valorização de práticas e conhecimentos tradicionais, a defesa da biodiversidade, as escolas do campo, as agroindústrias na forma de cooperativas são exemplos de ações que têm levado maior autonomia e organização popular nos territórios. O desafio está na ampliação das diversas formas de ações que permita a melhoria das condições atuais de vida e de trabalho das PCFA associados às táticas e estratégias da Reforma Agrária e da Reforma Sanitária no Brasil (Dantas, 2017), incidindo desta forma sobre a *determinação social da saúde*, na perspectiva da saúde como direito e não como mercadoria.

Referências

ACSELRAD, H. (org.). *Cartografia social e dinâmicas territoriais*: marcos para o debate. *In*: VIANNA Jr. A. *et al*. Rio de Janeiro: Universidade Federal do Rio de Janeiro, Instituto de Pesquisa e Planejamento Urbano e Regional, 2010. 225p.

ASSIS, S. S. *Programa Saúde na Escola (PSE)*: Contribuições para a integração de estratégias envolvendo as doenças negligenciadas e o Plano Brasil Sem Miséria. Rio de Janeiro, 2016. Tese (Doutorado em Biociências e Saúde). Instituto Oswaldo Cruz. Fiocruz.

BONFIM, J. R. F. A.; COSTA FILHO, D. C. (org.). *Samuel Pessoa*: ensaios médicos-sociais. 2. ed. São Paulo: Cebes/Hucitec, 1978. (Coleção Saúde em Debate).

BRASIL. Ministério da Saúde. Secretaria de Gestão Estratégica e Participativa. Departamento de Apoio à Gestão Participativa. *Políticas de promoção da equidade em saúde*. Brasília: Ministério da Saúde, 2013. 14p.

_______. Ministério da Saúde. Gabinete do Ministro. *Portaria GM n. 2.460, de 12 de dezembro de 2005*. Dispõe sobre a criação do Grupo da Terra. Disponível em: http://www.funasa.gov.br/site/wp-content/files_mf/Pm_2460_2005.pdf. Acesso em: 26 out. 2009.

_______. Ministério da Saúde. *Portaria GM n. 2.866, de 2 de dezembro de 2011*. Institui, no âmbito do Sistema Único de Saúde (SUS), a Política Nacional de Saúde Integral das Populações do Campo e da Floresta (PNSIPCF).

_______. Ministério da Saúde. *Portaria n. 2.311, de 23 de outubro de 2014*. Altera a Portaria n. 2.866/GM/MS, de 2 de dezembro de 2011, que institui, no âmbito do Sistema Único de Saúde (SUS), a Política Nacional de Saúde Integral das Populações do Campo e da Floresta (PNSIPCF). Disponível em: http://bvsms.saude.gov.br/bvs/saudelegis/gm/2014/prt2311_23_10_2014.html. Acesso em: 5 ago. 2020.

_______. Presidência da República. *Constituição da República Federativa do Brasil de 1988*. Disponível em: http://www.planalto.gov.br/ccivil_03/Constituicao/Constituicao.htm. Acesso: 22 dez. 2018.

CARNEIRO, F. F.; BÚRIGO A. C.; DIAS, A. P. Saúde no Campo. *In*: CALDART, R. S. *et al*. *Dicionário da Educação do Campo*. Rio de Janeiro/São Paulo: Escola Politécnica de Saúde Joaquim Venâncio/Expressão Popular, 2012, p.691-697.

S

CASTRO, J. A *geografia da fome* – o dilema brasileiro: pão ou aço. 3. ed. Rio de Janeiro: Civilização Brasileira, 2003.
DANTAS, A. V. *Do socialismo à democracia:* tática e estratégia na Reforma Sanitária Brasileira. Rio de Janeiro: Editora Fiocruz. 2017, 319 p.
FONTES, V. *O Brasil e o capital-imperialismo.* Teoria e história. 2. ed. Rio de Janeiro: EPSJV/Editora UFRJ. 2010. 388 p.
FUNDAÇÃO NACIONAL DE SAÚDE (Funasa). *Programa Nacional de Saneamento Rural (PNSR).* Fundação Nacional de Saúde. Universidade Federal de Minas Gerais. Documento central. (Versão preliminar submetido à consulta pública). 2018.
GURGEL, A. M. et al (org.) *Agrotóxicos e Saúde.* Rio de Janeiro: Fiocruz, 2018. 115p. (Série Fiocruz Documentos Institucionais. Coleção saúde, ambiente e sustentabilidade, v. 2).
IBGE. Instituto Brasileiro de Geografia e Estatística. Censo 2010. Rio de Janeiro: IBGE, 2011. Disponível em: http://www.ibge.gov.br/home/estatistica/ populacao/censo2010/primeiros_resultados/default_primeiros_resultados. shtm. Acesso: 10 jun. 2011.
_______. Classificação e caracterização dos espaços rurais e urbanos do Brasil: uma primeira aproximação. 2017. Disponível em: https://biblioteca.ibge.gov.br/visualizacao/livros/liv100643.pdf. Acesso em: 9 ago. 2018.
LAURELL, A. C. A saúde-doença como processo social. *In*: Nunes, E. D. (org.). Medicina social: aspectos históricos e teóricos. São Paulo: Global, 1983, p. 133-158.
LEFEVRE, F.; LEFEVRE, A. M. C. Promoção de saúde: a negação da negação. Rio de Janeiro: Vieira & Lent, 2004. 166p.
MIRANDA C.; SILVA H. (Org.). *Concepções da ruralidade contemporânea: as singularidades brasileiras.* Brasília: IICA, 2013. (Série Desenvolvimento Rural Sustentável; v.21). Disponível em http://www.iicabr.iica.org.br/wp-content/uploads/2014/03/S%C3%A9rie-DRS-vol-21.pdf. Acesso em 22 dez. 2018.
MOREL, C. M. Inovação em saúde e doenças negligenciadas. *Cadernos de Saúde Pública,* Rio de Janeiro. 2006; v. 22, n. 8.
PESSOA, V. M.; ALMEIDA, M. M; CARNEIRO, F. F. Como garantir o direito à saúde para as populações do campo, da floresta e das águas no Brasil? *Saúde em Debate* [online]. 2018, v. 42, n. spel. p. 302-314. Disponível em: https://www.scielo.br/pdf/sdeb/v42nspe1/0103-1104-sdeb-42-spe01-0302.pdf Acesso em: 30 dez. 2018.
PESSOA, V. M. *Tecendo atenção integral em saúde ambiental e saúde do trabalhador na atenção primária à saúde em Quixeré.* Fortaleza, 2010. Dissertação (Mestrado em Saúde Pública). Programa de Pós-graduação em Saúde Pública, Universidade Federal do Ceará.
PINHEIRO, T. M. M. *et al.* Saúde no campo. *In*: GT Saúde e Ambiente da Abrasco (Grupo de Trabalho Saúde e Ambiente da Associação Brasileira de Pós-Graduação em Saúde Coletiva) (org.). *Conferência Nacional de Saúde Ambiental, 1*: caderno de texto. Rio de Janeiro: Abrasco, 2009. p. 25-29.
RIGOTTO, R. M.; AUGUSTO, L. G. S. *Saúde e ambiente no Brasil:* desenvolvimento, território e iniquidade social. Cad. Saúde Pública. Rio de Janeiro 23 sup.4: S475-S501, 2007.
SANTOS, M. Por outra globalização: do pensamento único à consciência universal. 20. ed. Rio de Janeiro: Record, 2011. 236 p.
SILVA, P. N. *et al. Saneamento e saúde*: saneamento: entre os direitos humanos, a justiça ambiental e a promoção da saúde. Rio de Janeiro: Fiocruz, 2018. 74 p. (Série Fiocruz Documentos Institucionais. Coleção saúde, ambiente e sustentabilidade, v. 6). Disponível em: file:///C:/Users/ADM02/Downloads/06_saneamento.pdf. Acesso em: 20 jun. 2021
SOUZA, W. (coord.). *Doenças negligenciadas.* Rio de Janeiro: Academia Brasileira de Ciências. Ciência e tecnologia para o desenvolvimento nacional. Estudos estratégicos, 2010. 56 p.
TOLEDO L. M.; ANGELO, J. R.; SABROZA, P. C. (coord.). Grandes Empreendimentos e Impactos sobre a Saúde. Fascículo 5. *Coleção Saúde Ambiente e Sustentabilidade.* Série Fiocruz – Documentos Institucionais. Franco Netto G. (coord.) Rio de Janeiro: Fiocruz, 2018.

Para saber mais

Observatório de Saúde das Populações do Campo, Floresta e das Águas - Teia de Saberes e Práticas. Disponível em: https://saudecampofloresta.unb.br/. Acesso em: 31 mar. 2021.
Curso: Atenção Integral à Saúde das Populações do Campo, da Floresta e das Águas (60 horas). UNA-SUS. Disponível em: https://www.unasus.gov.br/cursos/curso/45517.
Curso: Saúde das Populações do Campo, da Floresta e Águas (45 horas). AVASUS. Disponível em: https://avasus.ufrn.br/local/avasplugin/cursos/curso.php?id=17.
Série Campos Águas e Floresta – Agravos à saúde da população ribeirinha. Vídeo Saúde Fiocruz. Disponível em: https://portal.fiocruz.br/en/node/75003. Acesso em: 31 mar. 2021.

SEMENTES

Maitê Edite Sousa Maronhas
Ana Cláudia de Lima Silva
Frei Sergio Görgen

Breve histórico sobre domesticação

Pesquisas que buscaram datar a prática do cultivo de alimentos pelos seres humanos identificaram que esta surgiu há aproximadamente 10 mil anos. Grupos de seres humanos nômades que obtinham seus alimentos a partir da caça e da coleta, em algum momento perceberam a possibilidade de domesticar determinadas espécies e assim obter mais alimentos.

A introdução do cultivo de plantas e da criação de animais a partir de sua domesticação significou uma profunda mudança na relação do ser humano com a natureza, com implicações nas mais diversas áreas (ver Box Agrobiodiversidade). Cultivar alimentos em vez de apenas caçá-los ou coletá-los implicou uma oferta maior e mais estável destes, permitindo o aumento das populações, de forma que cada vez mais indivíduos podiam então desenvolver habilidades específicas, em outras áreas que não a agropecuária.

A seleção de plantas e animais que apresentavam características desejáveis para nós é um dos atributos intrínsecos da agricultura e da pecuária. Foi a partir dessa seleção de espécies selvagens, em geral rústicas, pequenas e capazes de fornecer pouca energia que surgiu o conjunto de alimentos que temos disponíveis hoje, como milho, maçãs, bananas, galinhas, porcos e outros. Essa primeira forma de seleção, feita a partir da seleção e reprodução de indivíduos com características desejáveis, visando a perpetuação e/ou a intensificação dessas características, é conhecida como seleção massal e foi a primeira forma do que hoje denominamos melhoramento genético.

Embora aqui tenhamos optado por dedicar apenas uma rápida introdução sobre esse processo é importante registrar que ele não foi único nem rápido, ele ocorreu em diferentes lugares do planeta e em diferentes momentos, em alguns casos com milhares de anos entre os eventos.

Diversos tipos de sementes

As sementes foram domesticadas, selecionadas e melhoradas inicialmente pelos/as próprios/as agricultores/as, antes de estudos realizados na área de melhoramento genético. As plantas eram selecionadas, entre outras, por suas características produtivas, morfológicas (formato da semente e porte da planta), aromáticas e gastronômicas (cores, aromas e sabor). Através da observação de como essas plantas se comportavam na natureza, a seleção resultava em materiais mais adaptados às condições climáticas, físicas e sanitárias locais, atendendo à demanda gastronômica, cultural e produtiva.

O melhoramento convencional, com técnicas modernas, começou com a descoberta da genética, pesquisadores referência desse tema são Charles Darwin e Gregory Mendel. Apenas no final do século XIX e início do século XX que os estudos relacionados com o melhoramento vegetal passaram a trabalhar o potencial genético associado à produtividade das culturas agrícolas.

A principal diferença entre o melhoramento tradicional e aquele realizado com base científica é que: enquanto o primeiro selecionava as plantas com o potencial genético expressado no ambiente local de seleção, buscando atender diferentes necessidades, o melhoramento convencional tinha como objetivo final, materiais homogêneos com o potencial produtivo elevado e resistência a doenças. O potencial produtivo almejado pelo melhoramento convencional apenas pode ser alcançado através dos chamados pacotes tecnológicos, que incluem fertilizantes químicos e agrotóxicos [ver Revolução Verde].

Os primeiros métodos, como a seleção individual com teste de progênies e seleção massal, começaram a ser utilizados no fim do século XIX e início do século XX, em populações de plantas mantidas por camponeses, bem como povos e comunidades tradicionais.

A seleção massal foi o método praticado por agricultoras e agricultores no início da domesticação e melhoramento das plantas, quando eles realizavam a seleção visual, baseada em como a planta se expressava em determinado ambiente. As sementes selecionadas comporiam os próximos plantios. Esse tipo de seleção se baseia nas características que a planta demonstra em um determinado ambiente, seu fenótipo.

Os dois principais objetivos desses métodos eram introduzir germoplasma como fonte de variabilidade em hibridações ou realizar seu uso direto. O germoplasma é uma amostra de material genético com a capacidade de manter geração após geração a característica de uma população. Exemplos de germoplasma são as sementes, células, tecidos, antera, pólen, entre outros. Quando se faz caracterização ou seleção de germoplasmas, espera-se identificar um material genético que expresse características desejadas, como produtividade, resistência a alguma doença, ou algum aspecto físico da planta diferente daquela variedade que vem sendo utilizada.

O desenvolvimento dos híbridos trouxe maior controle para as empresas que desenvolvem esse tipo de material genético. Como é baseado no cruzamento de duas linhas puras, formando um material heterozigoto, ou seja, que possui informações genéticas diferentes para a mesma característica genética, as plantas são homogêneas no primeiro plantio, mas a manutenção dessa semente na propriedade e nos seguintes gera plantas diferentes entre elas. Dessa forma, o resultado é uma produção mais baixa do que a inicial, devido à perda do vigor.

Mais recentemente, a introdução das sementes transgênicas reforçou o processo de expropriação das sementes e dos saberes camponeses. As sementes transgênicas podem ser definidas como organismos geneticamente modificados cujo material genético recebeu genes provenientes de outros organismos, podendo ser animais, bactérias ou outras espécies de plantas [ver Transgênicos].

Sementes crioulas

Semente crioula é o conceito utilizado para identificar as partes reprodutivas de vegetais e animais, sejam estas sementes, caules, rizomas, tubérculos e no caso dos animais, eles próprios. O termo faz referência a uma grande diversidade de espécies que foram selecionadas, cuidadas, melhoradas e preservadas pelos seres humanos e que hoje se encontram nas mãos de agricultoras e agricultores camponeses, diversos povos indígenas e comunidades tradicionais, como quilombolas, vazanteiros e outros, que são também guardiãs e guardiões de sementes.

Muitas destas variedades têm raízes profundas na história de uma comunidade ou família, remontando 30, 50, 100 ou mesmo 150 anos. Outras são resultado do que se conhece como processo de acrioulamento, ou seja, passaram pelo melhoramento genético em seu processo de pesquisa científica e retornaram para as mãos de agricultoras e agricultores que mantiveram seu processo tradicional de melhoramento, selecionando as melhores plantas e sementes.

Estratégia para a conservação de sementes crioulas no semiárido brasileiro

O Programa de Manejo de Agrobiodiversidade – Sementes do Semiárido é um dos programas integrantes do Programa de Formação e Mobilização Social para Convivência com o Semiárido da Articulação Semiárido Brasileiro (ASA). Este último é composto por 4 programas, são eles: Programa Um Milhão de Cisternas – P1MC, Programa Uma Terra e Duas Águas – P1+2, Programa Cisterna nas Escolas e Programa Sementes.

O Programa Sementes foi gestado do seio do P1+2, a partir das percepções e demandas identificadas neste. Sementes são um dos insumos mais importantes para a agricultura, sem estas, assim como sem a água, esta atividade não pode ser realizada.

A partir do Programa Sementes foram construídas e apoiadas cerca de 900 casas e bancos comunitários de sementes em todo o Semiárido brasileiro com pelo menos 17.800 famílias envolvidas na ação de sementes da ASA.

A principal estratégia do programa é o estabelecimento de um nível adicional de segurança à conservação de sementes crioulas, o primeiro nível é a guarda familiar, as sementes que são armazenadas nas casas dos agricultores para o cultivo nos próximos anos, este nível pode falhar principalmente pela perda das sementes plantadas em um ano de seca e também pelo consumo dessas sementes como alimento, como resultado de safras frustradas e da impossibilidade de conseguir alimentos de outras formas.

As casas e bancos comunitários de sementes tem como objetivo ser um segundo nível de segurança, as mesmas sementes armazenadas em casa, ou pelo menos aquelas mais cultivadas, podem ser em parte levadas para estes espaços, sendo desta forma um local para as famílias buscá-las em caso de perda do estoque familiar. Também propiciam a troca de sementes, uma vez que várias famílias guardam neste espaço, permitindo que a comunidade conheça de forma mais aprofundada as sementes que são ali cultivadas e provocando o interesse em curiosidade em testar outras variedades.

Um terceiro nível ainda deve existir, são as Casas Mães ou Bancos Regionais, enquanto as casas e bancos comunitários em geral armazenam maiores quantidades de uma menor diversidade, as Casas Mães e os Bancos Regionais armazenam uma maior diversidade em menor volume, sendo um espaço onde pode-se recorrer quando os dois anteriores, estoques familiares e comunitários falharem.

Esses três níveis de segurança se referem à conservação conhecida como *on farm*, ou seja, em campo, na roça, na mão e manejo de quem se utiliza das sementes diretamente, agricultoras/es e guardiões. Outras dimensões complementares de conservação são necessárias, como a conservação *ex situ*, em Bancos de Germoplasma (BAGs), como os que no Brasil são administrados pela Empresa Brasileira de Pesquisa Agropecuária (Embrapa). Essas diferentes dimensões da conservação são complementares, devem e precisam coexistir e colaborar umas com as outras (Box Recursos Genéticos).

Sementes Crioulas e Identidade Camponesa

A identidade camponesa é o reconhecimento do que os identifica, do que lhe é próprio, reconhecer a afinidade própria com as pessoas e grupos. A identidade camponesa é expressa pelo modo de vida, pelos hábitos alimentares e comidas típicas, pela cultura, pela música, pelas danças, pela mística e religiosidade, pelo jeito de produzir e de cuidar da terra. Para o camponês e a camponesa, a terra é o lugar de reproduzir e cuidar da vida.

As sementes crioulas são o elo entre o camponês e a camponesa e sua identidade. Como poderá sobreviver um camponês, uma camponesa e suas famílias sem possuir sementes? As sementes crioulas foram arrancadas, roubadas dos camponeses e das camponesas, e junto com elas o conhecimento milenar sobre o processo de cuidado e produção das sementes.

Muitos resistiram, cuidaram e multiplicaram as sementes crioulas. A vida na roça é cheia de conhecimentos e o camponês e a camponesa conhecem as sementes crioulas, conhecem seu ciclo, sabem a época de plantio, relacionam com outros fatores da natureza, como a lua, estações do ano e com a tradição milenar e familiar. Eles e elas conhecem a terra, e a terra conhece as sementes e, as sementes, por favorecer o conhecimento e receber carinho e atenção das pessoas e da terra, se adaptam e produzem qualidade e quantidade, o que fortalece o vínculo do campesinato e enche de orgulho e satisfação quem as produz. Hoje é impossível viver na roça com autonomia e liberdade sem que os camponeses e as camponesas conheçam e dominem o saber sobre a produção de suas sementes. Elas são seu maior patrimônio, são capazes de gerar vida saudável e tem um valor sagrado.

Conclusão

A semente é o principal insumo para a agricultura, para a produção de alimentos e para a Segurança e Soberania Alimentar e Nutricional. Associado às sementes enquanto material genético está a preservação do patrimônio e do conhecimento tradicional associado. A semente é essencial para que as agricultoras e os agricultores sejam autônomos e protagonistas de todo seu processo produtivo e cultural. O papel das guardiãs e guardiões de sementes é essencial para a manutenção da agrobiodiversidade e de sementes de qualidade nas comunidades. Quando estes guardiões/guardiãs deixam de existir, a erosão genética passa a se tornar um risco muito real, bem como a entrada de sementes híbridas, melhoradas ou transgênicas nas comunidades.

A contaminação de sementes crioulas por sementes transgênicas tem sido um grande desafio e ocasiona também um atraso na adaptação das sementes crioulas naquele ambiente e possível erosão genética. A semente não deve ser privatizada, a luta para garantir a agrobiodiversidade é permanente.

As sementes crioulas estão sempre se adaptando aos diferentes ambientes e manejos, ou seja, evoluindo permanentemente. Além de terem atividades associadas ao seu plantio, que contribuem para a coletividade nas comunidades, como os mutirões que constituem momentos importantes para a troca de experiências, aflições e ainda de difusão e apropriação de tecnologias e conhecimentos.

O armazenamento em boas condições é um dos principais fatores de qualidade das sementes. A agricultura familiar, povos e comunidades tradicionais organizados podem enfrentar os desafios da dependência de sementes e romper com a lógica de grande investimento em insumos, para isso é preciso realizar um trabalho mais intenso na criação de Casas e Bancos Comunitários de Sementes Crioulas, bem como de suas redes estaduais e nacionais, bem como processos de formação focando a transição agroecológica e a valorização da agrobiodiversidade. É necessário promover novos arranjos organizacionais e articular uma forma da comunidade produzir, manejar e armazenar as suas próprias sementes, garantindo a manutenção da biodiversidade e a segurança e soberania alimentar.

O interesse das agricultoras e agricultores evidencia a importância em se resgatar o uso das sementes crioulas fortalecendo a cooperação dentro da comunidade e estimulando a manutenção dos conhecimentos e da cultura camponesa, através do resgate sementes e do conhecimento associado ao seu uso e manejo.

As três formas de conservação, *in situ*, *ex situ* e *on farm* devem caminhar juntas pois são complementares. É necessário que se realize a articulação entre as guardiãs e os guardiões da biodiversidade que realizam a conservação *on farm* e os Bancos de Germoplasma – BAGs que realizam a conservação *ex situ*. As duas maneiras de se realizar essa conservação possuem seus potenciais e fragilidades e quando se integram enquanto ações complementares garantem a conservação dos recursos genéticos.

O programa de melhoramento atual deve dar enfoque à realidade local do público a que se destina. Fornecendo maior autonomia dos agentes comunitários e agricultores/as no processo de sistematização, avaliação e monitoramento dos impactos do trabalho, bem como na disseminação dessas informações. Tendo uma perspectiva mais inovadora de intervenção no ponto de vista técnica e menos convencional do ponto de vista metodológico. Deve-se pautar no desenvolvimento local, potencializando a irradiação dos acúmulos e experiências da agricultura familiar para as escalas regionais, estaduais e nacionais.

Projetos de pesquisa que possam convergir trabalhos realizados pela comunidade científica de forma participativa à comunidade local poderão contribuir para o estabelecimento de uma agricultura mais justa e com os princípios na sustentabilidade.

Agrobiodiversidade

Natália Carolina de Almeida Silva
Flaviane Malaquias Costas

Em um primeiro sentido, a agrobiodiversidade ou a diversidade agrícola compreende a associação entre a agricultura, nas suas mais diversas expressões, e diversidade existente na natureza. Como a agricultura foi e continua sendo uma construção humana regida não somente por relações econômicas e ambientais, mas, também, por relações sociais, culturais e espirituais, podemos afirmar que a agrobiodiversidade é o resultado da íntima interação humana com os diferentes componentes dos sistemas agrícolas, como as plantas, os animais, os polinizadores, as chamadas "pragas e doenças", os microrganismos do solo etc. Isso quer dizer que do ponto de vista da prática, a agrobiodiversidade existe desde o surgimento das *agriculturas*.

No âmbito técnico-científico, o termo agrobiodiversidade surgiu com forte ênfase após a Convenção sobre Diversidade Biológica (CDB), em 1992, como um contraponto aos sistemas agrícolas baseados em monoculturas, agrotóxicos, nas sementes ditas *modernas*, criticados por sua agressividade ao meio ambiente. Nesta esfera, a agrobiodiversidade pode ser compreendida como o componente da biodiversidade que é manejado pelos seres humanos, da qual depende para obter alimentos, combustíveis, fibras e bem-estar, que vai desde a diversidade de genes à diversidade de agroecossistemas e suas interações. Por isso, podemos afirmar que a agrobiodiversidade está muito mais presente em nossas vidas do que a biodiversidade em si, pois está associada à nossa alimentação cotidiana, à qualidade dos alimentos, à segurança alimentar e nutricional.

De forma complementar, pesquisadoras da área entendem a agrobiodiversidade como resultado da interação de quatro níveis de complexidade: a) a *diversidade entre espécies*, como mandioca, milho, feijão, tomate, abóbora, porco, galinha, cabra etc; b) a *diversidade dentro das espécies*, também compreendida como diversidade genética, como por exemplo as diversas variedades crioulas de milho (*Palha Roxa, Oito Carreiras, Milho Alho, Macabu, Milho Massa, Jabatão* etc.) ou de porco (*Moura, Piau, Monteiro* etc.) conservadas pelos agricultores e agricultoras; c) a *diversidade de agroecossistemas* ou *sistemas agrícolas*, como os sistemas agroflorestais, os quintais, a roça de toco, os policultivos, sistemas de Fundo de Pasto, sistemas extrativistas etc. e; d) a *diversidade sociocultural*, representada pela agricultura camponesa, indígena, quilombola, pelos povos e comunidades tradicionais, pelos saberes, conhecimentos localmente construídos, tradições, costumes, cosmovisões, modos de vida, cultura alimentar, práticas, inovações agrícolas. É justamente o componente humano que diferencia a agrobiodiversidade da biodiversidade.

A definição de agrobiodiversidade, portanto, remete à união de competências que englobam desde o biológico ao cultural, sendo que suas principais características residem nos seguintes aspectos: a) é ativamente manejada pelos agricultores/as; b) muitos dos seus componentes não sobrevivem sem a interferência humana; c) pode ser composta por plantas e animais nativos ou exóticos; d) em função da intervenção humana, a sua conservação em sistemas de produção é inerente ao seu uso sustentável; e e) sua conservação se dá nas mais variadas estratégias, como as casas ou bancos comunitários de sementes, nos registros comunitários da agrobiodiversidade local, no incentivo às redes de intercâmbio de sementes, na valorização dos guardiões e guardiãs da agrobiodiversidade.

A conservação da agrobiodiversidade nos sistemas agrícolas tradicionais permite que a evolução das espécies cultivadas e/ou domesticadas continue acontecendo no tempo e no espaço, visto que se encontra submetida aos mais diversos processos evolutivos, promovendo o desenvolvimento adaptativo das espécies quanto às variações climáticas e ambientais ao longo do tempo. Desta forma, permite a ampliação contínua de diversidade via evolução em seu meio natural, bem como a domesticação e o manejo em seu meio social e cultural.

A agrobiodiversidade possui caráter dinâmico, pois desde os primórdios da domesticação de plantas, animais e paisagens, ela foi foi gerada, transformada, amplificada e também descartada em função das necessidades, dos conhecimentos das comunidades e das transformações ambientais e culturais. Tudo indica que, nesse processo, mesmo com as perdas naturais e/ou intencionais, nas seleções cotidianas e nos cruzamentos entre variedades e entre espécies, a geração de diversidade foi intensa e se agregou de forma crescente aos agroecossistemas. É justamente esta diversidade que permite a manutenção dos processos ecológicos nos sistemas agrícolas possibilitando que as espécies cultivadas e/ou domesticadas se desenvolvam em ambientes heterogêneos e sob a ação humana. Nessa lógica, em função do seu dinamismo e da interação entre os diferentes níveis de diversidade, a agrobiodiversidade constitui a base da agroecologia por promover sistemas agrícolas mais resilientes e sustentáveis, menos vulneráveis às mudanças climáticas, ambientais e políticas. É a partir dela que se promove a conservação dos solos, da água, dos sistemas agroalimentares, da geração de conhecimentos, da promoção de mercados solidários e do desenvolvimento de sistemas agrícolas diversificados e saudáveis, proporcionando também uma sociedade mais saudável e uma dieta diversificada. Portanto, podemos afirmar que sem a agrobiodiversidade não existe a agroecologia e, sem as sementes crioulas não existe agrobiodiversidade, pois representam um dos pilares mais importantes da sustentabilidade da agricultura camponesa.

Se as sementes foram a "porta de entrada" para a modernização da agricultura respaldada pelo melhoramento genético convencional, elas também representam a "porta de saída" para a agricultura familiar desse modelo de dependência, pelos seguintes aspectos: a) fazem parte da identidade de um povo; b) representam a base da autonomia, da soberania e da segurança alimentar e nutricional; c) possibilitam o resgate de hábitos alimentares; d) apresentam alta variabilidade genética o que permite sua adaptação a diferentes agroecossistemas e manejo locais e, por sua vez, tolerar e/ou resistir aos diferentes estresses ambientais; e) são chaves nos processos de transição agroecológica; f) contribuem para a construção do conhecimento agroecológico; g) são mobilizadoras de pessoas, processos, histórias. Ao circular uma semente crioula, circula também conhecimentos, saberes e solidariedade; h) promovem relações de afeto, de cuidado, conectando gerações; i) impulsionam o protagonismo das mulheres, aproximam os jovens e restauram a autonomia das comunidades no manejo da agrobiodiversidade.

Não restam dúvidas de que a agricultura de base familiar organizada comunitariamente tem sido a grande responsável pela conservação da agrobiodiversidade em todo o mundo. Esses agricultores, ao manejarem plantas, animais, paisagens e interagirem entre si, com o ambiente e o seu entorno, durante os processos sociais, de cultivo e de criação animal, geram e sustentam um sistema próprio de conhecimentos, regido por princípios de justiça social, de direitos e responsabilidades compartilhadas em torno da conservação, uso e manejo da agrobiodiversidade e das sementes crioulas.

Recursos genéticos

Patrícia Goulart Bustamante

A variabilidade que encontramos nas plantas, animais e microrganismos dentro de uma mesma espécie (intraespecífica) ou entre espécies (interespecífica) é denominada de biodiversidade. Se considerarmos a parte da biodiversidade que tem valor atual ou potencial para alimentação e agricultura teremos os *recursos genéticos*.

Esse conceito de recursos genéticos foi utilizado pela primeira vez em 1970 no livro *Genetic Resources in Plants*. Seus autores, Otto Frankel (australiano) e Erna Bennet (irlandesa), tiveram papel fundamental nas conferências da Organização das Nações Unidas para Alimentação e Agricultura (FAO) realizadas entre 1961, 1967 e 1973, que alertaram para o risco da erosão genética (diminuição da variabilidade genética), em consequência da expansão de modelos agrícolas em que sementes uniformes, obtidas por meio de programas de melhoramento, são associadas a uma série de outros produtos e recomendações denominadas de "pacotes tecnológicos", que prometem maior produtividade mas promovem a dependência do agricultor e a uniformização dos cultivos.

Com a expressão recursos genéticos, enfatiza-se que os genes e as informações nele contidas têm valor estratégico, social e econômico e por isso devem ser tratados como "recursos". Para os melhoristas de plantas e animais e também para os pesquisadores de instituições científicas, os recursos genéticos representam matéria-prima essencial para os programas de melhoramento.

A diversidade genética precisa estar protegida para garantir a segurança alimentar da humanidade, tanto no presente como no futuro. São muitos os exemplos históricos que evidenciaram e comprovaram o risco dos cultivos uniformes para a segurança alimentar. O evento mais conhecido é a "Grande Fome da Batata" (*An Gorta* Mór, em irlandês) que aconteceu na Irlanda entre 1845 e 1849. Naquela época, um único clone de batata, proveniente da América Latina, foi plantado

S

na região. A batata era o principal alimento dos irlandeses. Nesse período, um fungo denominado *Phytophtora infestans* contaminou os campos de batata. A falta de variabilidade genética fez com que o impacto nos cultivos fosse de proporções catastróficas. Na ocasião, cerca de 1 milhão de irlandeses morreram de fome e pelo menos a mesma quantidade de pessoas teve de emigrar. Existe um monumento em Dublin, capital do país, que relembra a fome e a desesperança pela ausência de diversidade na cultura da batata.

Conservação de recursos genéticos – ex situ, in situ e on farm (na roça)

A Organização das Nações Unidas para Alimentação e Agricultura (FAO) desde a sua criação reconhece a importância da diversidade das plantas cultivadas (recursos fitogenéticos) bem como de animais e microrganismos para a segurança alimentar e nutricional. Na conferência sobre o tema em 1967 um caloroso debate sobre como/quais os métodos que deveriam ser utilizados para conservação de recursos fitogenéticos aconteceu entre os cientistas Erna Bennet e Otto Frankel, já citados por terem sido os primeiros a utilizar esse termo/conceito.

Otto Frankel era partidário que a FAO adotasse como modelo padrão para o mundo todo a conservação *ex situ*. Erna Bennett, que era irlandesa, liderava um grupo de cientistas que concordavam com a necessidade de se adotar formas de conservação *ex situ*, devido à alarmante erosão genética no campo, no entanto também alertava que a conservação *ex situ*, caso se tornasse dominante, poderia levar as variedades locais a perderem a sua capacidade de adaptação. Erna chegou a afirmar que a forma "estática" de se conservar sementes, armazenando-as em refrigeradores, se baseava em "conceitos museológicos" e que "o objetivo da conservação não deveria ser captar o momento presente na linha evolutiva pois não há nenhuma virtude especial nisso, mas conservar o material para que ele pudesse continuar a evoluir". Erna não citou a importância da complementaridade entre as diferentes formas de conservação, mas lançou as bases para os conceitos de conservação *in situ/on farm*. A conservação *in situ*, para a conservação dos recursos genéticos, no campo, em sua própria região de origem e a conservação *on farm* para a conservação de recursos genéticos realizada pelos agricultores em suas roças.

A terceira reunião da FAO, realizada em 1973, teve o objetivo de definir a estratégia para a ampla conservação *ex situ* ao redor do mundo. Nessa mesma época estava sendo criada no Brasil a Empresa Brasileira de Pesquisa Agropecuária (Embrapa). Em novembro de 1974 era criado, no âmbito da Embrapa, o Centro Nacional de Recursos Genéticos (Cenargen), com a missão de "viabilizar soluções de pesquisa, desenvolvimento e inovação em recursos genéticos para a sustentabilidade da agricultura brasileira". Atualmente, a Embrapa, por meio do Sistema de Curadoria de Germoplasma, mantém mais de 200 mil acessos de plantas conservadas em seus bancos de germoplasma.

Na trajetória da conservação de recursos genéticos, iniciada nas conferências organizadas pela FAO, instrumentos internacionais como a Convenção da Diversidade Biológica (CDB) e o Tratado Internacional de Recursos Fitogenéticos para Alimentação e Agricultura (Tirfaa) evidenciaram a importância do manejo realizado pelos agricultores e dos conhecimentos de povos e comunidades tradicionais para a conservação dos recursos genéticos. Tais instrumentos, embora não tenham gerado ainda políticas específicas para o reconhecimento do papel dos agricultores para a conservação dos recursos genéticos no Brasil, forneceram subsídios para programas e políticas que estimularam a conservação *on farm*, como o Plano Nacional de Agroecologia (Planapo), Sementes do Semiárido e o Programa de Aquisição de Alimentos destinado à compra e distribuição de sementes crioulas – o PAA Sementes.

O professor Paulo Kageyama (1945-2016), que foi diretor do Programa Nacional de Conservação da Biodiversidade, Secretaria de Biodiversidade e Florestas, do Ministério do Meio Ambiente – Professor titular da ESALQ/USP, sempre defendeu que a tradução do termo conservação *on farm* fosse a "conservação na roça".

Guardiões da Agrobiodiversidade

Em seu artigo 9º o Tratado Internacional de Recursos Fitogenéticos para Alimentação e Agricultura, assinado (2001) e ratificado (2006) pelo Brasil, portanto com força de lei, afirma:

> As partes contratantes reconhecem a enorme contribuição que foi aportada e seguem aportando as comunidades locais e indígenas e os agricultores de todas as regiões do mundo, em particular os dos centros de origem e diversidade das plantas cultivadas, para a conservação e desenvolvimento dos recursos fitogenéticos que constituem a base da produção alimentar e agrícola em todo o mundo.

S

A maior parte das plantas que cultivamos e das quais nos alimentamos foi domesticada pelos agricultores ao longo da história. Há plantas como, por exemplo o milho, que só existem devido a interação entre o seu ancestral silvestre, o teosinte, e os agricultores que viviam no México há cerca de 12 mil anos, mostrando a importância dessa relação para a nossa alimentação atual, conservação de recursos genéticos e ampliação da diversidade genética.

Uma das iniciativas de conservação *on farm* (na roça) que merece destaque pela repercussão e inspiração que trouxe para as ações de conservação realizada pelos agricultores no Brasil, foi lançada pela Bioversity Internacional em 2009 e visava prestar um tributo aos guardiões da biodiversidade de diferentes cultivos em diversas regiões do mundo (Bioversity International, 2009). No Brasil, a iniciativa de valorizar agricultores biodiversos, denominando-os de guardiãs e guardiões da agrobiodiversidade repercutiu de tal forma que agricultores guardiões da Agrobiodiversidade fazem parte do Comitê Estratégico do sistema de curadoria de germoplasma, que tem entre seus objetivos "Promover e estimular a interface da conservação de RG com a sociedade, contribuindo para definição dos direcionamentos do sistema de curadoria de germoplasma ao nível técnico e estratégico".

A iniciativa de reconhecer guardiões significou a valorização de indivíduos, famílias e comunidades que conservam os recursos genéticos "na roça". As feiras de sementes e os encontros de guardiões, ao promoverem a troca de sementes, promovem também a ampliação da diversidade e a segurança alimentar. O trabalho dos guardiões, entretanto, ainda está muito focado na conservação em bancos locais de sementes, que mesmo promovendo a autonomia dos agricultores, reforçam conceitos próprios da conservação *ex situ*, como técnicas de armazenamento, cuidados com embalagens, inventário, além da necessidade de regeneração periódica dos acessos.

O desafio agora é ampliar o olhar para além das sementes e vislumbrar a conservação dos sistemas agrícolas que as produzem, suas práticas, tradições, conhecimentos e festas (rituais) associados.

Soberania Genética

Frei Sérgio Görgen

É a capacidade de um povo, de uma Nação, de controlar, deter e dispor de uma base genética de seres vivos (sementes, mudas, raças animais e microrganismos de interesse) para as necessidades do povo – alimentação, medicina, energia, insumos agrícolas, produtos veterinários, construções etc. – e para o equilíbrio de seus biomas e ecossistemas. O controle nacional desta base genética é questão essencial para a soberania política de uma nação. O controle desta base genética por empresas multinacionais, como acontece hoje, vai na contramão da soberania e é um risco presente e futuro para a soberania alimentar do povo e para a disponibilidade de medicamentos necessários à saúde humana e animal.

O Plano Camponês do MPA-Brasil visa colocar em prática o princípio da soberania genética. Para tanto propõe a recuperação da soberania genética do Brasil a partir das famílias, das comunidades camponesas e dos territórios. As ações prioritárias nessa linha são:

- recuperar nossas sementes, raças e mudas, em suas variedades, em sua diversidade e em quantidades significativas;
- buscar e desenvolver técnicas populares e replicáveis para recuperação, armazenagem, conservação e melhoramento desta base genética;
- buscar e garantir autonomia científica e tecnológica na produção e melhoramento de sementes e material genético, bem como das pesquisas e dos conhecimentos científicos necessários;
- divulgar as experiências existentes visando construir e reconstruir uma cultura de resgate, cuidado, conservação, melhoramento e multiplicação de sementes, raças e mudas sob controle popular camponês.

Referência

BIOVERSITY INTERNATIONAL. Disponível em: (https://www.bioversityinternational.org/fileadmin/_migrated/uploads/tx_news/Geneflow_2009_1351.pdf. Acesso em: 31 mar. 2021.

Para saber mais

ALMEIDA, V. E. S. *et al.* Uso de sementes geneticamente modificadas e agrotóxicos no Brasil: cultivando perigos. *Ciência & Saúde Coletiva*, v. 22, n. 10, p. 3.333-3.339, out. 2017.
DIAMOND, J. *Armas, Germes e Aço:* os destinos das sociedades humanas. 15. ed. Rio de Janeiro |São Paulo: Record, 2013. 317 p. Tradução de Silvia de Souza Costa Cynthia Cortes Paulo Soares. Disponível em: https://edisciplinas.usp.br/pluginfile.php/622169/mod_resource/content/1/Diamond%2C%20Jared%2C%20Armas%2C%20Germes%20e%20A%C3%A7o.pdf. Acesso: 12 dez. 2018.
MELETTI, L. M. M. *et al.* Melhoramento genético do maracujá: passado e futuro. *In*: FALEIRO, F. G.; JUNQUEIRA, N. T. V.; BRAGA, M. F. (eds.) *Maracujá:* germoplasma e melhoramento genético. Planaltina, DF: Embrapa Cerrados, 2005. p. 54 - 78.
PIGNATI, W. A. *et al.* Distribuição espacial do uso de agrotóxicos no Brasil: uma ferramenta para a Vigilância em Saúde. *Ciência & Saúde Coletiva*, v. 22, n. 10, p. 3281-3293, out. 2017.

Materiais didáticos complementares

Série Sementes da Vida disponível no canal do YouTube da Articulação Semiárido Brasileiro: https://www.youtube.com/user/asabrasil1/featured
Canal da ASPTA no YouTube: https://www.youtube.com/channel/UCfRvRTdz58FkPVese6Oz-QmA
BioNatur Sementes Agroecológicas: https://www.bionatursementes.bio.br/
Site da ANA
A nova legislação de sementes e mudas no brasil e seus impactos sobre a agricultura familiar: http://www.agroecologia.org.br/files/importedmedia/a-nova-legislacao-de-sementes-e-mudas-no-brasil.pdf
As Sementes da Paixão e as Políticas de Distribuição das Sementes na Paraíba: http://www.agroecologia.org.br/files/importedmedia/as-sementes-da-paixao-e-as-politicas-de-distribuicao-das-sementes-na-paraiba.pdf
As sementes tradicionais dos Krahô: uma experiência de integração das estratégias on farm e ex situ de conservação de recursos genéticos: http://www.agroecologia.org.br/files/importedmedia/as-sementes-tradicionais-dos-kraho-uma-experiencia-de-integracao-das-estrategias-on-farm-e-ex-situ-de-conservacao-de-recursos-geneticos.pdf
A Associação Biodinâmica e o Desafio da Produção de Sementes de Hortaliças: http://www.agroecologia.org.br/files/importedmedia/a-associacao-biodinamica-e-o-desafio-da-producao-de-sementes-de-hortalicas.pdf
A Produção de Sementes Registradas na nova legislação brasileira de sementes e mudas: http://www.agroecologia.org.br/files/importedmedia/cartilha-sobre-sementes-crioulas.pdf
Semente Crioula é Legal: a nova legislação brasileira de sementes e mudas: http://www.agroecologia.org.br/files/2012/03/Semente-Crioula-e-Legal.pdf
Sugestão de leitura – Sementes e Agrobiodiversidade no site da ASA Brasil: http://www.asabrasil.org.br/sugestao-de-leitura?cat_show=138#categoria_img
Um lugar de vida para as sementes do Semiárido: a história de uma comunidade que cuida de suas sementes: http://www.asabrasil.org.br/acervo/publicacoes?artigo_id=9564

SISTEMAS AGRÁRIOS

Araê Lombardi
Pedro Ivan Christoffoli

A necessidade de analisar e descrever uma determinada realidade agrária complexa, seja para processos educativos, organizativos ou mesmo acadêmicos pode influenciar determinadas formas de pensar e agir em um determinado território. O desafio está na utilização de um ferramental teórico-metodológico que possibilite uma compreensão adequada dos fenômenos complexos que influenciam essa realidade agrária. O presente verbete busca discutir a teoria dos sistemas agrários, bem como o método de Análise-Diagnóstico de Sistemas Agrários (ADSA) como um ponto de partida interessante.

Veremos que essa análise-diagnóstico servirá tanto para as Ciências Agrárias, quanto para a Geografia, Biologia, Economia, e outras, mas também para técnicos e agricultores que incidam sobre determinado território. Na França, essa abordagem começou a ser utilizada de maneira efetiva nas Ciências Agrárias nos anos 1950 e 1960 pelo professor-pesquisador do Instituto Nacional Agronômico (INA-PG) René Dumont (Miguel, 2009, p. 21).

A teoria dos sistemas agrários busca, no exercício de leitura de territórios e sua realidade agrária, um método de análise que permita entender e perceber, em grandes linhas, as transformações históricas e a diversidade socioeconômica e geográfica das agriculturas (Mazoyer; Roudart, 2010, p. 44). A agricultura não acontece de forma isolada. Ela se realiza em uma complexa trama de ações internas em uma relação direta com o que a circunda [ver Agricultura]. A leitura histórica de um território ou sistema agrário deve considerar tudo isso ao buscar conhecer como se dá (e se deu) a circulação de mercadorias (no agroecossistema, território e sociedade), ou as mudanças na estrutura de poder e/ou legislações e quais suas possíveis influências na realidade dentre muitas outras questões, buscando compreender o quadro atual de correlação de forças entre as classes sociais.

Para Deffontaines e Brossier (2000), os sistemas agrários podem ser compreendidos como um objeto de análise e observação, produto de relações históricas, em um dado momento e em um dado território, de uma sociedade rural com seu meio. Miguel (2009) cita que Mazoyer (1986) propõe uma definição de sistema agrário como sendo "um modo de exploração do meio historicamente constituído e durável, um conjunto de forças de produção adaptado às condições bioclimáticas de um espaço definido e que responde às condições e às necessidades sociais do momento" (p. 11), ou seja as relações sociais estabelecidas a partir da produção e sua ligação (em contradição ou não) com as forças produtivas inseridas no território e/ou fora dele e em interação direta com a natureza.

Sendo assim, é importante destacar alguns pontos principais na teoria dos sistemas agrários e consequentemente seu método de análise: a questão histórica, a geográfica e a leitura de sistemas.

Como vimos, as mudanças (ou estabilidades) nos territórios estão carregadas de história, sendo assim, sofrem influências da forma de ser dos modos de vida anteriores. Por isso compreendê-la é uma condição para a análise dos sistemas agrários, onde não se quer tirar uma foto do momento estudado e isolá-lo, mas sim compreender como historicamente aquele momento se consolidou a partir de interações com as forças socioeconômicas e naturais, dentro e fora do território delimitado.

Para isso, Mazoyer e Miguel irão dizer que a

> [...] compreensão das dinâmicas agrícolas e agrárias passa, necessariamente, por um conhecimento aprofundado e sistemático do processo evolutivo e do contexto histórico onde operam e se articulam as sociedades agrárias [...] a compreensão do processo de formatação de uma agricultura exige uma considerável apreensão das particularidades relacionadas a seus aspectos intrínsecos ou internos [...] e externos. (Mazoyer; Miguel, 2009, p. 20).

Isso quer dizer que a evolução de cada tipo de produtor e de cada sistema de produção é determinada por um conjunto complexo de fatores ecológicos, técnicos, sociais e econômicos que se relacionam entre si (Incra/FAO, p. 10) historicamente.

Para a leitura de sistemas, Mazoyer e Roudart (2010) irão dizer que implica em "traçar uma fronteira virtual entre esse objeto e o resto do mundo e considerá-lo como um todo", em "uma combinação de funções interdependentes e complementares, que asseguram a circulação interna e as mudanças com o exterior" (p. 72).

Para Petersen (2017) "sistema" deve ser concebido, "simultaneamente, como uma unidade do contexto e como uma diferença em relação a esse contexto" (p. 32). Ou seja, compreendemos que um agroecossistema ou um território estipulado para o estudo (unidade, conforme o autor) terá suas características próprias (seja do trabalho familiar, seja do que cultiva, da forma que cultiva e cria animais, forma de comercialização, reservas ambientais etc.) que o diferencia dentro de uma outra organização (socioeconômica e ambiental) que pode ser uma cidade, uma comunidade ou um território maior. Essa unidade faz parte dessa organização social e se diferencia dentro dela ao mesmo tempo. E essa relação terá influência de um para o outro.

Sendo assim, como operacionalizar e organizar a síntese de um sistema agrário? Como conhecer as formas de produção do território, tais como quem produz, como produz e onde se relacionam no e com o agroecossistema estudado e outros sistemas agrários, territórios etc.?

Essa operacionalização é realizada através da Análise-Diagnóstico de Sistemas Agrários (ADSA) (Miguel, 2009). O autor esclarece que

> o método se baseia em *passos progressivos*, partindo do geral para o particular. Ele começa pelos fenômenos e pelos níveis de análises mais gerais (mundo, país, região etc.), terminando nos níveis mais específicos (município, assentamento e unidade de produção) e nos fenômenos particulares (cultivos, criação etc.). (p. 11, grifos do autor)

S

Muitas vezes nos deparamos com políticas de desenvolvimento rural que pouco ou nada revelam sobre a realidade do território São pacotes fechados, generalistas, propondo a mesma análise e soluções para todas as realidades. Mas a pergunta é: será que esses projetos permitem explorar o potencial da região? Há, nas unidades de produção, recursos para implementá-los? A mão de obra é suficiente? Os recursos financeiros, os equipamentos e os conhecimentos são suficientes? E os sistemas de produção preconizados, existem na região? Quais foram os resultados alcançados com estes sistemas por outros agricultores? (Instituto Nacional de Colonização e Reforma Agrária; Organização das Nações Unidas para Agricultura e Alimentação, s. d. p. 5).

Ao se falar em diagnóstico da realidade histórica esses e muitos outros fatores devem ser levados em consideração, bem como a comercialização, as formas de organização no território, as lutas sociais históricas e atuais no território e suas influências.

Sendo assim, deve-se estabelecer claramente os objetivos desse diagnóstico e delimitar o espaço geográfico. Qual a área de estudo: uma grande região, uma pequena região, um município, um distrito, um assentamento ou um agroecossistema? Existe algum sistema de produção ou algum aspecto da realidade que se deseja particularmente enfocar? (Instituto Nacional de Colonização e Reforma Agrária; Organização das Nações Unidas para Agricultura e Alimentação, s. d.).

Considerando que cada sistema agrário é a expressão teórica de um tipo de agricultura historicamente constituído e geograficamente localizado (Miguel, 2009, p. 31), Mazoyer e Roudart (2010) sugerem decompor esses sistemas de agricultura em dois subsistemas principais: o ecossistema cultivado e o sistema social produtivo.

O ecossistema cultivado pode se igualar ao que a agroecologia trabalha como agroecossistema e sua leitura se dá ao decompor as áreas de produção em subsistemas como a horta, criação de animais, o entorno da casa, a área florestada, cada um com sua história, usos, particularidade e interações. Nesse sentido, os ecossistemas cultivados são fruto da história, da ação – passada e presente – das sociedades agrárias que os ocuparam (Instituto Nacional de Colonização e Reforma Agrária; Organização das Nações Unidas para Agricultura e Alimentação, s.d. p. 9) mas também das interações com seu entorno.

A análise do sistema social produtivo busca conhecer as *condições materiais da vida social* e seus movimentos, que são caracterizados pelo *sistema de produção* que eles praticam, e pela *categoria social a* qual eles pertencem (Mazoyer; Roudart, 2010, p. 73), assim como pelas relações sociais de produção nas e com as quais se articulam. É nesse momento que se busca compreender as relações históricas na sociedade em questão, elucidar como em um mesmo território grandes projetos (de agricultura, mineração e, até mesmo Unidades de Conservação) são implantados. Como a existência de camponeses, assentamentos de reforma agrária, comunidades tradicionais definem e coexistem em distintas formas de organizar o trabalho e a produção, muitas vezes disputando territórios e espaços de poder com projetos (territorialidades) de empresas capitalistas ou de latifundiários.

O *sistema de produção* seria, portanto, fruto da interação entre as atividades produtivas e os meios de produção. A primeira parte diz respeito à dimensão histórica do sistema de produção, ou seja:

- como ele se alterou ao longo do tempo (necessidade de desmate, mudanças de local da produção, o que era produzido antes no local);
- as técnicas utilizadas (uso de agrotóxicos ou não, uso de maquinários ou não, formas de condução de rebanhos e etc.);
- identificar os meios (instrumentos, ferramentas, mão de obra, instalações, energia) utilizados para produzir e circular mercadorias e energia;
- o itinerário técnico, que quer dizer cada etapa sequencial da produção, desde o preparo da área, quantidade de aplicações de adubos ou outros insumos, vacinações de rebanho etc. e;
- a relação com a natureza (conhecimentos, relação de destruição ou de reconstrução ecológica).

O próximo passo é buscar desvendar as relações sociais de produção. Conhecer as estruturas de poder envolvidas no território que se apresentarão nas formas de organizações sociais, privadas e/ou públicas, como o Estado – que tem papel preponderante na dinamização de classes no território – e como as associações, cooperativas, movimentos sociais, sindicatos, grupos culturais etc. Tudo isso se articula à estrutura de classes, por exemplo, na atuação do Estado para benefício de determinado setor latifundiário ou capitalista, na dinâmica e estruturas produtivas e políticas do agronegócio, na mineração e na disputa pela terra, ou no setor industrial e a exploração de trabalhadores e camponeses.

Mais uma vez cabe reforçar a importância da análise histórica desses processos, da sociedade, dos territórios e produtores a serem estudados. Sabemos que essa organização não surgiu de forma espontânea, de uma hora para outra, mas sim é fruto de processos históricos em que uma realidade será influenciada com a forma de ser dos processos ou modelos anteriormente existentes.

O que se propõe é buscar analisar e relacionar, por exemplo, como os projetos de colonização alteraram as realidades, seja com a escravidão e o extrativismo, passando por processos de imigração ou migração que alteraram as relações sociais e com a natureza. Também, como as relações modernas entre governos locais (Estado) e os fazendeiros ou grandes empresários influenciam no estabelecimento de políticas públicas agrícolas ou ambientais nos territórios, onde se insere a luta pela terra por camponeses despossuídos, por comunidades tradicionais e seu modo de reprodução social, em detrimento de grilagem de terras e especulação imobiliária, pelo estabelecimento de assentamentos rurais e as alterações que isso causam na realidade do território, nos municípios etc. Elucida-se o aspecto chave do controle da terra e do território (e as territorialidades em disputa).[1]

Se pensarmos na questão da agroecologia [VER AGROECOLOGIA], há o risco de, no momento da análise, focar apenas nos sistemas de produção, onde podemos ter estudos e diagnósticos aprofundados sobre as práticas utilizadas, porém se não for feito um recorte histórico e social do processo não será possível visualizar barreiras ou oportunidades históricas ao seu avanço, tanto no âmbito político, quanto social e econômico.

S

Ao se cumprir essa etapa da leitura, de distinguir as diferentes formas de organização produtiva, a proposta da ADSA para analisá-las é estabelecer uma classificação, uma tipologia de sua inserção no sistema agrário:

> Reagrupando e classificando as unidades de produção agrícolas conforme o sistema de produção praticado por elas, em seguida classificando as unidades de produção agrícolas que praticam um mesmo sistema de produção por categoria social, o sistema social produtivo de um sistema agrário aparece como uma combinação particular de um *número limitado de tipos de estabelecimentos definidos técnica, econômica e socialmente* [...] condicionado pela divisão do trabalho que predomina na sociedade da época. (Mazoyer; Roudart, 2010, p. 74 e 76)

A metodologia ADSA parte do pressuposto que a realidade regional *não* é formada por uma infinidade de sistemas únicos, diversos e isolados. Ao contrário, existem configurações de unidades produtivas que, por uma série de forças estruturadoras e dinamizadoras, direcionam um sentido de evolução ou delimitação entre e dentro dos sistemas agrários. Esses sistemas produtivos, que se repetem várias vezes, ainda que com algumas variações menores, podem ser agrupados em uma tipologia que permite, de uma forma simples, porém não simplista, resumir a complexidade da realidade territorial.

Exemplos disso podem ser vistos em Miguel (2009), em que o autor faz uma análise histórica da evolução e diferenciação dos sistemas agrários do Rio Grande do Sul, onde visualiza que no mesmo território sistemas agrários indígenas coexistiam (e coexistem) com a chegada da colonização, o sistema agrário das Sesmarias, posteriormente o sistema agrário do ciclo do charque e assim por diante. Já Moura e Lombardi (2010) utiliza o método ADSA para analisar os sistemas agrários presentes em um território estabelecido, um pré-assentamento rural, onde se diferenciam sistemas de produção e manejo da agrobiodiversidade em relação à diferenciação nas forças produtivas das famílias dentro do pré-assentamento.

Para finalizar, como afirmamos no começo, a opção pela teoria e método de análise dos sistemas agrários se dá principalmente por sua capacidade de análise histórica, de separar as condições sociais de produção, agrupar as particularidades existentes, destrinchá-las em subsistemas para conhecer a fundo seu funcionamento (unidades), bem como ler a interação com o meio que levou àquele momento e àquelas decisões dentro do agroecossistema na sua relação no território e/ou sociedade (totalidade). E que sempre se deve atentar a não deixar a análise muito descritiva e pouco analítica na relação dos agroecossistemas com os territórios e suas demais inserções e interações. Não basta apenas analisar as relações internas de uma porção delimitada de território.

Assim, teríamos um processo de análise do sistema agrário que parte de uma visão ampla e busca conceituar diferentes tipologias verificadas ao nível de cada unidade de produção com os elementos internos e externos, conjunturais e estruturais, aglutinadores e destrutivos etc. O método permite, melhor do que muitos outros, incorporar uma leitura relacionando as singularidades, particularidades com a totalidade dos sistemas agrários no permanente e dialético movimento presente na realidade histórico-material das regiões agrárias.

Por isso também permitiria a proposição de políticas de desenvolvimento rural mais consistente com uma estratégia de construção agroecológica.

A Figura 16 (ver, adiante, p. 796) busca ilustrar um pouco todos esses processos e passos metodológicos na leitura de um sistema agrário:

- o ecossistema cultivado que é onde o trabalho com a natureza é realizado. Onde se conhecem os subsistemas (sistema produtivo 1, 2...x) e já os relaciona na produção, distribuição e troca de mercadorias e energia com o sistema social produtivo em questão, a sociedade que o circunda;
- na relação do ecossistema cultivado com o sistema social produtivo surgirão as tipologias dos sistemas produtivos;
- o sistema social produtivo irá delimitar ou expandir, as relações (produção, distribuição e troca) destas unidades de produção com a sociedade que a circunda, principalmente em sua relação de classe;
- essas relações de produção que estão em ligação e contradição com as forças sociais e de classe presentes no território (forças produtivas) permitirão relacionar a unidade de produção delimitada com o território e a sociedade que a circunda.

Alguns limites do método usual da Análise-Diagnóstico dos Sistemas Agrários (ADSA)

Ainda que a metodologia da Análise-Diagnóstico dos Sistemas Agrários (ADSA) contribua para uma leitura mais complexa e histórica da realidade agrária, ela apresenta limitações que possibilitariam e mesmo exigiriam uma complementação com outros elementos teórico-metodológicos.

Uma tentativa nesse sentido foi desenvolvida no Brasil pela Articulação Nacional de Agroecologia (Petersen *et al.* 2017). Neste livro, os autores irão descrever um método de análise ecológico-econômica de agroecossistemas buscando colocar "a *centralidade do trabalho* nos processos de produção e reprodução social" (p. 23) dos "processos de intercâmbio de matéria e energia entre a esfera natural e a esfera social [...] por meio de fluxos econômico-ecológicos" (p. 29).

Outra vertente possível foi aplicada na análise de assentamentos e também na Região do Vale do Ribeira paulista (Lombardi, 2016; Lombardi; Moura, 2013). Estes últimos buscam aplicar a ADSA em um pré-assentamento rural, tomando a análise de fluxos nos agroecossistemas como forma de compreender as contradições internas e externas em sua relação no metabolismo social na produção e seu controle, bem como buscar demais contradições como na relação com o consumo e circulação da produção. Lombardi (2016) utilizou a ADSA como método de compreender as relações históricas na formação do território do Vale do Ribeira em sua porção paulista.

Para os limites deste verbete, é conveniente chamar a atenção para o fato de que a metodologia de Análise Diagnóstico dos Sistemas Agrários não incorpora adequadamente uma perspectiva dialética de análise da realidade agrária regional. Contudo, sua abordagem não é incompatível, no sentido de poder ser complementada, ou melhor, reformulada, de forma a assegurar uma leitura dinâmica dessa totalidade, inserindo-se as contradições de classe, e os projetos antagônicos que demarcam os projetos socioeconômicos e produtivos nos territórios rurais.

Sem isso, pode-se correr o risco de apenas classificar formas de agricultura como sistemas agrários, como debatido anteriormente, sem recorte histórico e de classe, o que se resumiria a apenas sistematizar e/ou classificar formas de agricultura específicas não levando em consideração os movimentos, as contradições e as tensões do funcionamento de um território e de uma sociedade, composta por classes sociais antagônicas em um devir de lutas e contradições, socioeconômicas e ambientais.

Como forma de compreender essa movimentação (unidade e totalidade), Netto (2011) sugere que as *condições materiais da vida social* não envolvem apenas a produção, mas articulam ainda a distribuição, a troca (e a circulação, que é "a troca considerada em sua totalidade") e o consumo, em que "estes momentos (produção, distribuição, troca, consumo) não são idênticos, mas todos são elementos de uma totalidade, diferenças dentro de uma mesma unidade" (Netto, 2011, p. 39). Harvey (2005) irá dizer que "Marx observa a produção, a distribuição, o consumo e o reinvestimento como fases (ou momentos) separadas na totalidade do processo capitalista de produção" (Harvey, 2005, p. 43). E a compreensão das diferenciações das unidades na totalidade é um dos desafios ao se fazer uma leitura da realidade.

Ao estudarmos a formação/realização do processo capitalista de produção nos territórios há que se considerar que, como diria Mészáros (1999), o capital está orientado para expansão e impulsionado pela acumulação. Esse será o princípio delineado para a consolidação/formação de um território. Harvey (2005) irá completar esse pensamento, dizendo que

> [...] a acumulação e a expansão, além da necessidade de produzir e absorver excedentes de força de trabalho e capital produzem pressões em uma região [...] A capacidade tanto do capital como da força de trabalho de se moverem, rapidamente e a baixo custo, de lugar para lugar depende da criação de infraestruturas físicas e sociais fixas, seguras e, em grande medida, inalteráveis. A capacidade de dominar o espaço implica na produção de espaço. (p. 145-147)

Essa expansão constante que retroalimenta o modo de produção e ocupação do território implica na alteração/produção de espaços que permitam esse movimento acontecer, como novas atividades e tecnologias e infraestruturas fixas (de transportes, fabris, energéticas etc.). Isso quer dizer que as forças produtivas irão se alocar de forma a forjar e garantir espaços de expansão e acúmulo (Lombardi, 2016, p. 17). A sua identificação é, portanto, um imperativo para se poder conhecer a fundo as determinações que impulsionam as diversas unidades produtivas e de vida social num determinado território.

Essa estratégia do capital e das classes sociais a ele associadas em geral implica também na apropriação de espaços e posições dentro do Estado burguês, o que resulta em acesso a benesses e favorecimentos legais e extralegais, econômicos e sociais, que contribuem para ampliar a escala de acumulação econômica, sem que isso necessariamente signifique superioridade técnico-econômica dos segmentos dominantes (em especial do agronegócio) presentes no território.

Sendo assim, se focarmos na leitura das condições criadas no território para realização da produção, distribuição e consumo de mercadorias e em um *número limitado de tipos de estabelecimentos definidos técnica, econômica e socialmente*, poderemos nos aproximar mais da realidade na análise de sistemas agrários.

E é neste movimento histórico que é necessário aprofundar a leitura. No funcionamento da sociedade e suas classes, a *divisão do trabalho*, suas formas de realização, bem como o funcionamento de cada sistema agrário enquanto elementos de uma totalidade. Totalidade essa com condicionantes históricos que constroem e destroem essas relações anteriormente descritas. Sendo assim, podemos definir que cada sistema agrário é a expressão teórica de um tipo de agricultura historicamente construído e geograficamente localizado (Mazoyer; Roudart, 2010, p. 75) inseridos num devir histórico marcado pela luta de classes e pela dinâmica de acumulação de capitais, que vão conformando territorialidades em disputa.

Referências

DEFFONTAINES, J.-P.; BROSSIER, J. Système agraire et qualité de l'eau. *Natures Sciences Sociétés*, Paris, v. 8, n. 1, p. 14-25, 2000.

HARVEY, D. *A produção capitalista do espaço*. São Paulo: Annablume, 2005.

BRASIL. Ministério da Agricultura. Instituto Nacional de Colonização e Reforma Agrária; ORGANIZAÇÃO DAS NAÇÕES UNIDAS PARA AGRICULTURA E ALIMENTAÇÃO. *Análise Diagnóstico de Sistemas Agrários*. Guia Metodológico. Brasília: INCRA/FAO. s.d.

LOMBARDI, A. C. *Análise-diagnóstico dos Sistemas Agrários nos territórios do Vale do Ribeira/SP*. São Paulo, 2016. Dissertação (Mestrado em Geografia). UNESP, Instituto de Políticas Públicas e Relações Internacionais (IPPRI); Programa de Pós-Graduação em Desenvolvimento Territorial da América Latina e Caribe.

LOMBARDI, A. C.; MOURA, L. H. G. *Análisis Diagnóstico de un agroecosistema:* El caso del Asentamiento Previo Oziel Alves II. Saarbrücken: Editorial Académica Española, 2013.

MAZOYER, M. L. Dynamique des systèmes agraires. *In: RAPPORT de synthèse Du Comité Dynamique Systèmes Agraires*. Paris: Ministère de la Cooperations: Ministère de la Recherche et de l'Enseignement Superieur, 1986.

_______; MIGUEL, L. A. A abordagem sistêmica no âmbito das Ciências Agrárias. *In*: MIGUEL, L. A. (org.). *Dinâmica e diferenciação de sistemas agrários;* SEAD/UFRGS. Porto Alegre: Editora da UFRGS, 2009.

_______; ROUDART, L. *História das Agriculturas do Mundo*. São Paulo: Editora Unesp; Brasília: NEAD, 2010.

MIGUEL, L. A. *Dinâmica e diferenciação de sistemas agrários*, Porto Alegre: Editora da UFRGS, 2009.

MÉSZÁROS, I. A ordem do capital no metabolismo social da reprodução. *Ensaios Ad Hominem/ Estudos e Edições Ad Hominem*. n. 1, Tomo I – Marxismo (1999) – São Paulo: Estudos e Edições Ad Hominem, 1999.

MIGUEL, L. A.; MAZOYER, M.; ROUDART, L. Abordagem Sistêmica e Sistemas Agrários. *In*. MIGUEL, L. A. (org.) *Dinâmica e diferenciação de sistemas agrários;* SEAD/UFRGS. Porto Alegre: Editora da UFRGS, 2009.

MOURA, L. H. G.; LOMBARDI, A. C. Os sistemas agrários no pré-assentamento Oziel Alves II: forças produtivas e manejo da agrobiodiversidade. *VIII Congreso Latinoamericano de Sociología Rural*, Porto de Galinhas, 2010.

NETTO, J. *Introdução ao estudo do método de Marx*. São Paulo: Expressão Popular, 2011.

PETERSEN, P. *et al*. *Método de análise econômico-ecológica de Agroecossistemas*. Rio de Janeiro: AS-PTA, 2017.

S

Para saber mais

EAAL. www.alforja.or.cr/sistem/biblio.html.

FOSTER, J. B. *A Ecologia de Marx* – Materialismo e Natureza. Rio de Janeiro: Civilização Brasileira, 2005.

Nota

1 O conceito de territorialidade busca expressar as relações de poder que se estabelecem sobre o espaço. Por relações de poder podemos entender as narrativas, os projetos, as afirmações históricas, as iniciativas econômicas das diversas classes sociais e grupos em disputa. Um grupo quilombola em luta pelo reconhecimento de uma área, busca afirmar sua territorialidade, contra o território do agronegócio que expulsou essa comunidade, por exemplo. Uma cooperativa agroecológica camponesa afirma uma territorialidade em disputa contra o modelo produtivo, de exploração e de dominação política do agronegócio.

SISTEMA DE CERTIFICAÇÃO AGROECOLÓGICA

Katya Regina Isaguirre-Torres

A preocupação em comprovar a origem da produção surgiu pela exigência da União Europeia e a reformulação de sua política de importação, que se deu pela publicação, no ano de 1991, da *Council Regulation* (CEE 2092). Essa regulamentação estabeleceu padrões de produção, medidas de inspeção e determinou a certificação para a importação, o que influenciou o início dessas discussões nos países exportadores. Posteriormente, a normativa da União Europeia de n. 45011, do ano de 1995, reconheceu que a avaliação da conformidade orgânica seria prestada por um sistema de certificadoras denominado de "terceira parte", composto por empresas privadas ou autoridades públicas que se encarregariam de vistoriar as propriedades e a produção mediante auditoria.

A iniciativa europeia pressionou os países exportadores a elaborarem suas normativas. Nos debates iniciados no Brasil, a partir de 1994, destacavam-se duas posições distintas. A primeira envolvia instituições e organizações de produtores/as voltados/as ao mercado de exportações, os quais defendiam a criação de certificadoras externas as quais realizariam as inspeções por meio de auditoria. A segunda proposta surgia das entidades e sujeitos do movimento agroecológico, o qual evidenciava a necessidade do reconhecimento das estratégias de certificação realizadas por meio da participação direta das agricultoras e agricultores. Também defendiam a não obrigatoriedade da certificação para abastecimento dos mercados locais uma vez que nesses espaços a confiança é gerada pela proximidade entre agricultores/as e consumidores/as.

Os debates e as práticas sociais dos sujeitos do movimento agroecológico resultaram no reconhecimento pela lei dos Sistemas Participativos de Garantia (SPGs) para comprovação da origem e da conformidade da produção. A trajetória do movimento agroecológico nacional é importante não apenas pela institucionalização da certificação participativa, mas sim, por estar integrado nas mobilizações sociais "que enfrentaram tendências históricas de marginalização e precarização das condições de vida dos trabalhadores e das trabalhadoras rurais" (Londres; Monteiro, 2017, p. 80). Suas contribuições, continuam os autores, "demonstram o grande potencial da agroecologia para a construção de um projeto de desenvolvimento alternativo aos padrões predatórios hoje dominantes de ocupação dos territórios" (Londres; Monteiro, 2017, p. 80).

A Lei n. 10.831, de 24 de dezembro de 2003, definiu os sistemas orgânicos de produção agropecuária (art. 1º) e reconheceu os diferentes sistemas de certificação existentes no país (art. 3º, § 2.º) (Brasil, 2003). Essa lei foi a primeira a tratar da agroecologia como um sistema orgânico de produção. O reconhecimento da agroecologia como política pública nacional aconteceu posteriormente, com a publicação do decreto n. 7.794, de 20 agosto de 2012, que estabeleceu a Política Nacional de Agroecologia e Produção Orgânica (Pnapo) (Brasil, 2012). Em complementação à Lei n. 10.831/2003 foi publicado o decreto n. 6.323, de 27 de dezembro de 2007 (Brasil, 2007), o qual criou o Sistema Brasileiro de Avaliação da Conformidade Orgânica (Sisorg), de responsabilidade do Ministério da Agricultura, Pecuária e Abastecimento (Mapa) (Brasil, 2016).

A lei n. 10.831/2003, em seu artigo 3º, estabelece que a comercialização de produtos orgânicos e agroecológicos deve seguir uma metodologia de certificação (Brasil, 2003). O Sistema Sisorg, criado pelo Decreto 6.323/200 (Brasil, 2007), estabelece que a verificação da conformidade da produção pode ser feita através Sistemas Participativos de Garantia da Qualidade Orgânica ou pela Certificação por Auditoria (art. 29, § 2º). A identificação se dá com o uso de um selo que é válido para todo o território nacional (art. 30). O selo permite identificar qual foi o sistema de verificação utilizado.

A certificação por auditoria é aquela forma pela qual se contrata uma empresa certificadora externa ao processo de produção, pública ou privada, a qual se encarregará de todo o processo. E a certificação via Sistemas Participativos de Garantia, é aquela na qual o processo é desenvolvido coletivamente pelas famílias agricultoras, em conjunto com as entidades de assessoria, os quais se reúnem em torno de uma pessoa jurídica, criada para esse fim, que é o Organismo Participativo de Avaliação da Conformidade (Opac). A norma excepciona a certificação para os casos de venda direta (conforme o artigo 28 do Decreto n. 6.323/2007) (Brasil, 2007) e determina o cadastro e a formalização via uma Organização de Controle Social (OCS).[1]

Assim, os SPGs são aqueles sistemas de certificação agroecológica que seguem as regras do Sisorg e do Mapa. No entanto, o significado dos sistemas de certificação agroecológica é mais amplo do que os SPGs. Isso porque os sistemas de certificação agroecológica acolhem os processos e metodologias para criação de redes de reciprocidade e credibilidade das agriculturas familiar e camponesa, independentemente de estarem esses procedimentos já organizados de acordo com o que determina a lei.

Um dos casos pioneiros da certificação agroecológica no país é o desenvolvido pela Rede Ecovida de Agroecologia. Sua metodologia é referência e nasceu da reação à proposta de certificação pela terceira parte do final dos anos 1990. Seu

S

selo foi desenvolvido antes da criação do selo federal do Sisorg. Interessante observar que na descrição da certificação, a Rede Ecovida adverte que o uso do seu selo ressalta "a preocupação com o meio ambiente para além das exigências legais, estímulo à organização das famílias produtoras, incentivo à transformação comunitária dos alimentos, prioridade aos circuitos curtos de comercialização" (Rede de Agroecologia Ecovida, 2020).

Desse exemplo se colhe que os sistemas de certificação agroecológica seguirão as diretrizes para a agricultura "orgânica" previstas no Decreto n. 6.323/2007 (Brasil, 2007) e as diretrizes mais recentes do artigo 3º do Decreto n. 7.794/2012 (Brasil, 2012), que trata da Política Nacional de Agroecologia e Produção Orgânica. No entanto, os grupos têm a liberdade para complementar, ressaltar ou até mesmo criar suas diretrizes. Isso porque os sistemas de certificação agroecológica surgem do agir social e não estão limitados ao que dispõem as normas do Estado. Por exemplo, dentre as finalidades descritas no estatuto da Associação Ecovida de Certificação Participativa se encontra a preocupação em "promover a igualdade de oportunidades e direitos entre homens e mulheres" (Centro Paranaense de Referência em Agroecologia, 2018, p. 2), em complementação ao que estabelece o inciso VII ao art. 3º, da Pnapo (Brasil, 2012).

Essa observação é relevante para recordar que as diretrizes de um sistema de certificação seguem a proposta agroecológica, a qual é construída no debate coletivo e popular das entidades de assessoria à agricultura familiar e camponesa, dos movimentos sociais e das organizações da sociedade civil, dentre outros. Nesses debates, a agroecologia é pensada em sua multidimensionalidade, ou seja, enquanto ciência, técnica e política para a produção de alimentos saudáveis em uma concepção que vai além da mera rentabilidade ou lucratividade.

E assim os sistemas de certificação agroecológica tem em sua essência a defesa de um projeto participativo, de geração de credibilidade, de trocas de experiências e saberes locais e tradicionais, que pensam a alimentação saudável como integrada a um processo de reprodução sociocultural. Os sistemas de certificação agroecológica que surgem do projeto de reforma agrária popular, por exemplo, procuram valorizar experiências de auto-organização desenvolvidas por agricultoras, agricultores, povos originários e tradicionais cujas agriculturas não estão restritas à concepção da agroecologia como um nicho de mercado. Como se lê da Carta política do IV Encontro Nacional de Agroecologia (2018)

> São experiências que resgatam as identidades alimentares regionais e reforçam a noção de comida como patrimônio biocultural e alimentar. Os sistemas alimentares que queremos são aqueles que produzem comida de verdade no campo e na cidade, que valorizam a agrobiodiversidade, os alimentos *in natura* e regionais, com o protagonismo das mulheres, o respeito à ancestralidade negra, indígena e às tradições de todos os povos e comunidades tradicionais, além do resgate das identidades, memórias e culturas alimentares próprias da população brasileira. Comida de verdade não mata nem por veneno, nem por conflito. (p.11)

O reconhecimento pela lei dos sistemas de produção agroecológica foi

S

importante, pois demonstrou a força da ação popular. O desafio dos Sistemas Participativos de Garantia, que são os sistemas de certificação agroecológica autorizados pelo Sisorg, é manter a essência do projeto agroecológico, isto é, de entender a produção de um alimento saudável como um processo socialmente justo e respeitoso dos ciclos da natureza e do bem-estar animal, capaz de evidenciar as contradições do modelo hegemônico de produção agroalimentar vigente. O pensar agroecológico procura restabelecer a conexão com a terra, com a vida, denunciando todas as violências que o modelo hegemônico de produção exportadora promove aos humanos, não humanos, florestas, campos e águas. É pensar na alimentação saudável como um princípio que resguarda os projetos de vida dos/as agricultores/as e, com isso, transmite conhecimento, que se representa na conservação da agrobiodiversidade, das sementes, das culturas.

Para isso, é preciso entender que os sistemas de certificação agroecológica são dinâmicos, se constroem e se reconstroem cotidianamente, pois nascem da troca, da confiança e do diálogo entre sujeitos. Nesse entendimento os sistemas de certificação agroecológica possuem três características. A primeira decorre da afirmação de que o seu objetivo não é apenas fornecer produtos saudáveis para o mercado, mas sim, incentivar a autossuficiência e o respeito aos ecossistemas. A autossuficiência busca garantir a qualidade de vida das famílias e a maior independência do mercado. O respeito ao ecossistema consiste em valorizar o manejo e o uso de técnicas que articulem agricultura e florestas, por exemplo, ou que incentivem experiências de menor impacto ambiental e de conservação da agrobiodiversidade. Ou seja, experiências que sejam capazes de reconectar gentes, natureza e culturas.

A segunda característica é o diálogo de saberes. Nas visitas técnicas que são feitas para verificar a regularidade das áreas agroecológicas, por exemplo, há uma preocupação em garantir efetivas condições de participação para todas e todos os envolvidos. É, portanto, uma construção coletiva, na qual o saber técnico e os saberes populares se encontram, sem prevalência de um sobre o outro, mas sim, que procura valorizar a experiência da troca de conhecimentos para sua multiplicação e continuidade. A terceira característica consiste na promoção das redes de credibilidade, isto é, de criar laços de confiança entre as famílias agricultoras e os grupos consumidores, buscando alternativas de comercialização que aproximem campo-cidade tais como os circuitos curtos, as vendas de cestas, as feiras e a participação nos programas de compras públicas [ver Construção Social de Mercados; Compras Públicas de Alimentos].

Por essas características se pode dizer que o sistema de certificação agroecológica é um processo comunicacional, que estabelece no diálogo de saberes a aprendizagem que dá condições à execução de projetos de vida. Seu sentido é o de estimular a autonomia. Para falar de autonomia vale recordar os ensinamentos de Paulo Freire, para o qual a prática educativa-crítica é aquela que se preocupa com a construção da liberdade, a qual irá preencher o espaço antes ocupado pela dependência e, que nos dá a condição de viver a experiência de nos assumirmos como seres pensantes e transformadores, criadores e realizadores de sonhos (Freire, 1996, p. 19).

O objetivo de um sistema de certificação agroecológico é o de demonstrar que a produção de um alimento saudável não está restrita a mera adaptação dos espaços de produção das áreas rurais ao que determinam os padrões de controle das instruções normativas, isto é, ele estimula repensar a área rural como um todo. Nessa linha de raciocínio, é possível dizer que suas práticas pensam a transição agroecológica como uma forma de atender ao argumento constitucional da função social, que aqui se concentra na terra e não na forma abstrata da propriedade, seguindo o pensamento de Carlos Frederico Marés (2003).

Em resumo, os sistemas de certificação agroecológica são estratégias de aprendizagem comunicacional em defesa da agrobiodiversidade e da vida, que estimulam a reflexão acerca do que, como e para quem produzir. Por fim, o selo de um sistema participativo que comprova a origem agroecológica é muito mais do que um produto livre de agrotóxicos, seu núcleo reside na transformação socioambiental da política agroalimentar, na defesa da reforma agrária popular, na promoção da soberania e da segurança alimentar e nutricional e do respeito ao direito humano e fundamental à alimentação adequada e culturalmente adaptada.

Referências

BRASIL. Ministério da Agricultura, Pecuária e Abastecimento. *Produção orgânica*. 2016. Disponível em: http://www.agricultura.gov.br/acesso-a-informacao/acoes-e-programas/cartas-de-servico/desenvolvimento-agropecuario-cooperativismo-e-associativismo-rural/producao-organica. Acesso: 3 set. 2019.

_______. Presidência da República. Casa Civil. Subchefia para Assuntos Jurídicos. *Decreto n. 6.323, de 27 de dezembro de 2007*. Regulamenta a Lei n. 10.831, de 23 de dezembro de 2003, que dispõe sobre a agricultura orgânica, e dá outras providências. Disponível em: http://www.planalto.gov.br/ccivil_03/_ato2007-2010/2007/decreto/d6323.htm. Acesso em: 1 abr. 2021.

_______. Presidência da República. Casa Civil. Subchefia para Assuntos Jurídicos. *Decreto n. 7.794, de 20 de agosto de 2012*. Institui a Política Nacional de Agroecologia e Produção Orgânica. Disponível em: http://www.planalto.gov.br/ccivil_03/_ato2011-2014/2012/decreto/d7794.htm. Acesso em: 1 de abr. 2021.

_______. Presidência da República. Casa Civil. Subchefia para Assuntos Jurídicos. *Lei n.10.831, de 23 de dezembro de 2003*. Dispõe sobre a agricultura orgânica e dá outras providências. Disponível em: http://www.planalto.gov.br/ccivil_03/leis/2003/L10.831.htm. Acesso em: 2 set. 2019.

CENTRO PARANAENSE DE REFERÊNCIA EM AGROECOLOGIA. Estatuto da Associação Ecovida de Certificação Participativa. 2018. Disponível em: http://www.cpra.pr.gov.br/arquivos/File/Rede_Ecovida_-_Documentacao/01EstatutoSocial.pdf. Acesso em: 3 set. 2019.

ENCONTRO NACIONAL DE AGROECOLOGIA, 4., 2018, Belo. *Carta política [do] IV ENA*: agroecologia e democracia unindo campo e cidade. Rio de Janeiro: AS-PTA: Articulação Nacional de Agroecologia - ANA, 2018. 47 p. Disponível em: http://enagroecologia.org.br/files/2019/03/carta_politica_web.pdf. Acesso em: 1 abr. 2021.

FREIRE, P. *Pedagogia da Autonomia*: saberes necessários à prática educativa. São Paulo: Paz e Terra, 1996. Disponível em: https://nepegeo.paginas.ufsc.br/files/2018/11/Pedagogia-da-Autonomia-Paulo-Freire.pdf. Acesso em: 1 abr. 2021.

LONDRES, F.; MONTEIRO, D. Pra que a vida nos dê flor e frutos: notas sobre a trajetória do movimento agroecológico no Brasil. *In*: SAMBUICHI, R. H. R. *et al.* (org.). *A política nacional de agroecologia e produção orgânica no Brasil*: uma trajetória de luta pelo desenvolvimento rural sustentável. Brasília: Ipea, 2017, p. 53-83. Disponível em: http://repositorio.ipea.gov.br/bitstream/11058/8805/1/Pra%20que%20a%20vida.pdf. Acesso em: 1 abr. 2021.

MARÉS, C. F. *A função social da terra*. Porto Alegre: Sérgio Antônio Fabris Editor, 2003.

REDE ECOVIDA DE AGROECOLOGIA. *Certificação*: Histórico de participação da rede no marco regulatório da lei federal. Disponível em: http://ecovida.org.br/certificacao/. Acesso em: 3 set. 2020.

Para saber mais

ENGELMANN, S. *O papel da reforma agrária popular no Brasil*. 2016. Disponível em: https://mst.org.br/2016/09/26/o-papel-da-reforma-agraria-popular-no-brasil/. Acesso em: 1 abr. 2021.

S

ISAGUIRRE-TORRES, K. R. *Sistemas participativos de garantia*: os sujeitos da ruralidade e seus direitos na sustentabilidade socioambiental. 269 f. Tese (Doutorado em Meio Ambiente e Desenvolvimento). Setor de Ciências da Terra, Universidade Federal do Paraná, Curitiba, 2012. Disponível em: https://www.acervodigital.ufpr.br/bitstream/handle/1884/27440/R+-+T+-+ISAGUIRRE-TORRES,+KATYA+REGINA.pdf?sequence=1. Acesso em: 3 set. 2019.

Nota

1 "Para o cadastro da OCS, ela deve estar ativa, possuir formas de controle e registro de informações que sejam capazes de assegurar a qualidade orgânica dos produtos e identificar claramente que produtor é responsável por cada produto. Além disso, devem estar descritas as formas de controle social que serão adotadas pelo grupo. Os produtores assinam um Termo de Compromisso juntos, comprometendo-se a atender à Lei n. 10.831/03 (Brasil, 2007), ao Decreto n. 6.323/07 (Brasil, 2007) e aos demais regulamentos da produção orgânica em vigor. Como grupo, todos se responsabilizam por todos. Após o cadastramento da Organização de Controle Social (OCS), o produtor será inserido no Cadastro Nacional de Produtores Orgânicos e receberá uma Declaração de Cadastro de Produtor vinculado a OC" (Brasil, 2016).

SISTEMATIZAÇÃO DE EXPERIÊNCIAS AGROECOLÓGICAS

Cristhiane Oliveira da Graça Amâncio
Natália Almeida Souza

A Educação Popular recorre à *sistematização de experiências* como recurso pedagógico para a construção da autonomia e das capacidades de contraposição à condição de exclusão e opressão que as classes populares vivenciam cotidianamente. Tendo isso em vista, este verbete tratará da sistematização de experiências em agroecologia.

No Brasil são inúmeras as experiências protagonizadas por agricultores, agricultoras, povos das águas e das florestas cuja relação com a natureza e suas formas de produção de alimento tecem a história biocultural de nosso povo. Em uma perspectiva biocultural, cabe entender que as atividades de transformação da natureza, especialmente para a alimentação, não separam o ser humano e a natureza. Sob este viés as relações entre práticas biológicas e práticas sociais, capacidade de adaptação e resiliência. São diferentes trajetórias, estratégias e percursos que resistem e se contrapõem a práticas de ordenamento social e econômico excludente que, seja na cidade seja no campo, prevalece em diferentes contextos. As iniciativas em marcha tecem grande diversidade de práticas pedagógicas formais e não formais compondo um rico quadro a partir do qual a agricultura vem sendo ressignificada no cotidiano de múltiplas práticas nas quais o alimento é o ponto de encontro para inúmeras camadas de diálogos, reflexões e ações possíveis.

Ao compreender que estas experiências são singulares nas suas expressões, surge então a necessidade de, em um processo de análise e acúmulos com e a partir delas, recontá-las de maneira a aprender a partir de sua trajetória, suas singularidades e semelhanças, sem perder de vista suas estratégias criativas e os desafios ainda a transpor. Recuperar memórias vividas a partir da fala daquelas/es que a experienciaram consiste então em uma abordagem sensível de interação entre os sujeitos, implica ainda em organizar de maneira gráfica (escrita ou não) os processos relacionados à experiência em uma dinâmica de produção coletiva de conhecimentos. Portanto, não é possível sistematizar sem a presença e participação ativa de quem vivenciou as histórias, pois sem a prática social da vivência não há sentido na práxis,[1] e é somente nela que a aprendizagem se constrói, é nela que os sujeitos se constituem.

A sistematização de experiências – quando o corpo se transforma em corpo percebedor

Na América Latina, com o enraizamento de práticas populares de educação pautadas na participação ativa dos sujeitos, na contextualização da percepção de mundo, na valorização das práticas concretas dos povos, de seus conhecimentos, de suas culturas e de seus saberes, em grande parte possíveis pela oralidade, foram se consolidando práticas pedagógicas da práxis, da autonomia e da perspectiva da ação crítica sobre a realidade. Ao considerarem a complexidade das experiências interculturais vivenciadas, um grupo de educadores populares comprometidos com uma rede de educação popular na América Latina e Caribe tem se empenhado em aprender com o processo vivido nas experiências experimentadas e reconhecer a multiplicidade de vozes e percepções sobre elas. Ou seja, romper com a forma convencional de síntese das experiências em que diferentes visões são apenas reunidas em uma percepção geral, comumente retratada pela fala dominante no grupo, e olhar a partir do interior da experiência, gerando condições pedagógicas que permitam a análise e a apreensão da realidade e a construção de capacidade de ação para transformá-la. A este processo social chamamos de Sistematização de Experiências. As primeiras rodas de sistematização na perspectiva da educação popular foram registradas na década de 1960, em países Latino-Americanos, inspirados em uma práxis da experiência popular de construção do conhecimento. No Brasil, ela toma corpo em 1972, no Seminário Latino-Americano de Serviço Social. Nos últimos 20 anos, podemos citar vários sujeitos inspiradores desta proposta, entre elas temos Elza Falkembach, João Francisco Souza, a dedicação na práxis da Confederação Nacional dos Trabalhadores na Agricultura entre outras experiências de movimentos sociais ligados à agroecologia e agricultura familiar como a Articulação Nacional de Agroecologia [VER ARTICULAÇÃO NACIONAL DE AGROECOLOGIA].

Assim, é pré-condição para a sistematização de experiências que as/os envolvidas/os nas atividades sistematizadoras tenham participado dela e compreendam que os resultados identificados e percebidos são legítimos e devem ser considerados, reconhecidos e respeitados independente dos interesses específicos que estejam em jogo. Ou seja, sistematizar experiências envolve uma análise crítica

S

e sensível das próprias práticas e, apesar de, em grande medida, tratar de acertos, ela também aponta limites e fragilidades que merecem ser percebidas e acolhidas por suas/seus protagonistas. A sistematização de experiências desempenha um papel objetivo de provocar o exercício da reflexão sobre a ação refletida de maneira que, para além da avaliação, ela permita o desenvolvimento de capacidades e de fortalecimento identitário nos sujeitos das histórias. Dito isto, sistematizar experiências à luz da educação popular estabelece processos de animação e de facilitação orientado por sujeitos.

Para que a sistematização de experiências tenha legitimidade e contribua com o desenvolvimento da capacidade crítica dos sujeitos recomenda-se que facilitadores e participantes pactuem compromissos éticos e estéticos que envolvem a escuta profunda, a empatia, o respeito à diversidade, a autorreflexão, a autocrítica e a disponibilidade à mudança. Além dessas dimensões, a confiança é fator preponderante. Narrativas de fatos, sentimentos, reações que no processo de sistematização de experiências podem emergir em um grupo nem sempre são objetivados, esperados, pois, o "recontar de uma experiência" se dá na externalização do que ela significou para quem a viveu, na polissemia dos acontecimentos e valores atribuídos a ela. O ato de produzir e dar sentido ao que foi vivido acontece dentro das categorias analíticas, temáticas ou perguntas geradoras compartilhadas por um determinado grupo social. Dito de outra maneira é importante reforçar que a sistematização não pode ser confundida com uma síntese descritiva ou mesmo etnográfica, sem demérito algum destas outras formas de visibilização de experiências.

Portanto, sistematizar experiências a partir das abordagens populares assume pelo menos quatro dimensões, sendo elas: *epistemológica*, pois há produção do conhecimento gerada por quem vivenciou o processo (pluriepistemologias); ética, pois o instrumento de investigação é utilizado por quem também viveu a experiência para, enfim, gerar conhecimento identitário que requer do outro o respeito e a legitimidade das múltiplas vozes; *política*, pois oportuniza com os sujeitos envolvidos espaços de comunicação e diálogo, e a partir deles aprender; *pedagógica*, pois é pelo processo percorrido pelos sujeitos da experiência, confrontando lógicas e interpretações diferenciadas, que a apropriação acontece (Jara, 1994).

Acrescentamos ainda a dimensão êmica própria da práxis da educação popular,[2] onde a sistematização de experiências contribui para o processo de valorização, afirmação e, muitas vezes, de ressignificação da cultura em um dado território. Pois, entre suas estratégias e objetivos se propõe a produzir narrativas, valorizar linguagens e sentidos pelas/pelos participantes ativas/os das experiências. Assim, a sistematização de experiências ocorre em um ambiente de contato/com tato e de desconforto pedagógico, pois é, justamente, nas contradições, nas incompletudes e nas ausências que a consciência se abre para o novo e rompe.

> Experiências radicais de ser, carregadas de sabedoria e lida, precisam virar letra, palavra e página para compor história. Para não se perderem em cacos – de mim, de nós, de vida –, precisam ser registradas. Para se constituírem em cenário humano e rumo, significando o estar no mundo. (Falkembach, 1995b)

Neste sentido, a sistematização diz respeito a um conjunto de processos pedagógicos e não se limita à realização de uma metodologia em relação a outra. Portanto, é importante ter claro qual será o recorte da experiência que será objeto de análise a ser sistematizado, se existem referenciais teóricos ou práticas populares que sejam pontos de partida, dados secundários ou informações de apoio sobre o objeto da sistematização, definir questões geradoras e princípios nos quais seja possível navegar pelo rio de histórias (Ghiso, 1998).

Para auxiliar no exercício metodológico da sistematização, orientamos como procedimento alguns passos em complemento aos pressupostos já enunciados: 1) definição objetiva sobre o que sistematizar; 2) a construção de um roteiro com as perguntas que permitam aprender sobre o processo vivido; 3) recuperar/rememorar/recontar o processo vivido a partir das múltiplas narrativas e escutas; 4) provocar a dúvida circunstancial, por que aquilo aconteceu daquela forma? Quando aconteceu? Onde aconteceu? Como me/nos senti/sentimos com o/os fato/s?; 5) onde chegamos?; 6) quais os caminhos possíveis para continuidade daquilo que foi considerado como positivo para o grupo? (Jara, 1990; 1994; 2012)

Por ser um processo que privilegia as subjetividades e suas expressões, o cuidado metodológico torna-se um diferencial para a qualidade do resultado. A interpretação exige esforço da equipe de facilitação, em que a leitura tende a apresentar diferentes pontos de vista sob um mesmo objeto (objeto/real, objeto/percebido, objeto construído). Assim, por entender que a sistematização de experiências enquanto estratégia de construção coletiva do conhecimento intencionalmente planejada há a necessidade de ruptura reflexiva tanto com o senso comum (agarra-se ao objeto percebido) quanto com o conhecimento da ciência (apropriar-se do objeto/construído).

A sistematização de experiências, então, pode ser entendida também como um processo de pesquisa e investigação aplicada ao processo de mudanças sociais (Veronese, 1998). Falkembach (1995a) nos provoca a pensar a sistematização como uma possibilidade, uma ferramenta apropriada e apropriável para a recuperação e reflexão do viver compartilhado. Aprofundar as conexões e reflexões críticas sobre o processo de sistematização comprometido com a realidade parece ser o maior alicerce dessas ações pedagógicas orientadas pela educação popular, entende-se que pesquisar, sistematizar e avaliar são três pilares sustentadores do processo de autonomia e de liberdade. Ou seja, a sistematização diz respeito a histórias e casos, mas implica entender o processo de construção dos acontecimentos, os tempos envolvidos, as relações entre pessoas e fatos, as influências dos ambientes, dos territórios e externo a eles, identificar o fio condutor da experiência, os elos que uniram seus viventes e a partir desta percepção estrutural tirar lições para desafios vindouros bem como dividir com outros grupos seus resultados sempre com o compromisso popular da ampliação das capacidades dos sujeitos do campo, das águas, das florestas e das cidades.

Sistematização de experiências agroecológicas

No Brasil, a sistematização é uma prática presente no movimento agroecológico, da economia solidária, no movimento feminista e nos coletivos de educação popular, e vem sendo, cada vez mais, incorporada como prática de organização, reflexão crítica e apontamento de ações que possam redirecionar estrategicamente projetos, programas e ações, no âmbito das organizações sociais ou do governo. Foram muitas as experiências de sistematização realizadas nas últimas duas décadas, contudo, gostaríamos de compartilhar algumas iniciativas recentes de sistematização que nos ajudam a compreender os processos participativos em curso nos territórios que desenvolvem a agroecologia. Dentre as diversas possibilidades, apresentamos cinco dessas iniciativas, a primeira visa dar visibilidade a resultados da sistematização e as demais a experiências de sistematização em si que apostaram no caminho metodológico participativo para refletir sobre suas práticas em diferentes contextos, e trabalhando sob diferentes processos e intencionalidades, para ilustrar os elos entre o método da sistematização e a agroecologia e registrar esses importantes afluentes na história da construção do conhecimento agroecológico, sendo elas:

1) *Revista Agriculturas:* a revista – lançada em 2011 – está articulada a uma rede internacional (*AgriCultures Network* – a rede possui membros no Brasil, China, Índia, Quênia, Holanda, Peru e Senegal) e procura identificar, a partir de chamadas temáticas, experiências de agroecologia e a incentivar a sistematização destas experiências a partir de publicação de artigos pequenos ilustrados e em linguagem simples, mantendo, contudo, a profundidade da temática.

2) *Sistematização da experiência pedagógica de formação de jovens em Meio Ambiente e Saúde:* a experiência de sistematização do Curso Técnico em Meio Ambiente com ênfase em Saúde Ambiental das Populações do Campo (CTMA) realizado pela Escola Politécnica de Saúde Joaquim Venâncio (EPSJV) (2017) em parceria com a Universidade Federal do Ceará e o Movimento dos Trabalhadores Rurais Sem Terra, tendo como horizonte, além de todo o processo formativo de jovens rurais, incidir sobre a implementação da Política Nacional de Saúde Integral das Populações do Campo, da Floresta e das Águas. O curso foi realizado entre 2012 e 2013 e o processo de sistematização foi gestado durante 2014 a 2017 gerando publicações e desdobramentos importantes para as organizações que participaram.

3) *Sistematização intercâmbio de conhecimentos em sistemas agroflorestais:* Realizado pela Empresa Brasileira de Pesquisa Agropecuária (Embrapa) com objetivo de sistematizar e promover o intercâmbio de conhecimentos sobre o uso atual de Sistemas Agroflorestais (SAF) por agricultores familiares no bioma Mata Atlântica das regiões Sul e Sudeste (Brasil, 2019). O projeto – realizado entre 2016 e 2019 – busca construir uma rede de intercâmbio de conhecimentos em SAFs, disponibilizar um conjunto de informações e dados sobre os principais gargalos enfrentados pelos agricultores e algumas soluções e/ou experiências exitosas, oferecer subsídios para melhorias na legislação e políticas públicas e indicar temas prioritários e abordagens metodológicas participativas para novos programas e projetos.

4) *Sistematização de redes de agroecologia do Programa Ecoforte:* Com o objetivo de percorrer 28 redes aprovadas pelo Edital realizado pela Fundação Banco do Brasil e pelo BNDES, o projeto – também em desenvolvimento – busca caracterizar

e compreender as dinâmicas das redes territoriais construídas com a proposta de intensificação das práticas de manejo sustentável de produtos da sociobiodiversidade e de sistemas produtivos orgânicos e de base agroecológica nas cinco regiões do país. A sistematização é organizada em três níveis que, imersos nas diversas experiências, buscam, entre outros resultados, identificar a incidência das políticas públicas nos territórios onde os projetos foram executados e articulação entre as políticas públicas. Até 2019, como parte do processo de sistematização, a Articulação Nacional de Agroecologia (ANA) havia publicado 22 números dos Boletins sobre Tecnologias Sociais em Agroecologia, que formam a Coleção *Teia Agroecológica* (2019). Fruto dos processos sistematizadores que o projeto promoveu, mediados por círculos de cultura, rodas de conversa e resgate histórico do processo inovativo da geração/adaptação das tecnologias, obteve-se a síntese materializada na forma de boletins.

5) *Sistematização dos núcleos de agroecologia no Brasil:* O projeto "Sistematização de experiências, construção, socialização de conhecimentos e práticas relacionados à Agroecologia – O protagonismo dos Núcleos e Rede de Núcleos de Estudo em Agroecologia (NEA e R-NEAS) das universidades públicas brasileiras". O projeto foi desenvolvido pela Associação Brasileira de Agroecologia (ABA-Agroecologia) entre os anos de 2015 e 2017 e se propôs a analisar criticamente as práticas dos Núcleos e Redes de Núcleos de Agroecologia (NEAs e R-NEAs) a partir do processo de sistematização participativa de suas experiências e extrair lições que apontem para a proposição e reformulação de políticas públicas de construção do conhecimento agroecológico, para o aperfeiçoamento das chamadas públicas de projetos de fomento à agroecologia e, enfim, para o aprimoramento e a ampliação da agroecologia no país. Como produtos dessa sistematização, foram produzidos vídeos, uma biblioteca virtual (Associação Brasileira de Agroecologia, 2021), uma edição especial da *Revista Brasileira de Agroecologia* (Cardoso et al., 2018), e um Caderno de Metodologias (Biazoti; Almeida; Tavares, 2017), inspirado nas ações dos NEAs.

Em complemento, ainda que sejam de natureza e construções políticas distintas e diversas, as Jornadas de Agroecologia realizadas no Paraná, os Encontros Nacionais de Agroecologia e os Congressos Brasileiros de Agroecologia são ambientes potenciais de sistematização de experiências. Tendo em vista todas as ressalvas apresentadas acima, a publicação dos anais, suas cartilhas e demais materiais de apoio não implicam, por si, processos de sistematização, mas representam terrenos férteis para que análises, estudos e processos participativos de sistematização sejam realizadas dado a riqueza de suas articulações e da produção coletiva de seus conteúdos preparatórios e resultantes de suas dinâmicas.

Por fim, a Sistematização de Experiências é mais um recurso da educação popular que complementa o percurso pedagógico de conscientização preconizado por Freire (1979; 1999; 2011), importante estratégia para construção de autonomia, desenvolvimento da faculdade crítica e percepção estrutural com os sujeitos da ação para que com ela seja possível promover mudança social e ruptura da cultura do silêncio em um contexto em que as classes populares encontram-se desprovida de vozes, reconhecimento e capacidades de reprodução social.

Referências

ASSOCIAÇÃO BRASILEIRA DE AGROECOLOGIA (ABA). *Varal de Saberes*. Disponível em: https://aba-agroecologia.org.br/projeto-neas/varal-de-saberes. Acesso em: 2 abr. 2021.

BRASIL. Ministério da Agricultura, Pecuária e Abastecimento. Empresa Brasileira de Pesquisa Agropecuária (Embrapa). *Sistematização participativa de experiências e intercâmbio de conhecimentos em sistemas agroflorestais voltados à agricultura familiar em regiões da Mata Atlântica no sul e sudeste do Brasil*. 2019. Disponível em: https://www.embrapa.br/busca-de-projetos/-/projeto/210247/sistematizacao-participativa-de-experiencias-e-intercambio-de-conhecimentos-em-sistemas-agroflorestais-voltados-a-agricultura-familiar-em-regioes-da-mata-atlantica-no-sul-e-sudeste-do-brasil. Acesso em: 2 abr. 2021.

ESCOLA POLITÉCNICA DE SAÚDE JOAQUIM VENÂNCIO (EPSJV). *Curso técnico em meio ambiente:* Tramas e Tessituras, Rio de Janeiro: EPSJV, 2017. [Publicação em cinco fascículos]. *Cooperação:Movimento dos Trabalhadores Rurais Sem Terra; Núcleo Tramas (trabalho, meio ambiente e saúde) - Universidade Federal do Ceará; Universidade Federal da Fronteira Sul, Campus Laranjeiras do Sul; Centro de Desenvolvimento Sustentável e Capacitação em Agroecologia*. Disponível em: http://www.epsjv.fiocruz.br/series/livros/732. Acesso em: 2 abr. 2021.

REVISTA AGRICULTURAS. Rio de Janeiro: AS-PTA. Agriculturas: experiência em agrologia. Disponível em: aspta.org.br/revista-agriculturas/. Acesso em: abr. 2021.

BIAZOTI, A.; ALMEIDA, N.; TAVARES, P. (org.) *Caderno de metodologias:* inspirações e experimentações na construção do conhecimento agroecológico. 1. ed. Viçosa: UFV, 2017. Disponível em: https://base.socioeco.org/docs/d630d9ab58ff88e3b2b3ae1b63e95fed.pdf. Acesso em: 2 abr. 2021.

CARDOSO, I. M. *et al.* Edição Especial: Sistematização Participativa das Experiências dos Núcleos de Estudos em Agroecologia. *Revista Brasileira de Agroecologia*. v. 13, n. 1, jan. 2018. Disponível em: http://revistas.aba-agroecologia.org.br/index.php/rbagroecologia/issue/view/116. Acesso em: 2 abr. 2021.

FALKEMBACH, E. *A história da formação para a sistematizacão no Spep*, Seminário Permanente de Educação Popular, Unijuí, Ijuí, 1995a.

_______. Sistematização ... juntando cacos, construindo vitrais. *Cadernos Unijuí*, Ijuí (RS), n. 23, 1995b. Disponível em: https://edisciplinas.usp.br/pluginfile.php/3139554/mod_resource/content/1/Juntando%20cacos%2C%20construindo%20vitrais%20-%20Elza%20Maria%20Fonseca.pdf. Acesso em: 2 abr. 2021.

FREIRE, P. *Conscientização*: teoria e prática da libertação: uma introdução ao pensamento de Paulo Freire. São Paulo: Cortez & Moraes, 1979.

_______. *Educação como prática da liberdade*. 23ª ed. Rio de Janeiro: Paz e Terra, 1999.

_______. *Pedagogia da autonomia:* saberes necessários à prática educativa. 43. ed., São Paulo: Paz e Terra, 2011.

GHISO, A. *De la práctica singular al diálogo con lo plural:* aproximaciones a otros tránsitos y sentidos de la sistematización en épocas de globalización. Ponencia para el Seminario Latinoamericano: Sistematización de Prácticas de Animación Sociocultural y Participación Ciudadana. Medellín. Agosto, 1998. Biblioteca virtual de sistematización/Programa Latinoamericano de apoyo a la Sistematización del CEAAL. Disponível em: http://www.cepalforja.org/sistem/bvirtual/?p=661 Acesso em: 2 abr. 2021. Acesso em: 2 abr. 2021.

JARA, O. *Investigación participativa:* Una dimensión integrante del proceso de educación Popular, Serie Pensando la Educación Popular, n. 3, San José: Alforja, nov. 1990.

_______. *Para sistematizar experiencias:* una propuesta teórica y práctica. San José: Alforja,1994.

_______. *A sistematização de experiências:* prática e teoria para outros mundos possíveis. Tradução Luciana Grafée e Sílvia Pinevro. Colaboração Elza Maria Fonseca Falkembach. Brasília: CONTAG, 2012.

TEIA AGROECOLÓGICA: Boletins sobre Tecnologias Sociais em Agroecologia. Rio de Janeiro: Articulação Nacional de Agroecologia (ANA), 2019. Disponível em: https://agroecologia.org.br/2019/05/23/boletins-sobre-tecnologias-sociais-em-agroecologia/. Acesso em: 2 abr. 2021.

VERONESE, C. *A experiência de sistematizacão do SPEP – Unijui Brasil*. Ponencia para el Seminario Latinoamericano: Sistematización de Prácticas de Animación Sociocultural y Participación Ciudadana. Medellín. Ago. 1998. Biblioteca Virtual de Sistematización/Programa Latinoamericano de Apoyo a la Sistematización de CEAAL. Disponível em: http://www.cepalforja.org/sistem/bvirtual/?p=714. Acesso em: 2 abr. 2021.

S

Notas

1 *Práxis* não significa prática. A prática é o conjunto de ações que desempenhamos na vida e a *práxis* é o processo pelo qual desenvolvemos nossa consciência e, por consequência, nossa relação com a prática. A *práxis* só é possível por meio da relação entre nossa reflexão crítica sobre a prática e a

conversão em ações mais conscientes e renovadas. A isso temos a máxima freireana de compor um círculo virtuoso de prática-teoria-prática ou ação-reflexão-ação (Freire, 1979; 1980; 1996).

2 Categoria de análise da filosofia e da antropologia que se refere ao estudo da cultura ou da visão interna, própria de um grupo de acordo com o olhar daquele que o vivenciou. Os aspectos êmicos da prática da educação popular e metodologias participativas desempenham o papel de dar voz às vozes que não apenas a dos mediadores ou agentes animadores da intervenção e, mais que dar voz, aprender com elas e a partir delas estabelecer estratégias de superação de desafios vividos (Amâncio, 2019 – comunicação oral).

SOBERANIA E SEGURANÇA ALIMENTAR E NUTRICIONAL

Islandia Bezerra

Historicamente, o tema da alimentação (*sobre ela* e *em torno dela*) mobiliza disputas nas distintas esferas da sociedade (atores sociais e agentes econômicos) (Maluf, 2015), além do campo da produção do conhecimento. Estes movimentos de disputas vêm, ao longo dos anos, promovendo transformações importantes no sistema agroalimentar – desde a produção até o consumo. Isso porque os alimentos (e/ou preparações), com todos os seus nutrientes, mas também com todos seus simbolismos, são considerados energia "vital" para o crescimento e o desenvolvimento humano.

Tal energia é extremamente necessária para atender às distintas necessidades fisiológicas, por exemplo, em termos de macro e micronutrientes, mas "vital" também pela sua capacidade de atuar no campo psicológico, com suas representações simbólicas no cotidiano da vida em sociedade.

É a partir dessa compreensão do *alimento* [ver Alimento] que este texto traz elementos para a definição da Soberania e Segurança Alimentar e Nutricional (SSAN), estabelecendo, portanto, um diálogo com outras dimensões da vida em sociedade, considerando especialmente a natureza como parte indissociável desse processo. É importante considerar, na trajetória dos sistemas agroalimentares, o papel dos agentes econômicos e/ou grandes corporações que, de forma muito direta, interferem e ditam as "normas" de funcionamento desde a produção, processamento, distribuição (logística, transporte, armazenamento), comercialização, acesso e consumo, até o aproveitamento biológico e fisiológico dos nutrientes. Sua atuação no sistema global é fazer com que a sociedade atribua aos alimentos a compreensão de que são, meramente, mercadorias. Desse modo, só se come se existe a possibilidade do pagamento. A questão discutida aqui é atribuir ao alimento a sua função vital básica, que diz respeito à sobrevivência humana, portanto, se trata de um direito.

S

A soberania alimentar: diálogos e convergências em construção

A soberania alimentar é uma definição que se originou no movimento da Via Campesina (Via Campesina Internacional, 2001) [VER LA VIA CAMPESINA], mais especificamente em 1996, e foi referendada no Fórum Mundial de Soberania Alimentar, em 2001. A sua proposta nasceu como uma estratégia de enfrentamento às políticas neoliberais, nas quais predomina o poder decisório das grandes corporações do sistema agroalimentar mundial, que, por sua vez, impõem aos países uma série de medidas que fragilizam (e muitas vezes acabam com) a autossuficiência dos povos. Atrelado a isso, essas políticas também atuam para a diminuição do papel regulador do Estado. A Via Campesina possibilita o debate da soberania alimentar, em âmbito global, como legítimo e necessário. No contexto neoliberal, essas macropolíticas destroem a natureza, dizimam e expropriam povos originários, comunidades tradicionais e comunidades pesqueiras dos seus territórios e também comunidades rurais. Esses resultados, por sua vez, reverberam nas cidades, nos médios e grandes centros urbanos, e influenciam diretamente as práticas de produção e o consumo de alimentos.

> A Soberania Alimentar é o direito dos povos de definir suas próprias políticas agropecuárias e de alimentação, bem como de proteger e regulamentar a produção agropecuária e o mercado nacional objetivando alcançar o desenvolvimento sustentável. [...] a soberania alimentar não nega o comércio internacional, porém defende a opção de formular políticas e fomentar práticas comerciais que sirvam aos direitos das populações, disponibilizando métodos e produtos alimentícios inócuos, nutritivos e ecologicamente sustentáveis. (Via Campesina Internacional, 2001)

Posteriormente, em 2007, na Declaração de Nyéléni, documento final do Fórum Mundial pela Soberania Alimentar, realizado em Mali, tem-se uma complementação "[...] a soberania alimentar é um direito dos povos a alimentos nutritivos e culturalmente adequados, acessíveis, produzidos de forma sustentável e ecológica, e seu direito de decidir seu próprio sistema alimentar e produtivo" (Fórum Mundial pela Soberania Alimentar, 2007). As inserções evidenciam fortemente o papel das famílias camponesas frente aos desafios de dar concretude à soberania alimentar nas práticas cotidianas, uma vez que se atribui uma valorização à dimensão da cultura alimentar. Do mesmo modo, enfatizam a responsabilidade de produzir de forma sustentável e ecológica.

McMichael (2016) afirma que a Via Campesina, ao pautar a soberania alimentar como uma das suas bandeiras de luta, "defende a reterritorialização de Estados por meio da revitalização das ecologias alimentares locais e do reconhecimento dos direitos das pessoas à terra" (p. 86). A *agroecologia* [VER AGROECOLOGIA], então, assume um protagonismo nessas estratégias de enfrentamento ao modelo que prioriza as políticas neoliberais e garante, neste cenário, uma atuação mais democrática e com representatividade de gênero, proporcionando às mulheres o reconhecimento por sua atuação nesse campo.

Para além da construção e concepção de um conceito, para os movimentos do campo (e alguns da cidade) a *soberania alimentar* passa a ser um princípio capaz de materializar a produção, o acesso e o consumo de alimentos saudáveis e nutritivos, estando na sua essência a autonomia dos povos em decidir o que plantar e como plantar, fazendo com que – no seu território – sejam desenvolvidas estratégias que, em alguma medida, desestruturem a atual "ordem" do sistema capitalista, que reproduz a lógica do alimento como mera fonte de lucro.

Tais práticas não são restritas aos componentes da agricultura e pecuária, passam também por estabelecer outras lógicas comerciais, fomentando assim a *construção social dos mercados* [VER CONSTRUÇÃO SOCIAL DOS MERCADOS]. Ao trazer esta dimensão para o debate, se possibilita incentivar e proteger mercados locais, regionais e nacionais, que por sua vez fomentam o dinamismo econômico mediante, também, a geração de trabalho e renda. Desse modo, o acesso a uma alimentação culturalmente referenciada e baseada em práticas alimentares promotoras da saúde (da sociedade e da natureza) passa a ser uma realidade. E, além disso, são estabelecidas relações equilibradas com a natureza, reiterando a agroecologia como ciência, prática e/em movimento.

A Soberania Alimentar e outras dimensões

Em sua *Declaración final de la cumbre de los pueblos – "Fuera OMC, construyendo soberanía"*, a *Coordinadora Latinoamericana de Organizaciones del Campo* (Cloc) (2017) afirma que é necessário formar uma frente internacional para confrontar o poder corporativo, sobretudo como mecanismo de defesa nos (e dos) territórios, que por sua vez são violados, explorados, saqueados e, em alguma medida, dizimados. Desse modo, a declaração afirma a importância do compromisso dos movimentos camponeses nos processos de globalizar as lutas nos enfrentamentos e também de fortalecer os laços até então construídos.

Outro aspecto também discutido na declaração diz respeito à necessidade de ocupar espaços de poder (decisórios), tais quais o legislativo e o judiciário. Não apenas para denunciar o seu uso em prol dos interesses das grandes corporações internacionais do setor agroalimentar, mas também para anunciar (e assim promover, criar e implementar) políticas públicas, leis e decretos capazes de impulsionar os processos de transição agroecológica [VER TRANSIÇÃO AGROECOLÓGICA] e/ou potencializar as estratégias já em curso, tais como os processos educativos que ocorrem em distintas áreas e níveis de conhecimento, e assim promover a soberania alimentar. Ao ocupar esses espaços, é possível, também, criar medidas de proteção e amparo legal que prezem pela autonomia e não pela criminalização dos movimentos e organizações sociais que por sua vez vêm sofrendo perseguições e repressões. A declaração traz ainda outros elementos centrais para materializar a soberania alimentar com base no *buen vivir*, ou bem viver [VER COSMOVISÕES], a saber:

> [...] o bem viver – proposto por diferentes etnias dos povos originários –, o ecofeminismo, o ecossocialismo e práticas concretas como a soberania energética, a agroecologia e a permacultura, que podem se transformar em alternativas sistêmicas ao capitalismo, são aplicadas não de maneira individual, mas como uma política geral. (Coordinadora Latinoamericana de Organizaciones del Campo, 2017)

A partir dessa construção, a compreensão de soberania alimentar assume outros papéis, considerando a realidade objetiva. O elemento analítico e utilitário do "bem viver" permite referenciar o ato

S

cotidiano de alimentar (a si mesmo e aos demais); este – por si só –, é imbricado a outras práticas, desde o produzir até o nutrir, como afirmam as autoras Giordani, Bezerra e Anjos (2017):

> A produção do alimento agroecológico aciona diferentes redes de sentido, como a integração e a dependência com o espaço; e o conceito ampliado de saúde, que envolve um bem-estar que se completa na tomada de consciência em relação à necessidade de integração sociedade-natureza. São discussões em que o alimento é referido como comida de verdade, potencialmente produtiva de significados que extrapolam a função biológica e nutricional. É nessa perspectiva que o conceito do bem viver e seus desdobramentos imediatos são trazidos, como o bem e bom comer. (p. 434)

Segurança e Insegurança Alimentar

A definição de Segurança Alimentar para a Organização das Nações Unidas para Agricultura e Alimentação (FAO) limita-se aos determinantes sociais (acesso à educação e saúde) e econômicos (trabalho e renda), e permite pouca (ou nenhuma) correlação sobre a determinação social (Breilh, 2006).[1] A crítica a essa definição de Segurança Alimentar (SA) estabelecida pela FAO diz respeito, essencialmente, à sua não problematização sobre o tipo de alimento que deve ser acessado. De onde vêm e como são produzidos os alimentos consumidos?

Esse questionamento oportunizou o debate em vários campos do conhecimento e em diferentes espaços (gestão pública, universidades, organizações da sociedade civil, entre outros). Assim, foi considerado que o modelo de produção e consumo de alimentos é fundamental para a garantia da Segurança Alimentar e Nutricional (SAN). Não é apenas a falta de comida [VER FOME] que leva a uma situação de vulnerabilidade; na verdade, essa é a sua mais grave e extrema manifestação social e biológica. Mas a insegurança alimentar também está diretamente relacionada ao ambiente, ou seja, à forma pela qual esse alimento é produzido/processado. Nesses termos, o uso de agrotóxicos e/ou de tecnologias que não consideram o princípio da precaução (como Organismos Geneticamente Modificados/OGM, transgenia e, mais recentemente, os alimentos "biofortificados") afetam a saúde (humana e da natureza).

É necessário lembrar que a fome segue presente nos diferentes cenários de debate (políticos, econômicos e tecnológicos), onde a narrativa que predomina é o "combate à fome". No entanto, vale destacar que o atual sistema agroalimentar é o mesmo modelo que vem reproduzindo (e fortalecendo) a situação de vulnerabilidade onde fome/subnutrição caminham de mãos dadas com sobrepeso/obesidade e suas comorbidades. Perpetua-se a ideia de que alimento é mercadoria, e fome é um negócio.

No Brasil, a concepção que se tem de Segurança Alimentar e Nutricional (SAN) se distingue daquela defendida pela FAO. Sua institucionalização se deu mediante a criação da Lei n. 11.346, de 15 de setembro de 2006 (Brasil, 2006), e consiste:

> [...] na realização do direito de todos ao acesso regular e permanente a alimentos de qualidade, em quantidade suficiente, sem comprometer o acesso a outras necessidades essenciais, tendo como base práticas alimentares promotoras de saúde que respeitem a diversidade cultural e que sejam ambiental, cultural, econômica e socialmente sustentáveis.

É importante reiterar os princípios que orientam a SAN:[2] 1) direito humano à alimentação adequada (DHAA) e 2) soberania alimentar. Para Maluf (2015, p. 259), "[...] ambos fundados em direitos, que devem orientar os programas e as ações públicas voltadas para promover a segurança alimentar e nutricional". Trata-se portanto, como refere o autor, de uma "[...] 'armação analítica' com repercussões em termos de políticas públicas que pretende demarcar um campo social e político" (p. 59).[3]

Soberania e segurança alimentar e nutricional: aportes para o debate

A construção da noção de soberania e segurança alimentar e nutricional (SSAN) segue ocorrendo de modo processual e de forma coletiva, sendo as Conferências Nacionais de Segurança Alimentar e Nutricional (CNSAN) as expressões máximas dessa construção. Mas foi na III Conferência (em Fortaleza/Ceará), sob o lema "por um Desenvolvimento Sustentável com Soberania e Segurança Alimentar e Nutricional", que se priorizou discutir o modelo de desenvolvimento nacional e sua relação com a SAN. Nessa conferência, os debates consideraram que, para se alcançar a Soberania e a Segurança Alimentar e Nutricional (SSAN), seria estratégico pautar uma construção distinta do modelo econômico vigente, já que este segue sendo o modelo que promove a concentração de riquezas, graves desigualdades sociais e ainda reproduz e perpetua um sistema agroalimentar estruturado nos interesses privados das corporações do setor, gerando assim problemas sociais e ambientais, cujos prejuízos são imensuráveis (Conselho Nacional de Segurança Alimentar e Nutricional, 2007).

A cada conferência se reitera a concepção de que a alimentação é direito, não mercadoria. A partir dessa afirmação, cabe questionar: como é possível atender a demanda social (e política) da SSAN, pautada em um sistema que se baseia na orientação e estímulo ao consumo pela eficiência e pelo mercado?

De acordo com a Carta Política da V Consan (Conselho Nacional de Segurança Alimentar e Nutricional, 2016), cujo lema foi "Comida de verdade no campo e na cidade: por direitos e soberania alimentar", firmou-se que a concretização da SSAN demanda ações intersetoriais (de ordem social e política) que só ocorrerão mediante a mobilização social que gere os enfrentamentos necessários. O acesso à terra urbana e rural é fundante para concretizar a SSAN. Nesses termos, a *reforma agrária* [VER REFORMA AGRÁRIA] precisa voltar ao debate/ação. De maneira análoga, são fundamentais a manutenção dos territórios que possibilitem o acesso aos bens da natureza, incluindo as sementes (preservação e resgate das variedades crioulas), a garantia de acesso à água para consumo e para a produção de alimentos, e, ainda, o acesso às políticas públicas de crédito.

A garantia de serviços públicos adequados de saúde, educação e transporte também são mencionados como essenciais. Com o intuito de incorporar as questões que pautam, de forma específica, a soberania alimentar dos povos em territórios específicos, foram igualmente mencionadas na referida carta política elementos como a proteção dos sistemas agroextrativistas, ações específicas para os povos originários (indígenas), populações quilombolas e povos e comunidades tradicionais.

Também foram referenciadas as dimensões socioculturais da SSAN para uma melhor compreensão sobre a relação entre a produção e o consumo de alimentos; a necessidade de estabelecer pontes entre o urbano e o rural; bem como valorizar a agrobiodiversidade, os alimentos *in natura* e regionais, o respeito à ancestralidade negra e indígena, o resgate das identidades, memórias e culturas alimentares próprias da população brasileira, considerando, sobretudo, o protagonismo das mulheres.

Para termos efetivamente materializadas as ações de SSAN, é urgente considerar o cenário de exploração e uso (da natureza e das pessoas) que vem contribuindo, cada vez mais, para o surgimento de uma sociedade enferma e de um ambiente insalubre. Esse quadro reverbera nas elevadas taxas de prevalência e incidência (casos novos) de doenças relacionadas à má-alimentação, como: sobrepeso, obesidade, doenças crônicas não transmissíveis, como hipertensão, diabetes, cardiopatias, cânceres, alergias e intolerâncias, entre outras, e, ainda, as doenças que têm relação direta com o modelo de produção (uso intensivo de agrotóxicos, práticas de degradação e depredação do solo, das matas, da biodiversidade e das águas).

Na contramão desses processos, temos muitos avanços que merecem ser destacados, tal como a institucionalização da alimentação como direito. Bezerra e Isaguirre (2014) citam que, na Declaração Universal dos Direitos Humanos (DUDH) (Organização das Nações Unidas, 1948), o Direito Humano à Alimentação Adequada (DHAA) é trazido como imprescindível à capacidade das pessoas de participarem do exercício da democracia. Trata-se de um direito essencial, já que envolve o acesso à cidadania, e encontra-se nos alicerces das faculdades humanas de existir em sociedade. No art. 6º da Constituição Federal de 1988, a alimentação faz parte, também, do *rol* dos direitos fundamentais sociais: "[...] alimentação é parte vital para a existência digna da população e, por isso, em seu núcleo se incluem as discussões referentes ao acesso e à suficiência de um país na geração de alimentos" (Brasil, 2013; Brasil, 1988).

Soberania e segurança alimentar e nutricional

A partir dessas concepções, compreende-se que soberania e segurança alimentar e nutricional (SSAN) é o direito dos povos – mulheres, homens e jovens – de incidirem nas ações públicas (programas, políticas) e/ou em estratégias territoriais sustentáveis de produção, distribuição, comercialização, acesso e consumo de alimentos. As populações rurais e urbanas devem, portanto, protagonizar atitudes individuais e coletivas para materializar a SSAN mediante o apoio social e político e, ainda, acessando os recursos necessários. O acesso regular e permanente, à luz do direito humano à alimentação adequada e saudável para todos e todas, sem comprometer o acesso a outras necessidades essenciais para a produção e a reprodução da vida, é a essência da SSAN. Esta deve ser pautada nos sistemas agroalimentares agroecológicos que priorizem os processos e técnicas que não violem os direitos humanos e da natureza, bem como deve resgatar, manter e/ou orientar as práticas – de produção e consumo – dos povos das águas, das florestas, dos campos e das cidades. Tais práticas devem, ainda, ser promotoras da saúde, e nesse contexto a agroecologia como ciência, prática e movimento alinha-se aos princípios da SSAN. Esta deve ainda trazer no seu cerne um projeto de sociedade que preze pela justiça social, cultural, ambiental e alimentar (Bezerra, 2010).[4]

A perspectiva de análise feminista torna-se, portanto, fundamental para problematizar e analisar as dimensões da SSAN (sociais, culturais e econômicas) e, assim, viabilizar os processos de reconhecimento, inclusão e fortalecimento das mulheres nos sistemas agroalimentares mais justos e soberanos.

Referências

BEZERRA, I. "*Nesta terra, em se plantando dá?*" Política de Soberania e Segurança Alimentar e Nutricional no meio rural paranaense, o caso do PAA. Tese (Doutorado em Ciências Sociais). Programa de Pós-Graduação em Ciências Sociais. Natal, RN, 2010. Universidade Federal do Rio Grande do Norte/UFRN.

_______.; ISAGUIRRE, K. R. Direito humano à alimentação adequada (DHAA): a sua proteção jurídica no Brasil. *Pensar*, Fortaleza, v. 19, n. 3, p. 675-692, set./dez., 2014.

BRASIL. *Direito à alimentação adequada*. Brasília: Coordenação Geral de Educação em SDH/PR, Direitos Humanos, Secretaria Nacional de Promoção e Defesa dos Direitos Humanos, 2013.

_______. Presidência da República. Casa Civil. Subchefia para Assuntos Jurídicos. *Constituição da República Federativa do Brasil de 1988*. Disponível em: http://www.planalto.gov.br/ccivil_03/constituicao/constituicao.htm. Acesso em: 2 abr. 2021.

_______. Presidência da República. Casa Civil. Subchefia para Assuntos Jurídicos. *Losan: Lei n. 11.346, de 15 de setembro de 2006*. Cria o Sistema Nacional de Segurança Alimentar e Nutricional (Sisan) com vistas em assegurar o direito humano à alimentação adequada e dá outras providências. Disponível em: http://www.planalto.gov.br/ccivil_03/_ato2004-2006/2006/lei/l11346.htm. Acesso em: 2 abr. 2021.

BREILH, J. *Epidemiologia crítica*. Ciência emancipadora e interculturalidade. Rio de Janeiro: Fiocruz, 2006.

BURITY, V. *et al. Direito humano à alimentação adequada no contexto da segurança alimentar e nutricional*. Brasília/DF: ABRANDH, 2010.

CONSELHO NACIONAL DE SEGURANÇA ALIMENTAR E NUTRICIONAL. (CONSEA). *Relatório da III Conferência Nacional de Segurança Alimentar e Nutricional*. Brasília/DF: Consea, 2007.

_______. *Relatório da V Conferência Nacional de Segurança Alimentar e Nutricional*. Brasília/DF: Consea, 2016.

COORDINADORA LATINOAMERICANA DE ORGANIZACIONES DEL CAMPO (CLOC). Argentina: Declaración final de la cumbre de los pueblos "*Fuera OMC, construyendo soberanía*". Buenos Aires: Cloc Via Campesina, 2017.

FÓRUM MUNDIAL PELA SOBERANIA ALIMENTAR. *Declaração de Nyéléni*. Nyéléni (Mali), 2007. Disponível em: http://www.wrm.org.uy/temas/mujer/Declaracion_ Mujeres_Nyeleni_PR.html. Acesso em: 6 abr. 2021.

GIORDANI, R. C. F.; BEZERRA, I.; ANJOS, M. C. R. Semeando Agroecologia e colhendo nutrição: rumo ao bem e bom comer. *In*: SAMBUICHI, R. H. R. *et al.* (org.) *A política nacional de agroecologia e produção orgânica no Brasil:* uma trajetória de luta pelo desenvolvimento rural sustentável. Brasília: Ipea, 2017.

MALUF, R. Soberania Alimentar no Continente das Desigualdades. *In*: BEZERRA, I.; PEREZ-CASSARINO, J. *Soberania Alimentar (Sobal) e Segurança Alimentar e Nutricional (SAN) na América Latina e Caribe*. Curitiba: UFPR, 2015.

MCMICHAEL, P. *Regimes Alimentares e Questões Agrárias*. São Paulo/Porto Alegre: Editora Unesp/UFRGS, 2016.

VIA CAMPESINA INTERNACIONAL (VCI) - *Declaración Final del Foro Mundial sobre Soberanía Alimentaria*. Havana, Cuba, September 7, 2001. http://www.movimientos.org/cloc/show_text.php3?key=1178. Acesso em: 2 abr. 2021

Notas

1 Determinação social: teoria para repensar a civilização e entender seu rico movimento e suas relações dialéticas como parte de uma estrutura de poder. (Breilh, 2006)

2 O entendimento que se construiu no Brasil articula duas dimensões bem definidas: a alimentar e a nutricional. A primeira dimensão se refere aos processos de disponibilidade (produção, distribuição, comercialização e acesso) que, em essência, possibilitam pensar/agir de forma mais direcionada no campo das macropolíticas. A segunda dimensão, por sua vez, diz respeito mais diretamente às

escolhas, ao preparo, bem como às formas de consumo (como se come, com quem se come, por que se come) e tem uma relação direta com as práticas de saúde, já que estas incidem diretamente na utilização biológica/fisiológica dos alimentos (macro e micronutrientes).

3 É importante registrar, ainda, que o termo Segurança Alimentar e Nutricional ganha força no Brasil após o processo preparatório para a Cúpula Mundial de Alimentação, de 1996. Posteriormente, seu amadurecimento deve-se, em grande medida, à criação do Fórum Brasileiro de Segurança Alimentar e Nutricional (FBSAN), em 1998, conforme registraram Burity e colaboradores (2010).

4 Definição inicialmente trabalhada pela autora em Bezerra, 2010.

SOLOS

Irene Cardoso
Daniel Mancio

> *"O segredo da vida é o solo, porque do solo dependem as plantas, a água, o clima e a nossa vida. Tudo está interligado. Não existe ser humano sadio se o solo não for sadio e as plantas, nutridas"*
>
> Primavesi; Primavesi, 2018

O solo é como um organismo vivo. É a base para a agroecologia, com seus princípios que contribuem para os camponeses resistirem e enfrentarem o avanço do capital e, ao mesmo tempo, construírem novas relação com a natureza. O solo, enquanto organismo vivo, está presente em relações e inter-relações (biológicas, sociais, econômicas e políticas) complexas que precisam ser compreendidas para seu manejo sadio e para o desenvolvimento da agricultura camponesa. Este verbete tem como objetivo trazer elementos que possam auxiliar na reflexão sobre as funções dos solos na manutenção da vida e na sua importância para o campesinato, enquanto classe que necessita disputar o modelo de produção no campo.

O uso do solo pelas sociedades remonta à própria existência dos seres humanos, que ao longo do tempo se desenvolveram em uma relação direta com a natureza. Nestes quase 12 mil anos de história da agricultura [ver Agricultura], os solos foram tratados como parte integrante e importante da vida desses povos. A partir do momento em que o ser humano deixou de ser nômade, a terra deixou de ser vista apenas como fornecedora de pigmentos e de matéria-prima para a confecção de objetos e passou a desempenhar um importante papel no cultivo dos alimentos (Mazoyer, 2010).

Muitas das primeiras aglomerações se formaram em locais de terras férteis, com disponibilidade de água e pouco sujeitas à ação da erosão, como as planícies aluviais, também conhecidas por várzeas. As planícies aluviais são áreas inundáveis afetadas pelas cheias dos rios, que recebem sedimentos depositados às suas margens. Esses sedimentos contribuem para a fertilização dos solos. Ao escolher estes locais para cultivar, muito provavelmente o ser humano lançou mão de um conhecimento que foi sendo adquirido a partir de sua experiência e relação com a natureza e em uma relação dialética de trabalho com o solo (Lepsch, 2002).

Os solos são a camada externa da crosta terrestre. É neles, e a partir deles, que produzimos alimentos, que construímos nossas casas, que geramos vida e conhecimentos. Ao realizar a interface entre a *litosfera* e a *biosfera*, os solos são o ambiente onde processos biogeoquímicos transformam água, nutrientes e radiação solar em vida. A *litosfera* é composta pelas rochas que estão abaixo dos solos e que lhes dão origem. A *biosfera* é formada pelos organismos que vivem no solo e acima dele (Cardoso, 2008).

Os solos são formados ao longo de milhares de anos pelos fatores e processos de formação do solo. O material de origem (principalmente as rochas) é intemperizado ("apodrecido") a partir da ação do clima (água e temperatura) e dos organismos, em um dado relevo ao longo do tempo. A vida é, assim, um dos fatores de formação dos solos e fundamental para muitos processos que neles ocorrem. O solo formado pode ser transportado (por exemplo, pela ação das chuvas e vento) e depositado em outros locais que não o de sua formação. O transporte das partículas é denominado erosão natural. Com o tempo, o solo pode ser transportado para o mar, onde, a partir de pressão e temperatura, pode novamente se transformar em rocha, formando um grande ciclo que faz parte do ciclo das rochas. Para formar os solos e as rochas são necessários tempos geológicos muito longos (contados em milhões ou bilhões de anos). Entretanto, é possível se destruir os solos muito rapidamente. Um dos principais processos de destruição dos solos é a erosão antrópica, ou seja, aquela provocada pelos seres humanos, que acelera os processos de carreamento das partículas em direção aos rios e ao mar.

Os fatores e os processos de formação diferem de acordo com a complexidade natural dos ecossistemas. Isso leva a grandes diferenças entre os solos de regiões distintas e em uma mesma região. Por exemplo, os solos de clima temperado, como em países da Europa e da América do Norte, diferem dos solos de clima tropicais, como os do Brasil (Costa, 2015). No caso brasileiro, os ecossistemas da Amazônia, da Mata Atlântica, da Caatinga, do Cerrado, dos Pampas, do Pantanal, das restingas e dos mangues possuem clima, relevo, vegetação e solos com características próprias. Os solos diferem em suas propriedades físicas, químicas e biológicas. As propriedades biológicas dizem respeito à vida do solo. As propriedades físicas e químicas dizem respeito ao pH, aos teores de matéria orgânica e de nutrientes, à cor, à textura, à estrutura, à umidade, à porosidade, à temperatura e ao cheiro, dentre outras.

Dessa forma, não podemos falar em solo no geral, mas sim em solos (no plural), pois esses diferem de acordo com a complexidade dos ecossistemas em que são formados. Independentemente das diferenças entre os solos, estes possuem funções que garantem a vida no planeta Terra. Essas funções são a produção de alimentos, de plantas medicinais, de fibras e energias; a purificação da água e a degradação de contaminantes; a ciclagem de nutrientes; o sequestro de carbono; o fornecimento de recursos genéticos e farmacêuticos; a regulação de enchentes e do clima; o fornecimento de habitat para os organismos; o fornecimento de base para as construções de infraestruturas humanas e de materiais de construção; e a herança cultural [VER AGROECOSSISTEMA].

O manejo do solo interfere em muitas de suas propriedades e funções, e podem levar à perda de sua qualidade. Por isso, o manejo precisa garantir a qualidade dos solos, para que eles continuem gerando vida e sendo gerados pela vida. As propriedades e funções dos solos podem ser utilizadas como indicadoras de sua qualidade.

Muitas vezes, trata-se solo como terra, e vice-versa. Solo é um termo mais científico, enquanto terra traz consigo uma abordagem mais integradora, articulada a debates políticos e sociais em torno de questões como acesso, propriedade e controle. Para os/as camponeses/as, solo é terra, enquanto para os cientistas e técnicos, terra é solo. De imediato percebemos uma diferença: terra é feminina e solo é masculino. A terra é considerada pelos indígenas e pelos camponeses como sagrada, como mãe e como vida. Enquanto os cientistas, comumente, referem-se aos nossos solos tropicais como ácidos, pobres e ruins. Será nossa mãe-terra ácida, pobre e ruim? A luta por reforma agrária se dá em torno da questão da concentração da terra e não do solo! E os solos (ou a terra) são fundamentais para que os assentamentos, e demais áreas da agricultura camponesa, cumpram sua função social.

Para as famílias camponesas, a terra, ou o solo, não é apenas local de cultivo e de produção, mas também lugar de viver, de cuidar e criar os filhos. Lugar de sua reprodução social enquanto classe camponesa que detém a tarefa de produzir alimentos, sustentabilidade e vida. Para isso, como camponeses de todo o mundo dizem, "a terra tem que funcionar", e os camponeses sabem o que têm que fazer para que a terra funcione. Sua funcionalidade está relacionada à vida, responsável pela saúde da terra ou do solo! Os camponeses percebem que uma planta que cresce em um solo saudável é mais saudável. Eles vivem *da* terra, mas também vivem *na* terra. Seus filhos herdarão o solo com a qualidade que eles deixarem. Por isso, a herança cultural é também uma das funções dos solos. Já que o solo e a terra têm funções, nós precisamos também fazer com que a função social, política, econômica, ambiental da terra sejam cumpridas.

O saber camponês sobre a "terra" é elemento central para a concepção dos solos enquanto organismo vivo. Entretanto, com o advento do capitalismo no campo houve a implantação de uma lógica industrial de agricultura, conhecida como modernização da agricultura, e que tem levado à morte dos solos. A agricultura industrial é a expressão do avanço do capital na agricultura como mecanismo para criar um novo ciclo de acumulação capitalista e um cenário promissor para a indústria atuar no campo [VER REVOLUÇÃO VERDE].

Nos trópicos, a chamada modernização da agricultura ocorreu a partir da implantação das tecnologias da Revolução Verde (expressão da modernização da agricultura no campo), cujo pacote tecnológico foi introduzido inicialmente no Brasil durante o período da ditadura civil-militar, que durou de 1964 a 1985. O governo civil-militar apoiou a adoção dessas tecnologias, promovendo a alteração dos currículos universitários e a reorganização dos serviços de pesquisa e de extensão, dentre outras políticas públicas. O pacote da Revolução Verde incluiu o uso de agrotóxicos, de fertilizantes e corretivos, a moto-mecanização intensiva, a irrigação e as sementes híbridas e, mais recentemente, os organismos geneticamente modificados (OGMs) [VER TRANSGÊNICOS]. Tudo isso serviu de apoio à produção em monoculturas incentivadas pelos bancos que ofereceram aos agricultores crédito a juros baixos para investir nessas tecnologias.

A agricultura industrial, com seu pacote tecnológico, submeteu o campesinato à lógica de acumulação do capital, concentrou e centralizou as riquezas e a renda, excluiu e expulsou os/as camponeses/as do campo e degradou o meio ambiente. A agricultura moderna criou força política importante que recolocou a luta de classes no campo em outros patamares [VER AGRICULTURA ORGÂNICA]. A expulsão do campo proletarizou os camponeses, pois muitos mudaram para as periferias das cidades para se transformar em mão de obra barata para as indústrias e muitos dos que ficaram no campo perderam sua autonomia e passaram a trabalhar também para as indústrias, pois ficaram dependentes de seus produtos ou de cadeias de produção (por exemplo: fumo, frango ou soja). A proletarização camponesa foi, assim, marcadamente um objetivo e uma consequência da agricultura industrial.

A agricultura moderna ou industrial levou também a muita degradação ambiental, causada, dentre outros, pela perda da biodiversidade com os monocultivos, pelo envenenamento da natureza (incluindo aí os seres humanos) com o uso dos agrotóxicos e pela perda da funcionalidade do solo [VER AGROTÓXICOS]. As perdas por erosão foram acentuadas, houve compactação dos solos e perda da vida, ou seja, da biodiversidade, do solo. Muitos destes impactos ocorreram com a agricultura utilizada ao longo da história das civilizações, entretanto muitos deles foram ampliados e outros, como aqueles relacionados aos agrotóxicos, foram introduzidos e intensificados com as tecnologias da Revolução Verde (Mazoyer; Roldart, 2010).

Um outro impacto importante da Revolução Industrial foi a perda do saber camponês. Para a implementação do pacote da Revolução Verde, os serviços de extensão, de pesquisa e as universidades passaram a ter o papel de dizer aos agricultores o que fazer. Para isso, os saberes camponeses sobre a agricultura em geral e sobre os solos em particular, construídos através de gerações, foram desprezados pela chamada “modernização” que priorizou somente o conhecimento científico. Com isso, muito destes saberes se perderam ou foram esquecidos (Freire, 2015). Estes saberes precisam ser reavivados e articulados com aqueles conhecimentos científicos que contribuam para superar os desafios impostos pela agricultura industrial e para a construção da agroecologia, o que exige um outro manejo dos solos (Sosa *et al.*, 2012; Zanelli *et al.*, 2015). O entrelaçamento de saberes populares e científicos se torna imprescindível para a construção da agroecologia enquanto contraponto ao modelo convencional que degrada os solos e a vida.

Manejo dos solos

A agricultura industrial não é apropriada aos agricultores familiares. Na agricultura industrial, o solo é considerado um mero substrato onde adubos químicos e corretivos são adicionados e sementes melhoradas ou transgênicas são plantadas (Cardoso *et al.*, 2018). Na agroecologia, ao contrário, o manejo que garanta solo saudável é muito importante e isso exige cuidados para além do aporte de fertilizantes e corretivos. Solo saudável é a base para o desenvolvimento da agroecologia (Altieri; Nicholls, 2000; Gliessman, 2015) e o manejo agroecológico garante a saúde do solo [VER CICLAGEM DE NUTRIENTES].

O manejo agroecológico dos solos favorece os processos naturais e as interações biológicas, e possibilita que a biodiversidade subsidie a fertilidade dos solos e a proteção dos cultivos contra doenças e pragas (Cardoso, 2008). Com o solo biologicamente ativo, sobretudo os solos tropicais, as perdas de solo e de água são reduzidas, o processo de ciclagem de nutrientes é potencializado, minimiza-se a necessidade de insumos externos (Primavesi, 2006) e melhora-se a qualidade dos nossos alimentos.

Precisamos cuidar bem dos solos se queremos ter comida saudável. Nós somos o que comemos e o que comemos depende do solo. Solo morto, comida morta! Solo tem que ter qualidade. Um solo vivo e saudável é necessário para que as plantas e as pessoas sejam saudáveis. Todos querem solos saudáveis, mas poucos se preocupam com o que degrada o solo. A verdadeira causa da degradação é a forma como temos tratado o solo.

A vida no solo precisa ser cuidada, assim como a vida acima do solo. Para manter o solo vivo, precisamos entender que a vida do solo precisa dos mesmos cuidados que os seres humanos: uma casa, que no solo significa solo bem grumoso (com boa estrutura), para que os organismos possam lá viver; uma boa cobertura; um ambiente limpo sem o uso de agrotóxicos, plásticos e outros contaminantes; água e ar suficientes e de qualidade (que ficam nos poros do solo) e alimento em quantidade e qualidade para os organismos do solo. Em síntese, tudo que ameaça à vida do solo, como agrotóxico, fogo, excesso de sol, lixo, muito sal (adubo químico), preparo excessivo do solo com aração e gradagem ameaçam a qualidade do solo.

Os organismos do solo, assim como nós, se alimentam de matéria orgânica. No solo temos a matéria orgânica morta, composta de húmus), e a matéria orgânica viva, composta pelos organismos. Para se alimentar, os organismos transformam os restos orgânicos em húmus. O uso da matéria orgânica na agricultura não é novidade. Desde primórdios, o ser humano procurou por terras ricas em matéria orgânica para seus cultivos. Entretanto, a matéria orgânica no solo se decompõe muito rápido nas regiões tropicais, por isso precisamos sempre adicioná-la ao solo. Isto faz com que os sistemas agroflorestais sejam muito interessantes, pois com eles as árvores que são consorciadas com os cultivos produzem muitas folhas, galhos, frutos e flores que, ao caírem ou serem podadas, servem de alimentos para a vida no solo. A integração com os animais também é importante, para gerar esterco que pode ser utilizado como adubo orgânico e alimentar a vida no solo [VER TEIA ALIMENTAR].

A matéria orgânica é também, com a vegetação, responsável pela cobertura do solo. O sol em excesso não é bom para a vida do solo, por isso o solo precisa sempre estar coberto. A matéria orgânica é em grande parte responsável também pela agregação do solo, que leva

S

à formação da estrutura (torrões) do solo. Um solo vivo pressupõe a presença de variadas formas de organismos interagindo entre si, e com os componentes minerais (nutrientes) e orgânicos do solo. Essa dinâmica biológica exerce uma função essencial na agregação e na porosidade do solo, de modo a torná-lo grumoso e permeável para o ar, para a água e para as raízes e para os próprios organismos, que vivem nos poros dos solos. Os organismos contribuem para a mobilização dos nutrientes e sua disponibilização para as plantas, através do processo de ciclagem de nutrientes (Primavesi, 2006; Primavesi, 2008). O preparo excessivo do solo, com o emprego de maquinário pesado, destrói a estrutura (os torrões) do solo (Costa, 2015), destrói a casa dos organismos do solo. Portanto, precisamos evitar arar os solos para não destruir a casa dos organismos dos solos.

Com boa qualidade do solo e matéria orgânica suficiente, pode-se diminuir ou abolir o uso de fertilizantes químicos. E, mesmo se fertilizantes químicos forem utilizados, a matéria orgânica continua sendo necessária para alimentar os solos. Fertilizantes químicos (sais) nutrem as plantas, mas não alimentam os solos, pois seus organismos se alimentam de matéria orgânica, e não de sais. Além disso, os adubos químicos diminuem a resistência de plantas às doenças (Berg; Koskella, 2018). Portanto, o uso de adubo químico, como já foi dito pelos(as) camponeses(as), é incentivo ao uso de agrotóxicos [ver Trofobiose]. Se alimentarmos o solo, podemos alimentar o mundo.

Para reduzir a necessidade de adubos químicos, nossos solos profundos precisam ser melhor explorados pela vida do solo, para que os nutrientes se tornem mais disponíveis. Para isso, precisamos de biodiversidade, portanto, de sistemas diversificados, como os sistemas agroflorestais. As árvores nos sistemas agroflorestais exploram bem o solo profundo com suas raízes e aproveitam bem a luz solar com suas copas frondosas [ver Agrofloresta – Sistemas Agroflorestais].

Os camponeses precisam trabalhar com a biodiversidade dos agroecossistemas, não há outro caminho. Isso porque, de forma geral, a biodiversidade é importante para a qualidade dos solos, pois sustenta a vida e subsidia a fertilidade e proteção dos cultivos contra doenças e pragas, ou seja, é importante para um solo vivo e saudável (Cardoso *et al.*, 2018). Em um solo saudável, com vida, os organismos exercem várias funções. Alguns deles fixam nitrogênio, outros decompõem os materiais orgânicos, alguns aeram o solo e assim por diante. Há um grupo de fungos do solo, denominado micorrizas. Este grupo de organismo é muito importante para a dinâmica do fósforo, um nutriente importante para as plantas, no solo [ver Interações Ecológicas]. O fósforo é um elemento escasso na terra. Alguns autores apontam que em 30 anos poderemos ter escassez deste elemento para a fabricação de adubo. As micorrizas podem ser consideradas o "Facebook" do solo. Elas detêm informações sobre o solo e estão constantemente envolvidas em trocas com as raízes das plantas e ajudam as plantas a utilizar melhor o fósforo presente no solo. Precisamos cuidar das redes de organismos do solo, precisamos tratá-los como parceiros de uma agricultura limpa, sem veneno, com pouca ou nenhuma aração. Portanto, temos de cuidar não só de nossas redes acima do solo, mas das redes do solo.

Além disso, precisamos procurar ciclar todos os resíduos. Resíduos orgânicos não podem ser considerados "lixo não reciclável", como comumente observamos nas cidades. Bagaço de cana e casca de café não podem ser utilizados para a produção de energia, mas devem retornar ao solo. Pós de rochas e urina e fezes humanas precisam ser melhor estudadas para seu uso na agricultura [VER CICLAGEM DE NUTRIENTES].

O uso de sistemas diversificados e o melhor uso dos resíduos favorecem também a balança comercial brasileira. Atualmente, o Brasil importa 75% do nitrogênio (N), 56% do fósforo (P) e 92% do potássio (K). Portanto, nossa agricultura não é sustentável, já que depende da importação de sua base atual de produção, o N-P-K (Cardoso *et al.*, 2018).

Solo com vida, com boa qualidade, dá autonomia aos agricultores, além de resiliência e produtividade no longo prazo. Portanto, o solo saudável é importante para os agricultores familiares, mas as famílias agricultoras também são importantes para os solos, porque a formação e a manutenção de solos saudáveis exigem dedicação e trabalho – exatamente o que os camponeses e as camponesas fazem. Afinal, o solo é a comunidade dos seres escondidos, não podemos fazer com a comunidade destes seres o que não queremos que façam com a sua comunidade.

Referências

ALTIERI, M.; NICHOLLS, C. *Teoría y práctica para una agricultura sustentable*. México: Programa das Nações Unidas para o Meio Ambiente, 2000.

CARDOSO, I. M. O solo vive. *In:* Manejo sadio dos solos. *Agriculturas*, v. 5, n. 3, p. 4-6, set. 2008.

_______ *et al.* Ressignificar nossas percepções sobre o solo: atitude essencial para manejar agroecossistemas sustentáveis. p. 34-59. *In*: CARDOSO, I. M.; FÁVERO, C. *Solos e Agroecologia*. Brasília/DF: Embrapa, 2018. 373 p.

BERG M.; KOSKELL, B. Nutrient and Dose Dependent Microbiome Mediated Protection against a Plant Pathogen. *Current Biology*, n. 28, p. 2487-2492, 2018.

COSTA, M. B. B. Solos Vivos. *In:* Solos vivos. *Rev. Agriculturas*, v. 12, n. 1, 2015.

FREIRE, P. *Extensão ou Comunicação?* 17. ed. São Paulo: Paz e Terra, 2015.

GLIESSMAN, S. R. Agroecology: a global movement for food security and sovereignty, p. 1-13. *Agroecology for Food Security and Nutrition Proceedings of the FAO International Symposium*, 18-19 set. 2014. Itália: FAO, 2015.

LEPSCH, I. F. *Formação e conservação dos solos*. São Paulo: Oficina de Textos, 2002. 177 p.

MAZOYER, M.; ROLDART, L. *História das agriculturas no mundo*. São Paulo/Brasília: Ed. Unesp/ NEAD, 2010.

PRIMAVESI, A. Agroecologia e manejo do solo. *In*: Manejo sadio dos solos. *Rev. Agriculturas*, v. 5, n. 3, p. 7-10, 2008.

_______. *Manejo ecológico do solo*. 18. ed. São Paulo: Nobel, 2006.

_______.; PRIMAVESI, Artur. *A biocenose do solo na produção vegetal & deficiências minerais em culturas*: nutrição e produção vegetal. 1. ed. São Paulo: Expressão Popular, 2018.

SOSA, M. B. *et al. Revolução agroecológica*: o movimento camponês a camponês da ANAP em Cuba. 1. ed. São Paulo: Expressão Popular, 2012.

ZANELLI, F. V. *et al.* Intercâmbios agroecológicos: aprendizado coletivo. *Informe Agropecuário*, v. 36, n. 287, p. 104-113, 2015.

S

Para saber mais

ÁGUA BOA. Curta agroecológica. Direção: Cecília Figueiredo. Uma produção da Articulação Nacional de Agroecologia (ANA) com o apoio do CTA ZM. Duração: 6 min. 50 seg., junho de 2012. Disponível em: https://www.youtube.com/watch?v=zbW4qhSi3jU

KIEHL, E. J. *Fertilizantes orgânicos*. São Paulo: Ceres, 1985.

CARDOSO, I. M. *et al. A vida no solo*: a comunidade dos seres escondidos. Viçosa: UFV, 2010.

T

TECNOLOGIAS SOCIAIS

Pedro Ivan Christoffoli

Este verbete discute o conceito de tecnologias sociais em uma perspectiva histórica, no contexto das ações humanas visando transformar a natureza de forma a possibilitar a melhoria das condições de vida social. O ser humano estabelece com a natureza uma relação de oposição e luta, mas também de complementação e de cooperação. Essa relação homem-natureza é mediada pelo trabalho. O trabalho é, portanto, o esforço consciente do ser humano, ele mesmo parte da natureza para transformá-la em vista das necessidades próprias da espécie humana. A relação homem-natureza é também mediada por relações que os seres humanos estabelecem entre si. Esse assunto é melhor discutido nos verbetes cooperação agrícola e trabalho [ver Cooperação Agrícola; Trabalho].

Como ação humana, o trabalho visa transformar o ambiente em vista da produção e da reprodução das condições de vida da espécie. Ao transformar a natureza, o ser humano também se transforma, adquire capacidades, habilidades, destrezas e desenvolve artefatos e conhecimentos que facilitem sua ação. Logo, essa ação é mediada pelo que conhecemos como *artefatos* e *tecnologias*. Entretanto, em sociedades divididas em classes sociais, as definições do sentido do desenvolvimento das tecnologias são determinadas pela sua utilização enquanto forma de dominação e extração de mais-valia.[1]

Papel da tecnologia como ação humana para a produção das condições de vida

O conceito de tecnologia vem muitas vezes conectado à ideia de técnica e de ciência. Segundo o *Dicionário Michaelis*, a tecnologia seria o "conjunto de processos, métodos, técnicas e ferramentas relativos à arte, indústria, educação etc.; Conhecimento técnico e científico e suas aplicações a um campo particular; [...]; Aplicação dos conhecimentos científicos à produção em geral" (Tecnologia, 2018). Já Álvaro Vieira Pinto entende a técnica como uma ação especificamente humana, como ato produtivo intencional, a partir de sua capacidade de apreensão das propriedades objetivas das coisas. A tecnologia seria a ciência que estuda a técnica, enquanto fato concreto e objeto de investigação epistemológica (Pinto, 2008).

Quanto à ciência, esta é descrita, na perspectiva das classes dominantes "como um empreendimento autônomo, objetivo e neutro baseado na aplicação de um código de racionalidade alheio a qualquer tipo de interferência externa" (Silveira; Bazzo, 2005, p. 3). Isso seria garantido pela adoção de um método científico que asseguraria a objetividade e a neutralidade. Para a Unesco, ciência é "o conjunto de conhecimentos organizados sobre os mecanismos de causalidade dos fatos observáveis, obtidos através do estudo objetivo dos fenômenos empíricos" (Silveira; Bazzo, p. 3). Essas definições carregam uma visão da ciência como algo neutro. Entretanto, elas devem ser necessariamente questionadas, visto que a Ciência e Tecnologia (C&T) que se desenvolvem no capitalismo não visam assegurar a compreensão dos fenômenos naturais e sociais, pautando-se pela visão utilitarista, que compreende a subordinação aos interesses de dominação e de ampliação dos lucros capitalistas. A visão de ciência como não sendo um elemento neutro parte do pressuposto de que ela se converte em força produtiva,[2] e que a massa dos trabalhadores cientistas se converte em trabalhadores para o capital. O capitalismo, por sua vez, propicia o desenvolvimento tecnológico dos instrumentos científicos e assegura os recursos financeiros para que os cientistas desenvolvam suas pesquisas.

> O modo capitalista de produção é o primeiro a colocar as ciências naturais a serviço direto do processo de produção, quando o desenvolvimento da produção proporciona, diferentemente, os instrumentos para a conquista teórica da natureza. [...] A ciência logra o reconhecimento de ser um meio para produzir riqueza, um meio de enriquecimento. Deste modo, os processos produtivos se apresentam pela primeira vez como problemas práticos, que só se podem resolver cientificamente. A experiência e a observação (e as necessidades do processo produtivo) alcançam assim pela primeira vez um nível que permite e torna indispensável o emprego da ciência. (Marx, 1980)

Entretanto, apesar de reconhecer o domínio capitalista sobre o processo de inovação e da definição sobre quais tecnologias aplicar e quais rejeitar (Katz, 1996), pelo fato da aplicação eventualmente contrariar interesses dominantes, ainda permanece um debate aberto no campo marxista a respeito da teleologia, da direcionalidade das tecnologias e da possibilidade de sua utilização em condições não tipicamente capitalistas (por exemplo, em situações produtivas autogestionárias, inseridas em sociedades capitalistas, como é o caso de cooperativas coletivas de trabalhadores).

A emergência das Tecnologias Sociais (TS)

A percepção de que a tecnologia é neutra foi dominante durante muito tempo e ainda segue presente, entre estudiosos da questão. A ideia contida nessas interpretações indica que o problema está centrado no uso e na apropriação das tecnologias disponíveis pelas forças social e economicamente dominantes. Por exemplo, um trator em si não teria ideologia ou política, a questão é quem se apropria dele e a quem a tecnologia serve.

> [A] máquina, triunfo do ser humano sobre as forças naturais, converte-se, nas mãos dos capitalistas, em instrumento de servidão de seres humanos a estas mesmas forças [...]; a máquina, meio infalível para encurtar o *trabalho* cotidiano, o prolonga, nas mãos do capitalista [...]; a máquina, varinha de condão para aumentar a riqueza do produtor, o empobrece, em mãos do capitalista. (Marx *apud* Paris, 2002, p. 235)

Ora, caso a tecnologia seja de fato neutra, o problema decorrente de seu uso reside apenas e tão somente em quem se apropria dessa tecnologia e dos resultados que ela traz. Então, o problema estaria no plano da necessidade da socialização dos meios de produção, que resolveria por si só essa questão. Um trator servindo a um latifundiário veria seus benefícios serem apropriados por este. Esse mesmo trator, a serviço de uma cooperativa camponesa, seria socialmente muito mais útil e resultaria em distribuição de seus benefícios para mais pessoas. No campo da esquerda marxista, um grupo significativo de pensadores compartilha essa visão (Germer, 2009).

Contudo, essa visão secundariza certas questões imbricadas na concepção, no desenvolvimento e nas escolhas próprias ao uso (ou não uso) das tecnologias. A tecnologia contempla, a partir das condições em que é gerada, um condicionamento de ordem política, ou ao menos certas restrições. Toda tecnologia incorpora a política, por pressupor escolhas em sua concepção e desenvolvimento, consequentemente os resultados dessas escolhas afetam de maneira diferente sujeitos sociais distintos. As tecnologias em si "demarcam posições e condutas dos atores; condicionam estruturas de distribuição social; custos de produção, acesso a bens e serviços; geram problemas sociais e ambientais; facilitam ou dificultam sua resolução" (Thomas, 2009, p. 2). Por isso, vivemos em sistemas sociotécnicos: "as tecnologias são construções sociais tanto como as sociedades são construções tecnológicas" (Thomas, 2009, p. 2).

Essa é a base da crítica que leva à constituição do que emerge como o campo das *Tecnologias Sociais (TS)*. As TSs seriam uma forma de "desenhar, desenvolver, implementar e gerir tecnologias orientadas a resolver problemas sociais e ambientais, gerando dinâmicas sociais e econômicas de inclusão social e de desenvolvimento sustentável" (Thomas, 2009, p. 2). As TSs podem ainda ser definidas como "método ou instrumento capaz de solucionar algum tipo de problema social e que atenda aos quesitos de simplicidade, baixo custo, fácil aplicabilidade e geração de impacto social (RAE, 2011, p. 109).

O aspecto central das tecnologias sociais não é apenas atender a problemas sociais, considerados secundários pelos mercados e pelas instituições dominantes, mas sim porque se constroem com a participação dos atores sociais a serem beneficiados com a tecnologia. E esse não é um elemento coadjuvante. A simples replicação restrita de uma TS pode resultar em um processo até mesmo de redução do grau de autonomia e de organização dos seus futuros beneficiários, a não ser que os envolva em processos de ressignificação do problema e da tecnologia, que necessita ser (re)apropriada pelo grupo social.

As discussões sobre os processos de transição socialista também contemplaram essa questão tecnológica. A edificação da sociedade socialista, obviamente, se dá sobre as bases herdadas do período capitalista. Com o tempo, contudo, tecnologias com direcionamento em outra base de relações sociais devem ser geradas, tomando em conta as necessidades sociais gerais, e não do capital em si (Christoffoli, 2017). Em experiências como na Revolução Cultural Chinesa tentou-se até mesmo promover uma reinvenção das tecnologias cotidianas, com resultados duvidosos, posteriormente abandonando-se essa linha teórica, pela adoção das técnicas capitalistas como motor de desenvolvimento das forças produtivas do país.

A evolução das técnicas produtivas na agricultura e as TS

A agricultura não foi desde sempre uma atividade sob domínio da espécie humana. De início, os antropoides, nossos ancestrais, proviam suas necessidades mediante atividades de caça, pesca e coleta. Ou seja, buscavam se apropriar daquilo que a natureza oferecia, diretamente, sem a transformação da natureza para produzir alimentos. O embrião da agricultura como forma especificamente humana de produção surge no período Neolítico (cerca de 10 mil anos atrás), com o domínio humano sobre o processo produtivo e reprodutivo de plantas e animais, que passam a ser controlados de forma a assegurar o fornecimento contínuo de alimentos às comunidades ancestrais (Mazoyer; Roudart, 2010). O processo continuado de trabalho forma a base do desenvolvimento humano.

> O trabalho consiste na ação do ser humano sobre os materiais naturais que o circundam, a fim de obter deles as coisas de que necessita. Ao agir sobre tais materiais, começa a conhecê-los, familiariza-se com suas propriedades, e à medida que o trabalho se repete continuamente, o conhecimento adquirido amplia-se e reage sobre o processo de trabalho, aperfeiçoando-o gradualmente. (Germer, 2009, p. 80)

Contudo, é com o advento do capitalismo que as inovações se aceleram e vão sendo estendidas à agricultura. O crescimento da demanda de produtos agrícolas para suprir necessidades industriais e o desenvolvimento das ciências, agora já como forças produtivas do capital, leva a um aumento no número de inovações voltadas a superar alguns dos limites fundamentais da produção agrícola, como por exemplo a questão da reposição da fertilidade natural dos solos, bem como a proteção dos cultivos contra pragas e doenças, que limitavam os rendimentos agrícolas e impediam uma maior expansão da população mundial.

As inovações surgidas nos laboratórios são levadas ao campo: primeiro máquinas e equipamentos, depois inovações químicas (final do séc. XIX) e, por último, os avanços da genética (início do séc. XX). Posteriormente, ondas sucessivas de inovações foram sendo incorporadas, promovendo melhorias na produtividade desses insumos industriais voltados à agricultura, até que, finalmente, até o início dos anos 1980, praticamente o grosso da produção agrícola mundial estivesse sob o comando do capital e sob um modelo tecnológico e produtivo conhecido como *Revolução*

Verde (Mazoyer; Roudart, 2010) [VER REVOLUÇÃO VERDE].

Contudo, os estudos realizados entre 1920/1930, destacando-se as contribuições de Albert Howard, Rudolf Steiner, somados às contribuições de Ana Primavesi, José Lutzemberger, Stephen Gliessman e Francis Chaboussou realizados entre os anos 1970/1980, motivaram movimentos de inspiração ecológica que buscavam questionar o modelo dominante de produção imposto pelo industrialismo capitalista. Diversos autores publicaram obras críticas de grande impacto e passaram a influenciar gerações de leitores que engrossariam as fileiras críticas ao produtivismo agrícola (Carson 1962; Schumacher, 1973).

No Brasil, a história do movimento da Tecnologia Social se liga com a discussão sobre Tecnologias Apropriadas (TA), originado ainda nos anos 1960. Composto por uma comunidade multifacetada e bastante heterogênea, esse movimento construiu um conceito que compreende "produtos, técnicas e/ou metodologias reaplicáveis, desenvolvidas na interação com a comunidade e que representem efetivas soluções de transformação social" (RTS *apud* Dagnino, 2010, p. 11). Entretanto, esse conceito genérico traz limitações importantes por sua fragilidade analítico-conceitual, derivadas da falta de unidade ideológica de classe, refletindo uma correlação de forças enfraquecida, dos setores populares, num conjunto ideologicamente heterogêneo de atores envolvidos com a TS. Somente nos anos 2000 o movimento por tecnologias alternativas à tecnologia convencional passa a se denominar como de Tecnologia Social (Dagnino, 2010).

Ainda nos anos 1980, como parte da contestação que se começa a generalizar sobre o modelo produtivista dominante, que reúne os movimentos *hippie*, ecologista e uma parcela dos movimentos social e estudantil, emerge o que será então conhecido como *agricultura alternativa*. Esse movimento buscava questionar o uso dos agrotóxicos, a utilização de insumos modernos industrializados e as relações de dominação e exploração presentes no meio rural. Mas ainda era dividido em inúmeras correntes filosóficas e políticas com propostas críticas ao sistema dominante (agricultura biológica, natural, biodinâmica, permacultura etc.). No final dessa década, o movimento se firma assumindo a denominação genérica de *agroecologia* [VER AGROECOLOGIA], como a alternativa para se organizar a produção frente à dominação tecnológica e econômica do capital.

Nessa mesma década, um importante movimento que articula inicialmente setores estudantis e profissionais de agronomia e, posteriormente, de forma crescente, de agricultores, se congrega nos Encontros Brasileiros de Agricultura Alternativa (EBAA). Durante essa década foram realizados quatro encontros nacionais massivos, que afirmaram as bases para a expansão de uma visão crítica em relação à agricultura convencional e ao capitalismo (Luzzi, 2008). Em alguns estados, entidades governamentais e não governamentais (principalmente ligadas à Rede PTA)[3] implementam, no início do período da redemocratização, iniciativas no campo das Tecnologias Socialmente Apropriadas (Carvalho, 1982).

Em 2003 surge a Rede de Tecnologia Social (RTS) que buscou articular atores sociais e cientistas em busca da geração e disseminação de TS. No entanto, a ausência de atores-chave que demandassem e se envolvessem no processo de geração das TS e a omissão do Estado nessa articulação a enfraqueceram. A comunidade científica, refém das dinâmicas das tecnologias convencionais (TC), não se engajara no movimento da TS. A RTS identificou o movimento da economia solidária e, em particular, os empreendimentos econômicos solidários (EES) como elementos centrais do que se poderia constituir como movimento da TS no Brasil (Dagnino, 2010). De início, a concepção da TS se deu em oposição à tecnologia convencional (TC).

> Como é (ou deveria ser) a TS? Adaptada a pequeno tamanho; liberadora do potencial físico e financeiro; e da criatividade do produtor direto; não discriminatória (patrão × empregado); capaz de viabilizar economicamente os empreendimentos autogestionários e as pequenas empresas; orientada para o mercado interno de massa; ela deve ser adaptada ao reduzido tamanho físico e financeiro. Resumindo, deve ser capaz de viabilizar economicamente os empreendimentos autogestionários. (Dagnino, 2014)

Ainda que inicialmente construído por negação e exclusão, esse conceito contribuiu para o movimento e construiu uma referência sobre os elementos e princípios que deveriam ser considerados para a construção das TS.

O potencial trazido pelo conceito de Tecnologias Sociais para o avanço da agroecologia

Ao trazer a discussão das *tecnologias sociais* para a esfera da agroecologia, a enriquecemos com a perspectiva de se politizar a tecnologia, de deixar claro que a questão tecnológica – ainda mais na esfera da agroecologia – subordina-se às relações de poder e da luta entre as classes sociais que permeiam o conjunto da sociedade e da questão agrária em particular.

Muitas vezes, ativistas da produção orgânica enxergam apenas a perspectiva tecnológica. Reduzem a questão da agroecologia a essa esfera, desconsiderando os elementos políticos, ideológicos e, por que não, pedagógicos. A questão de fundo para o estabelecimento de uma forma de desenvolvimento sustentável seria a evolução técnica, descontextualizando-a dos aspectos socioeconômicos e políticos. Essa perspectiva se aproxima do determinismo tecnológico, que considera a tecnologia como força autônoma frente às relações sociais e, portanto, das relações de poder e de classe na sociedade. Essa concepção se articula muitas vezes com a ideia de que estaríamos na era do conhecimento, de que o trabalho perdeu relevância e que, portanto, pode-se superar a sociedade de classes pelo acesso ao conhecimento, sem acabar com o sistema de domínio do capital (Frigotto, 2009).

A agroecologia surge justamente pela junção da crítica científica e tecnológica ao modelo produtivo, com a perspectiva de transformação das relações sociais vigentes no campo brasileiro. Não se pode limitá-la apenas a um questionamento de ordem técnica, pois esteve umbilicalmente ligada à perspectiva de transformação societária, ao enfrentamento do domínio do latifúndio, da exploração capitalista sobre as pessoas e sobre a natureza, pelos riscos ao futuro da humanidade.

A agroecologia tem se baseado fortemente na interação entre agricultores e técnicos, em uma perspectiva comunicativa horizontal, onde se estabelece o diálogo de saberes: o técnico-científico e o saber popular. Ainda que não tenhamos avançado mais nesse campo, há aqui um enorme potencial de cooperação, na medida em que se entende que cada camponês é também um sujeito potencial, capaz de produzir conhecimento válido. Em vez de algumas centenas ou milhares de pesquisadores da agroecologia, teremos milhões de agricultores-experimentadores, em diálogo com a academia, mediante processos dialógicos.

Em relação aos aspectos econômicos das tecnologias, cabe ressaltar que, no capitalismo, uma tecnologia somente passa a ser adotada pelos agentes econômicos, em larga escala, caso a inovação represente redução real dos preços de produção. No caso da agroecologia isso não é tão claro. Na maioria das vezes o processo de transição leva a um aumento real dos preços de produção, caso se desconsidere os benefícios socioambientais contidos nessa nova prática produtiva. Apesar disso, nas condições de economia de mercado, a agroecologia necessariamente irá se enfrentar com essa lei tendencial e com as consequências dela decorrente.

A agroecologia e as tecnologias sociais na perspectiva do materialismo histórico

Ora, se a tecnologia e o conhecimento são frutos do trabalho humano historicamente construído, e se a tecnologia não possui autonomia frente às condições sociais nas quais é gerada, se coloca a questão de como podemos analisar o papel da tecnologia agroecológica enquanto tecnologia social, e sua contribuição para a superação do modo capitalista de produção.

As forças produtivas são compostas pelos meios de produção, pela força de trabalho e pelos objetos de trabalho, ou seja, pelo "conjunto dos materiais naturais que o ser humano transforma para seu uso, dos instrumentos e demais materiais e instalações que o auxiliam no trabalho, e do próprio conhecimento acumulado e da aptidão adquirida para o trabalho" (Germer, 2009, p. 80). Logo, as tecnologias fazem parte das forças produtivas de uma determinada sociedade, e poderíamos também afirmar que a uma sociedade baseada em relações ecológicas de mediação com a natureza corresponderia, fundamental e necessariamente, o estabelecimento de tecnologias também amigáveis ambientalmente.

Na perspectiva de avançar na compreensão dos limites atuais para o avanço da agroecologia, apresentamos um esquema demonstrativo das interações a serem desenvolvidas na perspectiva do desenvolvimento da agroecologia como tecnologia social para a construção de novas relações em um possível futuro modo de produção social agroecológico.

O esquema (ver Figura 17, adiante, p. 797) procura explicitar diferentes componentes do que poderia se configurar como forças produtivas e as relações sociais de produção em uma perspectiva agroecológica. O sentido da explicitação das relações de produção agroecológicas aponta para a necessidade de repensar as estratégias de construção da agroecologia. Em certo sentido, muito do vasto esforço que tem sido despendido para a promoção da agroecologia se embasa em uma concepção filosófica idealista, que centra as ações no convencimento, na geração de conscientização, acerca da necessidade da agroecologia, desconsiderando as condições materiais para sua realização. Obviamente a conscientização é um aspecto essencial do problema, mas não está dissociada de outras relações e da totalidade social.

Necessita-se discutir o conjunto das condições para a emergência de um novo modo de produção que combine relações sociais de produção cooperativas e forças produtivas agroecológicas combinadas. Para tanto, entendemos ser metodologicamente necessário partir da materialidade dos processos produtivos e organizativos em cada situação real-concreta. Nessa perspectiva, a ênfase idealista apresenta limitações insuperáveis. Ao contrário, a abordagem do materialismo histórico e dialético pode propiciar elementos que alavanquem a massificação da agroecologia.

Sendo assim, caberia identificar, em cada situação, em que ponto situa-se o desenvolvimento das forças produtivas materiais da agroecologia e em que pontos localizam-se as contradições principais e secundárias que impedem o desenvolvimento da produção agroecológica. É fundamental, para tanto, uma ação planejada, partindo das necessidades concretas com base em um processo que combine a organização de base (voltada para as atividades produtivas concretas já desenvolvidas pelos agricultores) e que estabeleça processos de planejamento efetivamente participativos, que resultem em gradual compreensão das questões envolvidas, do empoderamento real dos indivíduos em relação entre si e com o ambiente natural e social.

Por isso sugerimos uma articulação em três polos do desenvolvimento das tecnologias sociais e do conjunto da práxis agroecológica: as dimensões da materialidade, da história e do movimento. O processo de articulação entre esses polos permitiria a construção de estratégias participativas envolvendo agricultores, técnicos e cientistas.

Na perspectiva proposta (ver Figura 18, adiante, p. 798), busca-se articular a visão dos três elementos em combinação. Parte-se da materialidade objetiva dos elementos, de como se dá a reprodução das condições de vida, de como se articulam as forças produtivas (o domínio de tecnologias agroecológicas, por exemplo) em seu desenvolvimento histórico. Num segundo eixo de articulação estão o movimento da realidade histórica e suas contradições, o que caracteriza as forças em disputa, os elementos que necessitam ser compreendidos e superados no real concreto, para poder avançar. A base fundamental é, então, a materialidade vivenciada pelos sujeitos sociais envolvidos nos processos de geração e validação das tecnologias sociais e como tais, a agroecologia.

Há, portanto, um desafio que deve ser trazido aos processos de cooperação, que seria a geração de tecnologias com perspectiva social, mediante estratégias articuladas e combinadas, como a da geração descentralizada de conhecimento agroecológico, combinado a processos de sistematização, mas também via a articulação de pesquisas científicas e tecnológicas por entidades como universidades e centros tecnológicos. Tudo isso vinculado aos processos de lutas sociais visando a superação do trabalho alienado e explorado, como forma dominante de organização societária. Experiências massivas de transição agroecológica como as do arroz ecológico nos assentamentos do Rio Grande do Sul, do Pastoreio Rotativo Racional Voisin (PRV), dos Agricultores Experimentadores no Semiárido Brasileiro (Freire; Falcão, 2013) e do Sistema de Plantio Direto de Hortaliças em Santa Catarina (Fayad; Comin; Bertol, 2016) contêm pistas importantes de como se poderiam articular esses diversos aspectos.

Referências

CARSON, R. *Silent spring*. Boston: Houghton Miffin, 1962. Disponível em: https://biowit.files.wordpress.com/2010/11/primavera_silenciosa_-_rachel_carson_-_pt.pdf. Acesso em: 4 abr. 2021.

CARVALHO, H. M. *Tecnologia socialmente apropriada:* muito além da questão semântica. Londrina: Iapar, 1982 (mimeo).

CHRISTOFFOLI, P. I. *O debate sobre ciência e tecnologia na superação do modo de produção capitalista*. Lições do processo russo e questões da atualidade. *In*: CALDART, R. N.; VILLAS BÔAS, R. L. (org.) *Pedagogia socialista* – Legado da Revolução de 1917 e desafios atuais. São Paulo: Expressão Popular, 2017.

DAGNINO, R. (org.) *Tecnologia social*. Ferramenta para construir outra sociedade. 2. ed. Campinas: Komedi, 2010.

______. Tecnologia social e seus desafios. *In*: *Tecnologia Social:* contribuições conceituais e metodológicas [*online*]. Campina Grande: EDUEPB, 2014, p. 19-34. Disponível em: http://books.scielo.org/id/7hbdt/pdf/dagnino-9788578793272-04.pdf. Acesso em: 4 abr. 2021.

FAYAD, J. A.; COMIN, J. J.; BERTOL, I. Sistema de plantio direto de hortaliças (SPDH). O cultivo do tomate. *Boletim Didático 131*. Florianópolis: Epagri, 2016.

FREIRE, A. G. e FALCÃO, F. C. O. Agricultoras e agricultores experimentadores: protagonistas da convivência com o Semiárido. *Agriculturas*. Rio de Janeiro: AS-PTA, v. 10, n. 3, set de 2013.

FRIGOTTO, G. Tecnologia. *In*: PEREIRA, I. B.; LIMA, J. C F. *Dicionário da educação profissional em saúde*. Rio de Janeiro: Fiocruz, 2009. Disponível em: http://www.sites.epsjv.fiocruz.br/dicionario/verbetes/tec.html. Acesso em: 4 abr. 2021.

GERMER, C. Marx e o papel determinante das forças produtivas na evolução social. *In*: *Crítica Marxista*, n. 29, p. 75-95, Campinas, 2009.

KATZ, C. La concepción marxista del cambio tecnológico. *Revista Buenos Aires*, Pensamiento Económico, n. 1, otoño, Buenos Aires, 1996.

KORSCH, K. *O conceito de forças produtivas materiais*. Disponível em: https://www.marxists.org/portugues/korsch/ano/mes/conceito.htm#r3. Acesso em: 14 out. 2018.

LUZZI, N. O debate agroecológico brasileiro: uma discussão a partir dos EBAAs e da experiência do PTA/FASE. *In*: *Anais do 32. Encontro Anual da ANPOCS*. Caxambu: ANPOCS, 2008. Disponível em: http://anpocs.com/index.php/encontros/papers/32-encontro-anual-da-anpocs/gt-27/gt41-2/2730-nilza-luzzi-o-debate/file. Acesso em: 4 abr. 2021.

MARX, K. Capital e tecnologia (Manuscritos de 1861-63). *In*: *Capital y tecnologia* – Manuscritos inéditos (1861-1863). México: Terra Nova, 1980. Disponível em: https://www.marxists.org/portugues/marx/1863/mes/tecnologia.htm. Acesso: 10 out. 2016.

MAZOYER M.; ROUDART, L. *História das agriculturas do mundo*. Do Neolítico à crise contemporânea. São Paulo/Brasília: EDUNESP/Nead, 2010.

PINTO, A. V. *O conceito de tecnologia*. v. 1. São Paulo: Contraponto, 2008.

TECNOLOGIA. *In: Michaelis Dicionário Brasileiro da Língua Portuguesa*. São Paulo: Melhoramentos, 2015. Disponível em: http://michaelis.uol.com.br/moderno-portugues/busca/portugues-brasileiro/tecnologia. Acesso: 15 out. 2015.

PARIS, C. *O animal cultural*. São Carlos: Editora da UFSCar, 2002, p. 235.

RAE. Tecnologias sociais. *Rev. adm. empres.*, São Paulo, v. 51, n. 1, p. 109, fev. 2011. Disponível em: http://www.scielo.br/scielo.php?script=sci_arttext&pid=S0034-75902011000100011&lng=en&nrm=iso. Acesso em: 27 out. 2018.

SCHUMACHER, E. *Small is beautiful*. Economics as if people mattered. Londres: Blond & Briggs, 1973.

SILVEIRA, R. M.; BAZZO, W. A. Ciência e tecnologia: transformando a relação do ser humano com o mundo. *In*: SIMPÓSIO INTERNACIONAL PROCESSO CIVILIZADOR. 9. Tecnologia e Civilização. *Anais*... Ponta Grossa, 2005. Disponível em: http://www.uel.br/grupo-estudo/processos-civilizadores/portugues/sitesanais/anais9/artigos.html. Acesso em:

THOMAS, H. *Tecnologías para la inclusión social y políticas públicas en América Latina*. 2009.

Para saber mais

CHRISTOFFOLI, P. I. Cooperação agrícola. *In*: *Dicionário da educação do campo*. Rio de Janeiro/São Paulo: ESPJV/Expressão Popular, 2012.

______. *Reflexões sobre a agroecologia na região da Cantuquiriguaçu e a atuação da UFFS*. Laranjeiras do Sul: UFFS, 2018. 10 slides.

CORONEL, D. A.; SILVA, J. A. M. O conceito de tecnologia, Álvaro Viera Pinto. Resenha. *Economia & Tecnologia*, ano 6, v. 20, jan./mar. 2010.

MARX, K. *O capital*. Crítica da economia política. Livro I. 2. ed. São Paulo: Boitempo, 2011.

ROSENBERG, N. *Abrindo a caixa preta*. Campinas: Editora da Unicamp, 2006.

T

Notas

[1] Uma discussão mais aprofundada acerca do papel das tecnologias no processo de exploração capitalista e na luta pela construção socialista pode ser encontrado em Christoffoli (2017).

[2] Força produtiva é a capacidade real de trabalhar dos homens vivos: a capacidade de produzir por meio do seu trabalho e com a utilização de determinados meios materiais de produção e em uma forma de cooperação determinada por eles, os meios materiais para a satisfação das necessidades sociais da vida, o que quer dizer, em condições capitalistas, a capacidade de produzir "mercadorias" (Korsch, 2018).

[3] No início dos anos 1980, o Projeto Tecnologias Alternativas foi abrigado pela Federação de Órgãos para a Assistência Social e Educacional (Fase). Ao se expandir, articulou diversas ONGs engajadas na produção e divulgação de tecnologias alternativas com uma perspectiva de educação popular. Posteriormente se organiza em rede, a Rede PTA.

TEIA ALIMENTAR

Fábio Dal Soglio

Para que se possa manejar corretamente um agroecossistema, é necessário compreender como as diferentes espécies que o habitam, nativas ou introduzidas, conseguem seus alimentos. Todos os seres vivos precisam de energia e de materiais para seu crescimento e desenvolvimento, para produzir as estruturas e compostos que precisam, a matéria orgânica viva, e para manter seus sistemas de suporte à vida funcionando. Essa energia e os nutrientes necessários à vida são obtidos dos alimentos. Mas, enquanto algumas espécies produzem seus próprios alimentos, utilizando energia livre disponível e moléculas inorgânicas, outros não possuem essa habilidade e dependem de alimentos já sintetizados. Em função disso, em cada ecossistema se estabelece uma relação de dependência, em diferentes níveis (os *níveis tróficos*), entre espécies que produzem seus alimentos e as que dependem de outros organismos para se alimentar. Forma-se, assim, uma cadeia de interações ecológicas com base na alimentação, a *cadeia alimentar* ou *cadeia trófica* (do grego "*trophe*", que significa alimento ou nutrição).

Evidentemente, as interações alimentares entre as espécies não ocorrem de forma linear, com plantas sendo consumidas por herbívoros, caçados por predadores que, ao morrerem, são processados por decompositores. Temos, por exemplo, predadores que podem atacar outros predadores para se alimentar, ou fungos que no solo são decompositores da matéria orgânica morta, mas que, se tiverem a oportunidade, tornam-se patógenos de plantas, passando a ser consumidores. Assim, as interações alimentares são, na verdade, complexas, formando uma rede de cadeias alimentares, a *rede alimentar*, também conhecida como *teia alimentar* ou *teia trófica*, que é como o conceito será tratado neste texto. Mas, por ser um conceito mais difundido, e de aplicação mais fácil, o termo cadeia alimentar ainda tem sido aplicado.

Os níveis tróficos e o fluxo de energia na teia alimentar

As diferentes espécies encontradas em um ecossistema podem ser agrupadas por níveis tróficos, que são caracterizados pelas habilidades dessas espécies em produzir e/ou consumir alimentos. Esses níveis tróficos são: *produtores*, que são as espécies capazes de sintetizar seus próprios alimentos; *consumidores*, que se alimentam de outros organismos, vivos ou mortos; e *decompositores*, que, ao decompor formas complexas de matéria orgânica morta, liberam nutrientes de volta ao ambiente. Ao longo da rede alimentar, desde os produtores primários até os decompositores, ocorre uma transferência de energia e de nutrientes entre os níveis tróficos, ou seja, um *fluxo de energia* e um *fluxo de materiais* [ver Ciclagem de Nutrientes]. Um esquema representando as interações entre esses diferentes níveis tróficos e o fluxo de energia é apresentado na Figura 19 (ver, adiante, p. 799).

Os produtores primários são organismos *autotróficos*, ou seja, são capazes de sintetizar moléculas orgânicas complexas, como açúcares, lipídios e aminoácidos, a partir de moléculas inorgânicas e uma fonte de energia. As principais moléculas inorgânicas que utilizam são as que servem de fonte de carbono, oxigênio e hidrogênio, como o gás carbônico (CO_2) e a água (H_2O). Os organismos autotróficos que possuem clorofila, como as plantas e algumas algas e bactérias, realizam a *fotossíntese*, utilizando a luz do sol como fonte de energia e transformando as moléculas de CO_2 e H_2O em glicose, que é um açúcar, liberando oxigênio (O_2). Outros organismos autotróficos aproveitam a energia liberada por reações químicas de oxirredução, através da *quimiossíntese*, em que o resultado final também é a síntese de açúcares. São exemplos de organismos que realizam a quimiossíntese: as ferrobactérias, que oxidam compostos de ferro (Fe); as sulfobactérias, ou tiobactérias, que oxidam compostos de enxofre, principalmente ácido sulfídrico (H_2S); e as nitrobactérias, ou bactérias nitrificantes, que oxidam amônia (NH_3) ou nitrito (NO_2), produzindo nitrato (NO_3), que é fonte de nitrogênio para as plantas.

Os açúcares produzidos na fotossíntese e na quimiossíntese servem de reserva primária de energia que, sendo necessária, pode ser liberada por reações de oxidação. Em alguns organismos, os *aeróbios* ou *aeróbicos*, essa oxidação acontece na *respiração*, que ocorre na presença de oxigênio (O_2); a quebra dos açúcares libera energia química, CO_2 e H_2O. Em alguns organismos, os *anaeróbios* ou *anaeróbicos*, a quebra dos açúcares é realizada na ausência de oxigênio, por outros compostos, como alguns compostos nitrogenados ou derivados do enxofre, e através da fermentação, uma reação em que os açúcares não são quebrados completamente, produzindo compostos mais simples, como o álcool (Lehninger; Nelson; Cox, 1993). Alguns organismos, como certos fungos e bactérias, podem atuar tanto como aeróbicos ou anaeróbicos, dependendo do ambiente em que se encontram. A energia liberada na quebra dos açúcares permite aos organismos sintetizar as demais moléculas orgânicas que necessitam ou realizar trabalho. A energia, assim, vai sendo transferida para as novas moléculas formadas, ou sendo perdida, na forma de trabalho ou de calor.

Entre os organismos consumidores, denominados *heterotróficos* por não sintetizarem seus alimentos, existem diversas formas de obtenção e processamento dos alimentos para conseguir a energia e os nutrientes que precisam para viver. Existem consumidores aeróbicos obrigatórios, anaeróbicos obrigatórios e os que sobrevivem na presença ou na ausência de oxigênio. Os *consumidores primários* se alimentam apenas dos produtores primários ou de parte desses. É o caso dos herbívoros, como os animais ruminantes, que consomem exclusivamente vegetais. Outros organismos se alimentam de outros consumidores, podendo ser conhecidos como *consumidores secundários*, quando se alimentam de consumidores primários, como os carrapatos parasitando bovinos, ou pequenos predadores se alimentando de coelhos, ou como *consumidores terciários*, como os *superpredadores*, predadores de outros predadores, como as águias que se alimentam de cobras, e os *hiperparasitas*, parasitas de outros parasitas, como fungos do gênero *Trichoderma* que atacam fungos parasitas de plantas.

Embora muitas espécies sejam especializadas em um determinado nível trófico, algumas espécies são mais generalistas, ocupando diferentes níveis tróficos, dependendo do ambiente ou da fase de vida em que se encontram. Nos sirfídeos, que são pequenas moscas, por exemplo, os adultos consomem néctar e pólen, sendo consumidores primários, enquanto as larvas são predadores de pulgões em plantas, ou seja, consumidores secundários (Silva *et al.*, 2013).

Em algumas interações ecológicas, como a simbiose e o mutualismo, encontramos associações de espécies que, mesmo estando em diferentes níveis tróficos, se beneficiam mutuamente [VER INTERAÇÕES ECOLÓGICAS]. Temos como exemplos, citados por Moreira e Siqueira (2006), as bactérias fixadoras de nitrogênio, dos gêneros *Rhizobium* e *Bradyrhizobium*, que formam associações simbióticas com plantas leguminosas, e os fungos micorrízicos, que vivem em mutualismo (simbiose obrigatória) com grande parte das plantas. Em ambos os casos, os microrganismos fornecem nutrientes às plantas, e delas recebem açúcares. Odum (1983) também cita como exemplo o caso de líquenes, simbioses entre fungos e algas ou cianofíceas (bactérias fotossintetizadoras), muitas vezes conhecidos por serem colonizadores primários, habitando ambientes pouco intemperizados, em que a associação benéfica entre os organismos envolvidos é de tal ordem que eles sempre se reproduzem juntos. Nesse caso, as algas ou as cianofíceas realizam fotossíntese, e, portanto, são os produtores primários, enquanto os fungos lhes fornecem água e proteção, recebendo em troca o alimento sintetizado.

Alguns organismos, os *mixotróficos*, são produtores e consumidores. É o caso das plantas carnívoras, que, embora façam fotossíntese, também se alimentam de insetos que ficam presos em suas armadilhas, e de algumas algas, como as do gênero *Euglena*, que tanto podem realizar fotossíntese como se alimentar de diferentes compostos orgânicos através de fagocitose (Schmidt; Raven; Paungfoo-Lonhienne, 2013).

Ao final da rede alimentar existem os organismos *decompositores*, que reciclam a matéria orgânica morta. Os decompositores, em geral microrganismos, adquirem energia quebrando compostos orgânicos mais complexos, como açúcares, proteínas, ácidos nucleicos e lipídios, e liberando nutrientes na forma de compostos mais simples que ficam assim disponíveis aos produtores primários, reiniciando a rede alimentar. No processo de decomposição, diversos organismos podem se suceder, sendo cada um mais adaptado às diferentes condições ecológicas ou especializado na quebra de determinados compostos orgânicos. Alguns organismos podem atuar como decompositores de matéria orgânica, em determinadas condições de ambiente, passando a ser consumidores se essas condições forem modificadas. É o caso de vários microrganismos encontrados normalmente como decompositores de matéria orgânica no solo, e que podem passar a atuar como patógenos caso haja a oportunidade.

Alguns organismos podem se alimentar de uma maior diversidade de fontes de alimento, tanto produtores como consumidores e mesmo decompositores, sendo chamados de *polífagos* ou *onívoros*. É o caso dos humanos, que podem processar uma gama de alimentos, tendo para isso um sistema digestivo adaptado. Em contrapartida, assim como ocorre nos humanos, muitos organismos não se alimentam apenas de fontes de carbono e de minerais, mas requerem também fontes de alguns compostos complexos que não conseguem sintetizar, como vitaminas ou aminoácidos, que precisam ser obtidos pela alimentação. Assim, mesmo um organismo onívoro, que pode utilizar uma ampla gama de alimentos, pode requerer alguma fonte nutritiva específica para completar seu desenvolvimento de forma satisfatória.

Segundo Odum (1983), o fluxo de energia ocorre em uma única direção e, ao longo da cadeia alimentar, essa energia vai sendo consumida e perdida. Assim, os produtores primários adquirem a energia de uma fonte de alto valor energético, como a luz do sol, e a acumulam nos alimentos que sintetizam e que serão a base da rede alimentar. Esses alimentos são utilizados em parte pelos produtores, e depois pelos consumidores e decompositores, e a energia inicial vai sendo consumida para produzir trabalho ou sendo perdida na forma de calor, até um sumidouro final. Pela rede alimentar, as perdas energéticas a cada nível trófico são consideráveis, podendo chegar a 90% (Odum, 1983). Assim, os produtores acumulam, por massa, mais energia que os consumidores primários, e esses, por sua vez, mais energia que os consumidores secundários, e assim sucessivamente. Isso explica por que podemos considerar a produção vegetal mais eficiente, do ponto de vista energético, que a produção animal, e porque não temos criações de animais carnívoros.

A Teia alimentar e o manejo dos agroecossistemas

Como visto, as redes alimentares estão conectadas ao fluxo de energia e à produtividade, em termos de biomassa, de um ecossistema. Isso significa que o manejo correto de um agroecossistema direciona o fluxo de energia para funções ecológicas desejadas, beneficiando espécies e interações prioritárias para a agricultura. Embora regras gerais possam ser úteis, estabelecendo a conservação do solo, da água e da biodiversidade, para o manejo correto dos agroecossistemas, é necessário entender as tendências naturais das redes tróficas, considerando as condições ecológicas locais e como diferentes práticas as afetam.

Muitas práticas de manejo, comuns na agricultura convencional, como a aração, a incorporação de restos culturais ao solo, a aplicação de agrotóxicos e os monocultivos, prejudicam o fluxo de energia e de matéria orgânica no sistema. Em um solo tropical, a aração, que provoca compactação, e a incorporação profunda de matéria orgânica não decomposta, por exemplo, incrementa a atividade anaeróbica no solo e, ao contrário de liberar CO_2, libera metano (CH_4), que é tóxico (Primavesi, 2012). O metano também tem, proporcionalmente, maior potencial que o CO_2 como causa do efeito estufa (Forster, 2007). Os monocultivos reduzem a disponibilidade de alimentos para a manutenção dos diferentes grupos funcionais, como, por exemplo, os agentes de controle biológico, aumentando a população de organismos não desejados (Nichols, 2006). Os agrotóxicos, químicos ou biológicos, afetam as redes alimentares, pois alteram a biodiversidade funcional, por vezes de forma não intencional, tanto diretamente, em espécies suscetíveis aos ingredientes ativos, como indiretamente, quando elimina da rede alimentar uma espécie que é chave para a sobrevivência de outras espécies.

Em contrapartida, existem práticas que são benéficas aos agroecossistemas, favorecendo a captação de energia no sistema e a acumulação de biomassa. É o caso dos sistemas agroflorestais, onde as árvores, além de aumentarem a biodiversidade funcional, fornecendo alimentos e proteção para diversas espécies, também aumentam a interceptação de luz no sistema e a acumulação de biomassa, com efeitos positivos na estrutura e na fertilidade dos solos (Coelho, 2012). Também o uso de barreiras vegetadas e de quebra-ventos, que alteram o microclima no agroecossistema, interferem na distribuição de insetos ou patógenos especializados, ou seja, que atacam apenas determinadas plantas, contribuindo também com a regulação biótica, ao servir de reservatório de agentes de controle biológico, como predadores, por exemplo aranhas e vespas, ou parasitas, como microrganismos que ataquem outros microrganismos ou causem doenças nos insetos prejudiciais [VER AGROFLORESTA – SISTEMAS AGROFLORESTAIS].

Conclusão

Diversas são as possibilidades de manejarmos as redes alimentares nos agroecossistemas e, com isso, atingir maiores níveis de produtividade na agricultura. No entanto, para desenvolvermos agroecossistemas mais sustentáveis, além da produtividade, devemos levar em consideração as demais propriedades destes, como a sustentabilidade ambiental, a autonomia, a equidade e a estabilidade. Como a rede de interações alimentares em cada ecossistema tem suas especificidades, sendo condicionada por características físicas e ecológicas que variam consideravelmente no tempo, ao longo dos dias e das estações, e de acordo com as condições climáticas, para cada ambiente e para cada situação existem respostas diferentes do comportamento das redes alimentares. Regras gerais de manejo do solo, da água e da biodiversidade, e de como poderemos melhorar o fluxo de energia e biomassa, manejando as redes alimentares, podem ser utilizadas, mas a experiência e o conhecimento acumulados em cada ecossistema precisam ser levados em conta, adaptando os manejos aos contextos locais. Além disso, em decorrência das interações ecológicas entre espécies, em geral mais eficientes na conservação de energia e na produção de biomassa, resulta um longo período de coevolução, no qual se deve priorizar os manejos que beneficiem espécies nativas, tanto da biodiversidade manejada como da biodiversidade associada, o que em geral resulta no estabelecimento de redes alimentares mais eficientes na acumulação de energia e na produção de biomassa.

Referências

COELHO, G. C. *Sistemas Agroflorestais*. São Carlos: Rima, 2012. 206p.
FORSTER, P. *et al*. Changes in Atmospheric Constituents and in Radiative Forcing. *In*: Solomon, S. *et al*. (eds). *Climate Change 2007*: The Physical Science Basis. Cambridge: Cambridge University Press. 2007.
LEHNINGER, A. L.; NELSON, D. L.; COX, M. M. *Principles of Biochemistry*. 2. ed. New York: Wortth, 1993. 1.013p.
MOREIRA, F. M. S.; SIQUEIRA, J. O. *Microbiologia e Bioquímica do Solo*. 2. ed. atual. Ed. ampl. Lavras: Editora UFLA, 2006.
NICHOLS, C. I. Bases agroecológicas para diseñar e implementar una estrategia de manejo de hábitat para control biológico de plagas. *Agroecología*, n. 1, 2006, p 37-48, 2006.
ODUM, E. P. *Ecologia*. Rio de Janeiro: Ed. Guanabara, 1983. 434 p.
PRIMAVESI, A. *O solo*: a base da vida em nosso globo. São Paulo: Unesp, 2012. 13p. Disponível em: https://www.fca.unesp.br/Home/Extensao/GrupoTimbo/Osolo-AnaPrimavesi. Acesso: 5 abr. 2021.
SCHMIDT, S.; RAVEN, J.A.; PAUNGFOO-LONHIENNE, C. The mixotrophic nature of photosynthetic plants. *Functional Plant Biology*, n. 40, p. 425-438, 2013.
SILVA, A. C. *et al*. *Guia para o reconhecimento de inimigos naturais de pragas agrícolas*. Brasília: Embrapa, 2013.

Para saber mais

GONÇALVES, P. A. S.; SILVA, C. R. S. Efeito de espécies vegetais em bordadura em cebola sobre a densidade populacional de tripes e sirfídeos predadores. *Horticultura Brasileira*, v. 21, n. 4, p. 731-734, 2003.

TERRAS INDÍGENAS

Rosane Freire Lacerda
Saulo Ferreira Feitosa

O presente verbete trata da temática das Terras Indígenas no Brasil. Partindo de aspectos conceituais, aponta a confusão com o conceito de "reservas indígenas", traz breves informações sobre o desenvolvimento histórico dos direitos indígenas à terra desde a Colônia, para depois situar o seu tratamento constitucional e infraconstitucional, bem como os ataques que tais direitos vêm sofrendo. Conclui enfatizando a importância das terras indígenas para a garantia da existência desses povos e da proteção ambiental, e indicando a necessidade

T

urgente de defesa das conquistas alcançadas no texto constitucional de 1988 (Brasil, 1988).

Conceito

É comum as pessoas usarem a expressão "reservas" para se referirem aos locais onde vivem os povos indígenas. O termo traz a ideia de que estas terras são espaços *para eles* separados, *criados* pelo Estado como nichos de sobrevivência no processo de liberação à apropriação colonial. Seriam espaços de contenção dos indígenas, evitando a perturbação da estrutura agrária consolidada com a colonização.

Já o conceito de "terras indígenas" traz a ideia de território [VER TERRITÓRIO], de espaço dotado de sentidos de historicidade, pertencimento, identidade, na perspectiva dos próprios indígenas. São espaços de representação e reprodução cíclica das cosmovisões de cada povo [VER COSMOVISÕES], e seu referencial na relação com os não indígenas.

Breve histórico

Desde o final do século XV, em todo o continente americano, a trajetória histórica das terras indígenas confunde-se com o avanço do projeto colonial e do capitalismo sobre os seus limites: uma história de espoliação, genocídio e resistência.

No Brasil, desde a legislação colonial (sobretudo o Alvará Régio de 1º de abril de 1680), a tradição jurídica sempre reconheceu como *congênitos* os direitos dos índios às suas terras, dado que "primários e naturais senhores delas". Era o instituto do *Indigenato* (Mendes Júnior, 1912, p. 58; Silva, 2017, p. 875), só não aplicado aos indígenas considerados hostis ao projeto colonial: aqueles, punidos em guerras, tinham suas terras totalmente espoliadas (Perrone-Moisés, 1992).

No século XIX, tratamentos deste tipo foram cedendo espaço a instrumentos mais "racionais" de apropriação daquelas terras. Tal iniciativa, sentida mais no Nordeste e Sudeste do país, teve como ferramentas principais o Decreto n. 426 de 24 de julho de 1845 (Brasil, 1845), que autorizou o arrendamento das terras à revelia dos indígenas, e a Lei de Terras de 1850 (Brasil, 1850), que serviu de pretexto a que as terras indígenas fossem tidas como "devolutas".

Com a Lei de Terras, a Decisão n. 172, de 21 de outubro de 1850, do Ministério dos Negócios do Império (Brasil, 1850), incorporou aos bens públicos as terras dos indígenas "dispersos e confundidos na massa da população civilizada". Várias províncias então declararam extintos os aldeamentos cujos indígenas estivessem naquelas condições. Embora os aldeamentos fossem unidades administrativas e a extinção fosse deles e não dos indígenas, as terras foram transferidas ao Império e daí às províncias, municípios e particulares (Moreira Neto, 2005), gerando conflitos até hoje existentes.

Nas décadas de 1940 e 1950, novos impactos sobre as terras indígenas viriam com a expansão das fronteiras agrícolas na "Marcha para o Oeste" (Goiás e Mato Grosso). Nas décadas de 1960 e 1970, os impactos deslocaram-se para a região Norte, com a abertura de grandes rodovias sobre inúmeras terras, no bojo do Plano de Integração Nacional (PIN), do governo militar. Tais projetos deixaram um enorme custo em vidas de indígenas até então sem contato com o mundo exterior. Aldeias inteiras foram removidas e dizimadas por epidemias levadas com o contato (Davis, 1978; Leonel, 1992).

As terras indígenas no Brasil chegaram ao século XXI ocupando apenas cerca de 12% do território que ocupavam no século XVI, mesmo assim objeto de todas as formas de invasão. O fato de ainda existirem deve-se à ferrenha e contínua resistência indígena.

Tratamento constitucional

Apesar do silêncio inicial da Constituição do Império (Brasil, 1824), os indígenas passariam a tema constitucional através da Lei n. 16, de 12 de agosto de 1834 (Brasil, 1834), que, aditando aquela Carta, determinou (art.11, §5º) que o governo central compartilhasse com as Assembleias Legislativas das Províncias a sua "catequese e civilização".

A atenção constitucional específica só viria com a Carta de 1934 (Brasil, 1934), que ordenou o respeito à "posse de terras de silvícolas" que nelas se achassem "permanentemente localizados" (art. 127), texto repetido com algumas variações nas Cartas de 1937 (Brasil, 1937), 1946 (Brasil, 1946), 1967 (Brasil, 1967) e Emenda Constitucional (EC) de 1969 (Brasil, 1969).

Na Carta de 1988, elas passam a receber a denominação de "tradicionalmente ocupadas" cujo conceito é dado do seguinte modo:

> são terras tradicionalmente ocupadas pelos índios as por eles habitadas em caráter permanente, as utilizadas para suas atividades produtivas, as imprescindíveis à preservação dos recursos ambientais necessários a seu bem-estar e as necessárias à sua reprodução física e cultural, segundo seus usos, costumes e tradições. (Brasil, 1988, art. 231, §1º)

Para alguns, essa delimitação conceitual é problemática, pois ao não se manter os conceitos abertos das Cartas anteriores ("terras que habitam" e "terras habitadas"), introduziu-se elementos que podem ser alheios à lógica territorial indígena. Para outros, a delimitação elimina dúvidas quanto à territorialidade daquelas terras, protegendo-as de reducionismos do tipo "reservas". Seja como for, o conceito está amarrado à ideia de "usos, costumes e tradições" indígenas e não a critérios de conveniência do Estado.

Como medidas protetivas contra os interesses do capital, a Constituição Federal de 1988 (Brasil, 1988) considerou-as "inalienáveis e indisponíveis" (art. 231, § 4º), isto é, não sujeitas à venda ou a quaisquer outras formas de destinação a terceiros.

Aos indígenas, a CF/88 (Brasil, 1988) reconheceu os direitos de "posse permanente" e "usufruto exclusivo" (CF/88 art. 231, §2º) sobre essas terras, excluindo o de *propriedade*, que pertence à União (art. 20, XI). Reafirmando o indigenato, declarou posse e usufruto como direitos "originários" e "imprescritíveis" (art. 231, *caput* e § 4º), porque preexistentes à colonização e sem prazo de vigência.

A CF/88 (Brasil, 1988) proíbe ao poder público a remoção (definitiva) dos grupos indígenas (art. 231, § 5º), e só admite o seu deslocamento (temporário) para protegê-los de "catástrofe ou epidemia que ponha em risco sua população", ou no "interesse da soberania do país", garantido "o retorno imediato logo que cesse o risco". Nas duas hipóteses, a medida só pode ser adotada se referendada ou deliberada pelo Congresso.

Os direitos de posse e usufruto têm sido fundamentais para a os povos indígenas e suas lutas, sendo previstos como a única destinação legítima dada àquelas

T

terras, excluindo-se de qualquer pretensão a própria União Federal (CF/88 art. 231, §2º) (Brasil, 1988).

No entanto, as ofensivas do setor minerário durante a Assembleia Nacional Constituinte (ANC) de 1987-1988 (Brasil, 1988) limitaram o usufruto exclusivo indígena às riquezas do "solo, rios e lagos" (art. 231, § 6º). As localizadas no "subsolo" foram excluídas, tornando-se exploráveis pelos setores mineral e hidrelétrico.

No caso da mineração e lavra, dependem de aprovação de lei federal (ainda inexistente), que deve estabelecer as "condições específicas" para essa atividade naquelas terras (art. 176, §1º), o modo como as comunidades afetadas devem ser ouvidas a respeito, e tratar da sua participação nos resultados da lavra (art. 231, §3º).

A CF/88 determina que tanto um quanto outro tipo de exploração econômica precisam de autorização do Congresso Nacional (art. 231, §3º). Desde a promulgação da Constituição, tais exigências suspenderam os projetos minerários nas Terras Indígenas. Contudo estas continuam a sofrer os efeitos de hidrelétricas que, embora situadas fora daqueles limites territoriais, têm gerado fortes impactos sociais e ambientais no seu interior.

A Carta protege as terras indígenas com a invalidade dos atos que perturbem aquela ocupação e posse, e o domínio da União (art. 231, § 6º), mas diz que serão válidos havendo "relevante interesse público da União", a ser regulado em lei complementar.

De modo geral, apesar das ofensivas do capital sobre os territórios dos povos e comunidades tradicionais, os direitos e garantias conquistados na CF/88 (Brasil, 1988) têm constituído importante rede protetiva, concretizada nas demarcações desde então realizadas e no grau de contenção contra o avanço do latifúndio e das mineradoras.

Mas o centro das tensões continua na demarcação que, apesar de obrigação da União (art. 231, *caput*), continua ausente em 40,86% das Terras Indígenas (Conselho Indigenista Missionário, 2019).

Legislação e demarcação

Após três décadas da Constituição de 1988 (Brasil, 1988), continua ainda vigente a Lei n. 6.001 de 1973 (Brasil, 1973), o "Estatuto do Índio", que prevê três tipos de terras indígenas: as "ocupadas", as "reservadas" e as de "domínio" (art.17).

As "ocupadas" predominam em todo o país. Correspondem às previstas na Carta de 1988 (tradicionalmente ocupadas). São as mais relevantes, porque dotadas do sentido de territorialidade. Sua demarcação pela União é obrigatória, em ato que *não cria*, só *reconhece* a ocupação sob o critério dos usos, costumes e tradições indígenas.

Já as "reservadas" são *criadas* pelo poder público via desapropriação por interesse social, para abrigar comunidades que por alguma razão (barragens hidrelétricas, conflitos internos etc.) perderam ou deixaram suas terras. Segundo o Conselho Indigenista Missionário (Cimi), apenas 2,93% das Terras Indígenas enquadram-se nessa categoria. Quanto às "de domínio", pertencem às próprias comunidades, adquiridas pelas formas previstas no direito civil (compradas etc.). Chegam a apenas 1,62% do total no país (Conselho Indigenista Missionário, 2019).

Por suas características distintas, nem as reservas nem as terras dominiais indígenas possuem os atributos constitucionais das terras tradicionalmente ocupadas, nem são alcançadas pela mesma proteção que é conferida àquelas terras, sendo, porém, objeto de outras formas de proteção pela Lei 6.001/73 (Brasil, 1973).

Por se chocarem com a Carta de 1988, dispositivos da Lei 6.001/73 (Brasil, 1973) perderam validade, como o art. 20, que previa a remoção dos indígenas via decreto por "imposição da segurança nacional", "obras públicas" e "exploração do subsolo". Outros continuam vigentes, como o que determina a demarcação administrativa (art. 19, *caput*), e os que proíbem que sejam arrendadas, ou que terceiros possam nelas caçar, pescar, coletar frutos ou praticar atividades agropecuárias ou extrativas (art. 18, *caput* e § 1º).

Ao optar pela demarcação na via administrativa, e não judicial, o Estatuto acatou a lógica da Carta de 1967 (Brasil, 1967), de que tais terras já são bens da União pelo próprio fato de serem indígenas. Já pertencendo à União, não haveria que se desapropriar, mas apenas que reconhecer a ocorrência e os limites geográficos daquela posse e ocupação.

Em 1973, o Estatuto havia determinado que a demarcação deveria ocorrer "por iniciativa e sob orientação" do órgão indigenista oficial, a Fundação Nacional do Índio (Funai), e de acordo com "processo estabelecido em decreto do Poder Executivo" (art. 19, *caput*). Desde então, cinco decretos se sucederam,[1] todos preocupados em reduzir o papel do órgão e possibilitar a interferência de setores contrários às demarcações.

Em 1996, o Decreto n. 1.775 (Brasil, 1996a) (ainda vigente) deu a terceiros interessados, com base nos princípios constitucionais do contraditório e da ampla defesa, o direito de contestar administrativamente os processos demarcatórios. Apesar disso, o Decreto mostrou-se incapaz de satisfazer plenamente aos interesses do capital naquelas terras. Agora a "bancada ruralista" no Congresso investe para alterar a própria Constituição, para impedir as demarcações e liberar aquelas terras à exploração sem limites.

As ameaças

As Terras Indígenas são hoje alvo de uma onda de ataques de proporções nunca imaginadas, que têm como objetivo sua total abertura às mais variadas formas de exploração econômica pelo capital, contrariando as medidas de proteção previstas pela CF/88 (Brasil, 1988).

As ameaças mais preocupantes vêm de Propostas de Emenda Constitucional (PECs), quase todas apresentadas pela Bancada Ruralista. As mais numerosas modificam a competência para a demarcação, transferindo-a para o Congresso Nacional, PEC 133/92 (Brasil, 1992b); 215/2000 (Brasil, 2000); 579/2002 (Brasil, 2002); 275 (Brasil, 2004b) e 319/2004 (Brasil, 2004c); 37/2007 (Brasil, 2007b) ou para as Assembleias Legislativas Estaduais, PEC 257/2004 (Brasil, 2004a). Outras propõem que as demarcações sejam feitas por lei e não administrativamente: PEC 117/2007 (Brasil, 2007c); 37/2007 (Brasil, 2007b) e 161/2007 (Brasil, 2007d) e 411/2009 (Brasil, 2009).

Entre as PECs, uma proíbe a demarcação de terras indígenas em faixa de fronteira PEC 133/1992 (Brasil, 1992b) e outra,[2] a revisão das demarcações já efetuadas (PEC 215/2000, Brasil, 2000). Há também as que confundem demarcação com criação de reservas – PEC

T

133/1992 (Brasil, 1992b); PEC 37/2007 (Brasil, 2007b) –, e que descaracterizam a ocupação tradicional e o indigenato, condicionando à demarcação as garantias da inalienabilidade e da indisponibilidade das terras e a imprescritibilidade dos direitos de posse e usufruto – PEC 215/2000 (Brasil, 2000); PEC 161/2007 (Brasil, 2007d).

Alterações através de leis ordinárias também têm sido tentadas para se dificultar as demarcações. É o caso, por exemplo, do Projeto de Lei (PL) 490/2007 (Brasil, 2007a), que modifica o art. 19 do Estatuto do Índio para que as terras indígenas "sejam demarcadas por lei". A medida se justificaria, conforme o projeto, porque tais demarcações atingiriam "interesses diversos" (Miotto, 2018).

Outra preocupação vem do PL 6.818/2013 (Brasil, 2013a), que não só submete os procedimentos demarcatórios aos interesses de estados, municípios e particulares, como limita o conceito de ocupação tradicional às terras onde estivessem "na data da promulgação da Constituição de 1988". Afirmando-se inspirado na decisão do Supremo Tribunal Federal (STF), no histórico julgamento do caso Raposa/Serra do Sol (PET 3.388/RR) (Brasil, 2013b), o PL substitui o *indigenato* pela chamada "tese do marco temporal", que só reconhece como indígenas as terras que eles estivessem ocupando em 6 de outubro de 1988.

Propostas como estas submetem as demarcações aos interesses não indígenas locais e desconsideram os processos históricos de espoliação territorial vivenciados quando da própria Constituinte em 1987 e 1988. A tese do marco temporal convalida o esbulho então denunciado por aqueles povos, quando a Carta de 1988 foi promulgada.

Outro tema preocupante é a exploração mineral, represada desde 1988. Em levantamento de 2013, só na terra indígena Xikrin do Cateté (PA) haveria 120 requerimentos de pesquisa, comprometendo 100% de sua superfície (Rolla; Ricardo, 2013, p. 9). Mais recentemente, o Instituto Socioambiental (ISA) detectou a existência de 4.181 requerimentos incidentes nas terras indígenas na região (Almeida *et al.*, 2016).

Com as pressões do setor minerário, ao menos 24 Projetos de Lei (PLs) tratam do assunto. Nos anos de 1991 e 1992, quando da apresentação de propostas para a revisão da lei indigenista,[3] o movimento indígena e aliados defenderam o novo "Estatuto" como lugar estratégico para a questão. No entanto, em 1996, o PL 1.610 (Brasil, 1996b) do Senador Romero Jucá (PFL/RR) tornou-se o carro-chefe das propostas das mineradoras.

Mas o Legislativo não tem sido a única preocupação. Desde julho de 2017 vigora na Advocacia Geral da União (AGU) o Parecer Normativo n. 001, que determina o cumprimento de todas as condicionantes fixadas pelo STF no caso Raposa/Serra do Sol (Brasil, 2017), o que reforça a tese do marco temporal (Liebgott, 2018). Em diversas ocasiões o Judiciário tem decidido de modo contrário ao parecer, e recentemente a Procuradoria-Geral da República manifestou-se contrária à tese, tema ainda em aberto no STF.

Importância e perspectivas

Apesar de todo o processo de degradação e espoliação que tem sofrido ao longo dos últimos cinco séculos, as terras indígenas mantêm sua importância como elemento fundamental na existência dos povos indígenas e, com eles, sua diversidade étnico-cultural expressa em antigos e diferentes saberes e visões de mudo. Além disso, cumprem relevante papel como uma das últimas e mais eficazes barreiras de proteção (Instituto de Pesquisa Ambiental da Amazônia, 2015) contra a degradação ambiental promovida pelas formas mais predatórias de exploração capitalista.

Por tais razões, as terras indígenas estão sob um ataque que projeta, com o retrocesso de direitos, a tentativa de se retomar a imposição de modelos de expansão econômica tragicamente vivenciados pelos indígenas em passado recente (Dias, 2019). Neste contexto, as perspectivas apontam para um período próximo de forte impacto do capital, com recrudescimento de conflitos e aumento de violências contra aqueles povos. Mas apontam também para a intensificação e ampliação das suas formas de resistência.

Mais do que nunca, o momento histórico exigirá dos povos indígenas e de seus aliados a articulação solidária com outros setores populares mais próximos e vítimas do mesmo projeto, a capacitação para o enfrentamento à guerra contemporânea da comunicação, e a disposição para estimular nas novas gerações a necessidade de reflexão sobre o papel de todos em relação ao futuro do país, da região e do planeta.

Referências

ALMEIDA, A. *et al*. *UCs e TIs na Amazônia são afetadas por mais de 17,5 mil processos de mineração*. Socioambiental, 2016. Disponível em: https://www.socioambiental.org/pt-br/blog/blog-do-monitoramento/ucs-e-tis-na-amazonia-sao-afetadas-por-mais-de-175-mil-processos-de-mineracao. Acesso em: 5 abr. 2021.

BRASIL. Alvará Régio de 1º de abril de 1680.

_______. Câmara dos Deputados. Legislação. *Decreto n. 22, de 4 de fevereiro de 1991*. Dispõe sobre o processo administrativo de demarcação das terras indígenas e dá outras providências. 1991a. Disponível em: https://www2.camara.leg.br/legin/fed/decret/1991/decreto-22-4-fevereiro-1991-342595-norma-pe.html. Acesso em: 5 abr. 2021.

_______. Câmara dos Deputados. Legislação. *Decreto n. 76.999, de 8 de janeiro de 1976*. Dispõe sobre o processo administrativo de demarcação das terras indígenas e dá outras providências. 1976. Disponível em: https://www2.camara.leg.br/legin/fed/decret/1970-1979/decreto-76999-8-janeiro-1976-425608-publicacaooriginal-1-pe.html. Acesso em: 5 abr. 2021.

_______. Câmara dos Deputados. Legislação. *Decreto n. 88.118, de 23 de fevereiro de 1983*. Dispõe sobre o processo administrativo de demarcação de terras indígenas e dá outras providências. Disponível em: https://www2.camara.leg.br/legin/fed/decret/1980-1987/decreto-88118-23-fevereiro-1983-438548-publicacaooriginal-1-pe.html. Acesso em: 5 abr. 2021.

_______. Câmara dos Deputados. Legislação. *Decreto n. 94.945, de 23 de setembro de 1987*. Dispõe sobre o processo administrativo de demarcação de terras indígenas e dá outras providências. 1987. Disponível em: https://www2.camara.leg.br/legin/fed/decret/1980-1987/decreto-94945-23-setembro-1987-445267-publicacaooriginal-1-pe.html. Acesso em: 5 abr. 2021.

_______. Câmara dos Deputados. Legislação. *Decreto n. 1.775, de 8 de janeiro de 1996*. Dispõe sobre o procedimento administrativo de demarcação das terras indígenas e dá outras providências. 1996a. Disponível em: https://www2.camara.leg.br/legin/fed/decret/1996/decreto-1775-8-janeiro-1996-431807-norma-pe.html. Acesso em: 5 abr. 2021.

_______. Câmara dos Deputados. *Projeto de Lei (PL) n. 490/2007, art. 19 de 20 de março de 2007*. Autoria de Homero Preira (PR/MT). Altera a Lei n. 6.001, de 19 de dezembro de 1973, que dispõe sobre o Estatuto do Índio. Estabelece que as terras indígenas serão demarcadas através de leis. 2007a. Disponível em: https://www.camara.leg.br/proposicoesWeb/fichadetramitacao?idProposicao=345311. Acesso em: 5 abr. 2021.

_______. Câmara dos Deputados. *Projeto de Lei (PL) n. 1.610/1996 de 11 de março de 1996*. Autoria do Senado Federal – Romero Jucá (PFL/RR). Dispõe sobre a exploração e o aproveitamento de recursos minerais em terras indígenas, de que tratam os arts. 176, parágrafo 1º, e 231, parágrafo 3º, da Constituição Federal. 1996b. Disponível em: https://www.camara.leg.br/proposicoesWeb/fichadetramitacao?idProposicao=16969. Acesso em: 5 abr. 2021.

_______. Câmara dos Deputados. *Projeto de Lei (PL) n. 2.057/1991, de 23 de outubro de 1991*. Autoria de Aloizio Mercadante (PT/SP), Fábio Feldmann (PSDB/SP), José Carlos Saboia (PSB/MA) e outros. Dispõe sobre o Estatuto das Sociedades Indígenas. 1991b.
Disponível em: https://www.camara.leg.br/proposicoesWeb/fichadetramitacao?idProposicao=17569. Acesso em: 5 abr. 2021.

_______. Câmara dos Deputados. *Projeto de Lei (PL) n. 2.160/1991, de 15 de junho de 1991*. Dispõe sobre o Estatuto do Índio. Revoga dispositivos da Lei n. 5.371, de 1967 e a Lei n. 6.001 de 1973. 1991c. Disponível em: https://www.camara.leg.br/proposicoesWeb/fichadetramitacao?idProposicao=17722.

_______. Câmara dos Deputados. *Projeto de Lei (PL) n. 2.619/92 de 19 de março de 1992*. Autoria de Tuga Angerami. Dispõe sobre o Estatuto dos Povos Indígenas. Regulamenta o disposto no art. 176, § 1º e art. 231 da Constituição Federal de 1988 e revoga a Lei nº 6.001 de 1973. 1992a. Disponível em: https://www.camara.leg.br/proposicoesWeb/fichadetramitacao?idProposicao=18393. Acesso em: 21 jun. 2021.

_______. Câmara dos Deputados. *Projeto de Lei (PL) n. 6.818/2013 de 25 de novembro de 2013*. Autoria de Geraldo Simões. Dispõe sobre a demarcação das terras tradicionalmente ocupadas pelos indígenas. 2013a. Disponível em: https://www.camara.leg.br/proposicoesWeb/prop_mostrarintegra;jsessionid=E-29E2C9B5FCD6DE29DB3E175EE503552.proposicoesWebExterno2?codteor=1199799&filename=Tramitacao-PL+6818/2013. Acesso em: 5 abr. 2021.

_______. Câmara dos Deputados. *Proposta de Emenda à Constituição (PEC) n. 37 de 11 de abril de 2007*. Autoria de Eliene Lima (PP/MT) e outros. Dá nova redação ao art. 231, caput, da Constituição Federal, submetendo ao Congresso Nacional a demarcação de terras indígenas. 2007b. Disponível em: https://www.camara.leg.br/proposicoesWeb/fichadetramitacao?idProposicao=347867. Acesso em: 5 abr. 2021.

_______. Câmara dos Deputados. *Proposta de Emenda à Constituição (PEC) n. 117 de 11 de julho de 2007*. Autoria de Edio Lopes (PMDB/RR). Dá nova redação ao Art. 231, da Constituição Federal. Estabelece a competência da União para demarcar as terras indígenas através da lei. 2007c. Disponível em: https://www.camara.leg.br/proposicoesWeb/fichadetramitacao?idProposicao=359502. Acesso em: 5 abr. 2021.

_______. Câmara dos Deputados. *Proposta de Emenda à Constituição (PEC) n. 133 de 15 de janeiro de 1992*. 1992 b. Disponível em: https://www.camara.leg.br/proposicoesWeb/fichadetramitacao?idProposicao=14434. Acesso em: 5 abr. 2021.

_______. Câmara dos Deputados. *Proposta de Emenda à Constituição (PEC) n.161 de 20 de setembro de 2007*. Autoria de Celso Maldaner (PMDB/SC). Altera o inciso III do art. 225 e o § 4º do art. 231 da Constituição Federal, e art. 68 do Ato das Disposições Constitucionais Transitórias. Estabelece a criação de espaços territoriais a serem especialmente protegidos, a demarcação de terras indígenas e o reconhecimento das áreas remanescentes das comunidades dos quilombos deverão ser feitos por lei. 2007d.

_______. Câmara dos Deputados. *Proposta de Emenda à Constituição (PEC) n. 215 de 28 de março de 2000*. Autoria de Almir Sá (PPB/RR). Acrescenta o inciso XVIII ao art. 49; modifica o § 4º e acrescenta o § 8º ambos no art. 231, da Constituição Federal. Inclui dentre as competências exclusivas do Congresso Nacional a aprovação de demarcação das terras tradicionalmente ocupadas pelos índios e a ratificação das demarcações já homologadas; estabelecendo que os critérios e procedimentos de demarcação serão regulamentados por lei. 2000. Disponível em: https://www.camara.leg.br/proposicoesWeb/fichadetramitacao?idProposicao=14562. Acesso em: 5 abr. 2021.

_______. Câmara dos Deputados. *Proposta de Emenda à Constituição (PEC) n. 257 de 7 de abril de 2004*. Autoria de Carlos Souza (PL/AM) e outros. Dá nova redação ao § 1º art. 231 da Constituição Federal, devendo a demarcação de terras indígenas ser submetida à audiência das Assembleias Legislativas dos estados em cujos territórios incidam. 2004a. Disponível em: https://www.camara.leg.br/proposicoesWeb/fichadetramitacao?idProposicao=182202. Acesso em: 5 abr. 2021.

_______. Câmara dos Deputados. *Proposta de Emenda à Constituição (PEC) n. 275 de 13 de maio de 2004*. Autoria de Lindberg Farias (PT/RJ) e outros. Dá nova redação aos arts. 49, XVI e 231, caput, da Constituição Federal, submetendo ao Congresso Nacional a demarcação de terras indígenas. 2004b. Disponível em: https://www.camara.leg.br/proposicoesWeb/fichadetramitacao?idProposicao=253493. Acesso em: 5 abr. 2021.

_______. Câmara dos Deputados. *Proposta de Emenda à Constituição (PEC) n. 319 de 6 de outubro de 2004*. Autoria de Zequinha Marinho (PSC/PA) e outros. Dá nova redação ao art. 231 da Constituição Federal, submetendo a demarcação de terras indígenas à aprovação do Congresso Nacional. 2004c. Disponível em: https://www.camara.leg.br/proposicoesWeb/fichadetramitacao?idProposicao=265999. Acesso em: 5 abr. 2021.

_______. Câmara dos Deputados. *Proposta de Emenda à Constituição (PEC) n. 411 de 29 de setembro de 2009*. Autoria de Abelardo do Lupion (DEM/PR). Acrescenta §8º ao art. 231. Estabelece a competência do Executivo para iniciativa de lei sobre demarcação de terras indígenas. 2009. Disponível em: https://www.camara.leg.br/proposicoesWeb/fichadetramitacao?idProposicao=453046. Acesso em: 5 abr. 2021.

_______. Câmara dos Deputados. *Proposta de Emenda à Constituição (PEC) n. 579 de 27 de novembro de 2002*. Autoria de Ricarte de Freitas (PSDB/MT. Dá nova redação ao parágrafo 1º do Artigo 231 da Constituição Federal. Dispõe que a demarcação das terras indígenas deverá ser submetida à aprovação do Congresso Nacional. 2002. Disponível em: https://www.camara.leg.br/proposicoesWeb/fichadetramitacao?idProposicao=99375. Acesso em: 5 abr. 2021.

_______. Presidência da República. Casa Civil. Subchefia para Assuntos Jurídicos. *Constituição Política do Império do Brazil de 25 de março de 1824*. Constituição Política do Império do Brasil, elaborada por um Conselho de Estado e outorgada pelo Imperador D. Pedro I, em 25 de março de 1824. Carta de Lei de 25 de março de 1824. Manda observar a Constituição Política do Imperio, oferecida e jurada por Sua Magestade O imperador. Disponível em: http://www.planalto.gov.br/ccivil_03/constituicao/constituicao24.htm. Acesso em: 5 abr. 2021.

_______. Presidência da República. Casa Civil. Subchefia para Assuntos Jurídicos. *Constituição da República dos Estados Unidos do Brasil de 16 de julho de 1934*. "Nós, os representantes do povo brasileiro, pondo a nossa confiança em Deus, reunidos em Assembleia Nacional Constituinte para organizar um regime e democrático, que assegure à Nação a unidade, a liberdade, a justiça e o bem-estar social e econômico, decretamos e promulgamos o seguinte. 1934. Disponível em: http://www.planalto.gov.br/ccivil_03/constituicao/constituicao34.htm. Acesso em: 5 abr. 2021.

_______. Presidência da República. Casa Civil. Subchefia para Assuntos Jurídicos. *Constituição dos Estados Unidos do Brasil, de 10 de novembro de 1937*. Disponível em: http://www.planalto.gov.br/ccivil_03/Constituicao/Constituicao37.htm. Acesso em: 5 abr. 2021.

_______. Presidência da República. Casa Civil. Subchefia para Assuntos Jurídicos. *Constituição dos Estados Unidos do Brasil de 18 de setembro de 1946*. Disponível em: http://www.planalto.gov.br/ccivil_03/constituicao/constituicao46.htm. Acesso em: 5 abr. 2021.

_______. Presidência da República. Casa Civil. Subchefia para Assuntos Jurídicos. *Constituição da República Federativa do Brasil de 24 de janeiro de 1967*. O Congresso Nacional, invocando a proteção de Deus, decreta e promulga a seguinte Constituição do Brasil. 1967. Disponível em: http://www.planalto.gov.br/ccivil_03/constituicao/constituicao67.htm. Acesso em: 5 abr. 2021.

BRASIL. Presidência da República. Casa Civil. Subchefia para Assuntos Jurídicos. *Constituição da República Federativa do Brasil de 1988*. Disponível em: http://www.planalto.gov.br/ccivil_03/constituicao/constituicao.htm. Acesso em: 5 abr. 2021.

_______. Presidência da República. Casa Civil. Subchefia para Assuntos Jurídicos. *Emenda Constitucional n. 1 de 17 outubro 1969*. Edita o novo texto da Constituição Federal de 24 de janeiro de 1967. 1969. Disponível em: http://www.planalto.gov.br/ccivil_03/constituicao/emendas/emc_anterior1988/emc01-69.htm. Acesso em: 5 abr. 2021. Disponível em: http://www.planalto.gov.br/ccivil_03/constituicao/constituicao67.htm. Acesso em: 5 abr. 2021.

_______. Presidência da República. Casa Civil. Subchefia para Assuntos Jurídicos. *Lei n. 16 de 12 de agosto de 1834*. Faz algumas alterações e addições á Constituição Politica do Imperio, nos termos da Lei de 12 de outubro de 1832.

_______. Presidência da República. Casa Civil. Subchefia para Assuntos Jurídicos. Lei n. 601, de 18 de setembro de 1850. Dispõe sobre as terras devolutas do Império. 1850. Disponível em: http://www.planalto.gov.br/ccivil_03/leis/l0601-1850.htm. Acesso em: 5 abr. 2021.

_______. Presidência da República. Casa Civil. Subchefia para Assuntos Jurídicos. Lei n. 6.001, de 19 de dezembro de 1973. Dispõe sobre o Estatuto do Índio. 1973. Disponível em: http://www.planalto.gov.br/ccivil_03/leis/l6001.htm. Acesso em: 5 abr. 2021.

_______. Presidência da República. Advocacia-Geral da União. *Parecer n. 001/2017/GAB/CGU/AGU*. *Diário Oficial da União*, Brasília – DF, 20 jul. 2017, n. 138, Seção 1, p. 7.

_______. Senado Federal. Secretaria-Geral da Mesa. Secretaria de Informação Legislativa. *Decreto n. 426 de 24 de julho de 1845*. Contém o Regulamento acerca das Missões e catechese, e civilização dos índios. Disponível em: http://legis.senado.leg.br/norma/387574/publicacao/15771126. Acesso em: 5 abr. 2021.

_______. Supremo Tribunal Federal. *Embargos de Declaração na Petição n. 3.388 Roraima*. Caso Raposa/Serra do Sol. 2013b. Ementa: Embargos de Declaração. Ação Popular. Demarcação da Terra Indígena Raposa Serra do Sol. 23 de outubro de 2013. Disponível em: http://redir.stf.jus.br/paginadorpub/paginador.jsp?docTP=TP&docID=5214423. Acesso em: 5 abr. 2021.

CONSELHO INDIGENISTA MISSIONÁRIO (Cimi). *Situação geral das terras indígenas no Brasil*. Disponível em: https://cimi.org.br/terras-indigenas/. Acesso em: jul. 2019.

DAVIS, S. *Vítimas do Milagre*: O desenvolvimento e os índios do Brasil. Rio de Janeiro: Zahar Editores, 1978.

DIAS, T. *Movido a paranoia:* documentos e áudios inéditos mostram plano de Bolsonaro para povoar Amazônia contra chineses, ONGs e Igreja Católica. *The Intercept Brasil*, 20 de setembro de 2019. Disponível em: https://theintercept.com/2019/09/19/plano-bolsonaro-paranoia-amazonia/. Acesso em: set. 2019.
INSTITUTO DE PESQUISA AMBIENTAL DA AMAZÔNIA – IPAM. *Terras Indígenas na Amazônia brasileira:* reservas de carbono e barreiras ao desmatamento. Encarte. Brasília, 2015, 16p.
LEONEL, M. Estradas, índios e ambiente na Amazônia: do Brasil Central ao Oceano Pacífico. *São Paulo em Perspectiva*. Volume 6 n. 1-2: p. 134-167, janeiro/junho de 1992. Disponível em: http://produtos.seade.gov.br/produtos/spp/v06n01-02/v06n01-02_20.pdf. Acesso em: 5 abr. 2021.
LIEBGOTT, R. Povos Indígenas: aqueles que devem viver com direitos garantidos e respeitados. *Porantim*, Brasília, maio de 2018, p. 4-7. Disponível em: https://cimi.org.br/wp-content/uploads/2018/09/Porantim-405_mai-2018.pdf. Acesso em: 5 abr. 2021.
MENDES JÚNIOR, J. *Os Indígenas do Brazil, seus Direitos Individuaes e Políticos*. São Paulo: Typ. Hennies Irmãos, 1912.
MIOTTO, T. *PL 490*. Projeto ruralista que altera Estatuto do Índio e cria lei antidemarcação pode ser votado na Câmara. *Porantim*, Brasília, outubro de 2018, p.8-9. Disponível em: https://cimi.org.br/wp-content/uploads/2019/01/Porantim-409_Out2018.pdf. Acesso em: 5 abr. 2021.
MOREIRA NETO, C. A. *Os Índios e a Ordem Imperial*. Brasília: GDOC/Fundação Nacional do Índio (FUNAI), 2005.
PERRONE-MOISÉS, B. Índios livres e índios escravos: os princípios da legislação indigenista do período colonial (séculos XVI a XVIII). *In*: CUNHA, M. C. (org.) História dos Índios no Brasil. São Paulo: Companhia das Letras; Secretaria Municipal de Cultura: Fapesp, 1992; p. 115-132.
ROLLA, A.; RICARDO, F (org.). *Mineração em Terras Indígenas na Amazônia brasileira 2013*. São Paulo: Instituto Socioambiental, 2013. Disponível em: https://www.socioambiental.org/pt-br/o-isa/publicacoes/mineracao-em-terras-indigenas-na-amazonia-brasileira-2013. Acesso em: 5 abr. 2021.
SILVA, J. A. *Curso de Direito Constitucional Positivo*. 41. ed., revista e atualizada. São Paulo: Malheiros Editores, 2017.

Notas

1 Foram os decretos n. 76.999, de 8 de janeiro de 1976 (Brasil, 1976); n. 88.118, de 23 de fevereiro de 1983 (Brasil, 1983); n. 94.945, de 23 de setembro de 1987 (Brasil, 1987); n. 22, de 4 de fevereiro de 1991 (Brasil, 1991a), e n. 1.775, de 8 de janeiro de 1996 (Brasil, 1996a), este ainda em vigor.

2 Trata-se da faixa de até 150km de largura ao longo das fronteiras terrestres com outros países, que a Constituição Federal de 1988 diz ser "fundamental para defesa do território nacional", e a ter sua "ocupação e utilização" regulados em lei, CF/88, art. 20, §2º (Brasil, 1988).

3 O Processo de revisão da Lei 6.001/73 (Brasil, 1973), iniciado pelo Executivo com a apresentação do PL 2.160/91 (Brasil, 1991c) que dispunha sobre o "Estatuto do Índio", contou também com a apresentação do PL 2.057/91 (Brasil, 1991b), do Dep. Aloízio Mercadante e outros – dispondo sobre o "Estatuto das Sociedades Indígenas" –, e do PL 2.619/92 (Brasil, 1992a), do Dep. Tuga Angerami, relativo ao "Estatuto dos Povos Indígenas".

TERRITÓRIO

Paulo Alentejano
Luiza Chuva

Território é um conceito de uso generalizado em muitas ciências, uma palavra cada vez mais empregada para designar políticas públicas e também uma expressão crescentemente utilizada por movimentos sociais nas suas reivindicações por espaços que assegurem as condições materiais de reprodução da vida e a afirmação de suas identidades.

Não temos pretensão neste verbete de dar conta de todo o rico e extenso debate sobre este conceito/palavra, tarefa à qual foram dedicados vários livros. Nos limitaremos a uma síntese de alguns debates que consideramos essenciais para compreender algumas polêmicas que envolvem este conceito/palavra, assim como seu uso na designação de políticas e movimentos sociais.

O conceito de território

A origem do conceito de território remonta a estudos das ciências naturais, no século XVIII, referindo-se ao domínio de espécies vegetais ou animais sobre determinadas áreas da superfície terrestre. O positivismo, já no século XIX, incorpora as características deste território natural para explicar o comportamento humano. É neste contexto, em meio à formação dos Estados-nacionais alemão e italiano, que Friedrich Ratzel, através de uma perspectiva geográfica, associa o conceito de território ao espaço dominado por uma comunidade ou por um Estado (Ratzel, 2011).

Segundo esta concepção, o Estado não seria concebível sem um território e fronteiras, e sua função seria proteger o solo contra ataques que buscassem diminuir o território. Assim, a perda de território indicava a decadência da sociedade e o progresso desta requeria o aumento do território, uma vez que este representava a própria existência da sociedade. Disso deriva o conceito de espaço vital, entendido como o direito natural da sociedade a um espaço, uma articulação da visão naturalista com a perspectiva jurídico-política. Essa concepção de território remete também à ideia de coesão social, segundo a qual o território seria capaz de estabelecer a coesão, uma vez que seria abrigo para a nação e para o Estado, assim como fonte de recursos para este (Ratzel, 2011).

A concepção de território como limite territorial de um Estado-nação e, portanto, como fundamento absoluto da soberania política, embora amplamente difundida, considera apenas o Estado como núcleo de poder. O Estado territorial é visto como elemento organizador da ordem internacional, estruturando as estratégias políticas, econômicas e sociais. Portanto, a crise dos Estados-nação representa também a crise do próprio território.

A partir de 1990, diante de uma nova ordem política mundial, o debate da desterritorialização passa a ser bastante pautado pelas ciências sociais em geral. A afirmação fundamental é de que o mundo estaria deixando de se organizar de forma territorial. A obra de Badie (1996), *O fim dos territórios*, um marco neste debate, afirma a emergência de uma sociedade em rede em detrimento da sociedade territorial, associada, nesta concepção, a uma ideia de estabilidade e enraizamento em oposição aos fluxos e mobilidade das redes.

Acrescenta-se a esta ideia o contexto de enfraquecimento dos Estados-nação, que corresponde a uma crise do papel regulador do Estado e, consequentemente, a uma crescente desterritorialização, uma vez que há uma perda de controle dos processos sociais através do espaço. Além disso, a desterritorialização é associada ao domínio da imaterialidade, o ciberespaço, em oposição à materialidade do território; assim como a uma mundialização de grandes corporações, que ao estarem em diversos lugares, não estariam em território algum (Haesbaert, 2006).

Haesbaert vai desenvolver uma crítica a esta perspectiva, afirmando que a desterritorialização deve ser entendida como um movimento que,

> [...] longe de estar fazendo desaparecer os territórios, ou mesmo de correr 'paralelo' a um movimento territorializador, geralmente mais tradicional, deve ser interpretado com um processo relacional, des-re-territorializador, no qual o próprio território se torna mais complexo, por um lado mais híbrido e flexível, mergulhado que está nos sistemas em rede, multi-escalares, das novas tecnologias da informação e, por outro, mais inflexível, marcado pelos muros que separam ricos e pobres, 'mais' e 'menos' seguros. (Haesbaert, 2002, p. 34-35).

Assim como Haesbaert, outros autores contribuíram para a crítica a esta noção de território associada diretamente ao Estado, apontando para o caráter multidimensional e multiescalar do território.

Raffestin (1993), enfatizando o caráter político da noção de território, vai apontar para as múltiplas escalas em que se desdobram as relações de poder constitutivas dos territórios, sustentando que a imagem territorial projetada por um ator social não é equivalente ao território real, pois este é a conjugação de distintos projetos territoriais em disputa. Milton Santos (2006) vai propor a noção de território usado, definindo-o ao mesmo tempo como recurso para os dominantes e abrigo para os dominados. Souza (1995) concebe o território como "espaço definido e delimitado por e a partir de relações de poder" (Souza, 1995, p. 78).

Todas essas concepções ampliam a compreensão de poder para além do poder estatal, referem-se "tanto ao poder no sentido mais concreto, de dominação, quanto ao poder no sentido mais simbólico, de apropriação" (Haesbaert, 2006, p. 1), e "pode ser concebido a partir da imbricação de múltiplas relações de poder, do poder mais material das relações econômico-políticas ao poder mais simbólico das relações de ordem mais estritamente cultural" (Haesbaert, 2006, p. 79).

Assim, considerar múltiplas escalas espaciais e temporais, para além da escala do Estado-nação, é considerar também outras concepções de poder, que operam em diferentes escalas e se dão entre variados atores/agentes, e colocar o conflito como elemento constitutivo do território.

É nesse sentido que Haesbaert (2006) propõe substituir a noção de desterritorialização pela tríade territorialização-desterritorialização-reterritorialização (TDR), considerando que aos processos de desterritorialização segue-se sempre um novo processo de territorialização, mesmo que precário. Para Haesbaert, o processo de TDR não se dá da mesma forma para os diferentes grupos, comunidades e classes sociais.

Para uns, a TDR é, também, exclusão socioespacial, como ocorre com os processos de expropriação da terra ou de deslocamento compulsório em razão de guerras ou desastres ambientais, que resultam em formas precárias e temporárias de reterritorialização, como os acampamentos de sem-terra ou de refugiados.

Para outros, a TDR representa a multiterritorialidade, isto é a possibilidade da vivência de diversos territórios, como no caso da grande burguesia mundial, dos altos executivos de transnacionais ou turistas de alta renda que circulam pelo mundo incessantemente e chegam, em alguns casos, a manter várias residências em diferentes partes do mundo.

Assim, consideramos que podemos definir território como um determinado domínio espacial sobre o qual os diferentes atores sociais afirmam um controle político, que significa na realidade uma forma de ordenamento territorial que propõe um determinado modo de organização das relações sociais e de apropriação da natureza. O território seria, desta forma, uma parcela do espaço sobre a qual incide uma dominação, econômica, política, ideológica. Pode ser contínuo ou descontínuo, traduzir-se em lugar ou região, estar ou não articulado em rede.

Porém, como vivemos em uma sociedade de classes, não há um único projeto de ordenamento territorial, mas uma constante disputa de projetos, relacionada à luta de classes. Tais disputas refletem tanto as relações sociais como a apropriação da natureza, assim como as diferentes escalas nas quais os atores sociais atuam. Por isto, o território é multidimensional e multiescalar, mas, sobretudo, atravessado por conflitos.

Políticas de desenvolvimento territorial rural

A partir dos anos 1990 desenvolveu-se no Brasil a tendência de caracterizar como territoriais políticas aplicadas a diferentes segmentos da realidade. Surgiram assim políticas territoriais na Saúde, na Cultura, na Economia. Mas talvez tenha sido nas políticas de desenvolvimento rural que esta perspectiva tenha se enraizado mais fortemente, inicialmente com a perspectiva dos *Territórios Rurais* e posteriormente com a política de *Territórios da Cidadania*, criada em 2008.

A origem dessa virada territorial das políticas de desenvolvimento rural encontra-se no documento *Agricultura familiar, reforma agrária e desenvolvimento local para um novo mundo rural*, publicado em 1999 pelo governo federal (Brasil, 2009), no qual, embora a palavra território ainda não apareça com força, lançou as bases das políticas de matriz territorial.

Essa perspectiva territorial do desenvolvimento rural se baseia em duas ideias-força: a de pensar políticas que não se atenham à dimensão setorial, mas abarquem diferentes setores da economia, não se limitando, portanto, no caso do meio rural, a políticas agrícolas; a de que é possível criar coesão espacial para alavancar o desenvolvimento, a partir da mobilização de capital social.

A noção de capital social desenvolvida por Robert Putnam ganha centralidade nessa perspectiva e serviu de base para a formulação da noção de capital social dos territórios (Abramovay, 1999). O cerne dessa noção está na ideia de que a cooperação entre os diversos atores sociais organizados em espaços de concertação, como os Conselhos Municipais de Desenvolvimento Rural e mais tarde os Conselhos Territoriais, gera sinergias positivas para todos e alavanca o desenvolvimento dos territórios rurais, com benefícios para o conjunto dos moradores das áreas rurais e urbanas, independentemente de sua condição social.

Esta concepção será duramente criticada por reduzir o território à condição

T

de instrumento técnico de planejamento, esvaziando o conceito da dimensão do conflito (Montenegro-Goméz, 2006). Segundo este autor, a noção de território por trás do desenvolvimento territorial rural aplaina os conflitos entre grupos, entre classes, substituindo-os por uma suposta comunhão de interesses, que tem no desafio do desenvolvimento seu principal elemento aglutinador. O desenvolvimento do território (seja um município, uma região, um estado ou até a nação) vira objetivo comum a todos, superando as divergências entre grupos e classes. Essa é a utopia do desenvolvimento territorial: uma sociedade afinada com seu território, sem conflitos essenciais entre os grupos que a formam, que se proponha dotar esse território de qualidades insuperáveis, para concorrer no mercado com outros territórios (Montenegro-Goméz, 2006).

Esta concepção, evidentemente, não dá conta da realidade agrária de um país como o Brasil, no qual os conflitos pela terra são cotidianos e a violência contra os camponeses, indígenas, quilombolas e outros povos do campo segue sendo brutal.

Território e movimento sociais

Também no âmbito dos movimentos sociais o uso da palavra território se generalizou nas últimas décadas. A ideia de que os movimentos lutam por territórios se difundiu largamente, assim como a expressão movimentos socioterritoriais, para designar, em especial, os movimentos sociais do campo (Fernandes, 2000).

Para além das polêmicas acerca dessa última expressão, utilizada por muitos pesquisadores e rejeitada por outros tantos, é fato que a dimensão territorial das lutas e movimentos sociais passou a ser destacada pela maioria dos pesquisadores que se debruçam sobre o tema e os movimentos sociais passaram eles mesmos a incorporar de forma crescente a palavra território no seu vocabulário e a designar as áreas que reivindicavam como "territórios indígenas", "territórios quilombolas" e "territórios camponeses".

Para estes movimentos, se trata de afirmar que a terra para eles é mais do que meramente um bem material, mas condição de vida, espaço identitário e que comporta uma relação diferenciada com a natureza. Este giro ecoterritorial (Svampa, 2016) das lutas e movimentos sociais será marcante em toda a América Latina, associando-se a debates sobre o Bem Viver [VER COSMOVISÕES], os Direitos da Natureza e o Ecossocialismo.

Porém, a forma como a expressão territórios dos movimentos sociais tem sido usada, por alguns movimentos e por diversos intelectuais, envolve um risco, que é o de criar a ilusão de uma autonomia, como se esses territórios fossem ilhas dentro da sociedade capitalista, onde as relações capitalistas não estivessem presentes. Isso não passa de ilusão, pois a todo momento vemos territórios indígenas serem invadidos por madeireiros, garimpeiros, mineradoras, latifundiários; territórios quilombolas serem ameaçados pela expansão do agronegócio ou da especulação imobiliária; territórios camponeses serem alvo de ações expropriatórias ou que os subordinam à lógica de produção capitalista.

Assim, é fundamental considerar a dimensão conflituosa que envolve o território. Em uma sociedade capitalista, os territórios camponeses, indígenas, quilombolas e de tantos outros grupos sociais estarão sempre expostos aos movimentos expansivos e espoliativos do capital. Somente na sociedade dos produtores associados sonhada por Marx no século XIX será possível termos, na plenitude, territórios que representem novas formas de sociabilidade e de relação com a natureza. Mas enquanto a nova sociedade não chega, os movimentos seguem lutando e construindo hoje os territórios do amanhã.

Referências

ABRAMOVAY, R. O capital social dos territórios: repensando o desenvolvimento rural. *In: IV Encontro da Sociedade Brasileira de Economia Política*, 1999, Porto Alegre.
BADIE, B. *O fim dos territórios:* ensaio sobre a desordem internacional e sobre a utilidade social do respeito. Lisboa: Instituto Piaget, 1996.
BRASIL. Ministério do Desenvolvimento Agrário. (MDA) *Agricultura familiar, reforma agrária e desenvolvimento local para um novo mundo rural*. Brasília: MDA, 1999.
FERNANDES, B. M. Movimento social como categoria geográfica. *Terra Livre*. Associação dos Geógrafos Brasileiros (AGB), São Paulo, n. 15, 2000.
HAESBAERT, R. Concepções de território para entender a desterritorialização. *Território Territórios*. Niterói, PPGEO-UFF/AGB, 2002.
________. *O mito da desterritorialização:* do "fim dos territórios" à multiterritorialidade. Rio de Janeiro: Bertrand Brasil, 2006.
MONTENEGRO-GÓMEZ, J. *Desenvolvimento em (des) construção:* narrativas escalares sobre desenvolvimento territorial rural. Tese (Doutorado em Geografia). Universidade Estadual de São Paulo, São Paulo, 2006.
RAFFESTIN, C. *Por uma Geografia do poder.* São Paulo: Ática, 1993.
RATZEL, F. O solo, a sociedade e o Estado. *Revista do Departamento de Geografia,* São Paulo, v. 2, p. 93-101, 8 nov. 2011.
SANTOS, M. A *natureza do espaço.* São Paulo: Hucitec, 1996.
SOUZA, M. L. O território: sobre espaço e poder, autonomia e desenvolvimento. *In*: CASTRO, I. E., GOMES, P. C. C. e CORRÊA, R. L. (org.). *Geografia*: conceitos e temas. Rio de Janeiro: Bertrand Brasil, 1995.
SVAMPA, M. *Del cambio de época al fin de ciclo.* Buenos Aires: Edhasa, 2016.

TRABALHO

ANTONIO THOMAZ JR.

Este verbete trata do trabalho em dois diferentes níveis de abstração. O primeiro, mais genérico, enquanto uma categoria central da vida e existência do homem e das sociedades humanas, em todos os tempos e lugares. O segundo nível ganha maior espaço e, sob a perspectiva sócio-histórica, busca delimitar seus contornos e implicações, especificamente na sociedade capitalista, contemporânea, vinculando trabalho e agroecologia.

O processo de produção dos bens, dos alimentos e das mercadorias expressa-se sobre os territórios e é protagonizado por sujeitos históricos, herdeiros de práticas e ações de trabalho, previamente planejados. O ser humano, sob a dupla condição de ser – ser da natureza e ser social –, ao agir sobre a natureza, retira o sustento

T

para sua a manutenção, se humaniza, edificando conhecimentos, produzindo a existência e redefinindo, historicamente, formas distintas de sociabilidade. Seria o mesmo que dizer, como o fez Marx (1982), que o trabalho é expressão do intercâmbio orgânico entre o homem e a natureza, processo esse que, por sua própria ação, medeia, regula e controla seu metabolismo. Ou, ainda, "não tem outro sentido senão que a natureza está interligada consigo mesma, pois o homem é parte da natureza" (Marx, 1982, p. 188).

O homem é um animal que se fez homem através do trabalho. Esse processo não se circunscreve apenas à produção propriamente dita, mas tem consequências que interferem em sua atividade vital, ou seja, a partir da sua relação com a natureza, o homem a transforma, e, ao fazê-lo, transforma-se a si mesmo em um processo dialético que constitui o ser social e determina a sua sociabilidade, forjando formas de convívio social mediadas pela cultura, pela linguagem, pelo domínio sobre os meios de produção.

Com o estabelecimento da propriedade privada, o trabalho, em sua forma ontológica de constituição do ser humano em ser social, é tomado de assalto pela intencionalidade da produção de mercadorias. Na interação metabólica homem-natureza, o trabalho concreto, destinado à produção de valores de uso para a satisfação de necessidades humanas, foi sendo substituído pelo trabalho abstrato, realizado na busca incessante de produção de mercadorias e acumulação de capital. Para Mészáros (2007), a passagem das mediações de primeira para as de segunda ordem marca a história da extração de trabalho excedente ou da apropriação do produto social, de forma privada.

Ao longo dos séculos, há mudanças significativas no trabalho, e muitas delas ocultam as estruturas de dominação e controle. No século XXI em particular, há uma redefinição da geração de mais-valia, na ampliação e crescimento da proletarização, com a privatização crescente de atividades até então desenvolvidas na seara dos serviços públicos. Este processo evidencia-se com o desmonte das estruturas formais produtivas, com a disseminação da terceirização, a qual divide os trabalhadores, o movimento sindical e operário, e altera a própria composição da classe trabalhadora

Está-se diante da desespecialização e da polivalência dos operários qualificados, dimensões do intemperismo do trabalho (Thomaz Junior, 2011) que os transformam em trabalhadores multifuncionais e influem na superqualificação/desqualificação do trabalho. Evidenciam-se os ajustes do controle taylorista/fordista, seguidos da intensificação da exploração do trabalho, com horas-extras, extermínio das comissões de fábrica, impondo, em seu lugar, o círculo de controle de qualidade (CCQ), associado à participação nos lucros e nos resultados (PLR), como garantia para emplacar as novas prerrogativas das exigências do mercado e do capital.

Os espaços, *locus* desses processos, são expressões concretas, materiais, culturais de subjetividades, desprendimento e ações de luta dos trabalhadores, sob diferentes formas de exploração, subordinação/sujeição e controle do capital, e de distintos setores da burguesia local, nacional, internacional, (agro)industrial, comercial, financeira.

Assim, seja nos campos, seja nas cidades, no norte ou no sul, em qualquer escala planetária, os homens e as mulheres, de todas as idades, estão submetidos ao império destrutivo do capital. As práticas de trabalho sob o metabolismo do capital, sejam heterônomas, sejam portadoras de relativa autonomia, como no caso das camponesas, não isentam os trabalhadores de serem explorados, dominados, subordinados ou controlados (Thomaz Junior, 2018a) [VER CAMPESINATO].

Seguindo essa linha de argumentação, a agroecologia, que pode se fazer presente nas práticas educativas, críticas à estrutura social que subordina e controla as diferentes formas de trabalho, nos permitirá abordar a *práxis* social camponesa, como aprendizados historicamente construídos, em diferentes tempos, ou como produto da sapiência e da criatividade da humanidade, o qual, no século XXI, ainda corresponde a centenas de milhares de famílias abnegadas a produzir alimentos. Tais trabalhadores estão crescentemente condenados à desertificação, aos solos de pior qualidade ou degradados, e são alvo da contaminação ambiental oriunda da pulverização de agrotóxicos nos latifúndios monocultores.

A manutenção e a ampliação dos territórios da agroecologia requerem as nossas atenções, já que está em questão a saúde dos trabalhadores, individual ou coletivamente (Thomaz Junior; Leão; Pignatti, 2016). A produção de alimentos está exposta a elevados e crescentes volumes de agrotóxicos, uma vez que o efeito deriva, ou o deslocamento das partículas pelo vento socializa livremente a condenação da produção camponesa, a contaminação ambiental e qualidade de vida dos trabalhadores e da sociedade.

Sabemos de antemão que a agroecologia não é a salvação da lavoura, ainda mais se vista fora do contexto social, das disputas territoriais e dos reais significados de classe. Essas marcas do atraso social, em pleno século XXI, em ambiente de crise estrutural e mundializada do capital e de privatização do Estado neoliberal, são expressões do sucesso econômico dos grandes conglomerados (agro)industriais.

A sintonia desse processo se fundamenta, inicialmente, no tradicional caráter exportador da agropecuária, no Brasil, e à escala de subordinação que impõe atendimento aos processos internacionalizados da reestruturação produtiva do capital, os quais subordinam o circuito agroindustrial como um todo, na produção, na circulação, na distribuição e no consumo de mercadorias agrícolas, de insumos mecânicos, químico-biológico-mecânico-informacionais e cada vez mais informacionais, na era digital (Antunes, 2018).

Essa rede de relações torna ainda mais complexas as escalas de dependência e de dominação, porque se sustenta e se redefine guiada pelos referenciais dos conglomerados transnacionais, fixados na ciranda financeira ou no capital fictício e nas estratégias e interesses do sistema manipulatório (Thomaz Junior, 2015).

Assim, há uma determinação de negação a ser considerada. Toda ordem de impedimentos legais, institucionais, políticos e ideológicos à produção de alimentos para o consumo humano, há muito tempo sob a incumbência da agricultura familiar, impõe pensar que as rígidas barreiras para a inclusão de praticamente metade da humanidade às condições dignas de vida estão associadas à negação do livre acesso aos meios de produção.

Essa rígida estrutura social é garantidora da exposição dessas populações às doenças oriundas da poluição ambiental encimada no modelo químico-dependente, protagonista da produção de *commodities*, da seletividade dos investimentos públicos e da desproteção institucional quanto ao exercício do trabalho, o que põe em risco, diariamente, a vida de 3,5 bilhões de seres humanos.

Desse contingente expressivo, 1,2 bilhão da população mundial é desprivilegiado das políticas públicas e está condenado à indigência, à fome crônica, às doenças veiculares, endêmicas e infectocontagiosas, as quais, por sua vez, se superpõem ao analfabetismo, à privação do acesso à água e esgoto tratados, obrigando a um relacionamento também precário com o mercado de trabalho. Desempregados/subempregados, descartados, condenados à intermitência salarial – recebem somente quando trabalham – e aos rendimentos decrescentes para garantir a sobrevivência. Sabemos que, na agricultura, o trabalho avulso é o principal exemplo, e sua versão oficial está na figura do trabalho intermitente (ou *just in time*), sob a falsa garantia do contrato, como previsto pela Reforma Trabalhista aprovada pelo Congresso Nacional, em 2017.

Relegados ao trato das terras com as mãos, ou por meio de instrumentos rudimentares, e à constância das ameaças e demais formas de violência, não se limitando à expulsão/expropriação, mas também à marginalização, perseguição, submissão à escravidão e condições de cativeiro, e eliminação física, ainda assim os camponeses ocupam protagonismo na preservação ambiental das nascentes, das matas nativas, empenhados na produção de alimentos e, enquanto sujeitos sociais em luta, na resistência ao ordenamento territorial excludente do capital.

Trabalho, sociometabolismo e identidade de classe

Esses sintomas, menos visíveis ou muito mais invisíveis, nos requerem atenção especial à busca e construção social da identidade de classe da classe trabalhadora, processo esse oriundo das lutas de resistência, da formação continuada e da busca de conhecimentos renovados e comprometidos com a prevalência da autonomia e da emancipação de classe.

De um lado, coloca-se a dimensão quantitativa, pois, ao mesmo tempo que diminuem drasticamente os trabalhadores com vínculo direto e registros formais às empresas-mãe, aumenta o contingente de trabalhadores terceirizados, que permanecem por algum tempo ou de forma recorrente vinculados ao sistema produtivo, acentuadamente precarizado, fazendo do ex-operário um vendedor de serviço terceirizado, *pejotizado*, um "cibertariado", como o denomina Ursula Huws (2017).

De outro lado, devemos atender às dimensões qualitativas ou às implicações dessas ações na subjetividade do trabalhador, e sua captura pelo capital é a garantia primeira da descoletivização das relações salariais, da prevalência do individualismo, em detrimento da memória pública do movimento operário e da dissolução/eliminação da consciência de classe e da luta de classe.

O capital transmuta a identidade operária na figura do colaborador. A dimensão coletiva e de classe se perde nas disputas restritas ao regramento do trabalho estranhado, aprisionado ao circuito da valorização/acumulação de capital. Isso se dá por meio da destruição dos coletivos do trabalho e da construção dos coletivos colaboracionistas, artefatos explosivos da dessocialização de classe, do trabalho, ou da negação da consciência em disputa, na perspectiva da classe trabalhadora. O homem social restringe-se à criação do capital, ou seria o mesmo que a desefetivação do Ser Genérico do Homem, como ser social, limitando-se a tempo de trabalho estranhado, à esfera meramente mercantil.

A permeabilidade desses processos que constituem a *degradação sistêmica do trabalho* põe em leito único e contraditório o movimento dialético entre trabalho, ambiente e saúde do trabalhador, as mediações que se estabelecem e se impõem enquanto *pilhagem territorial* (Perpétua, 2016) ou nas práticas predatórias, violentas, fraudulentas, como a flexibilização dos contratos.

Essa trama complexa de relações nos exige refletir a conectividade geográfica desse processo. Isto é, as identidades e significados territoriais dos processos de trabalho no campo (as formas de produzir alimentos), os impactos ambientais, a soberania alimentar e a educação são determinantes sociais indissociáveis para a defesa da emancipação [VER EMANCIPAÇÃO HUMANA] do novo homem e da nova mulher que irrompem com a nova sociedade (Thomaz Junior, 2016).

A *práxis* agroecológica tem na produção de alimentos a dimensão primordial dos desafios que fundam a temática da saúde como prerrogativa das lutas de resistência no campo, rumo à emancipação. Trata-se do protagonismo das organizações coletivas que edifica os caminhos e os constructos da sociedade liberta das amarras e imposições da agricultura convencional. Outra face dos desafios também nos remete a pensar a *práxis* agroecológica no âmbito da relação sujeito-objeto, ou seja, quem cabe no conceito de classe trabalhadora?

Faz-se necessário repensar os fundamentos que reconhecem os papéis dos sujeitos sociais e suas identidades de classe, em meio a toda ordem dos conflitos territoriais, pois é sabido, com apoio em Thompson (2009), que a "teoria não pode prescindir da realidade do conflito de classe" ou da *práxis*, já que as ações de resistência e oposição ao capital não se limitam às formas de trabalho estranhado, tipicamente capitalista. Ou seja, o leito preferencial para navegarmos nas águas turbulentas da sociedade de classes demanda a organização dos trabalhadores na atualidade, num contexto de heterogeneização, fragmentação e precarização, a partir das respostas concretas oriundas da materialidade/subjetividade, a qual acompanha a história recente dos conflitos que expressam os antagonismos de interesse de classe entre capital e trabalho.

É imperioso considerar o argumento de que a "necessidade" de enquadrar uma massa de homens e de mulheres enquanto classe trabalhadora, nos estreitos marcos da exclusividade da venda de força de trabalho, não está de acordo com Marx, tampouco com a tradição marxista – e aqui me somo a Lukács (2013), o qual defende que a teoria tem de ser renovada/oxigenada e vinculada à realidade da classe trabalhadora, com vistas à práxis transformadora e revolucionária da sociedade. A título de exemplo: o campesinato, o proletariado, assim como as demais formas de expressão do trabalho, não são um *a priori*, mas expressões vivas das contradições da luta de classes e exemplos reais da plasticidade do trabalho (Thomaz Junior, 2006). É necessário enxergar o trabalho no seu movimento dialético de (des)realizações, deslocamentos/

mobilidades, de lutas, de resistência (Thomaz Junior, 2018b).

De olho na totalidade viva do trabalho ou nas diferentes formas contraditórias de expressão é que nos propomos a compreender a abrangência e o significado da centralidade do trabalho, ou suas potencialidades emancipadoras e revolucionárias. É fato que o trabalho não acabou, mas o que está em questão é a diminuição do emprego (formal, com registro em carteira, com direitos) e as ações que tentam destruir as formas autônomas de vida/trabalho, por exemplo, o trabalho familiar e camponês, envolvido na produção de alimentos.

Nossa responsabilidade com a transcendência do trabalho, enquanto sujeito de classe e potencialmente emancipador, requer que assumamos a sua centralidade, com a prerrogativa de componente ineliminável da dialética, da história e da negação crítica e radical da exploração e do controle do capital. Desse modo, de que nos valemos para percorrer esse percurso de reflexão, a fim de associar trabalho, sociometabolismo e identidade de classe, com vistas a defender os vínculos entre práxis e produção de alimentos em bases agroecológicas e classe trabalhadora?

Considerações finais

Levando em conta as tentativas de aligeirarmos a compreensão de trabalho, de qualificá-la sob os referenciais da práxis agroecológica com vistas à sociedade que se pretende emancipar da estrutura de dominação e controle do capital, não cabe insistirmos nos enunciados polissêmicos, porém, apostarmos nos referenciais teóricos oferecidos.

Não basta abordarmos somente os problemas. É necessário nos lançarmos à busca de alternativas que contemplem acúmulos, ensinamentos e conhecimentos populares e científicos, fidelizados às práticas emancipatórias da classe trabalhadora, oriundos dos debates sediados em distintas instâncias: nos assentamentos; nas comunidades (camponesas, extrativistas, ribeirinhas, indígenas, garimpeiras, vazanteiras, fundo e fecho de pasto); nos faxinais; nos quilombos; nos territórios atingidos por barragens e mineração; ou nos laboratórios instalados nas Universidades, órgãos públicos de pesquisa equipados e conduzidos pelas metodologias científicas.

As *novas* formas de luta, de organização e de resistência ao capital, fundadas na sustentabilidade substantiva, como nos indica Mészáros (2015), se expressam na práxis das organizações alternativas dos trabalhadores, tais como a Via Campesina, a Liga dos Camponeses Pobres (LOC), o MST, o MTST, o MAM, o MAB, o MCP, a Teia dos Povos do Maranhão, alguns sindicatos fidelizados já existentes, os que foram criados no processo e as Centrais Sindicais combativas, além de outros movimentos sociais que reivindicam seus vínculos à classe trabalhadora.

Tais instâncias de organização/representação dos trabalhadores questionam a propriedade dos meios de produção, a riqueza social apropriada pelo capital, base da recorrência das lutas de resistência, reivindicatórias e de enfrentamentos de classe, as quais, ao longo dos anos, ultrapassam os limites territoriais originais e demarcam novos campos de disputas na escala da totalidade viva do trabalho. Ou seja, as práticas transformadoras potenciadas por esse espectro de disputas (terra, água, emprego, moradia, dignidade), associadas aos conhecimentos seculares e renovados nesse escopo popular, nos ofertarão, por meio da reeducação dos novos papéis sociais do sujeito coletivo, os fundamentos necessários para que as práticas agroecológicas, enquanto superação das contradições sociais, conduzam às novas práxis do trabalho.

Essas diferentes formas de conhecimento serão estimuladoras de novas formas de consciência da classe trabalhadora, sublinhando a importância do resgate da dimensão ontológica da autonomia do trabalho na produção dos bens necessários para a satisfação das necessidades dos trabalhadores, da justiça ambiental, da sociedade emancipada.

Referências

ANTUNES, R. *O privilégio da servidão*. São Paulo: Boitempo, 2018.
HUWS, U. *A formação do cibertariado*. Campinas: Editora da Unicamp, 2017.
LUKÁCS, J. *Para uma ontologia do ser social II*. São Paulo: Boitempo, 2013.
MARX, K. A Lei Geral da Acumulação Capitalista. *In*: MARX, K. *O capital* (Livro Primeiro, v. II, cap. XXIII). São Paulo: Difel, 1982. p. 712-827.
MÉSZÁROS, I. *O desafio e o fardo do tempo histórico*. São Paulo: Boitempo, 2007.
______. *A montanha que devemos conquistar*. São Paulo: Boitempo, 2015.
PERPÉTUA, G. M. *Pilhagem territorial, precarização do trabalho e degradação do sujeito que trabalha*: a territorialização do capital arbóreo-celulósico no Brasil contemporâneo. Tese. (Doutorado em Geografia). Faculdade de Ciência e Tecnologia, Universidade Estadual Paulista, Presidente Prudente, 2016. 370 f.
THOMAZ JUNIOR, A. Se camponês, se operário! Limites e perspectivas para a compreensão da classe trabalhadora. In: THOMAZ JUNIOR, A.; CARVALHAL, M. D.; BRUMATTI CARVALHAL, Terezinha. (Org.). *Geografia e trabalho no século XXI*. 1. ed. Presidente Prudente: Centelha, 2006. v. 2, p. 130-167.
______. Os Desafios Rumo a um Projeto para o Brasil! (Intemperismo do Trabalho e as Disputas Territoriais Contemporâneas). *Revista da ANPEGE*, São Paulo, v. 7, n. 1, p. 307-329, 2011.
______. O trabalho como elemento fundante para a compreensão do campo no Brasil. In: NOVAES, H.; MAZIN, A. D.; SANTOS, L. (Org.). *Questão agrária, cooperação e agroecologia*. (Parte 4 Mundialização, trabalho, gênero e juventude do Campo). São Paulo: Outras Expressões, 2015. p. 323-340.
______. Dinâmica geográfica do trabalho e saúde dos trabalhadores no ambiente dos conflitos territoriais pelo acesso à terra e a água. In: LOURENÇO, E. A de S. (Org.). *Saúde do trabalhador e da trabalhadora e serviço social*: estudos da relação trabalho e saúde no capitalismo contemporâneo. 1. ed. Campinas: Papel Social, 2016. p. 67-83.
______. Degradação Sistêmica do Trabalho no Agrohidronegócio. *Mercator*, Fortaleza, v.16, p.1-20, 2017.
______. Geografia do Trabalho por Inteiro. *Revista Pegada*, Presidente Prudente, v.19, n. 2, p.6-56, 2018a.
______. Movimento Territorial do Trabalho e Desterreação do Sujeito/Classe. In: *Geografia e Trabalho no século XXI* (n. 9). Presidente Prudente: Centelha, 2018b. p.32-74.
THOMAZ JUNIOR, A.; LEÃO, L. H. da C.; PIGNATI, W. A. Trabalho Rural, Degradação Ambiental e Contaminação por Agrotóxicos. *In*: *Avesso do Trabalho IV*. São Paulo: Expressão Popular, 2016.
THOMPSON, E. P. *Costumes em comum*. São Paulo: Companhia das Letras, 2009.

Para saber mais

BRUMATTI CARVALHAL, T. (org.). *Geografia e trabalho no século XXI*. 1. ed. Presidente Prudente: Centelha, 2006. v. 2, p. 130-167.

T

TRANSGÊNICOS

GABRIEL FERNANDES
HUGH LACEY
LEONARDO MELGAREJO

As sementes transgênicas foram inicialmente introduzidas na agricultura nos Estados Unidos em meados da década de 1990. No Brasil, sua introdução se deu logo em seguida, no início dos anos 2000. Também chamadas de geneticamente modificadas, essas sementes atendem a interesses de mercado, são recomendadas por especialistas muitas vezes ligados a grandes multinacionais do agronegócio e impulsionadas por políticas governamentais de fomento à exportação de *commodities*. Sua rápida expansão tornou-se elemento central do modelo hegemônico de produção, processamento e distribuição de alimentos e das estratégias das grandes corporações de controlar todas as etapas do sistema agroalimentar global. As sementes transgênicas são protegidas por patentes reconhecidas por leis nacionais e internacionais, fato que garante direitos e propriedade que favorecem a consolidação de monopólios associando os mercados de sementes e de agrotóxicos. Nesse sentido, aprofundam a dependência criada anteriormente com relação às sementes híbridas. Mais recentemente, a evolução das técnicas de manipulação genética tem permitido o desenvolvimento de novos organismos geneticamente modificados (OGMs) que tendem a substituir as sementes transgênicas utilizadas até então, que apresentam rápida obsolescência e crescente rejeição por parte dos consumidores. Por esses motivos, que serão aprofundados neste verbete, entende-se que as sementes transgênicas e o modelo agrícola a que elas pertencem impedem o atendimento do pressuposto da soberania alimentar.

Os transgênicos e sua origem na pesquisa científica

As plantas geneticamente modificadas são inovações tecnocientíficas que crescem e produzem, por exemplo, grãos que serão colhidos, processados e consumidos. Outras aplicações de OGMs envolvem insetos, animais e microrganismos. São produtos da pesquisa científica que descobriu que o genoma dos seres vivos contém sequências de DNA que se separam e se recombinam, conformando a base dos processos biológicos de reprodução. O desenvolvimento das técnicas da engenharia genética ampliou as possibilidades de manipulação do DNA, inclusive entre espécies não relacionadas. Como produto dessas recombinações artificiais, os transgênicos não poderiam ter sido criados pelos mecanismos de seleção natural ou pelos cruzamentos realizados tradicionalmente por agricultores e melhoristas de plantas.

Diz-se inovações tecnocientíficas ou produtos da tecnociência por causa de sua origem nas técnicas de engenharia genética. Assim, tanto as sementes em si como as técnicas envolvidas na sua criação podem ser incorporadas em regimes de proteção industrial e de propriedade intelectual, dando origem a patentes, no geral controladas pelas empresas do agronegócio, que impedem que os agricultores salvem essas sementes de um ano para o outro.

As plantas transgênicas foram geneticamente modificadas para expressar novas caraterísticas, especialmente resistência a herbicidas e produção de toxinas letais a alguns tipos de insetos, como lagartas (Tabela 1). Embora seja essa a realidade das sementes transgênicas até hoje comercializadas, seus proponentes há tempos prometem novas gerações de sementes mais nutritivas, resistentes à seca e a solos salinizados, entre outras.

A Tabela 1 mostra o domínio de empresas multinacionais produtoras de agrotóxicos sobre o desenvolvimento de sementes transgênicas. Mostra também que, no Brasil, 67 das 81 variedades transgênicas liberadas (83%) foram geneticamente modificadas para resistir à aplicação de um ou mais herbicidas. Novos eventos de modificação genética e a combinação desses diferentes eventos numa mesma planta (para resistência a diferentes insetos e/ou tipos de herbicidas) são lançados no mercado em resposta ao desenvolvimento de resistência em populações de insetos e de plantas espontâneas massivamente expostas aos mecanismos de controle presentes nas plantas transgênicas. O uso continuado de herbicidas e a presença permanente das toxinas inseticidas no campo aceleram processos de seleção natural que provocam o surgimento e a multiplicação de populações de plantas e de insetos resistentes. Atualmente, essa obsolescência tecnológica ocorre cerca de cinco anos após a introdução de uma dada semente transgênica. Esse processo constitui oportunidade de mercado cativo para as empresas lançarem novas sementes transgênicas, associadas a agrotóxicos mais potentes e perigosos (Melgarejo, 2017).

Tabela 1 – Espécies modificadas, características (eventos) GM inseridos e empresas proponentes de sementes transgênicas autorizadas para plantio comercial no Brasil

Espécie modificada	**Característica GM**					**Empresa proponente**
	TH	**RI**	**TH/RI**	**AV**	**RV**	
Soja	10	1	3			Monsanto, BASF-Embrapa, Bayer, Dow, DuPont
Milho	8	7	31			Monsanto, Bayer, Syngenta, DuPont-Dow, Monsanto-Dow
Algodão	7	3	8			Monsanto, Bayer, Dow
Eucalipto				1		Futuragene
Cana-de-açúcar		1				CTC
Feijão					1	Embrapa

Fonte: Elaborado pelos autores com dados da Comissão Técnica Nacional de Biossegurança (CTNBio) (2018)
Legenda: TH: tolerante a herbicidas; RI: resistente a insetos: TH/RI: tolerante a herbicidas e resistente a insetos (piramidado); AV: aumento de volume da madeira; RV: resistente a vírus. Os números na coluna *Característica* GM indicam a quantidade de eventos de modificação genética liberados para cada uma das características. O feijão GM da Empresa Brasileira de Pesquisa Agropecuária (Embrapa), embora autorizado pela CTNBio, nunca chegou a ser comercializado (Fernandes, 2011). A tabela não considera as fusões entre Bayer-Monsanto, ChemChina-Syngenta e Dow-DuPont (Moldenhauer; Hirtz, 2018).

Os transgênicos são, em geral, cultivados em monoculturas mecanizadas intensivamente, cujo desempenho depende de elevadas doses de insumos externos como agrotóxicos e fertilizantes químicos. Os efeitos desse tipo de produção e do consumo de seus produtos por seres humanos e animais não podem ser adequadamente avaliados pelos mesmos projetos de pesquisa em biologia molecular e biotecnologia que geram os transgênicos. Esses tendem a ser orientados por interesses comerciais e realizados a partir de metodologias descontextualizadas, ou seja, sem os conceitos necessários para avaliar as condições e os efeitos ambientais, sociais e econômicos de sua produção e de seu consumo. Por terem essas características, as pesquisas em biotecnologia não consideram alternativas como a agroecologia nem podem avaliar adequadamente os potenciais riscos dos transgênicos (Lacey, 2006).

Potenciais benefícios dos transgênicos

A adoção de sementes transgênicas deveria ser acompanhada por uma série de benefícios para a agricultura convencional, segundo seus proponentes. Entre eles, pode-se citar aumento da produtividade, menor uso de herbicidas e inseticidas e menores gastos com máquinas e tratores. Tudo isso resultaria numa agricultura com menores impactos ambientais. Outros benefícios são maiores lucros para as multinacionais do agronegócio e para as grandes fazendas, controle crescente dessas empresas sobre o mercado de sementes pelo mundo e, em alguns países, crescimento econômico a partir da geração de divisas pela exportação de *commodities* agrícolas. Benefícios alegados como ganhos de rendimento e redução de riscos toxicológicos não são confirmados por pesquisas independentes (Benbrook, 2009; Conselho Nacional de Segurança Alimentar e Nutricional, 2014; Almeida *et al.*, 2017).

Biossegurança e avaliação de riscos dos transgênicos

Os produtos derivados de transgênicos têm sido amplamente consumidos desde a introdução dessas sementes na agricultura. Isso tem levado a uma longa e não resolvida controvérsia sobre a segurança do consumo desses produtos. As empresas do setor, as agências regulatórias e os demais proponentes dos transgênicos sustentam que o consumo desses produtos – cuja produção foi aprovada por órgãos competentes – é seguro e não apresenta potencial de causar danos significativos à saúde humana ou animal. Os proponentes dos transgênicos chegam a defender a existência de consenso científico com relação à segurança desses produtos. Apesar disso, esse consenso não existe (Ferment *et al.*, 2015; Conselho Nacional de Segurança Alimentar e Nutricional, 2014; Hilbeck *et al.*, 2015).

Há de fato muitos estudos que buscaram investigar os riscos dos transgênicos. Seus resultados no geral confirmam a inocuidade desses produtos – ou, mais precisamente, confirmam que o consumo de transgênicos é tão seguro quanto o consumo de produtos convencionais (que são tomados como ponto de referência). Apesar disso, a grande maioria desses estudos foi realizada ou financiada por empresas do setor ou aponta algum indício de conflito de interesses (Guillemaud; Lombaert e Bouguet, 2016). Em contrapartida, pesquisas que não foram financiadas por agentes ligados aos interesses do agronegócio costumam gerar evidências de que o consumo de alguns produtos transgênicos usados comercialmente apresenta riscos à saúde humana e animal, como, por exemplo, deficiências crônicas hepato-renais (Séralini *et al.*, 2014). Esse cenário indica que mais pesquisas são necessárias para que se possa compreender a seriedade desses riscos e a probabilidade de que eles aconteçam. Apesar disso, em vez de se engajarem nesse tipo de pesquisa, os proponentes dos transgênicos tendem a menosprezar os estudos que apresentaram evidências de riscos alegando que são insuficientes ou mal-conduzidas.

A grande maioria das liberações comerciais de sementes transgênicas emitidas por órgãos reguladores (como a Comissão Técnica Nacional de Biossegurança (CTNBio), no Brasil) apoia-se nos resultados de pesquisas realizadas sob influência dos interesses do agronegócio e desconsidera as pesquisas críticas (Ferment *et al.*, 2015). Consequentemente, a credibilidade dessas decisões tem sido contestada (Barcelos, 2018). Os críticos sustentam que essas pesquisas apresentam diferentes tipos de falhas, entre elas:

a) as evidências contrárias à segurança dos transgênicos são descartadas pelos órgãos reguladores em vez de serem estudadas em maior profundidade – ou ainda, de acordo com o Princípio de Precaução, a liberação do determinado transgênico deveria ser suspensa até que essas pesquisas fossem realizadas;
b) pesquisas financiadas por empresas do setor tendem a ser confidenciais visando proteger a propriedade intelectual e os interesses comerciais, mas tal fato impede seu exame e replicação por pesquisadores independentes. Sendo assim, não é de se descartar a possibilidade de conflitos de interesses nessas pesquisas;
c) as sementes transgênicas avaliadas em experimentos controlados não são representativas daquelas que serão colhidas em milhões de hectares de cultivos comerciais: os testes padrão com sementes resistentes a herbicidas não avaliam, por exemplo, se os grãos colhidos e os alimentos/rações com eles preparados contêm resíduos de agrotóxicos e de seus metabólitos (no caso do *Roundup*, o Ampa, seu principal metabólito, é ainda mais tóxico que seu ingrediente ativo glifosato);
d) os testes realizados antes da liberação comercial de uma semente transgênica não são complementados por monitoramento adequado de seus efeitos na prática. Tal falha no processo regulatório é de especial relevância, dado que os impactos do uso de transgênicos em larga escala não podem ser identificados nos ensaios prévios à liberação comercial e, dessa forma, podem ficar mascarados até que sejam implementados processos adequados de monitoramento pós-comercialização (Melgarejo, Fernandes e Ramos, 2013). O monitoramento do impacto em escala dos transgênicos deveria incluir estudos epidemiológicos dos efeitos de seu consumo, mas isso só pode ocorrer nos países onde há leis estabelecendo a rotulagem de produtos transgênicos. Ou seja, a ausência de evidências de impactos negativos

vem sendo usada indevidamente como evidência da ausência de impactos dos transgênicos;

e) mesmo no caso do Brasil, onde a rotulagem de transgênicos é obrigatória, a realização de estudos epidemiológicos encontraria sérias barreiras. Estima-se que o consumo de produtos derivados de transgênicos alcance cerca de 64,5% da quantidade *per capita* média dos alimentos mais consumidos pela população brasileira, e que apenas 3% destes estejam devidamente identificados (Cortese, 2018);

f) a CTNBio avalia os aspectos de biossegurança relacionados exclusivamente à modificação genética introduzida no organismo modificado e alega ser responsabilidade da Anvisa avaliar a segurança dos agrotóxicos aplicados sobre essas plantas transgênicas. Dessa maneira, lidam com um tipo abstrato de transgênico que não é aquele presente nas condições reais de cultivo; e

g) os testes comumente aceitos comparam riscos das lavouras transgênicas com os riscos da agricultura convencional. Como visto anteriormente, além de estarem muitas vezes sob influência de interesses comerciais, essas pesquisas são no geral realizadas em laboratórios ou em pequena escala, e não em condições reais de cultivo ou a partir de amostras obtidas em lavouras comerciais. A comparação dos produtos transgênicos com os orgânicos e agroecológicos não é sequer levada em consideração.

Impactos ambientais e sociais causados por alguns tipos de transgênicos

Como mostrado até aqui, o uso de transgênicos é responsável pela geração e manutenção de impactos negativos, uma vez que desempenha papel central no modelo agrícola dominante. Além disso, há ainda repercussões negativas sobre a saúde e o ambiente que vêm sendo ocasionadas pelo cultivo de certos tipos de transgênicos em agroecossistemas específicos. É o caso por exemplo dos cultivos resistentes a herbicidas ou com toxinas inseticidas, que com o tempo pressionam pela geração de resistência nas plantas espontâneas e nos insetos. É ainda de se destacar a contaminação de parentes silvestres de espécies cultivadas e de sementes crioulas pelas sementes transgênicas, sobretudo no caso de plantas de polinização aberta, como o milho.

O uso de sementes transgênicas resistentes ao glifosato é altamente controverso. Cerca de 90% da soja cultivada no Brasil (e mais parte significativa do milho e do algodão geneticamente modificados) é resistente a produtos formulados à base do ingrediente ativo glifosato. Este produto foi classificado pela Agência Internacional de Pesquisa sobre Câncer, da Organização Mundial da Saúde (Iarc/OMS), como provável cancerígeno para os seres humanos. Outras agências internacionais, assim como os fabricantes do *Roundup*, questionaram a OMS e saíram em defesa da segurança do produto. Inúmeras pesquisas mostram que a exposição ao glifosato tem causado sérios problemas de saúde nas populações expostas ao produto (Paganelli *et al.*, 2010; Pignati; Machado, 2011). Os herbicidas à base de glifosato, usados nas lavouras transgênicas, respondem por cerca de 30% de todo agrotóxico usado na agricultura brasileira.

O 2,4-D, que também é empregado em lavouras transgênicas, terceiro agrotóxico mais usado no Brasil, foi igualmente incluído na lista da Iarc. O produto é classificado pela Anvisa como extremamente tóxico, mas pode ser aplicado sobre três variedades de soja e cinco de milho transgênico autorizadas pela CTNBio.

A resistência contra os transgênicos no Brasil

Em 1998, o governo brasileiro autorizou a liberação comercial da soja transgênica, da empresa Monsanto. Foi a primeira liberação de um OGM no país, numa época em que o assunto era desconhecido da grande maioria da população. Logo na sequência, o Instituto Brasileiro de Defesa do Consumidor (Idec), com apoio da ONG Greenpeace, entrou na Justiça e conseguiu suspender a liberação. Esse fato desencadeou longa batalha judicial só encerrada em 2005, quando o Congresso Nacional aprovou uma nova lei de biossegurança, a Lei 11.105/2005 (Brasil, 2005). Sob pressão do fato consumado de plantios ilegais que se multiplicavam no sul do país desde o início dos anos 2000 – talvez até antes –, esta lei liberou oficialmente a soja transgênica no Brasil. Não foi, portanto, nenhum órgão técnico que finalmente autorizou essa nova semente, mas sim uma decisão política do Congresso. A necessidade de estudos prévios de impacto ambiental, que fundamentou o pedido vitorioso do Idec, nunca foi concretizada no caso da soja resistente ao glifosato. De quebra, a bancada ruralista do Congresso emplacou artigo na Lei estabelecendo que esses estudos só seriam realizados quando solicitados pela própria CTNBio.

A liberação de 1998 pegou a sociedade civil de surpresa, que em resposta organizou a Campanha por um Brasil Livre de Transgênicos. A Campanha deu seguimento à frente de atuação jurídica, mas passou também a investir na produção de informações e na articulação com diferentes setores da sociedade. Foram produzidas mais de 680 edições do boletim *Por um Brasil Livre de Transgênicos e Agrotóxicos*, além de cartilhas, vídeos e documentos diversos. Os movimentos sociais se juntaram à Campanha, conferindo-a maior peso político e capilaridade e também realizando suas ações diretas de grande repercussão. Em 2001, no ano de estreia do Fórum Social Mundial, em Porto Alegre, militantes do MST, acompanhados do agricultor francês José Bové, destruíram uma lavoura de soja transgênica em área da multinacional Monsanto, em Não-me-Toque, também Rio Grande do Sul.

Em 2005, com a aprovação da nova lei e implantação de uma comissão técnica com amplos poderes, algumas organizações entenderam que a luta estava perdida. A Campanha sofreu um revés, mas reorientou suas estratégias e passou a monitorar a atuação da CTNBio, lutando pelo rigor técnico de suas decisões e pela transparência de seus atos. Esse movimento permitiu o encontro de pesquisadores independentes comprometidos com o meio ambiente e a sociedade.

Em 2006, Curitiba recebeu a oitava Conferência da Convenção sobre Diversidade Biológica da ONU e a terceira edição do encontro das Partes do Protocolo de Cartagena de Biossegurança (COP8/MOP3). Pela primeira vez os diplomatas e representantes dos quase 200 países que integram a Convenção viram as ruas em frente ao local da Convenção tomadas de gente e manifestações diárias. Uma das ações promovidas pelo MST e pela Via Campesina buscava denunciar a presença irregular de uma unidade experimental de transgênicos da multinacional suíça Syngenta em zona de amortecimento de uma unidade de conservação ambiental no oeste do Paraná. A área foi ocupada durante a COP/MOP e nela foi organizado o Acampamento Terra Livre. Oito meses após a denúncia internacional, o acampamento foi invadido por milícia contratada pela empresa e ruralistas da região. Valmir Mota de Oliveira, o Keno, agricultor ligado ao MST, foi assassinado a tiros. A Syngenta foi condenada pela Justiça do Paraná e a área foi desapropriada pelo governo do estado, dando lugar a um Centro de Agroecologia.

Com a CTNBio instalada, as liberações comerciais de OGMs ganharam ritmo e os transgênicos cada vez mais passaram a fazer parte da agricultura e da alimentação no país. Essas liberações não aconteceram sem fortes embates dentro da Comissão, polarização na mídia, audiências públicas, ações diretas e novas demandas judiciais. Mais de uma vez suas reuniões foram interrompidas por manifestações organizadas pelo MST e pela Via Campesina, buscando denunciar para a sociedade como um todo a liberação comercial de produtos como o milho e o eucalipto transgênico, que estavam para ser votados pela CTNBio. A luta foi ganhando repercussão em outros setores da sociedade, que passaram a se engajar, como o Ministério Público Federal, o Conselho Federal de Nutrição, o Conselho Nacional de Segurança Alimentar, a Associação Brasileira de Saúde Coletiva, entre outros. Além disso, a realidade no campo estava se transformando com o avanço dessas sementes, e os agricultores, sobretudo os agroecológicos, passaram a sentir cada vez mais seus efeitos. Além da escassez de sementes convencionais no mercado, os agricultores passaram a ser afetados pelo aumento das pulverizações de agrotóxicos e a contaminação genética de suas sementes, sobretudo no caso do milho. Em 2012, por ocasião da Cúpula dos Povos, realizada no Rio de Janeiro no contexto da Rio+20, os pesquisadores críticos ampliaram sua rede e lançaram o Movimento Ciência Cidadã Magda Zanoni, que alguns anos depois se articulou com a *Unión de Científicos Comprometidos con la Naturaleza y la Sociedad de América Latina* – UCCSNAL.

Os transgênicos são hoje muito mais conhecidos que no final da década de 1990, sendo que a imagem desses produtos perante a sociedade não corresponde às expectativas nem aos imensos investimentos em propaganda feitos pelas grandes empresas do setor. A luta contra os transgênicos, depois de duas décadas, faz parte de lutas mais amplas pelos direitos dos agricultores, pela Agroecologia, pela soberania alimentar, pelo direito humano à alimentação adequada, pela justiça ambiental, pela economia solidária, pelo livre uso da agrobiodiversidade e das sementes crioulas e está enraizada nas ações dos inúmeros grupos, redes e movimentos que carregaram essas bandeiras.

Transgênicos e soberania e segurança alimentar

O combate à fome foi usado como argumento para adoção da agricultura industrial, dos agrotóxicos e também dos transgênicos, mas esse sistema não foi capaz de garantir segurança alimentar para todos. E isso era de se esperar, considerando que os mecanismos desse sistema funcionam para manter sua tendência de expansão, para eliminar alternativas e para incorporar cada vez mais etapas da produção, da distribuição e do consumo de alimentos. Esses mecanismos derivam da tendência de o sistema priorizar lucros em vez de direitos e bem-estar, e muitas vezes às custas destes. Eles incentivam que a comida se torne uma mercadoria não acessível a uma parcela dos mais pobres e que outra camada da população se torne vulnerável a desabastecimentos ou a preços elevados causados por decisões de mercado – por exemplo, exportar em vez de vender localmente ou destinar terras para a produção de agrocombustíveis ou para fins especulativos no lugar da produção de alimentos.

O sistema hegemônico também causa impactos sociais e ambientais. Ele causa destruição das florestas e perda da biodiversidade. Rompe tradições e comunidades rurais, eliminando progressivamente as condições para práticas de solidariedade e de intercâmbios na agricultura, assim como os valores culturais que sustentam esses modos de vida e o conhecimento tradicional que lhes deu origem. O sistema hegemônico também elimina, dessa forma, as condições requeridas para a promoção da agroecologia. Esse aspecto é especialmente sério, pois significa que, além de não garantir segurança alimentar para todos, o sistema hegemônico bloqueia as condições para o avanço da soberania alimentar (da qual a agroecologia é parte integral), que é condição indispensável para se generalizar a segurança alimentar.

As sementes transgênicas desenvolvidas até hoje não apresentam utilidade fora do sistema convencional de produção. Além disso, considerando o controle que o agronegócio exerce sobre a pesquisa, desenvolvimento e uso das sementes transgênicas, também não se deve esperar que novos transgênicos tenham utilidade fora do sistema hegemônico de produção. Dessa forma, essas tecnologias continuarão sendo causadoras dos impactos aqui descritos.

Os potenciais benefícios dos transgênicos antes mencionados são considerados tão significativos por seus proponentes que compensariam quaisquer efeitos colaterais ocasionados pelo seu uso. Essa visão pode soar plausível desde a perspectiva dos valores do capital e do mercado que perfazem o sistema hegemônico. Mas não são plausíveis para os valores incorporados pela agroecologia e pelas aspirações das organizações populares – que são os valores da justiça social, da participação democrática e da sustentabilidade ambiental.

Mesmo assim, os proponentes dos transgênicos insistem que seus benefícios incluem "alimentar o mundo" e que sem os transgênicos não será possível produzir de forma sustentável alimento suficiente para uma população crescente. Defendem, assim, que não há alternativa fora dos transgênicos, e que risco maior seria não adotar essas sementes. Esses argumentos acabam exercendo forte influência sobre as agendas da pesquisa e da política agrícola, embora não estejam baseados em evidências empíricas nem sejam resultado da comparação entre diferentes modelos. Esses argumentos ainda não consideram que levar as sementes transgênicas para as áreas mais pobres significa levar junto todo o modelo industrial de agricultura, e que este não garante a realização do direito humano à alimentação.

Por fim, defender os transgênicos como único caminho viável significa ignorar as vantagens da agroecologia e sobretudo seu papel para a promoção da segurança e da soberania alimentar nas regiões mais pobres, conforme vem sendo recomendado por um número cada vez maior de órgãos internacionais (De Schutter, 2014). Defender que "não há alternativa" é um argumento sem base científica. Mais ainda, as crescentes evidências das vantagens da agroecologia indicam que é mesmo um argumento falso.

Referências

ALMEIDA, V. E. S. *et al.* Uso de sementes geneticamente modificadas e agrotóxicos no Brasil: cultivando perigos. *Ciência e Saúde Coletiva,* Rio de Janeiro, v. 22, n. 10, p. 3333-3339, Oct. 2017. Disponível em: http://www.scielo.br/scielo.php?script=sci_arttext&pid=S1413-81232017021003333&lng=pt&nrm=iso&tlng=pt. Acesso em: 13 out. 2018.

BARCELOS, J. R. O. *Agrobiodiversidade ameaçada*: perversão do direito e zona de autarquia na Comissão Técnica Nacional de Biossegurança (CTNBio). São Paulo: Liber Ars, 2018.

BENBROOK, C. Impacts of Genetically Engineered Crops on Pesticide Use in the United States: The First Thirteen Years. The organic Center. *Critical issues Report,* 2009. Disponível em: https://www.organic-center.org/reportfiles/GE13YearsReport.pdf. Acesso em: 13 out. 2018.

BRASIL. Presidência da República. Casa Civil. Subchefia para Assuntos Jurídicos. *Lei n. 11.105, de 24 de março de 2005*. Regulamenta os incisos II, IV e V do § 1º do art. 225 da Constituição Federal, estabelece normas de segurança e mecanismos de fiscalização de atividades que envolvam organismos geneticamente modificados (OGM e seus derivados), cria o Conselho Nacional de Biossegurança (CNBS), reestrutura a Comissão Técnica Nacional de Biossegurança (CTNBio), dispõe sobre a Política Nacional de Biossegurança (PNB), revoga a Lei n. 8.974, de 5 de janeiro de 1995, e a Medida Provisória n. 2.191-9, de 23 de agosto de 2001, e os arts. 5º, 6º, 7º, 8º, 9º, 10o e 16o da Lei n. 10.814, de 15 de dezembro de 2003, e dá outras providências. Disponível em: http://www.planalto.gov.br/ccivil_03/_ato2004-2006/2005/lei/l11105.htm. Acesso em: 6 abr. 2021.

CONSELHO NACIONAL DE SEGURANÇA ALIMENTAR E NUTRICIONAL (CONSEA). Relatório Final: *Mesa de Controvérsias sobre Transgênicos*. Brasília: Presidência da República, 2014. Disponível em: https://www.mpma.mp.br/arquivos/ESMP/2014_Relatorio_Final_Mesa_Controversias_Agrotoixicos.pdf. Acesso em: 6 abr. 2021.

CORTESE, R. D. M. *Análise da rotulagem de alimentos elaborados a partir de Organismos Geneticamente Modificados*: a situação do Brasil. Florianópolis (SC). Tese (Doutorado em Nutrição). Programa de Pós-Graduação em Nutrição, Universidade Federal de Santa Catarina, 2018.

COMISSÃO TÉCNICA NACIONAL DE BIOSSEGURANÇA (CTNBio). Tabela de plantas de uso comercial. Disponível em: http://ctnbio.mctic.gov.br/en/liberacao-comercial/-/document_library_display/SqhWdohU4BvU/view/1684467?_110_INSTANCE_SqhWdohU4BvU_redirect=http%3A%2F%2Fctnbio.mctic.gov.br%2Fen%2Fliberacao-comercial%2F-%2Fdocument_library_display%2FSqhWdohU4BvU%2Fview%2F614405#/liberacao-comercial/consultar-processo. Acesso em: 6 mar. 2021.

DE SCHUTTER, O. *Report of the special rapporteur on the right to food.* Human Rights Council, Assembleia Geral das Nações Unidas, 24 jan. 2014. Disponível em: https://webcache.googleusercontent.com/search?q=cache:7jbgbANr7bEJ:https://www.ohchr.org/EN/HRBodies/HRC/RegularSessions/Session25/Documents/A_HRC_25_57_ENG.DOC+&cd=1&hl=pt-PT&ct=clnk&gl=br. Acesso em: 6 abr. 2021.

FERMENT, G. *et al. Lavouras transgênicas:* riscos e incertezas – Mais de 750 estudos desprezados pelos órgãos reguladores de OGMs. Brasília: Ministério do Desenvolvimento Agrário, 2015. 450p. (Nead Debate; 26). Disponível em: https://www.organicsnet.com.br/site/wp-content/uploads/2015/09/Lavouras-Transg%C3%A-Anicas-Riscos-e-Incertezas.pdf.. Acesso em: 6 abr. 2021.

FERNANDES, G. B. E se os doutores estiverem errados? *Le Monde Diplomatique,* n. 52, 1 nov. 2011. Disponível em: https://diplomatique.org.br/e-se-os-doutores-estiverem-errados/. Acesso em: 13 fev. 2019.

GUILLEMAUD, T.; LOMBAERT, E.; BOUGUET, D. Conflicts of interest in GM Crop Efficacy and Durability Studies. December 15, 2016. 14p. *Plos One*. DOI:10: 1371/jornal.pone.0167777. Disponível em: https://journals.plos.org/plosone/article?id=10.1371/journal.pone.0167777. Acesso em: 6 abr. 2021.

HILBECK, A. *et al.* No scientific consensus on GMO safety. *Environmental Sciences Europe* 2015, 27, p. 4-9.

LACEY, H. A *Controvérsia sobre os Transgênicos:* questões científicas e éticas. São Paulo: Editora Ideias e Letras, 2006.

MELGAREJO, L. Biosafety regulations, practices and consequences in Brazil: who wants to hide the problems? *In*: ISSBERNER, L.-R., LÉNA, P. (ed.) *Brazil in the anthropocene*. Conflicts between predatory development and environmental policies. New York: Routledge, 2017. p. 143-157.

MELGAREJO, A.; FERNANDES, G. B.; RAMOS, P. C. M. Flexibilização das normas de biossegurança – O Caso do Monitoramento Pós-Liberação Comercial de Plantas Geneticamente Modificadas no Brasil. *Resumos do VIII Congresso Brasileiro de Agroecologia.* Porto Alegre/RS – 25 a 28/11/2013.

MOLDENHAUER, H.; HIRTZ, S. De sete para quatro – hegemonizando o mercado. *In*:
PAGANELLI, A. *et al*. Glyphosate-based herbicides produce teratogenic effects on vertebrates by impairing retinoic acid signaling. *Chemical Research in Toxicology* 2018, 23, p. 1.586-1.595.
PIGNATI, W. A.; MACHADO, J. M. H. O agronegócio e seus impactos na saúde dos trabalhadores e da população do estado de Mato Grosso. *In:* GOMEZ, C. M.; MACHADO, J. H. M.; PENA, P. G. (org.). *Saúde do trabalhador na sociedade brasileira contemporânea.* Rio de Janeiro: Fiocruz, 2011. p. 245-272.
SÉRALINI, G.-E. *et al*. Republished study: long term toxicity of a Roundup herbicide and a Roundup-tolerant genetically modified maize. *Environmental Science Europe*, v. 26, n. 14, 24 jun. 2014, p. 14. Disponível em: https://enveurope.springeropen.com/articles/10.1186/s12302-014-0014-5. Acesso em: 6 abr. 2021.

Para saber mais

FERNANDES, G. B. *Novas biotecnologias, velhos agrotóxicos: um modelo insustentável que avança e pede alternativas urgentes*. Rio de Janeiro: Fundação Heinrich Böll, 2019. Disponível em: https://br.boell.org/sites/default/files/2019-11/Boll_Novas%20Biotecnologias%20Velhos%20Agrotoxicos_Site.pdf. Acesso: 6 abr. 2020.
O MUNDO SEGUNDO A MONSANTO. Direção: Marie Monique Robin. [*S. l.*: *s. n.*], 2013. 1 vídeo (109 minutos). Disponível em: https://youtu.be/sWxTrKlCMnk. Acesso em: 14 jul. 2020.
SANTOS, M.; GLASS, V. (ed.). *Atlas do Agronegócio:* fatos e números sobre as corporações que controlam o que comemos. Rio de Janeiro/São Paulo: Fundação Heinrich Böll/Fundação Rosa Luxemburgo, 2018. p. 20-21. Disponível em: https://br.boell.org/pt-br/atlas-do-agronegocio. Acesso em: 14 jul. 2020.
CARNEIRO, F. F. *et al*. (org.) *Dossiê Abrasco*: os impactos dos agrotóxicos na saúde, 2015. Rio de Janeiro/São Paulo: EPSJV/Expressão Popular. Disponível em: http://abrasco.org.br/dossieagrotoxicos/. Acesso: 14 jul. 2020.

TRANSIÇÃO AGROECOLÓGICA

Marília Carla de Mello Gaia
Marcelos João Alves

A transição agroecológica, em aspectos gerais, envolve o processo de construção de sistemas produtivos sustentáveis e abundantes em biodiversidade. Para tanto, considera-se a agroecologia como ciência e como prática social aplicada à realidade de cada agroecossistema [ver Agroecossistema]. Em termos teóricos, este processo transitório, planejado pela ação humana, culminaria em um agroecossistema sustentável, ou seja, aquele que mantém

> a base de recursos do qual depende, conta com uso mínimo de insumos artificiais vindos de fora do sistema de produção agrícola, maneja pragas e doenças através de mecanismos reguladores internos e é capaz de se recuperar de perturbações causadas pelo manejo e colheita. (Gliessman, 2001, p. 565)

Diversos termos são utilizados na definição deste processo de construção de um campo baseado na agroecologia [ver Agroecologia], por exemplo: transição agroecológica, conversão agroecológica e ruptura agroecológica. Apesar de caminharem para um resultado final comum, a diferença em um ou outro termo, na

T

concepção apresentada neste texto, se baseia, principalmente, na forma como este processo se dá, com base em mudanças imediatas e/ou mudanças mais complexas que envolvem não apenas as esferas produtivas, mas também aspectos filosóficos, éticos, sociais, entre outros. Neste texto, para fins didáticos, vamos utilizar o termo "transição agroecológica".

A transição para a agroecologia, para que seja duradoura e bem-sucedida, se ancora no conhecimento teórico-científico e nas ações práticas, assume caráter de "ruptura" ao estabelecer a negação do estado anterior, rompendo com uma condição anteriormente estabelecida (Machado-Filho *et al.*, 2010).

A transição agroecológica não se trata de "conversão para a agricultura orgânica", pois não se limita a fazer apenas a substituição de insumos sintéticos por orgânicos, e sim engloba tanto mudanças nos princípios de manejo, realçando e utilizando processos ecológicos, quanto mudanças de postura dos sujeitos e de concepção do trabalho, da produção e da relação ser humano-natureza.

A transformação do agroecossistema no sentido da agroecologia é uma negação à simplificação da natureza, construída pela agricultura, sobretudo a convencional/industrial. Esta simplificação resulta em "um ecossistema artificial que exige constante intervenção humana", e, "na maioria dos casos, essa intervenção se dá na forma de insumos agroquímicos que, embora elevem a produtividade [no curto prazo], acarretam vários custos ambientais e sociais indesejáveis" (Altieri, 2012, p. 23).

Em muitas experiências, o processo de transição parte de algumas práticas ou atividades em andamento, as quais podem ser potencializadas no sentido de uma transformação mais ampla e permanente. Do ponto de vista da unidade familiar de produção, por exemplo, é possível iniciar por algumas partes da unidade, por alguns setores ou produtos; de forma a avançar aos poucos na produção agropecuária, à medida que alguns resultados são observados, que práticas de manejo são alteradas e adaptadas e que há domínio de determinados processos ecológicos e produtivos.

Porém, a transição para a agroecologia, hoje limitada a envolver apenas uma cultura, uma unidade produtiva ou um território, deve alcançar todo o planeta, de forma a ser capaz de responder às necessidades alimentares da população mundial (Machado-Filho *et al.*, 2010).

Níveis e escalas da transição agroecológica

O processo da transição agroecológica é construído de forma gradual com mudanças quantitativas e/ou em saltos com mudanças de qualidade, e tem como princípio a observação e o respeito às peculiaridades dos distintos biomas, dos territórios, das unidades familiares, das atividades produtivas manejadas e dos sujeitos envolvidos. É importante contemplar múltiplas possibilidades de construção da agroecologia, agregando componentes materiais e imateriais ao processo de transição. É possível também trabalhar em diferentes escalas de transição agroecológica, ampliando estas ao longo do tempo.

Dependendo do contexto, considerando a diversidade regional brasileira, a transição não advém apenas de sistemas convencionais/industriais de produção, mas também pode ser construída para a transformação de sistemas tradicionais e/ou extrativistas, que podem ser aperfeiçoados a partir do enfoque agroecológico.

Caporal e Costabeber, (2004) enfatizam que o processo de transição agroecológica adquire enorme complexidade, tanto tecnológica como metodológica e organizacional, dependendo dos objetivos e das metas estabelecidas, assim como do "nível" de sustentabilidade que se deseja alcançar. Ao estimular o não uso de adubos de síntese química de alta solubilidade e agrotóxicos, ao favorecer o incremento da matéria orgânica no solo, a adoção de sistemas biodiversos e o uso sustentável dos recursos naturais pelo conjunto social, promove-se uma ruptura da lógica convencional, fomentando o incremento da produção, da oferta e do consumo de alimentos mais saudáveis e agrobiodiversos.

Com Gliessman (2001) e Gliessman e Rosemeyer (2010) podemos distinguir quatro níveis fundamentais no processo de transição para agroecossistemas sustentáveis: i) a racionalidade no uso dos recursos, ii) a substituição de insumos, iii) o redesenho do sistema produtivo e iv) o estabelecimento de vínculos entre produtores e consumidores.

A "racionalidade no uso dos recursos" diz respeito ao incremento da eficiência das práticas convencionais para reduzir o uso e consumo de insumos externos caros, escassos e danosos ao ambiente. Esta tem sido a principal ênfase da investigação agrícola convencional, com vistas a reduzir os impactos negativos desta. Porém, vale destacar e fazer a crítica de que esta perspectiva resultou em tecnologias e práticas pouco acessíveis às famílias camponesas, de custo elevado e de intensificação da agricultura convencional, por meio da agricultura de precisão, entre outras, que possibilita a aplicação direcionada de adubos e outros agroquímicos a partir da necessidade de cada parcela de terra.

Outro nível de transição seria a "substituição de insumos e práticas convencionais", intensivas em capital, contaminantes e degradantes do ambiente, por outras menos impactantes sob o ponto de vista ecológico. Por exemplo, a implantação no sistema de plantas fixadoras de nitrogênio, de cultivos de cobertura, plantios diretos e controle biológico de espécies espontâneas. Neste nível, a estrutura básica do agroecossistema seria pouco alterada, podendo ocorrer, então, problemas similares aos dos sistemas convencionais. Os processos de certificação de produtos em orgânicos algumas vezes se limitam a esse nível de transição, assim como uma boa parte das pesquisas acadêmicas da área.

Um pouco mais complexo é o nível da transição representado pelo "redesenho dos agroecossistemas", para que estes funcionem com base em novos conjuntos de processos ecológicos. Nesse caso, busca-se eliminar as causas dos problemas não resolvidos nos dois níveis anteriores, ampliando a diversificação na produção e nas formas de manejo. A implantação de sistema agroflorestal é um exemplo de uma prática que permite redesenhar espacial e temporalmente uma determinada unidade produtiva em busca de melhor autorregulação, diversidade e eficiência energética.

Por fim, o quarto nível trata de estabelecer, ou restabelecer, vínculos diretos entre os/as trabalhadores/as do campo, que produzem os alimentos, e os/as moradores/as e trabalhadores/as das cidades, para além de uma relação simplista de produtores/as e consumidores/as, na perspectiva da "construção de um sistema agroalimentar".

Análise do agroecossistema para a transição agroecológica

A construção de um agroecossistema sustentável pode parecer algo abstrato em termos teóricos. É preciso olhar para os agroecossistemas reais e buscar parâmetros que permitam propor e acompanhar as mudanças necessárias. Para tanto, a análise do agroecossistema familiar ou de outras tipologias presentes em uma mesma comunidade ou área de Reforma Agrária pode favorecer o planejamento do processo de transição (Movimento dos Trabalhadores Rurais Sem Terra; ASPTA; Mutuando, 2005).

Analisar o agroecossistema por meio de sua estrutura e funcionamento é uma possibilidade de levar para o concreto o início da transição agroecológica. A estrutura de um agroecossistema corresponde aos subsistemas que o compõem, por exemplo, a roça de milho consorciado com feijão, o pasto, o galinheiro, a horta, o pomar de frutíferas, o açude de criação de peixes, a capineira, o SAF (sistema agroflorestal), a roça de café etc. E o funcionamento do agroecossistema diz respeito à dinâmica que se estabelece em relação aos insumos, produtos, trabalho e renda.

Os insumos são os elementos necessários para produzir, tais como: sementes, mudas, adubo, esterco, entre outros, provenientes dos subsistemas familiares (resíduos orgânicos da horta que vão para a composteira, por exemplo) ou do mercado (por exemplo, mudas adquiridas na casa agropecuária). Os produtos são aqueles que servem para o consumo da família e também aqueles destinados à comercialização. A organização do trabalho retrata a forma como a família se divide nas funções na propriedade, e também a existência de trabalhadores/as de fora do núcleo familiar e atividades cooperadas. A renda em um agroecossistema pode ser: i) renda agrícola monetária (renda proveniente dos produtos comercializados), ii) renda agrícola não monetária (produção para o autoconsumo da família, trocas, doações e estoques) e iii) renda não agrícola (proveniente de atividades não ligadas à agricultura, tais como benefícios de programas e de políticas públicas, trabalho assalariado ou serviços prestados fora da propriedade etc.).

O processo de transição deve permitir que a família potencialize a dinâmica interna por meio de: i) diversificação da produção, tornando o agroecossistema biodiverso, aumentando o número de subsistemas e, consequentemente, aumentando a diversidade de produtos, seja para o consumo ou para a comercialização; ii) produção de mais insumos na própria unidade familiar/lote, diminuindo ou eliminando a dependência do mercado para aquisição de insumos; iii) organização justa do trabalho e das tomadas de decisão, levando em consideração, inclusive e sobretudo, aspectos de gênero e geração; iv) diversificação da renda, de forma a não estar exclusivamente dependente de uma única mercadoria (que pode ser mais ou menos valorizada em uma determinada safra ou ser acometida por intempéries ambientais) e potencialização da renda agrícola não monetária, ou seja, produzir mais itens para a alimentação da família.

Entretanto, além da dinâmica interna de transição, a qual necessita extrapolar o lote ou a unidade familiar, há de se destacar que o avanço da agroecologia não se dará de forma isolada, mas no âmbito do território, necessitando então alterar as dinâmicas nas áreas de Reforma Agrária, nas comunidades tradicionais e camponesas etc., de forma mais ampla, com apoio e envolvimento de movimentos sociais, ambientais, sindicatos, entre outros, como expressão da luta política e da materialização das práticas agroecológicas na construção de um outro sistema agrário, baseado na cooperação [VER COOPERAÇÃO] e na construção coletiva.

Elementos que favorecem e enriquecem a transição agroecológica

Não há um modelo único a ser seguido para a transição, mas inspirações, experiências e trocas de saberes úteis. Não há um pacote tecnológico da transição agroecológica. Porém, é indispensável que a transição trabalhe a fertilidade do solo [VER SOLO]. Destaca-se aqui, com base nos ensinamentos de Ana Primavesi (2002), a necessidade de selecionar, experimentar e ajustar práticas condizentes com as características de nossos solos tropicais e subtropicais, que permitam a manutenção da cobertura do solo, a reposição constante da matéria orgânica e o não revolvimento destes. Ou ainda, práticas que dialoguem e aproximem o agroecossistema ao funcionamento de um ecossistema natural, com base na sucessão ecológica, na biodiversidade e na ciclagem de nutrientes.

Como exemplos de algumas técnicas e práticas que podem contribuir na condução da transição agroecológica para a produção vegetal e animal, citamos: sistemas de policutivos, compostagem, cultivos de cobertura, sistemas agroflorestais [VER AGROFLORESTA – SISTEMAS AGROFLORESTAIS], homeopatia [VER HOMEOPATIA], Pastoreio Racional Voisin, rotação de culturas, manejo ecológico de espécies espontâneas, sistemas agrosilvopastoris, biofertilizantes, adubação verde, quebra ventos, entre outras.

Considerando os muitos conhecimentos e saberes, científicos e populares que circulam no campo, há de se criar "ambientes socioculturais propícios à produção e à circulação de informações pertinentes às questões de desenvolvimento local", por meio de encontros de agricultores/as experimentadores/as [VER BOX EM METODOLOGIAS EMANCIPATÓRIAS], de visitas de intercâmbio e outros espaços de troca que favoreçam a comunicação oral, a auto-organização, a Educação Popular [VER EDUCAÇÃO POPULAR EM AGROECOLOGIA] e a "circulação local dos conhecimentos gerados nos processos de experimentação" (Petersen, 2006).

Muito se diz da aproximação da agricultura camponesa com a agroecologia. Ampliando esse entendimento, podemos compreender também a aproximação das camponesas e dos camponeses aos processos de transição, muito mais do que nas propriedades dominadas pelo agronegócio [VER AGRONEGÓCIO]. A partir de Camargo (2007) destacamos que se faz necessário utilizar a racionalidade do campesinato [VER CAMPESINATO] na construção da transição agroecológica, olhando para a forma como os camponeses e as camponesas tradicionalmente se relacionam com a terra. Do contrário, corre-se o risco de um "agronegócio orgânico", igualmente predatório e antiecológico, direcionado a um nicho de mercado elitizado.

As famílias camponesas encaram a "terra, o trabalho e a família" como "valores morais e categorias nucleantes", se preocupam "com o autoconsumo e segurança alimentar da família", estabelecem "relações de vizinhança e reciprocidade entre famílias produtoras" por meio das quais trocam produtos, conhecimentos, maquinários e força de trabalho, e organizam o "espaço rural também tendo como premissa a importância de promover a interação das atividades produtivas, num modelo em que o resíduo ou produto é insumo para outra atividade" (Camargo, 2007).

Tais características evidenciam a possibilidade da transição agroecológica se processar e se fortalecer desde a agricultura camponesa e tradicional, tendo ali fragmentos ou germes do que pode vir a ser um campo organizado com base na agroecologia. É com base nessa perspectiva que a agricultura vem sendo desenvolvida há mais de 10 mil anos; não podemos esquecer que o pacote tecnológico da Revolução Verde [VER REVOLUÇÃO VERDE] é recente em comparação ao tempo que o ser humano desenvolve agricultura.

Para finalizar (e iniciar)...

É importante destacar que a transição nas relações sociais e produtivas capitalistas não se realiza em sua amplitude, pois confronta a sociedade de consumo e, portanto, só se efetivará quando outras esferas da organização econômico-social forem modificadas. Não basta apenas uma transição por substituição de insumos químicos sintéticos para orgânicos, de técnicas e práticas de manejo convencional dos solos para um manejo ecológico, ou da manutenção de práticas capitalistas de produção (tais como: produtos orgânicos voltados para um nicho de mercado elitizado, empobrecimento dos solos, exploração do trabalho, monocultivos etc.). É necessária uma transição que modifique de fato as relações dos seres humanos com a natureza e entre si, mudanças nas relações sociais, trabalhistas, produtivas, ambientais, culturais, de gênero, de geração, de identidades, de classe.

Conforme Sevilla-Guzmán (2011), as perspectivas ecológico-produtiva, socioeconômica e cultural e a transformação social precisam ser consideradas nos processos de transição à agroecologia, com potencial para promover mudanças mais significativas no campo e na sociedade, visando à transformação do modo de produção, e não apenas do agroecossistema, visando à construção de um sistema agrário.

Referências

ALTIERI, M. *Agroecologia:* bases científicas para uma agricultura sustentável. 23. ed. São Paulo/Rio de Janeiro: Expressão Popular/AS-PTA, 2012.

CAMARGO, P. Fundamentos da transição agroecológica: racionalidade ecológica e campesinato. *Agrária*, São Paulo, n. 7, p. 156-181, 2007.

CAPORAL, F. R.; COSTABEBER, J. A. *Agroecologia*: alguns conceitos e princípios. 24p. Brasília: MDA/SAF/DATER – IICA, 2004.

GLIESSMAN, S. R. *Agroecologia*: processos ecológicos em agricultura sustentável. 2. ed., Porto Alegre: Editora da UFRGS, 2001.

_______; ROSEMEYER, M. *The conversion to sustainable agriculture:* principles, processes, and practices. CR Press, 2010.

MACHADO-FILHO, L. C. P. *et al.* Transição para uma agropecuária agroecológica. *In:* II Simpósio Brasileiro de Agropecuária Sustentável, 2010, Viçosa: Arka Editora, 2010, p. 243-258.

MOVIMENTO DOS TRABALHADORES RURAIS SEM TERRA; ASPTA; Mutuando. *Agroecologia*: notas introdutórias e análise de agroecossistemas. Apostila do Curso de Agroecologia e Biossegurança. Mimeo. 2005.

PETERSEN, P. Agroecologia em rede: fonte de inspirações para a inovação local. *Agriculturas*, v. 3, n. 2, p. 30-31, julho de 2006.

PRIMAVESI, A. *Manejo ecológico do solo:* a agricultura em regiões tropicais. São Paulo: Nobel, 2002.

SEVILLA-GUZMÁN, E. *Sobre los orígenes de la agroecología en el pensamiento marxista y libertario.* La Paz: AGRUCO/Plural Editores/CDE/NCCR, 2011.

Para saber mais

REVISTA AGRICULTURAS. Rio de Janeiro: AS-PTA. Agriculturas: experiência em agrologia. Disponível em: aspta.org.br/revista-agriculturas/. Acesso em: 24 abr. 2019.

ASSISTÊNCIA TÉCNICA E EXTENSÃO RURAL (ATER) PARA A TRANSIÇÃO AGROECOLÓGICA. SERTA. 2018. Direção e roteiro: Henrique Lee. Agência Pavão 1 vídeo (25 min). Disponível em: https://www.youtube.com/watch?v=sBQ_3mPerBw. Acesso: 5 set. 2019.
AGROECOLOGIA COMIDA DE VERDADE NO CAMPO E NA CIDADE. Curta Agroecologia. Articulação Nacional de Agroecologia. 2018. 1 vídeo (25 min). Canal Saúde Fiocruz. 5/4/2019. Disponível em: https://portal.fiocruz.br/video/comida-de-verdade-curta-agroecologia. Acesso em: 6 abr. 2021.
MUTUANDO, Instituto Giramundo. A *Cartilha Agroecológica*. Botucatu, SP: Editora Criação Ltda, 2005.
SAUER, S.; BALESTRO, M. S. (org.). *Agroecologia e os desafios da transição ecológica*. 2. ed. São Paulo: Expressão Popular, 2013. 328p.

TROFOBIOSE

Maria José Guazzelli

A trofobiose é uma área de conhecimento que nos permite entender que pragas e doenças não atacam qualquer planta aleatoriamente, mas apenas aquelas que servem como alimento adequado àquela determinada praga ou doença. Esta teoria, desenvolvida pelo pesquisador francês Francis Chaboussou (2006), é uma abordagem que busca compreender como a própria planta consegue se defender a partir do seu metabolismo. O controle das chamadas pragas e doenças é um desafio para a produção agrícola e a trofobiose é uma das diferentes estratégias complementares para se conseguir cultivos saudáveis.

A palavra trofobiose significa alimento (trofo), para um modo de vida (biose). Dizendo de outra forma, para uma planta ser atacada ela deve ter, na sua seiva, exatamente o alimento necessário para um inseto, ácaro, nematoide ou microrganismos (fungos ou bactérias). Este alimento é constituído basicamente por aminoácidos, que são substâncias simples, de fácil absorção.

Os aminoácidos, quando unidos, constituem proteínas, como se fossem elos constituindo uma corrente. As espécies de pragas e doenças têm uma variedade muito pequena de enzimas digestivas, que são as ferramentas necessárias para quebrar as cadeias de aminoácidos. Isso reduz a possibilidade de aproveitar completamente moléculas grandes (complexas) como as proteínas.

No que se refere às proteínas, o metabolismo de uma planta tem dois processos opostos: a síntese (proteossíntese) e a decomposição (proteólise). Quando uma planta está em proteossíntese, ela está unindo aminoácidos que estão circulando na sua seiva e formando proteínas e, portanto, há menos alimento disponível para as pragas e doenças. Ao contrário, quando em proteólise, há um aumento dos aminoácidos livres circulando na seiva da planta, ou seja, há mais comida disponível para ser aproveitada por pragas e doenças. Quanto mais intensa for a proteossíntese, menor será a sobra de aminoácidos livres, açúcares e minerais solúveis. Além disso, a formação eficiente de proteínas aumenta o nível de respiração e de fotossíntese da

T

planta, melhorando todo seu funcionamento [VER TEIA ALIMENTAR].

Assim, a chave para reduzir a oportunidade de uma planta ser atacada por pragas e doenças é conseguir o máximo de proteossíntese e o mínimo de proteólise. Para tanto, é importante conhecer quais fatores interferem no metabolismo da planta, favorecendo ou dificultando ambos os processos. A partir disto, é possível fazer escolhas visando otimizar aquilo que aumenta a resistência da planta.

Fatores importantes que interferem na resistência da planta são: 1) espécie ou variedade da planta (genética); 2) idade da planta ou idade da parte da planta; 3) solo; 4) clima (luz, temperatura, umidade, vento); 5) adubos orgânicos; 6) adubos minerais de baixa solubilidade; 7) tratamentos nutricionais; 8) tratos culturais (capina, poda); 9) enxertia; 10) adubos químicos (NPK); e 11) agrotóxicos. A seguir, uma breve definição de cada um desses fatores.

1) Espécie ou variedade da planta: a adaptação genética da planta ao local do cultivo aumenta a sua capacidade de proteossíntese, como no caso das sementes crioulas. A maior adaptação determina melhor capacidade de absorção de nutrientes pelas raízes e maior capacidade de fotossíntese das folhas, por exemplo. Ao contrário, se a espécie ou variedade não for bem adaptada, o funcionamento da planta é prejudicado, o que favorece a proteólise.

2) Idade da planta ou da parte da planta: a proteólise é mais intensa na fase de brotação e floração. Qualquer planta armazena reservas para os períodos de necessidade, como é o caso da época de reprodução. Nessa fase, as proteínas armazenadas são decompostas para que possam se deslocar e formar brotações e flores. É um período em que, naturalmente, a planta está mais sensível e frágil, pois a carga de nutrientes que ela recebe é muito grande, e a capacidade para aproveitar a energia que chega ainda é insuficiente, acumulando substâncias solúveis que servem de alimento a pragas e doenças. Em contrapartida, nas folhas velhas também ocorre uma decomposição normal das proteínas, para que os produtos e minerais possam se deslocar e ser reaproveitados para as folhas mais novas. Consequentemente, folhas velhas são mais atacadas que as maduras.

3) Solo: a boa fertilidade de um solo, que é dada por condições físicas adequadas (solo solto), boa diversidade de nutrientes e muita atividade dos microrganismos, aumenta o poder de absorção e de escolha de alimentos pelas plantas, favorecendo a proteossíntese. Ao contrário, solos fracos, muito trabalhados, gastos, compactados, descobertos, diminuem a capacidade das plantas de poder escolher e de absorver nutrientes, prejudicando a proteossíntese e facilitando o acúmulo de substâncias solúveis [VER SOLOS].

4) Clima: os fatores climáticos afetam o metabolismo das plantas de várias formas. Entre estes fatores temos a luminosidade, pois a falta de sol diminui a atividade de fotossíntese, prejudicando a síntese de proteínas. Portanto, quando há vários dias nublados, é de se esperar que apareçam problemas com insetos ou enfermidades nas plantas. Outro fator é a umidade, já que sua falta ou excesso causa desequilíbrios nas plantas, quer dizer, pioram seu funcionamento, diminuindo a proteossíntese ou provocando a proteólise. A água é um dos fatores

que propicia a entrada de nutrientes nas plantas. E o excesso de água no solo pode diminuir a disponibilidade de ar (oxigênio) para as raízes, prejudicando, assim, a absorção de nutrientes.

5) Adubos orgânicos: a matéria orgânica aplicada ao solo aumenta a proteossíntese nas plantas, pelos seus compostos orgânicos e pela sua diversidade em macro e micronutrientes. É plenamente conhecido que plantas em solos ricos em matéria orgânica e que recebem adubação orgânica complementar são bem menos atacadas por insetos e doenças. A matéria orgânica melhora a resistência das plantas porque, além de melhorar a estrutura física do solo, possui, na sua constituição, os macro e micronutrientes em quantidades bem equilibradas, que as plantas absorvem conforme sua necessidade, escolhendo a qualidade e a quantidade, aumentando assim o nível de proteossíntese. Os micronutrientes são fundamentais para a proteossíntese, tanto por fazerem parte das enzimas quanto por serem ativadores delas, e as enzimas são as ferramentas que regulam o metabolismo da planta. A matéria orgânica também melhora a resistência das plantas porque existem nela substâncias de crescimento, que aumentam a respiração e a fotossíntese nas plantas (os fito-hormônios) [VER CICLAGEM DE NUTRIENTES].

6) Adubos minerais de baixa solubilidade: esses adubos se tornam gradativamente disponíveis para a absorção pelas raízes e estimulam o seu crescimento, aumentando sua capacidade de buscar água e nutrientes do solo, além de não prejudicarem a macro e microvida do solo, ao contrário dos adubos químicos solúveis concentrados, otimizando a relação proteossíntese/proteólise nas plantas. Exemplos são os fosfatos naturais, o calcário e pós de rochas, usados em quantidades moderadas [VER NUTRIÇÃO VEGETAL].

7) Tratamentos nutricionais: substâncias orgânicas e diversidade de micronutrientes são fundamentais para o melhor equilíbrio fisiológico e, consequentemente, a maior sanidade das plantas. Exemplos de tratamentos nutricionais são o uso de cinzas, biofertilizantes enriquecidos com ervas espontâneas ou micronutrientes específicos, e soro de leite, pois todos exercem uma ação benéfica sobre o metabolismo das plantas, aumentando a proteossíntese [VER INTERAÇÕES ECOLÓGICAS]

8) Tratos Culturais: capinas, lavrações, gradeações, com corte de raízes, e podas malfeitas, prejudicam o metabolismo normal das plantas, pois provocam ferimentos que têm que ser curados e, como no caso da brotação e floração, a planta tem que decompor suas reservas, levar até o ferimento e refazer as estruturas que foram danificadas pelos tratos culturais, o que aumenta a proteólise.

9) Enxertia: onde o porta-enxerto e o enxerto se encostam, naturalmente se forma um filtro para os nutrientes que estão na seiva da planta, e nem tudo o que a raiz absorve consegue chegar até a copa. Em plantas enxertadas, nem sempre basta o *solo* estar em ótimas condições e, em muitos casos, será necessário compensar a presença desse filtro com pulverizações foliares periódicas (com biofertilizantes, água de cinzas, soro ou leite, por exemplo) para assegurar uma melhor capacidade de proteossíntese.

10) Adubos químicos (NPK): estes produtos diminuem a proteossíntese porque alteram o funcionamento das plantas. Os componentes desses adubos acabam sendo tóxicos devido à alta

solubilidade, pois acabam sendo absorvidos muito rapidamente pelas plantas, e também pelas concentrações exageradas de nutrientes que apresentam, o que causa problemas no crescimento das plantas. Os adubos químicos solúveis, que são ácidos e salinos, ainda destroem a vida útil do solo, prejudicando todos os processos de retirada de nutrientes tais como fósforo, cálcio, potássio, nitrogênio e outros. Também acabam com a fixação do nitrogênio do ar, que é feita pelas bactérias das raízes das leguminosas (feijão, soja, trevo, vagem, ervilha etc.) ou por outros organismos que estão livres no solo. E atrapalham a liberação de fósforo e de muitos outros minerais, feita pelas micorrizas, que são fungos benéficos associados às raízes das plantas. Assim, a ureia, NPK, cloreto de potássio e superfosfatos prejudicam direta e indiretamente o metabolismo das plantas, tornando-as menos resistentes.

11) Agrotóxicos: a aplicação de agrotóxicos afeta negativamente a proteossíntese de duas formas principais. A primeira, de forma direta, pelo seu efeito sobre a planta. A segunda, de forma indireta, pelo seu efeito sobre o solo. Todos os agrotóxicos são capazes de entrar na planta pelas folhas, raízes, frutos, sementes, galhos ou troncos. Ou seja, não agem apenas matando os insetos, ácaros, nematoides, patógenos ou plantas (no caso de herbicidas), também têm alto potencial de intoxicar os cultivos. Eles podem diminuir a respiração, a transpiração e a fotossíntese da planta, afetando a proteossíntese, prejudicando a resistência das plantas. Da mesma forma que os adubos químicos, os agrotóxicos também destroem a vida útil do solo, prejudicando a disponibilidade de nutrientes para as plantas [VER AGROTÓXICOS].

Uma planta saudável, bem alimentada, com um bom manejo e adaptada ao local, dificilmente será atacado por insetos ou doenças, pois as ditas pragas e doenças morrem de fome numa planta sadia, já que não têm do que se alimentar. Assim, insetos, ácaros, nematoides, fungos, bactérias e vírus são a consequência de termos plantas não saudáveis, não são a causa do problema. Na prática, são indicadores biológicos de que alguma coisa no manejo não está feita de forma adequada.

Aprender a identificar o que estes indicadores nos dizem facilita decidir o que fazer para poder controlar os problemas. Entender a trofobiose nos dá uma ferramenta objetiva, especialmente importante no período de transição agroecológica.

Referência

CHABOUSSOU, F. *Plantas doentes pelo uso de agrotóxicos*. São Paulo: Editora Expressão Popular. 2006, 320 p.

Para saber mais

MEIRELLES, L.; VENTURIN, L.; GUAZZELLI, M. J. *Agricultura ecológica*: alguns princípios básicos. Ipê/RS: Centro Ecológico, 2016. 74 p. Disponível em: http://www.centroecologico.org.br/cartilhas/PrincipiosBasicosAgriculturaEcologica.pdf Acesso em 29 set. 2018.

VERBETES POR EIXO

Metabolismo socioecológico: questão agrária, sociedade e natureza

Agricultura
Agricultura urbana
Agroecologia
Agronegócio
Agrotóxicos
Água
Alimento
Antropoceno
Bioma Amazônia
Bioma Caatinga
Bioma Cerrado
Biomas Costeiros
Bioma Mata Atlântica
Bioma Pampa
Bioma Pantanal
Campesinato
Capitalismo Verde
Ciclo da Água
Convivência com o Semiárido
Cosmovisões
Desertificação
Desertos Verdes
Ecologia
Economia Feminista
Economia Solidária
Empates
Financeirização da Economia
Fome
Impérios Alimentares
Justiça Ambiental
Mineração
Mudanças Climáticas
Novas Biotecnologias
Povos e Comunidades Tradicionais
Questão Agrária
Reforma Agrária Popular
Revolução Verde
Ruptura do Metabolismo Socioecológico
Sistemas Agrários
Soberania e Segurança Alimentar e Nutricional
Território
Trabalho
Transgênicos
Transição Agroecológica

Agroecologia e bases ecológicas da agricultura

Agricultura Biodinâmica
Agricultura Orgânica
Agroecossistemas
Agrofloresta – Sistemas Florestais
Agroflorestais
Ciclagem de Nutrientes
Homeopatia
Interações Ecológicas
Nutrição Vegetal
Permacultura
Plantas Medicinais e Fitoterápicos na Saúde Pública
Saneamento Ecológico
Sementes
Solo
Tecnologia Social
Teia Alimentar
Trofobiose

Poder Popular, agroecologia e Estado

Educação, saúde, cultura e agroecologia

AGROECOSSISTEMAS

Figura 1 – Banquete público agroecológico realizado durante o IV Encontro Nacional de Agroecologia.

Foto: Cecília Figueiredo

Figuras 2 e 3 – Desenhos utilizados pela AS-PTA e pelo Polo da Borborema, organizações atuantes no agreste da Paraíba, que mostram as transformações nos agroecossistemas promovidas pelas redes de agricultores/as experimentadores/as.

Figura 4 – Dinâmica de sucessão em ecossistemas naturais, agroecossistemas e agroflorestas (Baseado no Triângulo da Vida de Ernst Gotsch)

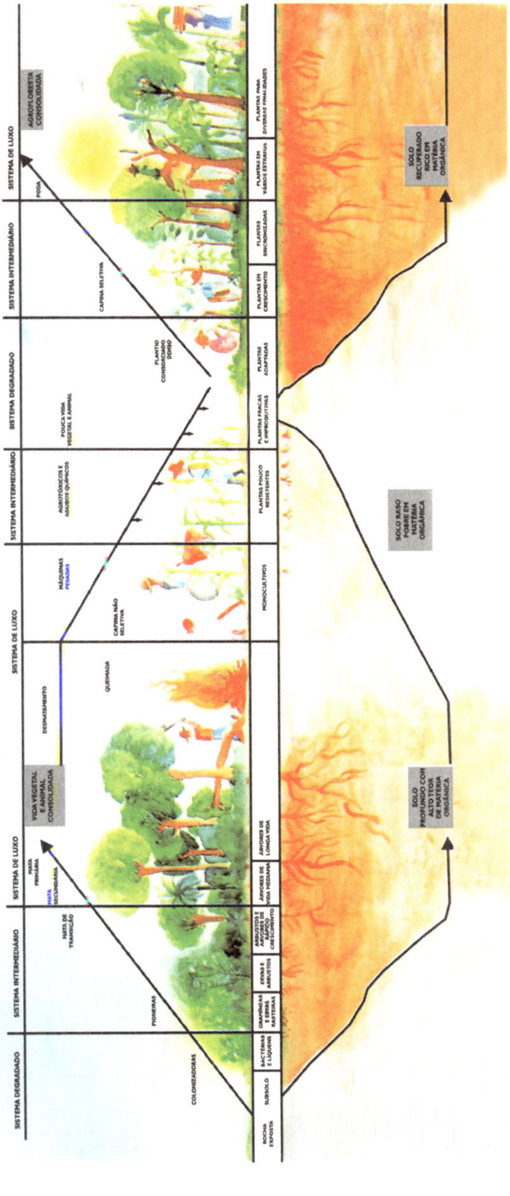

Desenho: Elisa Ferrari

Figura 5 – Estratificação vertical de uma agrofloresta

Desenho: Elisa Ferrari

Figura 6 – Relações solo-planta e aspectos ecológicos positivos da árvore em agroflore tas comparando com uma floresta e uma monocultura (Baseado em Alrik Copijn)

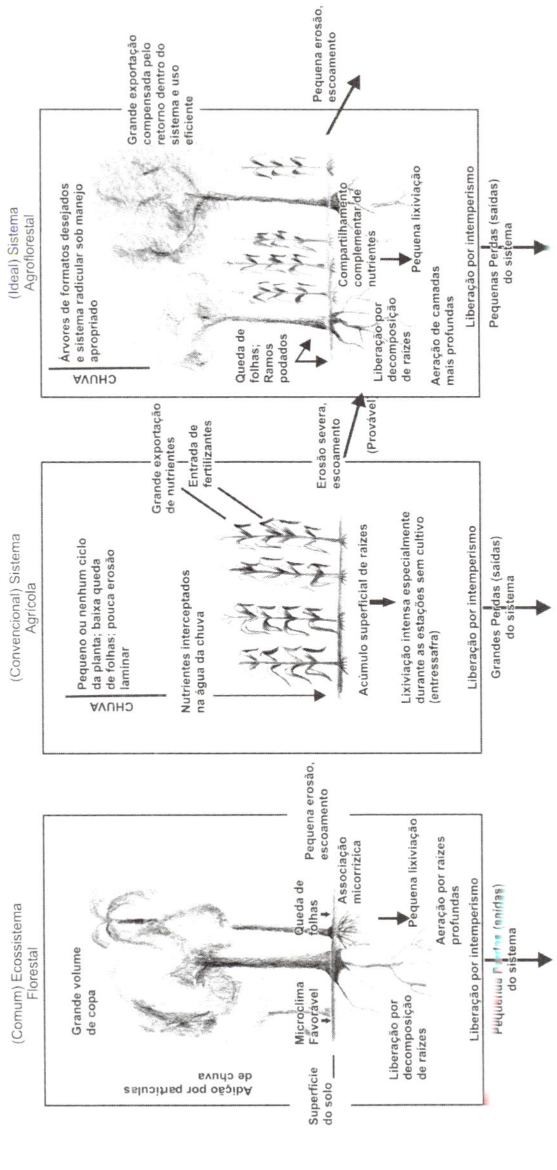

Desenho: Elisa Ferrari

ANTROPOCENO

Figura 7 – Datação relativa das rochas

Fonte: Comissão Internacional de Estratigrafia

BIOMA PAMPA

Figura 8 – Delimitação do bioma Pampa

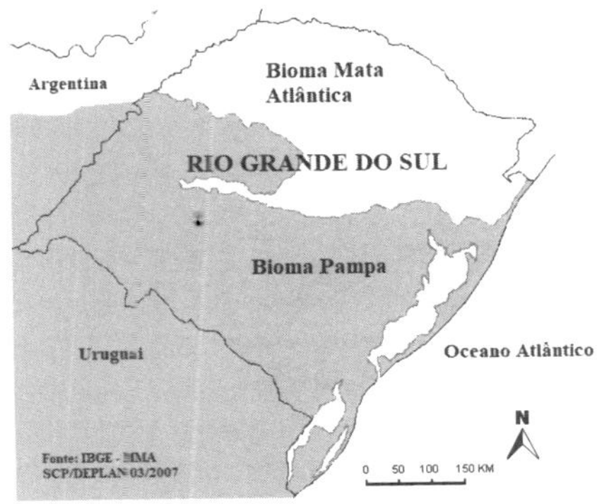

Fonte: Adaptado de IBGE – MMA SCP/DEPLAN 2007

COMPLEXOS DE ESTUDO

Figura 9 – Esboço dos elementos que compõem no Plano de Estudos do MST/PR, incluindo os Complexos de Estudo

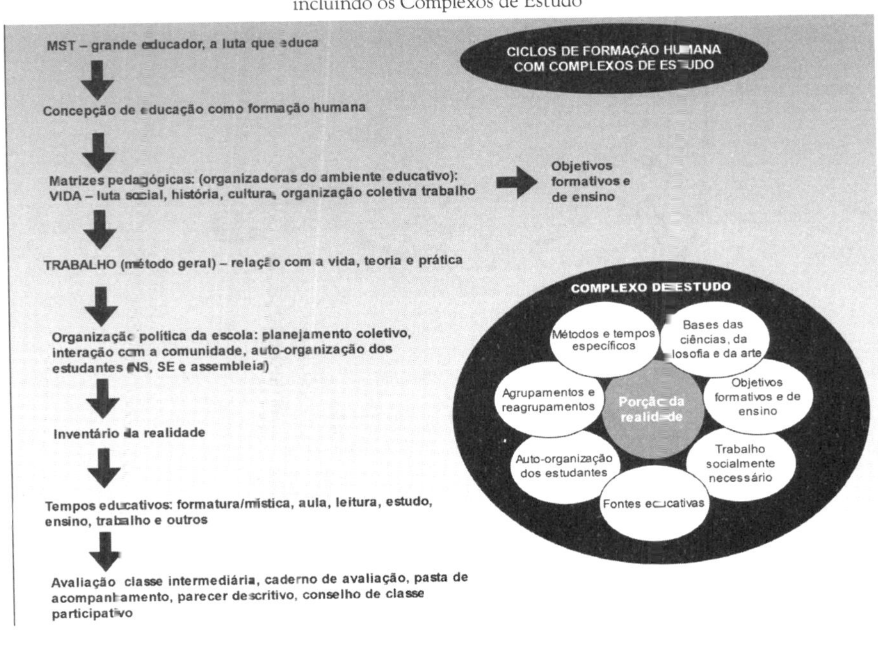

Fonte: organizado pelos autores a partir de MST (2013)

DESERTIFICAÇÃO

Figura 10 – Distribuição das terras secas do planeta

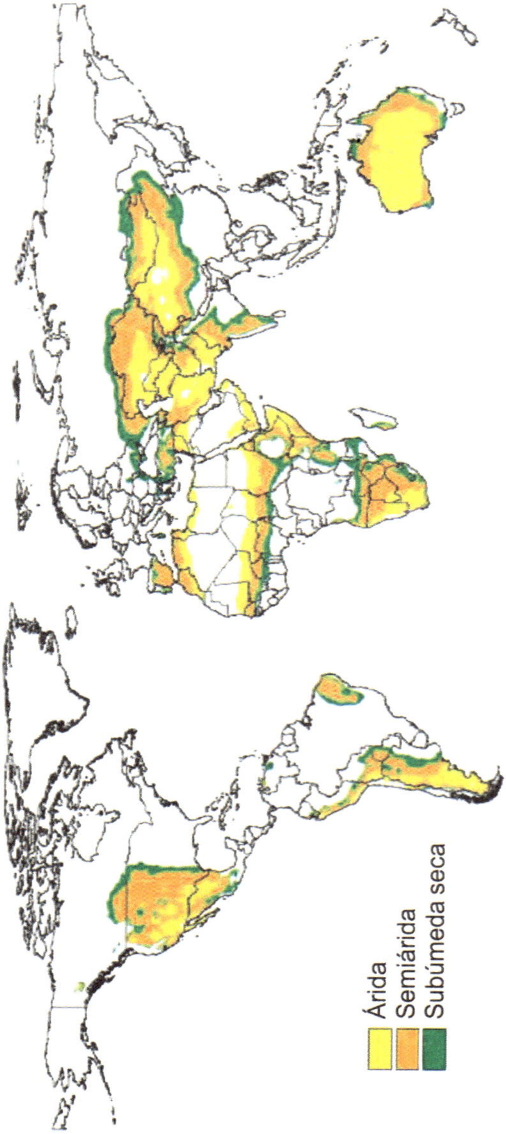

Fonte: Adaptado de FAO (2007)

Figura 11 – Perdas de solo por erosão em diversos sistemas de uso da terra

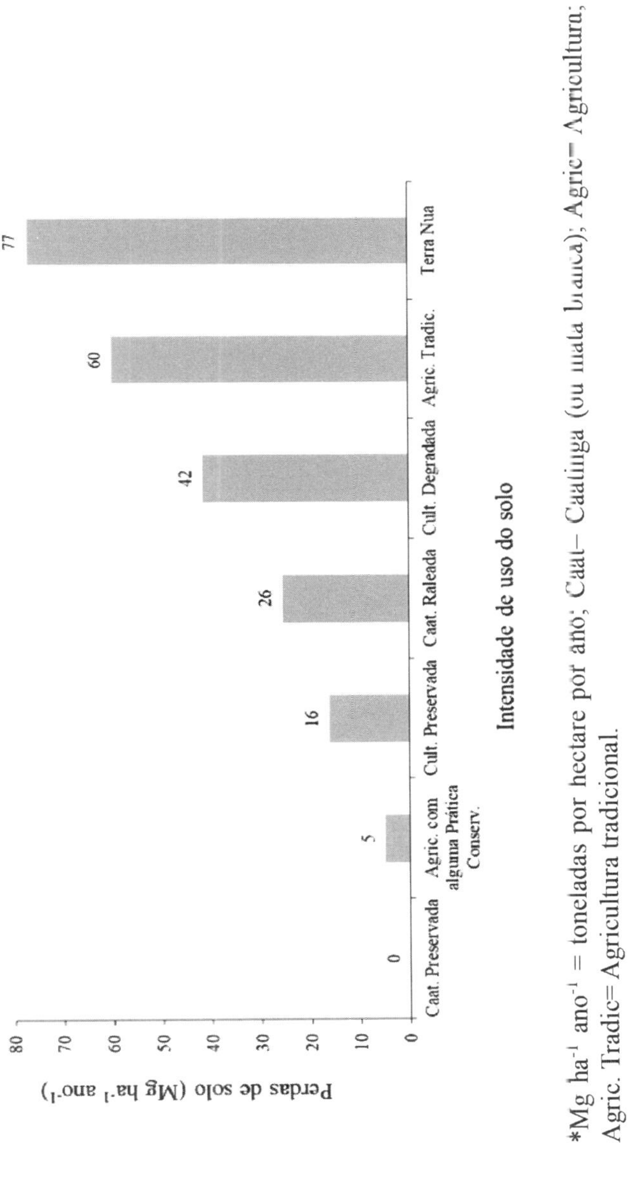

Figura 12 – Diagrama de setores

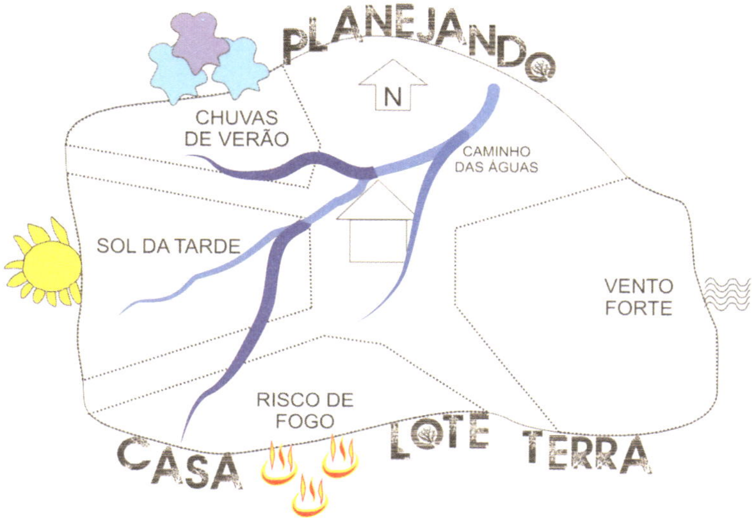

Fonte: Organizado pelos autores

Figura 13 – Possibilidades de conexões entre os elementos

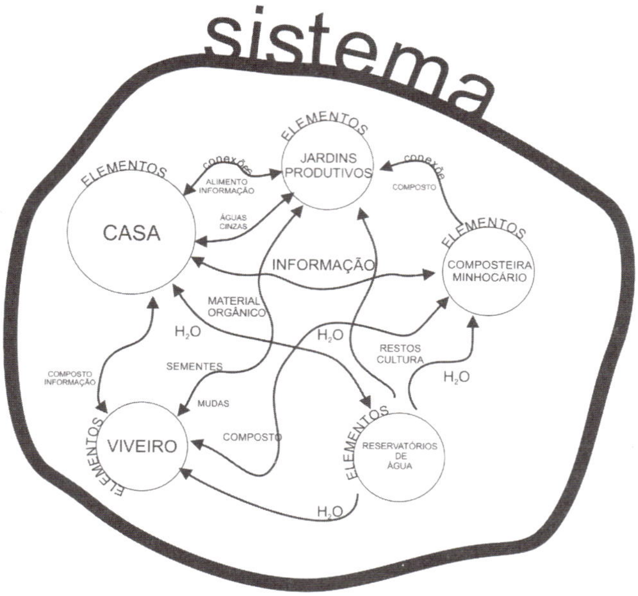

Fonte: Organizado pelos autores

Figura 14 – Matriz FPSEEA para a Saúde e Ambiente

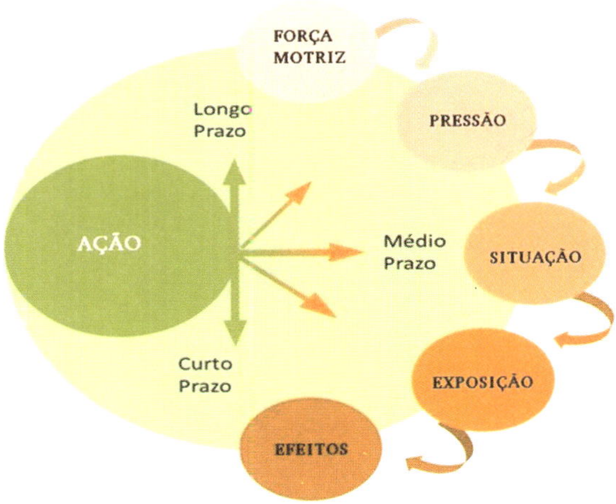

Fonte: Organizado pelos autores

Figura 15

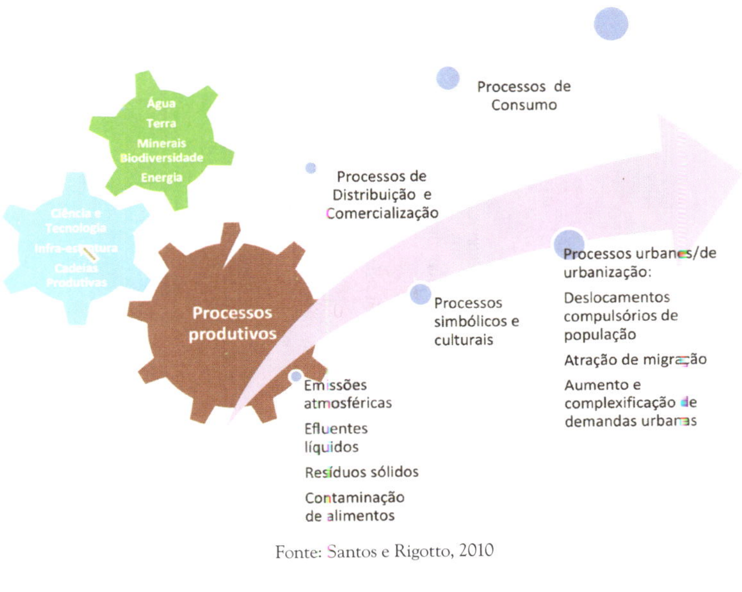

Fonte: Santos e Rigotto, 2010

Figura 16 – Metodologia completa baseada nos Sistemas Agrários

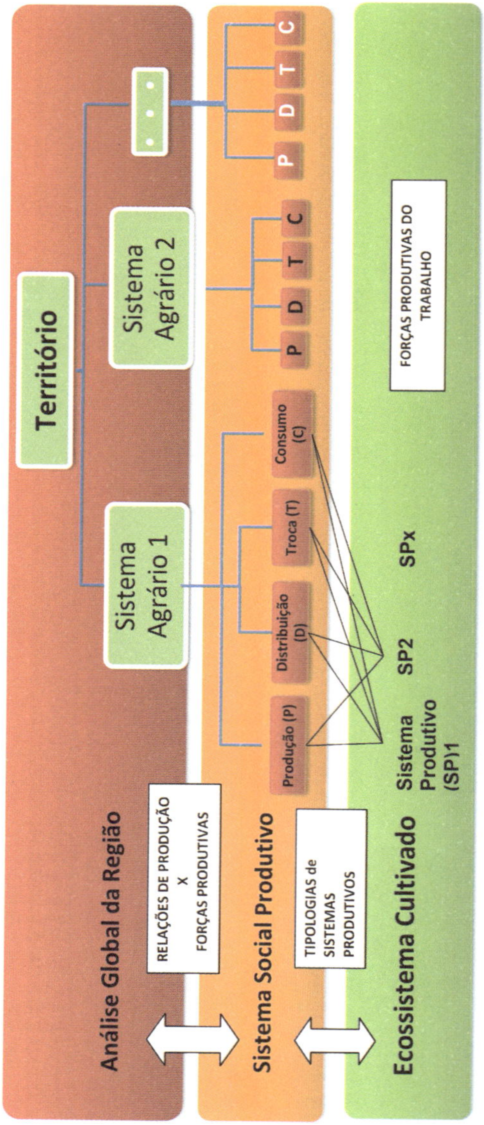

Fonte: Elaboração dos autores

Figura 17 – Esquema conceitual – Forças produtivas e relações sociais de produção agroecológicas

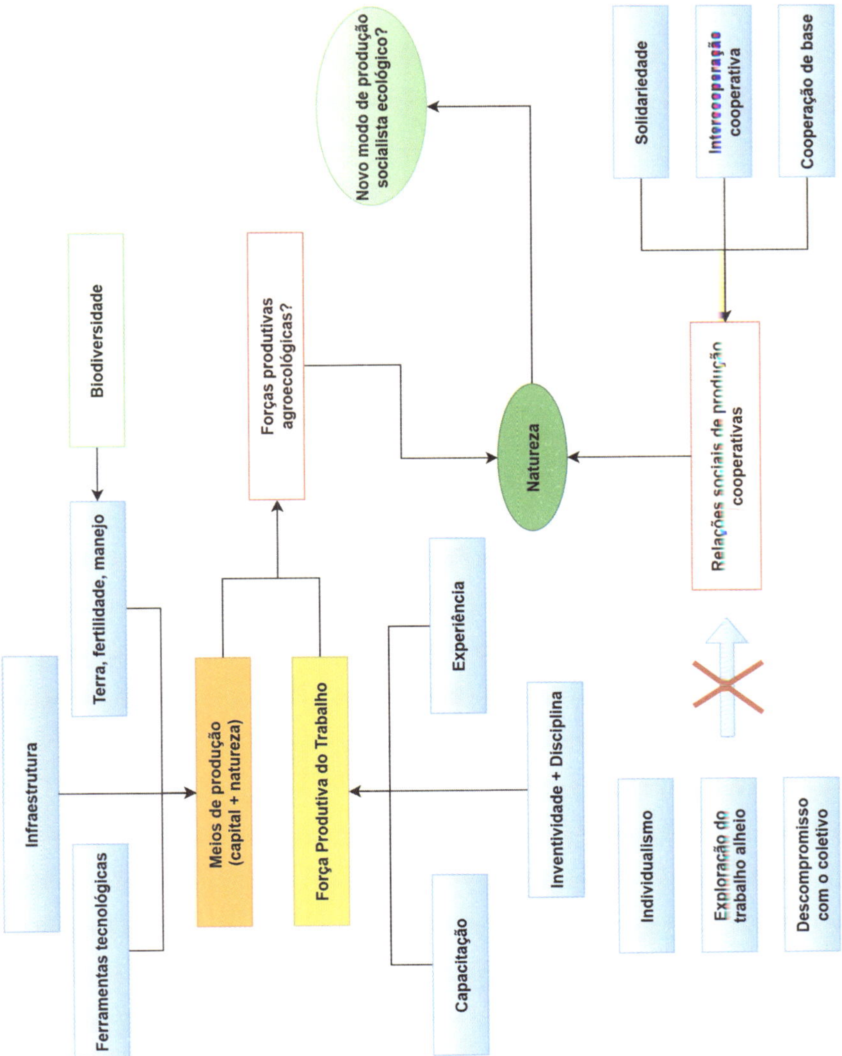

Fonte: Christoffoli, 2018

Figura 18 – Forças produtivas e as relações sociais de produção em uma perspectiva agroecológica

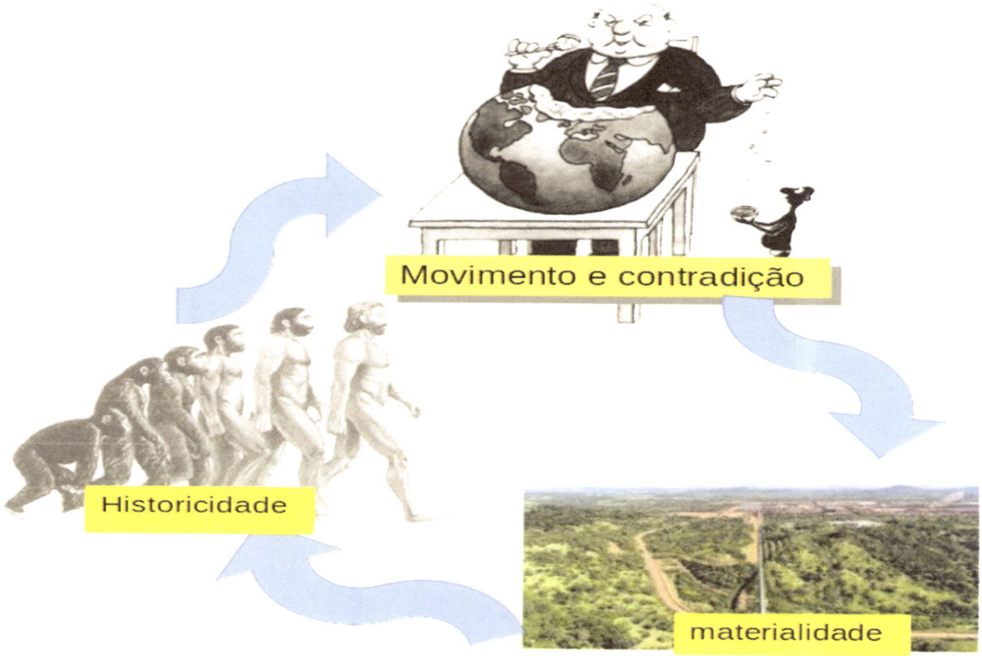

Fonte: Elaboração dos autores

TEIA ALIMENTAR

Figura 19 – Esquema geral da teia alimentar, mostrando interações alimentares e fluxo da energia no ecossistema.

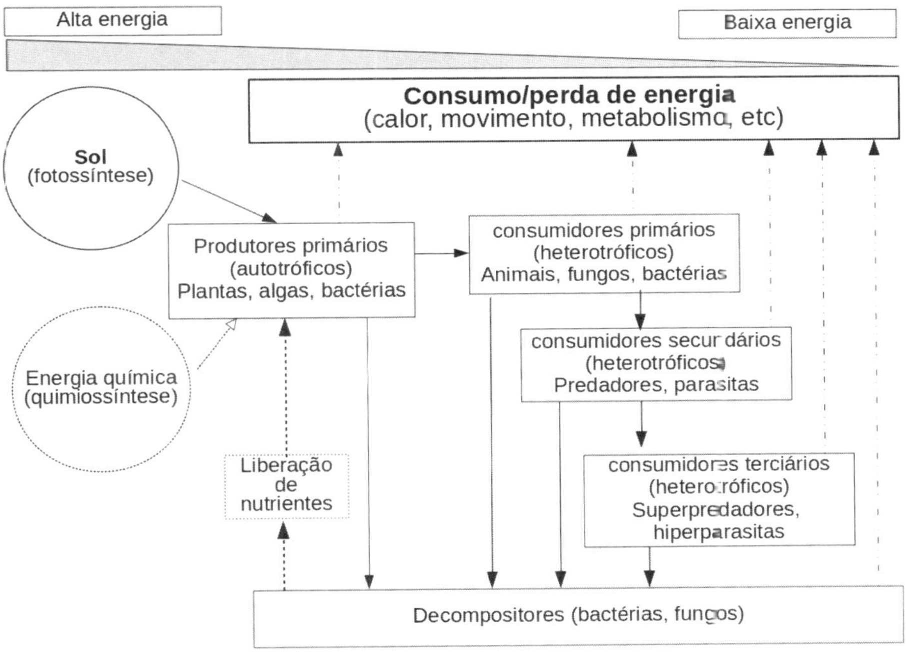

AUTORES (AS)

Ada Cristina Pontes Aguiar é professora da Universidade Federal do Cariri (UFCA), doutoranda em Saúde Pública.

Adalberto Flores Greco Martins é agrônomo, formado na Universidade Federal de Mato Grosso do Sul (UFMS-Dourados), especialista em Agroecologia pela Universidade Federal de Santa Catarina (UFSC), mestre em Ciências Sociais pela Pontifícia Universidade Católica de São Paulo (PUC-SP) e doutor em Geografia pela Universidade Federal do Rio Grande do Sul (UFRGS). É militante do Movimento dos Trabalhadores Rurais Sem Terra desde 1990 e atualmente é membro da direção estadual do MST do Rio Grande do Sul pelo Setor de Produção.

Adriano da Costa Valadão é doutor em Sociologia e membro da Incubadora de Empreendimentos Solidários da Universidade Estadual de Ponta Grossa (IESol–UEPG).

Aldrin Martin Perez-Marin é pesquisador do Núcleo de Desertificação e Agroecologia do Instituto Nacional do Semiárido (INSA) e professor permanente do Programa de Pós-Graduação em Ciência do Solo da Universidade Federal da Paraíba (UFPB *campus* Areia).

Alexandre Henrique Bezerra Pires é educador e coordenador geral do Centro Sabiá, coordenador executivo da Articulação do Semiárido Brasileiro (ASA) e mestre em Extensão Rural e Desenvolvimento Local.

Alexandre Pessoa Dias é engenheiro civil com ênfase em Engenharia Sanitária pela Universidade do Estado do Rio de Janeiro (Uerj, 1996). Doutor em Medicina Tropical pelo Instituto Oswaldo Cruz/Fiocruz (2017). Mestre em Engenharia Ambiental pela Universidade do Estado do Rio de Janeiro (Uerj, 2003). Professor-pesquisador do Laboratório de Educação Profissional em Vigilância em Saúde da Escola Politécnica de Saúde Joaquim Venâncio (LAVSA/EPSJV).

Alexandro Solórzano é professor adjunto do Departamento de Geografia e Meio Ambiente na Pontifícia Universidade Católica do Rio de Janeiro (PUC-Rio). Geógrafo com mestrado em Botânica e doutorado em Ecologia pela Universidade de Brasília (UnB). Investiga a interação sociedade/natureza a partir de uma perspectiva de sistemas socioecológicos, com uma abordagem que permeie Geografia, História e Ecologia. Se interessa pelo processo de transformação da paisagem e pela produção de novos ecossistemas.

Altair Sales Barbosa é doutor em Antropologia e Geociências pelo Smithsonian Institution, Washington DC. Pesquisador do CNPQ, membro titular do Instituto Histórico e Geográfico de Goiás e professor titular em diversas universidades.

Ana Cláudia de Lima Silva é doutora em Agricultura pela Universidade Estadual Paulista (Unesp), assessora técnica do Programa Sementes do Semiárido na Articulação do Semiárido Brasileiro (ASA).

Ana Terra Reis é militante do Movimento dos Trabalhadores Rurais Sem Terra, bolsista Fapesp (2017/14.976-0), pós-doutoranda do Programa de Pós-Graduação em Geografia da Universidade Estadual Paulista (FCT/Unesp – *campus* Presidente Prudente).

Anakeila de Barros Stauffer é formada em Pedagogia e mestre em Educação pela Universidade do Estado do Rio de Janeiro (Uerj). Doutora em Ciências Humanas e Educação pela Pontifícia Universidade Católica do Rio de Janeiro (PUC-RJ). Professora pesquisadora da Escola Politécnica de Saúde Joaquim Venâncio (EPSJV) e professora do Ensino Fundamental I da Secretaria Municipal de Duque de Caxias.

Anamaria Testa Tambellini é médica, doutora em Ciências, professora aposentada da Escola Nacional de Saúde Pública Sergio Arouca da Fundação Oswaldo Cruz e do Instituto de Estudos de Saúde Coletiva da Universidade Federal do Rio de Janeiro (UFRJ).

André Monteiro Costa é engenheiro de Saúde Pública e pesquisador titular do Departamento de Saúde Coletiva/Instituto Aggeu Magalhães/Fiocruz, doutor em Saúde Pública (Ensp/Fiocruz).

André Ruoppolo Biazoti é educador ambiental e coordenador de projetos socioambientais no Grupo de Estudos em Agricultura Urbana do Instituto de Estudos Avançados (IEA–USP), membro do Coletivo Nacional de Agricultura Urbana (CNAU) e mestrando em Ecologia Aplicada (EA–USP).

Andrei Cornetta é doutor em Geografia Humana pela Universidade de São Paulo (USP), pós-doutorando pelo Instituto de Geociências da Universidade Estadual de Campinas (IG/Unicamp).

Antonio Gomes Barbosa é coordenador do Programa Uma Terra e Duas Águas (P1+2)/ASA e do Programa Sementes do Semiárido, especialista em Extensão Rural para o Desenvolvimento Sustentável.

Antonio Thomaz Junior é professor titular de Geografia do Trabalho. Docente dos Cursos de Graduação e de Pós-Graduação em Geografia na Universidade Estadual Paulista (FCT/Unesp); membro dos Programas de Pós-Graduação em Geografia (IPPRI/Unesp/ENFF); pesquisador PQ-1/CNPq; coordenador do Grupo de Pesquisa "Centro de Estudos de Geografia Do Trabalho" (CEGeT) e do Coletivo CETAS de Pesquisadores (Centro de Estudos do Trabalho, Ambiente e Saúde).

Araê Claudinei Lombardi é engenheiro agrônomo pela Universidade Estadual de São Paulo (Unesp *campus* Botucatu), master em Agroecologia pela Universidade Internacional de Andaluzia (UNIA/Espanha) e especialista em Agricultura Biológico-Dinâmica pela Unioeste/Instituto Elo. Mestre em Desenvolvimento Territorial na América Latina e Caribe pelo IPPRI/Unesp e militante do Movimento pela Soberania Popular na Mineracao (MAM).

Armando Bartra Verges é professor da Universidade Autónoma Metropolitana de Xochimilco, no México. Foi professor da Universidad Nacional Autónoma de México (Unam) e da Escuela Nacional de Antropología e Historia. Formou-se em Filosofia (Unam), foi diretor do Instituto de Estudios para el Desarrollo Rural Maya e, em 2011, recebeu o doutorado Honoris Causa da Universidad Nacional de Córdoba, na Argentina.

Ary Carvalho de Miranda é médico, doutor em Ciências, professor do Centro de Estudos da Saúde do Trabalhador e Ecologia Humana da Escola Nacional de Saúde Pública Sergio Arouca da Fundação Oswaldo Cruz.

Atamis Antonio Foschiera é doutor em Geografia, professor do curso de Geografia da Universidade Federal do Tocantins (UFT/Porto Nacional).

Camila Moreno é membra do Grupo Carta de Belém e doutora pelo Programa de Pós-Gradução de Ciências Sociais em Desenvolvimento, Agricultura e Sociedade da Universidade Federal do Rio de Janeiro (UFRJ).

Carlos Armênio Khatounian é PhD em Agricultura Sustentável pela Universidade do Estado de Iowa, mestre em Agricultura Ecológica pela Universidade Agrícola de Wageningen, professor do Departamento de Produção Vegetal da Escola Superior de Agricultura Luiz de Queiroz.

Carlos Renilton Freitas Cruz é professor da Universidade Federal do Pará (UFPR *campus* Castanhal). Doutor em Educação.

Carlos W. Barrientos Aragón é secretário executivo do Comitê de Unidade Camponesa da Guatemala. Economista, graduado em História.

Caroline Bahniuk é doutora em Educação pela Universidade Federal de Santa Catarina e pós-doutora em Serviço Social pela mesma universidade. Professora da Faculdade de Educação da Universidade de Brasília (UNB).

Caroline Siqueira Gomide é geóloga, mestre em Geologia e doutora em Geoquímica pela Universidade de Brasília. Professora Adjunta da UnB *campus* Planaltina e atua nos cursos de Licenciatura em Educação do Campo (LEdoC) e Licenciatura em Ciências Naturais. Professora do Programa de Pós-graduação em Meio Ambiente e Desenvolvimento Rural (PPG-Mader) e pesquisadora do Núcleo de Estudos Agrários (Neagri) no Centro de Estudos Multidisciplinares Avançados (Ceam/UnB).

Cátia Grisa é professora e pesquisadora da Universidade Federal do Rio Grande do Sul (UFRGS).

Ceres Luisa Antunes Hadich é militante do Movimento dos Trabalhadores Rurais Sem Terra, assentada no Assentamento Maria Lara, no Paraná. É engenheira agrônoma pela UFPR (Universidade Federal do Paraná), mestre em Agroecologia e Agricultura Sustentável pela Unah (Universidad Agraria de La Habana).

Cristhiane Oliveira da Graça Amâncio é pesquisadora em Sociologia e Desenvolvimento Rural da Embrapa Agrobiologia, doutora em Ciências Sociais com ênfase em Desenvolvimento, Agricultura e Sociedade (CPDA/UFRRJ). Foi uma das coordenadoras do projeto de Sistematização de Experiências dos Núcleos de Agroecologia pela ABA-Agroecologia. Coordena e integra projetos de Inovação Social, Agroecologia, avaliação de impacto e metodologias de intervenção social com foco na participação e construção de autonomias.

Daniel Mancio integra a coordenação do Setor de Produção Cooperação e Meio Ambiente do MST. Doutor em Produção Vegetal e professor do Departamento de Educação e Ciências Humanas da Universidade Federal do Espírito Santo no curso de Educação do Campo. Ministra disciplinas de questão agrária, economia política, agroecologia e desenvolvimento rural.

Daniela da Silva Egger é professora de Geografia do Laboratório de Formação Geral da Escola Politécnica de Saúde Joaquim Venâncio (EPSJV) da FioCruz. Doutoranda do Programa de Pós-Graduação em Ciências Sociais, Desenvolvimento, Agricultura e Sociedade (CPDA-UFRRJ).

Danielle Cerri é professora-pesquisadora da Escola Politécnica de Saúde Pública Joaquim Venâncio/Fiocruz. Mestre em Ciências, Museologia e Patrimônio.

Débora Nunes Lino da Silva é militante do Movimento dos Trabalhadores Rurais Sem Terra, atuando no setor de Produção, Cooperação e Meio Ambiente. Graduada em Ciências Sociais pela Universidade Federal de Alagoas (Ufal).

Denis Monteiro é agrônomo, secretário executivo da Articulação Nacional de Agroecologia e doutorando na Universidade Federal Rural do Rio de Janeiro (UFRRJ).

Dilma Maria de Brito Melo Trovão possui graduação em Agronomia (1990) e mestrado em Engenharia Agrícola pela Universidade Federal da Paraíba (UFPB, 1994), doutorado em Recursos Naturais pela Universidade Federal de Campina Grande (UFCG, 2004) e pós-doutorado em Ecologia e Recursos Naturais pela Universidade Federal de São Carlos (UFSCar, 2018). Professora da Universidade Estadual da Paraíba.

Diogo de Carvalho Cabral é geógrafo da Coordenação de Geografia do Instituto Brasileiro de Geografia e Estatística. Atualmente é Newton International Fellow da British Academy na Universidade de Londres, Reino Unido. Bacharel em Geografia, mestre em História Social e doutor em Geografia pela Universidade Federal do Rio de Janeiro (UFRJ). Estuda as relações entre as sociedades humanas e o restante da biosfera no período pré-industrial da história do Brasil.

Dionara Soares Ribeiro é licenciada em Educação do Campo pela Universidade de Brasília (UNB, 2011), especialista em Trabalho, Educação e Movimentos Sociais pela Escola Politécnica de Saúde Joaquim Venâncio (EPSJV, 2015) e mestranda em Educação do Campo pela Universidade Federal do Recôncavo da Bahia (UFRB, 2019), além de educadora da Escola de Agroecologia e Agrofloresta Egídio Brunetto.

Dominique Michèle Perioto Guhur é agrônoma, mestra em Educação pela Universidade Estadual de Maringá (UEM). Atuou em assentamentos de Reforma Agrária e na coordenação político-pedagógica da Escola Milton Santos de Agroecologia. Educadora popular, militante do Movimento dos Trabalhadores Rurais Sem Terra e tradutora.

Elder Andrade de Paula é professor associado IV do Centro de Filosofia e Ciências Humanas da Universidade Federal do Acre. Doutor em Ciências Sociais pelo Programa de Pós-Graduação em Desenvolvimento, Agricultura e Sociedade da Universidade Federal Rural do Rio de Janeiro (CPDA/UFRRJ), com estágios pós-doutorais na Universidad Nacional Autonoma de Mexico (Unam) e CPDA/UFRRJ.

Elisiani Vitória Tiepolo é formada em Letras e mestre em Letras pela Universidade Federal do Paraná (UFPR). Doutora em Educação pela Pontifícia Universidade Católica do Paraná (PUC-PR). Professora na UFPR, setor Litoral.

Érico Demari e Silva é veterinário e agroflorestor na Rede Plantar Para a Vida, em Sergipe.
Erivan Camelo da Silva é licenciado em Ciências Sociais, mestrando em Geografia e membro da Coordenação Nacional do Movimento pela Soberania Popular na Mineração (MAM).
Etel Matielo é nutricionista e mestra em saúde pública. Tutora do Programa de Residência Multiprofissional em Saúde da Família com Ênfase na População do Campo, Fiocruz Brasília. Colaboradora do Coletivo de Saúde do MST, doutoranda do Programa de Pós-Graduação em Saúde Pública da ENSP/Fiocruz.
Eugênio Alvarenga Ferrari é professor assistente no Curso de Licenciatura em Educação do Campo na Universidade Federal de Viçosa (UFV). Mestre em Extensão Rural (UFV), doutorando em Educação pela Universidade Federal Fluminense (UFF).
Fábio Kessler Dal Soglio é professor de Agroecologia na Faculdade de Agronomia da Universidade Federal do Rio Grande do Sul (UFRS) e Ph.D em Fitopatologia.
Fabrício Vassalli Zanelli é professor do curso de Licenciatura em Educação do Campo, Departamento de Educação da Universidade Federal de Viçosa (UFV). Mestre em Educação.
Fernanda Tubenchlak é mestre em Ecologia pela Universidade Federal do Rio de Janeiro (UFRJ). Graduada em Ciências Biológicas, bacharel em Ecologia pela mesma universidade. Foi bolsista de graduação sanduíche pelo programa Ciência sem Fronteiras na University of East Anglia (UEA-UK), no curso de Ciências Ambientais. Atualmente trabalha como assistente de pesquisas no Instituto Internacional para Sustentabilidade.
Fernando Campos Costa é bioconstrutor e permacultor educando de arquitetura e urbanismo, presidente do Amigos da Terra Brasil.
Fernando Ferreira Carneiro é biólogo, pesquisador da área de Saúde e Ambiente da Fiocruz Ceará e membro do Observatório de Saúde das Populações do Campo, Floresta e das Águas – Teia de Saberes e Práticas – Obteia. Doutor em Epidemiologia pela Universidade Federal de Minas Gerais (UFMG) e pós-doutor em Sociologia pelo CES (Universidade de Coimbra).
Fernando Michelotti é doutorando em Planejamento Urbano e Regional pela Universidade Federal do Rio de Janeiro (UFRJ). Professor do Instituto de Estudos do Desenvolvimento Agrário e Regional da Universidade Federal do Sul e Sudeste do Pará (Unifesspa), membro do Núcleo de Agroecologia e Educação do Campo.
Fernando Silveira Franco é engenheiro florestal e doutor em Ciência Florestal pela Universidade Federal de Viçosa (UFV), na Área de Sistemas Agroflorestais, na Agricultura Familiar. Membro da diretoria da Associação Brasileira de Agricultura Biodinâmica e da Associação Brasileira de Agroecologia. Professor associado na Universidade Federal de São Carlos (Ufscar *campus* Sorocaba), nos cursos de Engenharia Florestal, Biologia e Pós-Graduação em Agroecologia. Coordenador do Núcleo de Agroecologia Apetê-Caapuã.
Flaviane Malaquias Costa é doutoranda em Genética e Melhoramento de Plantas pela Universidade de São Paulo (USP), mestra em Recursos Genéticos Vegetais

pela Universidade Federal de Santa Catarina (UFSC) e pesquisadora do Grupo Interdisciplinar de Estudos em Agrobiodiversidade (InterABio).

Francileia Paula de Castro é mestra em Saúde Pública, engenheira agrônoma, educadora popular da Federação de Órgãos para Assistência Social e Educacional (Fase/MT).

Frei Sérgio Görgen é frade franciscano da Ordem dos Frades Menores do Rio Grande do Sul. Pertence à Fraternidade Pe. Josimo e reside no Assentamento Conquista da Fronteira em Hulha Negra/RS. Atua há mais de 35 anos junto aos movimentos camponeses. Atualmente participa do Movimento dos Pequenos Agricultores (MPA) e contribui com a Via Campesina Brasil. Coordena o Instituto Cultural Pe. Josimo.

Gabriel Bianconi Fernandes é agrônomo pela Escola Superior de Agricultura "Luiz de Queiroz" da Universidade de São Paulo (Esalq/USP) e doutorando em História das Ciências e das Técnicas e Epistemologia na Universidade Federal do Rio de Janeiro (UFRJ), com especialização em Biossegurança de OGMs pelo Genok/Universidade de Tromso (Noruega). É membro do GT Biodiversidade da Articulação Nacional de Agroecologia.

Gaudêncio Frigotto é graduado em Filosofia e Pedagogia. Mestre e doutor em Educação. Professor titular aposentado em Economia Política da Educação na Universidade Federal Fluminense (UFF) e, atualmente, professor associado ao Programa de Pós-Graduação em Políticas Públicas e Formação Humana da Universidade do Estado do Rio de Janeiro (Uerj).

Geraldo José Gasparin é militante do Movimento dos Trabalhadores Rurais Sem Terra no setor de formação. Graduado em Filosofia pela Universidade Federal de Santa Maria (UFSM). Mestre em Desenvolvimento Territorial na América Latina e Caribe pela Universidade Estadual Paulista Júlio de Mesquita Filho (Unesp).

Gilmar dos Santos Andrade é militante da Pastoral da Juventude Rural (PJR), monitor da Escola Família Agrícola do Sertão (Efase), tecnólogo em Agroecologia pela Escola Latino-Americana de Agroecologia (ELAA) e Instituto Federal do Paraná (IFPR), mestre em Educação do Campo pela Universidade Federal do Recôncavo da Bahia (UFRB).

Grazianne Alessandra Simões-Ramos é mestra em Agroecossistemas (UFSC), doutoranda em Meio Ambiente e Desenvolvimento (UFPR).

Guilherme Costa Delgado é pesquisador do Ipea (aposentado) e atual participante da coordenação da Associação Brasileira de Reforma Agrária (Abra).

Henrique Tahan Novaes é docente da Faculdade de Filosofia e Ciências da Universidade Estadual Paulista (Unesp *campus* Marília). Professor do Programa de Pós-Graduação em Educação. Coordenador do Curso Técnico em Agropecuária integrado ao Ensino Médio, com ênfase em Agroecologia e Agrofloresta, parceria Universidade Estadual Paulista (Unesp)/Centro Paula Souza/Movimentos Sociais do Campo.

Hugh Lacey é PhD em História e Filosofia da Ciência pela Universidade de Indiana (EUA), scheuer family professor de Filosofia Emeritus no Swarthmore College, Pensilvânia (EUA) e membro do Grupo de Pesquisa em Filosofia, História e Sociologia da Ciência e da Tecnologia do Instituto de Estudos Avançados da USP, onde foi professor visitante em 2016.

Igor Da Mata Oliveira é engenheiro de pesca, doutor em Oceanografia. Professor da Universidade Federal de Alagoas (UFAL).

Ines Claudete Burg é graduada em Pedagogia pela Universidade Federal de Santa Maria (1986) e em Engenharia Agronômica pela mesma universidade (1993), possui mestrado em Agroecossistemas pela Universidade Federal de Santa Catarina (2005) e doutorado em Recursos Genéticos Vegetais pela mesma universidade (UFSC). Docente do Curso de Agronomia – Ênfase em Agroecologia da Universidade Federal da Fronteira Sul (UFFS– *campus* Chapecó). Integrante dos Grupos de Trabalho de Educação em Agroecologia, Gênero e Biodiversidade da Associação Brasileira de Agroecologia (Aba).

Iracema Ferreira de Moura é analista técnica de políticas sociais na Coordenação Geral de Alimentação e Nutrição do Ministério da Sáude. Professora colaboradora da Universidade de Brasília, doutora em Ciência, Tecnologia e Inovação em Agropecuária na sub-área de políticas públicas comparadas.

Irene Maria Cardoso é membra do Núcleo de Educação do Campo e Agroecologia (edital 21/2016/CNPq). PhD em Ciências Ambientais, professora do Departamento de Solos da Universidade Federal de Viçosa, ministra as disciplinas de Gênese do Solo e Agroecologia.

Iridiani Graciele Seibert é militante do Movimento de Mulheres Camponesas (MMC). Engenheira agrônoma, mestre em Estudos Latino-Americanos da Universidade de Brasília.

Islandia Bezerra é nutricionista, com mestrado e doutorado em Ciências Sociais pela Universidade Federal do Rio Grande do Norte (UFRN) e pós-doutorado na Universidad Autónoma de Chapingo (UACh), México. Coordenadora do Grupo de Pesquisa Mongaru (Alimentar): Agroecologia, Soberania e Segurança Alimentar e Nutricional. Educadora colaboradora na Escola Latino-Americana de Agroecologia (ELAA). Professora adjunta do Departamento de Nutrição e professora dos Programas de Pós-Graduação de Alimentação e Nutrição (PPGAN) e de Sociologia (PGSOCIO) da Universidade Federal do Paraná (UFPR). Vice-Presidenta Nacional da Associação Brasileira de Agroecologia/Aba (2018-2019).

Itelvina Maria Masioli é camponesa e pedagoga, membra da direção estadual do Movimento dos Trabalhadores Rurais Sem Terra de Mato Grosso (MST-MT) e da coordenação do coletivo de formação da Coordinadora Latinoamericana de Organizaciones del Campo (Cloc-VC-SUDAMÉRICA).

Iuri Assunção é graduado em Relações Internacionais pela Universidade Estadual da Paraíba (UEPB), mestre em Direitos Humanos pelo Programa de Pós-Graduação em Ciências Jurídicas da Universidade Federal da Paraíba (UFPB) e doutorando no Programa de Pós-Graduação Multidisciplinar em Cultura e Sociedade da Universidade Federal da Bahia (UFBA). É associado ao Instituto de Pesquisa, Direitos e Movimentos Sociais (IPDMS).

Jade Percassi é bacharel em Ciências Sociais, licenciada em Sociologia, mestra e doutora em Educação e integrante do Coletivo de Cultura do Movimento dos Trabalhadores Rurais Sem Terra (MST).

Jairo Antônio Bosa é mestre em Agroecossistemas pela Universidade Federal de Santa Catarina (UFSC), doutorando em Meio Ambiente e Desenvolvimento pela Universidade Federal do Paraná (UFPR).

Jaqueline Evangelista Dias é graduada em Engenharia Agronômica, doutoranda em Desenvolvimento Rural.

João Carlos de Campos é pedagogo (2008) e mestre em Educação (2014) pela Universidade Estadual do Oeste do Paraná (Unioeste). Membro do coletivo de direção do Setor de Educação do MST/Paraná.

João Dagoberto dos Santos é engenheiro florestal, mestre e doutor em Recursos Florestais com ênfase em Genética e Conservação da Biodiversidade. Pesquisador do Núcleo de Apoio à Cultura e Extensão da Escola Superior de Agricultura "Luiz de Queiroz", da Universidade de São Paulo (NACE-ESALQ-USP), membro do Movimento Ciência Cidadã e da CTNBIO.

João Pedro Stedile é economista pela Pontifícia Universidade Católica do Rio Grande do Sul, pós-graduado em Economia Política pela Universidade Nacional Autônoma do México (Unam) e militante social da Reforma Agrária.

Jorge Enrique Montalván Rabanal é agrônomo do Núcleo Operativo da Rede Sergipana de Agroecologia. É graduado em Engenharia Agronômica pela Universidade Federal de Sergipe (UFS, 2006), possui especialização em Agroecologia pela Universidade Federal de Santa Catarina (UFSC, 2009) e mestrado em Geografia pela Universidade Federal de Sergipe (UFS, 2015). Assessora os Movimentos Sociais do Campo na construção do modelo agroecológico de produção e da organização camponesa.

José Jonas Duarte da Costa é professor do Departamento de História da Universidade Federal da Paraíba (UFPB) e pesquisador visitante do Instituto Nacional do Semiárido (INSA).

José Maria Tardin é técnico agropecuário, militante do Movimento dos Trabalhadores Rurais Sem Terra (MST), integrante do Setor de Produção, Cooperação e Meio Ambiente/Frente Nacional de Agroecologia.

Julian Perez-Cassarino é doutor em Meio Ambiente e Desenvolvimento pela Universidade Federal do Paraná (UFPR). Professor do Programa de Pós-Graduação em Agroecologia e Desenvolvimento Rural Sustentável (PPGADR) da Universidade Federal da Fronteira Sul (UFFS *campus* Laranjeiras do Sul), coordenador do Núcleo de Estudos Avançados em Soberania e Segurança Alimentar e Nutricional (NEA-SSAN Karu Porã). Membro do Fórum Estadual de Soberania e Segurança Alimentar e Nutricional (FBSSAN) e Rede Brasileira de Pesquisa em Soberania e Segurança Alimentar e Nutricional (RBPSSAN).

Juliana Bonassa é licenciada em História da Arte, mestre em Artes Visuais e integrante do Coletivo de Cultura do Movimento dos Trabalhadores Rurais Sem Terra (MST)

Juliana Torquato Luiz é cientista política, doutora pelo programa Democracia no Século XXI do Centro de Estudos Sociais (CES) da Universidade de Coimbra; associada ao Cepagro, membro do Coletivo Nacional de Agricultura Urbana (CNAU).

Julianna Malerba é assessora da Federação de Órgãos para Assistência Social e Educacional (FASE) e doutoranda do Instituto de Pesquisa e Planejamento Urbano e Regional da Universidade Federal do Rio de Janeiro (IPPUR–UFRJ).
Karen Friedrich é doutora em Saúde Pública, tecnologista em saúde pública da Fiocruz e professora da Universidade Federal do Estado do Rio de Janeiro, membra do Grupo Temático Saúde e Ambiente da Associação Brasileira de Saúde Coletiva (Abrasco).
Karla Emmanuela Ribeiro Hora é graduada em Arquitetura e Urbanismo pela Pontifícia Universidade Católica de Goiás (PUC-GO, 2001), mestre em Geografia pela Universidade Federal de Goiás (UFG, 2003) e doutora em Meio Ambiente e Desenvolvimento pela Universidade Federal do Paraná (UFPR, 2009). É professora associada I na Escola de Engenharia Civil e Ambiental da Universidade Federal de Goiás.
Katya Regina Isaguirre é advogada e mestra em direito empresarial e cidadania. Doutora em Meio Ambiente e Desenvolvimento pela Universidade Federal do Paraná (UFPR). Professora do Departamento de Direito Público da Faculdade de Direito da mesma universidade.
Kelli Mafort integra a coordenação nacional do Movimento dos Trabalhadores Rurais Sem Terra (MST). É mestra e doutora em Ciências Sociais pela Universidade Estadual Paulista Júlio de Mesquita Filho (Unesp *campus* Araraquara).
Ladislau Dowbor é economista, professor titular da Pontifícia Universidade Católica de São Paulo (PUC-SP) e consultor de várias agências da Organização das Nações Unidas (Onu).
Larissa Ambrosano Packer é advogada popular, mestre em Filosofia do Direito pela Universidade Federal do Paraná (UFPR). Faz parte da equipe da Grain para América Latina e é membra do Grupo Carta de Belém.
Laura Barroso Gomes é técnica em Agroecologia da Rede de Intercâmbio de Tecnologias Alternativas, e graduada em Ciências Biológicas.
Leandro Feijó Fagundes é geógrafo pela Universidade Estadual Paulista (Unesp), especialista em Agricultura Familiar Camponesa e Educação do Campo pela Universidade Federal de Santa Maria (UFSM). Contribui, junto à Cooperativa de Trabalho em Serviços Técnicos (Coptec), na área técnica e educacional, desde 1997, com os movimentos sociais do campo. Sócio-fundador do Instituto de Permacultura e Ecovilas da Pampa (Ipep). Atua hoje na Associação Sulina de Crédito e Assistência Rural/Associação Riograndense de Empreendimentos de Assistência Técnica e Extensão Rural (Ascar/Emater–RS).
Leonardo Boff é doutor em Teologia pela Universidade de Munique e um dos fundadores da Teologia da Libertação. Professor emérito da Universidade do Estado do Rio de Janeiro (Uerj).
Leonardo Melgarejo é engenheiro agrônomo e mestre em Economia Rural pela Universidade Federal do Rio Grande do Sul (UFRS), doutor em Engenharia de Produção pela Universidade Federal de Santa Catarina (UFSC). Membro da Associação Brasileira de Agroecologia, do Movimento Ciência Cidadã e colaborador da Campanha Permanente Contra os Agrotóxicos e Pela Vida.

Leonardo Nogueira Alves é assistente social graduado pela Universidade Federal dos Vales do Jequitinhonha e Mucuri (UFVJM), mestre em Serviço Social pela Universidade do Estado do Rio de Janeiro (UERJ) e doutorando em Serviço Social pela Universidade Federal do Rio de Janeiro (UFRJ). É professor do Departamento de Serviço Social da Universidade Federal de Ouro Preto (UFOP).

Leonel Wohlfahrt é pós-graduado em Uso de Recursos Naturais Renováveis, licenciado em Ciência Exatas e Econômicas, educador popular da Federação de Órgãos para Assistência Social e Educacional (Fase/MT).

Leonilde Servolo de Medeiros é professora do Programa de Pós-Graduação de Ciências Sociais em Desenvolvimento, Agricultura e Sociedade da Universidade Federal Rural do Rio de Janeiro (UFRRJ).

Leyza Paloschi de Oliveira é doutora em Produção Vegetal pela Universidade do Estado de Santa Catarina (Udesc), professora e pesquisadora da Universidade Alto Vale do Rio do Peixe (Uniarp).

Lizandra Guedes integra o setor de gênero do Movimento dos Trabalhadores Rurais Sem Terra (MST), é mestra e doutora em Educação pela Universidade de São Paulo (USP).

Lourdes Cardozo Laureano é graduada em Farmácia, coordenadora executiva da Articulação Pacari.

Lúcia Marina dos Santos é assistente social formada pela Universidade Federal do Rio de Janeiro (UFRJ), mestranda em Desenvolvimento Territorial da América Latina e Caribe pela Universidade Estadual de São Paulo (Unesp), membra da Direção Nacional do MST e do Coletivo Internacional de Terra, Água e Território da Via Campesina

Luis Felipe Ulloa Forero é educador popular e pesquisador independente sobre reflexão e ação transdisciplinar, professor convidado do mestrado de Antropologia e liderazgo da Universidade Nacional Autônoma de Nicarágua (Unan-Managua). Trabalhou no Instituto Nacional do Semiarido (INSA).

Luiz Henrique Gomes de Moura é militante do MST em Goiás e integra o Setor de Produção, Cooperação e Meio Ambiente. É engenheiro florestal pela Universidade de Brasília (UnB), especialista em Agroecologia e mestre em Agroecossistemas pela Universidade Federal de Santa Catarina (UFSC), doutor em Geografia pela Universidade Federal de Goiás (UFG).

Luiza Chuva Ferrari Leite é professora da Rede Municipal do Rio de Janeiro. Mestre em Geografia.

Maitê Edite Sousa Maronhas é mestranda em Ciências Ambientais pela Universidade Federal Rural de Pernambuco (UFRPE) e foi assessora da coordenação do Programa de Manejo da Agrobiodiversidade – Sementes do Semiárido da Articulação do Semiárido Brasileiro (ASA).

Manoel Baltasar Baptista da Costa é engenheiro agrônomo pela Escola Superior de Agricultura "Luiz de Queiroz" (ESALQ/USP, 1964). Entre os anos 1970 e 1980 participou do Movimento de Agricultura Alternativa, e a partir dos anos 1990, do Movimento de Agroecologia. Trabalhou na área de planejamento nos anos 1970, em meados dos anos 1980 ingressou no Estado (CNPq, CPRN/SP, IAPAR), em meados

dos anos 1990 ingressou na Universidade Federal de São Carlos (UFSCar), onde foi o responsável pela criação do curso de Agroecologia em Araras.

Marcelo Durão Fernandes D'Oliveira é engenheiro agrônomo formado pela Universidade Federal Rural do Rio de Janeiro (UFRRJ) com Especialização em Estudos Latino-Americanos pela Universidade Federal de Juiz de Fora (UFJF) e Mestrado em Saúde Pública pela Escola Nacional de Saúde Pública Sergio Arouca (Fiocruz). Militante do MST, contribuiu com o debate da Agroecologia, com a organização de assentamentos e com a organização e coordenação de cursos de formação. Atualmente compõe a Brigada Internacionalista em Cuba.

Marcelo Firpo de Souza Porto é graduado em Engenharia de Produção e em Psicologia, doutor em Engenharia de Produção na Universidade Federal do Rio de Janeiro (Coppe/UFRJ, 1994), possui pós-doutorado pela Universidade de Frankfurt (2001-2003) e pela Universidade de Coimbra (2016-2017). É coordenador e pesquisador do Núcleo Ecologias, Epistemologias e Promoção Emancipatória da Saúde (Neepes/ENSP/Fiocruz). Membro do GT Saúde e Ambiente da Associação Brasileira de Saúde Coletiva (Abrasco). Trabalha na interface de três campos do conhecimento: saúde coletiva, ecologia política e as epistemologias do Sul.

Marcelo Silva Pedroso é médico veterinário, possui especialização em Homeopatia pela Fundação Benoit Müre, vinculada à Associação Catarinense de Medicina (ACM), é extensionista Rural pela Empresa de Pesquisa Agropecuária e Extensão Rural de Santa Catarina (Epagri).

Marcelos João Alves é pesquisador do Laboratório de Educação do Campo e Estudos da Reforma Agrária (LECERA) do Centro de Ciências Agrárias da Universidade Federal de Santa Catarina (CCA-UFSC). É mestre em Geografia.

Márcio Gomes da Silva é professor assistente no Curso de Licenciatura em Educação do Campo da Universidade Federal de Viçosa (UFV). É mestre em Extensão Rural (UFV) e doutor em Educação pela Universidade Federal Fluminense (UFF).

Maria Consolación Fernandez Villafane Udry é pesquisadora da Empresa Brasileira de Pesquisa Agropecuária (Embrapa), mestra em Administração Pública e Governo pela Fundação Getúlio Vargas (FGV) e doutora em Desenvolvimento Sustentável pela Universidade de Brasília (UnB).

Maria Cristina Vargas é formada em Pedagogia, especialista em Educação do Campo e educadora. Militante do Movimento dos Trabalhadores Rurais Sem Terra.

Maria Emília Lisboa Pacheco é antropóloga, assessora da Federação de Órgãos para Assistência Social e Educacional (Fase).

Maria Isabel Antunes-Rocha é doutora em Educação pela Universidade Federal de Minas Gerais (UFMG), e professora associada na Faculdade de Educação da mesma universidade. Coordenadora do Núcleo de Estudos e Pesquisas em Educação do Campo (NEPCampo). Participa da Rede Mineira de Educação do Campo e da Comissão Permanente de Educação do Campo do Estado de Minas Gerais.

Maria José Guazzelli é engenheira agrônoma, co-fundadora do Centro Ecológico/RS, trabalhando com agricultura ecológica desde os anos 1970.

Marilia Andrade Fontes é engenheira florestal, mestra em Agroecossistemas e doutora em Geografia Agrária.

Marilia Carla de Mello Gaia é professora adjunta e coordenadora do Laboratório de Educação do Campo e Estudos da Reforma Agrária (Lecera) do Centro de Ciências Agrárias da Universidade Federal de Santa Catarina (CCA-UFSC). Militante do Movimento dos Trabalhadores Rurais Sem Terra (MST-SC). Doutora em Educação.
Marlene Lucia Siebert Sapelli é integrante do Setor Estadual de Educação do Movimento dos Trabalhadores Rurais Sem Terra (MST-PR), docente aposentada da Universidade Estadual do Centro-Oeste (Guarapuava/PR) e doutora em Educação.
Maureen Santos é ecologista, mestre em Ciências Políticas pela Universidade Federal do Rio de Janeiro (IFCS/UFRJ) e bacharel em Relações Internacionais pela Universidade Estácio de Sá (Unesa). Atualmente é coordenadora do Grupo Nacional de Assessoria da Fase, professora do Departamento de Relações Internacionais (IRI) da PUC-Rio e coordena a Plataforma Socioambiental do think tank Brics Policy Center, que pertence ao IRI. Apresenta o programa Ecoinspiração do canal da Midia Ninja no *youtube*. Ao longo dos últimos quinze anos vem acompanhando e incidindo, por meio de representação de redes, articulações e organizações da sociedade civil, em negociações de comércio internacional, integração regional e mudanças climáticas. Desde 2008 atua no tema florestas e agricultura, com base na perspectiva da justiça ambiental e climática, da soberania alimentar e da crítica à financeirização da natureza.
Mercedes Queiroz Zuliani é terapeuta ocupacional e acupunturista, mestranda em Política Social do Programa de Pós-Graduação em Política Social da Universidade Federaldo Espírito Santo (Ufes). Integrante do Coletivo de Saúde do MST.
Miriam Nobre integra a equipe da Sempreviva Organização Feminista (SOF), ativista da Marcha Mundial das Mulheres. É agrônoma e mestra pelo Programa de Pós-Graduação Integração da América Latina (Prolam-USP).
Monica Celeida Rabelo Nogueira é doutora em Antropologia Social, professora da Universidade de Brasília *campus* Planaltina e coordenadora do Mestrado Profissional em Sustentabilidade junto a Povos e Territórios Tradicionais (MESPT) da mesma universidade. Dedica-se aos estudos e à ação no campo socioambiental, na defesa de autonomias, povos e territórios tradicionais e à educação para interculturalidade e sustentabilidade.
Murilo Mendonça Oliveira de Souza é doutor em Geografia pela Universidade Federal de Uberlândia (UFU), educador do Curso de Geografia e dos programas de Pós-Graduação em Geografia (PPGEO) e Recursos Naturais do Cerrado (RENAC) da Universidade Estadual de Goiás (UEG), pesquisador do Núcleo de Agroecologia e Educação do Campo (GWATÁ).
Naiara Andreoli Bittencourt é advogada popular na organização de direitos humanos Terra de Direitos, no eixo de biodiversidade e soberania alimentar. Mestra e doutoranda em Democracia e Direitos Humanos pela Universidade Federal do Paraná (UFPR), onde também integra o Núcleo de Estudos Filosóficos (Nefil) e o EKOA: direito, movimentos sociais e natureza. Integrante do Grupo de Trabalho em Biodiversidade da Articulação Nacional de Agroecologia e da Campanha Permanente Contra os Agrotóxicos e Pela Vida.

Naidson Quintela Baptista é assessor do Movimento de Organização Comunitária (MOC), coordenador executivo da Articulação do Semiárido Brasileiro (ASA) e mestre em Teologia Litúrgica.

Natália Almeida Souza é doutoranda em Ciências Sociais pela Universidade Estadual de Campinas (IFCH/Unicamp), mestra pela Universidade Federal Rural do Rio de Janeiro (CPDA/UFRRJ) e bacharel em Gestão Ambiental pela Universidade de São Paulo (USP). Foi bolsista do projeto de Sistematização de Experiências dos Núcleos de Agroecologia animado pela Associação Brasileira de Agroecologia (ABA) e atualmente compõe a equipe de renovação da plataforma do Agroecologia em Rede (ANA, ABA e Fiocruz). Estuda e participa de projetos com foco em metodologias participativas, cultura e educação populares.

Natália Carolina de Almeida Silva é doutora em Recursos Genéticos Vegetais pela Universidade Federal de Santa Catarina (UFSC), mestre em Ciências Agrárias com Ênfase em Agroecologia pela Universidade Federal de Minas Gerais (UFMG) e pesquisadora do Grupo Interdisciplinar de Estudos em Agrobiodiversidade (InterABio).

Nívia Regina da Silva é agrônoma pela Universidade Federal Rural do Rio de Janeiro (UFRRJ), possui especialização em Agroecologia e mestrado em Agroecossistema pela Universidade Federal de Santa Catarina (UFSC). Militante do MST, trabalhou nos assentamentos, na Campanha Permanente contra Agrotóxicos e pela Vida, na formação e coordenação cursos de especialização e mestrado em parcerias com a UFRRJ e Fiocruz, além de compor a brigada internacionalista em Cuba.

Patricia Constante Jaime é nutricionista, professora da Faculdade de Saúde Pública da Universidade de São Paulo e doutora em Saúde Pública.

Patrícia Dias Tavares é doutora em Ciências Ambientais e Florestais pela Universidade Federal Rural do Rio de Janeiro (UFRRJ), professora do Instituto Federal de Educação, Ciência e Tecnologia de Goiás (IFG) e pesquisadora do Núcleo de Estudo e Pesquisa em Agroecologia e Agroecossistema (Nepaa).

Patrícia Goulart Bustamante é agrônoma com doutorado em Genética/Bioquímica pela Universidade Federal do Rio de Janeiro (UFRJ) e pós-doutorado em Patrimônios Locais pelo Institute de Recherche pour le Deveplopment (IRD). Pesquisadora A da Embrapa Alimentos e Territórios (Maceió/AL), Membro do Comitê Científico do Programa GIAHS (Globally Important Agriculture Heritage Systems) da Organização das Nações Unidas para Alimentação e Agricultura (FAO).

Páulea Zaquini é tecnologista em Saúde Pública da Escola Politécnica de Saúde Pública Joaquim Venâncio/Fiocruz. Mestre em Saúde Pública.

Paulo André Niederle é doutor em Ciências Sociais, professor dos Programas de Pós-Graduação em Sociologia (PPGS) e Desenvolvimento Rural (PGDR) da Universidade Federal do Rio Grande do Sul.

Paulo Brack é professor do Departamento de Botânica do Instituto de Biociências da Universidade Federal do Rio Grande do Sul (UFRGS). Doutor em Ecologia e Recursos Naturais pela Universidade Federal de São Carlos (UFSCar).

Paulo F. Petersen é agrônomo, doutor em Estudos Ambientais pela Universidade Pablo de Olavide (Espanha). Coordenador Executivo da AS-PTA e Membro do Núcleo Executivo da Articulação Nacional de Agroecologia.

Paulo Roberto Raposo Alentejano é professor do Departamento de Geografia da Faculdade de Formação de Professores da Universidade do Estado do Rio de Janeiro (Uerj). Doutor em Ciências Sociais.
Pedro Boff é doutor em Ecologia da Produção e Conservação de Recursos Naturais pela Universidade de Wageningen (Holanda); pesquisador da Empresa de Pesquisa Agropecuária e Extensão Rural de Santa Catarina (Epagri), alocado no Laboratório de Homeopatia e Saúde Vegetal (EELages/SC), professor colaborador no Programa de Pós-Graduação em Produção Vegetal (Udesc-Lages/SC) e no Programa de Pós-Graduação Interdisciplinar Ambiente e Saúde da Universidade do Planalto Catarinense (Uniplac-Lages/SC).
Pedro Ivan Christoffoli é engenheiro agrônomo pela Universidade Federal de Santa Catarina (UFSC, 1986), especialista em Cooperativismo pela Universidade do Vale do Rio dos Sinos (Unisinos, 1996), mestre em Administração pela Universidade Federal do Paraná (UFPR, 2000) e doutor em Desenvolvimento Sustentável pela Universidade de Brasília (Unb, 2009). Professor da Universidade Federal da Fronteira Sul (UFFS). Coordenador do Núcleo de Estudos em Cooperação (Necoop/UFFS). Professor do Programa de Pós-Graduação em Agroecologia e Desenvolvimento Rural Sustentável (UFFS) e do Mestrado em Desenvolvimento Territorial da América Latina da Universidade Estadual de São Paulo (Unesp).
Pedro Jovchlevich é graduado em Engenharia Agronômica pela Escola Superior de Agricultura "Luiz de Queiroz (ESALQ-USP,1993), possui MBA em Agricultura Biológico-Dinâmica pela Universidade de Uberaba (UNIUBE/Instituto ELO, 2006), mestrado em horticultura pela Universidade Estadual de São Paulo (FCA–Unesp, 2007) e doutorado pela mesma universidade em 2011. Docente no curso de especialização *lato sensu* em agricultura Biodinâmica da Associação Elo e Uniube.
Raquel Maria Rigotto é professora titular aposentada da Universidade Federal do Ceará, doutora em Sociologia.
Renata Couto Moreira integra o Setor de Formação do MST/ES. Doutora em Economia Aplicada e professora do Departamento de Economia e da Pós-Graduação em Política Social da Universidade Federal do Espírito Santo. Coordena o Grupo do CNPq de Estudos Marxistas da Dependência – Coletivo Anatália de Melo.
Rita Zanotto é militante do MST e da Via Campesina. Possui graduação em Ciências Sociais pela Pontifícia Universidade Católica do Rio Grande do Sul (PUC-RS), especialização em Estudos Latino-Americanos pela Universidade Federal do Rio de Janeiro (UFRJ), mestrado em Desenvolvimento Territorial na América Latina e Caribe, pela Universidade Estadual Paulista Júlio de Mesquita Filho (Unesp).
Rodrigo de A. C. Lamosa é professor da Universidade Federal Rural do Rio de Janeiro (UFRRJ), credenciado no Programa de Pós-Graduação em Educação, Contextos Contemporâneos e Demandas Populares (PPGEduc) e coordenador do grupo de pesquisa Laboratório de Investigação em Estado, Poder e Educação (Liepe). Bacharel e licenciado em História pela Universidade Federal Fluminense (UFF), mestre e doutor em Educação pelo Programa de Pós-Graduação em Educação (PPGE) da Universidade Federal do Rio de Janeiro (UFRJ).

Romier da Paixão Sousa é professor do Instituto Federal de Educação, Ciência e Tecnologia do Pará, membro do Programa de Pós-Graduação em Desenvolvimento Rural e Gestão de Empreendimentos Agroalimentares – Castanhal (PA), Brasil. Doutor em Estudos sobre o Meio Ambiente.

Ronaldo Travassos, pedagogo, professor-pesquisador do Laboratório de Atenção à Saúde da Escola Politécnica de Saúde Joaquim Venâncio/Fiocruz.

Rosane Freire Lacerda é advogada indigenista, professora adjunta do curso de Medicina do *campus* Agreste da Universidade Federal de Pernambuco (UFPE). Doutora em Direito, Estado e Constituição pela Universidade de Brasília (UnB).

Roseli Salete Caldart é doutora em Educação pela Universidade Federal do Rio Grande do Sul. Participa do Setor de Educação do MST e do Fórum Nacional de Educação do Campo.

Rosmeri Witcel é militante do Movimento dos Trabalhadores Rurais Sem Terra, atuando como coordenação pedagógica da Escola Nacional Florestan Fernandes (ENFF). Possui graduação em História pela Universidade Federal da Paraíba (UFPB, 2008), especialização em Residência Agrária pela Faculdade Unb Planaltina, mestrado em Desenvolvimento Territorial na América Latina e Caribe pela Universidade Estadual Paulista Júlio de Mesquita Filho (Unesp).

Salomão Mufarrej Hage é doutor em Educação pela Pontifícia Universidade Católica de São Paulo (PUC-SP), professor do Instituto de Ciências da Educação da Universidade Federal do Pará, coordenador do Grupo de Estudo e Pesquisa em Educação do Campo na Amazônia (Geperuaz) e integra a coordenação do Fórum Paraense de Educação do Campo.

Sandra Luciana Dalmagro é doutora em Educação pela Universidade Federal de Santa Catarina (UFSC) e pós-doutora pela Universidade de Lisboa. É professora no Centro de Ciências da Educação da UFSC.

Saulo Ferreira Feitosa é professor adjunto do curso de Medicina do *campus* Agreste da Universidade Federal de Pernambuco (UFPE). Doutor em Bioética pela Universidade de Brasília (UnB).

Silvana dos Santos Moreira é docente de Agroecologia no Instituto Federal do Paraná, doutoranda em Ciências Sociais Aplicadas.

Sílvia Ribeiro é pesquisadora e coordenadora de programas do Grupo ETC (México). Jornalista e ativista ambiental, membro da comissão editorial da *Revista Latino-Americana Biodiversidad, sustento y culturas* e do jornal espanhol *Ecología Política*, entre outros.

Silvio Gomes Almeida é economista e mestre em Economia da Agricultura e da Alimentação pela Universidade de Paris-Sorbonne. Coordenador Executivo da AS-PTA.

Silvio Isoppo Porto é professor e pesquisador da Universidade Federal do Recôncavo da Bahia (UFRB).

Silvio Simione da Silva é professor associado do Centro de Filosofia e Ciências Humanas da Universidade Federal do Acre. Doutor em Geografia pela Faculdade de Ciências e Tecnologia da Universidade Estadual Paulista (FCT/Unesp); com Estágio de Pós-doutor pelo Instituto de Estudos Socioambientais da Universidade Federal de Goiás (IESA/UFG).

Simone Aparecida Rezende é pedagoga pela Universidade Estadual do Oeste do Paraná (Unioeste, 2008), mestre em Educação pela Universidade Federal do Paraná (UFPR, 2018), membra da Coordenação Pedagógica da Escola Latino-Americana de Agroecologia (ELAA).

Sonia Regina de Mendonça integra o Programa de Pós-Graduação em História da Universidade Federal Fluminense, é doutora em História e Pesquisadora I do CNPq.

Sylviane Guilherme é licenciada e bacharel em Dança, licenciada em Educação Física, especialista em Educação pela Arte e em Educação em Linguagens nas Escolas do Campo, mestre em Desenvolvimento Territorial e integrante do Coletivo de Cultura do MST.

Thaís Terezinha Paz é graduada em História pela Universidade Federal de Santa Maria (UFSM), especialista em estudos latino-americanos pela Escola Nacional Florestan Fernandes (ENFF) em parceria com a Universidade Federal de Juiz de Fora (UFJF) e mestranda em História na Universidade Federal Fluminense (UFF).

Ticiano Rodrigo Almeida Oliveira é engenheiro de esca, mestre em Ecologia Humana e Gestão Socioambiental (UNEB) e doutorando em Desenvolvimento e Meio Ambiente (Prodema-UFS). Atua com programas e projetos de pesquisa-ação referentes ao desenvolvimento sustentável de povos e comunidades tradicionais, em especial pescadores artesanais.

Uschi Cristina Silva é mestre em Geografia pelo Programa de Pós-Graduação em Geografia da Universidade Federal de Pernambuco (UFPE), membro do Coletivo Nacional de Agricultura Urbana (CNAU) e do Núcleo de Educação, Pesquisa e Práticas em Geografia Ayni (Geografia/UFPE).

Valéria Pereira Santos é mestre em Demandas Populares e Dinâmicas Regionais, articuladora da Comissão Pastoral da Terra (CPT–Cerrado).

Valter de Jesus Leite é membro do Setor de Educação do MST, mestre e doutorando em Educação pela Universidade Estadual de Maringá (UEM). Bolsista CNPq.

Vicente Eduardo Soares de Almeida é mestre em Planejamento e Gestão Ambiental, pesquisador em Impactos Ambientais.

Virgínia Fontes é historiadora. Docente da Pós-Graduação de História (UFF), do Programa de Pós-Graduação da EPSJV-Fiocruz, da Escola Nacional Florestan Fernandes/MST e integrante do Núcleo Interdisciplinar de Estudos e Pesquisas Sobre Marx e o Marxismo (NIEP-Marx/UFF).

Viviana Rojas Flores (Biby) é amazônica, feminista, equatoriana, intenacionalista, comunicadora popular, militante de La Vía Campesina, licenciada em Comunicación Social mención Desarrollo pela Universidad Salesiana (Quito, Ecuador).

Willer Araujo Barbosa é professor do Departamento de Educação da Universidade Federal de Viçosa (UFV).